Ханья Янагихара
МАЛЕНЬКАЯ ЖИЗНЬ

Hanya Yanagihara
A LITTLE LIFE

Ханья Янагихара

МАЛЕНЬКАЯ ЖИЗНЬ

Перевод с английского
Александры Борисенко, Анастасии Завозовой,
Виктора Сонькина

издательство аст

москва

УДК 821.111-31(73)
ББК 84(7Сое)-44
      Я60

This edition is published by arrangement with Aitken Alexander Associates Ltd. and The Van Lear Agency LLC

Художественное оформление и макет Андрея Бондаренко

Янагихара, Ханья.

Я60   Маленькая жизнь : роман / Ханья Янагихара ; пер. с англ. А. Борисенко, А. Завозовой, В. Сонькина. — Москва : Издательство АСТ : CORPUS, 2023. — 688 с.

ISBN 978-5-17-097119-0

Университетские хроники, древнегреческая трагедия, воспитательный роман, скроенный по образцу толстых романов XIX века, страшная сказка на ночь — к роману американской писательницы Ханьи Янагихары подойдет любое из этих определений, но это тот случай, когда для каждого читателя книга становится уникальной, потому что ее не просто читаешь, а проживаешь в режиме реального времени. Для кого-то этот роман станет историей о дружбе, которая подчас сильнее и крепче любви, для кого-то — книгой, о которой боишься вспоминать и которая в книжном шкафу прячется, как чудище под кроватью, а для кого-то "Маленькая жизнь" станет повестью о жизни, о любой жизни, которая достойна того, чтобы ее рассказали по-настоящему хотя бы одному человеку.

УДК 821.111-31(73)
ББК 84(7Сое)-44

ISBN 978-5-17-097119-0

Оглавление

Моему другу Джареду Холту — с любовью

I

I

ЛИСПЕНАРД-СТРИТ

1

———

одиннадцатой квартире стенной шкаф был всего один, зато за раздвижной стеклянной дверью обнаружился балкончик, и с этого балкончика он видел мужчину, который курил на улице в одной футболке и шортах, хотя стоял октябрь. Виллем помахал ему, но мужчина не ответил на приветствие.

В спальне Джуд открывал и закрывал дверь-гармошку стенного шкафа.

— Здесь только один шкаф, — сказал он.

— Ничего, — ответил Виллем. — Мне все равно нечего туда класть.

— Мне тоже.

Они улыбнулись друг другу.

Агентша, сдававшая квартиры в этом здании, вошла следом за ними.

— Мы согласны, — сказал ей Джуд.

Но когда они вернулись в офис агентства, выяснилось, что квартиру им не сдадут.

— Почему? — спросил Джуд.

— Ваш заработок не покрывает арендную плату за полгода, и сбережений у вас нет, — сказала вдруг охладевшая к ним агентша.

Она проверила их кредитную историю и банковские счета и наконец сообразила, что неспроста два молодых человека за двадцать, явно не пара, пытаются снять квартиру с одной спальней на скучном (хоть и все равно дорогом) отрезке Двадцать пятой улицы.

— Может кто-нибудь подписать договор как ваш поручитель? Начальник, родители?

— Наши родители умерли, — быстро ответил Виллем.

Агентша вздохнула.

— Тогда советую вам умерить аппетиты. Ни в одном приличном доме не сдадут квартиру съемщикам с вашим финансовым положением.

———

Она решительно встала и многозначительно посмотрела на дверь.

Однако, рассказывая об этом Джей-Би и Малкольму, они представили все в комическом свете: якобы дверь квартиры была вся загажена мышиным пометом, мужик напротив чуть ли трусы перед ними не снял, а агентша обозлилась оттого, что Виллем не отвечал на ее авансы.

— Какой идиот захочет жить на углу Двадцать пятой и Второй? — спросил Джей-Би.

Они сидели в "Фо Вьет Хыонг" в Чайнатауне, где собирались на ужин дважды в месяц. "Фо Вьет Хыонг" был типичной тошниловкой — фо здесь был странно приторным, сок лайма отдавал мылом, и по крайней мере одному из них непременно становилось плохо после этих ужинов; но они все равно приходили, по привычке и из-за дешевизны. Здесь давали миску супа или сэндвич за пять долларов, а основное блюдо стоило от восьми до десяти, но порции были огромные, так что можно было половину доесть назавтра или в тот же день перед сном. Один Малкольм никогда не съедал свое блюдо целиком и ничего не брал с собой — закончив есть, он ставил свою тарелку в центр стола, чтобы вечно голодные Виллем и Джей-Би могли доесть оставшееся.

— Ясное дело, мы не *хотим* жить на углу Двадцать пятой и Второй, Джей-Би, — кротко сказал Виллем. — Но выбирать не приходится. Ты же знаешь, у нас нет денег.

— Я не понимаю, почему нельзя все оставить как есть, — сказал Малкольм, гоняя по тарелке грибы и тофу под пристальным взглядом Виллема и Джей-Би, — он всегда заказывал одно и то же: вешенки с жареным тофу в густом темном соусе.

— Ты же знаешь, я не могу, — сказал Виллем. За последние три месяца он объяснял это Малкольму раз десять. — Меррит съезжается со своим бойфрендом, так что мне придется свалить.

— Но почему именно тебе?

— Потому что квартиру снимает Меррит! — сказал Джей-Би.

— А, — сказал Малкольм и притих. Он часто забывал то, что казалось ему несущественным, но зато не обижался, когда окружающие выходили из себя от его забывчивости. — Понятно. — Он поставил грибы в центр стола. — Но ты-то, Джуд…

— Я не могу оставаться у вас вечно, Малкольм. Твои родители рано или поздно меня просто убьют.

— Мои родители тебя обожают.

— Это приятно слышать, но если я скоро не съеду, они меня разлюбят.

Малкольм единственный из четверых до сих пор жил дома, и, как любил говорить Джей-Би, будь у него такой дом, он бы тоже там жил. Не то чтобы это жилище отличалось особой роскошью — оно было запущенным и скрипучим, а Виллем однажды загнал себе занозу, просто проведя рукой по перилам, — но это был большой, настоящий верхне-истсайдский особняк. Сестра Малкольма Флора, на три года его старше, недавно съехала из полуподвальных комнат, и Джуд временно там обосновался. Родители Малкольма собирались превратить эти комнаты в офис литературного агентства, принадлежащего матери, и это означало, что Джуду (которому все равно трудно было преодолевать лестницу) придется найти себе что-то другое.

Само собой разумелось, что они поселятся вместе с Виллемом, они и в колледже жили в одной комнате. На первом курсе они жили вместе все вчетвером: в их распоряжении была гостиная с бетонными стенами, где стояли письменные столы, стулья и диван, привезенный тетками Джей-Би на трейлере, а также крошечная спальня с парой двухэтажных кроватей. Комнатка была такой узкой, что Малкольм и Джуд, занимавшие нижние койки, могли бы взяться за руки, не вставая. Над Малкольмом спал Джей-Би, над Джудом — Виллем.

— Белые против черных, — говорил Джей-Би.

— Джуд не белый, — возражал Виллем.

— А я не черный, — добавлял Малкольм, не столько всерьез, сколько чтобы позлить Джей-Би.

— Короче, — сказал Джей-Би, придвигая к себе вилкой тарелку с грибами, — я бы пригласил вас пожить со мной, но вы там охренеете.

Джей-Би жил в огромном грязном лофте в Маленькой Италии, где странные коридоры вели в бесполезные тупики причудливой формы или в недокомнаты с недостроенными гипсокартонными стенами. Это жилище принадлежало еще одному их однокашнику. Эзра был художником, причем плохим, но зачем ему стараться, говорил Джей-Би, ему ведь никогда в жизни не придется работать. И ведь не только ему, но и его детям, и детям детей: они будут плодить негодные, непродаваемые, никчемные произведения искусства, а себе покупать лучшие картины, какие только душа пожелает; они смогут приобретать непрактичные огромные лофты в центре Манхэттена и как угодно уродовать их своими архитектурными потугами, а устав от жизни вольных художников — Джей-Би был уверен, что именно так и случится с Эзрой, — просто-напросто пойдут к своему банкиру и получат огромную кучу денег, им четверым таких деньжищ в жизни не видать (ну разве только Малкольму). Пока что, однако, знакомство с Эзрой приносило много пользы: не только потому, что он позволял Джей-Би и другим бывшим соученикам жить у себя — в любое время в разных концах лофта гнездилось четыре-пять человек, — но и потому, что он был человек благодушный и щедрый от природы и любил закатывать грандиозные вечеринки с огромным количеством бесплатной еды, алкоголя и наркотиков.

— Погодите-ка, — сказал Джей-Би, опустив палочки. — Я вдруг сообразил: у нас в журнале одна девица сдает квартиру своей тетки. Практически на краю Чайнатауна.

— Почем? — спросил Виллем.

— Может, даже задаром — она не знает, сколько за нее просить. Но хочет, чтобы там жили знакомые.

— А ты можешь замолвить за нас словечко?

— Лучше того — я вас познакомлю! Можете прийти завтра ко мне на работу?

Джуд вздохнул:

— Я не смогу отлучиться. — Он посмотрел на Виллема.

— Не волнуйся, я смогу. Во сколько?

— В обеденный перерыв, наверное. В час?

— Договорились.

Виллем все еще был голоден, но дал Джей-Би доесть грибы. Потом они немного еще подождали: иногда Малкольм заказывал мороженое из джекфрута (единственное блюдо в меню, которое всегда удавалось), откусывал от него раза два, потом откладывал, и Виллем с Джей-Би его приканчивали. Но на этот раз Малкольм не заказал мороженого, так что они попросили счет, изучили его и разделили до последнего доллара.

На следующий день Виллем пришел на работу к Джей-Би. Джей-Би работал в Сохо, в приемной маленького, но влиятельного журнала, который писал об экспериментальном искусстве Нью-Йорка. Это был стратегический выбор: план Джей-Би, как он объяснил однажды Виллему, заключался в том, чтобы завязать дружбу с редактором и стать героем статьи. По его расчету, на это должно было уйти полгода, то есть теперь оставалось еще три месяца.

На работе с лица Джей-Би не сходило выражение легкого недоумения — оттого, что ему вообще приходится работать, и оттого, что никто до сих пор не разглядел в нем уникальный талант. Свои обязанности он выполнял из рук вон плохо. Хотя телефоны не замолкали, он редко брал трубку; когда кто-то из друзей пытался ему дозвониться (мобильная связь в здании была ненадежной), приходилось следовать специальному коду: два звонка, отбой, еще один. И даже в этом случае он мог не ответить — его руки под столом были заняты расчесыванием и плетением прядей волос, которые он доставал из черного мусорного мешка, стоявшего у ног.

Джей-Би называл это "мой волосяной период". Недавно он решил сделать перерыв в живописи и переключиться на создание композиций из черных волос. Каждому из друзей пришлось пережить утомительный уикенд, таскаясь за Джей-Би из парикмахерской в парикмахерскую в Квинсе, Бруклине, Бронксе и на Манхэттене, околачиваться снаружи, пока Джей-Би ходил спрашивать владельцев, нет ли для него обрезков, а потом тащить за ним по улицам распухающий по пути мешок с волосами. Среди его ранних вещей была "Булава": теннисный мячик, который он побрил, разрезал пополам и заполнил песком, а затем намазал клеем и возил по ковру волос туда-сюда, так что обрезки волос качались, будто подводные водоросли; и серия "Насущное" — идея была в том, чтобы покрывать волосами различные бытовые предметы: степлер, лопатку, чашку. Сейчас он работал над масштабным проектом, который отказывался с ними обсуждать, но из отдельных намеков было ясно, что проект предполагает расчесывание и сплетение огромного количества прядей, так что на выходе должна получиться бесконечная веревка из курчавых черных волос. В прошлую пятницу он заманил их к себе обещанием пиццы и пива, чтобы они помогли ему плести косички, а после долгих часов нудной работы стало ясно, что ни пиццы, ни пива не предвидится, и они ушли, разочарованные, но не слишком удивленные.

Им всем до смерти надоел волосяной проект, хотя Джуд — единственный из них — считал, что вещи получаются милые и что когда-нибудь их сочтут значительными. В благодарность за это Джей-Би подарил Джуду щетку для волос, всю покрытую волосами, но потом забрал ее обратно, потому что ему показалось, будто друг отца Эзры хочет ее купить. (Тот щетку не купил, но Джей-Би так и не вернул ее Джуду.) Волосяной проект оказался сложным во многих отношениях: в другой вечер, когда Джей-Би опять каким-то чудом уговорил всех троих прийти в Маленькую Италию чесать волосы, Малкольм заметил, что они воняют. Так и было: запах был не особенно противный, просто резкий металлический душок немытой головы. Но Джей-Би закатил форменную истерику, обозвал Малкольма негром-расистом, дядей Томом, предателем своего народа, и Малкольм, который сердился крайне редко, но уж если сердился, то как раз на подобные обвинения, встал, вылил остатки вина в ближайший мешок с волосами и ушел. Джуд по мере сил постарался его догнать, а Виллем остался успокаивать Джей-Би. Несмотря на то что эти двое на другой день помирились, Виллем и Джуд продолжали злиться на Малкольма (хотя понимали, что это несправедливо) и в следующий уикенд опять приехали в Квинс и ходили по парикмахерским, пытаясь собрать мешок волос взамен испорченного.

— Как жизнь на черной планете? — спросил Виллем у Джей-Би.

— Черна, — ответил Джей-Би, расплетая очередную косичку и засовывая волосы обратно в мешок. — Пошли, я сказал Аннике, что мы будем на месте в час тридцать. — Телефон на его столе снова зазвонил.

— Не хочешь взять трубку?

— Перезвонят.

Всю дорогу Джей-Би жаловался на жизнь. Пока что он направлял свои чары на старшего редактора по имени Дин, которого они между собой называли ДиЭн. Как-то они втроем были на вечеринке в "Дакоте", в квартире, принадлежавшей родителям одного редактора, где одна увешанная картинами и фотографиями комната плавно перетекала в другую. Пока Джей-Би болтал на кухне с коллегами, Малкольм и Виллем прошлись по квартире (а где в тот вечер был Джуд? Работал, должно быть), посмотрели висевшего в гостевой спальне Буртинского, увидели знаменитые водонапорные башни Бехеров, которые висели над столом в четыре ряда по пять снимков; огромного Гурски, висящего над низким стеллажом в библиотеке, и, наконец, в хозяйской спальне обнаружили целую стену Дианы Арбус, причем фотографии были развешены так плотно, что оставалось всего несколько сантиметров свободной стены сверху и снизу. Они стояли, восхищаясь изображением двух хорошеньких девочек с синдромом Дауна, позирующих перед камерой в слишком легких, слишком детских купальниках, когда к ним подошел Дин. Это был высокий мужчина, но лицо у него было маленькое, крысиное, рябое и оттого не внушало доверия.

Они представились и объяснили, что они друзья Джей-Би. Дин сказал, что он старший обозреватель и отвечает за все новинки.

— А, — сказал Виллем, стараясь не встречаться глазами с Малкольмом, чтобы тот не рассмеялся. Джей-Би говорил им, что его потенциальная мишень — старший обозреватель, наверняка это он.

— Вы когда-нибудь видели что-нибудь подобное? — спросил он, указывая на работы Арбус.

— Никогда, — ответил Виллем. — Мне страшно нравится Диана Арбус.

Дин застыл, казалось, его мелкие черты собрались в горстку в центре острого личика.

— ДиЭн.

— Что?

— ДиЭн. Ее имя произносится ДиЭн.

Они едва смогли сдержать смех, пока не выбежали из комнаты.

— ДиЭн! — воскликнул позже Джей-Би, когда они пересказали ему этот эпизод. — О боже! Вот же надутый говнюк.

— Но это *твой* надутый говнюк, — сказал Джуд. С тех пор они называли Дина ДиЭн.

Увы, несмотря на все усилия Джей-Би, его цель — стать героем статьи — была так же далека, как и несколько месяцев назад. Джей-Би даже позволил ДиЭну отсосать у него в парилке спортзала, и все без толку. Каждый день Джей-Би находил повод зайти в редакторский отдел и посмотреть на доску, где вывешивались идеи и планы на ближайшие три месяца, записанные на белых карточках, каждый день он всматривался в секцию, посвященную перспективным молодым художникам, в поисках своего имени, и каждый раз его ждало разочарование. Вместо себя он видел имена всяких бездарей и выскочек, нужных людей или знакомых нужных людей.

— Если увижу там Эзру, повешусь, — говорил Джей-Би, на что остальные отвечали "Еще не хватало, Джей-Би", или "Не волнуйся, Джей-Би, рано или поздно все получится", или "На фига тебе это надо, Джей-Би?", на что Джей-Би отвечал, соответственно, "Думаешь?", или "Что-то, блядь, не похоже", или, "Да я уже три месяца своей блядской жизни угрохал на эту херню, и если меня не будет на этой блядской доске, то опять все псу под хвост, как всегда". "Как всегда" означало магистратуру, возвращение в Нью-Йорк, волосяную серию или жизнь в целом, в зависимости от того, насколько мрачно он был настроен.

Джей-Би все еще продолжал жаловаться, когда они свернули на Лиспенард-стрит. Виллем жил в Нью-Йорке недавно — всего год — и никогда не слышал об этой улице, скорее напоминавшей переулок, в два квартала длиной и в одном квартале от Канал-стрит, однако Джей-Би, выросший в Бруклине, тоже о ней не слышал.

Они нашли нужный дом и позвонили в квартиру 5C. Ответила девушка, голос ее в домофоне звучал прерывисто и слабо, она впустила их в подъезд. Внутри их встретил узкий вестибюль с высоким потолком, стены были выкрашены блестящей, темной, какашечно-коричневой краской — им показалось, будто они на дне колодца.

Девушка ждала их у дверей квартиры.

— Привет, Джей-Би, — сказала она.

Потом взглянула на Виллема и покраснела.

— Анника, это мой друг Виллем, — сказал Джей-Би. — Виллем, Анника работает в отделе дизайна. Она классная.

Анника протянула Виллему руку и пробормотала "очень приятно", глядя в пол. Джей-Би пнул Виллема по ноге и ухмыльнулся. Виллем не отреагировал.

— Очень приятно, — сказал он.

— В общем, это квартира? Моей тети? Она прожила здесь пятьдесят лет, но теперь переехала в дом престарелых? — Анника говорила очень быстро, она явно решила, что к Виллему надо относиться как к солнечному затмению и ни в коем случае не смотреть прямо на него. Она тараторила все быстрее и быстрее: тетя всегда говорила, что район очень изменился, она и не слыхала про Лиспенард-стрит, пока не переехала на Манхэттен, как жаль, что квартиру так и не покрасили, но тетя выехала только что, буквально только что, они только и успели, что сделать уборку в прошлые выходные. Она смотрела куда угодно, лишь бы не на Виллема — на потолок (штампованная жестяная плитка), на пол (хоть и растрескавшийся, а паркет), на стены (на которых когда-то висевшие тут картины оставили призрачные следы), — пока Виллем не был вынужден ее вежливо прервать и спросить, нельзя ли взглянуть на остальные помещения.

— Да, конечно! — отозвалась она. — Я тогда вас оставлю. — Однако она продолжала ходить за ними по пятам, торопливо рассказывая Джей-Би про какого-то Джаспера, и как он использует "Арчер" буквально для всего, и разве Джей-Би не кажется, что этот шрифт слишком круглый и вычурный для основного текста? Теперь, когда Виллем повернулся к ним спиной, она не отрывала от него глаз, и речь ее становилась все более и более сбивчивой.

Джей-Би смотрел, как Анника смотрит на Виллема. Он никогда не видел, чтоб она так нервничала, не видел у нее этих девичьих ужимок (обычно она была молчалива и мрачновата, в офисе ее побаивались, особенно после того, как она соорудила у себя над столом сложную структуру в форме сердца из лезвий X-ACTO), но он видел многих женщин, которые вели себя точно так же в присутствии Виллема. Собственно, они все так себя вели. Их друг Лайонел говорил, что, видимо, Виллем в прошлой жизни был валерьянкой, поэтому к нему до сих пор липнут киски. Но в большинстве случаев (хотя и не всегда) Виллем, казалось, понятия не имел, что привлекает столько внимания. Джей-Би как-то спросил у Малкольма, как так получается, и Малкольм ответил, что Виллем просто ничего не замечает. Джей-Би только застонал в ответ, но про себя подумал: раз уж Малкольм, самый ненаблюдательный человек на свете, и то заметил, как женщины реагируют на Виллема, то уж Виллем точно не мог не заметить. Впрочем, позже Джуд предложил другое объяснение: Виллем намеренно не обращает внимания на реакцию женщин, чтобы окружающие мужчины не чувствовали угрозы с его стороны. Это было похоже на правду: Виллема все любили, и он сам старался никого не обижать, так что, возможно, он подсознательно изображал неведение. И все равно это было захватывающее зрелище, и они втроем всегда с удовольствием его наблюдали и потом с удовольствием подшучивали над Виллемом, хотя тот обычно только улыбался и отмалчивался.

— А лифт здесь исправный? — спросил Виллем, внезапно повернувшись.

— Что? — оторопела Анника. — А, да, он довольно надежный. — Ее бледные губы сложились в тонкую улыбку, которая, как догадался Джей-Би —

и живот его свело судорогой от неловкости за нее, — должна была выражать кокетство. Ох, Анника, подумал он.

— А что ты собираешься втаскивать в тетину квартиру?

— Нашего друга, — ответил он, прежде чем Виллем успел открыть рот. — Ему трудно подниматься по лестницам, поэтому важно, чтобы работал лифт.

— А, — сказала она и снова покраснела. — Прости. Да, лифт работает.

Квартира наводила уныние. Прихожая, немногим больше придверного коврика, сразу раздваивалась: направо — кухня (душный и липкий куб), налево — так называемая столовая, в которой можно было поставить разве что складной столик. Половина стены отделяла это пространство от гостиной, где четыре зарешеченных окна выходили на замусоренную улицу, в конце небольшого коридора справа находилась ванная комната с мутными белыми бра и щербатой ванной, и напротив — спальня с одним окном, длинная, но узкая. Там стояли два деревянных каркаса кроватей, один напротив другого, каждый у своей стены. На одном лежал матрас, громоздкий и бесформенный, тяжелый, как дохлая лошадь.

— На матрасе никто не спал, — сообщила Анника. Дальше последовала длинная история о том, как она сама собиралась сюда въехать и уже купила матрас, но так им и не воспользовалась, потому что вместо этого съехалась со своим другом Клементом, и он не бойфренд, а просто друг, господи, что же она за дура, зачем она это сказала. В общем, если Виллему понравится квартира, матрас он может получить бесплатно.

Виллем поблагодарил.

— Что думаешь, Джей-Би? — спросил он.

Что он думает? Он думает, что это просто вонючая дыра. Конечно, он тоже живет в дыре, но он сам так решил, поскольку его дыра бесплатная и деньги, которые уходили бы на аренду, можно тратить на краски, материалы и дурь и еще иногда ездить на такси. Но если бы Эзра надумал брать с него деньги, он бы тут же слинял. Может, у него не такая богатая семья, как у Эзры или Малкольма, но они точно не позволили бы ему выбрасывать деньги на какую-то лачугу. Они бы нашли ему что-то получше или добавляли бы немного каждый месяц, чтобы он жил по-человечески. Но у Виллема и Джуда нет выбора: им приходится пробиваться самим, у них нет денег, и они обречены на жизнь в дыре. А раз так, то эта дыра не хуже любой другой — дешевая, близко к центру, и потенциальная хозяйка уже втрескалась в 50 % потенциальных жильцов.

Так что он сказал Виллему: "По-моему, то что надо", — и Виллем согласился. Анника испустила восторженный вопль. Еще немного сумбурных обсуждений, и все было решено: у Анники появились жильцы, у Виллема и Джуда — крыша над головой, а Джей-Би тут же напомнил Виллему, что у него обеденный перерыв и Виллем должен накормить его лапшой.

Джей-Би не был склонен к рефлексии, но в воскресенье в метро, по дороге к матери, он не удержался и поздравил себя со своим везением; он даже испытал нечто напоминающее благодарность: как хорошо, что у него именно такая жизнь и именно такая семья.

Его отец, эмигрировавший в Нью-Йорк с Гаити, умер, когда Джей-Би было три года, и хотя Джей-Би нравилось думать, что он помнит его лицо — доброе, ласковое, с тонкой полоской усов и щеками, которые округлялись, будто сливы, когда он улыбался, — он не знал, помнит ли его на самом деле или просто слишком долго разглядывал фотографию, стоящую на мамином прикроватном столике. В сущности, это была единственная печаль его детства, и та скорее выученная: он рос без отца и знал, что осиротевший ребенок должен скорбеть об утрате. Но по-настоящему он никогда не испытывал этой тоски. После смерти отца мать, гаитянская американка во втором поколении, получила докторскую степень в области образования, одновременно работая учителем в бесплатной школе по соседству, которая была сочтена недостойной Джей-Би. К тому времени, как он стал учиться — по стипендии — в старших классах дорогой частной школы, почти в часе езды от их дома в Бруклине, она уже была директором другой школы на Манхэттене, со специальной программой, и одновременно адъюнкт-профессором в Бруклинском колледже. Про ее новаторские методики преподавания написали статью в "Нью-Йорк таймс", и хотя Джей-Би никогда не признался бы в этом друзьям, он гордился ею.

Пока он рос, она была вечно занята, но он никогда не чувствовал недостатка внимания, не думал, что она любит своих учеников больше, чем его. Дома была бабушка, которая готовила ему все, что он пожелает, пела ему песни по-французски и каждый божий день повторяла, что он сокровище, гений, главный мужчина в ее жизни. И еще у него были тети — сестра матери, следователь в манхэттенской полиции, и ее девушка, фармацевт, тоже американка во втором поколении (только не с Гаити, а из Пуэрто-Рико); у них не было детей, и они обе относились к нему как к сыну. Сестра матери занималась спортом и научила его ловить и бросать мяч (даже тогда он мало этим интересовался, но позже это оказалось полезным социальным навыком), а ее девушка увлекалась искусством: одно из его самых ранних воспоминаний — как она привела его в Музей современного искусства и он, ошалев от восторга, не сводит глаз с картины "Один: номер 31, 1950" и почти не слышит ее объяснений о Поллоке и создании полотна.

В старших классах ему пришлось слегка перепридумать собственную биографию, чтобы выделиться среди сверстников. Особенно ему нравилось пробуждать неловкость в богатых белых одноклассниках, несколько сгущая краски: вроде как он обычный черный подросток-безотцовщина, у которого мать пошла учиться только после его рождения (он забывал добавить, что это была не школа, а магистратура), а тетка работает по ночам (опять же все думали, что она проститутка, а не полицейский). Его любимая семейная фотография была сделана лучшим школьным другом, мальчиком по имени Дэниел, которому он сказал правду непосредственно перед съемкой. Дэниел работал над серией портретов семей "на самом краю", и Джей-Би, уже стоя на пороге квартиры, торопливо развеял его представления о тете — ночной бабочке и полуграмотной матери. Дэниел открыл рот, но не смог издать ни звука, и тут к двери подошла мать Джей-Би и велела заходить, нечего, мол, стоять на холоде, и Дэниелу пришлось повиноваться.

Все еще не пришедший в себя Дэниел разместил их в гостиной: бабушка Джей-Би, Иветт, уселась на свое любимое кресло с высокой спинкой, с одной стороны от нее встали тетя Кристин и ее девушка Сильвия, а по другую — Джей-Би с матерью. Но вдруг, прежде чем Дэниел успел сделать снимок, Иветт потребовала, чтобы Джей-Би занял ее место. "Он король в этом доме, — сказала она, не слушая возражений дочерей. — Жан-Батист! Сядь!" Он сел. На фотографии он сжимает подлокотники кресла пухлыми руками (уже тогда он был пухлым), а женщины с обеих сторон смотрят на него с обожанием. Сам же он смотрит прямо в камеру и широко улыбается, сидя в кресле на законном бабушкином месте.

Их вера в него, в его будущий триумф, оставалась неколебимой — настолько, что от этого делалось не по себе. Они были уверены — даже когда его собственная уверенность подвергалась многочисленным испытаниям и ее все труднее было возрождать, — что однажды он станет великим художником, что его картины будут висеть в главных музеях, что люди, которые не дают ему себя проявить, просто не понимают масштабов его дарования. Иногда он верил им и выплывал на этой их вере. А иногда сомневался: если их мнение настолько расходится с мнением всего остального мира, может быть, они необъективны или просто сошли с ума? А вдруг у них нет вкуса? Как может суждение четырех женщин так радикально отличаться от суждения всех остальных? Какова вероятность, что правы именно они?

И все же большим облегчением были эти тайные воскресные визиты домой, где можно наесться вдоволь, где бабушка постирает его вещи, где будут ловить на лету каждое его слово, восхищенно обсуждать каждый набросок. Дом матери был родной землей, тем местом, где перед ним благоговеют, где все обычаи и порядки служат ему, его потребностям. И вечером, в какую-то минуту — после обеда, но до десерта, когда они все сидят у телевизора в гостиной и мамина кошка греет его колени, — он смотрит на своих женщин и чувствует, как что-то нарастает в груди. Он думает о Малкольме, о его безупречном интеллектуале-отце, и милой, но рассеянной матери, потом о Виллеме и его покойных родителях (Джей-Би видел их только однажды, на первом курсе, когда друзья съезжали из общежития перед каникулами, и удивился, какие они холодные, какие чопорные, ни в чем не похожие на Виллема) и, наконец, конечно, о Джуде, вообще без всяких родителей (здесь какая-то тайна: они знакомы больше десяти лет и вообще не знают, были ли у Джуда родители, только что все было очень плохо и об этом нельзя говорить), и тут Джей-Би обволакивает теплая волна счастья и благодарности, как будто океан поднимается к его груди. Как мне повезло, думает он — потому что он привык во всем соревноваться со сверстниками и вел вечный счет, — я самый везучий из нас. Но никогда ему не думалось, что он этого не заслуживает или что надо больше трудиться, чтобы выразить свою благодарность; его семья счастлива, если он счастлив, и, значит, единственное его обязательство — быть счастливым, жить так, как хочется, делать все по-своему.

— Как жаль, что семья нам дается не по заслугам, — сказал однажды Виллем под сильным кайфом. Он, конечно, имел в виду Джуда.

— Согласен, — ответил Джей-Би. И он правда был согласен: никто из них, ни Виллем, ни Джуд, ни даже Малкольм, не имел той семьи, которой заслуживал. Но втайне он считал себя исключением: у него была именно такая семья. Он знал, что его домашние — настоящее чудо. И именно этого он заслуживал.

“А вот и мой лучший в мире мальчик!” — восклицала Иветт, когда он входил в дом. И он нисколько не сомневался, что так оно и есть.

В день переезда лифт сломался.

— Черт побери, — сказал Виллем. — Я же специально спрашивал Аннику про это. Джей-Би, у тебя есть ее телефон?

Но у Джей-Би не было ее телефона.

— Ну что ж, — вздохнул Виллем. С другой стороны, что толку писать сообщения Аннике. — Простите, ребята, — сказал он остальным. — Придется по лестнице.

Никто не возражал. Стоял прекрасный осенний день, прохладный, сухой, ветреный, их было восемь человек на довольно умеренное количество коробок и несколько предметов мебели — Виллем и Джей-Би и Джуд и Малкольм, и Ричард, друг Джей-Би, и Каролина, приятельница Виллема, и еще двое их общих друзей, которых звали одинаково, Генри Янг, и чтобы их различать, одного называли Черный Генри Янг, а другого — Желтый Генри Янг.

Малкольм, который неожиданно оказался неплохим организатором, раздавал всем задания. По его команде Джуд поднялся в квартиру и указывал, что куда ставить. В перерыве он распаковывал крупные вещи и открывал коробки. Каролина и Черный Генри Янг, оба невысокие и коренастые, носили коробки с книгами, поскольку они были удобного для них размера. Виллем, Джей-Би и Ричард таскали мебель. А Малкольм и Желтый Генри Янг носили все остальное. На обратном пути они захватывали с собой коробки, которые Джуд сплющивал, и складывали их на краю тротуара возле мусорных баков.

— Помощь нужна? — негромко спросил Виллем Джуда, пока все распределяли работу.

— Нет, — ответил тот отрывисто.

Виллем следил за тем, как Джуд, медленно и спотыкаясь, поднимался по лестнице, пока он не скрылся из виду.

Они легко все втащили, быстро и без особых приключений, и после еще немного послонялись по квартире все вместе, распаковывая книги и поедая пиццу, а потом все разошлись, кто в бар, кто на вечеринку, и Виллем с Джудом остались наконец одни в своей новой квартире. Вокруг царил хаос, но одна только мысль о том, чтобы начать расставлять по местам вещи, их утомляла. И они медлили, удивляясь, что так быстро стемнело и что им теперь есть где жить, да еще на Манхэттене, и они могут себе это позволить. Они оба заметили, как их друзья вежливо сохраняли невозмутимое выражение лиц, когда входили в квартиру (больше всего всех поразила спальня с двумя узкими кроватями, "как в викторианской психушке" — так Виллем описал комнату Джуду), но их все здесь устраивало: это было их жилье, с двухлетним договором, никто его не отнимет. Они даже смогут откладывать немного денег, и зачем им больше места? Конечно, обоим хотелось красоты, но красоте придется подождать. Вернее, им придется подождать ее.

Они разговаривали, но глаза Джуда были закрыты, и Виллем видел — по тому, как постоянно, словно крылья у колибри, дергались его веки, по тому, как кисть судорожно сжималась в кулак и вздувались вены, зеленоватые, словно океанская вода, — что ему больно. Он видел по напряженной неподвижности ног, которые покоились на коробке с книгами, что боль невыносима, и знал, что ничего нельзя сделать, чтобы ее облегчить. Если бы он сказал: "Джуд, давай я дам тебе аспирина", Джуд ответил бы: "Все в порядке, Виллем, мне ничего не нужно", а если бы он сказал: "Джуд, давай ты приляжешь", Джуд ответил бы: "Виллем, все в порядке. Не волнуйся". Так что в конце концов он сделал то, что они все научились делать с годами, когда у Джуда начинали болеть ноги. Он вышел из комнаты под каким-то предлогом, чтобы Джуд мог лежать неподвижно и ждать, пока пройдет боль, не тратя силы на разговор, не притворяясь, что все в порядке, он просто устал, отсидел ногу, или не придумывая другую нелепую отговорку.

В спальне Виллем отыскал большой мусорный мешок, в который они сложили постельное белье, и застелил сначала свой матрас, а потом матрас Джуда (купленный за бесценок неделю назад у тогдашней девушки Каролины, которая с тех пор стала бывшей девушкой). Он рассортировал свою одежду на рубашки, брюки и белье с носками, отведя каждой категории свою коробку (откуда только что вытащил книги), и засунул коробки под кровать. Одежду Джуда он трогать не стал, а перешел в ванную, где тщательно вымыл все с дезинфицирующим средством, прежде чем раскладывать щетки, пасту, бритвы и шампуни. Раз или два он прерывал работу и заглядывал в гостиную, где Джуд оставался все в том же положении: глаза его были по-прежнему закрыты, руки сжаты в кулаки, а голова повернута так, что Виллем не видел выражения его лица.

Он испытывал к Джуду сложные чувства. Он любил его — тут все было просто, — и боялся за него, и иногда ощущал себя скорее старшим братом и защитником, чем просто другом. Он понимал, что Джуд может жить — и жил — без него, но видел в Джуде нечто такое, что заставляло его остро ощущать собственную беспомощность, и парадоксальным образом от этого еще сильнее хотелось помочь Джуду (хотя тот редко обращался за какой-либо помощью). Они все любили Джуда и восхищались им, но он часто чувствовал, что Джуд подпускает его немного — совсем немного — ближе, чем остальных, и не знал, что ему с этим делать.

Например, боль в ногах: сколько они его знали, у него всегда были проблемы с ногами. Это, конечно, было трудно не заметить: в колледже он ходил с тростью, а когда был моложе (он был совсем юным, когда они познакомились, на целых два года младше их, и все еще рос), мог передвигаться только с костылем и носил ортопедические скобы с ремнями и внешними штифтами, ввинченными прямо в кости, из-за которых у него почти не гнулись колени. Но он никогда не жаловался, ни разу, хотя к чужим жалобам относился сочувственно; на первом курсе Джей-Би поскользнулся на льду, упал и сломал запястье, и всем им запомнилась последующая суета, театральные стоны и вопли Джей-Би, и как целую неделю после того, как ему наложили гипс, он отказывался выходить из лазарета, и его навещало столько народу, что в конце концов о нем напечатали статью в университетской газете. В их общежитии был парень, футболист, который как-то порвал мениск и утверждал, что Джей-Би просто не знает, что такое боль, но Джуд ходил к Джей-Би каждый день, так же, как Виллем и Малкольм, и Джей-Би получал от него полную меру сострадания.

Однажды ночью, вскоре после того, как Джей-Би наконец соизволил выписаться и вернулся в общежитие, чтобы уже там окружать себя всеобщим вниманием, Виллем проснулся и обнаружил, что комната пуста. В этом не было ничего особенно необычного: Джей-Би был у бойфренда, а Малкольм теперь по вторникам и четвергам ночевал в лаборатории, поскольку в этом семестре слушал курс астрономии в Гарварде. Виллем и сам часто ночевал где-то еще, обычно в комнате у своей девушки, но она подхватила грипп, и в этот раз он остался дома. А Джуд всегда был на месте. У него никогда не было ни девушки, ни бойфренда, он всегда спал здесь, на нижней койке, под Виллемом, его присутствие было неизменным и знакомым, как морской пейзаж.

Виллем сам не знал, что заставило его слезть с койки и встать посреди комнаты, сонно оглядываясь по сторонам, словно Джуд мог лазать по потолку, как паук. Но потом он заметил, что нет костыля, и стал искать Джуда в гостиной, негромко окликая его, а после вышел из их блока и пошел по коридору к общей ванной. После темноты комнат свет в ванной казался тошнотворно ярким, флуоресцентные лампы издавали непрерывное гудение, и он был так дезориентирован, что почти не удивился, увидев, что из-за двери последней кабинки торчит нога Джуда и кончик костыля.

— Джуд? — прошептал он, стуча в дверь кабинки, и когда ответа не последовало, добавил: — Я вхожу. Он распахнул дверь и обнаружил Джуда на полу; одна его нога была согнута и подобрана под живот. У головы разлилась лужица рвоты, рвота оранжевым пунктиром присохла к губам и подбородку. Глаза были закрыты, он был весь в поту и сжимал край костыля с судорожной силой — позже Виллем узнал, что так он делает, когда ему особенно худо.

В тот момент, однако, в растерянности и испуге, Виллем стал задавать Джуду вопрос за вопросом, хотя тот был не в состоянии отвечать, и только когда он попытался поднять его на ноги, Джуд закричал, и Виллем понял, какую страшную боль тот испытывает.

Кое-как он поднял его и поволок в комнату, неумело привел в порядок и уложил в постель. К тому времени худшее было позади, и когда Виллем спросил, не надо ли позвать врача, Джуд отрицательно помотал головой.

— Джуд, слушай, — негромко проговорил Виллем, — ты же болен, надо обратиться за помощью.

— Мне ничего не помогает, — сказал Джуд и снова замолчал на мгновение. — Просто надо подождать.

Его голос звучал слабо, с придыханием, и казался чужим.

— Что я могу сделать? — спросил Виллем.

— Ничего, — ответил Джуд. Они помолчали. — Но, Виллем… ты можешь побыть со мной еще немного?

— Конечно.

Джуд дрожал, словно в ознобе, и Виллем снял одеяло с собственной кровати и накрыл его. Чуть позже он нашел под одеялом руку Джуда и расцепил его кулак, чтобы сжать влажную жесткую ладонь. Он очень давно не держал за руку мужчину — с тех пор как оперировали его брата — и был удивлен, какой сильной оказалась рука Джуда, какие у него мускулистые пальцы. Еще несколько часов Джуд содрогался в ознобе, стуча зубами, и в конце концов Виллем прилег возле него и заснул.

На следующее утро он проснулся в кровати Джуда; рука ныла, на тех местах, куда впивались его пальцы, остались синяки. Он встал, нетвердо держась на ногах, и вошел в гостиную, где Джуд читал что-то за своим столом; черты его были неразличимы в ярком утреннем свете. При появлении Виллема он встал, и некоторое время они просто молча смотрели друг на друга.

— Виллем, прости, пожалуйста, — сказал наконец Джуд.

— Джуд, тут не о чем говорить.

Ему казалось, что это очевидно, но Джуд снова и снова повторял "Прости, прости", и сколько бы Виллем ни убеждал его, что просить прощения совершенно не за что, тот не унимался.

— Пожалуйста, не говори Малькольму и Джей-Би, ладно?

— Не скажу, — пообещал Виллем и сдержал свое слово; впрочем, в конечном счете это не имело значения, поскольку со временем Малькольм и Джей-Би тоже столкнулись с этими его приступами боли, хотя такие длительные приступы, как в ту ночь, случались всего несколько раз.

Он никогда не обсуждал это с Джудом, несмотря на то что в последующие годы видел, как его мучают самые разные виды боли: сильная боль и легкая; он видел, как Джуд кривится от мимолетного приступа, а иногда, когда накатывало особенно сильно, видел, как Джуда рвет, или как он опускается на пол, или просто отключается и ни на что не реагирует, как сейчас в гостиной. Виллем привык держать слово, и все-таки какой-то частью сознания он сам удивлялся, почему никогда не говорит об этом с Джудом, почему не заставит его рассказать, что он чувствует, не смеет сделать то, что сотни раз подсказывал ему инстинкт: сесть с ним рядом, растереть ему ноги, постараться промассировать, унять эти обезумевшие нервные окончания. Вместо этого он прячется в ванной, пытается занять себя уборкой, когда в нескольких метрах от него один из ближайших друзей сидит на безобразном диване и медленно, мучительно, одиноко возвращается в сознание, и никого нет с ним рядом.

— Трус, — сказал он своему отражению в зеркале над раковиной. На него глядело лицо человека, который устал чувствовать отвращение к самому себе. В гостиной по-прежнему стояла тишина, но Виллем осторожно подошел к порогу, ожидая, когда Джуд вернется к нему.

— Вонючая дыра, — сказал Джей-Би Малкольму, и хотя он был прав — от одного только подъезда волосы вставали дыбом, — но все-таки Малкольм вернулся домой в печали, в который уже раз спрашивая себя, не лучше ли жить в собственной вонючей дыре, чем оставаться в родительском доме.

Конечно, если рассуждать логически, глупо что-то менять: зарабатывает он мало, работает много, дом родителей так велик, что теоретически он мог бы и вовсе с ними не встречаться. Он занимал весь четвертый этаж (который, честно говоря, выглядел немногим лучше вонючей дыры, такой там был бардак — мать давно уже не посылала туда домработницу, после того как Малкольм наорал на нее, утверждая, что Инес сломала один из его макетов) и, кроме того, мог пользоваться кухней, стиральной машиной, мог читать все газеты и журналы, которые выписывали родители, раз в неделю мог сунуть свою одежду в матерчатый мешок, который мать завозила в химчистку по дороге в офис, а Инес забирала на другой день. Конечно, гордиться тут было нечем: ему двадцать семь, а мама все еще звонит ему на работу, делая покупки на неделю, и спрашивает, хочется ли ему клубники и предпочтет ли он на ужин форель или леща.

Было бы легче, если бы родители соблюдали проводимые им границы времени и пространства. Однако они ожидали ежедневного совместного завтрака, совместного обеда по воскресеньям, а также нередко являлись с визитом к нему на этаж, одновременно стуча в дверь и открывая ее, что, как не раз говорил им Малкольм, лишало стук всякого смысла. Он знал, что думать так — черная неблагодарность с его стороны, и все же ему иногда не хотелось идти домой из-за неизбежной светской беседы, которую ему придется пережить, прежде чем он ускользнет к себе наверх, словно подросток. Он с ужасом думал о том, что теперь в его доме не будет Джуда; хотя подвал был более уединенным помещением, чем четвертый этаж, родители усвоили манеру заходить в гости и туда, так что иногда, спускаясь повидаться с Джудом, Малкольм заставал у него отца — тот обычно вещал о чем-нибудь очень скучном. Отец особенно привязался к Джуду и часто говорил Малкольму, что Джуд — человек по-настоящему высокого интеллекта, в отличие от других его друзей, которых он считал пустозвонами, — но теперь ведь ему, Малкольму, придется выслушивать бесконечные рассказы о рынках и глобальных финансовых сдвигах, а также о других абсолютно безразличных ему вещах. Иногда он подозревал, что отец предпочел бы такого сына, как Джуд: даже юридическое образование они получили в одном и том же месте. Джуд начинал референтом у того же судьи, который в свое время был наставником отца на его первой работе. А сейчас Джуд стал помощником прокурора в уголовном отделе федеральной прокуратуры, где отец служил в молодости.

"Попомни мои слова, этот мальчик далеко пойдет" или "Скоро он будет настоящей звездой, а ведь всего добился сам", — то и дело объявлял отец Малкольму и жене с весьма самодовольным видом, будто он как-то приложил руку к талантам Джуда, и в эти минуты Малкольм старался не встречаться взглядом с матерью, поскольку знал, что увидит на ее лице сочувствие.

Если бы Флора по-прежнему жила дома, было бы легче. Когда она собралась съезжать, Малкольм хотел предложить ей вместе снимать облюбованную ею двухкомнатную квартирку на Бетун-стрит, но она то ли искренне не понимала его многочисленных намеков, то ли не хотела понимать. Она была готова уделять родителям то несуразное количество времени, которого они требовали от своих детей, и он подолгу оставался у себя наверху, работая над своими макетами, и реже спускался вниз, где приходилось, ерзая, смотреть нескончаемые европейские короткометражки, которые так любил отец. Когда Малкольм был моложе, его задевало, что отец явно предпочитает ему Флору — это было очевидно, даже друзья нередко подшучивали по этому поводу. "Фантастическая Флора", так отец называл ее (и еще, на разных этапах ее взросления, "Фасонистая Флора", "Флора-Фрондер", "Флора-Фу-ты-ну-ты", но это всегда звучало одобрительно), и даже сейчас, когда Флоре было почти тридцать, он относился к ней все с тем же умилением. "Фантастическая Флора отлично сострила сегодня", — сообщал он за ужином так, словно его жена и сын не видели Флору сто лет. Или после бранча поблизости от ее квартиры: "Зачем наша фантастическая дочь уехала так далеко от нас?", хотя до нее можно было добраться на машине за 15 минут. (Это особенно бесило Малкольма, поскольку отец вечно рассказывал ему цветистые истории о том, как он ребенком переехал с Гренадин в Квинс и с тех пор вечно разрывается между двумя странами, и добавлял, что Малкольму тоже нужно уехать и пожить где-то экспатом, потому что это обогатит его как личность, позволит по-новому взглянуть на мир, и так далее, и так далее. Но Малкольм не сомневался, что, если бы Флора вздумала переехать в другой район, не говоря уж о другой стране, отец бы этого не вынес.)

У Малкольма не было прозвищ. Иногда отец звал его по фамилиям других — знаменитых — Малкольмов: "Икс", или "Макларен", или "Макдауэлл", или "Маггеридж" (в честь последнего его предположительно и назвали), но это всегда звучало не как ласка, а как упрек, напоминание, кем он должен был стать, но явно не стал.

Иногда — даже часто — Малкольм говорил себе, что хватит уже расстраиваться и дуться: ну не нравится он собственному отцу, что ж поделаешь. Даже мать ему это говорила. "Ты знаешь, папуля не хотел сказать ничего плохого", — увещевала она его время от времени, после того как отец произносил очередной монолог о превосходстве Фантастической Флоры, и тогда Малкольм, разрываясь между желанием верить ей и раздражением от того, что она называет отца "папулей", бормотал в ответ что-то в том смысле, что ему плевать. А иногда — все чаще и чаще — он ругал себя, что вообще так много думает о родителях. Нормально ли это? Нет ли в этом чего-то жалкого? Ему двадцать семь, в конце концов! Это так у всех, кто живет дома? Или с ним одним что-то не так? Веский аргумент, что пора переезжать: он перестанет быть таким младенцем. Иногда вечерами, когда родители этажом ниже укладывались спать — старые трубы шумели, пока они умывались, потом наступала внезапная тишина, когда они выключали батареи в гостиной, и все эти звуки лучше всяких часов отсчитывали время: одиннадцать, полдвенадцатого, двенадцать, — он мысленно составлял список тех проблем, которые ему нужно решить в ближайший год, без промедления: работа (ничего не происходит), личная жизнь (не существует), сексуальная ориентация (не определена), будущее (в тумане). Эти четыре пункта оставались неизменными, хотя их расположение по важности могло меняться. Также неизменной оставалась его способность поставить точный диагноз вместе с абсолютной неспособностью найти выход.

На следующее утро он просыпался, полный решимости: сегодня уедет из дому и скажет родителям, чтобы оставили его в покое. Но, спустившись вниз, он видел мать, она готовила ему завтрак (отец к тому времени давно был на работе) и говорила, что собирается сегодня покупать билеты на Сен-Барт, куда они ездили каждый год, и просила решить, на сколько дней он к ним присоединится. (Родители все еще оплачивали за него эти поездки. Он никогда не упоминал об этом в разговорах с друзьями.) "Да, мам", — говорил он. А потом завтракал и выходил в большой мир, где никто не знал его и где он мог быть кем угодно.

2

В пять вечера по будням и в одиннадцать утра по выходным Джей-Би спускался в подземку и ехал в Лонг-Айленд-Сити, к себе в студию. Ездить он больше всего любил по вечерам: садился на "Канал-стрит" и глядел, как на каждой остановке вагон пустеет и наполняется пестрой ртутью разных людей и национальностей, как через каждые десять кварталов пассажиры сбиваются во взрывоопасные неожиданные комбинации: поляки, китайцы, корейцы, сенегальцы — сенегальцы, доминиканцы, индийцы, пакистанцы — пакистанцы, ирландцы, сальвадорцы, мексиканцы — мексиканцы, ланкийцы, нигерийцы, тибетцы, — и роднит их только то, что в Америке все они новички, да лица у них у всех одинаково изможденные; так, решительно и в то же время покорно, глядят только иммигранты.

В такие минуты он с благодарностью думал о том, как ему повезло, и проникался нежностью к своему городу, что случалось с ним нечасто. Обычно он потешался над теми, кто превозносил яркую мозаичность его родного города, сам он был не из таких. Но его восхищало — да и как иначе? — сколько работы, сколько настоящей работы, вне всякого сомнения, проделали сегодня его попутчики. Но вместо того чтобы устыдиться собственного относительного безделья, он чувствовал облегчение.

Своими чувствами, да и то вскользь, он поделился только с одним человеком — Желтым Генри Янгом. Они с ним ехали в Лонг-Айленд-Сити (студию ему как раз Генри и нашел), когда маленький, жилистый китаец, у которого на самом кончике указательного пальца болтался тяжелый оранжево-красный пакет, словно у хозяина не было ни сил, ни желания ухватить его хоть чуть-чуть покрепче, вошел в вагон, плюхнулся на сиденье напротив и, съежившись и скрестив ноги, тотчас же уснул. Генри, которого Джей-Би знал еще со школы — тот был сыном швеи из Чайнатауна и в школе тоже учился на стипендию, — поглядел на Джей-Би и беззвучно, одними губами прошептал: "Кабы не милость Божия", — и Джей-Би прекрасно знал, что он чувствует — смесь радости и стыда.

Ездить по вечерам он любил еще и из-за света, из-за того, как свет, будто живое существо, набивался в поезд, пока вагоны грохотали по мосту, как он смывал усталость с лиц сидевших рядом с ним пассажиров, показывая их такими, какими они были, когда только приехали сюда, когда они были молоды и думали, что Америка им по силам. Он глядел, как добрый этот свет сиропом течет в вагон, разглаживает хмурые лбы, переплавляет седину в золото, как приглушает до дорогого глянца лоснящуюся дешевую ткань. Но потом солнце уплывало, вагон равнодушно катился дальше, и мир снова обретал привычные унылые формы и цвета, а люди — привычный унылый вид, и перемена эта была до того резкой и внезапной, будто совершалась по взмаху волшебной палочки.

Джей-Би любил притворяться, будто он — такой же, как они, хоть и знал, что это не так. Случалось, в вагон заходили гаитяне, и тогда он — вслушиваясь по-волчьи, выщепляя из общего гула тягучие, певучие звуки креольского — принимался глядеть на них, на двух мужчин, круглолицых, как его отец, или на двух женщин с носами-пуговками, как у его матери. Он вечно ждал какого-нибудь уместного повода заговорить с ними — вдруг они примутся обсуждать, как проехать куда-нибудь, а он тогда вклинится и им поможет, — но повода никогда не находилось. Иногда они, не прерывая разговора, поглядывали в сторону сидений, и тогда он весь подбирался, готовясь улыбнуться, но они, похоже, не признавали в нем своего.

Да и не был он своим. Даже он понимал, что у него больше общего с Желтым Генри Янгом, с Малкольмом, с Виллемом или даже с Джудом, чем с ними. Вы только поглядите на него: вышел на Корт-сквер и пошел к себе в студию, которую с другими художниками снимает в трех кварталах от метро, в здании бывшей бутылочной фабрики. Разве настоящие гаитяне снимают студии? Разве настоящему гаитянину придет в голову, что из собственной большой квартиры, где он чисто теоретически мог бы отгородить себе уголок для рисования-малевания, можно уйти и полчаса провести в подземке (а ведь за тридцать минут можно столько всего переделать!) только ради того, чтобы оказаться в залитой солнцем грязной комнате? Ну конечно нет. Чтобы додуматься до такой роскоши, нужно мыслить как американец.

У студии на третьем этаже, куда вела металлическая лестница, гудевшая под ногами будто колокол, были белые стены и белый пол, впрочем, такой исчирканный, что казалось, будто по нему разбросаны лохматые коврики. По стенам шли пунктиром старомодные высокие створчатые окна, и уж их-то они мыли, все по очереди — на каждого приходилось по стене, — слишком хорош был свет, чтобы прятать его под слоем грязи, только ради света они эту студию и снимали. Здесь была ванная (в ужасном состоянии) и кухня (чуть-чуть поприличнее), а в самом центре студии стоял огромный стол — положенная на тройные козлы плита дешевого мрамора. Стол был общим, им пользовались все, кому нужно было дополнительное пространство для проекта, и теперь мрамор был покрыт лиловыми и золотыми разводами, закапан драгоценным красным кадмием. Сегодня на нем лежали разноцветные ленты из выкрашенной вручную органзы. С обеих сторон они были прижаты книжками — концы лент подрагивали в такт крутившемуся под потолком вентилятору. В центре стола домиком стояла записка: "НЕ ДВИГАЙТЕ. СОХНЕТ. ЗАВТРА ВЕЧ. УЖЕ УБЕРУ. СПС ЗА ПОНИМАНИЕ. Г. Я."

В самой студии перегородок не было, но она была поделена изолентой на четыре равных части — по пятьсот квадратных футов на каждого, причем синие линии тянулись не только по полу, но и по стенам и по потолку — над головами художников. К чужой территории относились донельзя уважительно, притворялись, будто не слышат ничего, что творится в других углах, даже когда сосед шипел что-то по телефону подружке и слышно было все до единого слова. Тому же, кто хотел зайти в чужое пространство, сначала нужно было встать на краешек синей ленты, тихонько позвать хозяина и, только убедившись, что тот не ушел с головой в работу, попросить разрешения войти.

Свет в половине шестого был идеальный — сливочный, густой и даже как будто жирный, он наполнял студию тем же простором и надеждой, что и вагон подземки. Джей-Би был один. Его сосед, Ричард, по вечерам подрабатывал в баре и поэтому в студии бывал по утрам, как и Али, занимавший угол напротив. Оставался Генри, чей кусок студии находился по диагонали от его, но Генри работал в галерее и приходил только после работы, в семь. Джей-Би снял пиджак, швырнул его в угол, сдернул покрывало с холста и, вздыхая, уселся перед ним на табурет.

Джей-Би работал в студии уже пятый месяц, и ему страшно нравилось, он и представить не мог, что ему это так понравится. Ему нравилось, что студию он делил с настоящими, серьезными художниками; работать у Эзры он бы никогда не смог, и не только потому, что верил любимому профессору, который однажды посоветовал не рисовать там, где трахаешься, но и потому, что у Эзры его бы вечно окружали и отвлекали от работы дилетанты. Там искусство было своего рода придатком к образу жизни. Если ты рисовал, лепил или ваял говенные инсталляции, то получал право ходить в застиранных футболках и грязных джинсах, иронично пить дешевое американское пиво, иронично курить иронически дорогие американские самокрутки. Но здесь ты занимался искусством, потому что одно это и умел делать хорошо, потому что на самом деле только об этом и думал меж быстро гаснущих мыслей, свойственных каждому: секс, еда, сон, друзья, деньги, слава. Ты мог подкатывать к кому-нибудь или ужинать с друзьями, а твой холст все это время сидел внутри тебя, и перед твоим внутренним взором покачивались зародыши всех его форм и вариаций. И потом для каждой твоей картины, каждого твоего проекта наступало такое время — по крайней мере, ты надеялся, что оно наступит, — когда жизнь этой картины казалась тебе реальнее жизни будничной, когда ты только и думал о том, как бы поскорее вернуться в студию, когда ты, сам того не сознавая, за ужином высыпал на стол горку соли и чертил ею свои сюжеты, планы и узоры, а белые крупицы, будто ил, тянулись за твоими пальцами.

И еще ему нравилось неожиданное, особенное компанейство этого места. Иногда на выходных они оказывались в студии все вместе, и он, оторвавшись от своей картины, будто выныривая из тумана, чувствовал, как они сосредоточены и от усилий дышат резко, почти пыхтят. Он чувствовал, как вся затраченная ими энергия заполняет воздух, будто сладковатый, горючий газ, и ему хотелось закупорить его в бутылку и потягивать потом, когда исчезнет вдохновение, когда он будет часами просиживать перед холстом, как будто, если глядеть на него достаточно долго, холст вдруг с хлопком переродится во что-то мощное и гениальное. Ему нравилось соблюдать ритуалы — встать возле синей линии, тихонько прокашляться, чтобы привлечь внимание Ричарда, а потом переступить границу, и взглянуть на его работу, и вместе с ним молча стоять перед ней, изредка обмениваясь односложными словами, потому что они прекрасно понимали друг друга и без слов. Столько времени уходило на то, чтобы объяснить другим, что такое ты и что такое твоя работа — что она значит, что ты хотел этим сказать, почему ты хотел сказать именно это, почему ты выбрал эти цвета, и эту тему, и эти материалы, и такую технику, и способ нанесения, — и поэтому таким облегчением было очутиться рядом с человеком, которому не надо ничего объяснять и можно просто глядеть и глядеть, а если уж что и спрашивать — так прямо, технично, в лоб. Они как будто обсуждали моторы или водопровод, что-то однозначное и механическое, подразумевавшее всего один или два варианта ответов.

Все они работали в разных жанрах и поэтому не соревновались друг с другом, не боялись, что один видеохудожник, например, начнет выставляться раньше другого, и почти не опасались того, что куратор придет взглянуть на твою работу, а влюбится в работы соседа. Но, кроме того, Джей-Би по-настоящему уважал творчество остальных. Генри делал то, что сам он называл деконструированными скульптурами, — странные, замысловатые икебаны из цветов и веток, которые он мастерил из шелка разных сортов. Но, закончив каждую такую икебану, он вытаскивал из нее проволочный каркас, и скульптура распластывалась по полу, превращаясь в лужу абстрактных цветов, — и один Генри знал, как она выглядела, когда была объемным предметом.

Али был фотографом и работал над проектом под названием "История азиатов в Америке", для которого он сделал серию фотографий — по одной на десятилетие, начиная с 1890-х. Для каждого снимка он подготовил диораму — в сосновых ящиках три на три фута, которые ему сколотил Ричард, — с изображением какого-нибудь эпохального события или важной темы. Он купил в магазине для художников маленькие пластмассовые фигурки и раскрасил их вручную, вылепил из глины и обжег деревья и тропинки и все это поместил в диораму, а фон нарисовал очень тонкой, будто сделанной из ресничек кистью. Затем он сфотографировал все диорамы и отпечатал цветные снимки. Из всех четверых пока только Али нашел галерею, которая согласилась его представлять, и его первая выставка должна была открыться через семь месяцев, но о выставке Али лучше было не спрашивать, потому что при одном упоминании о ней он от волнения начинал заикаться. Работал Али не в хронологическом порядке: он сделал двухтысячные (кишащий парочками Нижний Бродвей, все мужчины белые, за каждым, держась на небольшом расстоянии, идет азиатка), потом восьмидесятые (на парковке двое крошечных белых головорезов избивают разводными ключами крошечного китайца, дно коробки смазано лаком, чтобы было похоже на блестящий после дождя асфальт), а теперь трудился над сороковыми — раскрашивал пятьдесят фигурок мужчин, женщин и детей, которые должны были изображать узников сегрегационного лагеря на озере Туле. Работа Али была самой кропотливой, и поэтому, когда остальные отлынивали от своих проектов, они забредали в угол к Али и усаживались вокруг него, а он, даже не поднимая головы от лупы и трехдюймовой фигурки, которой пририсовывал юбку "в елочку" и двухцветные туфли, то протягивал им проволочную губку для мытья посуды, которую нужно было разобрать на мелкие лохмотья, чтобы сделать из них перекати-поле, то велел вязать узелки на тончайшей проволоке, чтобы она превратилась в колючую.

Но больше всего Джей-Би восхищали работы Ричарда. Тот тоже был скульптором, но работал только с недолговечными материалами. Он рисовал какие-то невообразимые формы на чертежной бумаге, вырезал их изо льда, жира, шоколада и затем снимал на видео, как они плавятся. Ричард веселился, наблюдая за тем, как исчезает его труд, но когда Джей-Би в прошлом месяце увидел, как раскрошилась и растеклась массивная восьмифутовая скульптура — распростертое будто парус перепончатое крыло из замороженного виноградного сока, похожего на свернувшуюся кровь, — он чуть было не расплакался, хоть и не знал почему: то ли из-за того, что разрушена такая красота, то ли из-за того, каким пронзительно-будничным было это разрушение. После тающих материалов Ричард увлекся материалами, которые могли бы притягивать насекомых, и особенно его интересовали бабочки, которые, как выяснилось, любят мед. У него перед глазами, рассказывал он Джей-Би, так и стоит скульптура, густо облепленная бабочками, под слоем которых не видно даже очертаний того, что они пожирают. Все подоконники на его стороне были уставлены банками с медом, в которых пористые соты висели словно застывшие в формальдегиде эмбрионы.

Один Джей-Би занимался классическим искусством. Он писал красками. И, что еще хуже, был фигуративистом. Когда он заканчивал учебу, фигуративное искусство вообще никого не интересовало. Видео-арт, перформансы, фотография — все было лучше, чем живопись, и уж тем более живопись фигуративная. "Что в пятидесятых, что сейчас, ничего не поменялось, — вздохнул один профессор в ответ на жалобы Джей-Би. — Помните девиз морских пехотинцев? "Избранные, смелые…" Вот это про нас, одиноких отщепенцев".

И не скажешь ведь, что он никогда не делал ничего другого, не пробовал себя в других жанрах (вспомнить эту его идиотскую, дутую, сворованную у Мерет Оппенгейм затею с волосами! Опуститься до такой дешевки! Они разругались с Малкольмом — чуть ли не вдрызг, — когда тот назвал его работы "суррогатом Лорны Симпсон" и, что самое ужасное, был совершенно прав), но, пусть Джей-Би никому бы и не признался, что, по его мнению, быть фигуративным художником — это несолидно, и даже как-то по-девчачьи, и уж точно не для черных мужиков, в последнее время он все же смирился с тем, что он и есть такой художник. Он любит портреты, он любит краски, а значит, этим он и будет заниматься.

Ну и дальше что? Он знал — он знает людей, которые в техническом плане куда талантливее его. Они и рисовали лучше и чувство цвета и композиции у них было точнее, и трудолюбия побольше. Не хватало им только идей. Художникам не меньше, чем писателям или композиторам, нужны темы, нужны идеи. А их у него очень долго не было. Поначалу он решил рисовать только чернокожих, но чернокожих и так много кто рисовал, и Джей-Би чувствовал, что ничего нового он тут не изобретет. Принялся было рисовать шлюх, но потом ему и это надоело. Взялся за портреты родственниц, но понял, что опять рисует одних чернокожих. Стал набрасывать сценки из книжек о Тинтине, только изображая героев реалистично, живыми людьми, но вскоре ему показалось, что это уж чересчур иронично и плоско, а потому забросил и их. Так, холст за холстом, он и лентяйничал: рисовал прохожих на улицах, пассажиров в подземке, гостей бесчисленных вечеринок у Эзры (самые неудачные его работы, у Эзры собирались люди, которые одевались и двигались так, будто находятся на сцене, и в итоге на набросках у него выходили одни позирующие девицы да разряженные парни, старательно не глядящие в его сторону), и так продолжалось до того самого вечера, когда он, сидя на унылом диване в унылой квартирке Виллема и Джуда, смотрел, как они готовят ужин, толкаясь на крохотной кухоньке, будто суетливая лесбийская пара. Воскресные вечера Джей-Би редко проводил вне дома, но его мать, бабка и тетки отправились в пошлейший круиз по Средиземному морю, и он с ними ехать отказался. Но он привык, что по воскресеньям вокруг него толпятся люди, которые готовят ему ужин — настоящий ужин, и завалился без приглашения к Виллему и Джуду, зная, что те будут дома, потому что денег на рестораны у них нет.

Блокнот для набросков он всегда носил с собой, и поэтому, когда Джуд уселся за складной столик и стал резать лук (кухонной стойки в квартире не было, и они все делали на этом столе), Джей-Би практически машинально принялся его рисовать. Из кухни раздался грохот, запахло оливковым маслом, и когда Джей-Би, заглянув туда, увидел, как Виллем с удивительно безмятежным видом отбивает сковородой для омлетов распластанного перед ним цыпленка, то заодно нарисовал и Виллема.

Тогда он и не думал даже, что из этого что-то выйдет, но в следующие выходные взял у Али старый фотоаппарат и сфотографировал всех троих, сначала когда они ужинали в "Фо Вьет Хыонге", а потом — когда шли по заснеженной улице. Дорога была скользкой, и, беспокоясь о Джуде, они шли очень медленно. Он поймал в видоискатель всю шеренгу: Малкольма, Джуда и Виллема. Малкольм и Виллем шли по бокам от Джуда, стараясь держаться к нему поближе, чтобы подхватить, если тот поскользнется (Джей-Би это знал, потому что и сам так ходил), но не слишком близко, чтобы Джуд не догадался, что они готовятся к его падению. Джей-Би вдруг понял, что они об этом никак не договаривались, просто взяли и начали так ходить.

Он сфотографировал их.

— Джей-Би, ты это зачем? — спросил Джуд.

А Малкольм заныл:

— Джей-Би, да хватит уже!

Они тогда шли на вечеринку, которую у себя в лофте на Сентер-стрит устраивала одна их знакомая по имени Мирасоль, они с ней познакомились еще в колледже через ее сестру-близнеца Федру. На вечеринке они все разбрелись по разным группкам, и Джей-Би, помахав рукой Ричарду, стоявшему в другом конце комнаты, и подосадовав, что истратил в "Фо Вьет Хыонге" целых четырнадцать долларов, когда Мирасоль тут накрыла щедрый стол и можно было поесть бесплатно, прибился к Джуду, который разговаривал с Федрой, каким-то толстяком — похоже, ее бойфрендом — и тощим бородатым парнем, его Джей-Би узнал, они с Джудом вместе работали. Джуд примостился на спинке дивана, рядом с ним сидела Федра, они оба глядели снизу вверх на толстяка и тощего парня, и все четверо хохотали. Джей-Би их сфотографировал.

Обычно на таких вечеринках он сразу к кому-нибудь кидался, либо кидались к нему, и он обрастал группками по три-четыре человека, мигрируя из одной в другую, собирая сплетни, распуская безобидные слухи, притворно откровенничая и выуживая из собеседников признания о том, кого они ненавидят, в обмен на рассказы о собственных антипатиях. Но в тот вечер он был внимательным, сосредоточенным, почти что трезвым и фотографировал троих своих друзей, которые двигались по своим траекториям, не подозревая даже, что Джей-Би ходит за ними. Пару часов спустя он увидел, что они втроем сгрудились у окна — Джуд что-то говорил, остальные тянулись к нему поближе, чтобы его расслышать, и вдруг все трое так и прыснули со смеху, и Джей-Би, которому удалось поймать оба кадра, возликовал, хоть поначалу и глядел на друзей с досадой и легкой завистью. "Сегодня я — камера, — твердил он себе, — а завтра я снова стану Джей-Би".

Да и, сказать по правде, давно он не получал столько удовольствия от вечеринки, и никто, похоже, и не заметил, что он так весь вечер и проходил за друзьями, за исключением разве что Ричарда. Когда они через час решили выдвинуться в центр (родители Малкольма уехали за город, а Малкольм вроде как знал, где мать прячет траву), Ричард с неожиданной нежностью, по-стариковски похлопал Джей-Би по плечу.

— Что-то нащупал?

— Похоже на то.

— Молодец.

На следующий день он уселся за компьютер и принялся просматривать вчерашние снимки. Камера была так себе, и фотографии вышли нечеткими, мутновато-желтыми, да и резкость Джей-Би наводить не умел, а потому все фигуры на снимках получились слегка размытыми, окрашенными в теплые густые тона, как если бы снимал он через стакан виски. Дольше всего он разглядывал портрет Виллема — его лицо крупным планом, он кому-то улыбается (какой-нибудь девчонке, это ясно) — и снимок Джуда с Федрой, они сидят рядом на диване: на Джуде синий свитер, который они с Виллемом оба надевали так часто, что Джей-Би толком и не знал, чей он, а на Федре бордовое шерстяное платье, она склонилась к Джуду, волосы у нее до того темные, что его волосы от этого кажутся светлее, и на фоне бугристого сине-зеленого дивана оба сияют как в огранке, их цвета — выпуклые, роскошные, кожа — соблазнительная. Такие цвета сразу хочется нарисовать, и он так и поступил — сначала набросал сценку карандашом в блокноте, потом акварелью на картоне и, наконец, акриловыми красками на холсте.

С тех пор прошло четыре месяца, и Джей-Би заканчивал уже одиннадцатое полотно — рекордная для него производительность — со сценами из жизни друзей. Вот Виллем стоит в очереди на прослушивание и напоследок еще раз перечитывает сценарий, уперев одну ногу в липкую кирпичную стену; вот наполовину затемненное лицо Джуда, он смотрит пьесу и улыбается (Джей-Би удалось поймать эту улыбку, правда, его тогда чуть не выгнали из театра); вот Малькольм с отцом сидят на разных концах дивана, Малькольм очень скованный, прямой как струна, вцепился руками в колени — они смотрят бунюэлевский фильм, телевизор остался за кадром. Перепробовав несколько вариантов, Джей-Би остановился на холстах размером со стандартную цветную фотографию — горизонтальные, двадцать на двадцать четыре дюйма — и представлял, как когда-нибудь все они зазмеятся по стенам галереи одной бесконечной полосой и каждое изображение будет следовать за другим так же плавно, как кадры на пленке. Изображения были хоть и реалистичными, но все равно походили на фотографии, он так и ходил с фотоаппаратом Али, не стал покупать ничего получше и старался в каждой своей картине запечатлеть эту легкую размытость, которую на всем оставляла камера, — будто кто-то стряхнул верхний слой резкости, и под ним обнаружилась мягкость, которую не углядишь невооруженным взглядом.

Иногда его одолевали сомнения, и тогда ему казалось, что этот его проект слишком хипстерский, слишком узкий — вот тут ему бы очень пригодился куратор, чтобы напоминать, что не ему одному нравится его работа, что кто-то еще счел ее важной, ну или хотя бы красивой, — но даже тогда он чувствовал, с какой самоотдачей работает, сколько удовольствия и удовлетворения приносит ему эта работа. Иногда он жалел, что на картинах нет его самого. Вся жизнь друзей запечатлена, и его отсутствие — будто огромная дыра, но, с другой стороны, он выходил кем-то вроде бога и с удовольствием играл эту роль. И на друзей он теперь глядел совсем по-другому, не как на довески к собственной жизни, а как на выпуклых персонажей, которые живут в своих личных сюжетах, — иногда ему даже казалось, что после стольких лет знакомства он только сейчас впервые их и увидел.

Где-то через месяц после начала проекта, как только он понял, что точно будет продолжать над ним работать, ему, разумеется, пришлось объяснять, почему он повсюду таскается за друзьями с камерой и фотографирует каждодневные события их жизни и почему для него так важно, чтобы они и дальше позволяли ему фотографировать их и пускали в свою жизнь.

Они ужинали во вьетнамской лапшичной на Орчард-стрит — подыскивали замену "Фо Вьет Хыонгу", — и когда он закончил говорить (сильно волнуясь, что было на него совсем не похоже), все поглядели на Джуда. Джей-Би заранее знал, что его нелегко будет уговорить. Остальные-то согласятся, но ему это никак не поможет. Нужно было, чтобы согласились все, иначе от проекта не будет никакого толку, а Джуд был из них самый застенчивый еще в колледже: когда кто-нибудь пытался его сфотографировать, он отворачивался или закрывал лицо, а стоило ему улыбнуться или засмеяться, как он судорожно, непроизвольно прикрывал рот рукой — на этот жест, от которого он отучился не так давно, всегда было грустно смотреть.

Его опасения подтвердились, Джуд насторожился.

— И что же ты хочешь показывать? — все спрашивал и спрашивал он, и Джей-Би, набравшись терпения, снова и снова уверял его, что, конечно же, он его никак не унизит и его доверием не злоупотребит, что он просто хочет отразить в картинах, как в хронике, течение их жизни. Остальные молчали и не вмешивались, и в конце концов Джуд согласился, хоть и без особой радости в голосе.

— И когда этот проект закончится? — спросил Джуд.

— Надеюсь, что никогда.

Он и вправду на это надеялся. И жалел только о том, что не начал раньше, когда они были совсем молодыми.

Они вышли на улицу, Джей-Би зашагал рядом с Джудом.

— Джуд, — тихо сказал он, чтобы остальные не услышали. — Все картины с тобой… я сначала покажу тебе. Если запретишь, выставлять не буду.

Джуд взглянул на него:

— Обещаешь?

— Богом клянусь.

Об этом обещании он тотчас же пожалел, ведь, по правде говоря, именно Джуда он больше всего и любил рисовать. Джуд был самым красивым: у него было самое интересное лицо, самый необычный цвет волос и кожи, и еще из всех троих он был самым стеснительным, поэтому любой его снимок всегда казался ценнее прочих.

В следующее воскресенье Джей-Би, как обычно, пришел домой к матери и стал рыться в коробках с вещами из колледжа, которые стояли в его детской комнате, — он искал одну фотографию и знал, что она точно там лежит. Наконец он ее отыскал — фотографию Джуда-первокурсника, — кто-то сделал снимок, отпечатал, и потом он каким-то образом попал к Джей-Би. Фотография была сделана на кампусе, в их общей гостиной — Джуд стоял вполоборота к камере. Левую руку он прижал к груди, и на тыльной стороне ладони был виден атласный, похожий на морскую звезду, шрам. В правой руке он неумело держал незажженную сигарету. Одет он был в полосатую бело-голубую футболку с длинными рукавами, вряд ли это была его футболка, до того она была ему велика (хотя, как знать, может, и его — Джуду тогда все было велико, потому что, как выяснилось, он специально покупал одежду на несколько размеров больше, чтобы ее можно было проносить несколько лет, пока он растет), а волосы, которые Джуд тогда отпускал подлиннее, чтобы за ними можно было спрятаться, рваными прядями свисали до подбородка. Но Джей-Би этот снимок запомнился в первую очередь из-за того, какое у Джуда было выражение лица — тогда он на всех глядел с опаской. Он годами не вспоминал об этой фотографии, а теперь глядел на нее с чувством какого-то опустошения, причин которого не мог объяснить.

Над этой-то картиной он сейчас и работал, и ради нее он сменил формат и сделал холст квадратным, сорок на сорок дюймов. Он несколько дней экспериментировал с красками, чтобы получить тот самый переменчивый змеисто-зеленый цвет радужек Джуда, а цвет волос переделывал несколько раз, пока не добился нужного результата. Картина вышла сильная, и он знал это, знал без тени сомнения (так иногда бывает), и он даже не собирался показывать картину Джуду, пусть Джуд увидит ее, когда она уже будет висеть в какой-нибудь галерее, тогда он ничего не сможет с этим поделать. Он знал, что Джуд разозлится, увидев, до чего хрупким, до чего женственным, до чего юным и уязвимым он вышел на картине, и знал, что тот найдет еще сотню надуманных причин, чтоб придраться к своему изображению, таких причин, которые Джей-Би и в голову бы не пришли, потому что он не такой закомплексованный псих, как Джуд. Но для него эта картина олицетворяла все, чем и должен был по его замыслу стать проект, — это было любовное письмо, это был документ, это была сага, это все было его. Когда он работал над картиной, ему казалось, будто он взмывает вверх, будто мир с галереями, вечеринками, другими художниками и их амбициями сужается под ним до крохотной точки, делается таким маленьким, что можно отбросить его, будто футбольный мяч, одним ударом ноги и глядеть, как он, вертясь, улетает на какую-то дальнюю орбиту, до которой ему нет никакого дела.

Почти шесть. Свет скоро переменится. В студии пока что тихо, хоть Джей-Би и слышал, как вдалеке прогромыхала электричка. Перед ним был холст, холст ждал. Он взялся за кисть и начал рисовать.

В подземке были стихи. Над лунками пластмассовых сидений, между рекламой дерматологов и курсов дистанционного обучения, висели длинные заламинированные плакаты с поэзией: второсортный Стивенс, третьесортный Рётке и пятисортный Лоуэлл — фразы, которые никого не заденут за живое, ярость и красота, ужатые до пустых афоризмов.

Так, по крайней мере, считал Джей-Би. Он был против этой затеи со стихами. Они появились, когда он еще учился в школе, и он уже пятнадцатый год на них жаловался.

— Вместо того чтобы финансировать настоящее искусство и настоящих художников, они раздают деньги старым девам —библиотекаршам и педрилам в кардиганчиках, чтоб они сплошное говно выбирали! — орал он, стараясь перекричать визжащие тормоза поезда на линии F. — Сплошную Эдну Сент-Винсент Миллей! А всех приличных — кастрировать. Кстати, заметил, что тут одни белые? Это, блядь, вообще как?

На следующей неделе Виллем увидел плакат со стихами Лэнгстона Хьюза и позвонил Джей-Би.

— Лэнгстона Хьюза?! — простонал Джей-Би. — Дай угадаю: "Что станется с несбывшейся мечтой?", верно? Так и знал! Такое говно не считается. И вообще, если б несбывшиеся мечты и вправду взрывались, это говно через секунду бы исчезло.

Сегодня перед Виллемом висит стихотворение Тома Ганна: "Они так и не пришли к решению / Считать ли их отношения — отношениями". Внизу кто-то приписал черным маркером: "Спокуха, чел, я тож давно не ебался". Он закрывает глаза.

Всего-то четыре часа, а он уже так устал, и это у него еще смена не началась. Не стоило вчера вечером ездить с Джей-Би в Бруклин, но с ним больше никто не хотел ехать, а Джей-Би говорил, что за Виллемом должок, он ведь в прошлом месяце сходил с Виллемом на тот дрянной моноспектакль его друга.

Пришлось пойти.

— Чья это группа? — спросил он, пока они ждали поезда в метро.

Пальто у Виллема было слишком тонким, одну перчатку он потерял, и поэтому, чтобы сберечь тепло, он засунул ладони под мышки и принялся покачиваться, как всегда делал, если приходилось стоять на холоде.

— Джозефа, — ответил Джей-Би.

— А, — сказал он.

Виллем понятия не имел, кто такой Джозеф. Он восхищался Джей-Би, который с виртуозностью, достойной Феллини, ориентировался в обширном круге своих знакомых, где все были пестро разряженными актерами массовки, а они с Джудом и Малькольмом — нужными, но все равно не самыми главными исполнителями его замысла, монтажерами или младшими художниками-постановщиками, которые без особых напоминаний с его стороны должны были следить, чтобы все шло своим чередом.

— Хардкор, — услужливо добавил Джей-Би, как будто это могло помочь Виллему вспомнить, кто такой Джозеф.

— И как эта группа называется?

— Тут вот какой прикол, — засмеялся Джей-Би. — Она называется "Подзалупный творожок 2".

— Как? — расхохотался Виллем. — "Подзалупный творожок 2"? Почему? И что случилось с "Подзалупным творожком 1"?

— Подхватил стафилококк! — проорал Джей-Би, перекрикивая шум приближающегося поезда. Стоявшая рядом пожилая женщина сердито на них покосилась.

Ну и конечно, "Подзалупный творожок 2" оказался так себе. Строго говоря, это был и не хардкор вовсе, скорее уж ска — тряский и сбивчивый. ("У них что-то со звуком! — проорал ему на ухо Джей-Би во время очередной затяжной песни "Phantom Snatch 3000". "Да, — прокричал он в ответ, — он у них херовый!") К середине концерта (казалось, будто они каждую песню играют минут по двадцать) Виллем, одурев от тесноты и абсурдной музыки, принялся неумело мошиться с Джей-Би, вдвоем они начали подпихивать соседей и тех, кто стоял рядом, и вскоре толкались уже все вокруг, правда, весело, словно кучка нетрезвых младенцев. Джей-Би ухватил его за плечи, и они хохотали, глядя друг на друга. Виллем совершенно обожал Джей-Би в такие минуты, обожал его умение и готовность вести себя глупо и легкомысленно, потому что ни с Малькольмом, ни с Джудом он так себя вести не мог — Малькольм говорил, конечно, что приличия его не волнуют, но это были только слова, а Джуд просто был серьезный.

Ну и конечно, утром он за это поплатился. Проснулся он в лофте у Эзры, в углу, на голом матрасе Джей-Би (сам Джей-Би смачно храпел на полу, уткнувшись в груду затхлого белья) и не помнил даже, как они снова оказались на Манхэттене. Обычно Виллем не напивался и не накуривался, но в компании Джей-Би с ним такое иногда случалось. И как же поэтому хорошо было вернуться на Лиспенард-стрит, в чистоту и тишину (Джуд давно ушел), к косым лучам солнечного света, которые с одиннадцати утра и до часу дня пропекали его сторону спальни и уже били в окно. Виллем поставил будильник и мгновенно уснул, а проснувшись, наскоро принял душ, проглотил таблетку аспирина и помчался на работу.

Ресторан, в котором он работал, славился своей кухней — изысканной, но в то же время не слишком затейливой — и хорошо подобранным, приветливым персоналом. В "Ортолане" официантов просили быть радушными без фамильярности и дружелюбными без навязчивости. "У нас тут не "Френдлис", — любил повторять Финдлей, его босс, управляющий рестораном. — Улыбайтесь, но представляться не надо". Таких правил в "Ортолане" было много. Например, сотрудницам запрещалось носить какие-либо украшения, кроме обручальных колец. Мужчинам запрещено было отпускать волосы, разрешенная длина — до мочек ушей. Никакого лака на ногтях. Бороду — нельзя, щетина — максимум двухдневная. Насчет усов, как и насчет татуировок, решения принимались индивидуально.

Виллем работал официантом в "Ортолане" уже почти два года. До "Ортолана" он обслуживал две смены — обед по будням и бранч по выходным — в шумном и популярном ресторане в Челси, который назывался "Телефончик". Посетители ресторана (чаще всего мужчины, чаще всего немолодые, лет по сорок как минимум) спрашивали, можно ли заказать его, а затем озорно и самодовольно хихикали, будто первыми додумались это спросить и он не слышал этого вопроса уже в одиннадцатый или двенадцатый раз только за текущую смену. Но даже в таких случаях он улыбался и говорил: "Только вприглядку", а они отвечали: "Но я бы хотел чего-нибудь посущественнее", и тогда он снова улыбался, и они оставляли ему щедрые чаевые.

Его друг и однокурсник по имени Роман, тоже актер, порекомендовал его Финдлею, после того как сам ушел из ресторана, получив небольшую роль второго плана в мыльной опере. (Он сказал Виллему, что сомневался, стоило ли на это подписываться, но что тут будешь делать? От таких денег не отказываются.) Виллем был благодарен за рекомендацию, потому что "Ортолан" славился не только кухней и обслуживанием, но и — хоть и не в таком широком кругу ценителей — своим гибким графиком, особенно если ты понравишься Финдлею. Финдлею нравились маленькие плоскогрудые брюнетки, а мужчины — какие угодно, главное, чтобы были высокие, худые и, если верить слухам, лишь бы не азиаты. Виллем иногда останавливался у дверей на кухню и наблюдал за тем, как разнокалиберные пары — миниатюрные темноволосые официантки и долговязые тощие парни — кружились по главному залу, скользя друг мимо друга, будто бестолково подобранные танцоры в менуэтах.

Не все официанты в "Ортолане" были актерами. Точнее, не все в "Ортолане" так и оставались актерами. Были в Нью-Йорке такие рестораны, где люди из актеров, подрабатывающих официантами, каким-то образом превращались в официантов, некогда подрабатывавших актерами. И если ресторан был нормальный, приличный, такая смена карьеры считалась не просто приемлемой, а даже предпочтительной. Официант в хорошем ресторане мог помочь друзьям с броней столика, мог уболтать кухонный персонал, чтобы те расщедрились на бесплатную еду для этих же друзей (хотя Виллем убедился, что уболтать кухонный персонал куда сложнее, чем ему казалось). Но чем мог помочь своим друзьям актер, который подрабатывал официантом? Раздобыть билеты на очередную экс-экспериментальную постановку, куда надо приходить со своим костюмом, потому что ты играешь брокера, который то ли зомби, то ли не зомби, а на костюмы денег все равно нет? (Именно это и случилось в прошлом году, когда ему пришлось одалживать деловой костюм у Джуда, потому что своего у него не было. Ноги у Джуда были длиннее примерно на дюйм, поэтому, пока он играл в пьесе, штанины приходилось подворачивать и подклеивать изнутри малярным скотчем.)

Актеров в "Ортолане" было нетрудно отличить от бывших актеров, которые теперь делали карьеру официанта. Официанты, например, были постарше и с придирчивой дотошностью следили за соблюдением всех Финдлеевых правил, а когда весь персонал собирался за ужином, они демонстративно крутили бокалы с вином, которое им наливал на пробу помощник сомелье, и говорили что-нибудь вроде: "Немного напоминает пти сира Линн Калодо, который ты на прошлой неделе подавал, верно, Хосе?" или "Какая-то минеральность во вкусе, вам не кажется? Это что, Новая Зеландия?" Само собой, на свои постановки таких не звали, приглашать можно было только таких же актеров-официантов, и если они приглашали тебя, нужно было хотя бы постараться сходить, это считалось хорошим тоном — ну и конечно, никаких агентов, никакие прослушивания, ничего такого ты с ними не обсуждал. Актерство было войной, а они — ветеранами. Они не желали вспоминать о войне и уж точно не желали разговаривать о ней с юнцами, которые всё рвались в окопы, всё радовались, что попали на фронт.

Финдлей и сам когда-то был актером, но, в отличие от других бывших актеров, он любил рассказывать — впрочем, "любил", наверное, будет не самым подходящим словом, вернее всего будет просто "рассказывал" — историю своей жизни, ну или какую-то ее версию. Если верить Финдлею, то однажды он почти, почти получил главную роль второго плана в пьесе "Светлая комната под названием день", которую ставил Публичный театр (потом одна официантка рассказала им, что все серьезные роли в этой пьесе — женские). Он был во втором составе какой-то бродвейской постановки (какой именно, он никогда не уточнял). Финдлей был ходячим *memento mori* актерской карьеры, назидательной притчей в сером шерстяном костюме, и актеры-официанты либо избегали его, словно его участь была заразной, либо внимательно к нему приглядывались, как будто надеялись себя обеззаразить тесным контактом.

Но когда именно Финдлей решил забросить актерскую карьеру и как это случилось? Просто возраст подошел? Он ведь все-таки был старый — лет сорок пять, а то и пятьдесят, где-то так. И как понять, что все — пора сдаваться? Когда тебе, например, тридцать восемь, а ты до сих пор не обзавелся агентом (как, похоже, вышло с Джоэлом)? Или когда тебе сорок, а ты так и снимаешь квартиру на двоих с другом и официантом на полставки заработал больше, чем за весь тот год, когда решил полностью сосредоточиться на актерской карьере (как было с Кевином)? Или когда ты толстеешь, лысеешь или делаешь неудачную пластическую операцию, которая никак не может замаскировать того, как ты толстеешь и лысеешь? Когда упорная погоня за мечтой перестает быть храбростью и становится безрассудством? Как понять, что пора остановиться? В прежние времена — более строгие, отрезвляющие (но от которых в результате было куда больше толку) — все было гораздо проще: ты завязывал со всем в сорок, или после свадьбы, или когда появлялись дети, или через пять, через десять или пятнадцать лет. Тогда ты устраивался на настоящую работу, а все твои мечты об актерской карьере тускнели и становились историей, растворяясь в ней так же незаметно, как кубик льда в горячей ванне.

Но сейчас настала эра самореализации, сейчас довольствоваться тем, к чему душа изначально как-то не лежала, — мелко и слабохарактерно. Теперь в том, чтобы покориться судьбе, нет ничего достойного, теперь это считается трусостью. Иногда казалось, что тебя почти физически принуждают быть счастливым, как будто счастливым может и должен быть каждый, и если в поисках счастья ты вдруг решишь чем-нибудь поступиться, то вроде как сам же и будешь в этом виноват. Будет ли Виллем и дальше год за годом работать в "Ортолане", ездить в одних и тех же электричках на прослушивания, снова, и снова, и снова зачитывать какие-то реплики, ради того, чтобы когда-нибудь по-черепашьи проползти вперед на дюйм-другой, но сдвиг будет таким ничтожным, что его и сдвигом-то не назовешь? И хватит ли у него тогда смелости сдаться, сумеет ли он вовремя остановиться или, проснувшись однажды, взглянет на себя в зеркало и поймет, что он старик, который упорно зовет себя актером, потому что когда-то побоялся признать, что он не актер и никогда им не будет?

Джей-Би говорил, что Виллему мешает стать знаменитым сам Виллем. Джей-Би любил читать ему нотации, которые он обычно начинал с фразы: "Мне бы твою внешность, Виллем…", а заканчивал так: "Ты избалован вниманием, Виллем, ты привык, что тебе все само плывет в руки, и думаешь теперь, что и тут все как-нибудь само собой образуется. Но знаешь что? Ты, конечно, красавец, но тут все красавцы, так давай-ка уже, поднапрягись!"

Виллем, конечно, думал, что из уст Джей-Би это звучит по меньшей мере комично (это он-то избалованный? Да пусть на женщин своих посмотрит, которые над ним кудахчут, закармливают любимой едой, наглаживают ему рубашки, окружают плотным облаком любви и комплиментов: однажды Виллем подслушал, как Джей-Би звонит матери и просит постирать ему трусов побольше, он их заберет, когда приедет в воскресенье ужинать, и, кстати, на ужин он хочет ребрышки), но в то же время он понимал, что Джей-Би имеет в виду. Он знал, что он не лентяй, но, по правде сказать, он и не был таким честолюбивым, как, например, Джей-Би с Джудом, не было в нем того мрачного, ожесточенного упрямства, из-за которого они засиживались дольше всех в студии или офисе, из-за которого взгляд у них делался слегка отсутствующим — Виллему всегда казалось, что какая-то их частица уже живет в этом их воображаемом будущем и очертания этого будущего пока что видны только им одним. И честолюбие Джей-Би держалось на том, как он рвался в это будущее, как страстно его желал, а Джуд, думал Виллем, скорее боялся, что если не будет двигаться вперед, то обязательно скатится назад, к прошлой жизни, о которой он ничего им не рассказывал. Эти качества были присущи не только Джуду с Джей-Би: Нью-Йорк был населен честолюбивыми людьми. Зачастую только одна эта черта и объединяла его жителей.

Амбиции и атеизм: "Я исповедую только честолюбие", — как-то поздно вечером, за пивом, сообщил ему Джей-Би, и хотя Виллему эта реплика показалась слишком уж гладкой, словно Джей-Би ее репетировал, изо всех сил стараясь отшлифовать безыскусную небрежность фразы, чтобы когда-нибудь произнести ее всерьез в интервью, он также знал, что Джей-Би говорит искренне. Только здесь ты начинал думать, будто карьерой можно оправдать почти любое безумие, только здесь приходилось оправдываться за то, что веришь во что-то кроме себя.

Здесь ему вечно казалось, будто он не понимает чего-то важного и из-за своей глупости навеки обречен работать в "Ортолане". (Он и в колледже твердо верил, что он — самый тупой ученик в классе, которого туда приняли, чтобы политкорректно выполнить квоту по белым чудаковатым деревенским парням.) Он думал, что и другим тоже так казалось, хотя по-настоящему беспокоило это, похоже, одного Джей-Би.

"Я, Виллем, иногда не знаю даже, что про тебя думать", — однажды сказал ему Джей-Би, и по его тону было ясно, что ничего хорошего Джей-Би подумать не мог. Разговор этот состоялся у них в конце прошлого года, вскоре после того, как Меррит, бывший сосед Виллема по комнате, получил одну из двух ведущих ролей в экспериментальной постановке "Однажды в Калифорнии". Вторая главная роль досталась актеру, который недавно снялся в инди-фильме, собравшем хорошие отзывы, и теперь в его карьере наступил тот недолгий, но приятный период, когда у него появилась и артхаусная известность, и перспектива более мейнстримного успеха. Режиссер (с которым Виллем очень хотел поработать) пообещал, что на одну из главных ролей возьмет неизвестного актера. Он и взял — только этим неизвестным актером оказался Меррит, а не Виллем. До финального прослушивания дошли оба.

Его друзей это страшно возмутило. "Да Меррит даже играть не умеет, — стенал Джей-Би. — Он просто стоит на сцене, звездит и думает, что этого достаточно". Трое друзей Виллема стали вспоминать, когда они последний раз видели Меррита на сцене — в авангардистском театрике на постановке "Травиаты", где все роли исполняли мужчины, а действие было перенесено в восьмидесятые, на Файр-Айленд (Виолетту, которую играл Меррит, переименовали в Виктора, и умер он от СПИДа, а не от чахотки), — и все сошлись на том, что смотреть на это было невыносимо.

— Ну, он и впрямь хорош собой, — вяло защищал Виллем бывшего соседа по квартире.

— До тебя ему далеко! — сказал Малкольм до того запальчиво, что все удивились.

— Виллем, у тебя все получится, — утешал его Джуд, когда они возвращались домой после ужина. — Если в мире есть хоть капелька справедливости, все у тебя получится. А этот режиссер — придурок.

Джуд никогда не винил Виллема в его промахах, зато Джей-Би винил его всегда. Что хуже, Виллем и сам не знал.

Конечно, он был признателен друзьям за их возмущение, но, по правде сказать, сам не считал Меррита таким уж плохим актером. Он уж точно был ничем не хуже Виллема, а может, даже и лучше. Так он потом и сказал Джей-Би, который, услышав это, сначала долго и неодобрительно молчал, а потом принялся читать Виллему нотацию.

— Я, Виллем, иногда даже не знаю, что про тебя и думать, — начал он. — Иногда мне кажется, будто ты вообще не хочешь быть актером.

— Неправда, — возразил он. — Просто я не считаю каждый отказ чепухой и не думаю, что если кто-нибудь меня обошел, то это потому, что ему просто повезло.

Джей-Би снова замолчал.

— Слишком ты добрый, Виллем, — наконец мрачно сказал он. — Так ты ничего не добьешься.

— Ну спасибо, Джей-Би, — ответил он.

Он редко обижался на Джей-Би, потому что тот частенько оказывался прав, но именно тогда Виллему не очень хотелось выслушивать, что именно Джей-Би думает о его недостатках и какое мрачное будущее его ждет, если он полностью себя не переделает. Он повесил трубку и долго не мог заснуть, чувствуя, что зашел в тупик, и жалея себя.

Но как бы там ни было, а переделать себя он никак не мог — да и не поздно ли уже меняться? Ведь до того, как вырасти в доброго мужчину, Виллем был добрым мальчиком. Это все отмечали: учителя, одноклассники, родители одноклассников. "Виллем — очень отзывчивый ребенок", — писали учителя в его табелях, в табелях, на которые его мать с отцом взглядывали всего раз, мельком, не говоря ни слова, после чего засовывали их в стопку газет и пустых конвертов, а потом относили все в пункт приема макулатуры. Став постарше, Виллем понял, что его родители удивляли и даже огорчали окружающих, а как-то раз, в старших классах, учитель, не сдержавшись, заметил, что, зная характер Виллема, представлял себе его родителей совсем другими.

— Другими — какими? — спросил он.

— Более дружелюбными, — ответил учитель.

Сам Виллем не считал себя каким-то особенно великодушным или очень уж добрым человеком. Обычно ему все давалось легко: спорт, учеба, дружба, девчонки. И это не значит, что он был со всеми мил — никому в друзья он не лез и не выносил грубости, мелочности и подлости. Он знал, что он скромный, трудолюбивый и усердный — но далеко не гений. "Знай свое место", — то и дело твердил ему отец.

Отец его свое место знал. Виллем помнил, как однажды из-за заморозков поздней весной на местных фермах погибло много ягнят и журналистка брала у отца интервью для материала о том, как это отразится на фермерах.

— Вот вам как фермеру… — начала было журналистка, но отец Виллема оборвал ее.

— Я не фермер, — сказал он. Акцент у него был такой, что слова эти — как и каждое его слово — прозвучали куда отрывистее, чем он их сказал. — Я работаю на ферме.

Разумеется, он был прав. Слово "фермер" означало нечто конкретное — землевладельца, — и в этом смысле фермером он не был. Но тогда в их округе куча народу не имела права называться фермерами, а они все равно так себя называли. Виллем ни разу не слышал, чтоб отец их за это осуждал — отцу было все равно, что там делали или не делали окружающие, — но ни он сам, ни его жена, мать Виллема, себе таких приукрашиваний позволить не могли.

Наверное, поэтому ему и казалось всегда, что он все о себе давно понял, и даже по мере того, как расстояние между ним и фермой его детства росло и ширилось, он все равно не чувствовал никакой нужды в том, чтобы перекраивать и переделывать себя. Он и в колледже был гостем, и в университете, и вот теперь оказался гостем в Нью-Йорке, в жизни богатых и красивых людей. Он ни за что не стал бы притворяться, будто все это может принадлежать ему по праву, потому что знал — ничего ему не принадлежит. Он был родом из западного Вайоминга, его отец работал на ферме, и если

Виллем оттуда и уехал, это вовсе не значит, что его прошлое разом испарилось, что время, опыт и близость к деньгам разом это прошлое переписали.

У родителей он был четвертым ребенком и единственным, кто выжил. Первой была девочка, Бритте, которая в два года умерла от лейкемии, задолго до того, как Виллем появился на свет. Это случилось в Швеции, где его отец — исландец, работавший в рыболовном хозяйстве, — познакомился с его матерью, датчанкой. Затем они перебрались в Америку, где у них родился сын, Хемминг, который был болен ДЦП. Через три года появился сын Аксель — он умер еще младенцем, во сне, и никто так и не понял, от чего именно.

Когда родился Виллем, Хеммингу было восемь. Он не мог ни ходить, ни разговаривать, но Виллем любил его, для него он всегда оставался старшим братом. Хемминг, правда, умел улыбаться, и, улыбаясь, он подносил руку к лицу, растопыривая пальцы утиным клювом и растягивая губы, за которыми виднелись воспаленно-розовые десны. Виллем выучился ползать, потом ходить, потом бегать, а Хемминг год за годом так и сидел в кресле, и когда Виллем подрос и окреп, он принялся таскать Хемминга в кресле на неповоротливых колесах с толстыми резиновыми шинами (предполагалось, что человек в этом кресле будет сидеть, а не ездить по траве и грязи) по всей ферме, вокруг деревянного домика, где они жили с родителями. На холме перед их домом возвышалась усадьба — вытянутая, приземистая, с широкой террасой, огибавшей все здание, а если пойти вниз по дороге, можно было попасть на конюшни, где работали их родители. Пока Виллем учился в школе, он был Хеммингу и сиделкой, и компаньоном. По утрам он первым вставал, варил родителям кофе и кипятил воду для Хеммин-говой овсянки, а по вечерам выходил на дорогу встречать фургон, в котором его брата привозили из дневного пансионата для инвалидов, находившегося в часе езды от их дома. Виллем всегда думал, что они с братом очень похожи — у обоих были блестящие светлые волосы, такие же, как и у родителей, и глаза у обоих были серыми, как у отца, и у обоих в левом уголке рта была длинная впадинка-скобка, из-за которой вид у них был такой, будто их все забавляет и они вот-вот улыбнутся, — но кроме него этого сходства никто не замечал. Люди видели только коляску Хемминга, и влажно-красный овал его вечно раскрытого рта, и его глаза, которые чаще всего глядели куда-то в небо, следя за видимым одному ему облаком.

— Что ты там видишь, Хемминг? — иногда спрашивал Виллем брата во время их вечерних прогулок, но Хемминг, разумеется, никогда ему не отвечал.

Родители с Хеммингом управлялись расторопно и умело, но, как понимал Виллем, без особой любви. Когда Виллем задерживался в школе —

на футбольном матче или забеге — или когда ему нужно было сверхурочно поработать в местном супермаркете, мать встречала Хемминга у дороги, затаскивала его в ванну и потом вытаскивала оттуда, мать кормила его ужином — рисовой кашей с курицей — и меняла ему подгузник, перед тем как уложить в кровать. Но она не читала ему, не разговаривала с ним и не гуляла с ним так, как делал Виллем. Его беспокоило отношение родителей к Хеммингу — упрекнуть их было не в чем, однако Виллем чувствовал, что они считают себя в ответе за Хемминга, но не более того. Потом он еще будет себя уверять, что глупо было бы ждать от них чего-то еще, что это было бы чудом. Но все равно. Виллему хотелось бы, чтобы они больше любили Хемминга, чуть-чуть побольше.

(Хотя, как знать, может, он слишком многого хотел, когда просил их любви. Они стольких детей потеряли, что, возможно, попросту не желали или не могли полностью посвятить себя тем, кто выжил. Ведь в конце концов они с Хеммингом тоже их покинут, не важно, по собственной воле или нет, и тогда они потеряют их всех. Но эта мысль пришла ему в голову только спустя много-много лет.)

Когда Виллем был на втором курсе колледжа, Хеммингу пришлось срочно вырезать аппендикс. "Говорят, как раз вовремя успели", — сообщила ему по телефону мать. Говорила она безучастно, очень деловито, и в ее голосе не слышалось ни тревоги, ни облегчения — впрочем, не слышалось в нем (пусть и не хочется, и страшно об этом думать, но подумать все же пришлось) и разочарования.

Сиделка Хемминга, местная жительница, которая после отъезда Виллема они платили за ночные дежурства, заметила, что он шлепает себя по животу и стонет, и, нащупав у него в боку под ребрами твердый грибообразный узелок, сумела распознать аппендицит. Во время операции врачи обнаружили на толстой кишке небольшой нарост, длиной в пару сантиметров, и сделали биопсию. После рентгена выяснилось, что таких наростов несколько, и врачи собирались их тоже вырезать.

— Я приеду, — сказал он.

— Не надо, — сказала мать. — Ты тут ничем не поможешь. Если там что-то серьезное, мы тебе скажем.

Когда Виллем сообщил им с отцом, что его зачислили в колледж, они были пожалуй что огорошены — они даже не знали, что он подавал документы, но когда он уехал учиться, они твердо решили, что он обязательно должен получить диплом и поскорее выкинуть ферму из головы.

Но он всю ночь думал о Хемминге, как он лежит там один на больничной койке, как ему страшно, как он плачет и прислушивается, не раздастся ли голос Виллема. В двадцать один год Хеммингу удалили грыжу, и он перестал плакать, только когда Виллем взял его за руку. Он знал, что должен поехать домой.

Билеты на самолет стоили дорого, гораздо дороже, чем он думал. Он стал прикидывать, можно ли добраться на автобусах, но тогда он потратит три дня на дорогу туда и три дня на дорогу обратно, а тут как раз середина семестра и экзамены, которые нужно сдать, и сдать хорошо, иначе он потеряет стипендию, и подработку тоже надолго не оставишь. В конце концов, напившись в пятницу вечером, он рассказал обо всем Малкольму, и тот вытащил чековую книжку и выписал ему чек.

— Я так не могу, — сразу отказался он.

— Это почему? — спросил Малкольм.

Они долго препирались, пока наконец Виллем не взял чек.

— Я все верну, ты мне веришь?

Малкольм пожал плечами:

— Свинство, конечно, с моей стороны так говорить, — сказал он, — но я этого даже не замечу.

Но Виллем решил, что обязательно придумает, как вернуть Малкольму долг, хоть и знал, что Малкольм у него денег ни за что не возьмет. Джуд посоветовал ему класть деньги Малкольму прямо в бумажник, и поэтому раз в две недели Виллем, обналичив зарплатный чек из ресторана, где работал по выходным, засовывал туда две-три двадцатки, пока Малкольм спал. Он даже не знал, замечал ли это Малкольм — тот тратил деньги очень быстро и часто платил за всех, — но Виллем все равно был очень доволен и горд собой.

Тем временем надо было что-то делать с Хеммингом. Виллем был рад, что съездил домой (мать только вздохнула, когда он сказал, что приедет), и рад был повидать Хемминга, хоть и ужаснулся тому, как он исхудал и как он стонал и плакал, когда медсестры пальпировали ему живот вокруг швов, — Виллем сидел, вцепившись в стул обеими руками, изо всех сил сдерживаясь, чтобы на них не наорать. По вечерам он ужинал с молчавшими родителями и почти ощущал, как они отстраняются от него, как будто бы сдирают с себя жизнь, в которой они были родителями двоих детей, и готовятся принять какое-то другое, новое обличие.

На третий вечер он взял ключи от машины и поехал в больницу. Это на востоке уже наступила ранняя весна, здесь же темный воздух, казалось, сверкал от мороза, а по утрам трава покрывалась тонкой хрустальной кожицей.

Когда он уходил, на крыльцо вышел отец.

— Он уже спит, — сказал он.

— Я просто хочу к нему съездить, — сказал Виллем.

Отец взглянул на него.

— Виллем, — сказал он, — он не поймет, приезжал ты или нет.

Он почувствовал, как кровь прилила к лицу.

— Я знаю, что вам на него насрать, — прошипел он, — но мне — нет.

Он первый раз в жизни выругался при отце и на мгновение застыл, с ужасом и отчасти с восторгом ожидая, вдруг отец ему ответит, вдруг у них выйдет спор. Но отец только отхлебнул кофе, развернулся и ушел в дом, тихонько прихлопнув за собой дверь-сетку.

И все оставшееся время они вели себя точно так, как и прежде, — все поочередно дежурили у Хемминга в больнице, а вернувшись оттуда, Виллем помогал матери с бухгалтерией или отцу на конюшнях, где тот следил за переподковкой лошадей. По вечерам он возвращался в больницу и готовился к экзаменам. Он читал Хеммингу вслух "Декамерон", а Хемминг лежал, уставившись в потолок и моргая. Он продирался сквозь задания по матанализу, но решал их с тоскливой уверенностью, что все делает неправильно. Они привыкли, что математику за всех троих делал Джуд, который щелкал задачки так быстро, будто брал арпеджио. Когда они учились на первом курсе, Виллем искренне хотел сам во всем разобраться, и Джуд на протяжении нескольких вечеров старательно ему все растолковывал, но он так и не сумел ничего понять.

— Мне этого никогда не понять, я слишком тупой, — сказал он однажды после занятия, которое показалось ему многочасовым, — под конец Виллему хотелось только одного: выскочить на улицу и долго-долго бежать, так его трясло от раздражения и досады.

Джуд опустил глаза.

— Ты не тупой, — тихо сказал он. — Просто я не очень хорошо объясняю.

Джуд ходил на семинары по высшей математике, куда попасть можно было только по приглашению, — остальные даже и не пытались понять, чем именно он там занимался.

Теперь же удивительным казалось только то, что он вообще удивился, когда три месяца спустя ему позвонила мать и сообщила, что Хемминг в реанимации, его подключили к аппарату искусственного дыхания. Был конец мая, экзаменационная сессия в разгаре. "Не приезжай, — сказала она ему, приказала даже. — Не надо, Виллем". С родителями он говорил по-шведски, и только через много лет, когда шведский режиссер, у которого Виллем снимался, отметил, каким безжизненным голосом он говорит на этом языке, Виллем понял, что, сам того не замечая, в разговоре с родителями подлаживался под их тон и начинал говорить как они, сухо и безучастно.

Следующие несколько дней он ходил сам не свой, экзамены сдавал кое-как: французский, сравнительное литературоведение, якобинская драма, исландские саги, ненавистный матанализ — все смешалось в кучу. Он затеял ссору с подружкой, которая была старше его и заканчивала колледж. Она расплакалась, он знал, что виноват, и знал, что не в силах ничего исправить. Мысленно он был в Вайоминге, представлял себе аппарат, который сплевывает жизнь в легкие Хемминга. Ему ведь надо поехать домой? Он должен поехать домой. Надолго не получится: пятнадцатого июня они с Джудом съезжали из общежития на лето и перебирались в съемное жилье, им обоим удалось найти работу в городе, Джуд по будням будет работать секретарем у профессора классической филологии, а по выходным — в кондитерской, где он подрабатывал и во время учебы. Виллем будет помощником преподавателя в школе для детей-инвалидов, но перед этим все четверо собирались в Аквинну, на Мартас-Виньярд, и погостить в доме родителей Малкольма, после чего Малкольм и Джей-Би на машине возвращались в Нью-Йорк. По вечерам он звонил Хеммингу в больницу, просил родителей или медсестер поднести трубку к его уху и разговаривал с братом, хотя и понимал, что тот, скорее всего, его не слышит. Но как тут было не попытаться?

А потом, через неделю, утренний звонок от матери — Хемминг умер. Он не смог ничего сказать. Не смог спросить, почему она не сообщила ему, что дела обстоят так плохо, потому что в глубине души всегда знал: она не сообщит. Не смог пожалеть о том, что его с ними не было, потому что знал: на это она ничего не ответит. Не смог спросить, как она, потому что ни один ее ответ его не устроит. Ему хотелось наорать на родителей, ударить их, вытрясти из них хоть что-то — чтоб горе хоть немного сломило их, чтоб они хоть ненадолго утратили самообладание, чтобы хоть как угодно, но признали, что случилось нечто огромное, что со смертью Хемминга они потеряли что-то важное и нужное в жизни. И ему было наплевать, прочувствуют они это на самом деле или нет, ему нужно было, чтобы они это сказали, нужно было ощутить, что под их непроницаемым спокойствием есть хоть что-нибудь, что у них где-нибудь внутри все-таки бежит тоненький, быстрый, прохладный ручеек, полный хрупких жизней, мелкой рыбешки, травы и крохотных белых цветов, таких нежных, ломких, уязвимых, что на них нельзя взглянуть без боли.

Тогда он не сказал друзьям о Хемминге. Они поехали к Малкольму — дом стоял в красивом месте, ничего красивее Виллем и не видел никогда и уж тем более ни разу в таком месте не жил, — и по ночам, когда все засыпали в отдельных кроватях, в отдельных комнатах с отдельными ванными (такой это был большой дом), он тихонько выбирался наружу и часами бродил по дорожкам, которые паутиной окружали дом, и луна была такой огромной и яркой, словно ее сделали из какой-то замерзшей жидкости.

Во время этих прогулок он изо всех сил старался ни о чем не думать. Вместо этого он сосредоточивался на том, что видел, подмечая ночью все, что ускользало от него днем: какая мягкая тут земля, почти как песок, как она вспархивает у него из-под ног крохотными струйками, как в кустах, мимо которых он проходит, бесшумно, тоненькими ленточками, мелькают корично-коричневые змеи. Он доходил до океана, и луна над ним исчезала, скрывалась в лохмотьях облаков, и несколько мгновений он не видел воды, только слышал ее, и небо от влаги делалось плотным и теплым, как будто сам воздух здесь был гуще, существеннее.

Может быть, так оно и бывает, когда умрешь, подумал он и понял, что, кажется, это не так уж и плохо, и ему стало полегче.

Он боялся, что ему трудно будет провести все лето с детьми, которые могли напомнить ему Хемминга, но оказалось, это очень хорошо и даже полезно. В его классе было семеро учеников, всем лет по восемь, все с серьезными проблемами, передвигаться самостоятельно не мог никто, но, хотя большая часть дня у него вроде бы уходила на то, чтобы научить их различать цвета и формы, на самом деле он почти все время с ними играл: читал им, возил по школьному парку, щекотал перышками. На переменах двери всех школьных кабинетов открывались, и главный двор заполнялся детьми в таких хитроумных устройствах на колесах, в креслах и колясках, что казалось, будто его заполонили механические насекомые, которые поскрипывали, жужжали и щелкали все разом. Здесь были дети в инвалидных креслах и дети на мини-мопедах, которые, подпрыгивая и постукивая, катились по плиткам с черепашьей скоростью, здесь были дети, пристегнутые к длинным, гладким доскам на колесиках, напоминавшим укороченные доски для серфинга, и дети, которые ползали по земле, подтягиваясь на обмотанных культях, и дети без каких-либо средств передвижения, которые просто сидели на коленях воспитателей, а те придерживали им головы. Такие больше всего напоминали ему о Хемминге.

Некоторые дети, из тех, что ездили на мопедах и досках с колесиками, могли говорить, и Виллем очень осторожно перебрасывался с ними большими пенопластовыми мячами и устраивал им забеги во дворе. Каждый забег начинался с того, что он бежал впереди всех детей, передвигаясь широкими, нарочито медленными скачками (но не настолько нарочитыми, чтобы это выглядело совсем уж смешно: он хотел, чтобы они думали, будто он и впрямь с ними бежит), но в какой-то момент, обычно, когда они пробегали где-то треть пути, он притворялся, будто споткнулся обо что-то, и картинно шлепался на землю, и дети с хохотом проезжали мимо него. "Вставай, Виллем, вставай!" — кричали они, и он вставал, но к этому моменту они все уже успевали приехать к финишу, и он приходил последним. Иногда он думал, не завидуют ли дети тому, с какой легкостью он может упасть и снова встать, и если завидуют, не стоит ли ему перестать так делать, но когда он спросил об этом своего начальника, тот только взглянул на Виллема и сказал, что детей он веселит и чтоб падал дальше. И поэтому он каждый день падал, и каждый вечер, пока они с учениками ждали родителей, которые забирали их из школы, умевшие разговаривать дети спрашивали его, упадет ли он и завтра. "Ни за что! — уверенно отвечал он хихикавшим детям. — Вы что, смеетесь надо мной? Думаете, я и вправду такой неуклюжий?"

Во многом то было прекрасное лето. Их квартира находилась рядом с Массачусетским технологическим институтом, владельцем ее был профессор, который преподавал у Джуда математику: сам он на лето уехал в Лейпциг, а с них брал такую маленькую арендную плату, что они оба стали понемножку ремонтировать его жилье, чтобы хотя бы таким образом выразить свою благодарность. Джуд рассортировал книги, покосившиеся стопки которых торчали небоскребами на каждом шагу, грозя вот-вот рухнуть, и ошпаклевал вздувшийся от сырости кусок стены. Виллем подкрутил дверные ручки, поменял прокладки в подтекающих кранах, заменил клапан в бачке унитаза. Он начал встречаться с девушкой, которая училась в Гарварде и тоже работала ассистенткой преподавателя в его школе, и по вечерам она иногда заходила к ним, они готовили огромный котелок спагетти с мидиями, а Джуд рассказывал им, что профессор, у которого он работал, решил общаться с ним только на латыни или древнегреческом, даже когда речь шла о просьбах вроде "У меня закончились зажимы для бумаги" и "Не забудь завтра утром попросить, чтобы мне в капучино долили двойную порцию соевого молока". В августе в город стали возвращаться их друзья и знакомые (не только из их колледжа, но и из Гарварда, МТИ, Уэллсли и Тафтса), которые зависали у них на пару дней, перед тем как перебраться в общежитие или на съемную квартиру. Однажды вечером, незадолго до того, как им самим уже настала пора съезжать с квартиры, они пригласили в гости человек пятьдесят и устроили пикник на крыше. Они помогли Малкольму запечь на гриле под влажными банановыми листьями гору мидий и кукурузных початков. На следующее утро они вчетвером собирали с пола ракушки, забрасывая их в мешки для мусора и с удовольствием слушая их кастаньетный перестук.

Но тем же летом он понял, что больше не вернется домой, — как-то так вышло, что без Хемминга им с родителями больше не нужно было притворяться, будто они должны держаться вместе. Подспудно он чувствовал, что и родители думают так же: они никогда об этом не разговаривали, но и у него теперь не было особой нужды к ним ехать, и они его не звали.

Время от времени они перезванивались, вели неизменные — вежливые, будничные, обязательные — беседы. Он спрашивал их о ферме, они его — об учебе. На последнем курсе он сыграл в студенческой постановке "Стеклянного зверинца" (разумеется, ему досталась роль визитера), но об этом он родителям даже не стал рассказывать, и когда сказал, что на церемонию вручения дипломов им приезжать совершенно необязательно, они спорить не стали — впрочем, на ферме как раз подходила к концу выжеребка кобыл, и он не знал, смогли бы они приехать или нет, даже если бы он их об этом попросил. На выходные их с Джудом приютили семьи Малькольма и Джей-Би, но их и без того все наперебой звали на праздничные обеды, ужины и пикники.

"Но они же твои родители! — примерно раз в год говорил ему Малькольм. — Ты не можешь вот так просто перестать с ними общаться". Но вот тому живое доказательство: он смог, он перестал. Как и всякие отношения, думал он, отношения с родителями тоже требуют постоянного ухода, упорства и внимания, но если ни одна из сторон не желает себя этим утруждать, отчего бы отношениям не зачахнуть? И поэтому он скучал только по Хеммингу и еще по самому Вайомингу — по его бескрайним просторам, по деревьям с такой темной зеленью, что она казалась синей, по сахарно-навозному, яблочно-торфяному запаху лошадей, которых вычистили перед сном.

Родители умерли в один год, когда он учился в магистратуре: отец в январе, от инфаркта, мать — в октябре, от инсульта. Тогда он приезжал домой — родители, конечно, были немолоды, но, только увидев, до чего они усохли, он вспомнил, какими живыми, какими неутомимыми они были всегда. Они все завещали ему, но, расплатившись с долгами (тут ему снова сделалось не по себе, он ведь был уверен, что лечение и уход покрывала страховка, но теперь узнал, что и через четыре года после смерти Хемминга родители по-прежнему каждый месяц выплачивали больнице огромные суммы), он остался почти ни с чем: немного наличных, какие-то облигации, серебряная кружка с толстым дном, принадлежавшая его давно умершему деду по отцовской линии, черно-белый снимок Акселя с Хеммингом, которого он раньше никогда не видел. Это и еще кое-какие вещи он оставил себе. Фермер, нанявший его родителей на работу, сам давно умер, и теперь фермой владел его сын, который к родителям Виллема всегда относился хорошо, — они проработали у него гораздо дольше, чем по идее должны были, и он же оплатил их похороны.

Только когда они умерли, Виллем сумел вспомнить, что все-таки любил их, что они научили его многим вещам, которыми он теперь дорожил, и что они никогда не требовали от ничего непосильного и невозможного. В минуты нетерпимости (сколько их было всего каких-нибудь пару лет назад!) он считал их безразличие, их безучастное принятие того, кем он там хочет или не хочет быть, простым отсутствием интереса: что это за родители, однажды сочувственно-завистливо спросил его Малкольм, которые и слова не скажут, когда единственный ребенок (потом он извинился) сообщает им, что собирается стать актером? Но теперь, повзрослев, он оценил наконец, что они никогда не давали ему понять, будто он им что-то должен — свой успех, свою преданность, свою любовь или даже верность. Он знал, что отец в Стокгольме попал в какую-то передрягу — он так и не узнал, в чем было дело — и отчасти из-за этого родители и перебрались в Штаты. Они бы никогда не потребовали, чтобы он был как они, они и сами не очень-то хотели быть собой.

Вот так началась его взрослая жизнь, и последние три года он бултыхался в илистом пруду, болтаясь от берега к берегу, и деревья вокруг нависали над ним, заслоняли свет, так что было не разглядеть, впадала ли в это его озерцо река или оно было закрытым, крошечным мирком, где он мог проплавать годы и десятилетия — всю свою жизнь, — слепо тыкаясь во все стороны в поисках выхода, которого нет, которого там не было никогда.

Вот если бы у него был агент, если б кто-то мог указать ему верный путь, показать, как спастись, как попасть в струю. Но агента у него не было, пока не было (он оптимистично считал, что это все только "пока"), и потому он, в компании таких же искателей, все высматривал этот ускользающий приток, по которому лишь немногие уплывали из озера и которым никто не желал возвращаться обратно.

Он был готов ждать. Он ждал. Но в последнее время ему казалось, будто его терпение стачивается во что-то занозистое, зазубренное, разваливается на сухие щепочки.

Впрочем, ни беспокойство, ни жалость к себе ему не были свойственны. Напротив, ему случалось возвращаться домой из "Ортолана" или с репетиции пьесы, за неделю игры в которой ему заплатят сущие гроши, так мало, что даже на бизнес-ланч не хватит, с чувством полного удовлетворения. Только они с Джудом могли считать квартиру на Лиспенард-стрит достижением — ведь, сколько бы он ее ни ремонтировал, сколько бы Джуд ее ни отмывал, она все равно оставалась тоскливой и какой-то неясной, как будто бы само это место стеснялось назваться настоящим жильем — но именно в такие минуты он и ловил себя на мысли, что этого уже достаточно. На такое я и надеяться не смел. Жить в Нью-Йорке, быть взрослым, стоять на деревянном возвышении и произносить чужие слова! — то была абсурдная жизнь, жизнь-нежизнь, жизнь, которой ни его родители, ни его брат и представить себе не могли, а он вот представлял ее себе каждый день.

Но потом это чувство исчезало, он вновь оставался один и принимался за газету, проглядывал новости культуры, читал о других людях, делавших то, о чем он даже и мечтать не мог — для этого его воображению не хватало нужной широты, нужной дерзости, — и в такие часы мир ему казался очень большим, озеро — очень пустым, ночь — очень темной, и ему хотелось вернуться в Вайоминг и ждать Хемминга у дороги, где надо было знать только один путь — к родительскому дому, над крыльцом которого горела лампочка, омывавшая вечер медом.

Сначала была видимая жизнь офиса: они, все сорок человек, сидели в большой комнате, каждый за своим столом; на одном конце, ближайшем к Малкольму, — кабинет Рауша за стеклянной стеной, на другом конце, тоже за стеклянной стеной, — кабинет Томассона. Между ними две стены окон, один ряд выходит на Пятую авеню и Мэдисон-сквер, другой — на Бродвей, на мрачный, серый, заплеванный жвачкой тротуар. Эта жизнь существовала официально с десяти утра до семи вечера, с понедельника по пятницу. В этой жизни они делали, что велят: сидели над макетами, чертили наброски и варианты, разбирали эзотерические каракули Рауша и четкие, написанные печатными буквами указания Томассона. Они не разговаривали. Не собирались в группы. Когда клиенты приходили к Раушу и Томассону и стояли у большого стеклянного стола в центре комнаты, они не поднимали глаз. Если клиент был знаменитостью — а это случалось все чаще и чаще, — они так низко склонялись над чертежами и сидели так тихо, что даже Рауш начинал шептать, и его голос — редкий случай — приноравливался к офисной громкости.

Но была и другая жизнь офиса, настоящая жизнь. Томассон появлялся на работе все реже и реже, так что теперь они ждали только ухода Рауша, и ждать иногда приходилось долго: Рауш, при всей своей светскости и общительности, при всей любви к путешествиям и выступлениям в прессе, был усердным тружеником и, даже уходя с работы на какое-нибудь мероприятие (торжественную церемонию, лекцию), мог позже вернуться, и тогда приходилось быстро все перекладывать, чтобы офис снова стал таким, каким Рауш привык его видеть. Лучше было дождаться, когда он уйдет совсем, хотя иногда это означало, что ждать придется до девятидесяти часов вечера. Они приручили помощницу Рауша, принося ей кофе и круассаны, так что теперь можно было полагаться на ее донесения о перемещениях начальника.

Но когда Рауш наконец уходил насовсем, офис моментально преображался, тыква превращалась в карету. Включалась музыка (все пятнадцать человек по очереди выбирали, что ставить), появлялись меню ресторанов с доставкой, на всех компьютерах проекты бюро "Ратстар" закрывались, укладывались в электронные папки и засыпали, забытые и нелюбимые, на всю ночь. На час наступало всеобщее веселье, архитекторы изображали тевтонский выговор Рауша (некоторые из них считали, что на самом деле он из Парамуса в Нью-Джерси, а имя это придуманное — не могут же человека и впрямь звать Йооп Рауш?! — а эксцентричный акцент призван скрыть скучную правду: он просто провинциальный зануда по имени, скажем, Джесси Розенберг). Они изображали и Томассона — как он хмурится, как ходит туда-сюда по офису, когда хочет произвести впечатление на посторонних, покрикивая непонятно на кого (на них, видимо): "Эт-то рап-пота, джентльмены! Рап-пота!" Они не щадили и самого пожилого из начальников — Доминика Чуна, талантливого архитектора, который, однако, постепенно ожесточался (все, кроме него, понимали, что он уже никогда не станет партнером, что бы там ни обещали ему Рауш и Томассон). Они издевались даже над проектами, в которых им приходилось участвовать: нереализованная идея неокоптской церкви из известкового туфа в Каппадокии; дом без видимых опор в Каруидзаве, где ржавчина теперь скатывалась по безликим стеклянным поверхностям; музей еды в Севилье, который должен был получить премию, но не получил, музей кукол в Санта-Катарине, который не должен был получить никаких наград, но получил. Они издевались над своими архитектурными школами — в Массачуссетском технологическом, Йеле, в Школе дизайна в Род-Айленде, Колумбии, Гарварде: как все предупреждали их, что много лет жизнь их будет сущим мучением, и как каждый думал, что уж он-то окажется исключением из правил (и сейчас каждый из них втайне продолжал думать так же). Они смеялись над тем, что зарабатывают так мало, а им ведь уже двадцать семь, тридцать, тридцать два, а они все еще живут с родителями, снимают квартиру на двоих, живут с девушкой, работающей в банке, с бойфрендом, работающим в издательстве (вот где ужас: бойфренд в издательстве зарабатывает больше тебя, и тебе приходится жить за его счет!). Они фантазировали, чем бы они сейчас занимались, если б не пошли в чертову архитектуру: можно было стать музейным куратором (единственная в мире профессия, где зарабатывают еще меньше), сомелье (ну хорошо, таких профессий две), владельцем галереи (окей, три), писателем (ладно — четыре, видимо, им не дано зарабатывать деньги даже в фантазиях). Они спорили о зданиях, которые им страшно нравятся или страшно не нравятся. Они спорили о выставке фотографий в одной галерее и о выставке видео-арта в другой. Они бурно обсуждали критиков, рестораны, философские течения и материалы. Они вместе завидовали однокашникам, добившимся успеха, и злорадствовали по поводу тех, кто оставил профессию, начал разводить лам на ферме в Мендосе, стал соцработником в Анн-Арбор, преподает математику в Чэнду.

Днем они играли в архитекторов. Иногда взгляд клиента, скользящий по комнате, вдруг выхватывал кого-то из них, обычно самых красивых — Маргарет или Эдуарда, и Рауш, который необычайно тонко чувствовал момент, когда он переставал быть центром внимания, звал избранного, словно ребенка за взрослый стол. "Это у нас Маргарет, — говорил он клиенту, глядевшему на нее с тем же вниманием, с каким минуту назад рассматривал чертежи Рауша (которые заканчивала как раз Маргарет). — Скоро она меня вытеснит из бизнеса". И смеялся своим печальным моржовым лаем: "А-ха-ха-ха".

Маргарет улыбалась, здоровалась, закатывала глаза, отвернувшись от них. Но все знали, что она думает то же, что и они: "Иди в жопу, Рауш" и "Когда? Когда уже я тебя вытесню? Когда настанет мой черед?"

А пока у них была только игра; после споров, криков и еды наступала тишина, офис наполнялся сухими звуками: личные файлы извлекались из папок и открывались щелчками мыши, слышался зернистый шорох карандашей по бумаге. Хотя все они работали одновременно, используя ресурсы компании, никто не просил разрешения посмотреть чужую работу — они как будто притворялись, что всего этого не существует. Так вот сидишь до полуночи, рисуешь воображаемые конструкции, изгибаешь параболы в форму мечты, а потом уходишь, всегда с одной и той же глупой шуткой: "Увидимся через десять часов". Или девять, или восемь, если тебе по-настоящему повезло и удалось много сделать.

Сегодня был один из тех вечеров, когда Малькольм уходил один, и довольно рано. Даже когда он заканчивал работу со всеми вместе, он не мог поехать с ними на подземке — все они жили где-нибудь на юге Манхэттена или в Бруклине, он же направлялся в Ист-Сайд. Выйти одному было еще хорошо тем, что никто не увидит, как он ловит такси. Богатые родители были и у его товарищей по офису — у Катарины, например, почти наверняка у Маргарет и Фредерика. Но он единственный из всех жил у своих богатых родителей.

Он поднял руку.

— Угол Семьдесят первой и Лекс, — сказал он водителю.

Если водитель был чернокожим, он говорил "Лексингтон". А если нет, то бывал откровеннее: "Между Лекс и Парк, ближе к Парк". Джей-Би считал, что это как минимум смехотворно, а то и оскорбительно. "По-твоему, если они будут думать, что ты живешь на Лекс, а не на Парк, то примут тебя за крутого гангстера? — спрашивал он. — Малькольм, ты полный придурок".

Эти споры о таксистах были только частью бесконечных дискуссий, которые они годами вели с Джей-Би. Темой их всегда была чернокожесть — точнее, недостаточная чернокожесть Малькольма. Еще один спор о таксистах разгорелся, когда Малькольм (по глупости — он и сам понял это, как только открыл рот) заметил, что он всегда без проблем ловит такси в Нью-Йорке и не понимает, на что жалуются другие. Это было на первом курсе, когда они с Джей-Би в первый и последний раз пришли на еженедельное заседание Союза афроамериканских студентов. От возмущения и злорадства глаза Джей-Би буквально вылезли из орбит, но когда какой-то самодовольный прыщ из Атланты заявил, что Малькольм, во-первых, сам не очень-то черный, во-вторых, он все равно как эскимо — внутри весь белый, и, в-третьих, имея белую мать, он не в силах понять трудности настоящих черных, Джей-Би тут же встал на его защиту. Джей-Би всегда сам донимал его недостаточной чернотой, но ему не нравилось, когда это делали другие, особенно черные, особенно в смешанной компании, каковой Джей-Би считал любую компанию, кроме Виллема и Джуда.

Вернувшись в квартиру родителей на Семьдесят первой (неподалеку от Парк-авеню), он выдержал обычный родительский допрос, выкрикиваемый со второго этажа ("Малькольм, это ты?" — "Да!" — "Ты ел?" — "Да!" — "Может, ты все-таки голодный?" — "Нет!"), и поплелся наверх, в свое логово, чтобы снова раздумывать над главными камнями преткновения собственной жизни.

Хотя Джей-Би не мог подслушать его сегодняшний разговор с таксистом, Малькольм испытывал такое чувство вины и такую ненависть к себе, что раса оказалась на первом месте в его списке. Малькольму всегда было трудно разобраться со своей расой, но на первом курсе он нашел, как ему казалось, блестящий выход из положения: он не черный, он пост-черный. (Постмодернизм стал частью его кругозора сравнительно поздно; он избегал курсов по литературе, это был как бы пассивный протест против влияния матери.) Увы, это объяснение никого не убедило, уж во всяком случае не Джей-Би, которого Малькольм решил считать не черным, а пред-черным, как будто для него чернокожесть была нирваной, идеальным состоянием, в которое Джей-Би постоянно мечтал прорваться.

Но Джей-Би нашел способ перещеголять Малькольма — пока Малькольм выстраивал свою постмодернистскую идентичность, Джей-Би открыл для себя перформативное искусство (курс назывался "Идентичность как искусство: перформативные трансформации и современное тело"; среди слушателей было много усатых лесбиянок, которых страшно боялся Малькольм, но которые необъяснимым образом благоволили к Джей-Би). Джей-Би был так тронут искусством Ли Лозано, что придумал семестровый проект в ее честь под названием "Бойкотирую белых (подражание Ли Лозано)" и в рамках проекта перестал разговаривать с белыми людьми. Однажды в субботу он объяснил им свою идею — тоном слегка извиняющимся и в то же время гордым: сегодня с полуночи он полностью перестает разговаривать с Виллемом и наполовину сокращает общение с Малькольмом. Поскольку расовая принадлежность Джуда неизвестна, с ним он разговаривать сможет, но только загадками и дзенскими коанами, в знак непостижимости его этнического происхождения.

Малькольм увидел, что Виллем и Джуд обменялись серьезным, но, отметил он с раздражением, очень многозначительным взглядом (он всегда подозревал, что между ними существует отдельная дружба, в которой ему нет места), и понял, что идея их позабавила и они готовы идти на поводу у Джей-Би. В принципе-то он был рад немного отдохнуть от Джей-Би, однако не чувствовал ни благодарности, ни умиления — его раздражало, что Джей-Би так легко играет с вопросами расы, раздражало, как он использует этот дурацкий хитровывернутый проект (за который скорее всего получит А), чтобы ткнуть Малькольма носом в его идентичность, а ведь это не его дело.

Жизнь с Джей-Би на условиях проекта (а когда их жизнь не вращалась вокруг его капризов и придумок?) практически ничем не отличалась от обычной жизни с Джей-Би. Урезав общение с Малькольмом, он не стал реже обращаться к нему с мелкими просьбами — захватить для него что-то в магазине, пополнить его карточку для прачечной, раз ему все равно по пути, одолжить экземпляр "Дон-Кихота" на занятие по испанскому, а то Джей-Би оставил свой в мужском туалете библиотеки. То, что он не разговаривал с Виллемом, не значило, что он отказался от прочих способов коммуникации, включая массу эсэмэсок и наспех нацарапанных записок ("Пойд. смтр. Крестного отца у Рэкса?") — по мнению Малькольма, Ли Лозано бы этого не одобрила. С Джудом он общался в стиле "Ионеско для бедных", но этот стиль явно не годился, чтобы попросить Джуда сделать за него домашнее задание по матанализу, и тогда Ионеско внезапно превращался в Муссолини, особенно когда до Ионеско доходило, что есть целый набор задач, к которым он вообще еще не притрагивался, потому что был слишком занят в мужском туалете библиотеки, а занятие начинается через сорок три минуты ("Но ты ведь успеешь, правда, Джуди?").

Естественно, Джей-Би не был бы Джей-Би, если бы его выходка тут же не привлекла сверстников, падких на все броское и блестящее, так что его маленький эксперимент немедленно был описан в газете колледжа, а после в новом афроамериканском литературном журнале "Раскаяние есть", и в течение некоторого утомительного периода времени о нем говорил весь кампус. Все это внимание раздуло в нем угасший было энтузиазм

(Джей-Би жил по новым правилам всего восемь дней, но Малкольм видел, что иногда он просто лопается от желания поговорить с Виллемом) — он смог продержаться еще два дня, после чего величественно завершил эксперимент, заявив, что добился успеха и доказал все, что хотел.

— И что же ты хотел доказать? — спросил Малкольм. — Что можешь доводить белых до белого каления, даже когда не разговариваешь с ними?

— Ой, иди в жопу, Мэл, — лениво отозвался Джей-Би, слишком довольный своим успехом, чтобы ввязываться в спор. — Тебе не понять.

И он отправился на встречу со своим бойфрендом, белым парнем с лицом благочестивого богомола, который всегда смотрел на Джей-Би с выражением такого обожания, что Малкольма начинало тошнить.

В то время Малкольм был убежден, что расовый дискомфорт, который он испытывает, — временное состояние, чисто контекстуальное ощущение, которое у каждого пробуждается в колледже, но потом проходит. Он никогда не испытывал никаких особых чувств, никакой гордости по поводу своей расы, разве что косвенно: он знал, что ему следует определенным образом относиться к некоторым вещам (например, к таксистам), но это знание было чисто теоретическим, не подкреплялось его собственным опытом. И все-таки принадлежность к черной расе была важной частью его семейного нарратива, тех историй, которые рассказывались и пересказывались, пока не залоснились от времени: как его отец был третьим черным управляющим директором в инвестиционной компании, третьим черным председателем правления в очень белой подготовительной школе для мальчиков, в которую ходил Малкольм, вторым черным финансовым директором крупного коммерческого банка. (Отец Малкольма родился слишком поздно, чтобы стать первым черным кем бы то ни было, но в своем ареале обитания — к югу от Девяносто шестой улицы и к северу от Пятьдесят седьмой, к востоку от Пятой и к западу от Лексингтон — он был такой же редкой птицей, как краснохвостый сарыч, который гнездился иногда в зубчатой стене напротив их дома на Парк-авеню.) По мере взросления факт отцовской (и, наверное, его собственной) принадлежности к черной расе отошел на задний план, уступая место другим факторам, которые были важнее в их части Нью-Йорка, — таким, например, как известность матери в литературных кругах Манхэттена, — и, что еще более важно, их богатству. Тот Нью-Йорк, в котором жила семья Малкольма, делился не по расовым признакам, а по ставке подоходного налога, и Малкольм вырос защищенным от всего, от чего могут защитить деньги, включая расизм, — во всяком случае, так ему казалось позже. И в самом деле, только в колледже он осознал, каким разным этот опыт может быть у разных людей черной расы и, что поразило его еще больше, как сильно деньги родителей отделяли его от остальных граждан его страны (если считать его однокурсников представителями остальной страны, что, конечно, было не так). Даже теперь, через десять лет после знакомства, он не мог осознать ту степень бедности, в которой вырос Джуд, — когда он наконец понял, что рюкзак, с которым Джуд приехал в колледж, содержит буквально все, чем тот владеет на этом свете, он испытал такое сильное и глубокое изумление, что даже поделился им с отцом, хотя обычно избегал представлять отцу доказательства своей наивности, боясь спровоцировать лекцию о том, как он наивен. Но даже отец, выросший в бедной семье в Квинсе — пусть с двумя работающими родителями и новым комплектом одежды каждый год, — был потрясен, Малкольм это видел, хотя тот и постарался скрыть свои чувства, немедленно пустившись в рассказ о собственных детских лишениях (что-то такое о рождественской елке, которую пришлось покупать на другой день после Рождества), как будто в соревновании, кому пришлось хуже, отец все еще надеялся выиграть, несмотря на очевидный сокрушительный триумф соперника.

Но все равно для людей, окончивших колледж шесть лет назад, раса становилась все менее важной характеристикой, носиться с ней как с основой своей идентичности казалось ребячеством, жалким и постыдным, как продолжать цепляться за юношеское увлечение "Амнести Интернэшнл" или игрой на тубе: все эти интересы вчерашнего дня исчерпали свой потенциал еще при поступлении в колледж. В его возрасте по-настоящему важными аспектами идентичности были сексуальные подвиги, профессиональные достижения и деньги. И во всех этих трех аспектах Малкольм тоже терпел неудачу.

Ну деньги ладно. Когда-нибудь он унаследует огромное состояние. Он не знал точно, насколько огромное, не считал нужным спрашивать, и никто никогда не считал нужным ему ничего сообщать, и уже по одному этому было понятно, что состояние очень велико. Ну не как у Эзры, конечно, хотя… может, и как у Эзры. Родители Малкольма жили гораздо скромнее, чем могли бы, поскольку его мать терпеть не могла вульгарной демонстрации богатства, так что он не знал даже, живут они между Лексингтон-авеню и Парк потому, что не могут позволить себе жить между Мэдисон и Пятой, или же потому, что его мать посчитала бы, что жить между Мэдисон и Пятой — дурной тон. Ему бы хотелось зарабатывать деньги самому, но он не относился к тем детям богатых родителей, которые непрерывно казнят себя за свое богатство. Он постарается сам пробить себе дорогу, но не все зависит от него одного.

Однако секс, сексуальная самореализация — за это он все-таки отвечает сам. Он не может сказать, что в его жизни не хватает секса, потому что он выбрал малооплачиваемую работу, или обвинить в этом родителей. (Или все-таки может? В детстве ему приходилось быть невольным свидетелем долгих родительских обжиманий — родители не стеснялись их с Флорой, — и, может быть, демонстрация их искушенности притупила в нем дух соревнования?) Его последние настоящие отношения закончились больше трех лет назад, женщину звали Имоджен, она бросила его и стала лесбиянкой. Он и сейчас не знал, привлекала ли она его физически или он просто был рад, что кто-то принимает за него решения. Недавно он виделся с Имоджен (она тоже архитектор, хотя работает в общественной организации и проектирует экспериментальные дома для малоимущих — Малькольм знал, что должен хотеть заниматься именно такой работой, хотя втайне вовсе этого не хотел) и сказал ей — в шутку! — что, наверное, это из-за него она стала лесбиянкой. Но Имоджен тут же ощетинилась и ответила, что лесбиянкой была всегда, а с ним связалась только потому, что решила чему-то научить сексуально беспомощного и запутавшегося молокососа.

Но после Имоджен у него никого не было. Да что ж с ним такое? Секс, сексуальность: с этим тоже надо было разбираться в колледже, на последнем рубеже, когда неуверенность в себе не только не осуждалась, но воспринималась с пониманием. Когда ему было чуть за двадцать, он пытался ненадолго влюбляться в разных людей — во Флориных подруг, в однокурсниц, в одну клиентку матери, написавшую высоколобый дебютный "роман с ключом", где главный герой, пожарный, не мог разобраться в своей сексуальной ориентации, — и все-таки не понимал, к кому его влечет. Иногда он думал, что неплохо быть геем (хотя и этой мысли он не мог вынести, это тоже казалось атрибутом студенческой жизни, идентичностью, которую можно примерить на время, прежде чем перейдешь в более зрелую и практичную полосу жизни) из-за прилагающихся к этому статусу аксессуаров, набора политических убеждений и эстетических вкусов. У него отсутствовало то обостренное чувство несправедливости, та рана, тот неизбывный гнев, которые необходимы, чтобы ощущать себя черным, но он не сомневался, что может разделить интересы, присущие геям.

Он воображал, что почти влюблен в Виллема, а иногда и в Джуда, а на работе порой не мог отвести взгляд от Эдуарда. Но потом он ловил взгляд Доминика Чуна, тоже устремленный на Эдуарда, и это его отрезвляло: меньше всего на свете он хотел стать таким, как Доминик, похотливо глядевший на сотрудника фирмы, в которой он никогда не станет партнером. Пару недель назад он заходил к Виллему и Джуду, чтобы сделать замеры и спроектировать им стеллаж, и когда Виллем наклонился, чтобы взять с дивана рулетку, его близость оказалась неожиданно невыносимой, и он убежал, соврав, что ему срочно надо в офис, хотя Виллем выбежал следом, окликая его.

Он действительно поехал в офис, не отвечал на эсэмэски Виллема, сидел перед компьютером, уставившись в монитор невидящим взглядом, и снова спрашивал себя, зачем он пошел работать в "Ратстар". К сожалению, ответ лежал на поверхности, и спрашивать нечего: он пошел работать в "Ратстар", чтобы произвести впечатление на родителей. На последнем курсе архитектурной школы Малькольм выбирал: он мог начать работать с двумя однокурсниками, Джейсоном Кимом и Сонал Марс, которые решили открыть свою компанию на деньги, унаследованные Сонал от бабушки с дедушкой, или пойти в "Ратстар".

— Ты шутишь, — сказал Джейсон, когда Малькольм объявил ему о своем решении. — Ты представляешь, какова жизнь рядового сотрудника в такой компании?

— Это прекрасная компания, — сказал он назидательно, с интонацией матери, и Джейсон закатил глаза. — Представь, какая строчка в резюме.

Но, уже произнося эти слова, он понимал (и, увы, боялся, что и Джейсон понимает): на самом деле это громкое имя нужно ему для того, чтобы родители могли щеголять им на вечеринках. Они и в самом деле произносили его с удовольствием. На каком-то обеде, который давали в честь клиента матери, Малькольм подслушал реплику отца: "Дочь у меня — редактор в "Фаррар, Страус и Жиру", а сын работает архитектором в "Ратстаре". Его собеседница одобрительно закудахтала, и Малькольм, который искал случая сказать отцу, что хочет бросить фирму, почувствовал, как внутри у него что-то оборвалось. В такие минуты он завидовал своим друзьям совершенно по тем же причинам, по каким когда-то их жалел: от них никто ничего не ждет, у них обычные семьи (или вовсе нет семьи), они сами ставят себе жизненные цели.

И что же? Теперь об одном проекте Джейсона и Сонал написал "Нью-Йорк", о другом — "Нью-Йорк таймс", а он все делает подсобную работу, как на первом курсе, пашет на двух претенциозных индюков в претенциозной фирме, названной в честь претенциозного стишка Энн Секстон, и получает за это гроши.

Он выбрал архитектурную школу по самой, кажется, неудачной причине: он любил здания. Это было вполне приемлемое увлечение, и когда он был маленький, родители всячески ему потакали: в путешествиях они вечно ходили на экскурсии, осматривали дома и архитектурные памятники. Даже в самом раннем детстве он рисовал воображаемые дома, возводил воображаемые конструкции; это было его утешением и прибежищем — все, что он не мог высказать и решить, можно было обратить в здание.

На самом деле вот чего он стыдился больше всего: не того, что у него не складывается с сексом, не того, что он недостаточно верен своей расе, не того, что он никак не может отделиться от родителей, зарабатывать деньги, стать самостоятельным человеком. Он стыдился того, что, когда они с коллегами сидели допоздна в офисе и все работали над проектами своей мечты, рисовали и планировали небывалые здания, он один ничего не делал. Он потерял способность выдумывать. Пока другие творили, он копировал: зарисовывал здания, виденные в путешествиях, здания, придуманные и построенные другими, здания, в которых он жил или побывал. Снова и снова он повторял то, что уже было создано, не внося изменений, просто копируя. Ему исполнилось двадцать восемь, воображение покинуло его, он всего лишь копировальщик.

Это было страшно. У Джей-Би есть его картины. У Джуда есть его работа, у Виллема тоже. Но что, если Малькольм никогда больше ничего не создаст? Он тосковал о тех годах, когда можно было просто сидеть у себя в комнате и рука летала над листом миллиметровки; еще далеко были трудные решения и выбор идентичности, пока что родители все решали за него, а он мог полностью сосредоточиться на чистой, тонкой линии, проведенной вдоль идеального лезвия линейки.

3

Джей-Би решил, что Новый год они встретят у Виллема и Джуда. Об этом он сообщил им на Рождество, которое они праздновали в три приема: в сочельник собирались у матери Джей-Би в Форт-Грине, на собственно рождественский ужин (по всем правилам, при костюме и галстуке) — у родителей Малкольма, а до этого совсем неформально обедали у теток Джей-Би. Они всегда следовали этому ритуалу — четыре года назад к нему прибавился День благодарения в Кеймбридже у Гарольда и Джулии, друзей Джуда, а вот Новый год оставался нераспределенным. В прошлом году — в первую уже не студенческую зиму — все они одновременно находились в одном и том же городе, но Новый год провели врозь, и все неудачно: Джей-Би на дурацкой вечеринке у Эзры, Малкольм в гостях у очередных родительских друзей, Виллема Финдлей определил в праздничную смену в "Ортолане", а Джуд валялся с гриппом на Лиспенард-стрит. Было решено на следующий год как следует все спланировать. Но они тянули и тянули, и вот уже декабрь, а плана все нет.

Поэтому никто не возражал, когда Джей-Би все решил за них (на этот раз, во всяком случае). Они прикинули, что человек двадцать пять разместят без труда, а сорок — с трудом. "Пусть будет сорок", — тут же сказал Джей-Би, как они и ожидали, но, вернувшись домой, они составили список всего из двадцати человек — только их друзей и друзей Малкольма, — ведь было заранее ясно, что Джей-Би пригласит больше народу, чем ему полагалось; он станет звать друзей, и друзей друзей, и совсем не друзей, и коллег, и барменов, и какого-нибудь продавца из магазина, и в конце концов в квартиру набьется столько народу, что даже при открытых настежь окнах ночной воздух не сможет развеять духоту и туман сигаретного дыма.

— И не делайте ничего замороченного, — предупредил Джей-Би, но Виллем с Малкольмом знали, что это предупреждение относится исключительно к Джуду, который был склонен все усложнять и целые ночи напролет печь гужеры, противень за противнем, хотя всех бы вполне устроила пицца, а также отдраивать все до блеска, хотя всем было бы наплевать, даже если бы пол покрылся слоем грязи, а раковина — плевками засохшего мыла и присохшими остатками завтрака.

Ночь перед вечеринкой выдалась теплой не по сезону, настолько теплой, что Виллем прошел пешком все две мили от "Ортолана", а дома его встретил такой густой масляный запах теста, сыра, фенхеля, что ему показалось, будто он и не уходил с работы. Он постоял немного на кухне, с легкой печалью поддевая маленькие вспухшие полукружья, которые остывали на противнях, оглядывая батареи пластиковых контейнеров — имбирное печенье, печенье с пряными травами, — и с той же печалью отметил, что Джуд все-таки выдраил всю квартиру; он знал, что все эти изыски будут бездумно проглочены под пиво, а их новый год начнется с того, что они повсюду будут находить крошки от этого прекрасного печенья — раздавленные, втоптанные в пол. В спальне он обнаружил, что Джуд уже спит, а окно приоткрыто, и воздух был такой плотный, что Виллему приснилась весна: деревья в желтом цветочном пуху и стаи дроздов с гладкими, будто промасленными перьями, беззвучно скользящие по небу цвета моря.

Когда он проснулся, погода снова переменилась, и он не сразу сообразил, что дрожит от холода, и что звук, ворвавшийся в его сон, — это шум ветра, и что его трясут, а имя его повторяют не птицы, а человеческий голос: "Виллем, Виллем".

Он повернулся, приподнялся на локтях — Джуд был виден ему только фрагментами; сначала он различил лицо, а потом сообразил, что Джуд держит перед собой левую руку, поддерживая ее правой, и она чем-то обернута — полотенцем, сообразил он, — и это полотенце в полумраке было таким ослепительно-белым, что, казалось, само служило источником света, и он смотрел на него как завороженный.

— Виллем, прости, — сказал Джуд, и голос его звучал так спокойно, что еще несколько секунд он думал, что это сон, и перестал слушать, так что Джуду пришлось повторить. — Виллем, произошел несчастный случай. Прости. Пожалуйста, отвези меня к Энди.

Наконец он проснулся.

— Что такое?

— Я порезался. Случайно. — Он помедлил. — Ты меня отвезешь?

— Да, конечно.

Но он все еще не проснулся, все еще был как в тумане и, еще не понимая, что случилось, торопливо оделся, вышел в коридор, где ждал Джуд; они вместе дошли до Канал-стрит, и он свернул в сторону подземки, но Джуд потянул его за рукав:

— Думаю, придется вызвать такси.

В такси — Джуд сказал водителю адрес все тем же подавленным, глухим голосом — он наконец пришел в себя и заметил, что Джуд все еще прижимает к руке полотенце.

— Зачем ты взял полотенце? — спросил он.

— Я же сказал — порезался.

— Что, так сильно?

Джуд пожал плечами, и Виллем только теперь заметил, что его губы приобрели странный цвет — вернее, странную бесцветность, хотя, может быть, все дело было в свете фонарей, который захлестывал его лицо, выхватывал отдельные черты, окрашивал их желтым, охристым, тошнотным личиночно-белым, пока такси неслось на север. Джуд прислонился головой к окну и закрыл глаза, и тогда на Виллема накатила дурнота, ему стало страшно, хотя он и не смог бы сказать почему, он знал только, что они едут в такси и что-то случилось, он не знал что, но что-то очень плохое, а он не понимает чего-то жизненно важного, главного, и влажное тепло, царившее повсюду всего лишь несколько часов назад, исчезло, и мир опять вернулся к ледяной резкости конца года, к неприкрытой зимней жестокости.

Приемная Энди находилась на пересечении Семьдесят восьмой и Парк, недалеко от дома родителей Малкольма, и только когда они вошли внутрь, при нормальном освещении Виллем увидел, что узор на рубашке Джуда — это кровь, что полотенце все пропиталось ею, стало липким, покрылось коркой и кусочки хлопка слиплись, как влажная шерсть.

— Прости, — сказал Джуд Энди, когда тот открыл дверь и впустил их, а когда Энди размотал полотенце, Виллем увидел, как рука Джуда захлебывается, будто на ней появился рот, блюющий кровью, да с такой силой, что маленькие пенистые пузыри надуваются и отскакивают, брызжут слюной в возбуждении.

— Мать твою, господи Иисусе, Джуд, — сказал Энди и потащил его в смотровую, а Виллем остался ждать снаружи. О господи, думал он, о господи. Но мысли его прокручивались вхолостую, как колесо, попавшее в глубокую колею, — в голове все повторялись эти два слова. Приемная была слишком ярко освещена, он пытался расслабиться, но не мог — все та же фраза билась и билась в такт с сердцем, словно второй пульс в теле: о господи. О господи. О господи.

Прошел целый долгий час, прежде чем Энди позвал его. Энди был на восемь лет старше, они познакомились еще на втором курсе — тогда у Джуда случился такой сильный приступ, что они втроем наконец решились отвезти его в университетскую больницу, где как раз дежурил Энди. С тех пор он стал единственным врачом, к которому соглашался обратиться Джуд, и хотя Энди был хирург-ортопед, он лечил Джуду все, от болей в спине и в ноге до простуды и гриппа. Они все любили Энди и доверяли ему.

— Можешь забрать его домой, — сказал Энди. Он был сердит. Он с резким щелчком содрал с рук окровавленные перчатки, рывком встал со своей табуретки на колесиках. По полу тянулась красная полоса, длинная и размазанная, как будто кто-то что-то разлил, принялся отмывать, но бросил в сердцах. Красные кляксы виднелись на стенах, затвердевали на свитере Энди. Джуд сидел на смотровом столе сгорбившись, вид у него был несчастный. В руке он держал стеклянную бутылку с апельсиновым соком. Волосы его слиплись клоками, рубашка казалась твердой броней, как будто сделана была не из ткани, а из металла.

— Джуд, подожди в приемной, — велел Энди, и Джуд покорно вышел.

Когда они остались одни, Энди закрыл дверь и посмотрел на Виллема.

— Как по-твоему, он в последнее время думал о суициде?

— Что? Нет. — Он на мгновение окаменел. — А что, это он пытался?..

Энди вздохнул.

— Он говорит, что нет. Но… Не знаю. Нет, не знаю, не могу понять. — Он прошел к раковине и стал яростно тереть руки. — С другой стороны, если бы вы обратились в пункт неотложной помощи — а именно туда вам и надо было отправиться к чертям собачьим, — то они бы его почти наверняка госпитализировали. Поэтому он туда и не пошел. — Теперь он громко говорил сам с собой. Он выдавил на руки лужицу мыла и снова принялся их мыть. — Ты знаешь, что он себя режет?

Несколько мгновений он не мог ответить.

— Нет, — сказал он наконец.

Энди повернулся и уставился на Виллема, медленно вытирая насухо каждый палец.

— Он не угнетен? Регулярно ест, спит? Может быть, беспокоится, не находит себе места?

— Он казался нормальным, — сказал Виллем, хотя, по правде говоря, не знал. Ел ли Джуд регулярно? Спал ли? Должен ли был он заметить, если нет? Обращать больше внимания? — В смысле, он был такой как всегда.

— Что ж, — сказал Энди. Из него словно вышел воздух. Несколько мгновений они постояли молча, лицом к лицу, но не глядя друг на друга.

— На этот раз поверю ему на слово, — сказал он. — Я виделся с ним неделю назад, и, согласен, он был такой как обычно. Но если он вдруг начнет как-то странно себя вести… Если ты хоть что-то заметишь, Виллем, звони мне немедленно.

— Обещаю, — сказал Виллем.

Он видел Энди несколько раз за эти годы и всегда чувствовал его недовольство, направленное, казалось, на многих людей сразу: на самого себя, на Джуда и в особенности на друзей Джуда, — Энди всегда давал им понять, не говоря этого прямо, что все они недостаточно заботятся о Джуде. И ему нравилось это негодование, хотя он и опасался осуждения Энди и чувствовал, что тот не вполне справедлив.

И тут, как часто бывало, когда Энди переставал их укорять, его голос смягчился и зазвучал почти нежно:

— Я знаю, ты все сделаешь как надо. Уже поздно, езжайте домой. Дай ему что-нибудь поесть, когда он проснется. С Новым годом.

Домой они ехали молча. Таксист окинул Джуда долгим внимательным взглядом и сказал:

— Поеду, если накинете двадцать долларов сверху.

— Ладно, — ответил Виллем.

Небо уже светлело, но он знал, что заснуть не получится. Джуд отвернулся и глядел в окно, а когда они вернулись домой, он, споткнувшись у порога, медленно побрел в ванную, и Виллем понял, что он хочет там прибрать.

— Не надо, — сказал он. — Иди ложись.

И Джуд, в кои-то веки послушавшись его, развернулся, поплелся в спальню и практически мгновенно уснул.

Виллем, усевшись на кровать напротив, наблюдал за ним. Он вдруг ощутил каждый свой сустав, каждую мышцу и косточку, и ему показалось, будто он разом, разом состарился, и поэтому он несколько минут просто сидел, уставившись на Джуда.

— Джуд! — позвал он, потом позвал снова, погромче, но Джуд не отзывался, и тогда он подошел к его кровати, перекатил Джуда на спину и, немного поколебавшись, отогнул правый рукав его рубашки. Ткань не скручивалась, а скорее сгибалась и надламывалась, будто картон, и рукав Виллему удалось отвернуть только до локтя, но шрамы и так уже были видны — три ровных белых колонки, в дюйм шириной, слегка вспухшие, так что кожа бугрилась лесенкой. Он просунул палец под рукав, нащупал дорожки, уходящие вверх к плечу, но, дойдя до бицепса, остановился, передумал и убрал руку. Осмотреть левую руку Виллем не мог — Энди разрезал рукав и перебинтовал все предплечье до локтя, — но он знал, что и там точно такие же шрамы.

Он соврал Энди, когда сказал, будто не знает, что Джуд себя режет. Формально это было правдой — он никогда не видел, как тот себя режет, но знать — знал, и давно. В то лето, когда умер Хемминг и они поехали в гости к Малкольму, они с Малкольмом напились однажды вечером и наблюдали за Джудом и Джей-Би, которые ходили гулять к дюнам, а теперь, швыряясь друг в друга песком, шли обратно к дому, и вот тогда Малкольм его спросил:

— А ты заметил, что у Джуда вся одежда с длинными рукавами?

Он что-то буркнул в ответ. Конечно, он заметил — еще бы не заметить, особенно в такую жару, — просто предпочитал об этом не думать. Ему часто казалось, что его дружба с Джудом в основном и заключается в том, чтобы не спрашивать того, о чем спросить необходимо, потому что ответ услышать страшно.

Они помолчали, наблюдая за тем, как пьяный Джей-Би растянулся на песке и Джуд, прохромав к нему, принялся его закапывать.

— У Флоры была подруга, которая всегда ходила в одежде с длинными рукавами, — продолжил Малкольм. — Ее звали Марьям. Она себя резала.

Виллем молчал до тех пор, пока молчание не стало таким натянутым, что ему показалось, будто оно ожило. У них в корпусе жила девушка, которая тоже себя резала. Она отучилась с ними первый курс, но тут до него вдруг дошло, что он ее уже год как не видел.

— Почему? — спросил он Малкольма.

Джуд уже закопал Джей-Би по пояс. Джей-Би нестройно и несвязно что-то напевал.

— Не знаю, — ответил Малкольм. — Там все было сложно.

Виллем подождал, но Малкольм, похоже, больше ничего говорить не собирался.

— И чем все закончилось?

— Не знаю. Когда Флора уехала в колледж, они перестали общаться. Больше она о ней ничего не рассказывала.

Они снова умолкли. Он знал, что как-то так вышло, как-то они так молчаливо условились, что за Джуда в первую очередь отвечать будет он, и он понял, что Малкольм пытается подсунуть ему какую-то задачку, требующую решения, хотя что это за задачка — и какое у нее вообще может быть решение, — он толком не знал и готов был поспорить, что Малкольм тоже не знает.

Следующие несколько дней он избегал Джуда, потому что понимал: останься он с ним наедине, не сможет удержаться от разговора, а пока что Виллем и сам точно не знал, хочется ли ему с ним разговаривать, да и о чем говорить, не знал тоже. Избегать его было не сложно: днем они всегда были вместе, вчетвером, а по вечерам все расходились по своим комнатам. Но однажды вечером Малкольм и Джей-Би ушли за лобстерами, а они с Джудом остались на кухне мыть салат и резать помидоры. День выдался долгим, сонным, солнечным, Джуд в кои-то веки был в приподнятом, почти беззаботном настроении, и, еще не договорив, Виллем уже заранее расстраивался, что испортит этот идеальный миг, когда все — от закапанного алым неба до ножа, что так ловко резал овощи — складывалось в такую безупречную картину.

— Может, какую-нибудь мою футболку наденешь? — спросил он Джуда.

Джуд молча вырезал сердцевинку помидора, окинул Виллема ровным, ничего не выражающим взглядом и только потом ответил:

— Нет.

— А тебе не жарко?

Джуд улыбнулся — легонько, предостерегающе.

— Вот-вот снова похолодает.

Он был прав. Когда скрылся последний блик солнца, стало прохладно, и Виллему самому пришлось идти к себе в комнату за свитером.

— Но… — он уже и сам понимал, что скажет глупость, что, стоило ему завести этот разговор, как он перестал с ним справляться, будто с рвущейся из рук кошкой, — ты же все рукава в лобстере перепачкаешь.

В ответ Джуд как-то странно крякнул — не засмеялся, слишком громким, слишком лающим вышел звук — и снова взялся за овощи.

— Я как-нибудь справлюсь, Виллем, — сказал он, и хоть он очень мягко это произнес, Виллем заметил, как крепко он стиснул, сдавил даже, ручку ножа — так что костяшки стали сально-желтого цвета.

Им тогда повезло, повезло обоим, что Джей-Би с Малькольмом вернулись прежде, чем они продолжили разговор, но Виллем еще успел услышать, как Джуд спросил было: "А почему ты?.." Он так и не договорил (да и вообще за весь ужин, после которого рукава у него остались идеально чистыми, не сказал Виллему ни слова), но Виллем знал, что вопрос был не "А почему ты спрашиваешь?", а "Почему *ты* спрашиваешь?", ведь Виллем всегда старался не выказывать излишнего интереса к шкафу с многочисленными ящиками, в котором прятался Джуд.

Будь это кто другой, твердил себе Виллем, он бы не колебался ни минуты. Он потребовал бы объяснений, обзвонил бы всех общих друзей, уселся бы с ним рядом — и криками, мольбами и угрозами вытянул бы из него признание. Но если хочешь дружить с Джудом, подписываешься совсем на другое: и он сам это понимал, и Энди это понимал, и все они это понимали. Ты учишься не обращать внимания на голос инстинкта, гонишь от себя все подозрения. Ты понимаешь, что доказательством вашей дружбы становится умение держать дистанцию, верить в то, что тебе говорят, отворачиваться и уходить, когда перед тобой захлопывают дверь, а не пытаться ее выломать. Военные советы, которые они держали вчетвером, когда дело касалось других — когда они думали, что девушка, с которой встречается Черный Генри Янг, ему изменяет, и не знали, как ему об этом сказать, когда они знали, что девушка Эзры ему изменяет, и не знали, как ему лучше об этом сказать… таких советов они никогда не станут держать о Джуде. Он сочтет это предательством, да и толку от них не будет.

Весь оставшийся вечер они друг друга избегали, но когда Виллем уже шел спать, он вдруг задержался возле двери Джуда, занес было руку, чтобы постучать, но потом передумал и пошел к себе. Что он скажет? И что он хочет услышать? И Виллем ушел и вел себя как ни в чем не бывало, и на следующий день, когда Джуд ни словом не обмолвился о прошлом вечере и их почти-разговоре, Виллем тоже промолчал, и вскоре и этот день сменился ночью, а за ним — еще один и еще, и они все дальше и дальше удалялись от того времени, когда Виллем хотя бы попытался, пусть и безуспешно, добиться от Джуда ответа на вопрос, который у него не хватало мужества задать.

Но вопрос так никуда и не делся, он пробивался в сознание в самые неожиданные минуты, упрямо пролезал вперед всех его мыслей и каменел там, будто тролль. Четыре года назад, когда они с Джей-Би учились в магистратуре и снимали на двоих квартиру, к ним в гости приехал Джуд, который доучивался в Бостоне в юридической школе. И тогда ночью дверь ванной тоже оказалась запертой, и Виллема вдруг охватил необъяснимый ужас; он принялся колотиться в дверь, и Джуд вышел к нему — с сердитым, но (или это ему только показалось) в то же время почему-то виноватым видом, спросил: "Что такое, Виллем?" — и Виллем, зная, что тут что-то не так, снова не сумел ему ничего ответить. В ванной стоял терпкий и резкий, металлически-ржавый запах крови, и Виллем даже порылся в мусорной корзине — нашел скрученную обертку от пластыря, но не знал, валялась ли она там с ужина, когда Джей-Би ткнул себе в руку ножом, пытаясь нарезать морковь прямо в руке (Виллем подозревал, что тот вел себя на кухне подчеркнуто неуклюже, чтобы его не просили помочь), или осталась от ночных самоистязаний Джуда. Но он опять (опять!) ничего не сделал, и, проходя мимо Джуда, который спал (или притворялся, что спит?) на диване в гостиной, он так ничего и не сказал, ничего он не сказал и на следующий день, и дни шелестели один за другим чистыми листами, и каждый день он ничего, ничего, ничего ему не говорил.

А теперь это. Если б он сделал что-нибудь (что?) три года назад, восемь лет назад, случилось бы это сегодня? И что такое это "это"?

Но теперь он заговорит, потому что теперь у него есть доказательства. Потому что, если он и теперь позволит Джуду увернуться, избежать расспросов, сам Виллем и будет виноват, если что-нибудь случится.

Едва он принял решение, как почувствовал, что на него наваливается усталость и уносит все ночные страхи, тревоги и волнения. Был последний день года, он прилег на кровать, закрыл глаза и едва успел удивиться тому, что сон пришел к нему так быстро.

Виллем проснулся почти в два часа дня и сразу же вспомнил свое вчерашнее решение. Но то, что он увидел, несколько охладило его пыл. Постель Джуда была убрана, и Джуда в ней не было. Зайдя в ванную, он почувствовал запах хлорки. А за складным столиком сидел сам Джуд и вырезал кружки из раскатанного теста с таким стоическим видом, что Виллем испытал одновременный прилив раздражения и облегчения. Значит, если уж он решится поговорить с ним начистоту, то не сможет сослаться ни на беспорядок, ни на свидетельства вчерашней катастрофы.

Он опустился на стул напротив Джуда.

— Ты что делаешь?

— Гужеры, — спокойно ответил Джуд, не поднимая глаз. — Вчера одна партия получилась неудачно.

— Да кому они, на фиг, сдались, — недобро сказал он и неуклюже, по инерции, добавил: — Мы могли бы всем подать сырные палочки, вышло бы ровно то же самое.

Джуд пожал плечами, и раздражение Виллема распалилось до гнева. Вот он сидит тут после такой страшной — да, страшной — ночи и делает вид, будто ничего не произошло; а между тем его забинтованная рука лежит неподвижно на столе. Он уже открыл было рот, но тут Джуд отставил стакан, которым вырезал круги из теста, и посмотрел на него.

— Виллем, прости меня, — сказал он едва слышно. Увидев, что Виллем смотрит на забинтованную руку, он другой рукой перетащил ее на колени. — Я не… — Он помолчал. — Прости. Не сердись на меня.

Гнев развеялся.

— Джуд, — сказал он, — что это было?

— Не то, что ты думаешь. Честное слово, Виллем.

Много лет спустя Виллем будет пересказывать этот разговор — в общих чертах, не дословно — Малькольму в доказательство своей несостоятельности, своего провала. Можно ли было все изменить, если бы он произнес одну-единственную фразу? Например: "Джуд, ты что, пытаешься покончить с собой?" или "Джуд, немедленно расскажи мне, что происходит" или "Джуд, зачем ты с собой такое делаешь?" Любая из них сгодилась бы; любая подвела бы к серьезному разговору — целительному или, по крайней мере, профилактическому.

Так ведь?

Но тогда он всего лишь промычал:

— Ну ладно.

Они сидели молча — долго, как им казалось, под бормотание телевизора в соседней квартире, и только много позже Виллем задался вопросом, опечалился Джуд или вздохнул с облегчением оттого, что ему так легко поверили.

— Ты сердишься?

— Нет. — Он откашлялся. Нет, он не сердился. Во всяком случае, он не стал бы описывать свои чувства таким словом, хотя правильного слова тоже подобрать не мог. — Но нам, конечно, придется отменить гостей.

— Почему? — с ужасом спросил Джуд.

— Почему? Ты издеваешься?

— Виллем, — в голосе Джуда зазвучала интонация, которую он про себя называл "судебной", — мы не можем ничего отменить. Гости начнут собираться часов через семь, даже раньше. Причем мы понятия не имеем, кого наприглашал Джей-Би. Эти-то придут в любом случае, даже если мы предупредим всех остальных. И потом, — он сделал резкий вдох, как будто переболел затяжным бронхитом и теперь показывал, что вылечился, — я в полном порядке. Отменять будет сложнее, чем оставить все как есть.

Почему, ну почему он всегда слушался Джуда? Но он снова послушался; и вот уже восемь, и окна снова открыты, и в кухне снова жарко от выпечки — как будто прошлой ночи не было, как будто все это был мираж, — и вот уже пришли Малькольм и Джей-Би. Виллем стоял на пороге спальни, застегивая рубашку, и слушал, как Джуд объясняет им, что обжег руку, выпекая гужеры, и что Энди пришлось намазать место ожога мазью.

— Говорил я тебе не делать эти дурацкие гужеры, — услышал он радостный голос Джей-Би; Джей-Би любил выпечку Джуда.

Тогда на него нахлынуло наваждение: он сейчас закроет двери, ляжет спать, а когда проснется — будет новый год, и все будет стерто подчистую, и у него перестанет скрести на душе. Мысль о том, что придется общаться с Малькольмом и Джей-Би, улыбаться, шутить, вдруг показалась невыносимой.

Но, конечно, общаться пришлось, и когда Джей-Би потребовал, чтобы они вчетвером поднялись на крышу, потому что ему нужно глотнуть свежего воздуха и покурить, он, не вступая в разговор, позволил Малькольму поныть — вяло и безрезультатно — про лютый холод, а потом послушно потащился, замыкая процессию, по узкой лестнице, которая выходила на покрытую рубероидом крышу.

Он все еще злился и отошел в сторонку, чтобы не мешать общей беседе. Небо над ним было уже совершенно темным, полночно-темным. Повернувшись на север, он видел прямо под собой магазин для художников, где теперь подрабатывал Джей-Би (месяц назад он уволился из журнала), а вдалеке — неуклюжую неоновую громаду Эмпайр-Стейт-Билдинг, башня которого горела ярко-голубым светом и напоминала ему о придорожных заправках и о долгой дороге в родительский дом из больницы, где лежал Хемминг, давным-давно.

— Эй, — крикнул он, — холодно! — Он вышел без куртки, как и остальные. — Пошли обратно.

Но когда он подошел к двери на лестничную площадку, то не смог ее открыть. Он попробовал еще раз — ручка не поворачивалась и застряла намертво. Дверь заклинило.

— Блядь! — крикнул он. — Блядь, блядь, блядь!

— Виллем, ты чего? — встревоженно сказал Малькольм: Виллем редко выходил из себя. — Джуд, у тебя есть ключ?

Но у Джуда ключа не было.

— Блядь!

Он не мог сдержаться. Все шло наперекосяк. Он не мог поднять глаза на Джуда. Он винил его, хоть это и было несправедливо. Он винил себя, так было справедливее, но от этого становилось еще хуже.

— У кого телефон с собой?

Но по закону идиотизма ни у кого не оказалось с собой телефона: они остались внизу, в квартире, где были бы и они, если бы не чертов Джей-Би и не чертов Малькольм, который всегда подхватывает самую его глупую, самую недоделанную идею, и не чертов Джуд вдобавок, если б не прошлая ночь, не прошлые девять лет, не все, что он делает с собой, не позволяя себе помочь, если бы не этот вечный страх за него, не вечная беспомощность; если бы не это вот все.

Они покричали, постучали ногами по крыше в надежде, что услышит кто-нибудь внизу, кто-то из трех соседей, с которыми они так до сих пор и не познакомились. Малькольм предложил швырнуть чем-нибудь в окна одного из соседних зданий, но швыряться им было нечем (даже все бумажники остались внизу, уютно заткнутые в карманы курток), и к тому же ни в одном из окон не горел свет.

— Слушайте, — сказал наконец Джуд, хотя Виллему в этот момент меньше всего хотелось выслушивать Джуда. — У меня есть идея. Спустите меня к пожарному выходу, и я залезу в окно спальни.

Идея была такая дурацкая, что он даже не сразу отреагировал; такое мог бы выдумать Джей-Би, но не Джуд.

— Нет, — отрезал он. — Это бред.

— Почему? — спросил Джей-Би. — По-моему, отличный план.

Пожарный выход был ненадежный, плохо продуманный и более или менее бесполезный — ржавый металлический скелет, прилаженный к фасаду между пятым и третьим этажами как декоративный элемент повышенной уродливости; от крыши до площадки было футов девять, а сама площадка была вдвое уже их гостиной; даже если бы им удалось спустить Джуда на нее в целости и сохранности, не спровоцировав очередной приступ и не переломав ему ноги, все равно ему бы пришлось перегнуться через край площадки, чтобы дотянуться до окна.

— Даже не думай, — сказал Виллем Джей-Би и потом еще некоторое время препирался с ним, пока на волне отчаяния не осознал, что другого выхода нет. — Но только не Джуд, — сказал он. — Я сам полезу.

— Ты не сумеешь.

— Почему? Там даже не надо вламываться в спальню, я просто залезу в одно из окон в гостиной.

Окна в гостиной были зарешечены, но одного из прутьев не хватало, и Виллем рассудил, что сможет пролезть в образовавшуюся щель, хотя и не без труда. Так или иначе, придется.

— Я закрыл окна, перед тем как мы сюда поднялись, — еле слышно признался Джуд, и Виллем сразу понял, что он их еще и запер, потому что Джуд запирал все, что запирается: двери, окна, шкафы — он делал это автоматически, не думая. Но задвижка на окне в спальне была сломана, и Джуд соорудил некий механизм — сложное, увесистое приспособление из болтов и проволоки, которое, по его словам, служило абсолютно надежным замком.

Преувеличенная настороженность Джуда, его готовность отовсюду ждать беды были для него вечной загадкой: он давно заметил, что Джуд, входя в любое незнакомое помещение, первым делом ищет ближайший выход и становится к нему поближе, — сначала это казалось забавным, а потом как-то перестало, так же, как и его страсть к мерам безопасности. Как-то раз, поздно ночью, они болтали в спальне, и Джуд сказал ему (шепотом, как будто открывал драгоценную тайну), что механизм на окне вообще-то можно открыть снаружи, но как это сделать — знает только он один.

— Почему ты об этом заговорил? — спросил он.

— Потому что, — ответил Джуд, — я думаю, надо нам эту задвижку заменить.

— Но если, кроме тебя, никто не сумеет ее открыть, какая разница?

У них не было лишних денег на слесаря, уж во всяком случае — на починку того, что в починке не нуждается. Они не могли обратиться к управляющему: когда они уже въехали, Анника призналась, что формально не имеет права сдавать им квартиру, но если они будут вести себя прилично, хозяин, скорее всего, их не тронет. Так что они старались вести себя прилично: сами все чинили, сами шпаклевали стены, сами возились с сантехникой.

— На всякий случай, — ответил Джуд. — Просто хочу знать, что мы в безопасности.

— Джуд, — сказал он, — мы в безопасности. Ничего не случится. Никто к нам не вломится. — Джуд молчал, и он со вздохом сдался. — Завтра вызову слесаря.

— Спасибо, Виллем, — сказал Джуд.

Но слесаря он так и не вызвал.

Этот разговор состоялся два месяца назад, а теперь они мерзли на крыше, и в этом окне была их единственная надежда.

— Блядь, блядь! — простонал он. Голова раскалывалась. — Ну скажи мне, как его открыть, и я открою.

— Это очень сложно, — сказал Джуд. Они успели забыть, что Малькольм и Джей-Би стоят здесь же и смотрят на них, причем Джей-Би на удивление тих. — Я не смогу объяснить.

— Конечно, я, по-твоему, полный дебил, но если ты обойдешься без длинных слов, я постараюсь понять, — огрызнулся он.

— Виллем, — удивленно сказал Джуд и запнулся. — Я ничего такого не имел в виду.

— Я знаю, — сказал он. — Прости. Я знаю. — Он глубоко вздохнул. — Даже если попытаться — хотя я считаю, что не надо, — как мы вообще тебя спустим?

Джуд подошел к краю крыши, обнесенной плоским парапетом, не доходившим до колен, и посмотрел через край.

— Я сяду на этот парапет спиной к вам, ровно над пожарным выходом, — сказал он. — Вы с Джей-Би прижметесь по сторонам, ухватите меня за руки и спустите, покуда хватит рук, а потом отпустите, и я приземлюсь на площадку.

Он рассмеялся — такой глупый это был план и опасный.

— Ну и как ты потом дотянешься до окна спальни?

Джуд посмотрел на него:

— Придется исходить из того, что я справлюсь.

— Чушь собачья.

Тут вмешался Джей-Би:

— Какие варианты, Виллем? Мы тут сейчас околеем от холода.

Холод и впрямь был пронизывающий; только злость его и согревала.

— Джей-Би, ты вообще, блядь, заметил, что у него рука перевязана?

— Да я в полном порядке, Виллем, — сказал Джуд, прежде чем Джей-Би успел ответить.

Они препирались еще минут десять, потом Джуд решительно подошел к краю.

— Если ты не поможешь, я попрошу Малькольма, — сказал он, хотя Малькольм тоже был сам не свой от страха.

— Я помогу, — сказал он.

И вот они с Джей-Би встали на колени и прислонились к стене, и каждый сжал руку Джуда в ладонях. Он уже так заиндевел, что почти не чувствовал собственных пальцев, обхвативших ладонь Джуда. Он держал его за левую руку и ощущал только слой бинтов. В эту секунду перед его глазами возникло лицо Энди, и его замутило от чувства вины.

Джуд оттолкнулся от края, и у Малькольма вырвался короткий стон, перешедший на излете в писк. Виллем и Джей-Би изогнулись насколько могли, так, что еще немного — и сами перевалились бы через край, и когда Джуд велел отпускать, они его отпустили и увидели, как он с грохотом приземлился на покрытую шифером площадку пожарного выхода.

Джей-Би крикнул "ура", и Виллем едва удержался, чтобы ему не врезать.

— Все в порядке! — крикнул Джуд снизу и помахал забинтованной рукой, как флагом, а потом подошел к самому краю площадки и оседлал перила, чтобы добраться до своего запорного устройства. Он обхватил один из прутьев перил ногами, но держался неустойчиво, и Виллем видел, что он слегка покачивается, стараясь удержать равновесие, а его занемевшие от холода пальцы едва шевелятся.

— Спустите меня, — велел он Малькольму и Джей-Би, не обращая внимания на кудахтанье Малькольма, и спрыгнул вниз, окликнув Джуда перед самым прыжком, чтобы тот от неожиданности не потерял равновесия.

Прыжок оказался страшнее, а приземление — жестче, чем он предполагал, но он быстро пришел в себя, подошел к Джуду и обхватил его за пояс, ногой зацепившись за прутья перил, чтобы крепче держаться. "Держу", — сказал он Джуду, и тот вытянулся за перила — дальше, чем смог бы без посторонней помощи, — а Виллем держал его так крепко, что чувствовал позвонки Джуда через ткань свитера, чувствовал, как надувается и опадает его живот с каждым вдохом и выдохом, чувствовал, как движение пальцев эхом проходило по мышцам, пока Джуд откручивал и расцеплял проволочки, которыми окно крепилось к раме. А когда дело было сделано, Виллем первый вскарабкался на перила и залез в спальню, а потом высунулся, схватил Джуда за руки и втащил его внутрь, осторожно, стараясь не задеть повязку.

Они стояли, тяжело дыша от усталости, и смотрели друг на друга. Несмотря на ветер из открытого окна, в комнате было так восхитительно тепло, что он наконец расслабился и обмяк от облегчения. Они были в безопасности, они спаслись. Джуд тогда широко улыбнулся ему, и он улыбнулся в ответ; будь это Джей-Би, он бы бросился его обнимать от избытка чувств, но Джуд не любил обниматься, и он не сдвинулся с места. Но тут Джуд поднял руку, чтобы вытряхнуть из волос чешуйки ржавчины, и Виллем увидел, что с внутренней стороны запястья по повязке расползается темно-багровое пятно, и запоздало сообразил, что Джуд дышит так часто не только от напряжения, но и от боли. Он не сводил с Джуда глаз, пока тот тяжело садился на кровать, перевязанной рукой нашаривая твердую поверхность.

Виллем опустился на корточки рядом с ним. Эйфория ушла, уступив место какому-то другому чувству. Он чувствовал, как подкатывают слезы, хотя не мог объяснить почему.

— Джуд… — начал он, но не знал, что еще сказать.

— Ты бы сходил за ними, — сказал Джуд; каждое слово давалось ему с трудом, но он снова улыбнулся Виллему.

— Да хрен с ними, — сказал Виллем, — я с тобой останусь.

И Джуд засмеялся, хотя и морщась от боли, и осторожно лег на бок, и Виллем помог ему положить ноги на кровать. На свитере Джуда виднелись еще чешуйки ржавчины, и Виллем подобрал несколько штук. Он сел на кровать рядом с ним, не зная, с чего начать.

— Джуд, — снова позвал он.

— Ступай, — сказал Джуд и закрыл глаза, все еще улыбаясь, и Виллем нехотя встал, закрыл окно, потушил свет в спальне и вышел, прикрыв за собой дверь, и направился к лестничной клетке, чтобы вызволить Джей-Би и Малкольма, а далеко внизу по лестничному пролету уже разносились трели звонка, оповещая о прибытии первых гостей.

———————————

II

ПОСТЧЕЛОВЕК

1

———

По субботам он работал, а по воскресеньям гулял. Прогулки начались вынужденно пять лет назад, когда он только приехал в город и плохо его знал: каждую неделю он выбирал новый квартал, шел до него от Лиспенард-стрит, обходил квартал по периметру и возвращался домой. Он не пропускал ни одного воскресенья, разве что из-за погоды прогулка становилась невозможной, и даже сейчас, изучив почти каждый квартал на Манхэттене и многие в Бруклине и Квинсе, он по-прежнему каждое воскресенье уходил из дома в десять утра и возвращался, только когда совершал полный обход. Прогулки давно перестали его радовать, хотя сказать, что они его не радовали, тоже было нельзя — просто он так делал, и все. Некоторое время он даже надеялся, что это не просто моцион, что в них есть что-то целебное, как любительский сеанс физиотерапии, хотя Энди с этим не соглашался и даже отговаривал его от прогулок. "Я не против, чтобы ты разрабатывал ноги, — говорил он. — Но для этого лучше бы ты плавал, а не таскался по тротуарам". Вообще-то он не возражал бы против плавания, но трудно было найти место, чтобы плавать в одиночестве.

Раньше Виллем иногда присоединялся к его прогулкам, и теперь, если маршрут пролегал мимо театра, он рассчитывал время так, чтобы встретиться с ним после дневного представления, возле стойки с фруктовыми соками неподалеку. Там они что-нибудь пили, и Виллем рассказывал, как прошел спектакль, и заказывал салат, чтобы перекусить перед вечерним представлением, а он шел дальше, на юг, к дому.

Они все еще жили на Лиспенард-стрит, хотя каждый из них мог уже снять отдельную квартиру: он точно мог, Виллем — вероятно. Но ни один не заговаривал о такой возможности, и никто никуда не съезжал. Однако же они превратили левую половину гостиной во вторую спальню, вчетвером выстроив за выходные неровную стену из гипсокартона, разделившую пространство, так что теперь вошедшего приветствовал серый свет из двух, а не из четырех окон. Виллем переселился в новую комнату, а он остался в их старой спальне.

Если не считать коротких набегов в театр, он, казалось, вовсе не виделся с Виллемом, а Виллем, постоянно жалующийся на свою лень, все время работал или пытался работать: три года назад, когда ему исполнилось двадцать девять, он поклялся, что уйдет из "Ортолана" до тридцатилетия, и вот за две недели до этой даты, когда они теснились в своей недавно уполовиненной гостиной, а Виллем беспокоился, сможет ли он себе позволить уйти из ресторана, ему позвонили, и это был звонок, которого Виллем ждал много лет. Его пригласили играть в пьесе, и пьеса эта стала достаточно популярной и привлекла достаточно внимания к Виллему, чтобы он смог навсегда бросить "Ортолан" — ровно тринадцать месяцев спустя, всего на год позже назначенного срока. Пьеса называлась "Теорема Маламуда" — это была семейная драма про профессора-филолога с начинающейся деменцией и его сложные отношения с сыном-физиком. Он ходил на нее пять раз, по два раза с Малькольмом и Джей-Би и один раз с Гарольдом и Джулией, которые приехали в город на выходные, и каждый раз ухитрялся забыть, что на сцене — его старинный друг и сосед по квартире, а когда актеры выходили на поклон, чувствовал одновременно и гордость, и печаль, как будто сама приподнятая над залом сцена уже указывала на вознесение Виллема в иные сферы бытия, куда ему будет нелегко войти.

Приближение его собственного тридцатилетия не вызвало у него ни тайной паники, ни всплеска бурной деятельности, ни потребности перестроить жизнь так, чтобы она больше напоминала нормальную жизнь тридцатилетнего человека. Но у его друзей все было иначе, и он провел три года перед круглой датой, выслушивая элегические плачи по уходящему десятилетию, отчеты о сделанном и несделанном, списки промахов и обетов на будущее. Что-то стало меняться в эти годы. Например, вторая спальня была возведена отчасти из-за того, что Виллем чувствовал — нехорошо в двадцать восемь лет жить в одной комнате все с тем же университетским соседом, и сходное беспокойство — боязнь, что когда им стукнет сорок, они, словно в сказке, обернутся во что-то иное, им неподвластное, и избежать этой участи можно, только совершив нечто радикальное, — вдохновило Малькольма поспешно признаться родителям в своей гомосексуальности, а потом отыграть назад меньше чем через год, когда он начал встречаться с женщиной.

Несмотря на беспокойство друзей, он знал, что ему тридцатилетие понравится по той же причине, по какой они его страшились: это возраст неопровержимой взрослости. (Он с нетерпением ждал тридцати пяти — тогда он сможет сказать, что его взрослая жизнь стала вдвое длиннее детства.) Когда он рос, тридцатилетие казалось далеким, невообразимым. Он ясно помнил, что в раннем детстве — в монастырские годы — он спросил у брата Михаила, который любил рассказывать ему, где побывал в своей прежней жизни, когда и он сможет отправиться путешествовать.

— Когда подрастешь, — ответил брат Михаил.

— Когда? — спросил он. — В следующем году? — В то время даже месяц казался долгим как вечность.

— Через много лет, — сказал брат Михаил. — Когда будешь большой. Когда тебе исполнится тридцать.

И вот еще несколько недель, и ему исполнится тридцать.

В эти воскресенья, собираясь на прогулку, он иногда стоял на кухне, босой, в полной тишине, и маленькая, уродливая квартира казалась ему настоящим чудом. Здесь время принадлежало ему, и пространство тоже, здесь каждую дверь можно было закрыть, каждое окно — запереть. Он стоял перед крошечным шкафом в прихожей — всего лишь нишей, которую они завесили куском холстины, — и любовался скрытыми там богатствами. На Лиспенард-стрит никто не бегал по ночам в лавку на Вест-Бродвее за рулоном туалетной бумаги, не принюхивался с гадливостью к пакету с давно прокисшим молоком, который завалялся в дальнем углу холодильника: здесь всегда был запас. Здесь не бывало ничего просроченного. Он за этим следил. В первый год жизни на Лиспенард-стрит он немного стеснялся своих привычек, больше подходивших человеку совсем другого возраста и, вероятно, другого пола, и свои запасы туалетной бумаги прятал под кровать, а купоны на скидки — в портфель, чтобы изучить их потом, когда Виллема не будет дома, как будто это особо экзотический жанр порнографии. Но однажды, в поисках заброшенного под кровать носка, Виллем обнаружил его схрон.

Он смутился.

— Что в этом такого? — спросил Виллем. — Отлично же. Слава богу, что ты за всем этим следишь.

Но он все равно чувствовал свою уязвимость, чувствовал, что в и без того разбухшее досье добавилось еще одно свидетельство его подавленной стародевической натуры, его фундаментальной и непоправимой неспособности быть тем человеком, каким он хотел казаться окружающим.

Но, как и во многом другом, он не мог ничего с собой поделать. Кому он мог бы объяснить, что неуютное жилье на Лиспенард-стрит и припасы, словно для бомбоубежища, дарили ему такую же защиту и удовлетворение, как и его дипломы, как и работа? Или что эти одинокие минуты на кухне были чем-то сродни медитации — единственные мгновения, когда можно было по-настоящему расслабиться и перестать рваться вперед, заранее планируя тысячи мелких умалчиваний и искажений, сокрытие правды и фактов, которыми он обставлял каждое свое взаимодействие с миром и его обитателями? Никому не расскажешь, конечно, даже Виллему. Но он потратил целые годы на то, чтобы научиться держать свои мысли при себе; в отличие от друзей, он не рассказывал о своих странностях в попытке выделиться из толпы, хотя был и счастлив, и горд, когда ему рассказывали о своих.

Сегодня он отправится в Верхний Ист-Сайд: по Вест-Бродвей до Вашингтон-Сквер-парк, до университета, через Юнион-сквер и дальше по Бродвею до Пятой, с которой он свернет только на Восемьдесят шестой, а потом — обратно по Мэдисон до Двадцать четвертой, где перейдет на восточную сторону к Лексингтон и свернет сначала на юг, а потом снова на восток, на Ирвинг-плейс, а там возле театра встретится с Виллемом. Он уже много месяцев, почти год не ходил по этому маршруту — потому что это долгий путь и потому что он и так каждую неделю бывал в Верхнем Ист-Сайде, в таунхаусе недалеко от дома родителей Малькольма, где давал уроки двенадцатилетнему мальчику по имени Феликс. Но была середина марта, весенние каникулы; Феликс с семьей уехал в Юту, и можно было не бояться, что он их там встретит.

Отец Феликса был друг друзей родителей Малькольма, и именно отец Малькольма предложил ему эту работу.

— Небось не очень-то тебе платят у федерального прокурора? — спросил мистер Ирвин. — Давай я познакомлю тебя с Гэвином?

Гэвин был однокашник мистера Ирвина по юридической школе, ныне президент одной из крупнейших адвокатских фирм в городе.

— Папа, да не хочет он работать в частной фирме, — начал было Малькольм, но его отец продолжал, как будто тот не открывал рта, так что Малькольм снова нахохлился и отодвинулся. В этот момент он посочувствовал Малькольму, но и слегка разозлился, потому что он просил Малькольма ненавязчиво разузнать, нет ли у каких-нибудь родительских друзей ребенка, которому нужен репетитор, а не прямо спрашивать у них.

— Нет, серьезно, — сказал отец Малькольма, — это здорово, что ты намерен пробиваться сам. — Малькольм еще сильнее вжался в спинку кресла. — А что, дела настолько плохи? Не думал, что федеральное правительство так мало платит, хотя, конечно, я-то оставил государственную службу сто лет назад. — И мистер Ирвин широко улыбнулся.

Он улыбнулся в ответ.

— Нет, — сказал он, — зарплата нормальная. — Это была правда. Конечно, не по понятиям мистера Ирвина, да и Малькольма тоже, но он получал больше денег, чем когда-либо рассчитывал, и каждые две недели дивился неустанному возрастанию чисел. — Я просто коплю на ипотеку. — Это была ложь, и он увидел, как Малкольм вскинулся, и мысленно отметил, что надо будет то же самое сказать Виллему, прежде чем Виллем услышит об этом от Малкольма.

— А, ну это дело, — сказал мистер Ирвин. Такую жизненную цель он понимал. — И у меня как раз есть подходящий кандидат.

Кандидата звали Говард Бейкер; после пятнадцати минут рассеянного собеседования он нанял его в качестве преподавателя для сына по следующим предметам: латынь, математика, немецкий, фортепиано. (Он удивился, что мистер Бейкер не нанимает специалистов по каждому из предметов — ведь мог бы себе это позволить, — но спрашивать не стал.) Ему было жалко мелкого тихоню Феликса, который имел обыкновение царапать изнутри узкую ноздрю, засовывая указательный палец все глубже, пока не спохватывался — тогда он торопливо вытаскивал палец и вытирал о джинсы. Прошло восемь месяцев, а он так и не составил мнения о способностях Феликса. Мальчик не был глуп, но ему не хватало огня, как будто к двенадцати годам он уже смирился с тем, что и жизнь — сплошное разочарование, и от него всем сплошное разочарование. Он всегда ждал его вовремя, с выполненными заданиями, каждую субботу в час дня, и послушно отвечал на каждый вопрос; его ответы всегда заканчивались тревожной, вопросительной, восходящей нотой, как будто каждый из них, даже простейший (*"Salve, Felix, quis agis?"* — "Э-э-э… *bene?*"), был отчаянной догадкой, но собственных вопросов у него никогда не возникало, и когда он спрашивал Феликса, не хочет ли тот обсудить какую-нибудь тему на любом из двух языков, мальчик лишь пожимал плечами и невнятно мычал, а его указательный палец дрейфовал в направлении носа. Когда они прощались в конце занятия, Феликс безвольно поднимал руку и отступал в глубину коридора, и ему всегда казалось, что его ученик никогда не выходит из дому, не бывает в гостях, не приглашает к себе друзей. Бедный Феликс, даже имя его звучало издевкой.

Месяц назад мистер Бейкер попросил его зайти после уроков, и, попрощавшись с Феликсом, он проследовал за горничной в кабинет. В тот день он сильно хромал и чувствовал себя — как часто бывало — актером, исполняющим роль нищей гувернантки из диккенсовского романа.

Он ожидал, что мистер Бейкер будет раздражен, возможно, рассержен, хотя отметки Феликса заметно улучшились, и приготовился защищаться в случае необходимости — мистер Бейкер платил ему намного больше, чем он рассчитывал заработать репетиторством, и он уже решил, на что потратит эти деньги, — но вместо этого ему предложили сесть на стул, стоявший перед письменным столом.

— Как вам кажется, что с Феликсом не так? — спросил мистер Бейкер.

Он не ожидал такого вопроса, поэтому задумался, прежде чем ответить.
— Мне не кажется, что с ним что-то не так, сэр, — осторожно сказал он. —
Мне просто кажется, что он не очень… "счастлив", почти сказал он.

Но что такое счастье, как не излишество, как не состояние, которое невозможно удержать отчасти именно потому, что его так сложно выразить? Он не помнил, чтобы в детстве у него было представление о счастье: только тоска и страх или отсутствие тоски и страха, и ему ничего не нужно было, ничего не хотелось, кроме этого второго состояния.
— Я думаю, он застенчивый, — закончил он.

Мистер Бейкер хмыкнул (он, очевидно, ждал какого-то другого ответа) и спросил:
— Но ведь он вам нравится?

Спросил с таким странным и беззащитным отчаянием, что ему вдруг стало бесконечно жаль и Феликса, и мистера Бейкера. Значит, вот что такое быть родителем? Вот что такое быть ребенком, у которого есть родители? Столько несчастья, столько разочарований, столько ожиданий, которые нельзя ни выразить, ни оправдать!
— Конечно, — сказал он, и мистер Бейкер со вздохом выдал ему чек, который обычно перед выходом передавала ему горничная.

На следующей неделе Феликс не захотел играть заданную пьесу. Он выглядел еще апатичнее, чем обычно.
— Сыграем что-нибудь другое? — спросил он.

Феликс пожал плечами. Он задумался.
— Хочешь, я тебе что-нибудь сыграю?

Феликс снова пожал плечами. Но он все-таки сел за рояль — это был красивый инструмент, и порой, наблюдая, как Феликс волочит пальцы по его приятно-гладким клавишам, он мечтал остаться с роялем наедине и пробежать руками по клавиатуре с максимально возможной скоростью.

Он сыграл Гайдна — сонату 50 ре мажор, одно из своих любимых произведений, такое яркое и духоподъемное, что оно, по его расчету, должно было развеселить их обоих. Но когда он закончил и рядом сидел все такой же тихий мальчик, ему стало стыдно — и за хвастливый, напористый оптимизм Гайдна, и за собственный всплеск самолюбования.
— Феликс, — сказал он и остановился. Феликс выжидательно молчал. —
Что случилось?

И тут, к его изумлению, Феликс расплакался, и он попытался его утешить.
— Феликс, — сказал он, неловко обнимая мальчика за плечи. Он притворился Виллемом, который знал бы, что делать и что говорить, не задумываясь об этом. — Все будет хорошо. Честное слово, все образуется.

Но Феликс только зарыдал сильнее.

— У меня нет друзей, — всхлипывал он.

— Ох, Феликс, — сказал он, и сочувствие, которое до этого было отстраненным, абстрактным, кольнуло его в самое сердце. — Это плохо.

Он остро ощутил, как одиноко живется Феликсу, каково ему проводить каждую субботу с юристом-инвалидом почти тридцати лет от роду, который приходит сюда ради денег, а потом уходит к людям, которых он любит, которые даже любят его, а Феликс остается один, потому что его мать — третья жена мистера Бейкера — все время где-то порхает, а отец считает, что с ним что-то не так и это надо исправить. Позже, шагая домой (если погода была хорошая, он отказывался от машины мистера Бейкера и шел пешком), он размышлял о причудливой несправедливости мира: вот Феликс, ребенок по всем параметрам лучше, чем он сам когда-то, и у Феликса до сих пор нет друзей, а у него, у ничтожества, — есть.

— Феликс, друзья рано или поздно появятся, — сказал он, и Феликс, завывая, протянул "Но когда?" — с такой тоской, что он вздрогнул.

— Скоро, скоро, — сказал он, гладя мальчика по худой спине, — честное слово. — И Феликс кивнул, хотя позже, когда Феликс шел за ним до дверей и его маленькое гекконье лицо из-за слез казалось еще более рептильным, он отчетливо сознавал, что Феликс видит его обман насквозь. Как знать, появятся ли у Феликса когда-нибудь друзья? Дружба, товарищество — они так часто идут вразрез с логикой, так часто обходят стороной достойных, так часто осеняют странных, нехороших, причудливых, искалеченных. Он помахал рукой вслед узкой спине Феликса, который уже удалялся в глубину дома, и, хоть ни за что не сказал бы этого Феликсу, про себя подумал, что мальчик именно поэтому такой унылый: он уже это понял, давно; он уже об этом знает.

Он знал французский и немецкий. Он знал таблицу Менделеева. Он знал — сам того не желая — большие куски Библии практически наизусть. Он умел принять новорожденного теленка, починить лампу, прочистить засор в трубе, собрать урожай грецких орехов. Он знал, какие грибы ядовиты, как прессовать сено в тюки и как проверить спелость арбуза, дыни, яблока, тыквы, постучав в нужном месте. (И еще он знал то, чего не хотел знать, умел то, что, как он надеялся, никогда ему больше не понадобится, и когда он думал об этом или видел это во сне, то сжимался от ненависти и стыда.)

И все-таки ему часто казалось, что он не знает ничего по-настоящему полезного. Ну хорошо, языки и математику. Но ежедневно он сталкивался с тем, как многого не знает. Он не смотрел сериалов, которые все беспрестанно цитировали. Он никогда не был в кино. Он никуда не ездил на каникулы. Не был в летнем лагере. Не пробовал пиццу, фруктовый лед, макароны с сыром (и уж конечно, в отличие от Джей-Би и Малкольма, не знал вкуса фуа-гра, или суши, или костного мозга). У него никогда не было компьютера или мобильника, ему редко позволяли выйти в интернет. Он вдруг понял, что у него, по сути, вообще ничего нет: книги, которыми он так гордился, рубашки, которые он бесконечно зашивал и штопал, — это все была ерунда, мусор, гордиться таким имуществом было стыднее, чем не иметь никакого. Учебная аудитория была для него самым безопасным местом, единственным местом, где он чувствовал твердую почву под ногами: за ее пределами на него обрушивалась лавина чудес, каждое из которых ставило в тупик, каждое напоминало о его бездонном невежестве. Он мысленно составлял списки всего нового, с чем столкнулся, о чем услышал. Но спросить о непонятном было нельзя. Потому что спросить значило признаться в своей бесконечной чуждости, и тогда ему стали бы задавать вопросы, он оказался бы на виду, вынужден был бы вести беседы, к которым не был готов. Он часто чувствовал себя не то чтобы иностранцем — потому что иностранцы (даже Одвал, девушка из деревни под Улан-Батором) понимали все эти вещи, — а человеком из другого времени; его детские годы с тем же успехом могли пройти в девятнадцатом веке, а не в двадцать первом, столько всего он пропустил, таким смутным, показным было его знание жизни. Как так вышло, что все его сверстники, будь они родом из Лагоса или Лос-Анжелеса, имели общий опыт, общий культурный багаж? Должен же быть кто-то еще, кто знает так же мало, как он? А если нет, то как ему всех догнать?

Вечерами, когда они все вместе собирались у кого-нибудь в комнате (теплилась свеча, тлела самокрутка), его товарищи часто говорили о своем детстве, которое только что кончилось, но по которому они, как ни странно, уже скучали, уже были им одержимы. Они, казалось, пытались вспомнить каждую деталь, но он не мог понять, хотят ли они найти что-то общее или же похвалиться непохожестью, потому что, по всей видимости, то и другое доставляло им равное удовольствие. Они говорили о запретах, о бунтах, о наказаниях (некоторых родители даже били, и они рассказывали об этом почти с гордостью, что тоже казалось ему любопытным). Они говорили о домашних животных, о братьях и сестрах, об одежде, от которой у родителей волосы вставали дыбом, о компаниях, с которыми водились в старших классах, с кем, как и когда они потеряли невинность, какие машины разбили, какие кости ломали, каким занимались спортом, какие музыкальные группы создавали. Они рассказывали о семейных каникулах, когда все шло наперекосяк, о колоритных родственниках, чудаковатых соседях и учителях, любимых или ненавистных. Он неожиданно обнаружил, что получает удовольствие от этих посиделок: вот они, настоящие подростки с настоящей обычной жизнью, о которой ему так хотелось узнать; сидя с ними по ночам, слушая их, он одновременно отдыхал душой и учился жизни. Его собственное молчание было необходимостью и одновременно защитой, а к тому же делало его загадочнее и интереснее, чем на самом деле. "А ты, Джуд?" — спрашивали его иногда, особенно поначалу, но он уже научился тогда — он быстро учился — просто пожимать плечами и говорить с улыбкой: "Да ну, ничего интересного". С удивлением и облегчением он убедился, что они легко принимают такой ответ, он был благодарен за их зацикленность на себе. Никто не хотел слушать чужую историю, каждый хотел рассказать свою.

И все же его молчание не осталось незамеченным, и именно благодаря ему он получил свою кличку. В тот год Малкольм открыл для себя постмодернизм, и Джей-Би так громко сокрушался о невежестве Малкольма, что он не отважился признаться в своем.

— Ты не можешь взять и решить, что будешь пост-черным, Малкольм, — говорил Джей-Би. — Чтобы стать выше этого, надо для начала быть черным.

— Как ты меня достал, Джей-Би, — говорил Малкольм.

— Или уж ты должен быть таким неклассифицируемым, чтоб к тебе вообще не подходили обычные мерки. — Тут Джей-Би повернулся к нему, и он похолодел от ужаса. — Вот как Джуди: мы не знаем, нравятся ему мальчики или девочки, мы не знаем, какой он расы, мы вообще ничего о нем не знаем. Вот тебе пост-сексуальность, пост-расовость, пост-идентичность, пост-история. — Он улыбнулся, показывая, что в его словах есть доля шутки. — Постчеловек. Джуд Постчеловек.

— Постчеловек, — повторил Малкольм: в неловкие моменты он всегда был не прочь отвлечь внимание от себя за счет кого-то другого. И хотя прозвище не приклеилось — вошедший в комнату Виллем только закатил глаза, услышав эту шутку, что несколько охладило пыл Джей-Би, — он понял, что, сколько бы он ни убеждал себя, что стал своим, сколько бы ни старался скрыть свою болезненную непохожесть, ему не удалось их обмануть. Они знали, что он странный, и глупо с его стороны было убеждать себя, будто он убедил их в обратном. И все-таки он продолжал приходить на ночные посиделки в комнаты однокурсников: его тянуло туда, хотя он понимал, что они таят для него опасность.

Иногда во время этих занятий (он стал думать о них именно так, как об интенсивной учебе, которая поможет ему заполнить культурные пробелы) он ловил взгляд Виллема, наблюдавшего за ним с каким-то непонятным выражением лица, и задавался вопросом, о чем Виллем догадывается.

Иногда он едва удерживался, чтобы самому не рассказать что-то Виллему. Может быть, я не прав, думал он. Может быть, было бы хорошо признаться кому-то, что большую часть времени он вообще не понимает, о чем речь, что не знает всем знакомого языка детских неудач и разочарований. Но он тут же останавливался: ведь если он не понимает этого языка, придется объяснять, какой язык он понимает.

Но если б он решился кому-то рассказать, то именно Виллему. Он восхищался всеми тремя своими товарищами, но Виллему — доверял. В приюте он усвоил, что есть три типа мальчишек: одни лезут в драку (это был Джей-Би), другие сами не дерутся, но и других не выручают (это был Малкольм), а третьи изо всех сил стараются помочь (это был самый редкий тип, и к нему принадлежал Виллем). Может быть, у девочек все так же, но он слишком мало общался с девочками, чтобы сказать наверняка.

И ему все чаще казалось, что Виллем что-то знает. (*Что знает?* — спорил он сам с собой, когда разум брал верх. *Ты просто ищешь предлог, чтобы рассказать ему, и что он тогда о тебе подумает? Не глупи. Молчи. Возьми себя в руки.*) Конечно, в этом не было никакой логики. Даже до колледжа он понимал, что детство его было нетипичным — чтобы прийти к такому выводу, достаточно было прочитать несколько книг, — но только недавно он осознал насколько. Сама странность его жизни изолировала и отрезала его от остального мира. Нельзя было даже представить себе, что кто-то догадается о конкретных деталях, а если бы кто-то догадался, это значило бы, что он сам оставил какие-то улики, будто коровьи лепешки — приметные, огромные, отвратительные мольбы о помощи.

И все же. Подозрение все крепло, иногда становилось невыносимым, как будто он неизбежно должен сказать что-то, как будто ему посылают приказы, которым легче подчиниться, чем противиться.

Однажды вечером они сидели вчетвером, без посторонних. Это было начало третьего курса, и такое случалось редко — настолько, что они особенно остро ощущали уют и даже некоторое умиление от того, что составляют такую неразлучную четверку. Они действительно были неразлучны, и он был частью этой компании: здание, где они жили, называлось Худ-Холл, и на кампусе их называли "мальчики из Худа". У каждого из них были и другие приятели (больше всего у Джей-Би и Виллема), но все знали (или, по крайней мере, считали, а это почти то же самое), что между собой они самые близкие друзья. Они никогда не обсуждали это вслух, но им нравилось, что о них так думают, нравился тот кодекс дружбы, который им приписывали.

В тот вечер на ужин у них была пицца — ее заказал Джей-Би, а оплатил Малкольм. У них была травка, которую добыл Джей-Би; дождь, а потом град, лупил по стеклу, от ветра окна дребезжали в старых рассохшихся рамах, и от всего этого их счастье казалось еще более полным. Косяк переходил из рук в руки, и хотя он пропускал свою очередь (он никогда не курил траву; его слишком пугала потеря контроля — кто знает, что он может сказать или сделать?), дым застилал глаза, давил на веки пушистой звериной лапой. Он был осторожен — если за еду платил кто-то другой, он всегда старался съесть как можно меньше, и хотя он еще не наелся (оставалось два куска пиццы, некоторое время он глядел на них, не отрываясь, а потом, спохватившись, решительно отвернулся), ему было хорошо и спокойно. Так можно и уснуть, подумал он, вытягиваясь на диване и накрываясь одеялом Малькольма. Он чувствовал приятную усталость, впрочем, усталость была привычным его состоянием: столько сил уходило на то, чтобы казаться нормальным, что ни на что другое энергии уже не оставалось. (Иногда он понимал, что кажется со стороны деревянным, ледяным, скучным; многие, наверное, сочли бы это худшей участью, чем быть тем, кем он был на самом деле.) Он слышал как будто издалека, как Джей-Би с Малькольмом спорят о природе зла.

— Нам бы не пришлось спорить, если б ты прочитал Платона.

— Да, но что у Платона?

— Ты вообще читал Платона?

— Да при чем тут…

— Так читал или нет?

— Нет, но…

— Вот, видишь! Видишь!

Малькольм прыгал и показывал пальцем на Джей-Би, Виллем смеялся. От травки Малькольм всегда становился глупее и педантичнее, и они, все трое, раскручивали его на глупые и педантичные философские споры, которые Малькольм начисто забывал к утру.

Потом он слышал, как Виллем и Джей-Би говорили о чем-то — его слишком клонило в сон, чтобы прислушиваться, он лишь различал их голоса, — и потом сквозь морок прорвался звонкий голос Джей-Би:

— Джуд!

— Что? — спросил он, не открывая глаз.

— Хочу задать тебе вопрос!

Он сразу весь подобрался. Под кайфом Джей-Би обретал зловещую способность задавать крайне неудобные вопросы или высказывать неприятные для окружающих наблюдения. Наверное, он делал это не со зла, но стоило задуматься, что творится в его подсознании. Как понять, какой Джей-Би настоящий — тот, что спросил девушку из их общежития, Тришу Парк, каково ей было расти уродливым близнецом (бедная Триша вскочила и выбежала из комнаты), или тот, который, оказавшись свидетелем особенно тяжкого приступа, когда он то терял сознание, то приходил в себя (тошнотворное ощущение, как на американских горках), улизнул в ночи со своим обдолбанным бойфрендом и вернулся перед рассветом с пучком набухших цветами веток магнолии, наворованных во дворе колледжа?

— Какой вопрос? — спросил он настороженно.

— Мы знаем друг друга уже довольно давно, — начал Джей-Би, затянувшись косяком.

— Да ну? — Виллем изобразил крайнее изумление.

— Заткнись, Виллем. Так вот, — продолжал Джей-Би, — мы все хотим знать, почему ты нам не рассказываешь, что случилось с твоими ногами.

— Ничего подобного, — начал было Виллем, но его перебил Малкольм, который под кайфом всегда энергично поддерживал Джей-Би:

— Это очень обидно, Джуд. Ты что, нам не доверяешь?

— О господи, Малкольм. — Виллем передразнил его визгливым фальцетом: — "Это о-очень обидно". Ты как девчонка. Это личное дело Джуда.

Почему-то от этого стало еще хуже — всегда Виллему, именно Виллему приходилось защищать его от Малкольма и Джей-Би! В эту минуту он ненавидел их всех, хотя, конечно же, он не мог позволить себе их ненавидеть. Это были его друзья, его первые друзья, и он понимал, что дружба — это постоянный обмен: обмен приязнью, временем, иногда деньгами и всегда — информацией. У него не было денег. Ему нечего было им дать, нечего им предложить. Он не мог дать Виллему поносить свитер, хотя Виллем давал ему свой, не мог вернуть Малкольму сто долларов, которые тот однажды ему всучил, не мог даже помочь Джей-Би таскать вещи при выезде из общаги, хотя Джей-Би помогал ему.

— Это не очень интересно, — начал он, чувствуя их общее напряженное внимание, даже Виллема. Он не открыл глаз, потому что было легче рассказывать, не видя их лиц, и потому что он просто не мог этого вынести. — Меня сбила машина. Мне было пятнадцать, за год до колледжа.

— Ох, — сказал Джей-Би. Наступила тишина, он чувствовал, что из всех как будто выпустили воздух, все как будто разом отрезвели. — Сочувствую, бро. Это хреново.

— А раньше ты мог ходить? — спросил Малкольм, как будто теперь он не ходил. Ему стало грустно и стыдно: видимо, только он думал, что ходит, остальные так не считали.

— Да, — ответил он и добавил, поскольку это было чистой правдой, хотя не совсем в том смысле, в каком они поймут: — Я даже бегал по пересеченной местности.

— Ни фига себе, — проговорил Малькольм. Джей-Би сочувственно хмыкнул.

Он заметил, что только Виллем ничего не сказал. Но не посмел открыть глаза и посмотреть на выражение его лица.

Как он и предполагал, эти сведения разлетелись по кампусу. (Вероятно, многим действительно хотелось знать про его ноги. Триша Парк подошла к нему и сообщила, что она всегда думала, будто у него церебральный паралич. И что он должен был на это сказать?) Постепенно, однако, в пересказах объяснение стало звучать как "автомобильная авария", позже появился и "пьяный водитель".

"Самое простые объяснения, как правило, верны", — говорил профессор математики, доктор Ли; видимо, этот принцип применили и здесь. Однако в данном случае принцип не сработал. Математика — особая статья, в жизни все сложное не сведешь к простому.

Но вот что странно: по мере того как история дрейфовала в сторону аварии, у него появилась возможность переписать ее, просто согласившись со всеми. Но он не мог. Не мог он назвать это аварией; это была не авария. Гордость это или глупость — не воспользоваться таким удобным путем отступления? Он не знал.

А потом он заметил еще кое-что. У него случился очередной приступ — унизительный и тяжелый, он как раз заканчивал дежурство в библиотеке, а Виллем пришел его сменить на несколько минут раньше срока, и он услышал, как библиотекарша, милая, начитанная женщина, спросила Виллема, что с ним такое. Они — миссис Икли и Виллем — перенесли его в комнату отдыха, где стоял сладковатый запах застарелого жженого кофе; от остроты этого ненавистного запаха его чуть не стошнило.

— Сбила машина, — донесся до него ответ Виллема, как будто с другого берега черного озера.

И только ночью до него дошло, что сказал Виллем, какие слова он выбрал: "сбила машина", а не "автомобильная авария". Нарочно ли это? Что он знает? Он так разволновался, что уже готов был спросить, но Виллема не было — он ночевал у девушки.

Никого нет, понял он. Комната принадлежит ему. Он почувствовал, как чуткий зверек внутри него расслабился, улегся — он представлял его хрупким, тощим, похожим на лемура, вечно настороженным и готовым к бегству, с темными влажными глазами, которые постоянно высматривают опасность. В такие минуты он особенно радовался колледжу: вот он лежит в теплой комнате, и завтра сможет трижды поесть досыта, и пойдет на занятия, и никто ничего ему не сделает, не заставит делать то, чего он делать не хочет. Где-то неподалеку находятся его соседи по общежитию — его друзья, — и он прожил еще один день, не выдав своих секретов; еще один день пролег между тем, кем он был когда-то, и им теперешним. Этим достижением он заслужил сон, и можно закрыть глаза и приготовиться к следующему дню.

Всерьез о колледже с ним заговорила Ана, его первый и единственный социальный работник, первый человек, который ни разу его не предал, — о колледже, куда он в результате и поступил, в чем Ана заранее была уверена. Поступать в колледж ему предлагала не она одна, но именно она на этом сильнее всего настаивала.

"А почему бы и нет?" — говорила она.

Это было ее любимое выражение. Они с Аной сидели на веранде, на заднем дворе ее дома, и ели банановый хлеб, приготовленный девушкой Аны. Природу Ана особо не жаловала (все ползает, все копошится, говорила она), но когда он предложил выйти на воздух — робко, потому что тогда не совсем еще понимал границы дозволенного, — она, хлопнув по подлокотникам кресла, с усилием встала на ноги.

— А почему бы и нет? Лесли! — крикнула она Лесли, которая делала лимонад на кухне. — Тогда на улицу нам его вынеси!

Ана была первой, кого он увидел, когда очнулся в больнице. Сначала он долго не мог понять, где он, кто он и что с ним случилось, а потом — внезапно — перед ним возникло ее лицо.

— Так, так, — сказала она. — Просыпается.

Приходя в сознание, он всякий раз видел ее, как будто она никуда и не отлучалась. Иногда, очнувшись днем, перед тем как полностью прийти в себя, несколько зыбких, неясных секунд он слушал больничный шум — попискивание сестринских тапочек, дребезжание тележек, бормотание интеркома. Но иногда он просыпался ночью, в тишине, и тогда ему было труднее вспомнить, где он и как здесь очутился, а потом память к нему возвращалась, она всегда к нему возвращалась, и, в отличие от остальных мыслей, воспоминания эти с каждым разом не притуплялись, не становились легче. А иногда он заставал не день и не ночь, а что-то промежуточное, и окружавший его свет был каким-то странным, пыльным, и на миг ему казалось, что, быть может, он есть все-таки, этот рай, и что он все-таки туда добрался. И тут он слышал голос Аны и снова вспоминал, почему он здесь, и ему опять хотелось закрыть глаза.

В такие минуты они ни о чем не разговаривали. Она спрашивала, не голоден ли он, но, что бы он ни ответил, у нее всегда был наготове сэндвич. Она спрашивала, не больно ли ему, а если больно — насколько боль сильная. На ее глазах он пережил первые приступы, и тогда боль была такой страшной — почти невыносимой, будто кто-то ухватил позвоночник, как змею, и принялся трясти, стараясь выдернуть из нервных узлов, — что потом, когда хирург назвал его травму телесным "оскорблением", от которого тело никогда полностью не оправится, он понял, что тот хотел сказать и какое верное, какое точное выбрал слово.

— Вы что же, хотите сказать, что это у него на всю жизнь? — спросила Ана, и он был благодарен ей за эту вспышку гнева, потому что сам до того устал и перепугался, что на злость сил уже не осталось.

— Я и рад бы сказать, что нет, — ответил хирург и прибавил, обращаясь к нему: — Но со временем может стать полегче. Ты еще очень молод. У позвоночника превосходные способности к восстановлению.

— Джуд, — позвала она его, когда через два дня с ним случился второй приступ.

Он слышал ее голос сначала будто бы издалека, а затем, вдруг — ужасно близко, взрывами в голове.

— Держись за руку, — сказала она, и ее голос снова взмыл и затих, но тут она схватила его за руку, и он стиснул ее так крепко, что чувствовал, как ее указательный палец странно смыкается с безымянным, как чуть ли не каждая косточка в ее ладони подается под его нажатием, отчего Ана вдруг показалась ему мягкой, ажурной, хотя ни в ее поведении, ни во внешности ничего мягкого не было.

— Считай, — велела она ему во время третьего приступа, и он считал — до сотни, снова и снова, дробя боль на переносимые дозы. Тогда он еще не усвоил, что лучше всего лежать и не двигаться, и вертелся на кровати, на неласковом, неподатливом больничном матрасе, будто выброшенная на палубу рыба, пытаясь отыскать положение, в котором будет полегче, нашарить фал, чтоб вцепиться в него и спастись. Он старался вести себя потише, но сам слышал, как издает странные, животные звуки, и потому иногда у него перед глазами возникал лес, населенный ушастыми совами, оленями, медведями, и он представлял, что он тоже зверь и что звуки он издает тоже совершенно нормальные, что они — часть несмолкающей музыки леса.

После приступа она давала ему воды в стакане с соломинкой, чтобы можно было пить, не поднимая головы. Пол под ним раскачивался и ходил ходуном, и его часто тошнило. Он ни разу в жизни не видел океана, но воображал, что там, наверное, все то же самое, воображал, как линолеум вздымается дрожащими буграми от напора воды.

— Вот молодец, — приговаривала она, пока он пил. — Попей еще.

— Потом станет полегче, — говорила она, и он кивал, потому что и представить себе не мог, как можно жить, если полегче не станет.

Его дни теперь превратились в часы: часы без боли и часы боли, непредсказуемость и этого расписания, и собственного тела — хотя тело теперь принадлежало ему только на словах, потому что он им совершенно не владел — его страшно утомляла, и он все спал, спал, и дни ускользали от него непрожитыми.

Потом ему проще будет говорить всем, что у него болят ноги, но это было не так: болела у него спина. Иногда он мог предугадать, что вызовет спазмы, вызовет боль, которая протянется от позвоночника до одной или другой ноги, воткнется в него горящим колом — определенные движения, если он, например, поднимал что-то тяжелое или за чем-нибудь тянулся, или обычная усталость. А иногда — не мог. А иногда боли предшествовал краткий период онемелости или покалывания, и оно было даже почти приятным, легким и пузырящимся, как будто по позвоночнику вверх-вниз пробегали разряды-иголочки, и тогда он знал, что нужно лечь и ждать, пока не завершится весь цикл, наказание, от которого нельзя ни увильнуть, ни сбежать. Но бывали и дни, когда боль просто обрушивалась на него, и хуже них ничего не было: тогда он стал бояться, что приступ начнется в какое-нибудь самое неподходящее время, и потому перед каждой важной встречей, перед каждой важной беседой, перед каждым выступлением в суде он упрашивал спину уняться, дать ему спокойно пережить следующие несколько часов. Но это все ему еще только предстояло, и все, что нужно было усвоить, он усвоил за долгие часы приступов, которые растянулись на целые дни, месяцы и годы.

Шли недели, она носила ему книги, просила составить список того, что ему хочется прочитать, и тогда она возьмет эти книги в библиотеке, — но он робел. Он знал, что она назначена его социальным работником, но прошло больше месяца — и врачи уже начали поговаривать о том, что гипс ему снимут через считанные недели, — прежде чем она впервые спросила его о том, что случилось.

— Не помню, — ответил он.

Тогда он на все вопросы так отвечал. Лгал, конечно. Он отгонял от себя незваные видения: автомобильные фары несутся к нему двоящейся вспышкой белого, он зажмуривается, резко отворачивается, как будто этим можно предотвратить неизбежное.

Она ждала.

— Ничего страшного, Джуд, — сказала она. — В общих чертах мы знаем, что случилось. Но когда-нибудь тебе нужно будет мне об этом рассказать, чтобы мы смогли с тобой поговорить.

Помнит ли он, что они однажды об этом уже разговаривали? Оказывается, после первой операции он пришел в себя и в полном сознании ответил на все ее вопросы, не только о том, что произошло той ночью, но и обо всем, что ей предшествовало, — но этого он искренне не помнил и потом все переживал, думал, что же он там наговорил и с каким лицом Ана все это выслушивала.

Много ли он рассказал, спросил он однажды.

— Порядочно, — ответила она. — Мне хватило, чтобы поверить в то, что ад существует и этим людям там самое место.

Говорила она без злости, но слова были злыми, и он закрыл глаза, впечатленный и даже слегка напуганный тем, что случившееся с ним — с ним! — может вызвать у кого-то такую страстную реакцию, такую ярость.

Она организовала его переезд к последним на этот раз опекунам — Дугласам. У них было еще двое приемных детей, две маленьких девочки — Рози, восемь лет, синдром Дауна, Агнес, девять лет, расщепление позвоночника. Дом был похож на лабиринт из пандусов — неказистый, но удобный и основательный, и Джуд, в отличие от Агнес, мог самостоятельно передвигаться в кресле на колесах.

Дугласы были евангелические лютеране, но в церковь с собой ходить не заставляли.

— Они хорошие люди, — сказала Ана. — Проблем с ними не будет, и здесь тебя никто не тронет. Ну что, переживешь, если в обмен на личное пространство и гарантированную безопасность нужно будет помолиться перед едой?

Она взглянула на него, улыбнулась. Он кивнул.

— Кроме того, — добавила она, — если захочешь посквернословить, всегда можешь позвонить мне.

Он и вправду был скорее у Аны под опекой, чем у Дугласов. У Дугласов он спал и ел, а когда он учился ходить на костылях, мистер Дуглас сидел под дверью ванной, чтобы вовремя туда вбежать, если он вдруг поскользнется и упадет, залезая в ванну или вылезая из нее (он еще не очень твердо стоял на ногах, и мыться ему было трудно даже с ходунками). Но по врачам его водила Ана, и первые неуверенные шаги он сделал во дворе у Аны, которая сидела с сигаретой в зубах и ждала, пока он до нее доковыляет, и это Ана в конце концов убедила его написать обо всем, что случилось у доктора Трейлора, чтобы ему не пришлось выступать в суде. Он сказал, что может и в суд приехать, но Ана ответила, что он к этому не готов, что у них и без его показаний хватит доказательств, чтобы надолго упрятать доктора Трейлора за решетку, и он слушал ее с облегчением — значит, ему не придется вслух произносить то, для чего слов у него не находилось, не придется снова видеть доктора Трейлора. Когда он наконец записал свои показания — писать он старался как можно проще, представляя, что пишет о ком-то другом, о каком-то своем знакомом, с которым больше не обменяется ни словом, — и отдал ей, она с бесстрастным лицом прочла их один раз, кивнула.

— Хорошо, — отрывисто сказала она и вдруг внезапно расплакалась, почти завыла, не сумев сдержаться.

Она говорила что-то, но из-за рыданий он ничего не мог разобрать, и тогда она ушла, но позже вечером позвонила ему и извинилась.
— Прости, Джуд, — сказала она. — С моей стороны это было очень непрофессионально. Я просто прочла, что ты написал, и я просто… — Она помолчала, глубоко вздохнула. — Этого больше не повторится.

И когда врачи сочли, что он еще недостаточно окреп для того, чтобы ходить в школу, это Ана нашла ему репетитора, который подготовил его к выпускным экзаменам, и она же заставила его задуматься о колледже.
— Ты понимаешь, что ты очень умный? — спрашивала она. — Ты можешь поступить куда захочешь. Я поговорила с твоими учителями в Монтане, и они тоже так считают. Ты уже думал об этом? Думал? И куда бы ты хотел поступить? — Он сказал ей куда, внутренне готовясь к тому, что она рассмеется, но Ана в ответ только кивнула: — А почему бы и нет?
— Но, — начал он, — думаешь, они примут такого, как я?

И снова она не стала смеяться.
— Верно, образование ты получил не самое… традиционное, — она улыбнулась, — но ты превосходно сдал все экзамены, и, хоть сам ты, наверное, так не считаешь, но, верь мне, ты знаешь куда больше многих своих сверстников, а может, и больше их всех. — Она вздохнула. — Видишь, хоть за что-то брату Луке можно сказать спасибо. — Она внимательно поглядела на него. — Так что… почему бы и нет?

Она помогала ему во всем: написала рекомендацию, разрешила напечатать эссе на своем компьютере (о прошлом годе он не писал, написал о Монтане и о том, как научился там искать грибы и побеги горчицы), даже подачу заявления оплатила.

Когда его зачислили в колледж — на полную стипендию, как и предсказывала Ана, — он сказал, что это все благодаря ей.
— Чушь собачья, — ответила она. К тому времени она была уже серьезно больна и могла только шептать. — Ты сделал все сам.

Потом, старательно вспоминая все предыдущие месяцы, он увидит, будто в свете прожектора, признаки болезни, которые из-за собственной глупости и эгоизма проглядел все до единого: и потерю веса, и пожелтевшие белки глаз, и усталость, которую он списывал на… на что?
— Не стоит тебе курить, — сказал он ей всего два месяца назад, когда уже так освоился в ее обществе, что начал распоряжаться — она была первым взрослым, с которым он мог так разговаривать.
— Ты прав, — ответила она и, прищурившись, глубоко затянулась сигаретой, а когда он вздохнул, рассмеялась.

Но даже тогда она продолжала стоять на своем.

— Джуд, нам с тобой нужно об этом поговорить, — то и дело повторяла она, он мотал головой, она молчала.

— Тогда завтра, — говорила она потом. — Обещаешь? Завтра мы с тобой поговорим.

— Не понимаю, зачем нам вообще об этом говорить, — однажды пробормотал он.

Он знал, что она читала его личное дело, которое прислали из Монтаны, он знал, что она знает, кто он такой.

Она помолчала.

— Если я что и знаю, — сказала она, — так это то, что о таких вещах надо говорить, пока они еще свежи в памяти. Иначе ты вообще о них никогда говорить не сможешь. Я хочу научить тебя о них говорить, потому что чем дольше ждешь, тем все это тяжелее и тяжелее, и оно так и будет гнить у тебя внутри, и ты вечно будешь думать, что это ты во всем виноват.

Он не знал, что на это ответить, но когда она снова заговорила об этом на следующий день, он помотал головой и не повернулся к ней, даже когда она его звала.

"Джуд, — однажды сказала она, — я тебе слишком долго позволяла об этом молчать. Я виновата". "Сделай это ради меня, Джуд", — сказала она в другой раз.

Но у него не получалось, не получалось даже понять, на каком языке об этом можно говорить, даже с ней. И, кроме того, ему не хотелось заново проживать прошлое. Ему хотелось о нем забыть, притвориться, что это чужое прошлое.

К июню она ослабела так, что даже сидеть не могла. Со дня их знакомства прошел год и два месяца, и теперь она лежала в кровати, а он сидел с ней рядом. Лесли работала в больнице в дневную смену, и часто они с ним оставались в доме вдвоем.

— Послушай, — сказала она.

От лекарств в горле у нее пересохло, и говорила она морщась. Он потянулся за кувшином с водой, но она нетерпеливо отмахнулась.

— Перед отъездом Лесли тебе поможет все купить, я ей написала список всего, что тебе понадобится.

Он было запротестовал, но она его оборвала:

— Джуд, не спорь со мной. У меня на это сил нет.

Она сглотнула. Он ждал.

— В колледже ты будешь молодцом, — сказала она и закрыла глаза. — Ребята тебя расспрашивать будут о том, где ты вырос, ты думал об этом?

— Ну вроде того, — ответил он.

Он только об этом и думал.

— Гммм, — проворчала она. Она ему тоже не поверила. — Ну и что ты им скажешь?

— Не знаю, — признался он.

— Ну да, — сказала она.

Они помолчали.

— Джуд, — начала она и снова замолчала. — Ты сам придумаешь, как говорить о том, что с тобой произошло. Тебе придется, если хочешь хоть с кем-нибудь в жизни близко сойтись. Но твоя жизнь… и не важно, что ты там думаешь, тебе стыдиться нечего, ни в чем случившемся ты не виноват. Это ты запомнишь?

И это, пожалуй, был единственный раз, когда они с ней хоть как-то заговорили о событиях не только прошлого года, но и всех предыдущих лет.

— Да, — сказал он.

Она строго поглядела на него.

— Обещай мне.

— Обещаю.

Но даже тогда он так и не смог ей поверить.

Она вздохнула.

— Так я тебя и не разговорила, а надо было, — сказала она.

Это было последним, что он от нее услышал. Две недели спустя — третьего июля — она умерла. Поминальная служба состоялась через неделю. Тогда он уже нашел подработку в местной кондитерской — сидел в подсобке и обмазывал торты глазурью, а после похорон стал задерживаться на работе до ночи, покрывал торт за тортом ядовито-розовой помадкой и старался не думать об Ане.

В конце июля уехали Дугласы: мистер Дуглас устроился на работу в Сан-Хосе, Агнес они забрали с собой, а Рози передали в другую семью. Дугласы ему нравились, но хоть они и просили его не пропадать, он знал, что писать им не будет — до того отчаянно ему хотелось сбежать подальше и от нынешней жизни, и от прошлой. Он мечтал стать человеком, которого никто не знает и который не знает никого.

Его определили в приют временного пребывания. Так он официально назывался — приют временного пребывания. Он отказывался, говорил, что он уже достаточно взрослый и справится сам (он совершенно безосновательно полагал, что спать сможет в кондитерской, у себя в подсобке), что он все равно через два месяца отсюда уедет, но его никто и слушать не стал. Приют оказался общежитием: в здании, похожем на просевшие серые соты, жили дети, которых — из-за того, что они сделали, или из-за того, что с ними сделали, или попросту из-за возраста — государство никуда не могло пристроить.

Перед отъездом ему выдали денег на покупку учебных принадлежностей. Джуд понял, что в приюте им даже немного гордились: может, он и не пробыл у них долго, зато он уезжал в колледж — да еще в какой колледж! — и теперь навсегда попал в список их побед. Лесли отвезла его в армейский магазин. Выбирая все, что могло ему пригодиться — два свитера, три футболки с длинными рукавами, брюки, серое одеяло, похожее на комковатую набивку, которой пучило во все стороны диван в приютском коридоре, — он все гадал, те ли вещи выбрал, совпал ли со списком, который написала Ана.

Он никак не мог отделаться от мысли, что в этом списке было что-то еще, что Ана сочла важным и нужным для него, но что это было — он так никогда и не узнает. По ночам он тосковал по этому списку, подчас даже больше, чем по ней. Этот список так и стоял у него перед глазами: слова, которые она писала мешаниной строчных и прописных букв, ее вечный механический карандаш, желтые линованные блокноты, которые остались у нее еще с тех пор, когда она работала юристом. Иногда буквы сбивались в слова, и во сне он торжествовал — ага, думал он, ну конечно! Конечно, это же как раз то, что нужно! Конечно же Ана об этом подумала! Но по утрам он никогда не мог вспомнить, что же там такое было. Странно, но в такие минуты он жалел, что они с ней вообще познакомились, потому что лучше было бы не знать ее вовсе, чем узнать и почти сразу потерять.

Он ехал на север, автобусный билет ему купили, Лесли пришла проводить его на станцию. Все свои вещи он сложил в двухслойный мешок для мусора, мешок засунул в рюкзак, купленный в армейском магазине: всех пожитков — один аккуратный сверток. В автобусе он глядел в окно и ни о чем не думал. Он надеялся, что спина не подведет его во время поездки, и она не подвела.

В комнату он заселился первым, и когда туда вошел второй мальчик — им оказался Малкольм — с родителями, чемоданами, книжками, колонками, телевизором, телефонами, компьютерами, холодильником и целой флотилией разных технических устройств, он впервые почувствовал, как к горлу подкатывает страх, а затем и иррациональная злость — на Ану. Зачем она его убедила, будто ему это по силам? Как он объяснит, кто он такой? Почему она никогда ему не говорила, что вся его жизнь на самом деле — жалкая, безобразная, замызганная, окровавленная тряпка? Зачем помогла поверить, будто ему тут место?

Шли месяцы, и чувства эти притупились, но так никуда и не делись, он оброс ими будто тонким слоем плесени. Но стоило ему сжиться с этим знанием, как его начало мучить другое: он стал понимать, что Ана была единственным человеком, которому не нужно было ничего объяснять.

Она знала, что он носит свою жизнь на коже, что его биография написана у него на теле и на костях. Она никогда не стала бы спрашивать, почему он не носит одежды с короткими рукавами, даже если на дворе настоящая парилка, и почему не любит, когда к нему прикасаются, или — самое важное — почему у него болят ноги и спина. Она уже обо всем знала. Общаясь с другими людьми, он обречен был вечно нервничать, вечно быть настороже, а с ней нет — быть все время начеку было утомительно, но постепенно это стало частью его жизни, привычкой вроде умения держать осанку. Однажды она потянулась к нему, чтобы обнять (это он, правда, потом уже понял), а он непроизвольно вскинул руки к голове, закрылся, защищаясь, но, хоть он и смутился, она ничем не показала, что он повел себя глупо или необоснованно. "Вот я идиотка, Джуд, — только и сказала она. — Прости. Обещаю, больше никаких резких движений".

Но теперь она умерла, и больше его никто не знал. Его досье было засекречено. На первое Рождество Лесли прислала ему открытку — на адрес учебного управления, и он долго хранил это последнее звено, связывавшее его с Аной, но потом все равно выбросил. Он так и не ответил Лесли, и она больше ему не писала. У него была новая жизнь. Он изо всех сил старался ее не испортить.

Но иногда он все-таки вспоминал эти их последние беседы, проговаривал их вслух. Это случалось по ночам, когда его соседи — в самых разных сочетаниях, все зависело от того, кто был в комнате — спали над ним и рядом с ним. "Нельзя, чтобы молчание вошло у тебя в привычку", — предостерегала она его перед самой смертью. И еще: "Тебе можно злиться, Джуд, сдерживаться не нужно".

Он всегда думал, что она насчет него ошибалась, он оказался совсем не тем, кем она его считала. "Парень, тебя ждут великие дела", — однажды сказала она, и он хотел ей верить, хоть и не мог.

Но в одном она оказалась права: ему действительно было все тяжелее и тяжелее. И он действительно думал, что это он во всем виноват. И хотя он старался не забывать о своем обещании, с каждым днем оно от него отдалялось, пока не превратилось в простое воспоминание, как и сама она — в любимого персонажа книги, которую он прочел давным-давно.

"Люди делятся на два вида, — говорил судья Салливан. — Те, кто склонен верить, и те, кто не склонен. В моем зале суда мы ценим веру. Веру во все".

Он часто делал это заявление, после чего, кряхтя, вставал на ноги — он был очень тучным — и вперевалку шел к двери. Обычно это происходило в конце рабочего дня — по крайней мере, рабочего дня Салливана, — когда он выходил из кабинета, чтобы побеседовать со своими тремя референтами. Салливан присаживался на край чьего-нибудь стола и заводил довольно туманные речи, прерываемые долгими паузами, словно перед ним не референты, а писцы, которые должны увековечить каждое его слово. Но никто не записывал, даже Керриган, самый консервативный из троих и действительно склонный верить.

Потом судья уходил, а он через комнату улыбался Томасу, который в ответ закатывал глаза, как бы извиняясь и говоря: "А что я могу сделать?" Томас тоже был консерватор, но "мыслящий консерватор" и не уставал об этом напоминать. "И сам факт, что я должен это подчеркивать, — позор".

Они с Томасом начали работать у судьи в один год; у Салливана была неформальная поисковая сеть, и в нее входил один из его преподавателей, старый друг судьи; именно от этого преподавателя, специалиста по торгово-промышленным организациям, он и получил предложение пройти собеседование, как-то весной, на втором курсе юридической школы, а Гарольд уговорил его согласиться. Салливан был известен среди коллег по окружному суду тем, что всегда нанимал одного референта, чьи политические взгляды радикально отличались от его собственных, чем радикальней, тем лучше. (Его последний референт-либерал впоследствии стал работать на Движение за независимость Гавайских островов, ратующее за отделение от США, и этот карьерный кульбит вызывал у судьи приступ мрачного удовлетворения.)

— Салливан меня ненавидит, — сказал Гарольд так, словно ему это льстило. — Он тебя возьмет, просто чтоб мне досадить. — Он улыбнулся, смакуя эту мысль. — И потому, что ты самый блестящий студент за всю мою преподавательскую карьеру.

От этого комплимента он уставился в пол: другие часто передавали ему похвалы Гарольда, но он редко слышал их напрямую.

— Не уверен, что я для него достаточно либерален, — ответил он.

Для Гарольда-то он точно был недостаточно либерален: они спорили о разных вещах, и нередко — о его мнениях, о том, как он толковал закон, как он применял его к жизни.

— Достаточно, уж поверь мне, — фыркнул Гарольд.

Но когда на следующий год он отправился на собеседование в Вашингтон, Салливан говорил с ним о праве и политической философии с гораздо меньшим пылом и вовсе не так подробно, как он ожидал.

— Я слышал, вы поете, — сказал судья вместо этого, после того как они в течение часа беседовали об учебной программе (судья закончил ту же юридическую школу), о его работе в должности редактора студенческого журнала (эту же должность занимал когда-то судья) и его соображениях по поводу недавних судебных процессов.

— Пою, — ответил он, недоумевая, откуда судья об этом узнал. Он что, пел в офисе Гарольда и там его подслушали? А еще он иногда пел в юридической библиотеке, когда поздно ночью расставлял книги на полках, и там было тихо и пусто, как в церкви, — может, тогда кто-то слышал?

— Спойте что-нибудь, — сказал судья.

— Что бы вы хотели услышать, сэр? — спросил он.

Он нервничал бы гораздо сильнее, если бы не знал заранее, что судья потребует от него какого-то представления (по легенде предыдущему соискателю пришлось жонглировать), и он слышал, что Салливан — любитель оперы.

Судья поднес толстые пальцы к толстым губам и задумался.

— Гм… Спойте мне что-нибудь, что расскажет что-то о вас.

Он задумался на мгновение и запел. Он и сам удивился своему выбору: *Ich bin der Welt abhanden gekommen* Малера — он ведь не очень-то любил Малера, и песня была трудной в исполнении, медленной, печальной, прихотливой, не предназначенной для тенора. Но ему нравилось стихотворение, которое его учитель вокала в колледже обозвал "второсортным романтизмом": сам он считал, что во всем виноват переводчик. Обычно первую строку переводили "я потерян для мира", но он читал ее иначе: "я отошел от мира", что, как ему казалось, меньше отдает жалостью к себе и мелодрамой, в этой фразе больше достоинства, поиска: "Я отошел от этого мира, / В котором впустую потратил время". Песня рассказывала о жизни художника, а художником он, безусловно, не был. Но он понимал всем своим существом идею потери мира, отстранения и ухода от него, исчезновения в другом измерении, в убежище, в безопасности, двойную жажду бегства и открытия. "И все равно мне, пусть другие скажут, / Что жизнь покинула меня; / я соглашусь и спорить не стану; / и вправду умер для мира я".

Когда он закончил и открыл глаза, судья смеялся и аплодировал.

— Браво! — сказал он. — Браво! Только не ошиблись ли вы в выборе профессии? — Он снова рассмеялся. — Где вы научились так петь?

— У монахов, сэр.

— А, католический мальчик? — спросил судья, устраиваясь в кресле поудобнее, готовый обрадоваться.

— Меня растили католиком, — начал он.

— Но вы больше не католик? — нахмурился судья.

— Нет, — ответил он.

Он годами работал над тем, чтобы говорить это без извиняющейся нотки в голосе.

Салливан проворчал что-то неразборчивое и добавил, прежде чем взглянул на резюме:

— Ну, в любом случае они вас обеспечили какой-никакой защитой от чепухи, которую Гарольд Стайн вбивал вам голову последние несколько лет. Вы его научный ассистент?

— Да, уже два года, — ответил он.

— Светлый ум пропадает понапрасну, — провозгласил Салливан (было неясно, имеет он в виду его или Гарольда). — Спасибо, что пришли, с вами свяжутся. И спасибо за песню, давно я не слышал такого красивого тенора. Вы уверены, что правильно выбрали профессию?

Судья еще раз улыбнулся — и с тех пор он больше никогда не видел у Салливана такой искренней и радостной улыбки.

Вернувшись в Кеймбридж, он рассказал Гарольду о встрече ("Ты поёшь?!" — спросил Гарольд, как будто он заявил, что умеет летать) и добавил, что, скорее всего, места не получит. Через неделю позвонил Салливан: его взяли. Он удивился, а Гарольд — нет. "Я же говорил", — сказал он.

На следующий день он, как обычно, пришел в кабинет Гарольда, но тот был уже одет и готов к выходу.

— На сегодня нормальная работа отменяется, — объявил он. — Мне нужна твоя помощь в кое-каких делах.

Это было необычно, но Гарольд вообще был необычный. Возле машины Гарольд протянул ему ключи:

— Хочешь за руль?

— Конечно, — ответил он и пошел к водительскому месту. На этой машине он год назад учился водить, а Гарольд сидел с ним рядом и проявлял куда больше терпения, чем в учебной аудитории. "Хорошо, — говорил он, — отлично. Чуть сцепление отпусти, вот так. Хорошо, Джуд, хорошо".

Гарольду нужно было забрать у портного рубашки, которые он отдавал перешить, и они поехали в маленький дорогой магазин мужской одежды на краю площади, где в последний год колледжа подрабатывал Виллем.

— Пойдем со мной, — распорядился Гарольд, — мне понадобится помощь.

— Господи, Гарольд, сколько же рубашек ты купил? — спросил он.

Неизменный гардероб Гарольда состоял из голубых и белых рубашек, коричневых вельветовых брюк (зимой), льняных брюк (весной и летом) и свитеров разных оттенков зеленого и синего.

— А ну-ка тихо, — сказал Гарольд.

Войдя в магазин, Гарольд пошел за продавцом, а он ждал, пробегая пальцами по галстукам в витринах, свернутых и ярких, как пирожные. Малькольм отдал ему два старых легких костюма, которые он ушил и носил две летние практики подряд, но для собеседования с Салливаном ему пришлось одолжить костюм у соседа по общежитию, и он старался двигаться как можно осторожнее, ощущая ширину этого чужого костюма, изысканную тонкость шерсти.

Он услышал, как Гарольд сказал: "Вот он", — и когда он повернулся, рядом с Гарольдом стоял маленький человечек, у которого с шеи, будто змея, свисал портняжный метр.

— Ему понадобятся два костюма, темно-серый и синий, и давайте еще дюжину рубашек, несколько свитеров, галстуки, носки, ботинки: у него ничего нет. — Ему Гарольд сказал: — Это Марко. Я вернусь через час-другой.

— Погоди, — сказал он. — Гарольд, что ты делаешь?

— Джуд, тебе нужно что-то носить. Я не большой специалист по этой части, но ты не можешь заявиться в судейскую к Салливану в таком виде.

Ему стало не по себе: от собственной одежды, от нищеты, от щедрости Гарольда.

— Я знаю, — сказал он. — Но я не могу принять такой подарок, Гарольд.

Он хотел еще что-то добавить, но Гарольд встал между ним и Марко и взял его за плечи.

— Джуд, — сказал он. — Прими его. Ты заслужил. Более того, тебе это необходимо. Я не позволю тебе опозорить меня перед Салливаном. И потом, я уже заплатил, и деньги мне не вернут. Верно, Марко?

— Верно, — тут же отозвался Марко.

— Все, Джуд, — сказал Гарольд, видя, что он снова хочет заговорить. — Мне пора.

И, не оглядываясь, вышел.

И вот он стоял перед трехстворчатым зеркалом, наблюдая за Марко, который возился у его лодыжек, но когда тот коснулся его ноги выше, промеряя внутренний шов, он непроизвольно дернулся. "Тише, тише", — произнес Марко, словно перед ним стояла нервная лошадь, и похлопал его по ноге, опять-таки как хлопают лошадь, а когда он снова невольно брыкнул ногой при замере второй брючины, Марко сказал:

— Эй, у меня булавки во рту!

— Простите, — сказал он и заставил себя стоять смирно.

Когда Марко закончил, он посмотрел на себя в новом костюме: о, какая это была анонимность, какая броня. Если даже кто-то случайно заденет его спину, то не почувствует под всеми этими слоями неровности шрамов. Все закрыто, все спрятано. Если стоять смирно, можно сойти за кого угодно, стать незаметным, невидимым.

— Пожалуй, еще полдюйма, — сказал Марко, забирая немного ткани на спине в районе талии. Он стряхнул нитки с рукава. — Осталось только сделать хорошую стрижку.

Гарольд ждал его возле галстуков и, подняв глаза от журнала, спросил: "Ну, все?" — с таким видом, будто все это была его идея, а Гарольд лишь потакал его капризу.

За ранним ужином он снова пытался благодарить Гарольда, но каждый раз тот останавливал его все с большим раздражением.

— Джуд, тебе никогда не говорили, что иногда можно просто что-то принять, не раздумывая?

— Ты сам говорил, что ничего нельзя принимать, не раздумывая.

— В учебной аудитории и в зале суда, — уточнил Гарольд. — Но не в жизни. Понимаешь, Джуд, в жизни иногда с хорошими людьми случается что-то хорошее. Не беспокойся, это бывает нечасто. Но когда это происходит, хороший человек может просто сказать "спасибо", и все, потому что ведь тот, кто сделал ему доброе дело, сам получил от этого удовольствие и, может быть, совсем не хочет знать сто причин, почему человек, которому он сделал что-то хорошее, совершенно того не заслуживает и не стоит.

Тогда он замолчал и после ужина позволил Гарольду отвезти его домой на Херефорд-стрит.

— И кстати, — сказал Гарольд, когда он вылезал из машины, — тебе все это очень, очень идет. Ты очень хорош собой, я надеюсь, тебе это уже говорили. — И, прежде чем он успел возразить, добавил: — Комплимент тоже можно принять, Джуд.

И он проглотил свои возражения.

— Спасибо тебе, Гарольд. За все.

— Всегда пожалуйста, Джуд. Увидимся в понедельник.

Он стоял у дома и смотрел вслед машине Гарольда, а потом поднялся в квартиру на втором этаже особняка, стоявшего по соседству со зданием студенческого братства Массачусетского технологического института. Владелец особняка, профессор социологии на пенсии, жил внизу, а три верхних этажа сдавал аспирантам: на самом верху жили Сантош и Федерико, которые писали диссертации по электронной технике в Массачусетском технологическом, под ними — Януш и Исидор, оба аспиранты из Гарварда (Януш занимался биохимией, а Исидор — религиями Ближнего Востока), а под ними — он и его сосед Чарли Ма, которого по-настоящему звали Цзянь-Мин Ма; его все называли Си-Эм. Си-Эм был интерном в Медицинском центре Тафтса, и их расписание находилось в противофазе: когда он просыпался, дверь Си-Эм была закрыта, и из-за нее доносился влажный заливистый храп, а когда он в восемь возвращался домой от Гарольда, Си-Эм уже не было. Но хотя виделись они редко, он испытывал к Си-Эм симпатию — тот был из Тайбэя, закончил школу-интернат в Коннектикуте, улыбался так сонно и плутовато, что хотелось улыбнуться в ответ, и был приятелем приятеля Энди (так они и познакомились). Несмотря на постоянный томно-обкуренный вид, Си-Эм был опрятен и любил готовить: иногда он приходил домой и находил посреди стола тарелку поджаренных пельменей с запиской

"СЪЕШЬ МЕНЯ" или получал сообщение с просьбой перевернуть в маринаде курицу, прежде чем ляжет, или купить кинзы по дороге домой. Он всегда выполнял эти просьбы и потом ел курицу, протушенную в соусе, или сложенный блинчик из морских гребешков с начинкой из мелко рубленной кинзы. Когда раз в несколько месяцев их свободное время совпадало, все шестеро собирались в квартире Сантоша и Федерико — самой большой, — чтобы вместе поужинать и сыграть в покер. Януш и Исидор жаловались, что девушки считают их геями, поскольку они вечно проводят время вместе (Си-Эм косился на него: они заключили пари на двадцать долларов, что Януш и Исидор спят вместе и только притворяются натуралами — в любом случае доказать это было невозможно), а Сантош и Федерико жаловались, какие у них тупые ученики и как ужасно упал уровень студентов в Массачусетском технологическом институте за те пять лет, что прошли с их выпуска.

Их с Си-Эм квартирка была самой маленькой, поскольку половину этажа хозяин превратил в склад. Си-Эм существенно больше платил за квартиру и ночевал в спальне, а ему достался угол гостиной возле окна с эркером. Кровать представляла собой ненадежное сооружение, нечто среднее между тюфяком и коробкой для яиц, а книги были сложены под подоконником; еще у него имелись лампа и бумажная ширма, которой можно было отгородиться. Они с Си-Эм купили большой деревянный стол, который поставили в столовой, в нише, у них было два металлических складных стула — один достался им от Януша, другой от Федерико. Половина стола принадлежала ему, половина — Си-Эм, обе половины были завалены книгами и бумагами, на каждой стоял ноутбук, днем и ночью издающий булькающие и чирикающие звуки.

Всех поражала аскетичность этой квартиры, но он почти перестал замечать ее — хотя и не совсем. Сейчас, например, он сидел на полу рядом с тремя картонными коробками, в которых хранил одежду, перебирал свои новые свитера, рубашки, носки, ботинки, завернутые в белую папиросную бумагу, клал на колени каждый предмет по очереди. У него никогда раньше не было ничего настолько красивого, и казалось немыслимым сложить эти вещи в картонные коробки из-под папок, так что он снова все завернул и сложил в пакеты.

Щедрость Гарольдовых даров вывела его из равновесия. Во-первых, сами дары. Никогда, никогда в жизни не получал он ничего настолько роскошного. Во-вторых, невозможность отплатить за эту щедрость. И, в-третьих, скрывавшийся за жестом смысл: он уже понял, что Гарольд уважает его и даже радуется его обществу. Но можно ли вообразить, что он по-настоящему дорог Гарольду, что он для него больше чем ученик, что они по-настоящему стали друзьями? И если так, почему его это смущает?

Несколько месяцев он привыкал к обществу Гарольда — не в аудитории или в кабинете, а за их пределами. В жизни, как сказал бы Гарольд. Он возвращался домой после ужина у Гарольда с огромным облегчением. И он знал почему, хотя не хотел сознаваться в этом даже себе: обычно мужчины — взрослые мужчины, к которым он себя все еще не причислял, — интересовались им только по одной причине, и он привык их опасаться. Гарольд, правда, был не похож на таких мужчин. (Но ведь и брат Лука не был на них похож.) Кажется, он боялся всего на свете — и ненавидел себя за это. Страх и ненависть, страх и ненависть: порой ему казалось, что он не умеет испытывать других чувств. Страх перед всеми, ненависть к себе.

Он слышал о Гарольде раньше, чем познакомился с ним, потому что о Гарольде слышали все. Гарольд неустанно задавал вопросы: любая реплика, прозвучавшая на его лекции, рассматривалась со всех сторон, градом сыпались бесконечные "почему". Он был подтянутый, высокий и имел привычку ходить по кругу, наклонившись вперед, когда был увлечен или взволнован.

Из того первого курса лекций по договорному праву, который читал им Гарольд, он, к своему большому сожалению, многого просто не запомнил. Например, он не помнил, чем так заинтересовала Гарольда его работа, из-за которой они стали иногда беседовать вне учебной аудитории, пока в конце концов Гарольд не предложил ему место научного ассистента. Он не мог припомнить, что такого интересного говорил на занятиях. Но он прекрасно помнил речь Гарольда в первый день семестра, когда тот мерял шагами аудиторию и говорил с ними своим низким оживленным голосом.

— Вы поступили в юридическую школу, — сказал Гарольд, — и я вас всех с этим поздравляю. Вам предстоит прослушать обычный набор курсов: договоры, деликты, собственность, гражданское судопроизводство; на следующий год — конституционное и уголовное право. Это вы знаете и без меня. Но вот чего вы, скорее всего, не знаете: ваша программа отражает — красиво и просто — саму структуру нашего общества, ту механику, которая необходима, чтобы общество — наше с вами общество — успешно функционировало. Для того чтобы общество существовало, нам прежде всего необходимы организационные рамки: это конституционное право. Нужна система наказаний: это уголовное право. Нужна система, которая заставит работать другие системы: это гражданское судопроизводство. Нужно регулировать владение собственностью: это имущественное право. Нужно сделать так, чтобы кто-то отвечал деньгами за ущерб, нанесенный вам другими: это гражданская ответственность. И наконец, нужно сделать так, чтобы люди соблюдали свои договоренности, выполняли обещания, — а это договорное право.

Он сделал паузу.

— Я не хочу упрощать, но могу поспорить, что половина из вас пришла сюда затем, чтобы впоследствии выкачивать из людей деньги — на то и гражданская ответственность, тут нечего стыдиться! — а другая половина пришла сюда затем, чтобы изменить мир. Вы мечтаете выступать перед Верховным судом, потому что думаете, будто самое сложное в законе прячется между строк Конституции. Но моя задача в том, чтобы сказать вам: вы ошибаетесь. Самая истинная, интеллектуально требовательная, самая богатая область юриспруденции — это договорное право. Договоры — не просто листы бумаги, которые обещают вам работу, или дом, или наследство; в самом чистом, точном, широком смысле договоры — истинная сущность закона. Когда мы решаем жить в обществе, мы заключаем договор, соглашаемся жить по правилам, которые этот договор нам диктует, — ведь и сама Конституция есть договор, хотя и довольно гибкий, и вопрос о том, насколько он гибок, как раз и есть та точка, где пересекаются интересы закона и политики, — по этим правилам, писаным или неписаным, мы обещаем не убивать, не красть, платить налоги. В этом случае мы одновременно и создатели договора, и его субъекты: как граждане этой страны мы с рождения берем на себя обязательство уважать и исполнять его условия и делаем это ежедневно.

На моих занятиях вы, конечно, будете изучать механику договора: как его составляют, как нарушают, насколько он нас связывает и как с ним развязаться, — но я также попрошу вас взглянуть на право в целом как на совокупность договоров. Одни договоры более справедливы, другие — менее; на сей раз в виде исключения я позволю вам об этом поговорить. Но справедливость — не единственное и даже не самое важное соображение, когда речь идет о законе: закон не всегда справедлив. Договоры далеко не всегда справедливы. Но иногда эта несправедливость необходима, она нужна, чтобы общество могло функционировать. В ходе моего курса вы узнаете разницу между понятиями "справедливо" и "законно" и еще — и это тоже очень важно — между тем, что справедливо и что необходимо. Вы узнаете о тех обязательствах, которые мы несем друг перед другом как члены общества, и насколько далеко общество может пойти, чтобы принудить нас к их исполнению. Вы научитесь смотреть на свою жизнь — жизнь каждого из нас — как на череду договоров, и это заставит вас увидеть по-новому не только закон, но и эту страну и ваше место в ней.

Он был захвачен речью Гарольда и в последующие недели восхищался тем, как оригинально тот мыслит, как стоит перед аудиторией, словно дирижер, преобразуя студенческие споры в странные, невиданные конструкции. Однажды довольно невинная дискуссия о праве на неприкосновенность частной жизни — самое драгоценное и самое туманное из конституционных прав, согласно Гарольду, чье определение договорного права часто выходило за общепринятые границы и плавно перетекало в другие области юриспруденции — перешла в их с Гарольдом спор об абортах, которые, как он считал, были необходимы с социальной точки зрения, хотя и не имели оправданий с нравственной.

— Ага! — сказал Гарольд; он был одним из немногих преподавателей, допускавших не только юридические, но и моральные аргументы. — И что же произойдет, мистер Сент-Фрэнсис, если мы, создавая законы, отбросим мораль ради социального регулирования? В какой момент страна и люди в ней должны предпочесть социальный контроль нравственному чувству? Есть ли такая точка? Не думаю.

Но он не сдавался, а притихшая аудитория следила за их спором.

Гарольд написал три книги, но прославила его последняя из них, "Американское рукопожатие. Победы и поражения Декларации независимости". Ее он прочел еще до знакомства с Гарольдом; это была юридическая трактовка Декларации независимости: какие из ее обещаний были выполнены, а какие нет, и если бы ее писали сегодня, прошла ли бы она проверку на соответствие критериям современной юриспруденции ("Вкратце — нет", писал рецензент в "Нью-Йорк таймс"). Теперь Гарольд собирал материалы для четвертой книги, своего рода продолжения предыдущей: в ней он планировал рассмотреть Конституцию примерно в том же ключе.

— Но только Билль о правах и самые аппетитные поправки, — сказал ему Гарольд, когда проводил с ним собеседование на должность научного ассистента.

— Я не знал, что одни аппетитнее других, — сказал он.

— А как же! Только одиннадцатая, двенадцатая, четырнадцатая и шестнадцатая по-настоящему заводят, остальные — осадок политического прошлого.

— Значит, тринадцатая — отстой? — переспросил он, наслаждаясь моментом.

— Я не сказал "отстой", — возразил Гарольд, — они просто не так актуальны.

— Но я думал, что осадок и отстой — одно и то же.

Гарольд наигранно вздохнул, схватил со стола словарь, полистал его и некоторое время внимательно вчитывался в определение.

— Ну ладно, — сказал он наконец, швырнув словарь на груду бумаг, которая опасно покосилась под весом толстого тома. — Твоя взяла. Но я имел в виду буквальное значение: остаток, остаток политического прошлого, доволен?

— Да, — сказал он, стараясь не улыбнуться.

Он начал работать у Гарольда по вечерам понедельника, среды и пятницы, когда учебная нагрузка была полегче — по вторникам и четвергам у него были вечерние семинары в Массачусетском технологическом, где он учился на магистерскую степень, а по ночам он работал в юридической библиотеке. По субботам он работал в библиотеке утром, а во второй половине дня — в кондитерской "Глазурь" рядом с медицинским колледжем; в этой кондитерской он начал работать еще студентом и выполнял спецзаказы: украшал пирожные, изготавливал сотни сахарных цветочных лепестков для тортов; экспериментировал с разными рецептами, один из которых, торт "Десять орехов", стал хитом продаж. По воскресеньям он тоже работал в "Глазури" и однажды получил от хозяйки, Эллисон, всегда доверявшей ему самые сложные задачи, заказ на три дюжины сахарных печений, которые надо было испечь и украсить в форме различных бактерий.

— Только ты можешь в этом разобраться, — сказала она. — Жена клиента — микробиолог, он хочет подготовить сюрприз для всей ее лаборатории.

— Я постараюсь, — сказал он, беря у нее из рук бланк заказа, на котором стояло имя клиента: Гарольд Стайн. Он провел небольшое исследование, посоветовался с Си-Эм и Янушем и изготовил печенья, похожие на пейсли, на булавы, на огурцы, а потом с помощью разноцветной глазури изобразил на каждом цитоплазму, клеточные мембраны, рибосомы, сделал жгутики из полосок лакрицы. Он напечатал листок с названиями бактерий и вложил его в коробку, прежде чем перевязать ее бечевкой; он тогда не очень хорошо знал Гарольда, но был рад что-то для него сделать, произвести впечатление, пусть даже и анонимно. И ему было приятно гадать, что они празднуют: публикацию статьи? День рождения? Он просто заботливый муж? Или, может быть, Стайн из тех людей, кто может заявиться в лабораторию жены с коробкой печенья без всякой причины? Он подозревал, что да.

На следующей неделе Гарольд рассказал ему о потрясающих печеньях, которые испекли в "Глазури". Энтузиазм Гарольда, который всего несколько часов назад в аудитории был обращен на Единообразный торговый кодекс, теперь нашел себе новую пищу: печенье. Он сидел, кусая губы, чтобы не улыбаться, пока Гарольд говорил ему, как гениально был выполнен заказ, и как вся лаборатория Джулии просто онемела от того, как тщательно, как правдоподобно все было сделано, и как Гарольд на минутку стал всеобщим кумиром: "А от них ведь не дождешься, между прочим, они всех гуманитариев считают тупицами".

— Похоже, эти печенья делал какой-то маньяк, — сказал он.

Он не говорил и не собирался говорить Гарольду, что работает в кондитерской.

— Хотел бы я познакомиться с этим маньяком, — откликнулся Гарольд. — Они были еще и вкусные!

— Мм… — протянул он, думая, что бы еще такое спросить, чтобы Гарольд продолжал говорить о печеньях.

У Гарольда, конечно, были и другие научные ассистенты, двое со второго курса и один с третьего, которых он знал только в лицо; их расписание было устроено так, что они никогда не пересекались. Иногда они писали друг другу записки или общались по электронной почте, объясняя, на чем остановились, чтобы другой мог подхватить работу и продолжить с нужного места. Но во втором семестре первого курса Гарольд выделил ему собственный участок работы — Пятую поправку.

— Отличная тема, — сказал Гарольд. — Самый смак.

Два второкурсника занимались Девятой поправкой, а третьекурсник — Десятой, и хотя он понимал, что это смешно, он не мог не торжествовать, чувствуя, что ему оказали особую честь.

Гарольд впервые пригласил его к себе на ужин внезапно, холодным и темным мартовским вечером.

— Вы уверены? — робко спросил он.

Гарольд взглянул на него с любопытством.

— Конечно, — сказал он. — Это просто ужин. Есть-то надо, верно?

Гарольд жил в трехэтажном доме в Кеймбридже, прямо за кампусом.

— Не знал, что вы здесь живете, — сказал он, когда Гарольд припарковался у входа. — Люблю эту улицу. Я каждый день ходил по ней, чтобы срезать путь к другой части кампуса.

— Все так делают, — ответил Гарольд. — Когда я купил дом, перед самым разводом, в этом районе жили одни аспиранты; все ставни отваливались. Запах травки стоял такой, что можно было окосеть, просто проезжая мимо.

Шел снег, совсем не сильно, но он был рад, что у крыльца всего две ступеньки: вероятность поскользнуться невелика, и не придется просить Гарольда о помощи. Внутри пахло маслом, перцем, крахмалом: на ужин паста, подумал он. Гарольд бросил портфель на пол и провел краткую экскурсию: "Гостиная, за ней кабинет, кухня и столовая — налево"; и вышла Джулия, высокая, как Гарольд, с короткими каштановыми волосами — она сразу же ему понравилась.

— Джуд! — сказала она. — Наконец-то! Я столько о тебе слышала; я так счастлива, что мы познакомились наконец!

Похоже, она говорила искренне.

За ужином завязалась беседа. Джулия была родом из Оксфорда, из профессорской семьи, в Америку она переехала, когда поступила в аспирантуру в Стэнфорде; они с Гарольдом познакомились пять лет назад в гостях у общего знакомого. Ее лаборатория изучала новый вирус, возможно, вариант H5N1, и они пытались картировать его геном.

— Я правильно понимаю, что микробиологов едва ли не больше всего беспокоит потенциальная возможность использовать эти геномы как оружие? — спросил он и скорее почувствовал, чем увидел, как Гарольд повернулся к нему.

— Да, это правда, — сказала Джулия и стала объяснять сложности, проистекающие из их работы, а он украдкой посмотрел на Гарольда и увидел, что тот наблюдает за ним; поймав его взгляд, Гарольд поднял одну бровь с выражением, которое он затруднился расшифровать.

Но потом беседа потекла в другом русле, и он почти видел, как она неуклонно передвигается от Джулии и ее лаборатории к нему, видел, как преуспел бы Гарольд в зале суда, если бы выбрал эту стезю, как он перенаправляет беседу, словно это вода, которую можно пустить по желобам и трубам, не давая возможности свернуть с пути, направляя к неизбежной цели.

— А ты, Джуд, где жил раньше? — спросила Джулия.

— В Южной Дакоте и Монтане в основном, — ответил он, а зверек внутри вскинулся, почуяв опасность и не зная, куда бежать.

— У твоих родителей там ранчо? — спросил Гарольд.

За последние годы он научился предсказывать последовательность вопросов и уклоняться от них.

— Нет, но у многих там ранчо, это красивые места; а вы бывали на Западе? Обычно этого хватало, но с Гарольдом номер не прошел.

— Ха! — сказал он. — Какой изящный маневр. — Гарольд пристально смотрел на него, так что он отвел взгляд и уставился в тарелку. — Ты таким образом даешь понять, что не скажешь нам, чем они занимаются?

— Ох, Гарольд, отстань от него, — сказала Джулия, но он чувствовал, что Гарольд не сводит с него взгляда, и был рад, когда ужин закончился.

После того первого вечера у Гарольда их отношения стали ближе и сложнее. Он чувствовал, что раздразнил любопытство Гарольда, он представлял его себе в виде насторожившегося смышленого пса — терьера, например, энергичного и неутомимого, — и не был уверен, что это хорошо кончится. Ему хотелось лучше узнать Гарольда, но за ужином он в очередной раз вспомнил, что этот процесс — узнавание кого-то — неизбежно оказывается опаснее, чем ему думалось. Он всегда об этом забывал, и всегда приходилось вспоминать заново. Ему хотелось, как это часто бывало, проскочить этап, когда люди обмениваются секретами и воспоминаниями, телепортироваться на следующую стадию, когда отношения становятся уютными, мягкими, разношенными, когда границы определены и соблюдаются обеими сторонами.

Другой человек сделал бы еще пару попыток, но потом все равно бы оставил его в покое, ведь его все оставили в покое в конце концов — друзья, сокурсники, другие преподаватели, — но от Гарольда отделаться было не так легко. Даже обычный метод, который он так успешно применял к своим собеседникам — мол, он хотел бы узнать побольше об их жизни, а не говорить о своей, тактика не только выигрышная, но и правдивая, — не действовал на Гарольда. Он никогда не знал, в какой момент терьер снова на него напрыгнет, и каждый раз оказывался не готов, и чем больше времени они проводили вместе, тем менее свободно он себя чувствовал.

Например, они могли сидеть в кабинете Гарольда и обсуждать дело о позитивной дискриминации Университета Западной Виргинии, которое слушалось в Верховном суде, и Гарольд вдруг спрашивал: "Джуд, а ты каких кровей?" — "Смешанных", — отвечал он и пытался сменить тему, даже если для этого приходилось уронить на пол стопку книг.

Иногда вопросы возникали стихийно, вне контекста, без всякой преамбулы, так что их невозможно было предугадать. Однажды они с Гарольдом заработались в офисе допоздна, и Гарольд заказал ужин с доставкой. На десерт там были печенье и брауни, и Гарольд придвинул к нему пакет.

— Нет, спасибо, — отказался он.

— Не будешь? — Гарольд поднял бровь. — Мой сын любил такие. Мы пытались печь их дома, но всегда получалось как-то не так. — Он разломил брауни пополам. — А тебе родители пекли что-нибудь, когда ты был маленьким? — Гарольд задавал эти вопросы с нарочитой непринужденностью, которая казалась ему невыносимой.

— Нет, — сказал он, делая вид, что проверяет свои записи.

Он смотрел, как Гарольд жует и явно раздумывает, отступить или продолжить допрос.

— Ты часто видишься с родителями? — спросил его Гарольд внезапно через несколько дней.

— Они умерли, — ответил он, не отрывая глаз от страницы.

— Очень сочувствую тебе, Джуд, — сказал Гарольд, помолчав, — так искренне, что он поднял глаза. — Мои тоже. Относительно недавно. Конечно, я намного старше тебя.

— Мне очень жаль, Гарольд, — сказал он. И добавил наугад: — Ты был с ними близок.

— Да, очень. А ты? Ты был близок со своими?

Он покачал головой:

— Нет, не очень.

Гарольд помолчал.

— Но я уверен, они гордились тобой, — сказал он наконец.

Когда Гарольд задавал вопросы такого рода, он весь холодел, будто его замораживали изнутри, все органы и нервы покрывались защитной ледяной оболочкой. В этот момент ему показалось, что если он ответит, то просто сломается: лед хрустнет, пройдет трещина, он расколется пополам. Поэтому он подождал, пока не уверился, что голос его прозвучит нормально, и только потом спросил Гарольда, нужно ли ему сегодня найти все статьи или можно сделать это завтра утром. Однако он не смотрел на Гарольда, а говорил как будто со своим блокнотом.

Гарольд долго ничего не отвечал.

— Можно завтра, — негромко сказал Гарольд, и он кивнул, собрал вещи, чтобы уйти домой, и чувствовал, как Гарольд провожает его взглядом до самой двери.

Гарольд хотел знать, где он вырос, есть ли у него братья и сестры, с кем он дружит и как проводит время с друзьями. Гарольд жаждал информации. Он мог ответить по крайней мере на последние два вопроса и рассказал ему про своих друзей, как они познакомились, где они сейчас: Малькольм в магистратуре в Колумбийском университете, Джей-Би и Виллем в Йеле. Ему нравилось отвечать на вопросы о них, нравилось о них говорить, нравилось, что Гарольд смеется над его рассказами. Он рассказывал и о Си-Эм, и о том, как Сантош и Федерико воюют со студентами с инженерного факультета, живущими в доме по соседству, который принадлежит братству Массачусетского технологического института, и как, проснувшись однажды утром, он обнаружил за окном целый флот дирижаблей из презервативов с приделанными моторчиками: они шумно поднимались мимо его окна к четвертому этажу, и с каждого свисала табличка: "У САНТОША ДЖАЙНА И ФЕДЕРИКО ДЕ ЛУКИ МИКРОПЕНИСЫ".

Но когда Гарольд задавал другие вопросы, он задыхался от их тяжести, частоты и неизбежности. А иногда воздух так накалялся от вопросов, которые Гарольд не задавал, что уж лучше бы он их задал. Людям так много надо знать, им нужно так много ответов. Он понимал это, ей-богу, — ему тоже нужны были ответы, ему тоже хотелось все знать. Он был благодарен своим друзьям за то, что они вытянули из него сравнительно немного сведений, и за то, что оставляли его наедине с собой, в пустых, безликих прериях, где под желтой поверхностью черви и жуки сновали в черной земле и медленно каменели осколки костей

— Как тебя это интересует, — огрызнулся он однажды от отчаяния, когда Гарольд спросил его, встречается ли он с кем-нибудь, и сразу же, ужаснувшись собственному тону, извинился. К тому времени они были знакомы уже почти год.

— Это? — переспросил Гарольд, игнорируя извинение. — Меня интересуешь ты. И я не вижу в этом ничего странного. Друзья говорят о таких вещах.

И все же, несмотря на дискомфорт, он возвращался к Гарольду, принимал его приглашения на ужин, хотя в любом их разговоре наступал момент, когда он мечтал исчезнуть или начинал беспокоиться, что Гарольд разочаруется в нем.

Однажды за ужином его представили лучшему другу Гарольда, Лоренсу, с которым Гарольд познакомился еще в студенчестве и который теперь работал судьей апелляционного суда в Бостоне, и его жене Джиллиан, преподававшей литературу в Симмонс-колледже.

— Джуд, — сказал Лоренс, чей голос был еще ниже, чем у Гарольда, — Гарольд говорит, ты учишься на магистра в Массачусетском технологическом. По какой специальности?

— Чистая математика, — ответил он.

— А чем она отличается от обычной? — со смехом спросила Джиллиан.

— Ну, обычная, или прикладная, математика — это то, что можно назвать практической математикой, — ответил он. — Она используется для решения определенных задач в экономике, бухгалтерии, инженерии и так далее. Но чистая математика существует не для того, чтобы приносить немедленную, очевидную практическую пользу. Это чистое выражение формы, если угодно; единственное, что она доказывает, — так это почти бесконечную гибкость самой математики, в рамках тех предположений, которыми мы ее определяем, конечно.

— Ты имеешь в виду что-то вроде воображаемых геометрий? — спросил Лоренс.

— И это тоже. Но не только. Часто речь идет о доказательстве невозможной, но последовательной внутренней логики самой математики. Внутри чистой математики есть разные специализации: геометрическая чистая математика, как вы сказали, но и алгебраическая, и алгоритмическая математика, и криптография, и теория информации, и чистая логика, которую я как раз изучаю.

— А это что? — спросил Лоренс.

Он задумался.

— Математическая логика, или чистая логика, — это, в сущности, диалог между истинным и ложным. Например, я могу сказать вам: "Все положительные числа являются действительными. Два — положительное число. Следовательно, два должно быть действительным числом". Но истинно ли это утверждение? Это математический вывод, предположение об истине. Я не доказал, что два — действительное число, но по логике вещей это должно быть так. Поэтому можно написать доказательство, чтобы доказать, что логика этих двух утверждений — истинная и приложимая к бесконечному набору случаев. — Он остановился. — Это понятно?

— *Video, ergo est*, — сказал Лоренс внезапно. — Я вижу это, следовательно, оно существует.

Он улыбнулся:

— Это как раз в точности прикладная математика. А вот чистая математика — он задумался на мгновение — это, скорее, *imaginor, ergo est*.

Лоренс улыбнулся ему в ответ, кивнул:

— Очень хорошо.

— А теперь у меня вопрос, — заявил Гарольд, который все это время сидел и слушал молча. — Как, скажи на милость, тебя занесло в юридическую школу?

Все засмеялись, он тоже. Ему часто задавали этот вопрос (доктор Ли, например, с возмущением; научный руководитель его магистерской диссертации доктор Кашен — с недоумением), и он всегда отвечал по-разному, в зависимости от того, кто спрашивал, потому что настоящий ответ — хотел научиться себя защищать, хотел быть уверенным, что больше никто никогда не сможет до него добраться — казался слишком эгоистичным, мелким, незначительным, чтобы произносить его вслух (и к тому же вызывал многочисленные новые вопросы). Кроме того, он знал уже достаточно, чтобы понимать: закон — очень хрупкая защита, и, чтобы по-настоящему почувствовать себя в безопасности, нужно становиться снайпером, который щурится в оптический прицел, или химиком в лаборатории, полной пипеток и ядов.

Но в тот вечер он сказал:

— Так ведь закон похож на чистую математику — в теории он тоже может предложить ответ на любой вопрос. Любые законы должны проверяться на прочность и на разрыв, и если они не могут предложить решение любого вопроса, который находится в их компетенции, то они уже не законы, верно?

Он остановился, чтобы обдумать сказанное.

— Пожалуй, разница в том, что в законе есть много путей ко многим ответам, а в математике — много путей к единственному ответу. И еще в том, что закон на самом деле не про истину, а про управление. Но математике не надо быть ни удобной, ни практичной, ни функциональной, только истинной. Однако похожи они еще в том, что в математике и в праве самое главное — или, точнее, самое замечательное — не конкретная задача, не доказательство, не то, удалось ли выиграть дело или найти ответ, но красота и экономность исполнения.

— Что ты имеешь в виду? — спросил Гарольд.

— В юриспруденции, — сказал он, — мы говорим о красивой заключительной речи или о красивой формулировке решения, и говорим мы, конечно, не только о логике, но и о форме. И точно так же в математике, когда мы говорим о красивом доказательстве, мы имеем в виду простоту доказательства, его… естественность, наверное. Его неизбежность.

— А теорема Ферма? — спросила Джулия.

— Это прекрасный пример некрасивого доказательства. Потому что хотя и важно, что эта задача была решена, но многие — например, мой научный руководитель — были разочарованы. Доказательство заняло сотни страниц, соединяло в себе разные разделы математики, оно было такое вымученное, сложенное из кусочков, словно мозаика, что до сих пор многие стараются доказать теорему заново, более элегантно, хотя она уже доказана. А красивое доказательство лаконично, как и красивое судебное решение. Оно соединяет лишь несколько разных концепций, пусть даже из разных частей математической вселенной, но всего несколько цепочек шагов ведет к величественному новому обобщению, новой истине в математике, к доказательному неоспоримому абсолюту в сконструированном мире, где неоспоримых абсолютов очень мало. — Он остановился, чтобы перевести дыхание, осознав вдруг, что все говорит и говорит, а остальные молча наблюдают за ним. Он почувствовал, что краснеет, что застарелая ненависть снова захлестывает его, словно грязная вода. — Простите, — сказал он, — простите. Заболтался. Я нечаянно.

— Ты шутишь? — ответил Лоренс. — Джуд, это первый по-настоящему содержательный разговор, который я слышу в доме Гарольда за последние лет десять, если не больше.

Все снова засмеялись, и Гарольд откинулся на спинку стула: он явно был доволен. Джуд заметил, как он сказал Лоренсу "Видишь?" одними губами, а Лоренс кивнул, и он понял, что это о нем, и был невольно польщен и немного смутился. Неужели Гарольд говорил о нем со своим другом? Может быть, на самом деле это была проверка, о которой он и не подозревал? Какое облегчение, что он прошел ее, не опозорил Гарольда; и еще он чувствовал облегчение от того, что завоевал свое место в этом доме, что его пригласят снова, пусть даже порой ему здесь бывает и неловко.

С каждым днем он все больше доверял Гарольду, но иногда спрашивал себя, не совершает ли снова все ту же ошибку. Что лучше: доверять или вечно быть настороже? Можно ли по-настоящему дружить с человеком, если подспудно всегда ожидаешь предательства? Иногда ему казалось, что он злоупотребляет щедростью Гарольда, его радостной верой в него, а иногда он думал, что настороженность все-таки не лишняя: если что-то пойдет не так, винить можно будет только себя. Но было трудно не доверять Гарольду: Гарольд не облегчал ему этой задачи, и, что еще важнее, сам он тоже хотел доверять Гарольду, хотел ослабить защиту, хотел, чтобы зверек у него внутри заснул и никогда больше не проснулся.

Однажды поздно вечером на втором курсе юридической школы он собирался уходить от Гарольда, но когда они открыли входную дверь, оказалось, что крыльцо, улица, деревья — все засыпано снегом, и снежные хлопья летели на них с такой силой, что они оба невольно отступили.

— Я вызову такси, — сказал он, чтобы Гарольду не пришлось его отвозить.

— Нет, ты просто переночуешь у нас.

И он остался в гостевой спальне Гарольда и Джулии на втором этаже. От их спальни его отделяла большая комната с окнами, которую они использовали как библиотеку, и короткий коридор.

— Вот тебе футболка, — сказал Гарольд, бросив ему что-то серое и мягкое, — а вот зубная щетка. — Он положил ее на книжный стеллаж. — Чистые полотенца в ванной. Тебе что-нибудь еще нужно? Воды?

— Нет, — сказал он. — Спасибо, Гарольд.

— Не за что. Спокойной ночи.

— Спокойной ночи.

Он уснул не сразу — устроившись на удобном матрасе под пуховым одеялом, он смотрел, как окно заносит снегом, слушал, как по трубам идет вода, слышал, как негромко переговариваются Гарольд и Джулия, их шаги, потом наступила тишина. В эти минуты он представлял, что они его родители, он приехал домой из колледжа на выходные, это его комната, и назавтра они все встанут и будут проводить день так, как проводят день родители с выросшими детьми.

Летом после второго курса Гарольд пригласил его в их дом в Труро, на Кейп-Код. "Тебе понравится, — сказал он. — И позови своих друзей, им тоже понравится". И вот в четверг перед Днем труда, когда и у него, и у Малкольма закончилась практика, они все отправились на машине из Нью-Йорка, и на весь длинный уикенд внимание Гарольда сдвинулось в сторону Джей-Би, Малкольма и Виллема. Он тоже наблюдал за ними, восхищаясь тем, как они умеют парировать каждый выпад Гарольда, как щедро делятся своей жизнью, как умеют рассказать историю о себе и посмеяться над ней, и Гарольд с Джулией смеются тоже; как естественно они общаются с Гарольдом и он с ними. Он испытывал особенное удовольствие, наблюдая, как любимые им люди начинают любить друг друга. На участке была тропинка, которая вела на их собственный кусочек пляжа, и по утрам они вчетвером спускались вниз и плавали — даже он, в брюках, футболке и в старой рубашке с длинными рукавами, и никто к нему не приставал с вопросами, — а потом жарились на солнышке, и одежда, высыхая, отклеивалась от его тела. Иногда Гарольд тоже приходил составить им компанию или поплавать с ними. Ближе к вечеру Малкольм и Джей-Би отправлялись на велосипедную прогулку в дюны, а они с Виллемом шли пешком, поднимая осколки ракушек и печальные пустые панцири давно сгинувших раков-отшельников, и Виллем приноравливался к его шагу. Вечерами, когда воздух становился мягче, Джей-Би и Малькольм рисовали, а они с Виллемом читали. Ему казалось, что он все время пьян — от солнца, еды, соли, покоя и довольства, он рано ложился и быстро засыпал, а утром вставал раньше всех, чтобы в одиночестве постоять на крыльце, глядя на море.

— Что со мной будет? — спрашивал он у моря. — Что со мной?

Каникулы закончились, начался осенний семестр, и вскоре он понял, что в тот уикенд один из его друзей что-то сказал Гарольду, хотя он был уверен, что это был не Виллем, единственный из всех, кому он хоть что-то поведал о своем прошлом — совсем немного, три факта, один пустячней другого, все незначительные, из которых даже начало истории не сложишь. Даже в первых фразах сказки было больше деталей, чем в том, что он рассказал Виллему: жили-были мальчик и девочка в лесной чаще, с отцом-дровосеком и мачехой. Дровосек очень любил своих детей, но был очень беден, и вот однажды… Так что Гарольд мог услышать лишь умозаключения, выведенные из наблюдений, теории, догадки, выдумки. И все-таки этого оказалось достаточно, чтобы Гарольд прекратил задавать ему вопросы о том, кто он и откуда.

Шли месяцы и годы, и так повелось в их дружбе, что первые пятнадцать лет его жизни оставались нерассказанными, незатронутыми, как будто их и не было вовсе, как будто в колледже его вынули из коробки готовым, нажали кнопку на затылке, и он пробудился к жизни. Он знал, что эти пустые годы Гарольд так или иначе заполнил в своем воображении, и, может быть, что-то из воображаемого было хуже, чем то, что случилось на самом деле, а что-то — лучше. Но Гарольд никогда не рассказывал ему о своих предположениях, да он и не хотел знать.

Он никогда не считал эту дружбу временной, но был готов к тому, что Гарольд и Джулия смотрят на нее именно так. Поэтому, когда он переехал в Вашингтон, получив место референта, он решил, что они забудут его, и старался подготовить себя к потере. Но этого не случилось. Они писали и звонили, а когда кто-то из них приезжал в город, они вместе ужинали. Каждое лето он с друзьями приезжал в Труро, на День благодарения они все отправлялись в Кеймбридж. А когда через два года он переехал в Нью-Йорк работать в федеральной прокуратуре, Гарольд так обрадовался, что ему стало не по себе. Они даже предложили ему поселиться в их нью-йоркской квартире в Верхнем Ист-Сайде, но он знал, что они часто пользуются этой квартирой, и сомневался, что предложение было высказано всерьез, поэтому отказался.

Каждую субботу Гарольд звонил и расспрашивал его про работу, и он рассказывал ему про своего начальника Маршалла, зампрокурора, обладавшего жутковатой способностью декламировать наизусть решения Верховного суда от корки до корки, закрыв глаза и вызвав в памяти страницу; голос его становился механическим, монотонным, но Маршалл никогда не пропускал и не добавлял ни единого слова. Он всегда считал, что у него самого хорошая память, но Маршалл его поражал.

В каком-то смысле офис генерального прокурора напоминал ему приют: почти исключительно мужское царство, неуемная постоянная враждебность, желчь, неизбежно вскипающая там, где в тесном пространстве собирается группа соперников, ни в чем не уступающих друг другу, но знающих, что на самый верх поднимутся единицы. (Только здесь они не уступали друг другу в умениях, а там — в голодном ожесточении.) Младшие обвинители — добрых две сотни — все как на подбор окончили какую-нибудь из пяти-шести лучших юридических школ, и все они в этих школах участвовали в учебных судебных процессах и входили в редколлегии студенческих юридических журналов. Он работал в команде из четырех человек, которой поручали в основном дела о мошенничестве с ценными бумагами, и у каждого из них было что-то — какое-то отличие, какой-то козырь, который, как они надеялись, выделяет их среди других: у него была магистерская степень Массачусетского технологического (до нее никому не было дела, но это, по крайней мере, была диковинка) и работа в окружном суде референтом Салливана, с которым Маршалл был дружен. Ситизен, его ближайший приятель на работе, получил юридическую степень в Кембридже и два года, перед тем как переехать в Нью-Йорк, работал барристером в Лондоне. А Родс, третий в их трио, после колледжа отправился в Аргентину по фулбрайтовской стипендии. (Четвертый член команды был неизлечимый лентяй по имени Скотт, который, как поговаривали, получил эту работу только потому, что его отец играл в теннис с президентом.)

Он проводил почти все время в офисе, и иногда, если они с Ситизеном и Родсом засиживались допоздна и заказывали какую-то еду, ему все это напоминало вечера в общежитии. И хотя ему нравилось общаться с Ситизеном и Родсом и он ценил в каждом из них глубину и оригинальность ума, все же в такие минуты он скучал по своим друзьям, которые думали совсем не так, как он, и его заставляли думать по-новому. Разговаривая с Ситизеном и Родсом о логике, он внезапно вспомнил вопрос, заданный ему доктором Ли на первом курсе, когда его экзаменовали, перед тем как принять в семинар по чистой математике: почему крышки люков круглые? Это был простой вопрос, с простым ответом, но когда он повторил его своим соседям по комнате, воцарилось молчание. А потом Джей-Би начал мечтательным тоном бродячего сказителя: "Давным-давно жили на земле мамонты, и бродили они по земле, и оставляли следы, круглые отпечатки, которые ничем не выровнять…" — и все засмеялись. Он улыбнулся, вспоминая это; иногда ему хотелось думать как Джей-Би, сочинять истории на радость окружающим, а не искать всему и всегда объяснение, которое, даже будучи правильным, оказывалось лишено романтики, фантазии, юмора.

"Надо показать товар лицом", — шептал ему Ситизен, когда появлялся сам федеральный прокурор и все младшие обвинители вились вокруг, как мошкара, в своих серых костюмах. Они с Родсом присоединялись к этому рою, но на всех этих сборищах он ни разу не воспользовался случаем, хотя мог обратить на себя внимание не только Маршалла, но и федерального прокурора. После того как он получил эту работу, Гарольд попросил его передать привет Адаму, федеральному прокурору, который, как выяснилось, был давним его приятелем. Но он сказал Гарольду, что хотел бы пробиться самостоятельно. Это было правдой, но не всей правдой; ему не хотелось упоминать Гарольда на случай, если тот когда-нибудь пожалеет об их знакомстве. И он ничего не говорил.

Однако часто ему казалось, что Гарольд здесь, с ним. Разговоры о юридической школе (и сопутствующее хвастовство собственными достижениями) были любимым времяпровождением всего офиса, и поскольку многие коллеги учились там же, где он, и знали Гарольда (или были о нем наслышаны), ему нередко приходилось слышать рассказы о лекциях Гарольда или о том, как тщательно приходилось готовиться к его занятиям, и он гордился им и — понимая, что это глупо — гордился собой, тем, что они знакомы. На следующий год выйдет книга Гарольда о Конституции, и все они прочтут в разделе благодарностей его имя и узнают об их знакомстве, и многие станут смотреть на него с подозрением и тревогой, стараясь припомнить, что именно они говорили о Гарольде в его присутствии. Но к тому времени он будет знать, что занял определенное место в офисе собственными силами, стал работать бок о бок с Ситизеном и Родсом, выстроил отношения с Маршаллом.

И как бы ему того ни хотелось, как бы ни мечтал он об этом, он пока не решался назвать Гарольда другом: иногда он боялся, что только вообразил их близость, раздул ее в своем воображении, и тогда (стесняясь сам себя) он доставал с полки "Прекрасное обещание" и читал среди прочих благодарностей слова Гарольда о нем, как будто сами эти слова были договором, декларацией, утверждавшей, что его чувства к Гарольду хотя бы отчасти взаимны. И все-таки он всегда был готов: все может кончиться уже в этом месяце. А потом, когда месяц проходил: в следующем. В следующем месяце он расчетет со мной разговаривать. Он вечно готовился к разочарованию, хотя и надеялся, что его не последует.

И все же их дружба росла и крепла, словно мощная река подхватила его и несла куда-то в неведомые края. Каждый раз, когда ему казалось, что он подошел к границе их отношений, Гарольд и Джулия открывали перед ним следующую дверь и приглашали войти. Он познакомился с отцом Джулии, пульмонологом на пенсии, и с ее братом, профессором-искусствоведом, когда те приехали из Англии на День благодарения; а когда Гарольд и Джулия бывали в Нью-Йорке, они водили их с Виллемом ужинать в рестораны, о которых они только слышали, но не могли себе позволить там побывать. Джулия с Гарольдом приходили в квартиру на Лиспенард-стрит — Джулия вежливо молчала, Гарольд бурно ужасался, — а когда их батареи вдруг таинственно перестали работать, Джулия и Гарольд дали им ключи от своей нью-йоркской квартиры, где было так тепло, что, зайдя внутрь, они с Виллемом целый час просто сидели на диване, как манекены, слишком потрясенные возвращением тепла в их жизнь, чтобы шевелиться. А после того как Гарольд увидел его во время приступа — это было на День благодарения, когда он уже переехал в Нью-Йорк: в отчаянии он выключил плиту, на которой пассеровал шпинат, заполз в кладовку (понимая, что не сможет подняться наверх), закрыл дверь и улегся на пол, чтобы переждать, — они перепланировали дом, и когда он приехал в следующий раз, то обнаружил, что кабинет Гарольда на первом этаже за гостиной стал гостевой спальней, а письменный стол, стул и книги Гарольда переехали наверх.

Но даже после всего этого какая-то частица его ждала, что в один прекрасный день он подойдет к двери, а дверь окажется заперта. Он даже не очень возражал против этого; было что-то пугающее в том, что ему все позволено, что ему готовы дать все, ничего не требуя взамен. Он тоже пытался дать им все, что мог, но понимал, что этого ничтожно мало. И было такое, чего он не мог дать, а Гарольд давал так легко — ответы, ласку.

Однажды, когда они были знакомы уже почти семь лет, он гостил у них весной. Джулия отмечала день рождения, ей исполнился пятьдесят один год, и она решила устроить большое празднование, поскольку в прошлом году, в свой юбилей, была на конференции в Осло. Они с Гарольдом убирали в гостиной, вернее, он убирал, а Гарольд наугад снимал книги с полок и рассказывал истории о том, как ему досталась каждая из них, или открывал книгу, чтобы посмотреть, не написаны ли внутри имена других людей, пока не дошел до экземпляра "Леопарда", где на титульном листе было накарябано: "Собственность Лоренса В. Рэйли. Не брать. Гарольд Стайн, я к тебе обращаюсь!!!"

Он пригрозил, что расскажет Лоренсу, и Гарольд прорычал:

— Не смей, Джуд, а не то...

— Не то что? — спросил он, дразня Гарольда.

— А не то...

И Гарольд прыгнул в его сторону, и, не успев осознать, что это шутка, он рванулся прочь с такой силой, уклоняясь от контакта, что налетел на книжный шкаф и сбил с полки бугристую керамическую кружку, которую сделал Джейкоб, сын Гарольда, и кружка упала и раскололась на три куска. Гарольд отступил на шаг, и воцарилась внезапная, жуткая тишина, от которой он чуть не разрыдался.

— Гарольд, — сказал он, скрючившись на полу и подбирая осколки, — прости, прости меня. Мне так жаль. — Ему хотелось биться об пол; он знал, что эта кружка — последнее, что слепил Джейкоб для Гарольда, прежде чем заболел. Над собой он слышал дыхание Гарольда. — Гарольд, прости меня, пожалуйста! — повторил он, баюкая осколки в ладонях. — Знаешь, я, наверное, смогу склеить их, поправить... — Он не мог отвести взгляд от кусков кружки, от масляно-блестящей глазури.

Гарольд опустился на пол рядом с ним.

— Джуд, ничего страшного. Ты ведь не нарочно. — Он говорил очень тихо. — Дай мне осколки. — Гарольд бережно взял остатки чашки, но голос его не звучал сердито.

— Я могу уехать, — предложил он.

— Ты, конечно же, никуда не поедешь, — сказал Гарольд. — Джуд, ничего страшного не произошло.

— Но это была кружка Джейкоба, — услышал он собственный голос.

— Да, — сказал Гарольд. — Была и осталась. — Он встал. — Джуд, посмотри на меня. — И он наконец посмотрел. — Все хорошо. Дай мне руку.

Он взял руку Гарольда, и тот помог ему встать на ноги. Ему хотелось завыть: после всего, что Гарольд сделал для него, он отплатил ему тем, что уничтожил самое драгоценное, созданное самым дорогим человеком.

Гарольд поднялся в свой кабинет, неся в руках разбитую кружку, а он закончил уборку в тишине, весенний день померк для него. Когда вернулась Джулия, он ждал, что Гарольд расскажет ей, что он натворил, тупой увалень, но Гарольд ничего не сказал. Вечером за ужином Гарольд вел себя как обычно, но, вернувшись на Лиспенард-стрит, он написал Гарольду настоящее бумажное письмо, с настоящими извинениями, как положено, и послал.

А через несколько дней он получил ответ, тоже настоящее письмо, которое он будет хранить до конца своих дней.

"Дорогой Джуд, — писал Гарольд, — спасибо за твое прекрасное (хоть и излишнее) письмо. Я дорожу каждым словом в нем. Ты прав: эта кружка много для меня значит. Но ты значишь больше. Поэтому, пожалуйста, перестань себя казнить.

Будь я другим человеком, я бы мог сказать, что этот случай — метафора всей жизни. Неизбежно что-то ломается, иногда это можно починить, но в большинстве случаев ты понимаешь: какой бы ущерб ни нанесла тебе жизнь, она перестроится и воздаст тебе за твою потерю, иногда самым чудесным образом.

А может быть, я и есть такой человек и скажу именно так.

С любовью, Гарольд".

Он всего пару лет назад простился со слабенькой, но стойкой надеждой на выздоровление — хоть и знал, что так не бывает, хоть Энди и твердил ему об этом с семнадцати лет. В самые тяжелые дни он словно мантру повторял про себя слова того хирурга из Филадельфии: у позвоночника превосходные способности к восстановлению. Через несколько лет после знакомства с Энди, когда он уже учился на юриста, он наконец набрался храбрости и поделился с ним этим предсказанием, которым так дорожил, за которое так цеплялся, надеясь, что Энди кивнет и скажет: "Совершенно верно. Нужно просто подождать".

Но Энди фыркнул:

— Это он так сказал? Джуд, лучше тебе не станет, с возрастом будет только хуже.

Говоря это, Энди глядел на рану, которая открылась у него на лодыжке, и выковыривал из нее пинцетом кусочки омертвевшей кожи — и вдруг застыл, и он, даже не видя его лица, понял, что Энди корит себя за сказанное.

— Прости, Джуд, — Энди взглянул на него, по-прежнему придерживая его ногу одной рукой. — Прости, что не могу тебя обнадежить.

Он не сумел на это ничего ответить, и Энди вздохнул:

— Ты расстроился.

Конечно же он расстроился.

— Все в порядке, — выдавил он, но так и не нашел в себе сил поглядеть на Энди.

— Прости, Джуд, — тихо повторил Энди.

У Энди манера поведения часто менялась от грубоватой до мягкой, и он часто сталкивался с обеими этими его сторонами, подчас — за один прием.

— Но вот что я тебе обещаю, — сказал Энди и снова занялся его лодыжкой, — на мою помощь ты всегда можешь рассчитывать.

И он не солгал. Можно сказать, что Энди и знал о нем больше всех остальных его друзей: Энди был единственным человеком, перед которым он, уже будучи взрослым, раздевался донага, единственным, кто знал его тело со всех сторон. Когда они встретились, Энди учился в ординатуре, специализацию получал тоже в Бостоне, а затем оба они, с разницей в каких-нибудь несколько месяцев, перебрались в Нью-Йорк. Энди был хирург-ортопед, но его лечил от всего — и от боли в ногах и спине, и от простуды.

— Ну надо же, — сухо заметил Энди как-то раз, когда он отхаркивался у него в кабинете (прошлой весной, как раз перед тем, как ему исполнилось двадцать девять, чуть ли не весь их офис переболел бронхитом). — Как же здорово, что я стал ортопедом. Мне есть где применить мои знания. Я же для этого столько учился.

Он засмеялся было, но тут его снова скрутил кашель, и Энди похлопал его по спине.

— Может, если бы кое-кто порекомендовал мне хорошего терапевта, мне не пришлось бы из-за каждого чиха ходить к костоправу, — сказал он.

— Гммм… — сказал Энди. — Знаешь, может, тебе и вправду стоит найти терапевта. Видит бог, это сэкономит мне кучу времени, да и проблем на мою голову поменьше будет.

Но он так и не нашел себе другого врача и думал, что и Энди — хоть они с ним никогда об этом не заговаривали — этого бы тоже не хотелось.

Несмотря на то что Энди знал о нем порядочно, сам он об Энди не знал почти ничего. Он знал, что Энди учился в одном с ним колледже, что он на десять лет его старше, что его отец гуджаратец, а мать валлийка и что сам он вырос в Огайо. Три года назад Энди женился, и он весьма удивился, получив приглашение на свадьбу, которую отпраздновали в узком кругу, дома у тестя и тещи Энди, в Верхнем Вест-Сайде. Он уговорил Виллема пойти с ним и удивился еще больше, когда Джейн, невеста Энди, узнав, кто он такой, кинулась ему на шею и воскликнула:

— Знаменитый Джуд Сент-Фрэнсис! Я столько о тебе слышала!

— Вот как? — ответил он, страх зашумел у него в голове стаей летучих мышей.

— Ничего такого, — улыбнулась Джейн (она тоже была врачом, гинекологом). — Но он тебя обожает, Джуд. Я так рада, что ты пришел.

Тогда же он познакомился и с родителями Энди, а когда праздник уже подходил к концу, Энди обхватил его рукой за шею и неуклюже, но крепко чмокнул в щеку, и теперь делал так при каждой их встрече. Вид у него при этом был такой, будто ему ужасно неловко, но он твердо намерен придерживаться ритуала, и его это забавляло и трогало.

Он ценил в Энди многое, но превыше всего — невозмутимость. После того как они познакомились, после того как Энди сделал все, чтобы он не увиливал от визитов (когда он пропустил два повторных приема —

не забыл о них, просто решил не ходить и не ответил на три телефонных звонка и четыре имейла, — Энди сам заявился в Худ-Холл и принялся колотить в дверь), он свыкся с мыслью, что иметь лечащего врача не так уж и плохо — в конце концов, от этого никуда не деться — и что Энди, пожалуй, можно довериться. Во время их третьей встречи Энди заполнил его историю болезни — все, что он счел возможным рассказать, — и записывал все факты молча, с непроницаемым лицом.

И впрямь, только несколько лет спустя — года четыре тому назад — Энди впервые напрямую упомянул его детство. Случилось это во время их первой крупной ссоры. Конечно, у них и до того бывали и споры, и разногласия, и раз или два в год Энди прочитывал ему длинную нотацию (он приходил к Энди раз в полтора месяца — теперь, правда, чаще — и, если Энди был особенно немногословен, заранее знал, что прием будет сопровождаться Нотацией) о том, как Энди удивляет и удручает его нежелание следить за своим здоровьем, как раздражает его отказ от помощи психотерапевта и что его нелюбовь к обезболивающим вообще ни в какие ворота не лезет, потому что они, скорее всего, здорово облегчили бы ему жизнь.

Поссорились они из-за того, что Энди показалось, будто он хотел покончить с собой. Это случилось прямо перед Новым годом, он тогда резал себя и полоснул слишком близко к вене, и все переросло в какой-то грязный, кровавый бардак, в который ему пришлось втянуть еще и Виллема. Когда они ночью приехали к Энди в смотровую, тот до того разозлился, что даже отказался с ним разговаривать и сердито бурчал что-то себе под нос, пока его зашивал — маленькими, аккуратными стежками, словно трудился над вышивкой.

Когда он пришел к Энди в следующий раз, то сразу понял, что тот в ярости, хоть Энди еще и рта не успел раскрыть. Сначала он вообще думал не приходить на осмотр, но понимал, что Энди будет ему названивать, или, хуже того, будет названивать Виллему, или, еще хуже, — Гарольду и не успокоится, пока он не придет.

— Надо было тебя, на хер, упечь в больницу! — вот с чего начал Энди, и потом добавил: — Какой же я придурок!

— По-моему, ты зря так разволновался, — начал было он, но Энди его и слушать не стал.

— Хорошо хоть я не считаю, что ты пытался покончить с собой, не то ты бы и глазом не успел моргнуть, как оказался в психушке. Это все только потому, что по статистике люди, которые режут себя так часто и в течение такого длительного времени, как ты, менее склонны к суициду, чем те, у кого приступы аутоагрессии случаются эпизодически. — Энди обожал статистику.

Иногда он подозревал, что Энди сам ее и выдумывает. — Но, Джуд, это бред какой-то, ты был на волосок от смерти! Так что или ты сам идешь к психотерапевту, или я упрячу тебя в психушку.

— Ничего у тебя не выйдет! — сказал он, и сам распаляясь, хотя и знал, что Энди вполне может исполнить свою угрозу: он уже изучил законы о принудительной психиатрической помощи, которые действовали в штате Нью-Йорк, и они были не в его пользу.

— Выйдет, и ты сам это знаешь! — перешел на крик Энди.

Он всегда приходил после приемных часов, потому что после осмотра, когда у Энди было время и настроение, они частенько болтали.

— Я тебя засужу, — глупо сказал он, и тогда Энди заорал в ответ:

— Давай, вперед! Ты хоть понимаешь, Джуд, какой это пиздец?! Ты понимаешь вообще, в какое положение ты меня ставишь?!

— Не волнуйся, — саркастически ответил он. — Семьи у меня нет. Если я умру, никто не подаст на тебя в суд за врачебную халатность.

Энди отшатнулся, будто его ударили.

— Да как ты смеешь, — медленно произнес он. — Ты же знаешь, я не это имел в виду.

Конечно же он знал. Но сказал только:

— Как скажешь. Я пошел.

Он сполз со стола (хорошо, что Энди сразу кинулся его отчитывать и он не успел раздеться) и хотел было эффектно хлопнуть дверью, но на это и надеяться не стоило, не с его скоростью, поэтому Энди успел его перехватить.

— Джуд, — тут у него снова резко переменилось настроение, — я знаю, ты не хочешь идти к психотерапевту. Но это все уже зашло слишком далеко. — Он глубоко вздохнул. — Ты хоть с кем-нибудь говорил о том, что с тобой случилось в детстве?

— Это тут ни при чем, — сказал он, похолодев.

О том, что он ему рассказал, Энди не упоминал ни разу, и теперь ему показалось, будто тот его предал.

— Еще как связано, черт тебя дери! — воскликнул Энди, и неуклюжая театральность этой фразы — так ведь только в кино разговаривают — вызвала у него невольную улыбку, но Энди, приняв ее за насмешку, снова сменил тон. — Твое упрямство, Джуд, отдает каким-то невероятным высокомерием, — продолжил он. — Едва речь заходит о твоем здоровье и благополучии, как ты и слышать ни о чем не желаешь, вот и выходит — или мы имеем дело с патологическим случаем аутоагрессии, или тебе просто на всех нас насрать.

Его это задело.

— А твои постоянные угрозы посадить меня в психушку, стоит мне с тобой не согласиться, отдают каким-то невероятным манипуляторством, особенно сейчас, когда я тебе сказал, что это просто глупая случайность, — огрызнулся он в ответ. — Энди, я очень тебя ценю, правда. Я не знаю, что я бы без тебя делал. Но я взрослый человек, и ты не можешь мне указывать, что мне можно, а что нельзя.

— Тогда знаешь что, Джуд? — снова закричал Энди. — Ты прав. Я не могу ничего за тебя решать. Но и соглашаться с твоими решениями я тоже не обязан. Пусть теперь какой-нибудь другой придурок тебя лечит. Я этого больше делать не собираюсь.

— Ну и прекрасно, — бросил он и ушел.

Он и не помнил, когда ему в последний раз было так за себя обидно. Конечно, его многое задевало: и повсеместная несправедливость, и непрофессионализм, и что режиссеры никак не давали Виллему хорошую роль, но он редко обижался на то, что происходило или когда-то произошло с ним, на свою боль, на прошлое и на настоящее — на этих вещах он старался не зацикливаться, не тратить время на поиск ответов. Он и так знал, почему это все с ним случилось: это все с ним случилось потому, что он все это заслужил.

Но, с другой стороны, он понимал, что зря обижается. Зависимость от Энди его, конечно, злила, но в то же время он был ему благодарен и понимал, что Энди его поведение кажется нелогичным. Но такая у Энди была работа — улучшать людей: Энди смотрел на него, как сам он смотрел на запутанное налоговое законодательство, как на что-то, что нужно распутать и починить, а уж считает ли он сам, что его можно починить, или нет — дело десятое. Но исправлений, о которых он мечтал, — избавиться от шрамов, проступавших на спине жутким, неестественным рельефом, от стянутой кожи, тугой и блестящей как у жареной утки, — исправлений, на которые он и копил деньги, Энди бы точно не одобрил. "Джуд, — сказал бы Энди, если б узнал о его планах, — вот честное слово, это тебе не поможет, ты только деньги зря потратишь. Не делай этого". — "Но они же омерзительные", — промямлит он тогда. "Нет, Джуд, — ответит Энди, — честное слово, вовсе нет".

(Впрочем, он не собирался ничего рассказывать Энди, так что не будет и этого разговора.)

Шли дни, он не звонил Энди, и Энди не звонил ему. Словно желая его наказать, запястье по ночам саднило и не давало уснуть, а на работе он однажды забылся и за чтением принялся ритмично постукивать рукой по краю стола — застарелый тик, от которого он так не сумел полностью избавиться. Из швов потекла кровь, и он кое-как промыл их в ванной под краном.

— Что стряслось? — как-то вечером спросил его Виллем.

— Ничего, — ответил он.

Конечно, он мог обо всем рассказать Виллему, который бы выслушал его и очень по-виллемовски протянул бы: "Гммм…", — но он знал, что Виллем встанет на сторону Энди.

Через неделю после той ссоры он вернулся домой, на Лиспенард-стрит, — было воскресенье, он шел с прогулки по западному Челси — и застал Энди на ступеньках под дверью.

Он удивился.

— Привет, — сказал он.

— Привет, — ответил Энди. Они так и стояли под дверью. — Я не знал, возьмешь ли ты трубку, если я позвоню.

— Конечно взял бы.

— Слушай, — сказал Энди. — Прости меня.

— И ты меня. Прости, Энди.

— Но я правда думаю, что тебе нужно к кому-нибудь обратиться.

— Я тебе верю.

И каким-то образом они сумели на этом и остановиться — на ненадежном и взаимно неудовлетворительном перемирии, и вопрос о психотерапии застыл между ними бескрайней серой демилитаризованной зоной. Компромисс (хотя как они до него договорились, он теперь и сам не очень понимал) заключался в том, что в конце каждого приема он показывал Энди руки, а Энди проверял, нет ли на них свежих порезов. Каждый свежий порез он заносил в историю болезни. Он никогда не знал, из-за чего Энди может вспылить — иногда новых порезов много, а Энди только вздохнет тяжело, их записывая, а иногда порезов всего ничего, а Энди все равно заведется. "Ты себе все руки, на хер, испортил, ты это хоть понимаешь?" — спрашивал он тогда. Но он молчал и пропускал все нотации Энди мимо ушей. Отчасти он понимал, что мешая Энди делать свою работу, которая все-таки и заключалась в том, чтобы его лечить, он проявляет к нему неуважение и даже, можно сказать, издевается над ним на его же территории. Все эти подсчеты (иногда ему хотелось спросить, получит ли Энди подарок, если соберет определенное число, но он знал, что тот обидится) позволяли Энди хотя бы притвориться, будто он контролирует ситуацию, даже если на самом деле это было не так, — сбор данных как небольшая компенсация за отсутствие настоящего лечения.

А потом, два года спустя, у него открылась другая рана, на левой ноге, с которой всегда было больше хлопот, чем с правой, и от порезов Энди перешел к более насущным проблемам с ногой. Первая рана открылась, когда после травмы не прошло еще и года, и тогда она быстро зажила.

"Но этим дело не кончится, — предупредил его хирург в филадельфийской больнице, — от этой травмы серьезно пострадали все системы — и покровная, и сосудистая, — поэтому время от времени раны на ногах будут открываться".

Эта стала одиннадцатой по счету, все ощущения были знакомыми, но причину он никогда не мог угадать (укус насекомого? Задел за уголок металлического ящика с документами? Всякий раз это была какая-нибудь крошечная колючая штучка, которая, однако, с легкостью пропарывала ему кожу, будто это и не кожа вовсе, а лист бумаги) и никогда не мог справиться с отвращением: гной, нарывный, рыбный запах, тонкая прореха на коже, будто рот эмбриона, который потом будет пускать пузыри вязкой непонятной жидкости. Это было противоестественно: когда он расхаживал с дырой на ноге, которую нельзя было заткнуть, то словно оказывался в фильме ужасов или в страшной сказке. Теперь он ходил к Энди каждую пятницу, по вечерам, и пока тот чистил рану, промывал ее, удалял кусочки мертвой ткани и изучал кожу вокруг, чтобы проверить, как рана зарастает, он, затаив дыхание, цеплялся за края стола и изо всех сил старался не кричать.

— Джуд, ты обязательно говори, если будет больно, — сказал Энди, пока он пыхтел, потел и считал про себя. — Если ты чувствуешь боль, это хорошо, а не плохо. Это значит, что нервы не отмерли и делают свою работу.

— Больно, — наконец выдавил он.

— По шкале от одного до десяти?

— Семь. Восемь.

— Прости, — ответил Энди. — Еще немного, честное слово. Еще пять минут.

Он зажмурился и стал считать до трехсот, заставляя себя не торопиться.

Потом Энди садился с ним рядом и давал ему попить: газировку, что-нибудь сладкое, и тогда из окружавшей его мути пятно за пятном начинала проступать комната.

— Помедленнее, — приговаривал Энди, — а то стошнит.

Он наблюдал, как Энди перебинтовывает рану — спокойнее всего Энди был, когда кого-нибудь штопал, зашивал или перебинтовывал, — и в такие минуты всякий раз чувствовал себя настолько слабым и уязвимым, что, предложи ему тогда Энди что угодно, он бы на все согласился.

— На ногах ты себя резать не будешь, — даже не спрашивал, а скорее приказывал Энди.

— Не буду.

— Это будет уже совсем за гранью, даже в твоем случае.

— Я знаю.

— У тебя все тело уже истерзано, схлопочешь серьезное заражение.

— Энди. Я знаю.

Иногда ему казалось, что Энди тайком переговорил с его друзьями и поэтому теперь у них в речи то и дело всплывали эндиобразные слова и выражения, и, хоть с Того Случая, как выражался Энди, прошло уже четыре года, он подозревал, что Виллем по-прежнему каждое утро перетряхивает мусор в ванной, и теперь предусмотрительно обматывал лезвия салфетками и клейкой лентой и выбрасывал в мусорный бак по дороге на работу. "Твоя банда", так их звал Энди. "Ну, что у вас там с бандой новенького?" (это если он был в хорошем настроении) и "И пусть эта твоя банда сраная за тобой получше приглядывает, я им так и скажу" (когда был в плохом).

— Даже не думай, Энди, — говорил он. — И вообще, они за меня не в ответе.

— Еще как в ответе, — огрызался Энди.

И тут они с ним никак не могли договориться.

Но с тех пор, как у него открылась эта новая рана, прошел уже год и восемь месяцев, а она так и не зажила. Точнее, сначала зажила, потом вновь открылась, потом снова зажила, а потом он как-то проснулся в пятницу, почувствовал на ноге что-то мокрое и липкое — снизу, на голени — и понял, что кожа лопнула снова. Энди он пока не звонил — позвонит в понедельник, — важнее всего было пройтись, ведь он боялся, что прогулок у него теперь не будет несколько недель, а то и месяцев.

Он был на углу Мэдисон и Семьдесят пятой, почти возле приемной Энди, и нога болела так, что он перешел на Пятую и уселся на скамейку у стены, окружавшей парк. Едва он уселся, как навалилась знакомая слабость, тошнота, от которой запрыгал желудок, и он, скорчившись, ждал, когда бетон под ногами вернется на место и можно будет встать. В такие минуты он чувствовал, что тело ему изменяет, что сильнее всего ему в жизни мешало именно это банальное нежелание признать, что тело предаст его снова и снова, что на него нельзя надеяться, но при этом нужно продолжать за ним ухаживать. Сколько времени и он, и Энди потратили впустую, пытаясь восстановить то, что восстановлению не подлежит, когда эти обугленные обломки давным-давно должны валяться в отвальной куче. А все ради чего? Наверное, думал он, ради его ума. Но это, как сказал бы Энди, отдавало невероятным высокомерием, все равно что чинить старый драндулет, потому что испытываешь нежность к магнитоле.

Если я пройду всего пару кварталов, думал он, то окажусь возле его приемной, только его там не будет. Сегодня воскресенье. Энди заслужил хоть какую-то передышку, да и потом, не то чтобы сегодня у него все как-то по-другому болело.

Он подождал еще пару минут, потом с усилием встал, постоял с полминуты и рухнул обратно на лавку. Через какое-то время ему наконец удалось окончательно встать на ноги. Идти он пока не мог, но думал, что, пожалуй, сумеет дойти до края тротуара, вскинуть руку и сесть в такси, привалиться головой к черному виниловому подголовнику. Он будет идти и считать шаги и потом посчитает каждый шаг — от такси и до парадного, от лифта до квартиры, от двери до спальни. Когда он учился ходить в третий раз — после того как сняли скобы, — Энди давал указания его физиотерапевту (она была не в восторге, но к советам прислушалась), и это Энди, как и Ана четырьмя годами ранее, смотрел, как он без посторонней помощи одолевает сначала расстояние в десять футов, затем — в двадцать, а уж потом — и в пятьдесят, и в сотню. Даже походку его — правую ногу он подволакивал, а левую поднимал почти под прямым углом к земле, выходил этакий прямоугольник негативного пространства — разработал Энди, который часами заставлял его тренироваться, пока не научил так ходить. Это Энди уверил его, что он может передвигаться без трости, и только благодаря Энди у него это и получалось.

До понедельника остались считанные часы, твердил он себе, пытаясь встать, и Энди примет его, как и обычно, даже если будет сильно загружен. "Когда ты заметил, что кожа лопнула?" — спросит Энди, осторожно нажимая на нее кусочком ваты. "В пятницу", — ответит он. "Так чего ж ты мне сразу не позвонил, Джуд? — сердито скажет Энди. — Надеюсь, ты хоть на свою идиотскую прогулку не ходил?" — "Нет, конечно нет", — ответит он, но Энди ему не поверит.

Иногда он думал, не воспринимает ли его Энди исключительно как набор вирусов и увечий: а если их вынести за скобки, кем бы он тогда был? Если бы Энди не пришлось его лечить, был бы он ему интересен? Если бы в один прекрасный день он волшебным образом исцелился, зашагал бы легко, как Виллем, обрел бы самоуверенность Джей-Би и наклонялся бы, не беспокоясь, что рубашка вылезла из-за пояса, или обзавелся бы изящными руками Малкольма с глазурно-гладкой кожей на предплечьях, кем бы он тогда стал для Энди? Кем бы он тогда стал для них всех? Стали бы они его меньше любить? Или больше? Или он обнаружил бы, что его давние страхи подтвердились, что их дружба держалась только на жалости к нему? Какая часть его личности состояла из того, что ему было не под силу? Кем бы он был, кем бы он мог быть без шрамов, порезов, болячек, язв, переломов, заражений, лонгетов и выписок?

Но этого он, разумеется, никогда не узнает. Полгода назад им удалось совладать с раной, Энди долго ее осматривал, все проверял и перепроверял и наконец выдал ему целый список того, что нужно делать, если она снова откроется.

Он слушал вполуха. Отчего-то в тот день у него было легко на душе, но Энди все ворчал и ворчал, а потом еще и начал читать ему нотации —

не только насчет ноги, ему еще и о порезах лекцию пришлось выслушать (слишком их много, считал Энди) и о своем внешнем виде (слишком он худой).

Он любовался своей ногой, вертел ею, разглядывал кожу, на которой наконец-то затянулась рана, а Энди все говорил и говорил и наконец не выдержал:

— Джуд, ты меня слушаешь?

— Неплохо выглядит. — Он не отвечал на вопрос, ему хотелось, чтоб Энди его успокоил. — Правда?

Энди вздохнул:

— Выглядит…

Тут Энди осекся и замолчал, и он поднял голову и увидел, как Энди зажмурился, будто старался взять себя в руки, потом снова открыл глаза.

— Выглядит неплохо, Джуд, — тихо сказал он. — Правда.

Он тогда ощутил огромный прилив благодарности, потому что понимал — вовсе Энди не думал, что нога выглядит неплохо, и никогда он такого не подумает. Для Энди его тело было генератором ужасов, и против одного этого тела они вдвоем должны были держать постоянную оборону. Конечно, Энди думал, будто он заблуждается, или сам себе только хуже делает, или вообще не хочет мириться с действительностью.

Не понимал Энди только одного — что он оптимист. Из месяца в месяц, из недели в неделю он всякий раз делал один и тот же выбор: открыть глаза, прожить в этом мире еще один день. Этот выбор он делал, даже когда ему было так плохо, что казалось, будто боль переносит его в другое измерение, где все, даже прошлое, которое он всеми силами старался позабыть, сливалось в одну водянистую акварельную серость. Он делал этот выбор, когда воспоминания вытесняли все прочие мысли, когда нужно было изо всех сил постараться, изо всех сил сосредоточиться, чтобы не оторваться от нынешней жизни, не захлебнуться стыдом и отчаянием. Он делал этот выбор, когда стараться больше не было никаких сил, когда вся энергия уходила на то, чтобы бодрствовать и существовать, и тогда он лежал в кровати и искал причины, чтобы встать и сделать еще одну попытку, ведь куда легче просто пойти в ванную, заглянуть в тайник под раковиной, оторвать приклеенный скотчем целлофановый пакетик, где лежат ватные диски, сменные лезвия, спиртовые салфетки и бинты, и просто-напросто сдаться. То были очень плохие дни.

Тогда, в новогоднюю ночь, он и вправду ошибся, когда резал руку, сидя в ванной: его клонило в сон, а обычно он был очень внимателен. Но едва он понял, что натворил, как минуту, две минуты — он посчитал — он искренне не знал, как поступить, потому что остаться в ванной и довести этот несчастный случай до логического конца казалось проще, чем решать что-то самому, потому что это решение коснется не только его, но и Виллема с Энди и выльется в целые дни, в месяцы последствий.

Он так и не понял, почему все-таки схватил с сушилки полотенце, обмотал им руку, кое-как встал на ноги и разбудил Виллема. Но после этого он с каждой минутой отдалялся от другого варианта, и все происходило так быстро, что он перестал что-либо контролировать, и ему хотелось только вернуться в тот год после травмы, когда они с Энди еще не были знакомы, когда казалось, что все еще наладится, что он, будущий, может стать кем-то ярким и чистым, когда он знал мало, и надеялся на многое, и верил, что когда-нибудь его надежды сбудутся.

До Нью-Йорка была юридическая школа, а до нее — колледж, а до колледжа — Филадельфия и долгий медленный путь через всю страну, а до этого — Монтана и приют для мальчиков, а до Монтаны был Юго-Запад и номера в мотелях, безлюдные дороги и долгие часы в машине. А до этого — Южная Дакота и монастырь. А до этого? Отец и мать, наверное. Или, вернее, просто мужчина и женщина. А потом, скорее всего, одна женщина. А потом — он.

Математике его учил брат Петр, и он же вечно напоминал о том, как ему повезло, рассказывал, как его нашли в мусорном баке. "В мешке для мусора, набитом яичной скорлупой, и увядшим салатом, и прогорклыми спагетти — лежал еще и ты, — говорил брат Петр. — В закоулке, который за аптекой, ну ты знаешь где", — хоть он и не знал, потому что редко выходил за пределы монастыря.

Потом брат Михаил сказал, что даже и это неправда. "Не в баке, — сказал он ему. — Ты лежал возле бака". Да, подтверждал брат Михаил, там был мешок для мусора, но он лежал на мешке, а не внутри, да и вообще, кто мог знать, что в этом мешке было, кому до этого было дело? Скорее всего, там лежали аптечные отходы: картонки, салфетки, проволочные фиксаторы и упаковочный наполнитель. "Не верь всему, что говорит брат Петр, — частенько повторял брат Михаил и добавлял: — Нельзя потакать этой твоей склонности к мифотворчеству, — всякий раз, когда он пытался разузнать хоть что-то о том, как он попал в монастырь. — Ты у нас появился, и теперь ты здесь, и тебе надлежит думать о будущем, а не о прошлом".

Они создали для него это прошлое. Когда его нашли, он был совсем голый, говорил брат Петр (или в одном подгузнике, говорил брат Михаил), но, как бы там ни было, а его, как они выражались, бросили на милость природы, потому что тогда, в середине апреля, еще подмораживало и в такую погоду новорожденный долго бы не протянул. Но он, похоже, пролежал там всего несколько минут, потому что, когда его нашли, он еще даже не успел замерзнуть, а следы автомобильных шин и кроссовок (скорее всего, женских, восьмого размера), которые вели к баку и от него, еще не успело занести снегом. Ему повезло, что они его нашли (судьбе было угодно, чтобы они его нашли). Всем, что у него было — именем, датой рождения (довольно приблизительной), кровом, самой жизнью, — он был обязан им. Ему нужно быть благодарным (благодарить нужно не их, благодарить нужно Бога).

Никогда нельзя было угадать, на какие его вопросы они ответят, а на какие — нет. Самые простые (плакал ли он, когда его нашли? А записка была? Пробовали ли они разыскать тех, кто его бросил?) оставались без ответа, от них отмахивались, отговаривались незнанием и при этом подробно отвечали на вопросы куда более сложные.

"Штат не сумел найти для тебя приемную семью. (Снова брат Петр.) Тогда мы сказали, что готовы тебя приютить на какое-то время, и так прошли месяцы, потом годы, и вот — ты здесь. Конец. А теперь дорешай-ка уравнения, целый день над ними сидишь".

Но почему штат не сумел никого найти? Теория номер один (излюбленная теория брата Петра): слишком много неизвестных факторов — национальность, родители, наследственные заболевания и т. д. Откуда он взялся? Этого никто не знал. Похожего на него новорожденного не регистрировали ни в одной местной больнице. Потенциальных усыновителей все это настораживало. Теория номер два (брата Михаила): они жили в нищем городе, в нищей части нищего штата. Одно дело жалеть найденыша (а его многие жалели, пусть он об этом не забывает) и совсем другое — взять еще одного ребенка, когда семья и так уже еле концы с концами сводит. Теория номер три (отца Гавриила): ему было предначертано остаться здесь. Такова была воля Божья. Тут его дом. И хватит уже вопросов.

Была еще четвертая теория, о которой все вспоминали, стоило ему в чем-нибудь провиниться: он плохой, плохим и родился. "Ты, наверное, что-нибудь очень плохое совершил, что тебя вот так вот бросили, — сказал брат Петр, избивая его доской, пока он, рыдая, просил прощения. — Может, ты все время плакал и они просто не могли тебя больше выносить". И тогда он плакал еще громче, боясь, что брат Петр прав.

Они интересовались историей, но его интерес к собственной истории их всех раздражал, как будто он нашел себе какое-то утомительное хобби и все никак не мог его перерасти. Вскоре он научился не задавать вопросов, ну или, по крайней мере, прямых вопросов, но жадно ловил обрывки сведений, которые получал в самые неожиданные моменты из самых неожиданных источников. Когда они с братом Михаилом читали "Большие надежды", он ухитрился свернуть разговор на долгие рассуждения о жизни сирот в Лондоне девятнадцатого века, столь же экзотическом для него городе, как и Пирр в какой-нибудь сотне миль от монастыря. Он понимал, что урок постепенно превратится в нравоучение, но все-таки сумел выведать, что его, как и Пипа, отдали бы родственникам, если бы их удалось разыскать. Значит, родственников у него не было. У него не было никого.

Отучали его и от другой дурной привычки — собственничества. Он и не помнил уже, когда у него появилось страстное желание иметь что-то свое, что-то, что будет только его и ничье больше. "Тут ни у кого нет ничего своего", — говорили ему, но так ли это было на самом деле? Он знал, что у брата Петра был черепаховый гребень цвета свежесцеженного древесного сока и такой же прозрачный, которым тот очень гордился и каждое утро расчесывал усы. Однажды гребень пропал, и брат Петр ворвался на его урок с братом Матфеем, тряс его за плечи, кричал, чтобы он вернул гребень, если ему жить не надоело. (Потом отец Гавриил нашел гребень, он завалился в щель между столом брата Петра и батареей.) А у брата Матфея было первое издание "Бостонцев" в цельнотканевом переплете с мягкой, потертой зеленой спинкой, которое он ему однажды показал, дал поглядеть на обложку. ("Не трогай! Кому сказал, не трогай!") Даже у брата Луки, его самого любимого брата, который редко с ним заговаривал и никогда его не ругал, была птица — по крайней мере, все считали, что это его птица. Строго говоря, сказал брат Давид, птица ничья, но это брат Лука нашел ее, выходил и выкормил, и к нему она подлетала, поэтому раз Лука так хочет, пусть это будет его птица.

Брат Лука заведовал теплицами и монастырским садом, и летом он ему помогал, выполняя разные мелкие поручения. Подслушивая разговоры других братьев, он узнал, что брат Лука был очень богат, до того как поселился в монастыре. Но потом что-то случилось или он что-то сделал (этого ему так и не удалось понять), и он то ли потерял все деньги, то ли от них отказался и вот теперь жил здесь, такой же нищий, как и все. Впрочем, теплица была построена на деньги брата Луки, и он же оплачивал кое-какие монастырские текущие расходы. Он видел, что другие братья заметно сторонились Луки, и думал даже, что это, верно, потому, что он плохой, хотя брат Лука никогда не вел себя плохо, с ним — никогда.

Первую кражу он совершил как раз после того, как брат Петр обвинил его в похищении гребня: украл пачку крекеров с кухни. Как-то утром он шел через кухню в комнату, которую отвели под занятия с ним, и в кухне никого не было, и пачка лежала прямо на кухонной стойке, только руку протяни, и он машинально схватил ее, затолкал под грубую шерстяную робу — такую же, как у братьев, только маленькую — и убежал. Ему пришлось забежать к себе обратно, чтобы спрятать крекеры под подушку, поэтому на занятие к брату Матфею он опоздал, и в наказание брат Матфей отхлестал его веткой форзиции, но ему делалось тепло и радостно при одной мысли о том, что теперь у него есть крекеры. Той же ночью, лежа в кровати, он съел один крекер (на самом деле он их даже не очень-то и любил): аккуратно разгрыз его на восемь кусочков, а затем каждый кусочек клал на язык, чтоб тот размяк, стал вязким и он смог проглотить его целиком.

После этого он начал воровать. На самом деле ему и не было нужно ничего монастырского, там не было ничего ценного, поэтому он просто брал все, что попадалось под руку, без особого умысла или желания: если получалось — еду; звонкую черную пуговицу, которую нашел на полу в комнате у брата Михаила, когда по своему обыкновению слонялся по монастырю после завтрака; авторучку отца Гавриила — он схватил ее со стола посреди урока, когда отец Гавриил отвернулся, чтобы найти какую-то книгу; гребень брата Петра (эту кражу он спланировал, но удовольствия от нее было не больше, чем от других). Он воровал спички, карандаши и обрывки бумаги — бесполезный мусор, но мусор, который все-таки кому-то принадлежал, — засовывал их под белье, мчался к себе в комнату и прятал под матрасом, таким тонким, что по ночам он спиной чувствовал в нем каждую пружинку.

— А ну прекрати эту беготню, не то выпорю! — то и дело кричал ему брат Матфей, когда он несся к себе в комнату.

— Да, брат, — отвечал он и замедлял шаг.

Попался он в тот же день, когда украл самый ценный трофей: серебряную зажигалку отца Гавриила. Он стащил ее прямо у него со стола, когда тот прервал свои нравоучения, чтобы ответить на телефонный звонок. Едва отец Гавриил склонился над клавиатурой, как он схватил холодную тяжелую зажигалку со стола и сжимал ее в кулаке до тех пор, пока его наконец не отпустили. Выйдя из кабинета отца Гавриила, он поспешно засунул зажигалку под майку и заторопился к себе в комнату, но, завернув за угол, врезался в брата Павла. Чтобы брат не начал на него кричать, он поспешно отскочил, и зажигалка вывалилась, запрыгала по каменным плитам.

Разумеется, его избили, на него накричали, и после всего этого отец Гавриил в качестве последнего (как он думал) наказания вызвал его к себе в кабинет и сказал, что преподаст ему урок, чтоб неповадно было красть чужое. Он смотрел, ничего не понимая, но перепугавшись так, что не мог даже плакать, как отец Гавриил сначала смочил платок оливковым маслом, а затем втер масло в тыльную сторону его левой руки. А потом отец Гавриил взял зажигалку — ту самую, украденную — и держал его руку над пламенем до тех пор, пока не занялось масляное пятно на коже, и всю ладонь разом охватило призрачным, белым жаром. Он кричал, кричал, и тогда отец ударил его по лицу, чтоб перестал кричать. "Хватит орать! — проорал он. — Ты это заслужил. Теперь на всю жизнь запомнишь, что воровать нельзя".

Очнулся он у себя в кровати, с перебинтованной рукой. Все его вещи исчезли, и не только украденные, исчезло все, что он сам отыскал: камешки, перья, наконечники стрел и окаменелость, которую ему подарил брат Лука, когда ему исполнилось пять, его самый первый подарок.

После этого, после того, как он попался, он должен был каждый вечер приходить в кабинет отца Гавриила и раздеваться, чтобы отец мог проверить, не припрятано ли у него чего внутри. Потом, когда все стало еще хуже, он все думал о той пачке крекеров: если бы только он их тогда не украл. Если бы только он сам все не испортил.

Припадки начались у него после вечерних осмотров отца Гавриила, к которым скоро добавились и дневные — с братом Петром. Он бился в истерике, колотился о каменные стены монастыря, кричал что было мочи, молотил больной изуродованной рукой (которая и спустя полгода еще иногда побаливала, боль неотступно пульсировала где-то внутри) о грубые острые углы деревянных столов, бился затылком, локтями, щеками — самыми болезненными, самыми нежными частями тела — о край парты. Припадки случались у него и днем и ночью, он их не контролировал, они наползали на него туманом, и он проваливался в них, его тело и голос начинали вытворять что-то одновременно и волнующее, и мерзкое, и хоть потом у него все болело, он знал, что братья его боятся, боятся его злости, его криков, его силы. Они били его всем, что попадет под руку, они повесили в классной комнате на гвоздь ремень, они снимали сандалии и били его так долго, что на следующий день он даже сесть не мог, они называли его уродом, они желали ему смерти, они говорили, что нужно было его бросить в мусорной куче. И за это тоже он был им благодарен, за то, что помогали ему себя изматывать, потому что один он не мог заарканить этого зверя и нуждался в их помощи, чтобы его отогнать, чтобы тот, пятясь, уполз обратно в клетку до тех пор, пока снова не вырвется на свободу.

Он стал мочиться в постель, и его заставили чаще ходить к отцу Гавриилу, чтобы тот его чаще осматривал, и чем чаще отец его осматривал, тем чаще он мочился в постель. Тогда отец стал приходить к нему по ночам, и брат Петр стал приходить к нему по ночам, а потом и брат Матфей, и все стало еще хуже: его заставляли спать в мокрой ночной рубашке, его заставляли носить ее днем. Он знал, что от него жутко воняло, мочой и кровью, и он кричал, бесновался, выл, срывал уроки, спихивал со столов книги, чтобы братья начали его избивать и прервали занятия. Иногда от сильного удара он терял сознание и вскоре только этого и жаждал, этой темноты, где время шло и где его не было, где с ним что-то делали, но он об этом не знал.

Иногда у его припадков были причины, хотя, кроме него, никто этих причин не знал. Он беспрестанно чувствовал себя грязным, замаранным, словно он гнил изнутри, как старое здание, как обветшалая церковь, которую ему показали в один из его редких выездов за пределы монастыря: балки испещрены плесенью, стропила рассохлись и насквозь проедены термитами, сквозь дырявую крышу бесстыдно проглядывают треугольники белого неба. На уроке истории ему рассказали про пиявок, и он узнал, что много лет тому назад считалось, будто пиявки могут высосать из человека больную кровь, жадно, глупо накачивая недугом свои жирные гадкие тельца, и теперь в свободное время — час после уроков, перед работами — он бродил в ручье на границе монастырских земель, искал себе пиявок. Когда он не сумел найти ни одной, ему сообщили, что в ручье пиявки не водятся, и тогда он принялся кричать и кричал, пока не сорвал голос, и даже тогда все кричал, даже когда ему стало казаться, будто горло полнится горячей кровью.

Однажды он был у себя в комнате, и с ним там были и отец Гавриил, и брат Петр, и он старался не кричать, потому что уже понял, что чем тише он будет себя вести, тем быстрее все кончится, как вдруг ему почудилось, будто за окном быстро, как мотылек, промелькнул брат Лука, и ему стало стыдно, хотя тогда он еще не знал слова, которым можно было бы назвать это чувство. Поэтому на следующий день он в свой свободный час пошел в сад брата Луки, посрывал головки у всех нарциссов и свалил их в кучу на пороге его садового сарайчика — их рифленые венчики тянулись к небу, будто разъявленные клювы.

Позже, работая в одиночестве, он пожалел о своем поступке, и тоска отяжелила его руки, он выронил ведро с водой, которое таскал из одного угла комнаты в другой, рухнул на пол и закричал от горя и раскаяния.

За ужином он не мог есть. Он искал брата Луку и все думал, когда и как его накажут и когда нужно будет извиняться перед братом. Но Луки не было. Разнервничавшись, он уронил жестяной кувшин с молоком, холодная белая жидкость растеклась по полу, и сидевший рядом брат Павел столкнул его со скамьи на пол. "Вытирай! — рявкнул брат Павел, кинув ему тряпку. — Но другой еды не получишь до пятницы!" Была среда. "А теперь иди в свою комнату". Он убежал, пока брат не передумал.

Он жил в самом конце коридора, на втором этаже над столовой, и дверь в его комнату — бывший чулан без окон, где помещалась одна койка — всегда стояла нараспашку, закрывали ее, только когда с ним был кто-нибудь из братьев. Но едва он взбежал по лестнице и завернул за угол, как увидел, что дверь закрыта, и какое-то время топтался в пустынном, тихом коридоре, гадая, кто его там поджидает. Быть может, кто-то из братьев. А может, чудовище. После случая с ручьем он иногда грезил о том, что сгустившиеся в углах тени — это огромные пиявки, черные и жирные, с лоснящимися, членистыми покровами, которые только и ждут, покачиваясь, чтобы навалиться на него своим влажным, беззвучным весом. Наконец он набрался храбрости и кинулся к двери, рванул ее на себя, но в комнате было пусто — одна его койка с грязно-коричневым одеялом, коробка салфеток и учебники на полке. И тут он заметил, что в углу, у изголовья стоит в стеклянной банке букет нарциссов — яркие горлышки, оборчатые верхушки.

Он уселся на пол рядом с банкой, растер в пальцах бархатную головку одного цветка, и в этот миг печаль его стала такой огромной, такой всепоглощающей, что ему захотелось вцепиться в себя, содрать шрам с руки, разорвать себя в клочья, как разорвал он цветы Луки.

Но почему же он так поступил с братом Лукой? Ведь не один брат Лука был к нему добр — когда брата Давида не заставляли его наказывать, тот всегда его хвалил и говорил, что он очень сообразительный, и даже брат Петр регулярно носил ему книги из городской библиотеки и потом с ним их обсуждал, как будто с настоящим человеком, но брат Лука его не только никогда не бил, он еще и попытался его приободрить, показать, что он на его стороне. В прошлое воскресенье ему нужно было прочесть вслух молитву перед едой, и когда он стоял возле стола отца Гавриила, его внезапно охватило желание нахулиганить, схватить горсть нарезанного кубиками картофеля из миски и швырнуть его через всю комнату. Он уже чувствовал, как будет саднить горло от крика, как ремень со шлепком ожжет его спину, как он провалится во тьму и очнется в хмельном свете дня. Он смотрел, как поднимается рука, смотрел, как пальцы раскрываются лепестками и тянутся к миске. И тут он поднял голову и увидел брата Луку, который подмигнул ему, так быстро и без улыбки, будто щелкнул затвором объектива, что он поначалу даже не понял, действительно ли он это увидел. Но тут Лука снова ему подмигнул, и отчего-то его это успокоило, он пришел в себя, дочитал молитву и сел, и ужин прошел без происшествий.

А теперь еще и цветы. Но не успел он и подумать о том, что бы это могло значить, как дверь открылась, вошел брат Петр, и он встал, выжидая, потому что наступил тот ужасный миг, к которому он никогда не мог приготовиться, когда могло быть все и все могло случиться.

На следующий день он сразу после уроков побежал в теплицу, решив обязательно что-нибудь сказать брату Луке. Но когда он был совсем рядом, его решимость угасла, и он переминался с ноги на ногу, пинал камешки, затем подбирал их, потом стал собирать мелкие ветки и швырять их в сторону леса, граничившего с монастырскими землями. Ну правда, а что он говорить-то будет? Он хотел уже было уйти, ретироваться к дереву на северной границе владений, между корней которого он вырыл ямку для новой коллекции вещиц (хотя эти вещи он нашел в лесу и они были точно ничьи, там были камешки, ветка, немного похожая на поджарого пса в прыжке) — под этим деревом он проводил почти все свое свободное время, выкапывал свои сокровища, перебирал их, — но тут он услышал, как его кто-то окликнул, обернулся и увидел Луку, который помахал ему рукой и направился в его сторону.

— Так и думал, что это ты, — сказал брат Лука, подойдя к нему (потом ему придет в голову, что это было довольно неуклюжее приветствие, кто же еще это мог быть? Кроме него, в монастыре детей не было), и тогда он попытался извиниться перед Лукой, но не сумел подобрать подходящих слов, по правде сказать, не сумел подобрать никаких слов и вместо этого расплакался. Он никогда не стеснялся своих слез, но в этот миг ему стало стыдно, и он отвернулся от брата Луки и закрылся изуродованной рукой. Внезапно он ощутил, до чего ему хочется есть, и что сейчас еще только четверг, и ему не дадут никакой еды до завтрашнего дня.

— Так, — сказал брат Лука, и он понял, что тот стоит на коленях совсем рядом с ним. — Не плачь, не плачь.

Но говорил Лука так мягко, что он только горше расплакался.

Тогда брат Лука встал, и когда заговорил снова, голос у него стал повеселее.

— Слушай, Джуд, — сказал он. — Я хочу тебе кое-что показать. Идем со мной. — И он зашагал к теплице, оборачиваясь, чтобы убедиться, что он идет следом. — Джуд! — позвал он его снова. — Идем со мной.

И ему вдруг стало любопытно, и он пошел за ним, в сторону такой знакомой теплицы со слабеньким, но доселе ему незнакомым энтузиазмом, как будто он никогда этой теплицы не видел.

Когда он вырос, то иногда подолгу, мучительно пытался определить тот самый миг, после которого все пошло прахом, словно он мог его заморозить, законсервировать в банке, а потом показывать ученикам: тогда-то все и случилось. Тогда-то все и началось. Он все гадал: когда я украл крекеры? Когда оборвал нарциссы брата Луки? Или когда у меня случился первый припадок? И — совсем уже из области невозможного: когда я сделал что-то, отчего она решила бросить меня в переулке за аптекой? Что же это было?

Но на самом деле он знал: это было тем вечером, когда он вошел в теплицу. Когда разрешил себя туда отвести, когда бросил все и пошел за братом Лукой. Это было тогда. И после этого ничего уже нельзя было исправить.

Еще пять ступеней, и он у входной двери, никак не может попасть ключом в замок, потому что руки трясутся, и, едва не выронив ключи, он чертыхается. Наконец он в квартире, от двери до кровати всего пятнадцать шагов, но он все равно вынужден остановиться на полпути и медленно осесть на пол, последние футы до спальни он ползет, подтягиваясь на локтях. Сначала он просто лежит на полу, а вокруг него все раскачивается, потом, собравшись с силами, натягивает на себя одеяло. Так он будет лежать до тех пор, пока не уйдет солнце и в квартире не станет совсем темно, и тогда он наконец подтянется на руках, вскарабкается на кровать и уснет, ничего не съев, не умывшись и не переодевшись, стуча зубами от боли. Рядом никого не будет, потому что Виллем после спектакля собирался куда-то пойти со своей девушкой и вернется поздно.

Проснется он рано утром и почувствует себя лучше, но за ночь у него откроется рана, и гной протечет сквозь бинты, которые он наложил утром в воскресенье, собираясь на прогулку, на злосчастную прогулку, и брюки присохнут к коже. Он оставит Энди сообщение, и второе — его ассистенту, а потом примет душ, аккуратно сняв повязку вместе с ошметками гнилой плоти и сгустками почерневшей, склизкой крови. Стараясь не кричать от боли, он будет пыхтеть и хватать ртом воздух. Он вспомнит, о чем они говорили с Энди, когда такое случилось в прошлый раз, тогда Энди предложил ему держать под рукой инвалидное кресло, и хоть ему ненавистна сама мысль о том, чтобы снова усесться в инвалидное кресло, сейчас он бы от него не отказался. Он подумает, что Энди прав, что эти его прогулки — признак непростительной самонадеянности, что притворяться, будто все прекрасно и он вовсе никакой не инвалид, — эгоистично, хотя бы из-за того, как это сказывается на других людях, на людях, которые необъяснимо, неоправданно с ним добры и великодушны вот уже много лет, вот уже несколько десятков лет.

Он выключит душ, сползет в ванну, прижмется щекой к плиткам и станет ждать, когда ему полегчает. Он снова остро ощутит себя в ловушке — в теле, которое он ненавидит, с прошлым, которое он ненавидит, — остро ощутит, что никогда не сможет изменить ни того ни другого. Ему захочется плакать от отчаяния, ненависти и боли, но после того, что случилось с братом Лукой, он больше не плакал ни разу, после этого он сказал себе, что больше не заплачет никогда. Он снова остро ощутит, что он — ничто, выскобленная скорлупа, мякоть в которой давным-давно сморщилась, усохла и теперь только громыхает впустую. Он почувствует знакомое покалывание, знакомую дрожь отвращения, которая охватывает его в самые счастливые и самые горькие минуты жизни, которая спрашивает, кем это он себя возомнил, что смеет причинять неудобства стольким людям, что смеет жить дальше, даже когда его собственное тело велит ему остановиться.

Он будет сидеть, дышать и радоваться тому, что еще так рано, что теперь Виллему не придется на него натыкаться и снова спасать. Затем он (хотя когда именно, он потом и не вспомнит) каким-то образом сумеет встать, вылези из ванны, принять аспирин, поехать на работу. На работе слова будут расплываться и прыгать по страницам, и когда позвонит Энди, будет всего семь утра, и он скажет Маршаллу, что заболел, откажется от предложенной машины, но позволит Маршаллу — вот до чего ему будет плохо — усадить себя в такси. Он поедет туда, куда еще вчера глупо решил дойти пешком. И когда Энди откроет дверь, он постарается удержать себя в руках.

"Джуди", — скажет Энди и сегодня будет мягок, сегодня нотаций не будет, и Энди проведет его по пустой приемной, потому что утренний прием еще не начался, и уложит на стол, где он уже пролежал столько часов, что из них можно сложить целые дни, он даже разрешит Энди себя раздеть, и закроет глаза, и будет ждать короткой вспышки боли, когда Энди сдерет пластырь с его ноги и стянет с ободранной кожи насквозь промокший бинт.

Моя жизнь, будет думать он, моя жизнь. Он вцепится в эту мысль и будет повторять про себя эти слова — и заклинанием, и проклятием, и утешением, — пока наконец не ускользнет в другой мир, куда он попадает, когда у него все так болит, и он знает, что мир этот где-то совсем поблизости, но потом никогда не может вспомнить, где именно. Моя жизнь.

Ты спросил однажды: а когда я понял, что он мой? Я ответил, что всегда знал. Но это была неправда, и я не договорил еще, а уже понимал, что это неправда. Я так сказал, потому что это красиво звучит — так мог бы выразиться персонаж в книжке или в фильме, и потому что мы оба чувствовали себя жалкими и беспомощными, и потому что эти слова — так мне казалось — помогли бы нам меньше отчаиваться из-за случившегося, из-за того, что мы могли бы — или не могли — предотвратить и не предотвратили. Дело было в больнице. Надо уточнить: еще в первый раз. Ты наверняка помнишь: ты в то утро прилетел из Коломбо, перепрыгнув через несколько городов, стран, часовых поясов и приземлившись на целые сутки раньше, чем вылетел.

Но сейчас я хочу быть точным. Я хочу быть точным, во-первых, потому, что нет причин поступать иначе, и, во-вторых, потому, что это моя обязанность — я всегда стремился к точности, всегда стремлюсь.

Не знаю, с чего начать.

Может быть, с любезностей, хотя это чистая правда: ты мне сразу понравился. Тебе было двадцать четыре, когда мы познакомились, то есть мне, получается, было сорок семь. (Господи.) В тебе было что-то необычное; он потом рассказывал про твою доброту, но мне не надо было объяснять, я и так уже знал. В то первое лето вы все приехали к нам в гости, и это были такие странные дни для меня, и для него тоже: для меня — потому, что в вас четверых я видел, кем и чем мог бы стать Джейкоб, а для него — потому, что он-то знал меня только в роли учителя, а тут вдруг увидел, как я расхаживаю в шортах и фартуке, жарю морские гребешки на гриле и спорю с вами обо всем на свете. Когда Джейкоб перестал мне мерещиться в каждом из вас, я решил, что получился хороший уикенд, главным образом потому, что вам троим было хорошо. Вы не видели в происходящем ничего особенного: такие мальчики ждут, что к ним отнесутся с симпатией, — не из высокомерия, а исходя из прошлого опыта; у вас не было основания считать, что на вежливость и дружелюбие мир ответит чем-то кроме вежливости и дружелюбия.

А у него, конечно, были все основания считать иначе, хотя узнал я об этом позже. А тогда я следил за ним, когда мы садились за стол, и замечал, как во время самых шумных споров он вжимался в спинку стула, словно выдавливаясь из круга, и наблюдал за вами — как легко вы спорили со мной, не боясь обидеть, как бездумно тянулись через весь стол, чтобы положить себе еще картошки, еще кабачков, еще мяса, как просили и получали то, чего хотели.

Ярче всего из тех выходных мне запомнилась одна мелочь. Мы шли вчетвером — ты, он, Джулия и я — по маленькой тропинке, обсаженной березами, которая ведет к площадке с видом. (Тогда тропинка просматривалась отовсюду, помнишь? Это позже она вся заросла деревьями.) Я шел рядом с ним, а вы с Джулией — сзади. Вы беседовали, ну не знаю, о насекомых? О полевых цветах? Вам всегда было что обсудить, вы оба любили прогулки на природе, любили животных, и я любил это в каждом из вас, хотя и не мог разделить ваши интересы. А потом ты тронул его за плечо, обогнал, встал на колено и завязал развязавшийся шнурок на его ботинке и сразу же вернулся к Джулии. Простой, естественный жест: шагнуть вперед, припасть на колено, вернуться. Для тебя это была мелочь, ты не задумался, даже в разговоре не возникло паузы. Ты всегда следил за ним (как и все вы), ты заботился о нем десятками разных способов, я все это увидел за те несколько дней — и не думаю, что ты помнишь этот конкретный случай.

Но пока ты завязывал ему шнурок, он посмотрел на меня, и выражение его лица… я и сейчас не могу его описать, но тогда я почувствовал, как что-то осыпается внутри меня, словно башня из влажного песка, которая оказалась слишком высока — для него, и для тебя, и для меня тоже. Я знал, что в его лице вижу свое. Невозможно ведь найти человека, который сделает для тебя что-то подобное, да еще так легко, так непринужденно! Взглянув на него, я понял — впервые с тех пор как не стало Джейкоба, — что имеется в виду, когда люди говорят "сердце разбито", когда что-то может разбить тебе сердце. Мне всегда казалось, что это розовые сопли, но в тот момент я осознал, что это, может быть, и розовые сопли, но тем не менее правда.

И вот тогда-то я, видимо, и понял.

Я и не думал, что стану отцом — и не потому, что у меня самого были плохие родители. Наоборот, у меня были отличные родители: мама умерла от рака груди, когда я был еще совсем мал, и следующие пять лет мы прожили вдвоем с отцом. Он был врач-терапевт, из тех, что хотят состариться вместе со своими пациентами.

Мы жили в Вест-Энде, на Восемьдесят второй улице. Он принимал в том же здании, на первом этаже, и я нередко заходил к нему в приемную после уроков. Я был знаком со всеми его пациентами и гордился, что я — докторский сын, что я со всеми здороваюсь, что вижу, как принятые им младенцы вырастают в детей, которые смотрят на меня с почтением, потому что родители объяснили им: это сын доктора Стайна, он ходит в хорошую школу, одну из лучших в городе, и если они будут прилежно заниматься, то тоже смогут туда поступить. Отец звал меня "детка", и когда после уроков я заходил к нему на первый этаж, он брал меня за шею, даже когда я его уже перерос, и целовал в висок. "Детка, — говорил он, — как дела в школе?"

Когда мне было восемь, он женился на своей администраторше, Адели. Я не помнил собственного детства без Адели: это она ходила со мной по магазинам за новой одеждой, она праздновала с нами День благодарения, она заворачивала мне подарки на день рождения. Не то чтобы Адель была мне как мать — просто в моем мире матерью была Адель.

Она была немолода, старше отца, и принадлежала к тем женщинам, которые нравятся мужчинам и не вызывают у них неловкости, но на которых никому не приходит в голову жениться; то есть, иначе говоря, она не была красавицей. Но разве это важно для матери? Я спросил у нее однажды, хочет ли она собственных детей, и она ответила, что я и есть ее ребенок и она не может себе представить ребенка лучше меня, и все, что нужно знать про моего отца и про Адель и что я про них думал и как они ко мне относились, — это что мне в голову не приходило сомневаться в ее словах до той самой поры, когда мне было за тридцать и мы спорили с первой женой, надо ли заводить другого ребенка, ребенка, который заменил бы нам Джейкоба.

Она была единственным ребенком у своих родителей — как и я, как и мой отец — целая семья из единственных детей. Но родители Адели были живы (а родители отца умерли), и на выходные мы ездили к ним в Бруклин, в ту его часть, которая теперь тоже считается Парк-Слоуп. Они жили в Америке почти пятьдесят лет, но по-прежнему едва-едва говорили по-английски — отец нерешительно, а мать — с чувством. Они были грузные, как она, и добрые, как она, — Адель разговаривала с ними по-русски, и ее отец, которого я звал дедушкой, а как же иначе, разжимал пухлый кулак, демонстрируя спрятанное сокровище: деревянный свисток или ярко-розовую жвачку. Я был уже взрослый и учился в юридической школе, а он продолжал меня чем-нибудь одаривать при каждой встрече, хотя своей лавки у него к тому времени уже не было, то есть он свои гостинцы где-то покупал.

Но вот где? Мне всегда представлялось, что где-то есть такая тайная лавка, там торгуют игрушками, вышедшими из моды поколение назад, и туда продолжают исправно заходить старики-иммигранты, чтобы запастись расписными деревянными волчками, оловянными солдатиками и шариками для игры в бабки, которые достаешь из обертки уже липкими.

Я всегда — безосновательно — придерживался теории, согласно которой мужчина, заставший новый брак отца в сознательном возрасте (и, стало быть, способный вынести суждение), выбирает в жены свою мачеху, а не мать. Но я не выбрал женщину, похожую на Адель. Моя жена — первая жена — отличалась сдержанностью и самообладанием. Другие известные мне девушки постоянно принижали себя — это касалось, разумеется, их умственных способностей, но в той же мере относилось и к желаниям, и к гневу, и к страхам, и к поведению, — но Лисл себя не принижала никогда. Мы выходили из кафе на Макдугал-стрит — это было наше третье свидание, — и тут из темной подворотни вывалился какой-то тип и обдал ее фонтаном рвоты. Комки повисли на ее свитере тыквенно-яркими кляксами, и я особенно хорошо помню ошметок, прилипший к кольцу с маленьким бриллиантом на ее правой руке, как будто у камня выросла опухоль. Кто-то из прохожих ахнул, кто-то взвизгнул, но Лисл всего лишь закрыла глаза. Другая женщина на ее месте вскрикнула бы или взвизгнула (я бы сам вскрикнул или взвизгнул), но я помню, что ее всю сильно передернуло, словно тело признавало отвращение, но вместе с этим отстранялось от него, — и, открыв глаза, она уже полностью владела собой. Стащив с себя кардиган, она швырнула его в ближайший мусорный бак и сказала мне: "Пошли". Я был нем и растерян на протяжении всего приключения, но в это мгновение я хотел ее, и я пошел за ней, пошел куда она меня вела — как оказалось, к себе домой, в съемную дыру на Салливан-стрит. По пути туда она держала правую руку, где на кольце все еще висел прилипший кусок рвоты, немного отведенной в сторону и так и шла всю дорогу.

Ни отец, ни Адель ее особо не жаловали, хотя ни разу и не сказали мне об этом; они вели себя вежливо и относились к моему выбору с уважением. Я, со своей стороны, ни разу не спрашивал, не принуждал их ко лжи. Вряд ли дело заключалось в том, что Лисл была не еврейка — родители не отличались религиозностью, — но они, видимо, считали, что я слишком перед ней преклоняюсь. Или это я позже так решил. Может быть, восхищавший меня профессионализм казался им бесчувственностью или холодностью. Уж точно не они одни так думали. Они всегда были с ней вежливы, и она с ними в целом тоже, но я думаю, что они предпочли бы невестку, которая бы с ними немного заигрывала, которой они могли бы рассказывать истории из моего детства, вгоняющие меня в краску, которая бы ходила обедать с Аделью и играла в шахматы с моим отцом. Знаешь, кого-то вроде тебя. Но Лисл такой не была и быть не собиралась, и когда они это поняли, они тоже от нее несколько отстранились — не демонстративно, нет, это был просто акт самодисциплины, чтобы напомнить себе, что есть границы, ее границы, и их надо уважать. С ней я чувствовал странное спокойствие, как будто перед лицом такого самоуверенного противника даже никакая беда не осмелится нам угрожать.

Мы познакомились в Нью-Йорке — я учился в юридической школе, она в медицинской, и после выпуска я отправился работать судебным референтом в Бостон, а Лисл (она была на год старше) поступила в интернатуру. Она специализировалась на онкологии. Конечно, я восхищался ее выбором и тем, что за ним стояло, ведь нет ничего утешительнее женщины-целительницы: вот она по-матерински склоняется к лежачему больному в халате белее облаков. Но Лисл не хотела, чтобы ей восхищались: онкология интересовала ее как сложная дисциплина, требующая незаурядных интеллектуальных усилий. Вместе со своими товарищами по онкологической интернатуре она презирала радиологов (меркантильные), кардиологов (надутые и самодовольные), педиатров (сентиментальные) и особенно хирургов (невыразимо высокомерные) и дерматологов (тут и добавить нечего — хотя, конечно, с ними часто приходилось сотрудничать). Жаловали они анестезиологов (странные, аутичные, въедливые, склонные к аддикциям), патологов (еще более яйцеголовые, чем они сами) и… да, в общем-то, и все. Иногда они приходили к нам домой и после ужина не расходились, продолжая обсуждать пациентов и исследования, а своих партнеров — юристов, историков, писателей и ученых помельче — игнорировали, пока мы не перебирались в гостиную, где и вели разговоры о разных тривиальных, менее интересных предметах, которые заполняли наши дни.

Наша жизнь, жизнь двух взрослых людей, была вполне счастливой. Никто из нас не ныл, что мы мало времени проводим вместе. Пока она училась в ординатуре, мы жили в Бостоне; потом она снова поехала в Нью-Йорк, в аспирантуру. Я остался. К тому времени я поступил на работу в юридическую фирму и одновременно получил место доцента в юридической школе. Мы виделись на выходных — попеременно в Бостоне и в Нью-Йорке. А потом она отучилась и вернулась в Бостон; мы поженились; мы купили дом — маленький, не тот, что сейчас, на самой окраине Кеймбриджа.

Мой отец и Адель (и, кстати, родители Лисл тоже — по непостижимой причине они были куда эмоциональнее дочери, и в наши нечастые наезды в Санта-Барбару, пока ее отец шутил, а мать угощала меня нарезанными огурцами и перчеными помидорами с собственной грядки, Лисл наблюдала за ними отстраненно, словно их шумный нрав вызывал у нее неловкость или, по крайней мере, изумление) никогда не спрашивали, собираемся ли мы заводить детей; наверное, они думали, что, если не спрашивать, мы, может быть, сами захотим. А я, по правде говоря, не чувствовал в этом настоящей потребности; я никогда не представлял себе, что у меня будет ребенок, и никаких чувств по этому поводу не испытывал — ни хороших, ни плохих. Из этого я делал вывод, что не стоит: ребенка, рассуждал я, надо сильно хотеть, я бы даже сказал — жаждать. Это дело не для нерешительных и бесстрастных. Лисл думала так же — или так нам казалось.

Но потом, в один прекрасный вечер — ей было тридцать два, мне тридцать один, совсем молодые — я пришел домой и увидел, что она ждет меня на кухне. Такое случалось редко: ее рабочий день был длиннее моего, и обычно часов до восьми-девяти вечера она не появлялась.

— Нам надо поговорить, — торжественно объявила она, и я испугался. Лисл заметила и улыбнулась — она не была жестокой, и я не хочу сказать, что в ней не было доброты, не было нежности, в ней было и то и другое, она была способна и на доброту, и на нежность.

— Ничего плохого не случилось, Гарольд. — Она улыбнулась. — Наверное.

Я сел. Она шумно вдохнула.

— Я беременна. Как так вышло — не знаю. Наверное, пропустила пару таблеток и забыла. Почти восемь недель. Я сегодня была у Салли, сомнений никаких.

(Салли была ее соседкой по общежитию, ее лучшей подругой и ее гинекологом.) Она выпалила все это очень быстро, отрывистыми, короткими предложениями. Потом помолчала.

— От моих таблеток месячные прекращаются совсем, поэтому я не знала.

Я молчал.

— Скажи что-нибудь.

Это мне удалось не сразу.

— Как ты себя чувствуешь? — спросил я.

Она пожала плечами.

— Нормально.

— Это хорошо, — невпопад пробормотал я.

— Гарольд, — она уселась напротив меня, — что мы будем делать?

— Ты что хочешь сделать?

Она снова пожала плечами.

— Я знаю, что я хочу сделать. Я хочу знать, что ты хочешь делать.

— Ты не хочешь его оставлять.

Она не стала спорить.

— Я хочу знать, чего хочешь ты.

— А если я скажу, что хочу его оставить?

Она не удивилась.

— Тогда я серьезно об этом подумаю.

Такого я тоже не ожидал.

— Лис, — сказал я, — мы сделаем так, как ты хочешь.

Нельзя сказать, чтобы мной двигало одно лишь великодушие — скорее трусость. В этом, как и во многом другом, я был рад оставить решение за ней.

Она вздохнула:

— Не обязательно все решать сегодня. У нас есть сколько-то времени.

Ну да, понятно, четыре недели.

Я думал об этом, лежа в постели. Мне в голову приходили все те мысли, которые обычно приходят к мужчинам, стоит им узнать, что их партнерша беременна. Как будет выглядеть младенец? Понравится ли он мне? Полюблю ли я его? А потом навалились и другие мысли. Отцовство. Со всей его ответственностью, и скукой, и ловушками.

Наутро мы об этом не говорили и на следующий день тоже. В пятницу, ложась в постель, она сонно сказала: "Завтра надо поговорить", и я ответил: "Обязательно". Но назавтра мы так и не поговорили, и потом не поговорили, и вот прошла девятая неделя, а за ней десятая, а за ними одиннадцатая и двенадцатая, а потом уже было поздно что-либо делать, не опасаясь медицинских и этических проблем, и, мне кажется, мы оба испытали облегчение. Решение было принято за нас — вернее, наша нерешительность приняла решение за нас, — и теперь мы ждали ребенка. Такую взаимную нерешительность мы проявили впервые за весь наш брак.

Мы думали, что девочку назовем Адель Сара (Адель в честь моей матери, Сара в честь Салли). Но это оказалась не девочка, поэтому мы предложили Адели (она была так счастлива, что заплакала — один из тех редчайших случаев, когда она плакала при мне) выбрать первое имя, а Салли второе, получился Джейкоб Мор. (Почему Мор, спросили мы у Салли, и она ответила, что в честь Томаса Мора.)

Мне никогда не казалось — тебе, я знаю, тоже не кажется, — что любовь к ребенку выше, осмысленнее, значительнее, важнее любой другой. Мне так не казалось ни до Джейкоба, ни после. Но это особенная любовь, потому что в ее основе не физическое влечение, не удовольствие, не интеллект, а страх. Ты не знаешь страха, пока у тебя нет детей, и, может быть, именно это заставляет нас считать такую любовь более величественной, потому что страх придает ей величие. Каждый день ты просыпаешься не с мыслью "Я люблю его", а с мыслью "Как он там?". Мир в одночасье преображается в вереницу ужасов. Я держал его на руках, стоя перед светофором на переходе, и думал: как абсурдно считать, что мой ребенок, любой ребенок может выжить в этой жизни. Такой исход казался столь же невероятным, как выживание какой-нибудь поздней весенней бабочки — знаешь, такие маленькие, белые, — которых мне иногда доводилось видеть в неверном воздухе, вечно в нескольких миллиметрах от столкновения с лобовым стеклом.

Я скажу тебе, какие еще две истины мне открылись. Во-первых, не важно, сколько лет ребенку, не важно, когда и как он стал твоим. Как только ты назвал кого-то своим ребенком, что-то меняется, и все, что тебе в нем раньше нравилось, все твои прежние чувства к нему теперь в первую очередь окрашиваются страхом. Это не про биологию, это нечто большее — когда страстно хочешь не столько обеспечить выживание своего генетического кода, сколько доказать свою несокрушимость перед лицом уловок и нападок вселенной, победить те силы, которые хотят уничтожить твое.

И второе: когда твой ребенок умирает, чувствуешь все, что должен чувствовать, все, о чем столько раз писало столько людей, поэтому я даже не стану ничего перечислять, а только замечу, что все написанное о скорби одинаково, и одинаково оно не случайно — от этого текста по большому счету некуда отступать. Иногда что-то чувствуешь сильнее, что-то слабее, иногда — не в том порядке, иногда дольше или не так долго. Но ощущения всегда одинаковые.

Но вот о чем никто не говорит: когда это случается с твоим ребенком, часть тебя, крошечная, но неумолимая часть испытывает облегчение. Потому что тот момент, которого ты ждал, страшился, к которому готовил себя с первого дня отцовства, наконец наступил.

Ага, говоришь ты себе. Оно случилось. Вот оно.

И после этого тебе больше нечего бояться.

Много лет назад, когда вышла моя третья книга, один журналист спросил, можно ли сразу понять, есть у студента юридическое мышление или нет, и ответ на это — иногда можно. Но ты часто ошибаешься: студент, который казался блестящим в начале семестра, становится все менее блестящим к концу года, а тот, на кого ты вообще не обращал внимания, вдруг расцветает, и ты наслаждаешься тем, как он размышляет вслух.

Нередко студенты, больше других одаренные от природы, и мучаются больше других на первом году обучения — юридическая школа, особенно первый ее курс, это, конечно, не то место, где расцветают люди, наделенные творческим подходом, абстрактным мышлением и воображением. Мне часто кажется — я об этом слышал, но не знаю из первых рук, — что так же обстоят дела в художественных училищах.

У Джулии был друг по имени Деннис; в детстве он был невероятно талантливым художником. Они с Джулией дружили с ранних лет, и она как-то показала мне кипу рисунков, сделанных им лет в десять — двенадцать: наброски птиц, которые что-то клюют на земле, автопортреты — его круглое спокойное лицо; портрет отца-ветеринара, который гладит осклабившегося терьера. Отец Денниса не видел смысла в уроках рисования, так что мальчик никакого формального образования не получал. Но когда они выросли и Джулия поступила в университет, Деннис отправился в художественное училище — учиться рисовать. В первую неделю обучения им разрешали рисовать что угодно, и преподаватель всегда выбирал именно его рисунки, чтобы приколоть их на доску, похвалить и обсудить.

Но потом их стали учить, как рисовать — в сущности, перерисовывать. В течение второй недели они рисовали только овалы. Широкие овалы, пухлые овалы, тонкие овалы. На третьей неделе рисовали круги: трехмерные, двухмерные. Потом цветок. Потом вазы. Потом руки. Потом головы. Потом туловища. И с каждой неделей профессионального обучения дела Денниса шли все хуже и хуже. К концу семестра его рисунки никогда уже не попадали на почетную доску. Взрослая в нем осторожность мешала рисовать. Теперь, увидев собаку с шерстью до самого пола, он видел не собаку, а круг на параллелепипеде и, пытаясь ее зарисовать, беспокоился о пропорциях, а не о том, чтобы передать ее собачность.

Он решился поговорить с преподавателем. Так мы и пытаемся тебя сломать, Деннис, сказал преподаватель. Только по-настоящему одаренные могут это выдержать. "Наверное, я не был по-настоящему одарен", — говорил Деннис. Он выучился на юриста и жил в Лондоне со своим партнером. "Бедный Деннис", — сочувственно говорила Джулия. "Да ладно, все нормально", — вздыхал Деннис, но звучало это неубедительно.

Вот и юридическая школа ломает умы подобным же образом. Писатели, поэты и художники редко проявляют себя в юриспруденции (разве что это плохие писатели, поэты и художники), но не факт, что математикам, логикам и ученым приходится легко. Первые терпят поражение, потому что у них своя логика; вторые — потому что у них нет ничего своего, кроме логики.

Он при этом был хорошим студентом — отличным студентом — с самого начала, но это отличие часто пряталось под маской агрессивной неотличимости. Слушая его ответы в аудитории, я не сомневался, что у него есть все задатки великолепного юриста: юриспруденцию не случайно называют ремеслом, и, как любое ремесло, она в первую очередь требует цепкой памяти, это у него было. Во вторую очередь — как и многие другие ремесла — она требует способности увидеть стоящую перед тобой задачу, а затем сразу же представить вереницу проблем, которые могут за ней последовать. Для прораба дом — это не просто строение; это клубок труб, набухающих льдом по зиме, дранка, впитывающая влагу летом, водостоки, плюющиеся фонтанчиками воды весной, цемент, трескающийся в первые же осенние холода. Так и для юриста дом — не просто жилище. Дом — это запертый сейф, заполненный договорами, залоговыми обязательствами, будущими тяжбами, потенциальными нарушениями; он чреват ущербом для твоего имущества, твоей собственности, твоей безопасности, твоей личной жизни.

Разумеется, нельзя все время об этом думать, а то сойдешь с ума. Поэтому для большинства юристов дом — это все-таки просто дом, его надо обставлять, ремонтировать, красить, освобождать, когда переезжаешь. Но есть этап, во время которого любой студент-юрист — любой хороший студент-юрист — обнаруживает, что его представление о мире сдвигается, и понимает, что от закона не скрыться, что нет таких взаимодействий, нет таких сторон повседневной жизни, до которых не дотягивались бы его длинные, цепкие пальцы. Улица превращается в сплошную катастрофу, клубок правонарушений и будущих гражданских исков. Думаешь о браке, а видишь развод. Мир временно становится невыносимым.

Он это умел. Он умел взглянуть на дело и увидеть его завершение; это очень трудно, потому что приходится держать в голове все возможности, все варианты последствий, а потом выбирать, о чем беспокоиться и что игнорировать. Но помимо этого, он размышлял — не мог заставить себя не размышлять — о нравственной стороне каждого дела. А это мешает учиться. У меня были коллеги, которые прямо запрещали студентам даже произносить слова "справедливо" и "несправедливо". "Справедливость тут ни при чем! — громогласно внушал нам один из моих учителей. — Что говорит закон?" (Профессора-юристы любят театральность, как и мы все.) Другой, услышав такие слова, ничего не говорил, а подходил к нарушителю и вручал ему бумажку (такие бумажки он всегда держал во внутреннем кармане пиджака) с надписью "Дреймэн 241" — в этом кабинете располагалась кафедра философии.

Вот тебе гипотетический пример. Футбольная команда собирается на гостевую игру, но их микроавтобус сломан. Они спрашивают маму одного из игроков, можно ли одолжить ее машину для поездки. Конечно, отвечает она, только я с вами не поеду. И просит младшего тренера отвезти команду вместо нее. В пути случается несчастье: машина вылетает в кювет и переворачивается; все пассажиры и водитель гибнут.

Для уголовного дела нет оснований. Дорога была скользкая, водитель был трезв. Несчастный случай. Но тут родители, отцы и матери погибших игроков, подают иск против владелицы автомобиля. Это был ее микроавтобус, говорят они, и, что еще важнее, именно она назначила водителя. Он был лишь ее представителем, и поэтому вся ответственность лежит на ней. Ну и вот. Что дальше? Выиграют ли истцы дело?

Студенты не любят этот пример. Я его использую нечасто — он такой запредельный, что его броскость перешибает учебный эффект, — но когда я его все-таки приводил, кто-нибудь в аудитории непременно выпаливал: "Но ведь это несправедливо!" Да, это слово — "справедливо" — ужасно раздражает, но важно, чтобы студенты ни на минуту о нем не забывали. Ответ на вопрос никогда не кроется в справедливости, объяснял я им, но и упускать ее из виду нельзя никогда.

А он и не поминал справедливость. На первый взгляд она его мало интересовала, и мне это казалось удивительным — ведь люди, особенно молодые, очень сильно зациклены на том, что справедливо, а что нет. Справедливость — это концепция, которой обучают воспитанных детей; это руководящий принцип всех детских садов, и летних лагерей, и песочниц, и футбольных площадок. Джейкоб, когда еще мог ходить в школу, и учиться, и думать, и говорить, знал, что такое справедливость, знал, что это важно и что ее нужно ценить. Справедливость существует для счастливых людей, у кого в жизни было больше стабильности, чем непостоянства.

А "правильно" и "неправильно" — это для людей не то чтобы несчастных, но истерзанных, испуганных.

Или мне только теперь так кажется?

— Так что, выиграли дело истцы? — спросил я. В тот год, когда он был на первом курсе, я-таки разбирал то самое дело.

— Да, — сказал он и объяснил почему; он инстинктивно знал, что они выиграют. А потом, как по команде, с задней парты кто-то пропищал: "Но это же несправедливо!" — и прежде чем я начал читать первую лекцию курса — ответ никогда не кроется в справедливости и т. д. и т. п., — он тихо сказал:

— Зато это правильно.

Я так и не сумел спросить, что он имел в виду. Занятие закончилось, и все разом повскакивали и рванули к двери, как будто в аудитории начался пожар. Я сказал себе — спроси на следующем занятии, но забыл. А потом снова забыл, и опять. Годы шли, и я время от времени вспоминал этот разговор и каждый раз думал: вот надо спросить, что он имел в виду. Но потом так и не спрашивал. Не знаю почему.

С ним так происходило всегда: он знал закон. Он его чувствовал. Но потом, в тот самый момент, когда мне казалось, что пора закругляться с аргументами, он вводил нравственное соображение, он упоминал этику. Прошу тебя, думал я, ну не делай ты этого. Закон — вещь простая. Он дает гораздо меньше простора, чем кажется. В законе на самом деле есть место для этики и нравственности — но не в юриспруденции. Нравственность помогает нам создавать законы, но не помогает их применять.

Я беспокоился, что он усложнит себе жизнь, испортит свой удивительный дар, если — как ни прискорбно мне это говорить о своей профессии — станет думать. Прекрати! — хотел я сказать ему. Но не говорил, потому что со временем понял: мне нравится, как он думает.

В общем-то беспокоился я напрасно: он научился себя сдерживать, перестал упоминать правильное и неправильное. И, как мы знаем, эта склонность не помешала ему стать прекрасным юристом. Но позже я часто печалился и о нем, и о себе. Я жалел, что не вытолкал его из юридической школы, что не послал его, условно говоря, в "Дреймэн 241". Те навыки, которым я его обучил, в конечном счете не были ему нужны. Я жалел, что не подтолкнул его туда, где его ум мог бы проявить всю присущую ему гибкость, где ему не приходилось бы стреноживать полет мысли. Мне чудилось, что я взял человека, умевшего нарисовать собаку, и превратил его в человека, который теперь только и умеет, что рисовать геометрические фигуры.

По отношению к нему я много в чем виноват. Но иногда, как это ни абсурдно, я чувствую самую сильную вину вот за что. Я открыл перед ним дверь микроавтобуса, я пригласил его в дорогу. И хотя я не вылетел в кювет, я все-таки завез его в какое-то мрачное, холодное, бесцветное место и бросил, а ведь подобрал я его там, где пейзаж переливался всеми красками, небеса сверкали фейерверком, а он стоял с широко открытыми глазами и дивился этому миру.

3

За три недели до отъезда на День благодарения в Бостон на его рабочий адрес пришла посылка: широкий, плоский, громоздкий деревянный ящик, на обеих сторонах черным маркером — его имя и адрес; ящик пролежал возле стола целый день, и только вечером он открыл его.

По обратному адресу он догадался, что это, но все равно испытывал инстинктивное любопытство, какое всегда чувствуешь, разворачивая что-то, пусть даже нежеланное. В коробке обнаружились слои коричневой оберточной бумаги, потом пузырчатой пленки и, наконец, завернутая в белую бумагу картина. Он перевернул ее: "Джуду с любовью и извинениями, Джей-Би", — нацарапал на холсте Джей-Би, прямо над подписью "Жан-Батист Марион". К обороту рамы скотчем был приклеен конверт из галереи Джей-Би с адресованным ему письмом, удостоверяющим подлинность картины, с датой и подписью регистратора галереи.

Он позвонил Виллему, зная, что тот уже должен ехать домой из театра.

— Угадай, что мне сегодня прислали?

После секундной паузы Виллем ответил:

— Картину.

— Точно, — сказал он и вздохнул. — Значит, это была твоя идея?

Виллем закашлялся.

— Я просто сказал ему, что у него нет выбора, если он хочет, чтобы ты когда-нибудь еще с ним разговаривал. — Виллем замолчал, и он услышал шум ветра. — Тебе помочь дотащить ее домой?

— Спасибо, — сказал он, — но я пока оставлю ее здесь, потом заберу.

Он снова завернул картину в ее защитные слои и положил в ящик, который засунул под тумбу письменного стола. Перед тем как выключить компьютер, он начал было писать записку Джей-Би, но стер написанное и отправился домой.

Его почти не удивило, что Джей-Би все-таки послал ему картину, и совсем не удивило, что это Виллем убедил его так поступить. Полтора года назад, как раз когда Виллем начинал играть в "Теореме Маламуда", Джей-Би предложили выставляться в галерее в Нижнем Ист-Сайде, и прошлой весной у него прошла первая персональная выставка, "Мальчики", серия из двадцати четырех картин, основанных на фотографиях их троих. Джей-Би сдержал свое давнее обещание и показывал ему те его фотографии, с которых собирался рисовать, и хотя он разрешал использовать многие из них (хоть и неохотно: ему становилось дурно при одной мысли об этом, но он знал, как важна эта серия для Джей-Би), но Джей-Би всегда были интереснее те фотографии, которые он использовать не разрешал и даже не помнил, когда они были сделаны, — в том числе и снимок, где он свернулся на кровати, с открытыми, но пугающе невидящими глазами, пальцы левой руки неестественно широко растопырены, словно когти вурдалака. Это была их первая ссора: Джей-Би упрашивал, потом дулся, потом угрожал, потом вопил, а когда из этого ничего не вышло, попытался перетянуть на свою сторону Виллема.

— Ты понимаешь, что я тебе ничего не должен? — сказал как-то Джей-Би, убедившись, что переговоры с Виллемом ни к чему не приведут. — Формально я не обязан спрашивать твоего разрешения. Я тебе, по сути, делаю одолжение. А так-то я могу рисовать все, что мне заблагорассудится.

На это было что возразить, но его слишком переполняла злость.

— Ты обещал, Джей-Би, — сказал он. — Разве этого недостаточно?

Он мог бы добавить, что Джей-Би должен ему это как друг, но уже много лет назад стало ясно, что его определение дружбы и ее обязательств очень отличается от определения Джей-Би, и об этом невозможно было спорить — можно было принять все как есть или не принимать совсем, и он принимал, хотя в последнее время приятие Джей-Би со всеми его особенностями требовало все больше тяжких, утомительных и раздражающих усилий.

В конце концов Джей-Би признал свое поражение, хотя в месяцы перед открытием выставки он то и дело упоминал свои "потерянные картины", великие работы, которые он мог бы создать, если бы Джуд был погибче и посмелее, если бы в нем было меньше забитости и (это был любимый аргумент Джей-Би) мещанства. Позже он будет удивляться своей доверчивости, тому, как твердо он был уверен, что с его желаниями будут считаться.

Открытие состоялось в четверг, в конце апреля, вскоре после его тридцатого дня рождения; вечер выдался не по сезону холодным, так что уже распустившиеся листья платанов замерзли и растрескались. Завернув за угол Норфолк-стрит, он остановился полюбоваться галереей: яркая золотая коробка света и мерцающего тепла на ледяном черном фоне. Войдя, он немедленно наткнулся на Черного Генри Янга и их общего приятеля по юридической школе, а потом увидел много других знакомых — по колледжу, по вечеринкам на Лиспенард-стрит, по обедам у теток Джей-Би и у родителей Малькольма; здесь были и старые приятели Джей-Би, с которыми он не виделся сто лет, поэтому ему не сразу удалось пробиться через толпу и увидеть картины.

Он всегда знал, что Джей-Би талантлив. Они все это знали. Можно было иметь сколько угодно претензий к Джей-Би как к человеку, но стоило увидеть его работы, и ты вдруг понимал, что недостатки, которые ты ему приписывал, — отражение твоей собственной мелочности и вздорности, а на самом деле внутри Джей-Би таится источник любви, понимания и мудрости. И в тот вечер он сразу увидел красоту и выразительность картин и испытывал лишь беспримесную гордость и благодарность к Джей-Би: за его достижения как художника, за то, что он создает цвета и образы, в сравнении с которыми все другие цвета и образы блекнут и меркнут, за его способность заставить тебя увидеть мир по-новому. Картины висели единым рядом, разворачивались на стене, как нотный стан, и тона, созданные Джей-Би, — густые сизо-синие, бурбонно-желтые — были такие особенные, ни на что не похожие, будто Джей-Би сочинил свой собственный цветовой язык.

Он остановился полюбоваться картиной "Виллем и девушка", он уже видел ее и даже купил: на картине Виллем отвернулся от камеры, но взгляд его упирался прямо в зрителя — хотя предполагалось, что он смотрит на девушку, которая стояла прямо в его поле зрения. Ему нравилось выражение лица Виллема, которое он так хорошо знал, когда тот вот-вот готов улыбнуться, и рот его еще мягок и как будто нерешителен, но мышцы вокруг глаз уже приподнялись. Картины не были расположены хронологически, рядом висел его собственный портрет с фотографии, сделанной всего несколько месяцев назад (свои изображения он торопливо проходил), а за ним — Малькольм с сестрой, судя по мебели, в первой, давно уже оставленной, квартирке Флоры в Вест-Вилидже ("Малькольм и Флора, Бетун-стрит").

Он обернулся в поисках Джей-Би и увидел, что тот беседует с директором галереи, и на мгновение Джей-Би повернулся, поймал его взгляд и помахал. "Гений", — произнес он одними губами, и Джей-Би ухмыльнулся и так же одними губами сказал: "Спасибо".

Но когда он перешел к третьей, последней стене, он увидел их: два портрета его самого, ни один из которых Джей-Би ему не показывал. На первом он был очень юн и держал в руках сигарету, а на другом, кажется, двухлетней давности, сидел согнувшись на краю кровати, уперев лоб в стену, руки и ноги скрещены, глаза закрыты — в такой позе он обычно дожидался конца приступа, чтобы собраться с силами и попробовать встать. Он не помнил, как Джей-Би снимал его, и, учитывая перспективу — снимок был сделан из-за дверного проема, — он и не мог помнить, он вообще не должен был знать о существовании такой фотографии. На секунду он перестал слышать окружающие звуки, он мог только смотреть и смотреть на картины: даже в эту минуту у него хватило присутствия духа понять, что он реагирует не столько на сами изображения, сколько на воспоминания и ощущения, в которые они его возвращали; ему только кажется, что другие люди вторгаются в его мир, рассматривая свидетельства двух несчастливых моментов его жизни; это его личная реакция, он один воспринимает это так. Для всех остальных эти два портрета лишены контекста, лишены значения, если только он сам не станет ничего им объяснять. Но как же трудно ему было их видеть — и он внезапно, остро, захотел остаться в одиночестве.

Он продержался весь ужин после открытия, который тянулся бесконечно, невыносимо тоскуя о Виллеме, но у Виллема сегодня был спектакль, и он не мог прийти. По крайней мере, ему не пришлось разговаривать с Джей-Би, который был занят ролью хозяина; а людям — включая галериста, — которые подходили к нему и говорили, что две последние картины лучшие на выставке (как будто это была его заслуга), он улыбался и отвечал, что да, у Джей-Би поразительный талант.

Но позже, дома, уже взяв себя в руки, он смог наконец высказать Виллему свои чувства: он считал, что это предательство. И Виллем так безусловно принял его сторону, так разъярился, что он немного успокоился — и понял, что и для Виллема двуличие Джей-Би стало полной неожиданностью.

Это была вторая ссора, которая началась со стычки в кафе возле квартиры Джей-Би и в ходе которой тот проявил досадную неспособность просто извиниться. Вместо этого он говорил, говорил, говорил: о том, как прекрасны эти картины и как когда-нибудь, когда он преодолеет свои комплексы, он сможет их оценить, какая это вообще ерунда, ему просто нужно победить неуверенность в себе, совершенно беспочвенную, может быть, картины ему в этом помогут, ведь все, кроме него, знают, как он невъебенно хорош собой, может, пора наконец это понять — ведь он сам себя не видит, а эти картины, они уже нарисованы, они существуют — и что прикажешь теперь с ними сделать? Что, если их уничтожить, он станет счастливее? Что, содрать их со стены и бросить в огонь? Люди уже их видели и не смогут развидеть, так, может, он уже примет это как должное и успокоится?
— Я не прошу тебя уничтожить их, Джей-Би, — он был так зол, так заморочен вывернутой логикой Джей-Би, его оскорбительным упрямством, что ему хотелось кричать. — Я прошу тебя извиниться.

Но Джей-Би не мог и не хотел извиняться, и в конце концов он просто встал и ушел, а Джей-Би не попытался его остановить.

После этого он просто перестал разговаривать с Джей-Би. Виллем тоже попытался выяснить отношения с Джей-Би, и они (как Виллем потом рассказывал ему) стали орать друг на друга прямо на улице, а потом Виллем тоже перестал разговаривать с Джей-Би, и с этого момента все новости о Джей-Би они узнавали от Малкольма. Малкольм, по обыкновению оставшись над схваткой, сказал им, что Джей-Би, конечно, кругом неправ, но и они тоже требуют невозможного: "Ты же знаешь, что он не извинится, Джуди, — сказал Малкольм. — Это же Джей-Би. Пустая трата времени".

— Я требую невозможного? — спросил он у Виллема после этого разговора.

— Нет, — тут же отозвался Виллем. — Он поступил мерзко и должен извиниться.

Все картины выставки были распроданы. Картину "Виллем и девушка" доставили ему в офис, так же как и картину "Виллем и Джуд, Лиспенард-стрит, II", которую купил Виллем. Картина "Джуд после болезни" (когда он узнал, как она называется, он испытал такой гнев, такое унижение, что на мгновение ясно понял, что значит выражение "слепая ярость") была продана коллекционеру, чьи покупки считались благословением и предвестием будущего успеха: он покупал только на дебютных выставках, и почти каждый художник, чьи работы он покупал, делал серьезную карьеру. Только центральное полотно выставки, "Джуд с сигаретой", осталось непристроенным в результате поразительной для профессионалов ошибки: директор галереи продал его важному британскому коллекционеру, а владелец галереи — Музею современного искусства.

— Ну вот и отлично, — сказал Виллем Малкольму, зная, что тот передаст его слова Джей-Би. — Джей-Би должен сказать галерее, что оставляет картину себе, и отдать ее Джуду.

— Он не может этого сделать, — ответил Малкольм с таким возмущением, как будто Виллем предложил выбросить картину в мусорный бак. — Это же МоМА!

— Какая разница? — возразил Виллем. — Если он такой охуительный, еще попадет в МоМА. Но говорю тебе, Малкольм, это его единственный шанс остаться другом Джуда. — Он сделал паузу. — И моим.

Малкольм передал его слова, и перспектива потерять Виллема заставила Джей-Би позвонить Виллему и назначить встречу, на которой он плакал и обвинял друга в предательстве, в том, что тот всегда принимает сторону Джуда, а на его, Джей-Би, карьеру Виллему наплевать, хотя Джей-Би его всегда поддерживал.

Все это заняло несколько месяцев, весна сменилась летом, и они с Виллемом поехали в Труро без Джей-Би (и без Малкольма, который сказал, что боится оставлять Джей-Би одного); Джей-Би приезжал к Ирвинам в Акуинну на День поминовения, а они — на четвертое июля, и потом они вдвоем с Виллемом отправились в давно запланированную поездку в Хорватию и Турцию.

А потом наступила осень, и Виллем с Джей-Би встретились во второй раз. Виллем внезапно и неожиданно получил первую роль в кино, роль короля в экранизации "Девушки с серебряными руками", и в январе уезжал на съемки в Софию, а он получил повышение, и ему предложил работу партнер компании "Кромвель, Турман, Грейсон и Росс", одной из лучших юридических фирм в городе, и еще в мае ему все чаще приходилось использовать инвалидное кресло, полученное от Энди, а Виллем расстался с девушкой, с которой встречался год, и стал встречаться с Филиппой, художником по костюмам, а Керриган, референт, с которым он когда-то вместе работал, разослал по электронной почте письмо всем коллегам, бывшим и нынешним, в котором одновременно сознавался в своей гомосексуальности и открещивался от консерватизма, а Гарольд спрашивал его, в каком составе они приедут в этом году на День благодарения и может ли он остаться после того, как все уедут, потому что им с Джулией надо с ним кое о чем поговорить, и он ходил в театр с Малкольмом и на выставки с Виллемом и читал романы, о которых мог бы поспорить с Джей-Би, потому что именно они в компании были главными читателями: такой вот список всего, что они могли бы делать и обсуждать вчетвером, а вместо этого обсуждали теперь по двое и по трое. Они так долго были неразлучной четверкой, что поначалу это сбивало с толку, но потом он привык, и хотя скучал по Джей-Би — по его искрометному самолюбованию, по его умению смотреть на все на свете с точки зрения того, как это отразится на нем лично, — он также убедился, что не может его простить и вполне может представить свою жизнь без него.

А теперь, похоже, борьба окончена, и картина принадлежит ему. Виллем зашел к нему в офис в субботу, и они развернули картину, и прислонили ее к стене, и вдвоем смотрели на нее в молчании, словно это был редкий зверь, замерший в клетке зоопарка. Фотографию этой картины напечатали в "Нью-Йорк таймс" вместе с рецензией, а потом — в "Артфоруме", но только теперь, в безопасном пространстве своего офиса, он смог вполне оценить ее — если забыть, что это он, можно почти понять, как прекрасен этот портрет, почему Джей-Би так дорожил им: с холста смотрело странное существо, испуганное и настороженное, непонятного пола, в одежде с чужого плеча, которое подражало жестам и позе взрослого, явно не понимая, что они значат. Он больше не испытывал никаких чувств к этому существу, но это был сознательный волевой акт, как отворачиваться от человека на улице, даже если видишь его повсюду, и постоянно притворяться, что не замечаешь его, пока в один прекрасный день ты и вправду не перестанешь его замечать — или, во всяком случае, не научишься в это верить.

— Не знаю, что с ней делать, — признался он Виллему с сожалением, потому что не хотел эту картину и чувствовал себя виноватым, что Виллем изгнал Джей-Би из своей жизни ради него, из-за предмета, на который, конечно, он больше никогда не взглянет.

— Н-да, — сказал Виллем, и наступило молчание. — Ты всегда можешь подарить ее Гарольду, я уверен, он будет рад.

И он понял: Виллем всегда знал, что ему не нужна картина, это не имело значения, Виллем не жалел, что выбрал его, а не Джей-Би, и не перекладывал на него вину за свое решение.

— Пожалуй, — проговорил он медленно, хотя знал, что не сделает этого: Гарольд был бы рад (картина очень понравилась ему на выставке) и повесил бы ее на видном месте, и ему бы пришлось смотреть на нее каждый раз, когда он у них гостит.

— Прости, Виллем, — сказал он наконец. — Прости, что притащил тебя сюда. Я оставлю картину здесь, пока не решу, что с ней делать.

— Все нормально, — ответил Виллем, и они снова завернули портрет и положили его под стол.

После того как Виллем ушел, он включил телефон, и на этот раз написал Джей-Би: "Джей-Би, большое спасибо за картину и за извинения, и то и другое много значит для меня". Он помедлил, раздумывая, что еще написать. "Я скучал по тебе и хочу узнать, что происходит в твоей жизни. Позвони, когда у тебя будет время повидаться". Все это было правдой.

И вдруг он понял, что надо сделать с картиной. Он нашел адрес регистратора галереи и написал ей записку — благодарил за то, что она послала ему "Джуда с сигаретой", и сообщал, что хочет передать картину в дар МоМА, не может ли она помочь ему с этой процедурой?

Позже он будет вспоминать это как поворотный момент, как переход между отношениями, которые были чем-то одним, а стали чем-то другим: это относилось к его дружбе с Джей-Би, но также и к его дружбе с Виллемом. Когда ему было двадцать с чем-то, он нередко смотрел на своих друзей и ощущал такое чистое, глубокое удовлетворение, что иногда ему хотелось, чтобы мир вокруг остановился, чтобы никому из них не пришлось двигаться дальше, чтобы можно было остаться здесь, в абсолютном равновесии, когда его любовь к ним абсолютна. Но, конечно, так быть не могло: мгновение, и все сдвинется, момент бесшумно исчезнет.

Утверждение, что Джей-Би навеки упал в его глазах, было бы слишком мелодраматичным, слишком окончательным. Но он и вправду впервые осознал, что люди, которым он научился доверять, все-таки могут предать его и, как бы грустно это ни было, это неизбежно, а жизнь будет катиться себе дальше, потому что на каждого, кто так или иначе подведет его, приходится по крайней мере один человек, который этого не сделает никогда.

Он всегда считал (и Джулия была с ним согласна), что Гарольд страшно усложняет празднование Дня благодарения. Каждый год, начиная с самого первого Дня благодарения у Гарольда и Джулии, Гарольд обещал ему — обычно в начале ноября, еще бурно увлеченный своим начинанием, — что на этот раз он потрясет мир до основания и подорвет самую банальную из американских кулинарных традиций. Гарольд всегда приступал к делу с размахом: на первый их совместный День благодарения, девять лет назад, когда он был на втором курсе юридической школы, Гарольд объявил, что приготовит утку *à l'orange*, только заменит апельсины на кумкваты.

Но когда он приехал к ним с испеченным накануне пирогом из грецких орехов, встретила его одна Джулия. "Про утку ни слова", — шепнула она, целуя его. На кухне Гарольд с загнанным видом вынимал из духовки здоровущую индейку.

— Молчать, — предупредил Гарольд.

— А что тут скажешь? — спросил он.

В этом году Гарольд спросил, как он смотрит на форель, и добавил:

— Форель, фаршированную всяким фаршем.

— Форель — это отлично, — ответил он с опаской. — Но вообще, знаешь, Гарольд, я индейку тоже люблю.

Этот разговор так или иначе заводили каждый год: Гарольд предлагал разные белковые продукты и разных животных — черноногих китайских кур на пару, филе миньон, тофу с грибами муэр, салат из копченого сига на подушке из пророщенной ржи — в качестве улучшенного заменителя индейки.

— Ни одна живая душа не любит индейку, Джуд, — с чувством сказал Гарольд. — Я тебя раскусил. Ты притворяешься, что любишь индейку, только потому, что я, по-твоему, не в состоянии приготовить ничего другого. Это оскорбительно. Будет форель, решено. А ты можешь испечь такой же пирог, как в прошлом году? Мне кажется, он хорошо пойдет с вином, которое я купил. Пришли мне список продуктов, которые тебе нужны для готовки.

Самое удивительное, думал он, что Гарольд в обычной жизни равнодушен к еде (и вину). Прямо сказать, вкус у него был отвратительный; Гарольд часто водил его в дорогие, но посредственные рестораны, где радостно поглощал пережаренное мясо с неизобретательным гарниром из переваренной пасты. Он каждый год обсуждал странный пунктик Гарольда с Джулией (которая тоже не очень интересовалась едой): у Гарольда было много навязчивых идей, в том числе необъяснимых, но эта казалась особенно необъяснимой и к тому же неотвязной.

Виллем считал, что Гарольдовы искания на День благодарения начались в шутку, но с годами преобразились во что-то более серьезное и теперь он действительно не мог остановиться, даже понимая, что цель недостижима.

— Но знаешь, — сказал Виллем, — вообще-то это все из-за тебя.

— В каком смысле? — спросил он.

— Это спектакль для тебя, — сказал Виллем. — Это он говорит тебе, что тебя любит, причем так сильно, что хочет произвести на тебя впечатление, — но не произнося самих слов.

Он немедленно отверг это предположение: "Вряд ли, Виллем", — но иногда воображал, что Виллем прав, и чувствовал себя глупым и немножко жалким от того, что эта мысль приносила ему столько счастья.

В нынешнем году на День благодарения с ним поехал только Виллем; когда они с Джей-Би помирились, тот уже договорился погостить у теток и взять с собой Малкольма; он попытался было переиграть, но тетки так всполошились, что Джей-Би решил их не злить.

— А что у нас на этот раз? — спросил Виллем. Они поехали на поезде в среду, вечером накануне праздника. — Изюбрь? Оленина? Черепаха?

— Форель, — ответил он.

— Форель! — повторил Виллем. — Ну, форель — это легко. Вдруг он и правда приготовит форель.

— Только он собрался ее чем-то фаршировать.

— А. Беру свои слова обратно.

За ужином собралось восемь человек: Гарольд и Джулия, Лоренс и Джиллиан, друг Джулии Джеймс со своим бойфрендом Кэри и они с Виллемом.

— Форель получилась просто улетная, — сказал Виллем, расправляясь со второй порцией индейки, и все посмеялись.

Когда же, думал он, он перестал чувствовать себя не в своей тарелке в гостях у Гарольда? Конечно, не обошлось без помощи друзей. Гарольд любил с ними спорить, любил провоцировать Джей-Би на резкие, почти расистские высказывания, любил поддразнивать Виллема и спрашивать, когда же тот наконец остепенится, любил поговорить с Малкольмом о новых направлениях в архитектуре и эстетике. Он знал, что Гарольду нравится с ними разговаривать и что им это тоже нравится, и сам радовался их непринужденности, не стремясь участвовать в беседе — как стайка попугаев, они распускали друг перед другом пестрые перья, красуясь в привычной среде без боязни подвоха.

За ужином только и разговора было что о дочери Джеймса, которая летом выходила замуж. "Я старик", — стонал Джеймс, а Лоренс и Джиллиан, чьи дочери еще учились в колледже и на праздник поехали к друзьям в Кармел, сочувственно похмыкивали.

— Кстати, — сказал Гарольд, уставившись на них с Виллемом, — вы-то когда остепенитесь?

— По-моему, он к тебе обращается, — улыбнулся он Виллему.

— Гарольд, мне тридцать два! — возмутился Виллем, и все снова засмеялись, а Гарольд возмущенно фыркнул:

— Это, по-твоему, объяснение? Это оправдание? Тебе же не шестнадцать!

Но, какой бы приятной ни была беседа, в закоулке сознания что-то напряженно зудело: он не мог понять, что за разговор Гарольд и Джулия собираются с ним завести на следующий день. Он рассказал об этом Виллему по дороге в Бостон, и за работой (фаршируя индейку, бланшируя картошку, накрывая стол) они пытались угадать, что Гарольд собирается ему сообщить. После ужина они накинули куртки и засели в саду за домом, теряясь в догадках.

По крайней мере, он знал, что с ними все в порядке — это первое, что он спросил, и Гарольд уверил его, что они с Джулией здоровы. Но что же тогда это могло быть?

— Может, он считает, что я слишком много у них торчу, — сказал он Виллему. Может быть, он просто надоел Гарольду.

— Исключено, — сказал Виллем — так быстро и решительно, что он испытал облегчение. Они помолчали. — Может, кому-то из них предложили интересную работу и они переезжают?

— Об этом я тоже думал. Но вряд ли Гарольд уедет из Бостона. Да и Джулия тоже.

В конечном счете вариантов оставалось немного — по крайней мере, таких, которые требовали бы разговора с ним: может, они продают дом в Труро (но при всей его любви к этому дому — почему об этом надо говорить с ним?). Может, Гарольд и Джулия решили расстаться (но никакой перемены в их отношениях заметно не было). Может, они решили продать нью-йоркскую квартиру и хотят узнать, не купит ли он ее (маловероятно: он был уверен — они ни за что не станут продавать квартиру). Может, они ремонтируют ту квартиру и хотят, чтобы он проследил за ремонтом.

Потом их предположения стали более конкретными и менее правдоподобными: может, Джулия сменила сексуальную ориентацию (или Гарольд). Может, Гарольд вступил в секту (или Джулия). Может, они бросают работу и переезжают в ашрам на севере штата Нью-Йорк. Может, они решили стать аскетами и жить в труднодоступной долине в штате Кашмир. Может, они ложатся на совместную омолаживающую пластическую операцию. Может, Гарольд стал республиканцем. Может, Джулия уверовала в Бога. Может, Гарольду предложили должность министра юстиции. Может, правительство Тибета в изгнании установило, что Джулия — это очередная инкарнация Панчен-ламы, и она переезжает в Дармсалу. Может, Гарольд собрался участвовать в президентских выборах в качестве кандидата от социалистов. Может быть, они открывают ресторан на центральной площади, где будут подавать только индейку, фаршированную каким-нибудь еще мясом. К этому времени они так хохотали — и от нервной, успокаивающей беспомощности незнания, и от абсурдности своих догадок, — что согнулись пополам, и каждый зажимал рот воротником куртки, чтобы не шуметь, а замерзающие слезы пощипывали им щеки.

Но, уже лежа в постели, он опять вернулся к мысли, которая выползла, как некая лиана, из темного уголка сознания и оплела его тонкими зелеными побегами: вдруг они что-то узнали о его прошлом. Может быть, ему продемонстрируют улики — справку от врача, фотографию или (при самом мрачном развитии событий) кадр из видеозаписи. Он заранее решил, что не станет ничего отрицать, не станет спорить, не станет оправдываться. Он признает подлинность улик, он попросит прощения, объяснит, что не хотел их обмануть, пообещает, что они его больше никогда не увидят, и уйдет. Он только попросит их хранить его тайну, больше никому не рассказывать. Он отрепетировал свою речь: "Прости меня, Гарольд. Прости, Джулия. Я не хотел ставить вас в неловкое положение". Но, конечно, это были пустые извинения. Может, и не хотел, но какая разница — поставил бы; и поставил-таки.

Виллем уехал наутро, вечером у него был спектакль.

— Позвони мне, как только узнаешь, ладно?

Он кивнул.

— Джуд, все будет в порядке, — пообещал Виллем. — Что бы ни случилось, мы разберемся. Не дергайся, ладно?

— Ты же знаешь, я все равно буду дергаться, — сказал он и попытался улыбнуться Виллему.

— Ну знаю, да, — сказал Виллем. — А ты все-таки постарайся. И позвони сразу.

Остаток дня он провел за уборкой — в этом доме всегда было чем заняться, потому что ни Гарольд, ни Джулия не отличались любовью к порядку — и, сев за ранний ужин, им же и приготовленный (тушеная индейка и свекольный салат), почувствовал, что от волнения стал почти невесомым, и только притворялся, что ест, передвигая еду по тарелке в надежде, что Гарольд и Джулия не заметят. Потом он принялся составлять посуду в стопку, чтобы отнести на кухню, но Гарольд его остановил.

— Оставь, Джуд, — сказал он. — Давай, может, поговорим сейчас?

Он почувствовал, что мелко дрожит от ужаса.

— Но их надо сполоснуть, а то все засохнет, — запротестовал он, сам слыша, как глупо это звучит.

— Да и хрен бы с ними, — сказал Гарольд, и, даже зная, что Гарольду и правда искренне наплевать, что засохнет или не засохнет на его тарелках, он на мгновение задумался, не слишком ли беспечна эта беспечность, не притворное ли это спокойствие. Но что ему оставалось? Он поставил тарелки на стол и поплелся за Гарольдом в гостиную, где Джулия наливала себе и Гарольду кофе, а ему уже налила чаю.

Он опустился на диван, Гарольд — на стул слева от него, а Джулия — на приземистый пуф, обитый сюзане, напротив: они всегда так садились вокруг низкого столика, и он загадал, чтобы время остановилось — вдруг это последнее такое мгновение в этом доме и он последний раз сидит в теплой темной комнате с книжными полками, и терпким, сладковатым запахом мутного яблочного сока, и сине-алым турецким ковром, собравшимся в складки под кофейным столиком, и пятном на диванной подушке, где ткань протерлась и почти обнажила бледную кожу муслина, — со всеми вещами, к которым он позволил себе так привязаться, потому что они принадлежали Гарольду и Джулии, потому что он позволил себе думать об их доме как о своем.

Прошло несколько минут; они потягивали свои напитки, не глядя друг на друга, и он пытался притвориться, что это просто обычный вечер, хотя в обычный вечер ни один из них не стал бы так долго молчать.

— Так вот, — начал наконец Гарольд, и он, внутренне подобравшись, поставил чашку на стол. *Что бы он ни сказал*, напомнил он себе, *не придумывай оправданий. Что бы он ни сказал, прими это как должное и поблагодари за все.*

Последовала еще одна длинная пауза.

— Как трудно-то это выговорить, — продолжил Гарольд и повертел кружку в руке, и ему пришлось переждать еще одну паузу. — У меня же была речь заготовлена, правда? — обратился он к Джулии, и она кивнула. — А я нервничаю сильнее, чем рассчитывал.

— Да, — подтвердила Джулия. — Но ты отлично начал.

— Ха! — откликнулся Гарольд. — Ты очень трогательно врешь. — И Гарольд улыбнулся жене, а у него возникло ощущение, что только они и остались в комнате, а про него совершенно забыли. Но вот Гарольд снова затих, подбирая слова.

— Джуд, я — мы — мы знаем тебя уже почти десять лет, — наконец вымолвил Гарольд и посмотрел сначала на него, потом в сторону, куда-то над головой Джулии. — И за эти годы мы, мы оба, очень к тебе привязались. Ты наш друг, разумеется, но мы считаем тебя не только другом; больше чем другом. — Он посмотрел на Джулию, и она снова ему кивнула. — Так что не сочти нас слишком… самонадеянными, что ли, но мы хотели спросить, как ты отнесешься к тому, чтобы мы тебя, так сказать, усыновили. — Он снова повернулся к нему и улыбнулся. — С юридической точки зрения ты будешь наш сын и наследник, и когда-нибудь все это, — он сделал неуклю-же-широкий жест свободной рукой, — будет твоим, если захочешь.

Он молчал. Он не мог говорить, не мог реагировать; он не чувствовал собственного лица, не знал, какое выражение на нем застыло, и Джулия поспешила на помощь.

— Джуд, — сказала она, — если ты этого не хочешь — не важно почему, — мы поймем, не беспокойся. Мы понимаем, это большое дело. Если ты отка-жешься, наше отношение к тебе не изменится, правда же, Гарольд? Ты все-гда, всегда будешь у нас желанным гостем, и мы надеемся, что ты навсе-гда останешься в нашей жизни. Честное слово, Джуд, мы не рассердимся, а ты нам ничего не должен. — Она взглянула на него. — Может, тебе нужно время, чтобы подумать?

И тогда он почувствовал, что онемение отступает, но как будто в отместку руки начали трястись, и он схватил диванную подушку и обхватил ее, чтобы спрятать руки. Он несколько раз пытался что-то сказать и не мог, и смог наконец, только не глядя на них.

— Мне не надо думать, — сказал он, и собственный голос показался ему чужим и тонким. — Гарольд, Джулия — да вы смеетесь? Нет ничего, ничего на свете, чего бы я больше хотел. Всю жизнь. Я просто никогда не думал… — Он остановился; получалось сбивчиво. С минуту они все сидели тихо, пока он наконец не поднял на них глаза. — Я думал, вы мне скажете, что больше не хотите со мной дружить.

— Ох, Джуд, — сказала Джулия, а Гарольд недоуменно нахмурился.

— С чего ты вообще взял? — спросил он.

Но он покачал головой, не в силах им этого объяснить.

Они снова замолчали, а потом все заулыбались — Джулия Гарольду, Гарольд ему, он в подушку, — не зная, чем завершить эту сцену, что делать дальше. Наконец Джулия хлопнула в ладоши и встала.

— Шампанского! — сказала она и вышла из комнаты.

Они с Гарольдом тоже встали и посмотрели друг на друга.

— Ты уверен? — тихо спросил его Гарольд.

— Да уж не меньше, чем ты, — ответил он так же тихо. Тут можно было неостроумно и банально пошутить — так это все было похоже на предло-жение руки и сердца, — но у него не хватило духу.

— Ты понимаешь, что будешь с нами связан на всю жизнь, — с улыбкой ска-зал Гарольд и положил руку ему на плечо, а он кивнул. Он надеялся, что

Гарольд не скажет больше ни слова, потому что иначе его вырвет, он заплачет, упадет в обморок, заорет или испепелится. Он внезапно осознал, как
он вымотан, как полностью выжат — не только беспокойством последних
нескольких недель, но и желанием, тоской, жаждой последних тридцати
лет, как бы он ни говорил себе, что ему все равно, — так что, после того как
они подняли бокалы и поздравили друг друга и сначала Джулия, а потом
Гарольд его обняли — прикосновение Гарольда оказалось таким незнакомым
и интимным, что он едва не вывернулся из его рук, — он испытал облегчение, когда Гарольд велел ему забыть о дурацких тарелках и идти спать.

В спальне он пролежал полчаса, прежде чем вспомнил о телефоне. Ему
было необходимо ощутить каркас кровати, прикосновение хлопкового
покрывала к щеке, знакомую податливость матраса. Ему было необходимо
убедиться, что это все его мир, и он все еще в нем, и случившееся действительно случилось. Он внезапно вспомнил свой давний разговор с братом
Петром: он спросил, усыновят ли его когда-нибудь или нет, и брат рассмеялся и сказал "нет" так убежденно, что больше он никогда такого вопроса
не задавал. И хотя он был, наверное, еще совсем мал, он очень ясно помнил,
что ответ брата только укрепил его решимость, хотя, конечно, он абсолютно
никак не мог повлиять на то, как все обернется.

Он так разволновался, что позвонил Виллему, забыв, что тот уже на сцене,
но когда в антракте Виллем перезвонил, он все так же лежал на кровати,
так же свернувшись запятой, так же придерживая телефон ладонью.
— Джуд, — выдохнул Виллем, и он слышал, как искренне Виллем за него
счастлив. Только Виллем — и Энди, и до некоторой степени Гарольд —
хотя бы смутно представляли очертания его детства: монастырь, приют,
жизнь у Дугласов. Со всеми остальными он старался быть уклончивым
насколько возможно, а потом говорил, что потерял родителей в раннем
детстве и вырос в приемных семьях, что обычно останавливало дальней-
шие расспросы. Но Виллем знал несколько больше; Виллем знал, что это
его самое невообразимое, самое страстное желание.
— Джуд, это потрясающе. Ты как себя чувствуешь?
Он попытался посмеяться.
— Чувствую, что я все запорю.
— Не запорешь. — Они оба помолчали. — Я даже не знал, что можно усы-
новить совершеннолетнего.
— Ну это экзотика, но можно. Если обе стороны согласны. Обычно делается
из соображений наследства. — Он снова попытался засмеяться и обругал
себя: *перестань делать вид, что смеешься.* — Я это когда-то проходил по семей-
ному праву, помню смутно, но знаю, что мне полагается новое свидетельство о рождении с их именами.

— Ух ты, — сказал Виллем.

— Вот-вот.

Он услышал, как издалека кто-то строго позвал Виллема.

— Тебе пора, — сказал он Виллему.

— Черт, — ответил Виллем. — Но, Джуд, слушай, поздравляю. Ты заслуживаешь этого больше всех на свете. — Он крикнул кому-то "иду!". — Мне пора, — сказал он. — Можно я напишу Гарольду и Джулии?

— Конечно. Только, Виллем, не говори остальным, ладно? Мне надо с этим как-то сначала освоиться.

— Ни слова не скажу. Завтра увидимся. Джуд… — Виллем замолчал, не смог продолжить фразу.

— Ага, — ответил он. — Я знаю, Виллем. Я тоже это чувствую.

— Я люблю тебя, — сказал Виллем и сразу отключился.

Он никогда не знал, что ответить Виллему на эти слова, но всегда хотел их услышать. Это был вечер невозможных событий, и он боролся со сном, чтобы оставаться в сознании как можно дольше, чтобы снова прокрутить в уме все, что с ним произошло, и насладиться тем, как желания всей его жизни сбылись за несколько часов.

На следующий день, вернувшись домой, он обнаружил записку от Виллема, который просил дождаться его, а потом Виллем пришел с мороженым и морковным пирогом, и они все съели, хотя сладкое особенно не любили, и с шампанским, которое они выпили, хотя на следующий день ему надо было рано вставать. Пронеслось несколько недель: Гарольд занимался бюрократическими процедурами и посылал ему формуляры на подпись: запрос об усыновлении, заявление о смене свидетельства о рождении, запрос о его потенциальных судимостях, который он отнес в банк к нотариусу на заверение в обеденный перерыв. Он хотел, чтобы на работе об этом знали только те, кому он сообщил сам: Маршалл, Ситизен и Родс. Он рассказал Малкольму и Джей-Би, и они, с одной стороны, отреагировали в точности как он ожидал — Джей-Би выдал лавину несмешных шуток со скоростью почти невротической, как будто надеялся, что какая-нибудь из них в конце концов окажется удачной, Малкольм задал много крючкотворских вопросов о разных гипотетических сторонах дела, на которые он не мог ответить, — а с другой стороны, оба искренне за него порадовались. Он сказал Черному Генри Янгу, который в юридической школе ходил на два семинара к Гарольду и восхищался им, и Ричарду, другу Джей-Би, с которым он сблизился после особо затянувшейся и нудной вечеринки у Эзры год назад, где они оказались самыми трезвыми — разговор начался с системы социального обеспечения во Франции и перекинулся на другие темы. Он рассказал Федре, которая завизжала, и еще одному старинному университетскому другу, Илайдже, который тоже завизжал.

И конечно, он рассказал Энди, который сначала просто уставился на него и кивнул, как будто он попросил наложить ему еще одну повязку под конец рабочего дня. Но потом стал издавать причудливые тюленьи звуки, то ли лай, то ли чихание, и он понял, что Энди плачет. Это зрелище вызвало в нем ужас и легкую панику; он не знал, что делать. "Марш отсюда, — скомандовал Энди в промежутке между всхлипами. — Я серьезно, Джуд, исчезни", — и он послушался. На следующий день на работе курьер вручил ему букет роз размером с куст гардении и записку, написанную сердитым угловатым почерком:

ДЖУД МНЕ ТАК НЕЛОВКО ЧТО Я С ТРУДОМ ПИШУ. ПОЖАЛУЙСТА ПРОСТИ МЕНЯ ЗА ВЧЕРАШНЕЕ. Я ДИКО СЧАСТЛИВ ЗА ТЕБЯ ЕДИНСТВЕННЫЙ ВОПРОС КАКОГО ХРЕНА ГАРОЛЬД СТОЛЬКО ТЯНУЛ. НАДЕЮСЬ ТЫ ВОСПРИМЕШЬ ЭТО КАК ЗНАК ЧТО ТЕБЕ НАДО О СЕБЕ ЗАБОТИТЬСЯ КАК СЛЕДУЕТ ЧТОБЫ ХВАТИЛО СИЛ МЕНЯТЬ ГАРОЛЬДУ ПОДГУЗНИКИ КОГДА ЕМУ СТУКНЕТ ТЫСЯЧА ЛЕТ И ОН БУДЕТ ХОДИТЬ ПОД СЕБЯ ВЕДЬ ТЫ ЗНАЕШЬ ОН НЕ СТАНЕТ ОБЛЕГЧАТЬ ТЕБЕ ЖИЗНЬ И НЕ ПОМРЕТ В НОРМАЛЬНОМ ПОЧТЕННОМ ВОЗРАСТЕ КАК ВСЕ ЛЮДИ. ПОВЕРЬ МНЕ РОДИТЕЛИ В ЭТОМ СМЫСЛЕ СТРАШНЫЙ ГЕМОРРОЙ. (НО И БОЛЬШАЯ РАДОСТЬ, КОНЕЧНО) С ЛЮБОВЬЮ, ЭНДИ

Они с Виллемом единодушно решили, что письма лучше им читать не доводилось.

Но потом месяц эйфории прошел, настал январь, Виллем уехал на съемки в Болгарию, и старые страхи возвратились, на этот раз в компании новых. Судебное заседание назначено на пятнадцатое февраля, сказал Гарольд, и после небольших перестановок председательствовать должен был Лоренс. Теперь, когда срок приблизился, он остро, неотступно осознавал, что может все испортить, и поэтому начал — сначала бессознательно, а позже маниакально — избегать Гарольда и Джулии, уверенный, что если им слишком часто напоминать, во что они ввязываются, то они передумают. Когда во вторую неделю января они приехали в Нью-Йорк, чтобы сходить в театр, он сделал вид, что уехал в Вашингтон в командировку, а еженедельные телефонные разговоры с ними старался сокращать и заканчивать поскорее. Каждый день невозможность происходящего казалась ему все более очевидной, все более отчетливой; каждый раз, когда он краем глаза замечал в окне какого-нибудь здания, как его отражение ковыляет уродливой походкой зомби, он с отвращением думал: кому же такое может понадобиться? Мысль, что он может стать членом чьей-нибудь семьи, становилась все смехотворнее, и если Гарольд увидит его хотя бы еще разок, он неизбежно придет к такому же выводу. Он знал, что формально это не очень важно — в конце концов, он взрослый; он знал, что усыновление — акт скорее церемониальный, нежели социально значимый; но он хотел этого с упорной страстью, наперекор логике, и не мог пережить, что сейчас у него это отнимут, сейчас, когда все небезразличные ему люди так счастливы за него, сейчас, когда его желание вот-вот исполнится.

Однажды оно чуть было не исполнилось. Через год после его прибытия в Монтану, когда ему было тринадцать, его приют участвовал в объединенной усыновительной ярмарке трех штатов. Ноябрь был объявлен Национальным месяцем приемных детей, и как-то раз, холодным утром, им велели опрятно одеться, спешно погрузили в два школьных автобуса и два часа везли в Мизулу, а там вывели из автобусов и провели в конференц-зал гостиницы. Их автобусы прибыли последними, и зал уже был полон детей — мальчики с одной стороны, девочки с другой. В центре зала длинной полосой расположились составленные друг за другом столы, и, проходя на указанное место, он увидел, что на столах лежат папки с наклейками: "Мальчики-младенцы"; "Мальчики-ясельники"; "Мальчики 4–6"; "Мальчики 7–9"; "Мальчики 10–12"; "Мальчики 13–15"; "Мальчики 15+". В папках, сказали им, документы с их фотографиями, именами и другой информацией: откуда они, к какой этнической группе относятся, как учатся, каким спортом занимаются, какие у них способности и интересы. Что же, подумал он, сообщают его документы? Какие таланты ему придумали, какую расу, какое происхождение?

Старшие мальчики, те, чьи имена и лица были собраны в папке "15+", знали, что их ни за что не усыновят, и стоило воспитателям отвернуться, улизнули через запасной выход, чтобы накуриться. От младенцев и ясельников ничего не требовалось — их выберут первыми, а они об этом даже не знают. Глядя из угла, куда он забился, он обратил внимание, что у некоторых мальчиков — тех, кто по возрасту уже бывал на таких ярмарках, но еще не совсем перерос иллюзии — разработаны стратегии. Он видел, как мрачные становились улыбчивыми, как злобные обидчики становились веселыми и игривыми, как мальчики, которые обычно друг друга ненавидели, вдруг начинали играть и болтать с убедительным дружелюбием. Он видел, как мальчики, которые грубят воспитателям и обзывают друг друга в коридорах, улыбаются и учтиво беседуют со взрослыми, с потенциальными родителями, заходящими в зал. Он видел, как самый злобный, самый грубый из мальчишек, четырнадцатилетний Шон, который однажды повалил его на пол в туалете и держал, упершись коленями ему в лопатки, ткнул пальцем в карточку на груди, когда семейная пара, с которой он только что беседовал, направилась к столам с папками. "Шон! — крикнул он им вслед, явно пытаясь казаться вежливо-равнодушным. — Шон Грэди!" И что-то в хриплом, полном надежды голосе заставило его впервые пожалеть Шона и одновременно разозлиться на супругов, которые, как он заметил, на самом деле листали папку "Мальчики 7–9". Но такие чувства проходили быстро, потому что он в то время приучал себя не чувствовать ничего: ни голода, ни боли, ни гнева, ни грусти.

У него не было в запасе хитростей, не было умений, он никого не мог очаровать. Он попал в приют таким заторможенным, что в ноябре предыдущего года его даже не взяли на ярмарку, да и теперь, год спустя, вряд ли стало намного лучше. Он все реже вспоминал брата Луку, это правда, но дни за пределами классной комнаты смазывались в один; чаще всего он просто плыл по течению, стараясь притвориться, будто не имеет никакого отношения к собственной жизни, мечтая стать невидимым, надеясь, что никто его не заметит. С ним что-то делали, но он не буйствовал, как когда-то; порой, когда его били, в его душе — в той степени, в какой она еще могла на что-то реагировать — возникал вопрос, как отнеслись бы братья к нему нынешнему: его вспышки гнева, его истерики, его сопротивление — все куда-то ушло. Он стал тем мальчиком, каким они всегда хотели его сделать. Теперь он хотел быть перышком на ветру, чем-то легким, тонким, бесплотным, не занимающим места в пространстве.

Поэтому он удивился — не меньше, чем воспитатели, — когда оказалось, что он вошел в число выбранных детей (его выбрала семья Лири). Заметил ли он мужчину и женщину, смотревших на него, может быть даже улыбавшихся ему? Возможно. Но день прошел, как почти все дни, в тумане, и уже в автобусе, возвращаясь в приют, он начал старательно обо всем забывать.

Он должен был провести пробный уикенд — перед Днем благодарения — у Лири, чтобы стало понятно, как они друг другу понравятся. В четверг воспитатель по имени Бойд отвез его к ним. Бойд преподавал ремесла и сантехнику; они не были близко знакомы, но, конечно, Бойд был в курсе того, что делали с ним другие воспитатели; он их никогда не останавливал, но никогда и не присоединялся.

Но когда он вылез из машины возле дома Лири — одноэтажной кирпичной постройки, окруженной со всех сторон незасеянными, темными полями, — Бойд схватил его за руку и подтащил к себе, вытряхнув из забытья.

— Не просри свой шанс, Сент-Фрэнсис, — сказал он. — Это твой шанс, понял?

— Да, сэр, — ответил он.

— Ну вали, — сказал Бойд и отпустил его, и он зашагал к миссис Лири, которая ждала на пороге дома.

Миссис Лири была тучной, а ее муж — просто крупным, с огромными, похожими на молотки красными кулачищами. У них было две дочери, обеим за двадцать, обе замужем, поэтому они решили, что неплохо бы иметь в доме паренька, который помогал бы мистеру Лири — тот занимался починкой крупной сельскохозяйственной техники и сам тоже фермерствовал — работать в поле. Они выбрали его, сказали они, потому что он показался им тихим и вежливым, а буйные им не нужны; им нужен человек трудолюбивый, который ценит дом и крышу над головой. В папке они прочли, что он умеет выполнять разную работу, умеет делать уборку и хорошо проявил себя в приусадебном хозяйстве приюта.

— Вот имя у тебя необычное, — сказала миссис Лири.

Ему так никогда не казалось, но он ответил:

— Да, мэм.

— Как ты считаешь, можно тебя звать по-другому? — спросила миссис Лири. — Например, может быть, Коди? Мне всегда нравилось имя Коди. Оно как-то не такое… ну, больше нам подходит, мне кажется.

— Коди — хорошее имя, — сказал он, хотя на самом деле никакого мнения на этот счет не имел: Джуд, Коди, какая разница, как его зовут.

— Ну вот и хорошо, — сказала миссис Лири.

Ночью, оставшись один, он повторил это имя вслух: Коди Лири. Коди Лири. Возможно ли войти в дом одним человеком, а потом, как в зачарованном краю, превратиться в другого? И так просто, так быстро? Исчезнет Джуд Сент-Фрэнсис, а с ним — брат Лука, и брат Петр, и отец Гавриил, и монастырь, и воспитатели из приюта, и его стыд, страхи, грязь, и вместо них появится Коди Лири, у которого есть родители, собственная комната и возможность стать кем он захочет.

Остаток выходных прошел спокойно — так спокойно, что с каждым днем, с каждым часом ему казалось, что какие-то частицы его бытия возвращаются к жизни, что тучи, которые он собрал вокруг себя, расходятся и исчезают, что он смотрит в будущее и представляет себе свое место в нем. Он изо всех сил старался быть вежливым и усердным, и это было несложно: он вставал рано утром и готовил супругам завтрак (миссис Лири расхваливала его так шумно и так безудержно, что он смущенно улыбался, глядя в пол), потом мыл посуду, помогал мистеру Лири удалить смазку с инструментов, вкрутить новую лампочку, и хотя были и вещи, которые ему не нравились — скучная церковная служба, на которую они пошли в воскресенье, молитвы, которые нужно было прочитать, прежде чем его отпускали спать, — они не были хуже того, что ему не нравилось в приюте, и он мог все это проделывать, не выглядя недовольным или неблагодарным. Он чувствовал, что Лири не будут такими родителями, о каких пишут в книгах, родителями, о каких он страстно мечтал, но он умел быть усердным, умел предупреждать их желания. Его по-прежнему пугали огромные красные руки мистера Лири, и, оставаясь с ним наедине в коровнике, он то и дело напряженно вздрагивал, но, по крайней мере, здесь нужно было опасаться только мистера Лири, а не целой толпы мистеров Лири как раньше, как в приюте.

Когда вечером в воскресенье Бойд забрал его, он был доволен своими успехами и даже чувствовал себя уверенно.

— Как прошло? — спросил Бойд, и он, не лукавя, ответил:

— Хорошо.

Миссис Лири попрощалась с ним словами: "Есть у меня чувство, что мы очень скоро будем видеться гораздо чаще, Коди", — и он не сомневался, что в понедельник они позвонят и вскоре, может быть, уже к пятнице, он станет Коди Лири, а приют превратится в очередное воспоминание. Но понедельник прошел, а за ним вторник и среда, наступила новая неделя, а его все не вызывали к директору, и письмо, которое он написал мистеру и миссис Лири, оставалось без ответа, и каждый день стоянка возле спального корпуса была все такой же темной и пустой, и никто за ним не приезжал.

Прошло две недели после тех выходных, и он пошел к Бойду, зная, что по четвергам тот остается в своей мастерской допоздна. Весь ужин он прождал под дверью на скрипучем снегу, пока наконец Бойд не вышел из здания.

— Господи, — сказал Бойд, свернув за угол и чуть не налетев на него. — Ты почему до сих пор не в спальном корпусе, Сент-Фрэнсис?

— Скажите, — взмолился он, — скажите, Лири за мной приедут?

Но ответ был очевиден еще до того, как он взглянул Бойду в лицо.

— Они передумали, — сказал Бойд, и хотя ни воспитатели, ни мальчики не находили в нем особой доброты, в тот момент голос его был почти добр. — Забудь, Сент-Фрэнсис. Не вышло. — Бойд протянул руку в его сторону, но он отшатнулся, и Бойд, покачав головой, пошел восвояси.

— Подождите! — крикнул он, встряхнувшись и пробираясь через снег по следам Бойда. — Я попробую снова. Скажите, что я сделал не так, и я попробую еще раз.

Он чувствовал, как в нем поднимается прежняя истерика, дух того мальчишки, который впадал в буйство и орал, который своими воплями умел привести в онемение полную комнату народу.

Но Бойд снова покачал головой.

— Так не бывает, Сент-Фрэнсис, — сказал он, потом остановился и посмотрел прямо на него. — Послушай. Пройдет несколько лет, и ты отсюда уйдешь. Я понимаю, это кажется очень долго; на самом деле недолго. Ты будешь взрослый, сможешь делать что захочешь. Надо просто переждать эти несколько лет. — И он отвернулся уже окончательно и зашагал прочь. — Как? — крикнул он вслед Бойду. — Бойд, скажите мне как! Как, Бойд, как? — Хотя воспитателя следовало называть "сэр", а не "Бойд".

В тот вечер он закатил первую за несколько лет истерику, и хотя наказание за нее было в общем-то такое же, как в монастыре, освобождение, чувство полета, некогда ему знакомое, ушло: теперь он знал, как все устроено, и крики не могли ничего изменить, и все, чего он добился своим ором, — это возвращения к себе же, так что каждая вспышка боли и каждое оскорбление казались более острыми, яркими, прилипчивыми, громкими, чем раньше.

Он так никогда и не узнал, что сделал не так в те выходные у Лири. Он не узнал, мог ли он на что-нибудь повлиять или нет. И из всех воспоминаний монастырских и приютских времен, которые он методично вымарывал, он усерднее всего стремился стереть тот уикенд, забыть особый стыд тех мгновений, когда он вздумал счесть себя кем-то другим.

Но, конечно, теперь, когда до судебного заседания оставалось шесть недель, пять недель, четыре недели, он постоянно вспоминал об этом. Без Виллема, пока некому было следить за его режимом и образом жизни, он не ложился, пока не начинало светать, и чистил все, что мог: отдраивал зубной щеткой пол под холодильником, отбеливал затирку в тонких швах между плитками кафеля в ванной. Он занимался уборкой, чтобы не резать себя, потому что за бритву он хватался так часто, что и сам понимал, какое это разрушительное безумие, и сам пугался — и того, что делал, и того, что не мог себя контролировать. Он стал использовать новый метод: прикасался лезвием к коже и нажимал, вгоняя его как можно глубже, чтобы потом, убрав бритву — которая торчала, как топор из пня, — на полсекунды раздвинуть плоть и увидеть чистую белую ложбинку, похожую на брусок сала, прежде чем кровь хлынет, заполняя порез. У него кружилась голова, как будто его накачали гелием; у еды был гнилой вкус, и он перестал есть без крайней необходимости. Он оставался на работе, пока ночные уборщицы не начинали по-мышиному шуршать в коридорах, а потом не спал дома; он просыпался с таким сердцебиением, что приходилось жадно глотать воздух, чтобы успокоиться. Только работа и звонки Виллема удерживали его в относительной вменяемости, иначе он не выходил бы из дома и резал себя, срезая целые пирамиды плоти с рук и спуская их в канализацию. Ему представлялось, что он срезает с себя сначала плоть на руках, потом на ногах, потом с груди, с шеи, с лица, и вот остаются одни кости, скелет, который двигается, дышит и ковыляет по жизни на пористых, хрупких ногах.

Он снова ходил к Энди раз в шесть недель и уже дважды откладывал последний визит, потому что боялся того, что Энди ему скажет. Но в конце концов, когда до судебного заседания оставалось меньше четырех недель, он поехал к нему в приемную; пока он сидел в смотровой, Энди высунулся из кабинета и сообщил, что задерживается.

— Не торопись, — отозвался он.

Энди оглядел его, нахмурившись.

— Я быстро, — сказал он наконец и исчез.

Несколько минут спустя в смотровую зашла Калли, медсестра, работавшая с Энди.

— Привет, Джуд, — сказала она. — Доктор попросил, чтобы я вас взвесила. Можете встать на весы?

Он не хотел взвешиваться, но понимал, что Калли не виновата, не она это придумала, так что он тяжело слез со стола, встал на весы, даже не взглянув на показания, а Калли что-то записала в его карту, поблагодарила и вышла.

— Ну, — спросил Энди, вернувшись и изучив его карту, — с чего начнем — с резкой потери веса или с усиленного членовредительства?

Он не знал, что на это ответить.

— Почему ты решил, что оно усиленное?

— Да я всегда знаю, — ответил Энди. — У тебя, ну, под глазами синеет. Ты, наверное, сам не замечаешь. И ты надел свитер поверх халата. Ты так делаешь, когда дела плохи.

— А, — сказал он. Он действительно этого не замечал.

Они помолчали. Энди подвинул табуретку ближе к столу и спросил:

— Когда назначили?

— На пятнадцатое февраля.

— Ага, — сказал Энди. — Скоро уже.

— Да.

— И что тебя тревожит?

— Меня тревожит... — начал он, и остановился, и попытался снова. — Меня тревожит, что, если Гарольд обнаружит, кто я на самом деле, он не захочет... — Он запнулся. — И я не знаю, что хуже — если он узнает заранее, и тогда он точно от меня откажется, или если узнает потом и поймет, что я его обманываю.

Он вздохнул; он никак не мог это сформулировать, а теперь сформулировал и понял, что именно этого и боится.

— Джуд, — осторожно сказал Энди, — что с тобой, по-твоему, не так, чтобы Гарольд не захотел тебя усыновлять?

— Энди, — взмолился он, — не заставляй меня об этом говорить.

— Но я правда не знаю!

— Я всякое делал, — сказал он, — я заработал этим болезни. — Он запнулся, охваченный ненавистью к себе. — Это отвратительно. Я отвратительный.

— Джуд, — начал Энди; он произносил несколько слов и останавливался, как будто осторожно и медленно шел по заминированной лужайке. — Ты был ребенком. Младенцем. С тобой это делали другие. Тебе не за что, вообще не за что винить себя. Ни при каких обстоятельствах, ни в какой вселенной. — Энди посмотрел на него. — И даже если бы ты не был ребенком, если бы ты был развратный мужик, который трахал все, что движется, и заработал кучу венерических заболеваний, все равно стыдиться было бы нечего. — Он вздохнул. — Попробуй мне поверить, а?

Он помотал головой.

— Не знаю.

— А я знаю, — грустно сказал Энди. — Сходил бы ты к психотерапевту, Джуд. — Он не отвечал, и через несколько минут Энди встал. — Ну, — сказал он решительно, — показывай.

И он снял свитер и вытянул руки.

По выражению лица Энди он понял, что там все хуже, чем он ожидал; он старался смотреть на себя как на что-то незнакомое и вспышками видел то, что видел Энди: куски пластырей на свежих порезах, полузатянувшиеся шрамы с хрупкой пленкой формирующейся рубцовой такни, один воспалившийся порез, над которым наросла заметная шапка засохшего гноя.

— Так, — сказал Энди после долгого молчания, почти закончив обрабатывать правую руку — он промыл воспалившийся порез и смазал остальные антибактериальным кремом, — а что мы будем делать с резкой потерей веса?

— Ну не такая уж она резкая.

— Джуд, — сказал Энди, — двенадцать фунтов меньше чем за восемь недель — это резкая потеря; те двенадцать фунтов тоже не сказать чтобы были лишние.

— Мне просто не хочется есть, — сказал он, помолчав.

Энди не говорил больше ничего, пока не обработал обе руки. Потом он вздохнул, снова сел и стал что-то писать в блокноте.

— Я хочу, чтобы ты три раза в день нормально питался, Джуд, — сказал он, — плюс ел что-то из этого списка. Каждый день. Это в дополнение к обычной еде, ты понял? Иначе я позвоню твоей банде и заставлю их сидеть с тобой за завтраком, обедом и ужином и следить за тем, как ты поел. Ты этого хочешь? Не думаю. — Он вырвал листок из блокнота. — Вот, возьми. И ты явишься сюда на следующей неделе. Никаких отговорок.

Он посмотрел на список — СЭНДВИЧ С АРАХИСОВЫМ МАСЛОМ. СЭНДВИЧ С СЫРОМ. СЭНДВИЧ С АВОКАДО. 3 ЯЙЦА (С ЖЕЛТКАМИ!!!). БАНАНОВЫЙ СМУЗИ — и сунул его в карман брюк.

— И вот еще какая штука, — сказал Энди. — Когда ты проснешься среди ночи и захочешь порезаться, позвони мне вместо этого. Мне плевать, во сколько, позвони, хорошо?

Он кивнул.

— Я серьезно, Джуд.

— Прости, Энди, — сказал он.

— Ага, — сказал Энди. — Но ты не должен просить прощения. У меня-то уж точно нет.

— У Гарольда.

— Нет, — возразил Энди. — И у Гарольда тоже нет. Только у себя самого.

Он пошел домой и там жевал банан, пока банан не превратился в грязь во рту, и тогда он переоделся и продолжил мыть окна в гостиной, за которые взялся еще прошлым вечером. Он оттирал их, подвинув диван поближе, чтобы можно было встать на подлокотник, не обращал внимания на прострелы в спине, когда карабкался вверх и вниз и медленно таскал ведра грязно-серой воды в ванную. Когда он закончил уборку в гостиной и комнате Виллема, у него все болело так, что до ванной пришлось ползти, и там он, порезав себя, замер, держа руку над головой и завернувшись в напольный коврик. Когда зазвонил телефон, он приподнялся, тупо огляделся вокруг и со стоном потащился в спальню — на часах было три часа ночи, — где услышал в трубке раздраженный, но бодрый голос Энди.

— Я опоздал, — догадался Энди.

Он ничего не ответил.

— Джуд, послушай, — сказал Энди, — если ты не прекратишь, мне придется тебя сдать в больницу. И я позвоню Гарольду и объясню ему, в чем дело. Можешь не сомневаться. И потом — ты не устал от этого, Джуд? Ты не должен это делать с собой. Не должен.

Он не знал, в чем было дело — может быть, просто в том, как спокоен был голос Энди, как четко он сформулировал свое обещание, не оставляя сомнений, что шутки кончились (а раньше было не так), или, может быть, он просто понял, что действительно устал, так устал, что наконец-то готов подчиниться приказу, — но в течение следующей недели он делал что было велено. Он ел по расписанию, хотя еда по каким-то странным алхимическим законам превращалась в грязь, в требуху: он заставлял себя жевать и глотать, жевать и глотать. Порции были невелики, но он ел. Энди звонил каждую ночь, в полночь, а Виллем каждое утро в шесть (у него не хватало духу спросить, позвонил ли Энди Виллему, а Виллем сам не говорил). Время между звонками было самым тяжелым, и хотя он не мог полностью отказаться от бритвы, он ставил себе ограничения: два пореза, и все. Без лезвий его тянуло к более ранним способам наказания — прежде чем его научили резать себя, он одно время бился о стену возле комнаты мотеля, где они жили с братом Лукой, бился снова и снова, пока не опускался, обессиленный, на пол, и левый бок у него был постоянно сине-пурпурно-коричневым от синяков. Теперь он так не делал, но помнил это ощущение, помнил освобождающий удар тела о стену, жутковатое удовольствие от столкновения с чем-то столь неподвижным.

В пятницу он пошел к Энди, который его не похвалил (он не поправился), но и нотации читать не стал (он не похудел), а на следующий день вылетел в Бостон. Он никому не сказал, что едет, даже Гарольду. Он знал, что Джулия на конференции в Коста-Рике; знал, что Гарольд будет дома.

Шесть лет назад Джулия дала ему ключи — тогда он должен был приехать на День благодарения, а они оба были заняты на кафедральных заседаниях, — поэтому он сам вошел в дом, налил себе воды и уставился на сад позади дома, стоя со стаканом в руке. Еще не было двенадцати, Гарольд в это время играл в теннис, поэтому он отправился в гостиную, чтобы подождать там, но уснул, а проснулся оттого, что Гарольд тряс его за плечо и настойчиво звал.

— Гарольд, — сказал он, выпрямляясь. — Прости, прости. Мне следовало позвонить.

— Господи, — проговорил Гарольд, тяжело дыша; от него остро пахло холодом. — Джуд, что случилось? Ты в порядке?

— Все хорошо, все хорошо, — повторял он, заранее слыша, какую глупость сейчас скажет. — Я просто решил заскочить.

— Ну… — протянул Гарольд и ненадолго умолк. — Я рад тебя видеть. — Он сел в свое кресло и посмотрел на него. — Ты в эти недели как-то отбился от рук.

— Знаю, — сказал он. — Прости.

Гарольд пожал плечами.

— Да что тут извиняться. Я рад, что ты в порядке.

— Да, — сказал он. — Я в порядке.

Гарольд наклонил голову набок.

— Выглядишь ты неважно.

Он улыбнулся:

— Переболел гриппом. — Он посмотрел на потолок, как будто там можно было прочитать нужные реплики. — Форзиция-то совсем завалилась.

— Ага. Зима была ветреная.

— Хочешь, помогу тебе ее подпереть?

Гарольд уставился на него долгим взглядом, слегка двигая челюстью, как будто одновременно пытался что-то сказать и промолчать. Наконец сказал:
— Ну пошли.

На улице было невыносимо холодно, и они оба зашмыгали носом. Он придерживал колышек, а Гарольд вбивал его в землю; почва так замерзла, что рассыпалась глиняными черепками. Когда колышек вошел достаточно глубоко, Гарольд протянул ему веревку, и он стал привязывать центральные стебли кустарника к колышку — плотно, чтобы они больше не упали, но не настолько плотно, чтобы им было тесно. Он двигался медленно, проверяя, крепко ли завязаны узлы, отламывая безнадежные ветки, которые погнулись слишком сильно.

— Гарольд, — начал он, подвязав полкуста, — я хотел тебе кое-что сказать, но… не знаю, с чего начать. — *Идиот*, обругал он себя. *Какая идиотская идея. Какой ты был идиот, когда решил, что все это вообще возможно.* Он открыл рот, чтобы продолжать, и закрыл его, и открыл снова: он стал рыбой, тупо пускающей пузыри; он сокрушался, что пришел, что заговорил.

— Джуд, — сказал Гарольд, — говори. Что угодно, говори. — Он осекся. — Ты засомневался?

— Нет, — ответил он. — Нет, даже близко нет. — Они оба помолчали. — А ты?

— Нет, конечно нет.

Он подвязал последнюю ветку и с усилием поднялся на ноги; Гарольд не стал ему помогать.

— Я не хочу тебе этого говорить, — сказал он и посмотрел на форзицию, на ее голое разлапистое уродство. — Но надо — надо, потому что не хочу тебя обманывать. Понимаешь, Гарольд, ты думаешь про меня: вот, он такой человек. А я не такой.

Гарольд тихо спросил:

— Я думаю, что ты какой человек?

— Хороший человек. Порядочный.

— Что ж, — сказал Гарольд, — ты прав. Я действительно так думаю.

— Но я не такой, — сказал он и почувствовал, как его глаза наполняются жаром, несмотря на мороз. — Я делал то, что… что хорошие люди не делают, — неловко продолжил он. — И ты должен знать это обо мне. Знать, что я делал ужасные вещи, которых стыжусь, и если бы ты об этом знал, тебе было бы стыдно общаться со мной, я уж не говорю — принять в семью.

— Джуд, — ответил наконец Гарольд, — я не могу представить себе ничего, что изменило бы мое отношение к тебе. Мне все равно, что ты делал раньше. Нет, неправда, мне не все равно: я хотел бы услышать твой рассказ о жизни до нашего знакомства. Но мне всегда казалось — я был уверен, — что ты не хочешь об этом говорить. — Он сделал паузу, подождал. — Ты хочешь об этом поговорить? Хочешь мне рассказать?

Он помотал головой. Он хотел и не хотел одновременно.

— Не могу, — сказал он. Ниже поясницы пробивался первый зуд дискомфорта, темный росток, расправляющий колючие ветки. *Не сейчас*, взмолился он про себя, *не сейчас* — мольбой столь же бессмысленной, как та мольба, которую он на самом деле имел в виду: *не сейчас и никогда.*

— Что ж, — вздохнул Гарольд, — в отсутствие конкретики я не могу успокоить тебя конкретно, поэтому позволь мне тебя успокоить тотально и всеохватно, надеюсь, что ты мне поверишь. Джуд, что бы ты ни делал, расскажешь ты мне об этом когда-нибудь или нет, клянусь, это никогда не заставит меня пожалеть о том, что я решил с тобой породниться и породнился. — Он глубоко вздохнул и поднял правую руку. — Джуд Сент-Фрэнсис, как твой будущий родитель сим отпускаю тебе все — все, в чем ты ищешь отпущения.

Этого ли он хотел? Отпущения грехов? Он смотрел прямо в лицо Гарольда, такое знакомое, что, закрыв глаза, мог бы вспомнить каждую морщину, — лицо, которое осталось серьезным и неулыбающимся, несмотря на вычурность и официальность заявления. Мог ли он поверить Гарольду? Самое трудное — не обрести знание, однажды сказал ему брат Лука, когда он признался, что ему нелегко верить в Бога. Самое трудное — это поверить в знание. Он чувствовал, что снова потерпел поражение: не смог как следует покаяться, не смог заранее решить, что хочет услышать в ответ. Разве не было бы по-своему проще, если бы Гарольд признал его правоту и согласился, что усыновление, пожалуй, стоит отложить? Конечно, он был бы в отчаянии, но это знакомое чувство, понятное. Отказ Гарольда отпустить его выстраивал будущее, которого он не мог вообразить, будущее, в котором кто-то по-настоящему хочет быть с ним всегда, а с такой реальностью он до сих пор не сталкивался, для нее у него не было подготовки, не было разметки. Гарольд поведет его за собой, он пойдет следом, а однажды он проснется, и Гарольда не будет, и он окажется беззащитным и одиноким в чужом краю, и некому будет отвести его домой.

Гарольд ждал ответа, но боль больше нельзя было терпеть, он знал, что должен лечь.

— Гарольд, — сказал он, — прости, но мне кажется… кажется, мне бы надо прилечь ненадолго.

— Ступай, — сказал Гарольд без тени обиды, — ступай.

В своей комнате он ложится поверх покрывала и закрывает глаза, но когда приступ проходит, он вымотан; он говорит себе, что подремлет буквально несколько минуток, а потом встанет и проинспектирует запасы Гарольда; если есть тростниковый сахар, он что-нибудь испечет — в кухне стояло блюдо с хурмой, можно испечь пирог из хурмы.

Но он не просыпается. Не просыпается, когда Гарольд спустя час заходит взглянуть на него, гладит его по щеке, а потом накрывает одеялом; не просыпается, когда Гарольд проведывает его снова, перед самым ужином. Он не реагирует на телефонный звонок в полночь и в шесть утра, не реагирует на домашний телефон, который звонит в полпервого и потом в полседьмого, не слышит, как Гарольд разговаривает сначала с Энди, потом с Виллемом. Он спит все следующее утро и в обед и просыпается, только когда чувствует руку Гарольда на плече, слышит, как Гарольд зовет его по имени и говорит, что ему через несколько часов вылетать.

Перед самым пробуждением он видит человека, стоящего посреди поля. Черты его лица неразличимы, но он высокий и худощавый и он помогает другому мужчине, постарше, подсоединить прицеп к грузовику. Он знает, что это Монтана, по белесой, вогнутой распахнутости неба и по тому особому холоду, который совершенно лишен влажности и от этого кажется почему-то чище, чем любой другой известный ему холод.

Он по-прежнему не видит лица этого человека, но ему кажется, что он знает, кто это, что он узнает его размашистые шаги и манеру складывать руки на груди, прислушиваясь к словам своего спутника. "Коди!" — зовет он его во сне, и тот оборачивается, но он слишком далеко и не может с уверенностью сказать, увидит ли под козырьком бейсболки собственное лицо.

Пятнадцатое — пятница; он берет отгул. Был план устроить торжественный ужин накануне вечером, но в конце концов договорились, что будет ранний обед непосредственно в день церемонии (как это называет Джей-Би). Судебное заседание в десять, и когда оно закончится, все вернутся домой перекусить.

Гарольд хотел обратиться в службу кейтеринга, но он настоял, что все приготовит сам, и вечер четверга проводит на кухне. Он печет: шоколадно-ореховый пирог, как любит Гарольд; тарт татэн, как любит Джулия; хлеб из теста на закваске, как любят они оба; он освобождает от панцирей десятифунтовую гору крабов, смешивает мякоть с яйцом, луком, петрушкой и хлебной крошкой, лепит из них котлетки. Он чистит морковь, снимает кожуру с картошки, обрезает стебли брюссельской капусты, чтобы назавтра только сбрызнуть все это маслом и запихнуть в духовку. Он вываливает инжир из коробок в миску, чтобы потом запечь и подать на подушке из мороженого с соусом из меда и бальзамического уксуса. Это все любимые блюда Гарольда и Джулии, и он рад, что может их приготовить, рад, что может их чем-то порадовать, пусть даже такой мелочью. На протяжении всего вечера Гарольд и Джулия постоянно заходят на кухню и, игнорируя его мольбы, моют грязные блюда и кастрюли, наливают ему воды и вина, спрашивают, чем еще могут помочь, хотя он все время просит их не суетиться. Наконец они идут спать, и хотя он обещает им, что тоже сейчас ляжет, он не ложится и остается в ярко освещенной, тихой кухне; он вполголоса поет, размахивая руками, чтобы чувства не вышли из берегов.

Последние несколько дней были очень тяжелыми, самыми тяжелыми на его памяти; такими тяжелыми, что как-то ночью он даже позвонил Энди после полуночной проверки, и когда Энди предложил ему встретиться в дайнере в два часа ночи, он согласился и пошел, потому что хотел вырваться из квартиры, которая вдруг оказалась наполнена непреодолимыми соблазнами — разумеется, бритвами, но также ножами, ножницами, и спичками, и лестницами, с которых можно скатываться. Он знает, что если сейчас пойдет к себе в комнату, то не удержится и отправится прямиком в ванную, где у него давно к раковине снизу скотчем примотан пакет с таким же содержимым, как на Лиспенард-стрит: руки болят от желания, и он твердо намерен не поддаться. У него осталось лишнее тесто и лишний кляр, и он решает, что приготовит пирожные с орешками пинии и клюквой и, может быть, еще круглый плоский пирог с глазурью из обожженных апельсиновых ломтиков и меда; когда и то и другое испечется, будет уже почти светло, опасность минует, он будет спасен.

Назавтра в суд придут и Малкольм, и Джей-Би, они оба прилетают утром. А Виллем должен был прилететь, но не сможет; он позвонил на прошлой неделе и сказал, что съемки затягиваются и он вернется домой восемнадцатого, а не четырнадцатого. Он понимает, что с этим ничего нельзя сделать, но скорбь по отсутствующему Виллему жжет его изнутри: такой праздник без Виллема — не праздник. "Позвони мне в ту же секунду, как все пройдет, — сказал Виллем. — Просто ужасно, что я не смогу приехать".

А вот Энди он пригласил в ходе одной из полуночных бесед, которые доставляли ему все больше удовольствия. Эти беседы строились вокруг повседневных тем, успокаивающих тем, нормальных тем: нового кандидата на пост судьи Верховного суда; последнего законопроекта в сфере здравоохранения (он одобрял, Энди нет); биографии Розалинд Франклин, которую они оба прочли (ему понравилось, Энди нет); квартиры, в которой Энди и Джейн делали ремонт. Он радовался новизне ощущений: Энди с искренним возмущением говорил: "Ну, Джуд, ты совсем, что ли, спятил?" — те самые слова, которые он так часто слышал от него в связи с порезами, с его убогими перевязочными навыками, — про его мнения о фильмах, о мэре, о книгах, даже об оттенках малярной краски. Когда он усвоил, что Энди не использует эти беседы как повод его укорять или поучать, он расслабился и даже узнал кое-что новое про самого Энди: Энди рассказывал про своего брата-близнеца Беккета, который тоже врач, кардиохирург, живет в Сан-Франциско с бойфрендом, которого Энди терпеть не может и надеется уговорить Беккета его бросить; про то, как родители Джейн собрались подарить им свой дом на Шелтер-Айленде; как в старших классах Энди играл в школьной команде в американский футбол и его родителям было слегка не по себе от демонстративной американскости этого занятия; как на третьем курсе он уехал за границу, жил в Сиене, завел себе девушку из Лукки и потолстел на двадцать фунтов. Не то чтобы они никогда не обсуждали личную жизнь Энди — в какой-то мере это происходило во время каждого приема, — но по телефону он рассказывал больше, и можно было притвориться, что Энди только его друг, а не его врач, хотя этой иллюзии противоречила сама причина звонков.

— Приходить, конечно, совершенно не обязательно, — торопливо добавил он, когда пригласил Энди на слушание.

— Я с удовольствием приду, — ответил Энди. — Я все ждал, когда ты меня уже позовешь.

Ему стало стыдно.

— Ну, я не знал, захочешь ли ты провести лишний день со своим психованным пациентом, который и так тебе портит жизнь, — сказал он.

— Ты не только мой психованный пациент, Джуд, — сказал Энди. — Ты еще и мой психованный друг. По крайней мере, я надеюсь, что это так.

Он улыбнулся в телефон.

— Конечно, это так, — сказал он. — Я горжусь званием твоего психованного друга.

Так что Энди тоже придет; он в тот же день полетит обратно, но Малькольм и Джей-Би останутся ночевать, а в субботу они все вместе вернутся в Нью-Йорк.

По приезде он удивился, а потом умилился тому, как тщательно Гарольд и Джулия убрали дом и как гордились проделанной работой. "Смотри!" — говорили они наперебой, торжествующе тыкая в какую-нибудь поверхность — стол, стул, угол, пол, — которая обычно была завалена кучей книг или журналов, но теперь сияла первозданной пустотой. Везде были цветы — зимние цветы, букеты декоративной капусты, кизил с белыми почками, издающий сладковатый, слегка фекальный аромат, — а книги в шкафах были расставлены по линейке, и даже боковую спинку дивана починили.

— И ты вот на это взгляни, Джуд, — сказала Джулия, взяв его под руку и подведя к блюду с селадоновой глазурью на столике в прихожей, которое было разбито, сколько он их знал, и отколотые черепки лежали в нем, зарастая пушистой пылью. Но теперь оно было склеено, помыто и начищено.

— Ух ты, — говорил он на каждое демонстрируемое достижение, улыбаясь идиотской улыбкой, упиваясь их радостью. Ему было все равно — всегда было все равно, — чисто у них дома или нет; они могли жить в окружении ионических колонн из старых номеров “Нью-Йорк таймс” и расхаживать по выводкам упитанных крыс, которые пищали бы под ногами, — он бы глазом не моргнул; но им казалось, будто ему не все равно, они принимали его неустанное, педантическое стремление к чистоте как упрек, как он ни старался — а он правда старался — заверить их, что это не так. Он наводил теперь чистоту, чтобы остановить себя, отвлечься от других занятий, но в университетские годы он убирал у других, чтобы выразить благодарность: он это умел, он всегда этим занимался, ему давали так много, а он так мало отдавал взамен. Джей-Би, который радостно зарастал грязью в любом обиталище, ничего не замечал. Малкольм, выросший в доме с прислугой, всегда замечал и всегда благодарил. Одному Виллему это не нравилось. “Джуд, прекрати, — сказал он однажды, схватив его за руку, в которой он держал только что подобранные с пола грязные рубашки Джей-Би, — ты к нам горничной не нанимался”. Но он не мог прекратить — ни тогда, ни теперь.

Когда поверхности столов протерты окончательно, на часах почти полпятого, и он ковыляет в свою комнату, пишет Виллему, чтобы тот не звонил, и проваливается в короткий, отчаянный сон. Проснувшись, он застилает постель, принимает душ, одевается и идет на кухню, где у стола стоит Гарольд и с кружкой кофе в руке читает газету.

— О, — говорит Гарольд, глядя на него, — а вот и наш красавец.

Он машинально мотает головой, но нельзя отрицать, что он купил новый галстук, сходил накануне в парикмахерскую и ощущает себя если и не красавцем, то по крайней мере человеком опрятным и приличным, а к этому он стремится всегда. Ему редко приходится видеть Гарольда при параде, но на этот раз и Гарольд тоже в костюме, и он вдруг смущается от торжественности происходящего. Гарольд улыбается ему.

— Ты вчера явно не бездельничал. Поспать-то вообще удалось?

Он улыбается в ответ:

— Вполне.

— Джулия еще не готова, — говорит Гарольд, — а у меня есть для тебя подарок.

— Для меня?

— Да. — Гарольд берет со стола маленькую кожаную коробочку размером примерно с бейсбольный мяч и протягивает ему. Он открывает ее; внутри

часы Гарольда с круглым белым циферблатом и строгими, прямолиней-
ными цифрами. Ремешок на них новый, из черной крокодиловой кожи.

— Отец подарил мне их на тридцатилетие, — объясняет Гарольд, потому
что он пока ничего не сказал. — Это были его часы. А тебе все еще тридцать,
так что я по крайней мере не нарушил симметрию. — Гарольд вынимает
коробочку у него из рук, вынимает часы и переворачивает их, чтобы показать ему инициалы, выгравированные на крышке корпуса: SS/HS/JSF.

— Сол Стайн, — говорит Гарольд, — это мой отец. Потом HS, это я, и JSF, это
ты. — И Гарольд снова кладет часы ему в руку.

Он проводит большим пальцем по инициалам.

— Я не могу принять такой подарок, Гарольд, — говорит он наконец.

— А куда ты денешься? Это твои часы, Джуд. Я себе уже купил новые, так
что отдавать тебе их некуда.

Он чувствует, что Гарольд смотрит на него.

— Спасибо, — произносит он наконец. — Спасибо. — Больше он ничего
сказать не может.

— Пожалуйста, — отвечает Гарольд, и несколько секунд они оба молчат,
но потом он приходит в себя, снимает свои часы, надевает часы Гарольда —
теперь уже свои — на запястье, протягивает руку Гарольду, и тот кивает:

— Ага. Отлично на тебе смотрится.

Он собирается что-то ответить (что?), но в этот момент слышит, а потом
и видит Джей-Би и Малкольма, тоже в костюмах.

— У вас дверь открыта, — говорит Джей-Би, а Малкольм вздыхает. —
Гарольд! — Джей-Би обнимает Гарольда. — Поздравляю! У вас мальчик!

— Наверняка Гарольд еще не слышал этой шутки, — замечает Малкольм
и приветственно машет Джулии, которая как раз заходит на кухню.

Потом приходит Энди, а за ним Джиллиан. С Лоренсом они встретятся
у здания суда.

В дверь снова звонят.

— Мы еще кого-то ждем? — спрашивает он у Гарольда, а тот пожимает плечами:

— Можешь посмотреть, Джуд?

И он идет открыть дверь, а за дверью Виллем. Он секунду стоит, уставившись на него, а потом, прежде чем он успевает сказать себе "спокойно",
Виллем бросается на него, как цивета, и обнимает так крепко, что он даже
боится упасть. "Удивился?" — говорит Виллем ему в ухо, и он по голосу слышит, что Виллем улыбается. Второй раз за утро он теряет дар речи.

В третий раз это случится в суде. Они едут на двух машинах, и в той,
где он (за рулем Гарольд, на переднем сиденье Малкольм), Виллем рассказывает, что дата отъезда действительно поменялась, но когда ее поме-

няли обратно, он ему не сказал, сказал только остальным, чтобы появиться неожиданно.

— Ну спасибочки, Виллем, — говорит Малькольм. — Мне пришлось следить за Джей-Би, как ЦРУ, чтобы он не проболтался.

Они отправляются не в суд по делам семьи, а в апелляционный суд на Пембертон-сквер. В зале суда, где председательствует Лоренс — его тоже не узнать в мантии, сегодня все нарядились, как на маскарад, — он, Гарольд и Джулия дают друг другу обеты, Лоренс все время улыбается, а потом начинается бурная фотосессия: все фотографируют всех остальных в различных сочетаниях и позах. Только он не делает ни одного снимка, поскольку без него ни один снимок не обходится.

Он стоит с Гарольдом и Джулией и ждет, пока Малькольм разберется со своей гигантской навороченной камерой, и тут Джей-Би зовет его по имени, и они все втроем поворачиваются, и Джей-Би нажимает кнопку затвора.

— Получилось, — говорит Джей-Би, — спасибо.

— Джей-Би, я надеюсь, это не для… — начинает он, но тут Малькольм объявляет, что готов, и они втроем послушно разворачиваются лицом к нему.

К полудню они снова дома, и скоро начинают прибывать гости: Джиллиан, и Лоренс, и Джеймс, и Кэри, и коллеги Джулии, и коллеги Гарольда, некоторых он не видел с тех пор, как учился у них в юридической школе. Приходит его старый педагог по вокалу, и его профессор математики доктор Ли, и доктор Кашен, научный руководитель его магистерской работы, и Эллисон, владелица "Глазури", и их общий друг из Худ-Холла, Лайонел, который преподает физику в Уэллсли. Гости приходят и уходят весь день — приходят, когда у них кончаются занятия, деловые встречи, судебные заседания, и уходят, когда начинаются. Поначалу его страшила перспектива такого большого сборища — не станет ли его усыновление поводом задуматься или даже задаться вопросом, почему он, собственно, остался без родителей? — но часы идут, и никто ничего не спрашивает, никто не интересуется, зачем ему новая семья, и он постепенно забывает свои страхи. Он знает, что когда рассказывает про усыновление, то отчасти хвастается, а у хвастовства есть определенные последствия, но остановиться не может. *Один разочек*, умоляет он кого-то, кто отпускает ему наказания за дурное поведение. *Позволь мне порадоваться один только разочек.*

Для подобного торжества не существует ритуалов, и поэтому гости изобрели собственные: родители Малькольма прислали магнум шампанского и ящик супертосканского с виноградника возле Монтальчино (они совладельцы этого виноградника). Мама Джей-Би снабдила сына холщовым мешочком с раритетными луковицами нарциссов для Гарольда и Джулии и открыткой для него; тетки прислали орхидею. Из офиса генерального прокурора приехал гигантский ящик фруктов с открыткой, подписанной Маршаллом, Ситизеном и Родсом. Многие принесли вино и цветы. Эллисон, которая много лет назад открыла Гарольду тайну бактериального печенья, приносит четыре дюжины печений, сделанных по его тогдашнему дизайну, отчего он пунцовеет, а Джулия визжит от радости. Остаток дня сливается в сплошную оргию счастья: все, что он делает в этот день, идеально, все, что он говорит, остроумно и тонко. Люди протягивают к нему руки, и он не отстраняется, не замыкается; они прикасаются к нему, и он позволяет им прикасаться. Лицо болит от постоянной улыбки. Десятилетия одобрения и восхищения спрессованы в этот единственный день, и он объедается радостью, голова идет кругом от того, как все странно вышло. Он слышит, как Энди спорит с доктором Кашеном о проекте новой гигантской свалки в Гургаоне, видит, как Виллем терпеливо внимает его бывшему профессору по деликтному праву, подслушивает, как Джей-Би объясняет доктору Ли, почему нью-йоркская арт-тусовка в безнадежной жопе, подглядывает, как Малкольм и Кэри пытаются вытащить самый большой крабовый пирожок, не обрушив всю пирамиду.

К вечеру все уходят, и в гостиной остается шесть человек: он, Гарольд, Джулия, Малкольм, Джей-Би и Виллем. В доме опять беспорядок. Джулия предлагает поужинать, но все — даже он — объелись, и никто — даже Джей-Би — не может больше думать о еде. Джей-Би подарил Гарольду и Джулии его портрет, предварительно объяснив, что он основан не на фотографии, а на набросках. Портрет сделан акварелью и тушью на листе картона, там изображена только его голова с шеей, и стиль не тот, что у него ассоциируется с творчеством Джей-Би: это произведение лаконичнее, мазки шире, цвета сдержанные, уходящие в серую гамму. На картине его правая рука приближается к основанию шеи, как будто он собирается схватить себя за горло и задушить, рот слегка открыт, зрачки сильно расширены, как у кошки в темноте. Это, конечно, он — он узнает даже собственный жест, хотя сейчас не может вспомнить, что он должен означать, какую эмоцию сопровождает. Лицо изображено чуть крупнее чем в натуральную величину, и все смотрят на портрет в молчании.

— Отличная работа, — говорит наконец Джей-Би довольным тоном. — Если когда-нибудь надумаешь ее продавать, Гарольд, дай мне знать. — И тогда наконец все смеются.

— Джей-Би, какая красота, спасибо, спасибо тебе, — говорит Джулия, и Гарольд ей вторит. Ему трудно, как и всегда, когда он сталкивается со своим изображением на картинах Джей-Би, отделить красоту произведения от того отвращения, которое он испытывает к собственной внешности, но, не желая показаться неблагодарным, он повторяет их похвалы.

— Погодите, у меня же тоже кое-что есть, — Виллем, направляется к спальне и возвращается оттуда с деревянной фигуркой высотой дюймов в восемнадцать, которая изображает бородатого человека в одеянии василькового цвета и со сполохом огня вокруг рыжеватых волос, похожим на капюшон кобры; правую руку он держит наискось на груди, левая опущена.

— Это еще что за хрен? — спрашивает Джей-Би.

— Это не хрен, — отвечает Виллем, — а святой Джуд — Иуда, — только не тот Иуда, а Иуда Фаддей. — Он ставит святого на кофейный столик, поворачивает лицом к Джулии и Гарольду. — Я его нашел в маленькой антикварной лавке в Бухаресте, — объясняет он им. — Говорят, конец девятнадцатого века, но бог его знает, может, просто деревенская резьба. Мне он приглянулся. Он красивый и статный, точно как наш Джуд.

— Да, пожалуй, — говорит Гарольд, поднимая статуэтку и рассматривая ее. Он трогает складки одеяния, огненный венец. — Почему у него голова горит?

— Огонь — символ того, что в Духов день на него снизошел Святой Дух, — слышит он собственный голос. Эти сведения, которыми полон погреб его мозга, всегда где-то поблизости. — Он был одним из апостолов.

— Откуда ты знаешь? — спрашивает Малькольм, а Виллем, который сел рядом, прикасается к его руке.

— Еще бы тебе не знать, — тихо говорит Виллем. — Я вечно забываю.

И он чувствует прилив благодарности к Виллему, но не потому, что он вспомнил, а потому, что забыл.

— Святой покровитель безнадежных дел, — добавляет Джулия, взяв статуэтку из рук Гарольда, и он сразу же вспоминает слова: "Молись за нас, святой Иуда Фаддей, помощник и защитник безнадежных, молись за нас", — в детские годы это была его последняя молитва перед сном, и только став старше, он испытал стыд за свое имя, за то, как оно представляло его миру, и задумался, не нарочно ли братья снабдили его таким клеймом, ведь что еще это могло быть, как не издевательство, не диагноз, не предсказание. И все же иногда имя казалось ему по-настоящему своим, и хотя бывали ситуации, когда он мог, даже должен был его сменить, он так никогда этого и не сделал.

— Виллем, спасибо, — говорит Джулия. — Он мне очень нравится.

— Мне тоже, — говорит Гарольд. — Ребята, вы такие молодцы.

Он тоже принес подарок для Гарольда и Джулии, но чем дальше, тем больше ему кажется, что подарок получился мелкий и дурацкий. Много лет назад Гарольд обмолвился, что они с Джулией слушали цикл ранних песен Шуберта в Вене, в свой медовый месяц. Но Гарольд не помнил, какие им нравились больше всего, поэтому он составил собственный список и дополнил его любимыми камерными произведениями других композиторов, в основном Баха и Моцарта, а потом арендовал небольшую студию звукозаписи и записал диск с собственным исполнением этих песен: раз в несколько месяцев Гарольд просит его спеть для них, он всегда стесняется и отказывается. Но теперь такой подарок кажется ему неправильным, показным, непристойно хвастливым, и он стыдится собственной наглости, но и выбросить диск не может. Поэтому, когда все встают, потягиваются, желают друг другу спокойной ночи, он тайком запихивает диск и письма, адресованные Гарольду и Джулии, между двумя книгами — потрепанным "Здравым смыслом" и разваливающимся "Белым шумом" — на нижней полке, где все это может десятилетиями пролежать, не привлекая внимания.

Обычно Виллем ночует с Джей-Би в кабинете наверху, потому что кроме него никто не в состоянии выдержать храп Джей-Би, а с ним, внизу, ложится Малкольм. Но в этот вечер, когда все разбредаются спать, Малкольм сам говорит, что отправится с Джей-Би, чтобы они с Виллемом могли еще поболтать.

— Пока, голубки! — кричит им сверху Джей-Би.

Укладываясь, Виллем рассказывает ему истории со съемок: про актрису, игравшую главную роль, которая потела так сильно, что приходилось пудрить ей лицо после каждых двух дублей; про актера, который играл вторую главную роль, дьявола, и постоянно подлизывался к техникам — покупал им пиво, предлагал сыграть в футбол, — а потом забыл свои реплики и устроил истерику; про девятилетнего британского мальчика, игравшего сына героини, который возле стола с закусками на площадке сообщил Виллему, что не стоит есть крекеры, ведь это просто пустые калории, он разве не боится растолстеть? Виллем говорит не умолкая и смеется, даже пока чистит зубы и умывается.

Но когда свет погашен и они оба лежат в темноте, он на кровати, Виллем на диване (попытка заставить Виллема лечь на кровати не удалась), Виллем мягко говорит:

— Квартирка вычищена, аж сверкает.

— Я знаю, — отвечает он, передергиваясь. — Прости.

— Брось, — говорит Виллем. — А что, Джуд, так все было плохо?

Тут он понимает, что Энди рассказал Виллему по крайней мере что-то, и решает отвечать честно.

— Было так себе, — соглашается он, но потом добавляет, не желая вызывать у Виллема чувство вины, — но совсем ужасно не было.

Они замолкают на некоторое время.

— Жалко, что меня не было рядом, — говорит Виллем.

— Ты был рядом, — возражает он. — Но я по тебе скучал, Виллем.

Виллем отвечает, очень тихо:

— Я тоже скучал по тебе.

— Спасибо, что приехал.

— Как же я мог не приехать, Джуди, — говорит Виллем из другого конца комнаты. — Я бы приехал, невзирая ни на что.

Он молчит, впитывая это обещание, запоминая его, чтобы думать о нем в минуты, когда оно окажется особенно нужным.

— Как по-твоему, нормально все прошло? — спрашивает он.

— Издеваешься? — отзывается Виллем, и он слышит, что тот выпрямился и сел. — Ты видел, какое у Гарольда было лицо? Он выглядел так, как будто партия зеленых впервые провела своего кандидата в президенты, Вторую поправку отменили, а "Бостон Ред Сокс" причислили к лику святых, и все это в один день.

Он смеется:

— Правда?

— Точно. Он был очень, очень счастлив, Джуд. Он любит тебя.

Он улыбается в темноту. Он хочет, чтобы Виллем повторял все это снова и снова, чтобы поток обещаний и уверений никогда не кончался, но он понимает, что это эгоистично, поэтому меняет тему, и они болтают о всяких мелочах и пустяках, а потом засыпают — сначала Виллем, потом он.

Неделю спустя его эйфория сменяется чувством удовлетворенного покоя. Всю прошлую неделю он спал беспробудным сном и видел сны не о прошлом, а о настоящем: глупые — о работе, солнечно-абсурдные — о друзьях. Впервые за целую неделю за те почти уже двадцать лет, что он режет себя, он не просыпается посреди ночи с желанием схватиться за бритву. Он осмеливается думать: вдруг он излечился? Может быть, он нуждался именно в этом и теперь, когда оно случилось, ему лучше. Он чувствует себя прекрасно, как другой человек — не увечный, здоровый, спокойный. У него есть родители, и время от времени мысль об этом так переполняет его, что он представляет себе ее физически воплощенной, как будто эти слова написаны сияющим золотом у него на груди.

Он дома, в их квартире. С ним Виллем. Виллем привез домой еще одну статуэтку святого Джуда, которую они поселили на кухне; этот покрупнее, полый внутри, керамический, и на затылке у него прорезь, в которую в конце дня они ссыпают накопившуюся мелочь; они решили, что, когда святой заполнится, они купят и разопьют какое-нибудь очень хорошее вино, а потом начнут сначала.

Он еще этого не знает, но на протяжении грядущих лет он будет снова и снова проверять на прочность обеты Гарольда, будет штурмовать его обещания, чтобы узнать, так ли они железобетонны. Он будет делать это неосознанно — но все равно будет, потому что какая-то часть его так и не поверит Гарольду и Джулии, как бы он ни хотел этого, как бы ни уверял себя, что поверил, и всегда будет считать, что рано или поздно они от него устанут, что когда-нибудь они пожалеют, что с ним связались. И поэтому он станет их испытывать, чтобы в тот день, когда их отношения с неизбежностью подойдут к концу, он смог оглянуться назад и с уверенностью сказать, что он тому виной и, более того, что конкретный случай тому виной, и ему никогда не придется недоумевать или беспокоиться о том, что именно он сделал не так, что он мог бы исправить. Но это впереди. Сейчас его счастье безоблачно.

Вернувшись из Бостона, он в первую же субботу, как обычно, отправляется к Феликсу — мистер Бейкер попросил его прийти на несколько минут пораньше. После короткого разговора он спускается к мальчику, который ждет его в музыкальной гостиной, тренькая по клавишам.

— Так что, Феликс, — спрашивает он в перерыве, после музыки и латыни, но до немецкого и математики, — твой отец говорит, ты в следующем году поедешь в школу-интернат?

— Ага, — отвечает Феликс, уставившись на свои ноги. — В сентябре. Папа тоже там учился.

— Он мне сказал, да. И что ты об этом думаешь?

Феликс пожимает плечами.

— Не знаю, — говорит он наконец. — Папа говорит, вы меня за весну и лето подтянете.

— А как же, — обещает он. — Ты будешь такой подготовленный, что у них глаза на лоб полезут.

Голова Феликса по-прежнему опущена, но он видит, что верхняя часть его щек слегка дрогнула, и понимает, что мальчик улыбается — едва заметно.

Он не знает, что побуждает его сказать то, что он говорит. Он надеется, что сочувствие, но, может быть, это хвастовство, прилюдная демонстрация невероятных и дивных перемен, случившихся в его жизни за истекший месяц?

— Знаешь, Феликс, — говорит он, — у меня тоже не было никаких друзей — очень долго, я был уже гораздо старше тебя. — Он не столько видит, сколько чувствует, что Феликс встрепенулся и слушает. — Я тоже очень хотел друзей, — продолжает он, медленно, потому что хочет сказать правильные слова. — И все время думал: найду ли я их, и как, и когда? — Он проводит указательным пальцем по темной ореховой поверхности стола, по корешку учебника математики, по стакану с холодной водой. — А потом я пошел учиться в университет и там встретил людей, которые почему-то решили стать моими друзьями, и они научили меня… да в общем-то всему. Они сделали и до сих пор делают меня кем-то другим, лучше, чем я есть на самом деле. Ты сейчас не поймешь, что я имею в виду, но поймешь когда-нибудь: мне кажется, единственная хитрость дружбы — это найти людей, которые лучше тебя — не умнее, не круче, а добрее, благороднее, снисходительнее, — и ценить их за то, чему они тебя учат, и прислушиваться к ним, когда они говорят что-то о тебе, какими бы ужасными — или прекрасными — ни были их слова, и доверять им, а это труднее всего. Но и прекраснее всего тоже.

Они оба долго молчат, прислушиваясь к стуку метронома: он неисправен и иногда начинает стучать сам по себе, после того как его уже остановили. — У тебя будут друзья, Феликс, — говорит он наконец. — Будут. И найти их будет не так сложно, а вот сохранить — это тяжелый труд, но, честное слово, он того стоит. Намного больше, чем, скажем, латынь.

И тут Феликс поднимает на него глаза и улыбается, и он улыбается в ответ.
— Понятно? — спрашивает он.
— Понятно, — отвечает Феликс, по-прежнему улыбаясь.
— Чем займемся теперь, немецким или математикой?
— Математикой, — говорит Феликс.
— Отличный выбор, — говорит он и придвигает к себе учебник математики. — Давай начнем с того, на чем в прошлый раз остановились.

И Феликс открывает нужную страницу, и урок начинается.

———————————

III

ПУДРА

1

——

На втором курсе их соседками по Худу оказались три лесбиянки с выпускного курса, которые играли в группе "Жиробасы" и почему-то прониклись любовью к Джей-Би (а затем, постепенно, и к Джуду, и к Виллему, и в конце концов, хоть и неохотно, к Малькольму). Со дня выпуска прошло пятнадцать лет, две из этих трех лесбиянок теперь стали парой и жили в Бруклине. Марта была специалистом по трудовому праву в некоммерческой организации, Франческа — художником-декоратором, и регулярно общался с ними только Джей-Би.

— Потрясающие новости! — сообщил им Джей-Би однажды в октябре, во время пятничного ужина. — Звонили бушвикские сучки — Эди приехала!

Так звали третью лесбиянку — крепко сбитую темпераментную американку корейского происхождения, которая жила между Сан-Франциско и Нью-Йорком и вечно меняла одну невероятную работу на другую: когда они виделись в последний раз, она уезжала в Грасс учиться на парфюмера, а за восемь месяцев до того закончила курсы афганской кухни.

— И что же тут такого потрясающего? — спросил Малькольм, который так до конца и не простил этой троице их необъяснимую к нему неприязнь.

— Ну… — начал Джей-Би и рассмеялся. — Она собралась менять пол и деятельность!

— Мужиком будет? — спросил Малькольм. — Да ну брось, Джей-Би. Уж сколько лет мы ее знаем, и за это время она не выказала ни единого признака гендерной дисфории.

После того как бывший коллега Малькольма в прошлом году сменил пол, Малькольм стал считать себя экспертом по этому вопросу и однажды долго отчитывал их за невежество и нетерпимость, пока Джей-Би не сорвался на него: "Господи, Малькольм, да я транс покруче Доминика, что бы он там ни сделал!"

——

— Ну, в общем, дела такие, — продолжил Джей-Би, — и сучки поэтому в честь нее закатывают вечеринку у себя дома и зовут нас всех.

Все застонали.

— Джей-Би, мне через месяц с небольшим уезжать в Лондон, и у меня дел по уши, — начал отнекиваться Виллем. — Я не могу целый вечер проторчать в Бушвике, выслушивая нытье Эди Ким.

— Ты должен пойти! — взвизгнул Джей-Би. — О тебе они *отдельно* спрашивали! Франческа пригласила какую-то девушку, которая когда-то с тобой познакомилась и теперь хочет еще раз увидеться. Если не пойдешь, они подумают, что ты теперь такой модный, что и знаться с ними не хочешь. И там будет куча народу, с кем мы тыщу лет не виделись…

— Может, не случайно мы с ними не виделись, — сказал Джуд.

— И, кроме того, Виллем, телочка все равно будет тебя ждать, соизволишь ли ты проторчать часок в Бруклине или нет. И потом, это ж не край света! Это Бушвик! Джуди нас отвезет.

В прошлом году Джуд купил машину, шикарной ее назвать было никак нельзя, но Джей-Би обожал в ней кататься.

— Чего? Я никуда не еду, — сказал Джуд.

— Это почему?

— Джей-Би, я в инвалидном кресле, ты что, забыл? А у Марты с Франческой, насколько я помню, дом без лифта.

— Это в другом их доме! — торжествующе ответил Джей-Би. — Видишь, как давно мы с ними не виделись. Они переехали. И в новом доме лифт точно есть. И даже грузовой! — Он побарабанил кулаком по столу, откинулся на спинку стула; остальные, смирившись, молчали. — Решено — едем!

Поэтому в следующее воскресенье они встретились у Джуда в лофте на Грин-стрит, он довез их до Бушвика и принялся кружить по кварталу, где жили Марта с Франческой, в поисках места для парковки.

— Вон там было место, — сказал Джей-Би через десять минут.

— Это была зона погрузки, — ответил Джуд.

— Если б ты налепил на машину знак "Инвалид", мог бы где хочешь парковаться, — сказал Джей-Би.

— Я не люблю им пользоваться, ты же знаешь.

— А если ты им не пользуешься, зачем тебе тогда вообще машина?

— Джуд, смотри, есть место, — сказал Виллем, не обращая внимания на Джей-Би.

— В семи кварталах от дома, — проворчал Джей-Би.

— Заткнись, Джей-Би, — сказал Малкольм.

На вечеринке их сразу растащили в разные стороны по разным углам. Марта решительно оттащила Джуда от Виллема: "На помощь!" — беззвучно, одними губами прокричал Джуд, и Виллем, улыбнувшись, помахал ему рукой. "Крепись!" — так же, одними губами ответил он, и Джуд закатил глаза. Виллем знал, до чего Джуду не хотелось сюда идти, до чего не хотелось снова и снова всем объяснять, почему он в инвалидном кресле, и все-таки упросил его пойти вместе с ним:

— Не бросай меня там одного!

— Ты там будешь не один. Ты там будешь с Малькольмом и Джей-Би.

— Ну ты же меня понимаешь. Сорок пять минут — и мы уходим. Джей-Би с Малькольмом пусть сами обратно добираются, как хотят, если решат там задержаться.

— Пятнадцать минут.

— Тридцать.

— Договорились.

Самого Виллема перехватила Эди Ким, которая с колледжа почти не изменилась — может быть, чуть-чуть покруглее стала, и все. Они обнялись.

— Эди, — сказал он, — поздравляю.

— Спасибо, Виллем, — Эди улыбнулась. — Отлично выглядишь. Прямо очень, очень здорово. — У Джей-Би была теория, что Эди влюблена в Виллема, но сам он в это никогда не верил. — Мне очень понравились "Преступления памяти". Ты очень здорово сыграл.

— Ой, — сказал он, — спасибо!

Он терпеть не мог "Преступления памяти". Сюжет там был фантастический — двое метафизических детективов проникают в подсознание людей, потерявших память, — но режиссер оказался таким тираном, что партнер Виллема уволился через две недели и ему пришлось искать замену, как минимум раз в день кто-нибудь убегал с площадки в слезах, и поэтому Виллема так воротило от съемок, что самого фильма он толком и не видел.

— Ну что, — попытался он перевести разговор, — так когда…

— Почему Джуд в инвалидном кресле? — спросила Эди.

Он вздохнул. Два месяца назад, когда Джуд начал регулярно пользоваться креслом — впервые за четыре года, ему тогда был тридцать один, — он научил их, как отвечать на такие вопросы.

— Это временно, — ответил он. — Он просто занес в ногу какую-то инфекцию, ему больно долго ходить.

— Господи, вот бедняга, — сказала Эди. — Марта говорит, он ушел из федеральной прокуратуры, занимается теперь корпоративным правом и стал большим человеком.

А еще Джей-Би всегда подозревал, что Эди влюблена в Джуда, и Виллем думал, что это не лишено оснований.

— Да, уже пару лет как, — сказал он, желая поскорее сменить тему. Отвечать на вопросы про Джуда ему никогда не нравилось; он бы, конечно, с удовольствием поговорил о Джуде и знал, что о нем или от его лица можно говорить, а что нельзя, но ему не нравился лукавый, доверительный тон, каким люди расспрашивали его о Джуде, как будто из него можно было хитростью или обманом вытянуть то, о чем сам Джуд рассказывать не желал. (И никогда не расскажет.) — Но, Эди, какие у тебя потрясающие новости... — Он осекся. — Прости, надо было сразу спросить... тебя по-прежнему надо называть Эди?

Эди нахмурилась:

— Ну да, а почему нет?

— Ну... — Он замялся. — Я же не знал, далеко ли ты продвинулась в процессе, и...

— В каком процессе?

— Эмм, в процессе смены?.. — Жаль, что он не замолчал сразу, как увидел замешательство Эди. — Джей-Би сказал, ты собралась менять пол и деятельность?

— Да, я меняю поле деятельности, — сказала Эди, все так же недоуменно морща лоб. — Я уезжаю в Гонконг, буду там консультантом по веганскому питанию для мелкого гостиничного бизнеса. Постой-ка... а ты думал, что я меняю пол и деятельность?

— Черт, — сказал он, и в голове у него разом вспыхнули две отчетливых мысли: "Убью Джей-Би" и "Не терпится рассказать об этом Джуду". — Эди, прости, прости, пожалуйста.

Он еще со времен учебы помнил, что с Эди все было непросто: ее выводили из себя мелочи, ребяческие мелочи (однажды она при нем разревелась из-за того, что у нее из рожка вывалился шарик мороженого и испачкал новые туфли), но когда случалось что-то серьезное (когда умерла ее сестра, когда она, визжа и швыряясь снежками, расставалась с подружкой, дело было во внутреннем дворе и все обитатели Худ-Холла высунулись из окон на них поглазеть), ее это как будто не трогало. Он не знал, в какую категорию попадал его ляп, да и сама Эди, похоже, никак не могла с этим определиться, только раскрывала и закрывала в замешательстве крохотный ротик. Но в конце концов она расхохоталась и закричала кому-то через всю комнату:

— Ханна! Ханна! Иди сюда! Что я тебе расскажу!

И тогда он выдохнул, еще раз извинился перед ней, еще раз ее поздравил и сбежал.

Он начал пробираться к Джуду. За годы — да что там, десятилетия — таких вечеринок у них выработался собственный язык жестов, пантомима, где каждое движение означало одно и то же ("на помощь!"), менялась только степень настойчивости. Обычно им удавалось глазами протелеграфировать друг другу это свое отчаяние, но на вечеринках вроде сегодняшней, когда лофт освещали только свечи, а за время их недолгого разговора с Эди гости как будто успели размножиться, требовался язык тела повыразительнее. Если один потирал шею — значит, другой должен был срочно позвонить ему по телефону, если один теребил ремешок часов — для другого это был сигнал: "Иди сюда, подмени меня в этом разговоре, ну или хотя бы присоединись к нам", ну а когда кто-нибудь начинал дергать себя за левое ухо, это значило: "Забери меня отсюда прямо сейчас!" Краем глаза он видел, что Джуд уже минут десять как настойчиво дергает себя за ухо и что теперь еще к Марте присоединилась мрачная тетка (он смутно помнил, что уже видел ее раньше на какой-то вечеринке и что она ему не понравилась). Они нависли над Джудом будто дознаватели, будто захватили его в плен, и в свечном свете их лица казались зловещими, как если бы Джуд был ребенком, который попался им в руки, когда хотел отломить лакричный уголок их пряничного домика, и теперь они решали, сварить ли его с черносливом или запечь с репой.

Потом он скажет Джуду, что пытался ему помочь, правда пытался, но он был в одном конце лофта, а Джуд в другом, и его то и дело останавливали и втягивали в разговоры люди, которых он сто лет не видел, и, что еще возмутительнее, люди, с которыми он виделся пару недель назад. Заметив в толпе Малкольма, он помахал ему и показал на Джуда, но Малкольм только беспомощно пожал плечами, задвигал губами: "Что?" — и Виллем отмахнулся: ладно, проехали.

Пора уходить, думал он, протискиваясь сквозь толпу, но, если честно, не так уж ему и плохо было на этих вечеринках, совсем нет, в целом он их даже любил. Он подозревал, что и Джуд их любит, хотя, наверное, не так сильно — тот-то, впрочем, на вечеринках не терялся, и с ним всегда все хотели поговорить, — и хотя они вечно жаловались друг другу на Джей-Би, мол, вечно он их куда-нибудь затащит и до чего же нудные эти сборища, оба они понимали, что, если б хотели, могли бы просто отказаться и никуда не ходить, но, в конце-то концов, где бы еще им пригодилась их семафорная азбука, их язык, на котором в мире говорили всего два человека?

Теперь, когда и колледж, и человек, которым он когда-то был, остались далеко позади, Виллем вдруг понял, что с людьми из тех времен он чувствует себя гораздо непринужденнее. Он все поддразнивал Джей-Би — мол, тот так и не перерос Худ-Холл, но на самом деле восхищался тем, что Джей-Би по-прежнему поддерживал отношения со многими своими, да и их друзьями по колледжу, и тем, что он каким-то образом сумел их всех вписать в свое окружение. Сам Джей-Би, хоть и собирал вокруг себя старинных друзей, смотрел на жизнь и проживал ее исключительно в настоящем времени, и рядом с ним даже законченные ностальгики теряли охоту ворошить блестки и осколки прошлого и вместо этого довольствовались нынешним положением дел своего собеседника. Людей, с которыми Джей-Би поддерживал дружеские отношения, Виллем ценил еще и за то, что им по большому счету было все равно, кем он стал (если вообще можно было сказать, что он стал кем-то). Кое-кто, конечно, вел теперь себя с ним по-другому — особенно в последние год-полтора, — но в целом всех их настолько занимали собственные специфические, а подчас и маргинальные жизни, интересы и цели, что достижения Виллема не казались им более или менее важными, чем их собственные. Друзья Джей-Би были поэтами, перформансистами, учеными, танцорами модерна и философами — как однажды заметил Малкольм, Джей-Би в колледже подружился со всеми, у кого почти не было шансов разбогатеть, — и их жизнь составляли гранты, арт-резиденции, стипендии и премии. Худ-холловская тусовка Джей-Би не измеряла успех кассовыми сборами (как его агент и менеджер), критическими отзывами и партнерами по фильму (как те, с кем он учился в театральном), для них успех определялся только тем, хороша ли твоя работа и гордишься ли ты ей. (На этих вечеринках ему прямо так и говорили: "Ой, а я не смотрел "Черную Ртуть 3081". Но ты как, гордишься этой работой?" Нет, этой работой он не гордился. В фильме он играл мрачного межгалактического ученого, который еще и в совершенстве владел джиу-джитсу и сумел в одиночку побороть космического монстра гаргантюанских размеров. Но он был доволен этой работой: он хорошо потрудился, он серьезно отнесся к роли и надеялся, что и дальше будет продолжать в том же духе.) Иногда он думал, не дурачат ли его, не затеял ли весь кружок Джей-Би один большой перформанс, где гонками, амбициями и заботами реального мира, мира, который держался на плаву только благодаря деньгам, жадности и зависти, пренебрегали ради чистого удовольствия от работы. Иногда на него это действовало по-хорошему отрезвляюще: вечеринки, когда он общался с народом из Худа, казались ему чем-то живительным и очищающим, они возвращали ему того Виллема, который мечтал получить роль в ученической постановке "Шума за сценой" и заставлял соседей по комнате каждый вечер читать с ним пьесу по ролям, пока он заучивал реплики.

— Карьерная миква, — улыбнулся Джуд, когда он рассказал ему об этом.

— Холодный душ против рыночной экономики! — парировал он.

— Клизма от амбиций.

— О-о-о, вот это отлично!

Но иногда от этих вечеринок — как вот от сегодняшней — эффект был прямо противоположный. Иногда он чувствовал, что его злит это статичное, пренебрежительное отношение к нему окружающих, для них он всегда был и будет Виллемом Рагнарссоном из восьмой комнаты в Худ-Холле, у которого плохо с математикой и хорошо с девчонками, простой и понятной личностью, два росчерка кисти — и его фигура готова. Не то чтобы они были неправы — и так было тошно от того, что в индустрии, где он подвизался, его считали интеллектуалом только потому, что он не читал определенных журналов и сайтов и учился там, где учился, — но от этого его и без того маленькая жизнь казалась еще меньше.

А иногда ему казалось, что бывшие однокашники с каким-то нарочитым упрямством и злобой не замечают его карьерных достижений. Например, в прошлом году, когда вышел его первый большой студийный фильм, он на какой-то вечеринке в Ред-Хуке разговорился с одним парнем по имени Артур, который вечно примазывался к народу из Худа и отирался на всех их сборищах, а сам жил в корпусе для лузеров, Диллингэм-Холле, — теперь он издавал никому не известный, но вполне уважаемый журнал о цифровой картографии.

— Ну, Виллем, а ты сейчас чем занимаешься? — наконец спросил его Артур после того, как десять минут распинался о свежем номере "Историй", в котором была опубликована статья с трехмерной визуализацией Индокитайского опиумного пути, с тысяча восемьсот тридцать девятого по тысяча восемьсот сорок второй год.

Тут он слегка смешался, что с ним изредка случалось, когда он оказывался в такого рода компаниях. Иногда этот вопрос ему задавали шутливо, иронически, вроде как вместо поздравлений, и тогда он улыбался в ответ и подыгрывал: "Да так, ничем особенным, так в "Ортолане" и работаю. Кстати, у нас сейчас отличная черная треска с тобико", — но бывало и так, что люди действительно не знали, чем он занимается. Действительно незнающих ему теперь, правда, попадалось все меньше и меньше, и они обычно либо существовали настолько вне культурной парадигмы, что у них и чтение "Нью-Йорк таймс" считалось дерзким поступком, либо — гораздо чаще — таким образом хотели сообщить ему, до чего неодобрительно — да что там, отрицательно — они относятся и к нему самому, и к его образу жизни, и к его работе и поэтому из принципа не желают ничего о ней знать.

Они с Артуром были не слишком хорошо знакомы, и он не знал, к какой категории его отнести (впрочем, он уже знал достаточно, чтоб невзлюбить Артура — тот не умел держать дистанцию и во время разговора буквально прижимал его к стене), поэтому ответил просто:

— Я актер.

— Правда? — вежливо отозвался Артур. — И где на тебя можно посмотреть?

Этот вопрос — даже не сам вопрос, впрочем, а то, каким небрежным и глумливым тоном Артур его задал — вызвал у него новый прилив раздражения, но он постарался не подавать виду.

— Ну, — медленно начал он, — в основном это инди-фильмы. В прошлом году я, например, снялся в "Царстве фимиама", а в следующем месяце уезжаю на съемки "Непокоренного", ну который по роману. — Было видно, что Артуру это ни о чем не говорит. Виллем вздохнул — за "Царство фимиама" он даже получил кинонаграду. — И вот сейчас как раз вышел фильм, в котором я снялся пару лет назад, — это который "Черная Ртуть 3081".

— Очень интересно, — со скучающим видом ответил Артур. — Хотя я, по-моему, ни разу о таком фильме не слышал. Им. Надо будет ознакомиться. Ну что ж, Виллем, рад за тебя.

Он терпеть не мог вот этого, как некоторые люди говорили, что они "рады за него", как будто его работа — сплошная фантазия, сахарная вата, выдумки, которыми он пичкал и себя, и всех окружающих, а не что-то реально существующее. В тот вечер его это особенно задело, потому что всего в каких-нибудь пятидесяти ярдах, в окне, как раз над головой Артура, на крыше противоположного здания четко виднелся ярко подсвеченный рекламный щит с его лицом — ну хорошо, с искаженным лицом, ведь он, в конце концов, отбивался от гигантского лилового прифотошопленного пришельца — и надписью высотой фута в два: ЧЕРНАЯ РТУТЬ 3081: СКОРО НА ЭКРАНАХ. После такого он обычно разочаровывался в худовцах. "И ничем они не лучше других, — думал он. — Такие же завистливые, как и все, и так и норовят меня задеть. А я дурак, потому что меня это задевает". Потом начинал злиться сам на себя. "Ты ведь к этому и стремился, — напоминал он себе. — Тогда почему же ты так переживаешь, о чем люди подумают?" Впрочем, актерское ремесло и заключалось в том, чтобы переживать, о чем думают другие люди (иногда ему казалось, что больше там ничего и не было), и ему, конечно, хотелось считать, что он не зависит от чужого мнения, что вообще надо не расстраиваться и быть выше всего этого, — но он явно ошибался.

— Я ведь понимаю, что это такая пустяковая херня, — сказал он Джуду после той вечеринки.

Ему было стыдно, что он так разозлился, и никому другому он в этом бы не признался.

— Ничего не пустяковая, — ответил Джуд. Они ехали из Ред-Хука обратно на Манхэттен. — Виллем, Артур — мудак. Был и есть. И от того, что он много лет изучал Геродота, меньшим мудаком он не становится.

Он неохотно улыбнулся.

— Ну не знаю, — сказал он. — Иногда мне кажется, что в моей работе есть что-то… что-то бессмысленное.

— Виллем, не говори так! Ты потрясающий актер, правда. И ты…

— Только не говори, что я приношу людям радость.

— Я и не собирался. Твои фильмы — это не совсем то, что приносит людям радость.

(Виллем в последнее время играл все больше мрачных и сложных персонажей, как правило морально неустойчивых, часто — тихонь со склонностью к насилию, которые не всегда вызывали однозначное сочувствие. Гарольд прозвал его "Рагнарссон Грозный".)

— Кроме фильмов с пришельцами.

— Верно, кроме этих. Хотя от пришельцев тоже радости мало, ты ведь их в конце всех убиваешь. Но, Виллем, я твои фильмы люблю, и не я один. А это чего-нибудь да стоит, ведь правда? Сколько еще людей могут похвастаться тем, что умеют по-настоящему вытащить человека из повседневности?

Виллем молчал, и Джуд продолжил:

— Знаешь, может, нам не стоит больше ходить на эти вечеринки, а то для нас обоих они уже превратились в какую-то нездоровую практику мазохизма и самобичевания. — Джуд повернулся к нему, улыбнулся. — Хорошо, что ты хотя бы актер. Я, например, все равно что оружием торгую. Дороти Уортон меня спросила сегодня, каково это — просыпаться по утрам, зная, что накануне я снова продал частичку души.

Тут он наконец рассмеялся:

— Быть не может.

— Может. Я как будто с Гарольдом поговорил.

— Да, если б Гарольд был белой женщиной с дредами.

Джуд улыбнулся:

— Я и говорю, будто с Гарольдом побеседовал.

На самом деле оба они, конечно, знали, зачем по-прежнему ходят на эти вечеринки — больше способов собраться вчетвером у них почти не осталось, а подчас и другого шанса-то не было обзавестись общими воспоминаниями, не дать угаснуть дружбе, подкидывая охапки хвороста в почерневшую, еле теплящуюся золу. Прикинуться, что ничего не изменилось.

Еще эти вечеринки давали им повод притвориться, что у Джей-Би все в порядке, хотя все трое понимали: не все. Виллем никак не мог понять, что же с ним не так — когда дело доходило до разговоров на определенные темы, Джей-Би отвечал на вопросы чуть ли не уклончивее Джуда, — но он знал, что Джей-Би запутался, что он несчастлив и что ему одиноко, а для него подобные чувства непривычны. Он догадывался, что Джей-Би, который так любил структурность, иерархичность колледжа, который в своих микросообществах чувствовал себя как рыба в воде, пытался на каждой такой вечеринке воссоздать простое и бездумное компанейство прошлых лет, когда их профессиональные перспективы еще были туманными, когда их всех объединяли честолюбивые стремления, а не разъединяла рутина будней. Поэтому он и устраивал эти вылазки, и они снова и снова послушно ходили туда вместе с ним, не отказывая ему в этой небольшой милости — снова ими верховодить, снова все и всегда за них решать.

Ему хотелось поговорить с Джей-Би наедине, с глазу на глаз, но теперь Джей-Би, когда не общался с бывшими однокашниками, водился с людьми совсем другого сорта, богемными бездельниками, которым, похоже, только и нужно было, что сначала объесться наркоты, а потом — потрахаться вповалку, а Виллема это попросту не привлекало. Теперь он все реже и реже бывал в Нью-Йорке — за последние три года каких-нибудь месяцев восемь, — и когда возвращался домой, то сталкивался с двумя одинаково сильными, но взаимоисключающими желаниями: провести время с пользой в компании друзей или не делать вообще ничего.

Сейчас, впрочем, он все проталкивался к Джуду, от которого хотя бы отцепилась Марта со своей надутой подружкой, и теперь Джуд разговаривал с их подругой Каролиной (ему снова стало стыдно, потому что сам он с Каролиной не разговаривал уже очень давно и знал, что она на него за это сердится), но тут путь ему преградила Франческа, решившая напомнить о существовании Рейчел, с которой они вместе работали четыре года назад на постановке "Неба 7", где она была помощником завлита. Он был рад снова увидеть Рейчел — она и тогда ему очень понравилась, и вообще он считал ее очень симпатичной, но даже теперь, болтая с ней, он понимал, что дальше разговора дело у них не пойдет. В конце концов, он ведь не преувеличивал — через полтора месяца ему ехать на съемки. Не время сейчас влезать в какие-то новые, сложные отношения, да и на одноразовый секс у него, по правде сказать, сил не было, потому что он по опыту знал: есть у такого секса одно загадочное свойство — нервов с ним можно вытрепать побольше, чем в постоянных отношениях.

Они проболтали с Рейчел минут десять, и тут у него зажужжал телефон. Извинившись, он открыл сообщение от Джуда: "Ухожу. Не хочу прерывать твою беседу с будущей миссис Рагнарссон. Увидимся дома".

— Да твою мать, — сказал он. — Прости, Рейчел.

Он разом потерял весь интерес к вечеринке, теперь ему отчаянно хотелось уйти. На этих вечеринках они выступали небольшим театриком на четверых, но стоило одному из актеров покинуть сцену, как остальным и смысла не было играть дальше. Он попрощался с Рейчел, у которой лицо из растерянного сделалось злым, едва она поняла, что он вправду уходит, и уходит без нее, а затем и с остальными — Мартой, Франческой, Джей-Би, Малкольмом, Эди и Каролиной, — и как минимум каждый второй страшно на него обиделся. Выбраться из квартиры он сумел только через полчаса, пока бежал вниз по лестнице, с надеждой написал Джуду: "Ты тут еще? Выхожу". Ответа не последовало, и тогда он написал: "Поеду на метро. Заскочу домой, кое-что заберу. До встречи!"

Он сел на линию L, доехал до Восьмой авеню, пошел пешком до дома — пару кварталов на юг. Он любил конец октября в Нью-Йорке и жалел, когда не удавалось этот сезон застать. Он жил на углу Перри и Западной Четвертой, на третьем этаже, и окна его квартиры были как раз вровень с верхушками деревьев гинкго; перед тем как сюда въехать, он все представлял, как по выходным будет допоздна залеживаться в кровати и глядеть, как ветер срывает с веток желтые листья и скручивает их в торнадо. Но так ни разу этого и не сделал.

Особых чувств к этой квартире он не испытывал, понимал только, что это теперь его квартира, что он ее купил, — первая его крупная покупка после того, как он окончательно расплатился с кредитом на обучение. Полтора года назад, когда он только начал присматривать себе жилье, он знал разве, что жить хочет в южной части Манхэттена и что в доме должен быть лифт, чтобы Джуд мог приходить к нему в гости.

— Тебе не кажется, что это немного отдает созависимостью? — спросила его тогдашняя подружка Филиппа, вроде как в шутку, но и не в шутку тоже.

— Правда? — спросил он, понимая, что она имеет в виду, но притворяясь, что не понял.

— Виллем, — Филиппа рассмеялась, пытаясь скрыть раздражение. — Правда.

Он не обиделся, пожал плечами.

— Я не смогу жить там, куда он не сможет прийти в гости, — сказал он.

Она вздохнула:

— Знаю.

Он знал, что Филиппа ничего не имеет против Джуда, он ей нравился, и Джуду она тоже нравилась, и Джуд даже как-то раз мягко намекнул Виллему, что, когда тот в Нью-Йорке, ему следовало бы проводить с Филиппой побольше времени. Когда они с Филиппой начали встречаться — она была художником по костюмам, в основном театральным, — ее забавляло и даже умиляло то, насколько они дружны. Он понимал, что для нее это служило доказательством его верности, надежности, постоянства. Но чем дольше они встречались, чем больше взрослели, тем заметнее все менялось, и теперь время, которое он проводил с Джей-Би, Малькольмом и особенно с Джудом, превратилось в доказательство его незрелости, его нежелания жертвовать прежней жизнью — привычной жизнью с ними — ради жизни новой и неизведанной, жизни с ней. Она никогда не просила его совсем с ними порвать — он как раз и любил в ней то, насколько она сама была близка со своими друзьями, то, как они могли целый вечер провести каждый в своей компании, в своем ресторане за своими разговорами, а потом встретиться и соединить два отдельных вечера в один общий, — но теперь ей хотелось, чтобы он вроде как перед ней капитулировал, посвятил себя ей и их отношениям, которые ставил бы выше прочих.

На это он не мог решиться. Впрочем, самому ему казалось, что она не всегда замечала, чем он ради нее жертвует. За последние два года, что они провели вместе, он ни разу не съездил на День благодарения к Гарольду и Джулии, не провел Рождество у Ирвинов — все ради того, чтобы поехать с ней к ее родителям в Вермонт. Он отменил их ежегодные каникулы с Джудом, он ходил с ней на все вечеринки, ужины, свадьбы и выставки ее друзей и, приезжая в Нью-Йорк, всегда жил у нее: смотрел, как она рисует эскизы для постановки "Бури", точил ее дорогие цветные карандаши, когда она спала, а сам, пока не переключился часовой пояс в голове, бродил по квартире, начинал и не дочитывал книги, листал журналы, от нечего делать выстраивал ровными рядками коробки с пастой и хлопьями в кухонном шкафу. Все это он делал с радостью, безо всякой обиды. Но все равно этого оказалось недостаточно, и в прошлом году они расстались, тихо и, как ему казалось, полюбовно, проведя вместе почти четыре года.

Узнав, что они расстались, мистер Ирвин покачал головой (было это у Флоры на вечеринке, она должна была вот-вот родить): "Вы, парни, и вправду заделались питерами пэнами. Вот тебе, Виллем, сколько? Тридцать шесть. Ума не приложу, что с вами такое творится. Деньги вы зарабатываете. Все чего-нибудь да добились. Может, перестанете уже цепляться друг за дружку да повзрослеете наконец?"

Но как становятся взрослыми? Неужто единственно верный вариант — обзавестись парой? (Но если вариант только один, значит, вариантов нет вовсе.)

— Тысячи лет эволюции и социального развития — и что? Другого выбора у нас нет? — спросил он Гарольда, когда они прошлым летом ездили в Труро, и Гарольд рассмеялся в ответ.

— Слушай, Виллем, — сказал он, — по-моему, все у тебя нормально. Я, конечно, тебе постоянно твержу о том, чтоб ты в жизни как-то уже определился, и я согласен с отцом Малькольма, семейная жизнь — это замечательно, но, по правде сказать, все, что от тебя требуется, — быть хорошим человеком, впрочем, ты им уже стал, и наслаждаться жизнью. Ты молод. У тебя впереди еще много-много лет на то, чтобы решить, как тебе жить и что делать.

— А если я именно так и хочу жить?

— Ну тогда все в порядке, — сказал Гарольд. Он улыбнулся Виллему. — Знаете, мальчики, да каждый мужчина мечтает жить так, как вы. Быть может, даже Джон Ирвин.

Потом он все раздумывал, а так ли уж плоха созависимость. Дружба приносила ему радость, от нее никто не страдал, так кому какое дело, есть у него созависимость или нет? Да и вообще, чем это созависимость в дружбе хуже созависимости в любовных отношениях? Почему в двадцать семь это похвально, а в тридцать семь — уже нездорово? Чем вообще дружба хуже любовных отношений? Почему не гораздо лучше? Ведь дружба — это два человека, которые день за днем остаются вместе, потому что их связывает не секс, не физическое влечение, не деньги, не дети, не собственность, а только обоюдный уговор быть вместе, взаимная преданность союзу, который никак нельзя узаконить. Друг становится свидетелем и тягостной череды твоих неудач, и долгих приступов скуки, и редких успехов. Дружба — это чувство, которое дает тебе почетное право видеть, как другого человека охватывает самое черное отчаяние, и знать, что ты тоже можешь впасть в отчаяние при нем.

Впрочем, собственная способность дружить волновала его куда больше, чем предполагаемая незрелость. Он всегда гордился тем, что он хороший друг, дружба всегда была ему важна. Но действительно ли он умел дружить? Например, проблему с Джей-Би он так и не решил, а ведь хороший друг что-нибудь бы да придумал. И хороший друг уж точно нашел бы, как подступиться к Джуду, вместо того чтоб твердить себе, как мантру, что, мол, к Джуду никак не подступишься, а если и есть какой-то способ, если кто-нибудь (Энди? Гарольд? хоть кто-то?) сумеет придумать какой-нибудь план, то он с радостью ему последует. Но, даже повторяя это, он понимал, что просто ищет себе оправдание.

Понимал это и Энди. Пять лет назад, когда он был в Софии, Энди позвонил ему и устроил скандал. Он уехал туда на самые первые свои съемки, было уже очень поздно, и с той самой секунды, как он ответил на звонок и услышал: "Если ты такой охеренный друг, каким себя считаешь, так чего ж тебя рядом никогда нет?", — он принялся оправдываться, потому что знал: Энди прав.

— Погоди-ка. — Виллем подскочил на кровати, из-за ярости и страха сонливость как рукой сняло.

— Он сидит дома и, блядь, режет себя на куски, от него кроме шрамов уже ничего не осталось, он, блядь, на скелет уже похож, а где же ты, Виллем? —

спросил Энди. — И не надо говорить: ах, я на съемках. Ты почему за ним не приглядываешь?

— Я ему каждый день звоню! — заорал он в ответ.

— Ты знал, что ему тяжело придется, — перебил его Энди. — Ты знал, что усыновление его подкосит. Так почему же ты никаких мер не принял, Виллем? Почему все ваши так называемые друзья ничего не делают?

— Потому что он не хочет, чтобы они знали, что он себя режет, вот почему! И я не знал, что ему это дастся так тяжело, Энди, — сказал он. — Он никогда мне ничего не рассказывает! Откуда мне было знать?

— Оттуда! Ты должен о таком знать! Думай, блядь, головой!

— Ты, блядь, на меня не ори! — закричал он. — Энди, ты просто бесишься, потому что он твой пациент, а ты сам ни хера ему помочь не можешь, вот и валишь все на меня!

Он в ту же секунду пожалел о сказанном, и оба они тотчас же замолчали, задышали тяжело в телефоны.

— Энди… — начал было он.

— Брось, — сказал Энди. — Ты прав, Виллем. Прости. Прости.

— Нет, — сказал он. — Это ты прости.

При мысли о Джуде в их уродливой ванной на Лиспенард-стрит его резко накрыло отчаянием. Перед отъездом он всюду искал Джудовы лезвия — и в бачке унитаза, и в дальних углах шкафчика с лекарствами, даже в буфете под ящиками, которые он один за другим вытащил и со всех сторон оглядел, — но так ничего и не нашел. Но Энди был прав, за Джуда отвечал он. Нужно было отвечать получше. А он ничего не сделал, выходит — не справился.

— Нет, — сказал Энди, — правда, ты прости меня, Виллем, мне нет оправданий. И ты прав… я не знаю, что делать. — Голос у него был усталый. — Просто у него… просто у него такая херовая была жизнь, Виллем. А тебе он доверяет.

— Я знаю, — промямлил он. — Знаю, что доверяет.

Тогда они и выработали план действий, и когда он вернулся домой, то стал еще пристальнее следить за Джудом, но толку от этого наблюдения не было решительно никакого. Да, действительно, еще где-то месяц после усыновления Джуд вел себя несколько иначе, чем прежде. Что именно изменилось, понять он не мог и, за редкими исключениями, не всегда мог даже с уверенностью сказать, хороший у Джуда сегодня день или нет. Не то чтобы Джуд всегда ходил с застывшим лицом и ни на что не реагировал, а потом разом переменился — нет, в целом и его поведение, и жесты, и привычки остались прежними. Но что-то все-таки изменилось, одно время Виллем не мог избавиться от странного чувства, что Джуда, которого он знал, заменили другим Джудом и у этого другого Джуда, у этого подменыша он мог спросить все что угодно, у этого Джуда могли найтись и забавные истории из детства — о друзьях, домашних животных и переделках, в которые он попадал, — и если этот Джуд и носил одежду с длинными рукавами, то не потому, что хотел что-то скрыть, а потому, что мерз. А верить Джуду он был готов охотно и часто, в конце концов, ведь не врач он ему. Он ему друг. Его дело — относиться к нему так, как он сам хочет, чтоб к нему относились, а не делать из него объект для слежки.

Поэтому через какое-то время его бдительность притупилась, а затем тот, другой Джуд опять пропал, вернулся в мир фей и волшебства, и его место снова занял Джуд, которого он знал. Но время от времени были тревожные звоночки, которые снова напоминали ему о том, что он знает о Джуде ровно столько, сколько Джуд позволяет ему знать. Когда он уезжал на съемки, то каждый день, обычно в заранее условленное время, звонил Джуду, и вот однажды в прошлом году он позвонил, и они нормально поговорили, голос у Джуда был совершенно такой же, как и всегда, Виллем травил байки, и они вместе над ними хохотали, как вдруг на заднем плане он отчетливо услышал объявление по громкой связи, какие слышишь только в больницах и поэтому ни с чем не спутаешь: "Доктор Незарян, вас вызывают, доктор Незарян, пройдите в третью операционную!"

— Джуд?

— Виллем, не волнуйся, — ответил Джуд. — Я в порядке. Так, небольшое заражение, Энди, по-моему, перестраховывается.

— Какое еще заражение? Господи, Джуд!

— Заражение крови, но страшного ничего нет. Ну правда, Виллем, было бы что серьезное, я бы сказал.

— Ни хера бы ты не сказал, Джуд! Заражение крови — это серьезно.

Он помолчал.

— Виллем, я бы сказал.

— А Гарольд знает?

— Нет, — резко ответил он. — И ты ему не говори.

После такого он терялся, начинал нервничать и весь вечер потом вспоминал, о чем они говорили на прошлой неделе, все выискивал в словах Джуда хоть какой-нибудь намек на то, что дела плохи, который он по глупости мог просто упустить. Когда он был настроен более благодушно, более философски, то воображал Джуда фокусником, у которого в арсенале был всего один фокус — скрытность, но с каждым годом он удавался ему все лучше и лучше, и теперь ему всего-то было нужно взмахнуть полой шелкового плаща, чтобы стать невидимым даже для самых близких людей. Но бывали и дни, когда он отзывался жгучей обидой на этот фокус, на утомительную обязанность из года в год хранить секреты Джуда, а взамен получать только жалкие крохи информации, на то, что хотя бы попытаться ему помочь — и то нельзя, нельзя даже вслух за него поволноваться. Это нечестно, думал тогда он. Это не дружба. Что угодно, но не дружба. Его как будто обманом втянули в какие-то шпионские игры, в которые он и не думал играть. И Джуд недвусмысленно давал им понять, что ничьей помощи ему не нужно.

Но с этим он смириться не мог. И вопрос тогда был в том, как не отстать от человека, который хочет, чтобы от него все отстали, — даже если это поставит их дружбу под удар. Грустный это был коан. Как помочь человеку, который не хочет, чтоб ему помогали, потому что если ты не будешь ему помогать, значит, ты ему вовсе не друг? "Поговори со мной, Джуд! — хотелось орать ему. — Расскажи мне что-нибудь. Скажи, что надо сделать, чтобы ты со мной поговорил".

Однажды на вечеринке он случайно услышал, как Джуд кому-то говорил, будто он ему, Виллему, все рассказывает, почувствовал себя польщенным, но и удивился, потому что — ну ведь правда — ничего он не знал. Иногда ему и самому с трудом верилось, что ему так дорог человек, который не рассказывает ничего из того, чем обычно делятся друзья — как он жил до их знакомства, чего боялся, о чем мечтал, кто ему нравится, — о будничных огорчениях и обидах. И, раз с Джудом он поговорить не мог, то частенько порывался поговорить о Джуде с Гарольдом, выведать, сколько тот знает, и может быть — если они, они и Энди, сплетут воедино все, что им известно, — тогда и какое-нибудь решение отыщется. Но это все были мечты: Джуд никогда его не простит, и если сейчас их что-то связывает, то потом не будет связывать вообще ничего.

Забежав в квартиру, он быстро перебрал почту (что-то важное сюда приходило редко, рабочие письма доставляли его агенту и юристу, личные — на адрес Джуда), отыскал сценарий, который забыл тут на прошлой неделе, когда заходил домой после спортзала, и снова вышел — даже пальто снимать не пришлось.

Квартиру он купил два года назад, но жил здесь в общей сложности месяца полтора. В спальне ничего не было, кроме матраса, журнального столика из гостиной на Лиспенард-стрит, поцарапанного имзовского стула из стеклопластика, который Джей-Би притащил с улицы, и коробок с книгами. И все. По идее, Малкольм обещал квартиру отремонтировать, сделать из душного кабинетика рядом с кухней нишу со столовой зоной и подправить еще кое-какие мелочи, но, будто чувствуя, что самому Виллему до квартиры нет дела, Малкольм этой работой занимался в самую последнюю очередь. Время от времени он на это жаловался, но знал, впрочем, что Малкольм тут ни в чем не виноват, в конце концов, он сам не отвечал на имейлы Малкольма, когда тот спрашивал его насчет отделочных материалов и плитки, каких размеров должен быть встроенный книжный шкаф и какую банкетку он хочет, чтобы Малкольм мог уже заказать обивку. Он только недавно попросил юриста выслать Малкольму разрешительные документы, которые тому нужны были, чтобы начать переделку квартиры, и на следующей неделе они наконец встречаются, чтобы он мог наконец что-то окончательно решить, и когда он вернется домой, в середине января, Малкольм пообещал ему, что квартира, если уж и не преобразится до неузнаваемости, то по крайней мере выглядеть будет гораздо лучше.

Ну а пока что он так фактически и жил у Джуда, в его квартире на Грин-стрит, куда перебрался сразу после того, как они с Филиппой расстались. Свою неотремонтированную квартиру и обещание, данное Энди, он использовал в качестве предлогов, чтобы бессрочно обосноваться в гостевой спальне Джуда, но на самом-то деле ему нужно было общество Джуда, его постоянное присутствие. Когда он уезжал в Англию, Ирландию, Калифорнию, Францию, Танжер, Алжир, Индию, Филиппины или Канаду, ему всегда нужно было помнить, что ждет его дома, в Нью-Йорке, и о Перри-стрит он не вспоминал никогда. Домом для него была Грин-стрит, и когда в далекой стране ему делалось одиноко, он вспоминал Грин-стрит, и какая у него там комната, и как по выходным, когда Джуд заканчивает работать, они допоздна засиживаются за разговорами и он чувствует, как время ширится и замедляется, создавая иллюзию, будто ночь может тянуться вечно. И вот теперь он наконец шел домой. Он сбежал вниз по лестнице, выскочил из подъезда на Перри-стрит. К ночи похолодало, и он шел быстро, почти бежал рысцой, привычно радуясь тому, что идет один, что может остаться в одиночестве среди жителей такого огромного города. Этого ему больше всего и не хватало. На съемках невозможно было остаться одному. Помощник режиссера провожал тебя до трейлера, а потом приводил на съемочную площадку, даже если от площадки до трейлера было каких-нибудь пятьдесят ярдов.

Когда он только начал сниматься в кино, его поражала, потом смешила, а затем стала и вовсе раздражать вся культура инфантилизации актеров, которую киноиндустрия как будто только поощряла. Иногда ему казалось, что его привязали стоймя к тележке и катают с места на место. Его водили на грим, а затем к костюмеру. Затем его отводили на площадку, потом обратно в трейлер, а затем, через час-другой, забирали из трейлера и снова вели на площадку. "Ни за что не разрешай мне к этому привыкнуть!" — наставлял — почти умолял — он Джуда.

Этой фразой он заканчивал все свои истории: об обедах, где все рассаживались согласно рангу и кастам — актеры и режиссер за одним столом, операторы за другим, осветители за третьим, электротехники за четвертым, костюмеры за пятым — и нужно было поддерживать светскую беседу о своих тренировках, о том, в какие рестораны ты хочешь сходить, на какой диете сидишь, и кто тебя тренирует, и как (сильно) тебе хочется курить, и как (срочно) тебе нужно сделать подтяжку лица; о съемочной группе, которая, с одной стороны, актеров ненавидела, а с другой — до неприличия жадно ждала, чтоб те хотя бы взглянули в ее сторону; о том, что макияж и волосы им делают стервы, которые знают как-то невероятно много всего о жизни актеров, потому что умеют молчать как мышки и не отсвечивать, пока поправляют накладные пряди, накладывают тональник и слушают, как актрисы орут на бойфрендов, а актеры вполголоса организовывают по телефону ночные поебушки, и все это — не слезая с кресла визажиста.

На съемочных площадках он и понял, что на самом деле он куда осмотрительнее, чем ему всегда казалось, и что очень легко и очень заманчиво было бы поверить в то, что жизнь на съемках, где тебе все приносят под нос, где солнце в самом прямом смысле могут развернуть в твою сторону, — и есть настоящая жизнь.

Однажды, когда он уже стоял на своей разметке, оператор закончил возиться с настройками, подошел к нему, осторожно обхватил руками его голову ("Волосы не трогай!" — упреждающе рявкнул старший помощник режиссера) и наклонил ее сначала на дюйм влево, потом вправо, а потом снова влево, словно выравнивал вазу на каминной полке. "И не двигайся, Виллем", — попросил он, и Виллем, затаив дыхание, пообещал, что не будет, хотя на самом деле ему хотелось расхохотаться. Он вдруг вспомнил родителей, о которых он — тревожный признак, — становясь старше, думал все чаще, и Хемминга, и на какую-то долю секунды он их отчетливо увидел, они стояли на краю площадки, слева от него и довольно далеко, так что лиц было не различить, да и он вряд ли сумел бы вообразить, что за выражения были на этих лицах.

Он любил рассказывать об этом Джуду так, что его работа выходила чем-то ярким и смешным. Не думал он, что работа актера будет такой, а впрочем, что он там вообще мог знать о работе актера? На съемки он всегда приходил подготовленным, никогда не опаздывал, никому не грубил, делал все, что ему велел оператор, а с режиссером спорил, только если по-другому было никак нельзя. Но даже столько фильмов спустя — двенадцать за последние пять лет, восемь за последние два, — где было столько всего абсурдного, ему по-прежнему сюрреальнее всего кажется миг ровно перед тем, как включается камера. Он встает на первую отметку, встает на вторую, оператор сообщает, что готов снимать.

"Пудра!" — кричит первый помреж, и "пудра" — стилисты, гримеры и костюмеры — налетает на него, как на падаль, дергает за волосы, поправляет рубашку, щекочет веки мягкими кисточками. Длится это все секунд тридцать, он закрывает глаза, чтобы не попали крупицы пудры, чужие руки по-хозяйски шарят по его телу, трогают волосы, как будто они ему больше не принадлежат, и его охватывает странное чувство, что и его самого больше нет, что его как будто выключили, а всю его жизнь — выдумали. И в эти секунды у него в голове проносится вихрь образов — каждый не опознаешь, слишком они быстрые, слишком скученные: вот, разумеется, сцена, которую они сейчас будут снимать, и сцена, которую отсняли до этого, но здесь же и все, о ком он думает ежечасно, все, кого он видит, и слышит, и вспоминает перед тем, как ночью уснуть, — Хемминг, и Джей-Би, и Малкольм, и Гарольд с Джулией. Джуд.

— Ты счастлив? — однажды спросил он Джуда (наверное, они тогда напились).

— Не думаю, что счастье — это для меня, — наконец ответил Джуд, словно Виллем предлагал ему блюдо, которое ему не хотелось есть. — Оно для тебя, Виллем.

"Пудра" дергает и теребит его, и Виллем думает, надо было бы спросить Джуда, что он тогда имел в виду: почему счастье — для него, а не для Джуда. Но к тому времени, когда они закончат снимать эту сцену, он не вспомнит ни вопроса, ни разговора, в ходе которого он был задан.

— Звук! — кричит первый помреж, и "пудра" разлетается.

— С богом! — отвечает звукорежиссер; это значит, что он включил запись.

— Камера! — кричит оператор, объявляют сцену, щелкают хлопушкой.

И тут он открывает глаза.

———————————

2

Однажды субботним утром, вскоре после того, как ему исполнилось тридцать шесть, он открывает глаза и испытывает это странное, упоительное чувство, которое иногда снисходит на него: ощущение, что жизнь его безоблачна. Он представляет себе Гарольда и Джулию в Кеймбридже, как они сонно передвигаются по кухне, наливают кофе в щербатые кружки, стряхивают росу с упаковки газет, а где-то там, в воздухе, Виллем летит к нему из Кейптауна. Он представляет, как Малкольм спит в Бруклине, прижавшись к Софи, и еще, поскольку сегодня он полон надежд, — как Джей-Би мирно похрапывает в своей кровати в Нижнем Ист-Сайде. Здесь, на Грин-стрит, батареи испускают свистящий вздох. Простыни пахнут мылом и небом. Под потолком висит трубчатый стальной светильник, который Малкольм установил месяц назад. Под ним блестящее черное дерево пола. Квартира — все еще непредставимо огромная, таящая невиданные возможности — безмолвна и принадлежит ему.

Он вытягивает пальцы ног к изножью кровати, потом сгибает в коленях — ничего. Ерзает спиной по матрасу — ничего. Сворачивается, прижимая колени к груди — ничего. Ничего не болит и даже не грозится заболеть: его тело принадлежит ему, выполнит все, что он пожелает, без жалоб и саботажа. Он закрывает глаза — не от усталости, но потому, что это идеальный момент, а он умеет смаковать такие моменты.

Они никогда не длятся долго — иногда достаточно сесть, и сразу же получаешь напоминание, словно пощечину: это тело владеет тобой, а не ты телом, — но в последние годы, когда все стало хуже, он упорно приучал себя к мысли, что лучше уже не будет, и старался сосредоточиться на тех минутах передышки, которые тело порой милостиво давало ему, учился быть за них благодарным. Наконец он медленно садится и так же медленно встает. И все еще чувствует себя прекрасно. Хороший день, решает он и идет в ванную, мимо инвалидного кресла, а оно дуется, словно обиженное чудище, в углу спальни.

Он одевается и садится поработать с бумагами. Обычно он проводит большую часть субботы в офисе. Хотя бы это не изменилось с тех дней, когда он отправлялся на свои прогулки. О, эти прогулки! Неужели это был он, неужели он мог проскакать козлом до Верхнего Ист-Сайда и обратно, одиннадцать миль на ногах? Но сегодня он встречается с Малькольмом и ведет его к портному, поскольку Малькольм женится и ему нужен костюм.

Они не вполне уверены, что Малькольм и в самом деле женится. Им так *кажется*. За последние три года они с Софи то расставались, то мирились, и снова расставались и мирились. Но в последний год Малькольм не раз говорил с Виллемом о свадьбе (не думает ли Виллем, что это просто блажь?), а с Джей-Би о бриллиантах (если женщина утверждает, что не любит бриллианты, это может быть правдой или она просто проверяет, как звучат эти слова?), а с ним Малькольм говорил о брачных договорах.

Он ответил на вопросы Малькольма, как смог, и потом назвал ему имя своего однокашника по юридической школе, брачного адвоката.

— О, — сказал Малькольм, отступая, будто ему посоветовали наемного убийцу. — Я еще не уверен, что мне это понадобится, Джуд.

— Хорошо, — сказал он, пряча визитную карточку, к которой Малькольм не пожелал даже прикоснуться. — Если понадобится, скажи.

А месяц назад Малькольм спросил, не поможет ли он ему выбрать костюм.

— У меня вообще нет костюма, представляешь? Должен же у человека быть костюм? Как ты считаешь, может, пора — выглядеть более взрослым и вообще? Хорошо для бизнеса?

— По-моему, выглядишь ты отлично, Мэл, и с бизнесом у тебя все в порядке. Но если ты хочешь костюм, я буду счастлив тебе помочь.

— Спасибо, — сказал Малькольм. — Мне просто кажется, что надо его иметь. На всякий случай, знаешь, вдруг что. — Он помолчал. — Не могу поверить, что у тебя есть свой портной.

Он улыбнулся.

— Это не *мой* портной, а просто портной, он шьет костюмы, в том числе и мне.

— Боже, — сказал Малькольм. — Гарольд сотворил монстра.

Он принужденно рассмеялся. На самом деле ему часто казалось, что костюм — единственное, что может придать ему нормальный вид. В те месяцы, когда он не покидал инвалидного кресла, костюмы убеждали не только клиентов в его компетентности, но и его самого в том, что он такой же, как другие, и, по крайней мере, одевается так же, как они. Он не считал себя тщеславным, просто был аккуратен: в детстве, когда воспитанники детдома порой играли в бейсбол с мальчишками из местной школы, те, выйдя на поле, сразу начинали дразнить их, кричали, зажимая нос: "Фу! От вас воняет! Помойтесь!" Но они и так мылись: каждое утро начиналось с обязательного душа, они размыливали на ладонях и мочалках сальное розовое мыло, терли кожу из всех сил, пока один из воспитателей ходил туда-сюда вдоль ряда душевых, замахивался тонким полотенцем на мальчиков, которые баловались, кричал на тех, кто недостаточно старательно мылился. Даже теперь он не мог избавиться от страха, что выглядит неухоженным, грязным, запущенным, что может вызвать отвращение одним своим видом. "Ты всегда будешь уродом, но это не значит, что нельзя быть опрятным", — говорил ему отец Гавриил, и хотя отец Гавриил во многом ошибался, в этом он, по крайней мере, оказался прав.

Малкольм входит, обнимает его и начинает, как всегда, осматривать пространство, вытягивая длинную шею, нарезая медленные круги по комнате, издавая нечленораздельные звуки, взгляд его обшаривает все вокруг, как луч маяка.

Он отвечает на вопрос Малкольма прежде, чем тот успевает его задать.

— В следующем месяце, Мэл.

— Ты говорил то же самое три месяца назад.

— Знаю. Но сейчас точно. Сейчас у меня есть деньги. Ну или будут в конце месяца.

— Мы уже это обсуждали.

— Я знаю. Малкольм, это невероятно щедро с твоей стороны. Но я не могу не платить тебе.

Он живет в этой квартире уже четыре года, и все четыре года у него нет денег на ремонт, потому что он выплачивает за квартиру. За это время Малкольм начертил планы, огородил стенами спальни, помог ему выбрать диван, который стоит в центре гостиной, как серый космический корабль, и сделал кое-какой мелкий ремонт, включая полы. "Это безумие, — говорил он Малкольму. — Ведь когда мы начнем настоящий ремонт, все это придется переделывать". Но Малкольм сказал, что все равно покрасит пол: эта краска — новый продукт, который интересно опробовать, и пока он не будет готов начать работы, Грин-стрит будет для него, Малкольма, лабораторией, полем для экспериментов — если он не против (он, конечно, был не против). Но в остальном квартира все еще выглядит практически так же, как когда он въехал: длинный прямоугольник на шестом этаже здания в Южном Сохо, с окнами с обоих концов, один ряд окон выходит на запад, другой — на восток, и еще окна вдоль всей южной стены, выходящие на парковку. Его комната и ванная на восточной стороне, откуда видно крышу приземистого здания на Мерсер-стрит; комнаты Виллема (про себя он все так и называет их комнатами Виллема) — на западной стороне, с видом на Грин-стрит. Посередине кухня и еще один санузел. И между двумя комнатами — огромное пространство, черные полы сверкают, как клавиши пианино.

Он все еще не привык, что здесь так много места, как странно, что он может себе это позволить. *Но ты правда можешь*, порой напоминает он себе, точно как в магазине, когда колеблется, купить ли упаковку черных маслин, которые он так любит, соленых, от них вяжет рот и слезятся глаза. Когда он только переехал в Нью-Йорк, это было баловство, и он покупал их только раз в месяц, одну блестящую горсть. Каждый вечер он съедал единственную маслину, медленно рассасывая мякоть с косточки, пока сидел и готовил резюме судебных дел. *Ты можешь их купить*, говорит он себе. *У тебя есть деньги*. Но это все еще трудно запомнить.

Причина того, что у него есть эта квартира на Грин-стрит, а в холодильнике всегда найдется пакет маслин, — это "Розен, Притчард и Кляйн", одна из самых крупных и престижных фирм в городе, где он работает адвокатом и где он уже больше года партнер. Пять лет назад он, Ситизен и Родс работали над делом о мошенничестве с ценными бумагами в большом коммерческом банке "Теккерей Смит", и вскоре после соглашения сторон с ним связался человек по имени Люсьен Войт, который, как он знал, возглавлял судебно-правовой отдел в компании "Розен, Притчард и Кляйн" и представлял в переговорах банк "Теккерей Смит".

Войт пригласил его выпить. Впечатляющая работа, особенно в зале суда, сказал он. И Теккерей Смит тоже так думает. Войт уже слышал о нем от судьи Салливана, с которым знаком по редколлегии юридического журнала, специально его расспросил. Он никогда не думал о том, чтобы уйти из прокуратуры и перейти на темную сторону?

Он соврал бы, если бы сказал "нет". Все вокруг него уходили. Он знал, что Ситизен ведет переговоры с международной компанией в Вашингтоне, Родс подумывает о том, чтобы перейти в юридический отдел какого-нибудь банка. Самому ему уже делали предложение две фирмы, и оба раза он отказался. Им всем нравилось работать в офисе федерального прокурора. Но Ситизен и Родс были старше его, Родс с женой собирались завести ребенка, им нужно было зарабатывать деньги. Деньги, деньги: кажется, иногда они только о них и говорили.

Он тоже думал о деньгах — невозможно было не думать. Каждый раз, когда он возвращался домой с вечеринки у каких-нибудь друзей Джей-Би или Малкольма, квартира на Лиспенард-стрит казалась все более обшарпанной, все менее выносимой. Каждый раз, когда ломался лифт и ему приходилось карабкаться по лестнице, а потом отдыхать на площадке, прислонившись к входной двери, прежде чем достанет сил открыть ее и войти, он мечтал о том, чтобы жить в каком-нибудь более удобном, более благоустроенном месте. Каждый раз, когда он стоял наверху, готовясь к спуску по лестнице, хватаясь за перила, дыша через рот от усилия, он мечтал о возможности взять такси. Но были и другие, худшие страхи: в тяжелые минуты он воображал себя стариком с истончившейся, будто пергамент, кожей, все еще на Лиспенард-стрит; как он на локтях ползет к ванной, потому что больше не может ходить. В этом видении он был один — с ним не было ни Виллема, ни Джей-Би, ни Малькольма, ни Гарольда с Джулией. Он был старым-старым, и рядом никого, он должен был заботиться о себе сам.

— Сколько вам лет? — спросил Войт.

— Тридцать один.

— Тридцать один это мало, — сказал Войт, — но вы не будете молодым вечно. Неужели вы хотите состариться в федеральной прокуратуре? Знаете, как называют прокурорских? Люди, у которых лучшие годы позади. — Он упомянул размер вознаграждения, ускоренный путь в партнеры. — Обещайте, что вы об этом подумаете.

— Подумаю, — сказал он.

И он подумал. Он не стал обсуждать это с Ситизеном и Родсом — или с Гарольдом, потому что знал, что тот скажет, — он обсудил это с Виллемом, и вместе они рассмотрели очевидные преимущества и очевидные недостатки работы: ненормированный рабочий день (но ты и так никогда не уходишь с работы, сказал Виллем), однообразие, высокую вероятность, что придется работать со всякой сволочью (но если не считать Ситизена и Родса, ты и так работаешь со всякой сволочью, сказал Виллем). И, конечно, тот факт, что теперь ему придется защищать тех людей, которых он последние шесть лет обвинял: лжецов, мошенников, воров, власть имущих, притворяющихся жертвами. Он не был как Гарольд и Ситизен, он был практичен; он знал, что юристу, чтобы сделать карьеру, приходится чем-то поступаться, деньгами или нравственностью, но его все-таки беспокоило, что он оставляет дело, которое считает справедливым. И ради чего? Чтобы не стать больным и беспомощным стариком? Но ведь это худшая форма эгоизма и себялюбия — отказаться от того, что считаешь правильным, просто из страха, оттого что впереди маячат беспомощность и заброшенность.

Через две недели после встречи с Войтом, в пятницу, он вернулся домой очень поздно. Он был совершенно измотан, ему пришлось весь день провести в инвалидном кресле, потому что рана на правой ноге страшно болела, и он почувствовал такое облегчение, когда добрался домой на Лиспенард-стрит, что его охватила слабость — через несколько минут он будет внутри, обвяжет ногу горячей влажной тканью, подогретой в микроволновке, будет сидеть в тепле. Но когда он нажал на кнопку лифта, то услышал только скрипящий звук, который лифт издавал, когда ломался.

"Нет! — заорал он. — Нет!" Его голос эхом отразился в подъезде, а он снова и снова бил рукой по двери лифта: "Нет! Нет! Нет!" Он поднял портфель и бросил его оземь, бумаги рассыпались по полу. Вокруг него стояла тишина, дом был пустынен и неотзывчив.

Наконец он замолчал, его душили злоба и стыд, он собрал бумаги и положил их обратно в портфель. Посмотрел на часы: одиннадцать. Виллем играет в спектакле "Облако 9", они уже должны были закончить. Но когда он позвонил, Виллем не снял трубку. Его охватила паника. Малькольм в отпуске в Греции. Джей-Би в колонии художников. У Энди на прошлой неделе родилась дочь, Беатрис, — ему звонить нельзя. В его жизни так немного людей, от которых он может принять помощь, за которых он может зацепиться, как ленивец, позволить им тащить себя вверх по лестнице и при этом чувствовать себя хотя бы наполовину сносно.

В этот момент ему иррационально, отчаянно хотелось попасть в квартиру. Так он и стоял, прижимая к себе портфель левой рукой и держа сложенное кресло — слишком дорогое, чтобы оставить его в подъезде — в правой. Он начал восхождение, прислоняясь левой стороной к стене, держа кресло за спицы колеса. Он двигался медленно — приходилось прыгать на левой ноге, чтобы ненароком не опереться на правую и чтобы кресло не билось о рану на ноге. Он поднимался, отдыхая на каждой третьей ступеньке. До пятого этажа было сто десять ступенек, на пятидесятой его уже так трясло, что пришлось сесть и отдыхать целых полчаса. Он звонил и писал Виллему снова и снова. На четвертом звонке он оставил сообщение: он надеялся, что ему никогда не придется сказать такие слова. "Виллем, мне нужна помощь. Пожалуйста, позвони мне. Пожалуйста". Ему казалось, что вот сейчас Виллем перезвонит, скажет: я сейчас, я мигом, но он ждал и ждал, а Виллем не перезванивал, и наконец он заставил себя снова встать.

Каким-то образом он оказался внутри квартиры. Но не мог вспомнить ничего больше из того вечера; на следующий день, когда он проснулся, Виллем спал на коврике у его кровати, а Энди — в кресле, которое они притащили из гостиной. Он едва ворочал языком, в голове был туман, его тошнило, Энди наверняка уколол ему какое-то болеутоляющее — он терпеть этого не мог, теперь несколько дней он будет страдать от запора и общей дезориентации.

Когда он снова проснулся, Виллема уже не было, а Энди не спал и смотрел на него.

— Джуд, тебе нужно убраться к чертям из этой квартиры, — сказал он спокойно.

— Знаю.

— Джуд, что ты себе думал? — спросил Виллем позже, когда вернулся из магазина.

Энди пришлось помочь ему добраться до туалета — он не мог идти, Энди его отнес, — после чего он уложил его в постель, все еще во вчерашней одежде, и ушел. Виллем после спектакля пошел на вечеринку и не слышал его звонков, а когда наконец прослушал сообщение, то примчался домой, нашел его на полу в конвульсиях и позвонил Энди.

— А почему ты не позвонил Энди? Почему ты не мог где-то поужинать и дождаться меня? Почему ты не позвонил Ричарду? Почему ты не позвонил Филиппе, чтобы она меня нашла? Почему не позвонил Ситизену, или Родсу, или Али, или Федре, или Генри Янгам, или…

— Не знаю, — сказал он несчастным голосом. Невозможно объяснить здоровому логику больного, и у него не было сил на такую попытку.

На следующей неделе он связался с Люсьеном Войтом и обговорил с ним условия работы. Подписав контракт, он позвонил Гарольду, который молчал целых пять секунд, прежде чем набрать в легкие воздуха и начать нотацию.

— Я не понимаю тебя, Джуд, ей-богу, не понимаю. Тебе вроде бы несвойственно стяжательство. Да? То есть получается, что нет. У тебя была такая карьера в федеральной прокуратуре. Ты делал там по-настоящему важное дело. И ты бросаешь все это, чтобы защищать кого? Преступников. Людей настолько привилегированных, что им в голову не приходит, что их можно поймать за руку. Людей, которые думают, что закон написан для тех, у кого годовая зарплата меньше девяти цифр. Людей, которые думают, что у закона есть расовые и имущественные границы.

Он ничего не ответил, отчего Гарольд распалялся все сильнее. Он знал, что Гарольд прав. Они никогда не обсуждали это вслух, но он знал, что Гарольд ждет от него карьеры на государственной должности. Все эти годы Гарольд с печалью и недоумением говорил о своих бывших талантливых студентах, которые оставляли должности в федеральной прокуратуре и министерстве юстиции, бросали работу общественного защитника или юрисконсульта и переходили в частные фирмы. "Общество не сможет как следует функционировать, если люди с блестящими юридическими способностями не будут обеспечивать его бесперебойную работу", — часто говорил Гарольд, и он соглашался с ним. И сейчас тоже мысленно соглашался.

— Тебе что, нечего ответить? — спросил наконец Гарольд.

— Прости, Гарольд, — сказал он.

Гарольд промолчал.

— Ты так сердит на меня, — пробормотал он.

— Я не сержусь, Джуд, — сказал Гарольд. — Но я разочарован. Ты знаешь, какой ты талантливый? Ты знаешь, сколько всего ты мог бы сделать, если бы остался? Ты мог бы стать судьей, если бы захотел, ты мог бы заседать в Верховном суде. Но теперь всего этого не будет. Ты станешь еще одним юристом в большой фирме, и, вместо того чтобы делать добро, ты будешь бороться с теми, кто его делает. Такая потеря, Джуд, такая потеря.

Он по-прежнему молчал. Про себя он повторял слова Гарольда: "Такая потеря, Джуд, такая потеря". Гарольд вздохнул.

— Так в чем все-таки дело? В деньгах? Или в чем? Почему ты не сказал мне, что тебе нужны деньги, Джуд? Я бы мог дать тебе денег. Ведь это из-за денег? Скажи мне, что тебе нужно, Джуд, я буду счастлив тебе помочь.

— Гарольд, — сказал он. — Ты… очень добр. Но я не могу.

— Чушь, — сказал Гарольд. — Ты *не хочешь*. Я предлагаю тебе возможность сохранить твою работу, Джуд, а не браться за такую, от которой тебя самого будет воротить, и это не предположение, а факт. Без всяких условий, без вопросов. Я буду *счастлив* дать тебе денег.

Ох, Гарольд, подумал он.

— Гарольд, — сказал он с отчаянием, — у тебя точно нет таких денег, которые мне нужны.

Гарольд молчал, а когда снова заговорил, то совсем по-другому:

— Джуд, ты попал в какую-то передрягу? Ты можешь мне все рассказать. Что бы это ни было, я тебе помогу.

— Нет, — сказал он. Ему хотелось плакать. — Нет, Гарольд, все в порядке.

Он взялся правой рукой за перебинтованную лодыжку, где пульсировала постоянная, неутихающая боль.

— Что ж, это хорошо. Но, Джуд, зачем тебе может быть нужно столько денег, если не считать квартиру — мы с Джулией поможем тебе купить квартиру, слышишь?

Порой его одновременно и раздражал, и забавлял этот недостаток воображения: в мире Гарольда у всех были родители, которые гордились своими детьми, деньги могли быть нужны только на квартиру или на поездку, и можно было попросить все, чего пожелаешь; казалось, он не знал о вселенной, где это не данность, где не у всех одинаковое прошлое и будущее. Но, конечно, думать так — неблагодарность, и эти мысли посещали его редко, по большей части он восхищался неукротимым оптимизмом Гарольда, его неумением и нежеланием быть циничным, видеть во всем несчастье и безнадежность. Он любил в Гарольде эту невинность, особенно поразительную, если вспомнить, чему тот учил и что потерял. И как он мог сказать Гарольду, что ему приходится думать об инвалидных креслах, которые надо менять каждые несколько лет и которые полностью не покрываются страховкой? Как мог он сказать, что Энди, чьи услуги тоже не покрывает страховка, никогда не берет с него денег, но вдруг однажды начнет брать, и тогда он уж точно не откажется платить? Как сказать, что в последний раз, когда у него открылась рана, Энди заговорил о больнице, а возможно, в будущем, об ампутации? Как сказать ему, что тогда понадобится и госпитализация, и физиотерапия, и протез? Как рассказать об операции на спине, которую он мечтает сделать, чтобы лазер выровнял, свел на нет панцирь из шрамов? Как рассказать Гарольду о более глубоких страхах: как он боится одиночества, боится стать стариком с катетером и костлявой грудью? Как сказать Гарольду, что он мечтает не о семье и детях, а о том, что в один прекрасный день у него будет достаточно денег, чтобы нанять кого-то, кто будет за ним ухаживать, если понадобится; кто будет добр к нему, кто оставит ему немного личного пространства, немного человеческого достоинства? И да, он хочет еще кое-чего: жить в доме с работающим лифтом. Брать такси, когда вздумается. Найти место, где можно плавать вдали от любопытных глаз, — движение помогает спине, а прогулки ему уже не под силу.

Но ничего этого он не мог сказать Гарольду. Он не хотел, чтобы тот знал, как он плох, какой хлам ему достался. И он ничего не сказал, только "мне пора, поговорим позже".

С самого начала, еще до разговора с Гарольдом, он готовил себя к тому, что новую работу придется терпеть, и не более того, однако, к своему недоумению, потом изумлению, потом радости и, в конце концов, даже легкому отвращению, он понял, что работа ему очень нравится. У него был опыт работы с фармацевтическими компаниями в прокуратуре, и поэтому вначале основная его деятельность оказалась связана с этой индустрией: он работал с компанией, которая открывала филиал в Азии и хотела разработать противокоррупционную политику, так что ему пришлось постоянно летать в Токио со старшим партнером, который тоже занимался этим делом, — это была компактная, четкая, решаемая задача, уже поэтому необычная. Другие дела были более сложными и занимали больше времени, иногда страшно много времени: главным образом он работал над стратегией защиты по делам одного из клиентов, огромного фармацевтического конгломерата, против обвинений по Закону о неправомерных претензиях. Через три года работы в "Розен, Притчард и Кляйн", когда в компании по управлению инвестициями, где работал Родс, стали проводить расследование на предмет мошенничества с ценными бумагами, ему предложили стать партнером: у него был опыт выступлений в суде, какого не было у большинства сотрудников, но он всегда знал, что главное — привести клиента, а найти первого клиента всегда особенно трудно.

Он никогда бы не признался в этом Гарольду, но ему по-настоящему нравилось руководить расследованиями по сигналам инсайдеров, нравилось проверять на прочность границы Закона о борьбе с практикой коррупции за рубежом, нравилось растягивать закон, словно тонкую резинку, за пределы натяжения, пока он не сорвется, не вернется к тебе хлестким шлепком. Днем он говорил себе, что это интеллектуальное упражнение, что его работа — воплощение пластичности закона как такового. Но ночами он иногда думал, что сказал бы Гарольд, если б он честно рассказал ему о своей работе, и снова слышал его слова: *такая потеря, такая потеря.* "Что я делаю?" — думал он в такие минуты. Это работа сделала его таким или корысть всегда жила в нем и он просто обманывался на свой счет?

— *Я всегда остаюсь в рамках закона,* — спорил он с воображаемым Гарольдом.

— *Да, закон тебе это позволяет, но значит ли это, что ты поступаешь как должно?* — возражал ему воображаемый Гарольд.

И в самом деле, Гарольд не ошибся: он скучал по офису федерального прокурора. Он скучал по ощущению своей правоты, по обществу убежденных, страстных людей, людей миссии. Он скучал по Ситизену, который вернулся в Лондон, и по Маршаллу, с которым иногда встречался в каком-нибудь баре, и по Родсу, которого видел чаще всех, но который был теперь вечно измотан и озабочен, а ведь он помнил его таким веселым и искрящимся, помнил, как Родс бешено кружил по офису воображаемую партнершу под звуки электротанго, чтобы только заставить их с Ситизеном — засидевшихся допоздна, одуревших от работы — поднять голову от компьютеров и рассмеяться. Что поделать, все они стали старше. Ему нравилась фирма "Розен Притчард", ему нравились люди, но он никогда не сидел с ними вечерами, не спорил о судебных делах, не говорил о книгах: в этом офисе подобное не было принято. Сотрудников его возраста дома ждали недовольные партнеры (или они сами были чьими-то недовольными партнерами); люди постарше женились. В редких случаях, когда они не обсуждали текущую работу, разговор шел о помолвках, беременностях и недвижимости. Они не говорили о праве ради удовольствия, не горели им.

Фирма поощряла своих сотрудников вести работу *pro bono*, и он стал волонтером в некоммерческой организации, арт-фонде, предлагавшем бесплатную юридическую помощь людям творческих профессий. Каждый вечер в определенные часы (они назывались "студийными") люди искусства могли зайти и посоветоваться с юристом, и по средам он уходил с работы пораньше, в семь, и три часа сидел в офисе со скрипучими полами в Сохо, на Брум-стрит, консультируя издателей радикальных трактатов, желающих зарегистрировать некоммерческую организацию, художников, вступивших в тяжбу из-за интеллектуальной собственности, танцевальные группы, фотографов, писателей и режиссеров, заключивших контракты либо настолько неформальные (один был написан карандашом на бумажном полотенце), что они не имели никакой силы, либо настолько сложные, что творческий человек не мог их понять — он сам с трудом понимал их, — но все равно подписал.

Гарольд не одобрял и этой его волонтерской работы, явно считал ее баловством. "И что, хоть один из них делает что-то *стоящее?*" — спрашивал Гарольд. "Может, и нет", — отвечал он. Но не его делом было судить, насколько они хороши, — этим занимались другие, и других было полно. Он просто предлагал им практическую помощь, в которой многие из них нуждались: их мир зачастую был глух к прозе жизни. Он знал, что романтизирует их, и все равно ими восхищался, он восхищался каждым, кто может жить год за годом, ведомый лишь жаром надежды, невзирая на уходящие дни, погружаясь все в большую безвестность. И в том же романтическом ключе он воспринимал эту работу как дань своим друзьям, ведь все они жили такой необыкновенной жизнью: он считал, что они добились поразительных успехов, он страшно ими гордился. В отличие от него, они не шли по проторенному пути, а упрямо прокладывали собственную дорогу. Каждый день они создавали красоту.

Его приятель Ричард входил в исполнительный совет арт-фонда и по средам иногда заглядывал туда по пути домой — он недавно перебрался в Сохо — посидеть и поболтать с ним, если в этот момент клиентов не было, или просто помахать ему издалека, если он был занят. Однажды после работы Ричард пригласил его зайти в гости, и они отправились на запад по Брум-стрит, пересекли Сентер-стрит, и Лафайетт, и Кросби, и Бродвей, пока наконец не свернули налево на Грин-стрит. Ричард жил в узком здании с каменной кладкой, потемневшей до цвета сажи, с гигантскими гаражными воротами и металлической дверью, в верхнюю часть которой было вмонтировано маленькое круглое стеклянное окно. Вестибюля не было, вместо него тянулся серый коридор, выложенный плиткой и освещенный тремя голыми лампочками. Они свернули направо и вышли к похожему на тюремную камеру грузовому лифту, куда разом вместились бы и их гостиная, и спальня Виллема на Лиспенард-стрит. Решетчатая дверь закрылась с тяжелым грохотом, но кабина гладко заскользила по голой шлакобетонной шахте. На третьем этаже она остановилась, Ричард отодвинул дверцу клетки и открыл неприступные на вид тяжелые стальные двери квартиры.

— Ого, — произнес он, шагнув внутрь, пока Ричард щелкал выключателями.

Пол был сложен из беленого паркета, стены тоже были белыми. Высоко над ним потолок подмигивал и сверкал бесчисленными люстрами — старыми стеклянными и новыми стальными, — которые висели с интервалом примерно в три фута на разной высоте, так что, пока они шли по лофту, он то и дело задевал головой стеклянные подвески, а Ричарду, который был еще выше, приходилось нагибаться, чтобы не поцарапать лоб. Перегородок не было, но в глубине пространства в дальнем конце лофта стоял отдельный узкий стеклянный ящик, высотой и шириной с входные двери, и, подойдя ближе, он увидел внутри огромные соты, похожие на изящный фрагмент лучевого коралла. За стеклянным ящиком лежал матрас с покрывалом, перед матрасом — лохматый берберский ковер с поблескивающими зеркальцами, сверкающими отраженным светом; диван с белой шерстяной обивкой и телевизор — странный островок домашнего уюта посреди пустыни. Он никогда не видел такой огромной квартиры.

— Не настоящие, — уточнил Ричард, проследив его взгляд, упершийся в соты. — Я их сделал из воска.

— Потрясающе, — сказал он, и Ричард кивнул, спасибо, мол.

— Пошли, покажу тебе все.

Ричард протянул ему бутылку пива и отпер дверь рядом с холодильником.

— Аварийная лестница. Обожаю их. Похоже на сошествие в ад, да?

— Похоже, — согласился он, глядя в дверной проем, где ступени исчезали во мраке. Потом сделал шаг назад: ему вдруг стало не по себе, и одновременно он устыдился такого глупого страха, и Ричард, который, кажется, ничего не заметил, закрыл и запер дверь. Они спустились на лифте на второй этаж, в мастерскую Ричарда, и Ричард показал ему, над чем он работает.

— Я называю их "обманки".

Ричард протянул ему белую березовую ветку, которая оказалась сделанной из обожженной глины, а потом камень, круглый, гладкий и невесомый, вырезанный из ясеня и обточенный на токарном станке, но казавшийся плотным и увесистым, и птичий скелет из сотен крошечных фарфоровых деталей. Все пространство рассекала шеренга из семи стеклянных ящиков, поменьше, чем тот, наверху, с восковыми сотами, но и не маленьких, величиной со створчатые окна, и в каждом оплывала бугристая гора темно-желтого вещества, похожего на смесь резины и плоти.

— Это настоящие соты — ну, в прошлом, — объяснил Ричард. — Я давал пчелам их построить, а потом выпускал. Название каждого — это срок, в течение которого они были населены, сколько они пробыли домом и пристанищем.

Они устроились в кожаных офисных креслах — Ричард использовал их для работы; пили пиво и разговаривали: о работе Ричарда, о его предстоящей выставке (второй) через шесть месяцев, о новых картинах Джей-Би.

— Ты их не видел, да? — спросил Ричард. — Я заходил к нему в студию две недели назад. Они очень хороши, лучше всего, что он до сих пор делал. — Он улыбнулся ему. — Знаешь, там будет много тебя.

— Я знаю, — кивнул он, стараясь не морщиться, и тут же сменил тему. — Ричард, как ты нашел такую квартиру? Невероятное место.

— Это все мое.

— Серьезно? Твоя собственная квартира? Снимаю шляпу. Это очень по-взрослому.

Ричард засмеялся.

— Нет. Все здание мое.

Он объяснил: его дед занимался импортом товаров, и отец с теткой в молодости купили шестнадцать зданий в южной части Манхэттена, все до единого бывшие фабрики, под складские помещения: шесть в Сохо, шесть в Трайбеке и четыре в Чайнатауне. Каждый из четырех внуков получил на тридцатилетие одно из зданий, а на тридцатипятилетие (Ричарду исполнилось тридцать пять в прошлом году) — еще одно. На сорокалетие им причиталось третье здание, а на пятидесятилетие — последнее.

— А вы могли выбирать?

От подобных историй он всегда одновременно испытывал восторг и недоверие — подумать только, такое богатство существует, про него можно так буднично говорить, и человек, которого он знает сто лет, владеет этим богатством. Он снова убеждался, какой он до сих пор наивный и простоватый — он не мог представить себе такие сокровища, не мог представить, что знакомые ему люди владеют такими сокровищами. Ни годы жизни в Нью-Йорке, ни даже работа не отучили его представлять богачей не в образе Эзры, Ричарда или Малькольма, а в виде сатирических карикатур: пожилые люди, вылезающие из автомобилей с тонированными стеклами, толстопалые, пузатые, ослепительно лысые, с тощими манерными женами, с начищенным паркетом в огромных домах.

— Нет, — широко улыбнулся Ричард, — они распределяли их по своему представлению о наших личных качествах. Мой ворчливый кузен получил здание на Франклин-стрит, где раньше хранили уксус.

Он засмеялся.

— А здесь что хранили?

— Пойдем, покажу.

Они снова вошли в лифт и поднялись на четвертый этаж, Ричард распахнул дверь, включил свет, и их взгляду предстали бесконечные ряды поддонов, громоздившихся штабелями почти до самого потолка, — ему показалось, что в них сложены кирпичи.

— Это не просто кирпичи, — сказал Ричард, — это декоративные кирпичи из терракоты, привезенные из Умбрии.

Ричард взял кирпич из незаполненного поддона и протянул ему, и он повертел в руке предмет, покрытый тонким, ярким слоем зеленой глазури, провел ладонью по его шероховатостям.

— Пятый и шестой этажи тоже заполнены этим добром, — сказал Ричард. — Они постепенно распродают их одному оптовику в Чикаго, а потом эти этажи тоже освободятся. — Он улыбнулся. — Понимаешь теперь, почему у меня тут такой отличный лифт?

Они вернулись в квартиру, снова прошли через висячие сады люстр, и Ричард протянул ему еще одну бутылку пива.

— Послушай, — сказал он, — я хочу с тобой поговорить об одном важном деле.

— Конечно. — Он поставил бутылку на стол и подался вперед.

— Видимо, к концу года эти изразцы будут окончательно распроданы, — сказал Ричард. — Пятый и шестой этажи по планировке точно такие же, как этот, — стояки в тех же местах, три туалета. Вопрос вот в чем: не хочешь ли ты жить на одном из этих этажей?

— Ричард, — сказал он, — я бы с радостью. Ты собираешься их сдавать?

— Я не собираюсь сдавать квартиру, Джуд, — сказал Ричард. — Я предлагаю тебе ее купить.

Ричард уже успел поговорить со своим отцом, который был еще и юристом бабушки с дедушкой: они планировали превратить здание в кооператив и продать ему определенное количество акций. У семьи Ричарда было единственное условие: они хотели иметь приоритетное право на выкуп квартиры, если новый владелец или его наследники решат ее продать. Они предложили ему справедливую цену и договорились, что он будет выплачивать Ричарду ежемесячный взнос в счет общей суммы. Голдфарбы уже так делали — девушка ворчливого кузена год назад купила этаж уксусного склада, и все остались довольны. Если каждый из владельцев превращал свое здание в кооператив, состоящий как минимум из двух жилых единиц, это обеспечивало какие-то налоговые послабления, и поэтому отец Ричарда агитировал все младшее поколение поступать именно так.

— Почему ты это предлагаешь? — тихо спросил он, когда немного пришел в себя. — Почему именно мне?

Ричард пожал плечами:

— Мне бывает одиноко. Ты не думай, я не собираюсь все время к тебе заходить. Но иногда приятно знать, что в этом здании есть еще одна живая душа. А ты — самый ответственный среди моих знакомых, хотя, конечно, за этот титул не идет напряженная борьба. Мне с тобой интересно. И потом… — Он замялся. — Обещай, что не рассердишься.

— Так, — сказал он. — Ну обещаю.

— Виллем рассказал мне, что случилось тогда, в прошлом году, когда ты пытался подняться, а лифт не работал. Джуд, тут совершенно нечего стесняться. Он волнуется о тебе. Я сказал ему, что как раз собираюсь с тобой поговорить про эту квартиру, и он тогда подумал — он думает, — что это такое место, где ты мог бы жить долго. Всегда. И лифт здесь никогда не сломается. А если сломается, я тут, внизу. В смысле — конечно, ты можешь купить что-то другое, но я надеюсь, ты подумаешь над тем, чтобы переехать сюда.

В эту минуту он не злится, просто чувствует, насколько он уязвим — не только перед Ричардом, но и перед Виллемом. Он пытается скрывать от Виллема все, что можно скрыть, не потому, что не доверяет, а потому, что не хочет выглядеть в глазах Виллема неполноценным человеком, за которым надо присматривать, которому надо помогать. Он хочет, чтобы Виллем, чтобы все они считали его надежным и стойким, чтобы обращались к нему со своими проблемами, а не он к ним. Он со стыдом думает о разговорах, которые ведут о нем Виллем и Энди, Виллем и Гарольд (он убежден, что такие разговоры происходят чаще, чем он думал), а теперь еще и Виллем и Ричард, и печалится, что Виллем так много времени посвящает беспокойству о нем, думает о нем так, как думал бы о Хемминге, если бы тот выжил: как о человеке, нуждающемся в заботе, как о человеке, за которого надо принимать решения. Он снова представляет себя стариком: может ли так быть, что и Виллем представляет себе его старость точно так же, что этот страх их объединяет, что такой конец представляется Виллему столь же неизбежным, как и ему самому?

Тогда он вспоминает разговор, который однажды произошел между ним, Виллемом и Филиппой; Филиппа говорила о том, как когда-нибудь, в старости, они с Виллемом поселятся в доме ее родителей, среди садов на юге Вермонта.

— Я это очень ясно вижу, — сказала она. — Дети переедут жить к нам, потому что в большом мире ничего не добьются, у них в общей сложности будет шестеро собственных детей с именами вроде Ровер, Томат и Пантера, внуки будут бегать по всему дому голые, в школу не пойдут, и нам с Виллемом придется их содержать до конца времен…

— А ваши дети чем будут заниматься? — спросил он, не теряя делового подхода даже во время игры.

— Оберон будет создавать арт-объекты из продовольственных товаров, а Миранда — играть на цитре с шерстяными нитками вместо струн, — ответила Филиппа, и он улыбнулся. — Они останутся вечными дилетантами, и Виллем будет вынужден работать, даже когда так одряхлеет, что мне придется выкатывать его на сцену в инвалидной коляске, — она умолкла, покраснела, но после секундной заминки продолжила, — чтобы оплачивать их учебу и творческие эксперименты. Я заброшу работу костюмера, возглавлю компанию по производству органического яблочного соуса, чтобы расплатиться со всеми долгами и содержать дом, огромную, роскошную развалюху с термитами в каждом углу, и у нас будет такой огромный, весь в царапинах дубовый стол, за которым мы все без труда разместимся вдвенадцатером…

— Втринадцатером, — вдруг сказал Виллем.

— Почему втринадцатером?

— Потому что Джуд тоже будет жить с нами.

— Правда? — спросил он, в той же шутливой манере, но с чувством облегчения, радуясь, что и ему нашлось место в той картине старости, которую рисовал себе Виллем.

— А как же. Ты будешь жить в гостевом домике, и Ровер каждое утро будет таскать тебе твои гречневые вафли, потому что ты так от нас устанешь, что не захочешь завтракать с нами за общим столом, а после завтрака я буду приходить с тобой потрепаться и заодно спрятаться от Оберона и Миранды, которые будут осаждать меня, требуя умных и ободряющих замечаний про их последние творческие усилия. — Виллем посмотрел на него с широкой улыбкой, и он улыбнулся в ответ, хотя видел, что Филиппа уже не улыбается, а сидит уставившись в стол. Когда она подняла голову, их глаза на полсекунды встретились, и она быстро отвела взгляд.

Ему показалось, что именно после этого случая отношение Филиппы к нему изменилось. Этого не замечал никто, кроме него, может быть, даже она сама не замечала, но если раньше он заходил в квартиру и видел, как она что-то рисует за столом, они обычно мило беседовали, пока он набирал себе стакан воды и рассматривал ее рисунки. Теперь же она просто кивала ему и говорила: "Виллем вышел в магазин" или "Он скоро придет", — хотя он ничего не спрашивал (она всегда была желанным гостем на Лиспенард-стрит, независимо от того, был Виллем дома или нет), и он некоторое время выжидал, пока не становилось очевидно, что общаться она не собирается, а потом ретировался в свою комнату работать.

Он понимал, почему может раздражать Филиппу: Виллем всюду его с ними звал, включал его во все свои дела, даже в их преклонный возраст, даже в мечту Филиппы об их мирной старости. После этого он старался отказываться от приглашений Виллема, даже если речь шла о ситуациях, где статус Виллема и Филиппы как пары был не так важен — если они шли в гости к Малкольму, он уходил в другое время, а на День благодарения пригласил в Бостон и Филиппу тоже, хотя она в результате так и не поехала. Он даже попытался поговорить с Виллемом о своих ощущениях, обратить его внимание на ее — для него несомненные — чувства.

— Она тебе разве не нравится? — встревожился Виллем.

— Конечно нравится, ты же знаешь, — ответил он. — Я просто думаю… я думаю, вам надо больше времени проводить вдвоем, Виллем. Ей, наверное, уже надоело, что я все время с вами.

— Она тебе это *сказала*?

— Да нет, Виллем, конечно не говорила. Это моя догадка. У меня ведь богатый опыт общения с женщинами.

Позже, когда Виллем и Филиппа расстались, он чувствовал себя виноватым — таким виноватым, как будто они расстались из-за него. Но он еще до этого гадал, не пришел ли сам Виллем к аналогичному выводу — что никакой серьезный союз не выдержит его постоянного присутствия в жизни Виллема; он гадал, не пытается ли Виллем спланировать для него другое будущее, чтобы он в старости *не* поселился в коттедже на участке семейства Рагнарссонов, *не* превратился в жалкого друга-холостяка, в бесполезное напоминание о давно позабытой, детской жизни Виллема. Я останусь один, решил он. Не ему разрушать надежду Виллема на счастье: он хотел, чтобы у Виллема все это было — и сады, и изъеденный термитами дом, и внуки, и жена, которая ревнует к друзьям и жаждет внимания. Он хотел, чтобы у Виллема было все, что он хочет, все, чего он заслуживает. Он хотел, чтобы Виллем жил без лишних забот, обязательств и ответственности, даже если заботы, обязательства и ответственность — это он сам.

На следующей неделе отец Ричарда — высокий, улыбчивый, приятный мужчина, с которым он познакомился еще на первой выставке Ричарда, три года назад, — прислал контракт, который он тщательно изучил вме-

сте с однокашником по юридической школе, специалистом по сделкам
с недвижимостью, и строительную спецификацию здания, которую он
показал Малкольму. От цены его почти физически затошнило, но однокашник сказал, что надо покупать: "Это невероятное предложение, Джуд. Ты
никогда, никогда, ни за что в жизни не найдешь ничего подобного — такого
размера в таком районе за такие деньги". А Малкольм, изучив документы,
а потом и квартиру, сказал ему то же самое: покупай.

И он ее купил. И хотя они с Голдфарбами договорились о нетороп-
ливом десятилетнем графике, беспроцентной аренде в счет выкупа, он
намеревался выплатить всю сумму как можно скорее. Каждые две недели
он переводил половину заработка в счет выплаты, а вторую оставлял
на жизнь и сбережения. Во время еженедельного телефонного разговора
он рассказал Гарольду, что переехал ("Аллилуйя!" — сказал Гарольд: он
никогда не любил Лиспенард-стрит), но не рассказал, что купил квартиру, — а то Гарольд будет считать, что обязан предложить ему деньги.
С Лиспенард-стрит он перевез только матрас, лампу, стол и стул и все
это расположил в углу. По ночам он иногда поднимал голову от работы
и думал: вот ведь идиотское решение, как он сможет заполнить столько
места? Как он сможет освоить все это пространство? Он вспоминал Бостон,
Херефорд-стрит, вспоминал, как он мечтал там о собственной спальне,
о двери, которую он когда-нибудь сможет закрыть. Даже в Вашингтоне,
работая у Салливана, он спал в гостиной, а единственную спальню занимал сосед, молодой юрист, с которым он почти не виделся. Своя комната, настоящая комната с настоящим окном, где он был полновласт-
ным хозяином, появилась у него только на Лиспенард-стрит. Но через
год после переезда на Грин-стрит Малкольм построил в квартире стены,
и там стало поуютнее, а еще через год к нему переехал Виллем, и стало
еще уютнее. Он виделся с Ричардом реже, чем предполагал — они оба
часто были в разъездах, — но воскресными вечерами иногда спускался
к Ричарду в мастерскую и помогал с каким-нибудь проектом: полиро-
вал связку тонких веток наждачной бумагой или брал груду павлиньих
перьев и отстригал стержни от опахала. В детстве мастерская Ричарда
привела бы его в восторг — везде стояли коробки и чаши с удивительными вещами: веточками, камнями, сушеными жуками и перьями, крошечными чучелками птиц в ярком оперении, разномастными кусочками
какой-то мягкой светлой древесины, — и время от времени ему хотелось
бросить работу и просто сидеть на полу и играть, на что в детстве у него
обычно не было времени.

К концу третьего года он выплатил всю сумму за квартиру и сразу же
начал копить деньги на ремонт. На это у него ушло гораздо меньше вре-

мени, отчасти из-за одного разговора с Энди. Как-то раз он пришел в клинику на очередной осмотр, и Энди вошел в кабинет с мрачным, но отчего-то торжествующим видом.

— Что такое? — спросил он, и Энди молча протянул ему вырезку из медицинского журнала. Он прочитал заметку: это был отчет, в котором сообщалось, что новая полуэкспериментальная лазерная операция, считавшаяся многообещающим способом для безопасного удаления келоидных рубцов, как выяснилось, вызывает нежелательные среднесрочные последствия — на месте рубцов у пациентов возникают ссадины, похожие на ожоги, а кожа под шрамами истончается, трескается и лопается, что приводит к развитию волдырей и заражению.

— Ты ведь это собирался сделать? — сказал Энди; он сжимал вырезку, не в силах произнести ни слова. — Я тебя знаю, Джуди. Знаю, что ты записался на прием к этому шарлатану Томпсону. Не отпирайся, они звонили, запрашивали историю болезни. Я не дал. Не делай этого, Джуд, прошу тебя. Я серьезно. Вот только открытых язв на спине тебе не хватало в придачу к ногам. — Он по-прежнему не открывал рта, и Энди сказал наконец: — Не молчи.

Он помотал головой. Энди был прав: на это он тоже откладывал. Ежегодные бонусы и большая часть сбережений, как и все деньги, некогда заработанные занятиями с Феликсом, ушли на оплату квартиры, но в последние месяцы, подобравшись совсем близко к концу выплат, он снова начал копить на операцию. Он все продумал: после операции он продолжит копить на ремонт. Он ясно представлял себе, как это будет: его спина станет гладкой, как полы в квартире на Грин-стрит, толстая, неподвижная короста шрамов испарится в считанные секунды, а вместе с ней — все свидетельства его пребывания в приюте и в Филадельфии, все доказательства тех лет сотрутся с поверхности его тела. Он изо всех сил, изо дня в день старался забыть, но все равно постоянно носил на себе напоминание о том, что, как бы он ни пытался стереть из памяти случившееся, оно случилось на самом деле.

— Джуд, — сказал Энди, присаживаясь рядом с ним на смотровой стол. — Я понимаю, что ты расстроился. Я тебе обещаю, что, как только появится эффективный и безопасный метод, я сразу скажу. Я понимаю, что ты от этого страдаешь; я все время смотрю, не появилось ли что-нибудь. Но прямо сейчас такого метода нет, и я не могу с чистой совестью позволить, чтобы ты себя калечил. — Он молчал, и Энди тоже умолк. — Наверное, надо было тебя чаще об этом спрашивать, Джуд, но скажи: они болят? Тебе дискомфортно от них? Ты чувствуешь стянутость кожи?

Он кивнул.

— Джуд, слушай, — начал Энди после паузы. — Я готов прописать кое-какие кремы, которые могут с этим помочь, но нужно, чтобы кто-нибудь помогал тебе втирать их каждый вечер, иначе особого толку не будет. Ты можешь кого-нибудь об этом попросить? Виллема? Ричарда?

— Не могу, — сказал он, обращаясь к журнальной статье.

— Ну я тебе бумажку все равно выпишу и покажу, как это делается, — не волнуйся, я посоветовался с настоящим дерматологом, не сам выдумал, — но не знаю, насколько это будет эффективно при самостоятельном нанесении. — Он соскользнул со стола. — Можешь снять халат и повернуться к стене?

Он сделал как велено и почувствовал, как руки Энди прикоснулись к лопаткам, а потом медленно прошлись по спине. Он думал, что Энди скажет, как он иногда говорил: "Не все так ужасно, Джуд" или "Тебе абсолютно нечего стесняться", — но на этот раз Энди молчал и только водил руками по его коже, как будто его ладони сами испускали лазерные лучи, как будто они реяли над ним и исцеляли, делая кожу здоровой, чистой. Наконец Энди сообщил, что закончил, он запахнул халат и повернулся к нему.

— Прости, Джуд, — сказал Энди и на этот раз сам не смог поднять на него взгляд.

— Хочешь сходим куда-нибудь поесть? — спросил Энди, когда прием закончился и он одевался, но он помотал головой:

— Мне надо на работу.

Энди умолк, но перед его уходом сказал:

— Джуд, мне очень жаль, что приходится разбивать твою надежду.

Он кивнул — он понимал, что Энди говорит правду, но в этот момент не мог выносить его присутствия и мечтал поскорее уйти.

Тем не менее, напоминает он себе, решив стать реалистом и не мечтать о самоулучшении, тем не менее, раз операция не состоится, значит, он сможет заплатить Малкольму и всерьез приступить к ремонту. За годы владения квартирой он наблюдал, как Малкольм становится смелее и изобретательнее в работе, поэтому планы, которые он набрасывал, когда квартира только-только была куплена, неоднократно менялись, пересматривались и улучшались, и по этим планам даже он видит, как постепенно растет и набирает силу эстетическая раскованность Малкольма, его уверенная творческая индивидуальность. Незадолго до того, как он сам перешел в "Розен, Притчард и Кляйн", Малкольм ушел из "Ратстара" и, объединившись с двумя бывшими сослуживцами и с Софи, приятельницей из архитектурной школы, основал фирму под названием "Беллкаст"; свой первый заказ они получили от приятеля родителей Малкольма, который хотел перестроить свою запасную квартиру. "Беллкаст" занимался в основном жилыми постройками и помещениями, но в прошлом году им достался первый серьезный заказ на общественное здание — музей фотографии в Дохе, — так что Малкольм, как и Виллем, как и он сам, все чаще — и надолго — уезжает из города.

"Ну что, всегда полезно иметь богатых родителей", — проворчал какой-то придурок на вечеринке у Джей-Би, услышав, что "Беллкаст" вошел в финал конкурса на строительство лос-анджелесского мемориала памяти американских японцев, интернированных в годы войны, и Джей-Би принялся орать на него, прежде чем они с Виллемом успели открыть рты; они с улыбкой переглянулись через голову Джей-Би, гордясь тем, как яростно он бросился на защиту Малкольма.

Так что теперь он наблюдал, как на очередном чертеже для Грин-стрит коридоры появлялись и исчезали, кухня росла и съеживалась, а книжные шкафы сначала вытягивались вдоль северной стены, в которой не было окон, потом вдоль южной, в которой окна были, а потом перемещались обратно. В одном из проектов полностью исчезли стены. "Это лофт, Джуди, ты должен проникнуться его сущностью", — настаивал Малкольм, но он не поддался: ему нужна спальня; ему нужна дверь, которую можно закрыть и запереть. В другом проекте Малкольм решил полностью замуровать выходящие на юг окна, ради которых он, собственно, и выбрал помещение на шестом этаже, и Малкольм потом признал, что это была идиотская идея. Но ему приятно видеть Малкольма за работой, он тронут, что тот тратит столько времени — больше, чем он сам, — размышляя, как ему будет удобно жить. И теперь это случится. Теперь он скопил достаточно, чтобы Малкольм мог осуществить даже самые смелые дизайнерские фантазии. Теперь у него хватит денег на каждый предмет мебели, который Малкольм предлагает, на каждый ковер, на каждую вазу.

В эти дни он спорит с Малкольмом о его новейших планах. Последний раз, рассматривая наброски три месяца назад, он обнаружил какой-то элемент вокруг унитаза в большой ванной комнате, который не смог опознать.

— А это что? — спросил он у Малкольма.

— Поручни, — бодро ответил Малкольм, как будто чем быстрее он произнесет слово, тем незначительнее оно прозвучит. — Джуди, я знаю, что ты скажешь, но...

Но он уже вглядывался внимательнее, разбирая крошечные пометки Малкольма на чертежах ванной комнаты, где он добавил стальные стержни в душевой кабине и вокруг ванны, и кухни, где некоторые столешницы были опущены ниже обычного.

— Но я даже не в инвалидном кресле, — в смятении сказал он.

— Ну, Джуд, — начал Малкольм и сразу замолчал. Он знал, что Малкольм собирался сказать: "Ты был в инвалидном кресле и будешь опять". Но вместо этого Малкольм буркнул: — Это стандартные требования Акта об устранении архитектурных барьеров.

— Мэл, — сказал он, опечаленный собственной реакцией, — я все понимаю. Я просто не хочу, чтобы это была квартира калеки.

— Так и не будет, Джуд. Это будет твоя квартира. Но тебе не кажется, что предосторожность еще…

— Нет, Малкольм. Убери их. Я серьезно.

— Но тебе разве не кажется, что было бы практично…

— Это кто вдруг заинтересовался практичностью? Тот, кто хотел меня поселить в пространстве на пять тысяч квадратных футов без единой стены? — Он осекся. — Прости, Мэл.

— Да брось, Джуд, — сказал Малкольм. — Я понимаю. Правда.

Теперь Малкольм стоит перед ним и улыбается.

— Хочу тебе кое-что показать, — говорит он, помахивая рулоном ватмана.

— Малкольм, спасибо, — отвечает он. — А можно мы это посмотрим позже? — Он идет к портному на примерку и не хочет опаздывать.

— Мы быстро, — говорит Малкольм, — и я все это тебе оставлю.

Малкольм садится рядом с ним и разглаживает стопку листов, предлагая ему придержать бумагу за край, пока он объяснит, что он поменял и подогнал.

— Столешницы подняты на стандартную высоту, — говорит Малкольм, тыкая пальцем в кухню. — Поручней в душе больше нет, но я сделал тут выступ, на который можно сесть, на всякий случай. Получится красиво, клянусь. Вокруг унитаза я поручни оставил — подумай об этом, ладно? Мы их установим в последнюю очередь, и если ты решишь, что это ужасно, мы их ставить не станем, но… но я бы не горячился, Джуди.

Он нехотя кивает. Он еще этого не знает, но годы спустя он будет благодарен Малкольму за то, что тот подготовился к его будущему, пусть даже вопреки его воле: он будет замечать, что в квартире коридоры шире обычного, ванная и кухня увеличены, чтобы инвалидное кресло могло там легко, беспрепятственно развернуться, что дверные проемы просторны, что везде, где можно, двери раздвигаются, а не распахиваются, что под раковиной в ванной нет ящиков, что самые высокие перекладины в платяном шкафу опускаются по нажатию пневматической кнопки, что в ванне предусмотрено сиденье вроде скамеечки и, наконец, что Малкольм выиграл битву за поручни вокруг унитаза. Он будет с горечью изумляться тому, как еще один человек в его жизни — Энди, Виллем, Ричард, а теперь и Малкольм — предвидел его будущее, знал, что оно неизбежно.

После встречи с портным, во время которой с Малкольма снимают мерку для синего и темно-серого костюма, а Франклин, портной, приветствует его и спрашивает, почему он уже два года не появлялся ("Это почти наверняка я виноват", — с улыбкой говорит Малкольм), они идут обедать. Приятно иногда взять выходной в субботу, думает он за стаканом розового лимонада и тарелкой жареной цветной капусты, посыпанной затаром, в людном израильском ресторане неподалеку от мастерской Франклина. Малкольму не терпится начать ремонт, и ему тоже.

— По времени отлично все выходит, — говорит Малкольм. — Наша фирма сдаст документацию в городские службы в понедельник, а когда они все одобрят, я уже разделаюсь с Дохой и смогу приступить прямо сразу, а ты переедешь к Виллему на время ремонта.

Малкольм только что закончил работать над квартирой Виллема, к которой проявлял больше внимания, чем сам Виллем; под конец он самостоятельно выбирал, в какой цвет что красить. Малкольм отлично справился, думает он, он совсем не против провести в такой квартире следующий год.

Обед окончен, но время еще раннее, и они стоят на тротуаре перед рестораном. Всю прошлую неделю шел дождь, но сегодня небо голубое, а он все еще чувствует в себе силы и даже некоторую неугомонность, поэтому спрашивает Малкольма, не хочет ли тот немного пройтись. Он видит, что Малкольм колеблется, быстро окидывает его взглядом от макушки до пяток, как будто пытается определить, выдержит ли он прогулку, но потом, улыбнувшись, соглашается, и они отправляются на запад, а потом сворачивают на север, в сторону Виллиджа. Они проходят мимо здания на Малберри-стрит, где раньше жил Джей-Би — потом он переехал дальше в сторону Гудзона, — и оба некоторое время молчат. Он знает, что оба они думают про Джей-Би — и спрашивают себя, что он теперь поделывает, зная и вместе с тем не зная, почему он не отвечает на их с Виллемом звонки, сообщения, письма. Все трое много раз говорили друг с другом, с Ричардом, с Али, с Генри Янгами о том, что нужно сделать, но при каждой попытке Джей-Би ускользал от них, не давался в руки, игнорировал их усилия. "Придется ждать, пока станет хуже", — сказал в какой-то момент Ричард, и он боится, что Ричард прав.

Иногда кажется, что Джей-Би перестал быть одним из них и остается только ждать, пока с ним случится кризис, который смогут разрешить только они, и тогда-то они снова десантируются в его жизнь.

— Слушай, Малкольм, я обязан спросить, — говорит он, пока они идут по тому участку Хадсон-стрит, который по выходным пустеет и на тротуарах, где нет деревьев, не остается и людей. — Так ты женишься на Софи или нет? Мы все хотим это знать.

— Уф, Джуд, да не знаю я… — начинает Малькольм, но в его голосе слышится облегчение, как будто он давно уже ждал этого вопроса.

Может быть, так и есть. Он перечисляет потенциальные минусы (брак — это так старомодно; брак — это навсегда; идея свадьбы его не очень занимает, но он боится, что для Софи это важно; родители попытаются все устроить по-своему; перспектива провести остаток жизни с другим архитектором вызывает у него смутное беспокойство; они с Софи основатели фирмы, если они решат разойтись, что будет с "Беллкастом"?) и плюсы, тоже, впрочем, похожие на минусы (если он не сделает Софи предложение, она, скорее всего, уйдет; родители его уже с этим замучили, и он хочет, чтобы они наконец успокоились; он правда любит Софи и знает, что никого лучше не найдет; ему тридцать восемь, и пора бы уже сделать хоть *что-нибудь*). Слушая Малькольма, он с трудом сдерживает улыбку: ему всегда нравилась эта черта Малькольма — умение быть таким решительным на бумаге и в проектах и при этом находиться в постоянном смятении в остальных областях жизни и так простодушно делиться своими страхами. Малькольм никогда не притворялся круче, увереннее или утонченнее, чем он есть на самом деле, и чем старше они становятся, тем больше его радует и восхищает эта трогательная бесхитростность, эта безграничная вера в друзей и их мнения.

— Ну так и что ты думаешь, Джуд? — спрашивает наконец Малькольм. — Я ведь на самом деле как раз хотел с тобой об этом поговорить. Давай где-нибудь присядем? У тебя есть время? Я знаю, Виллем скоро должен прийти домой.

Он мог бы брать пример с Малькольма, думает он; мог бы просить друзей о помощи, быть уязвимым рядом с ними. Ведь такое случалось, только ненамеренно. Но они всегда были добры к нему, никогда не пытались его унизить — разве из этого не стоит сделать выводы? Может быть, например, действительно попросить Виллема, чтобы тот помог ему со спиной? Если Виллему будет неприятно на него смотреть, он все равно ничего не скажет. А Энди был прав — эти кремы трудно намазывать самому, и он в конце концов прекратил попытки, хотя ни один тюбик до сих пор не выбросил.

Он пытается представить, с чего можно начать разговор с Виллемом, но дальше первого слова — "Виллем" — не может пойти даже в собственном воображении. И в это мгновение он понимает, что все-таки не сможет обратиться к Виллему. *Не потому, что я тебе не доверяю*, говорит он Виллему, которому никогда этих слов не скажет. *А потому, что мне будет невыносимо показаться тебе таким, каков я есть.* Теперь, когда он представляет себя стариком, он по-прежнему одинок, но живет на Грин-стрит, и в этих мысленных блужданиях он видит Виллема где-то среди зелени и деревьев: в доме на Адирондаке, в Беркшир-Хиллс — Виллем счастлив, окружен любящими людьми, и, может быть, несколько раз в году он приезжает в город навестить его на Грин-стрит, и они полдня проводят вместе. В этих фантазиях он всегда сидит, так что он не знает точно, ходит он еще или нет, но знает: он всегда рад Виллему и в конце каждой встречи с чистым сердцем его успокаивает, говорит, что у него все в порядке, он справляется, предлагает ему эти уверения в качестве прощального благословения и радуется, что у него достает сил не портить идиллическую жизнь Виллема своими нуждами, своим одиночеством, своими желаниями.

Но это, напоминает он себе, будет через много лет. Сейчас рядом с ним Малкольм, и Малкольм смотрит на него с напряженной надеждой, ожидая ответа.

— Виллем только вечером вернётся, — говорит он Малкольму. — У нас весь день впереди, Мэл. Я в полном твоем распоряжении.

3

В прошлый раз Джей-Би собрался — искренне собрался — завязать с наркотиками на выходных в День независимости. В городе никого не было. Малкольм с Софи уехали в Гамбург, к ее родителям. Джуд был в Копенгагене вместе с Гарольдом и Джулией. Виллем снимался в Каппадокии. Ричард перебрался в Вайоминг, в резиденцию для художников. Желтый Генри Янг был в Рейкьявике. Он остался, но если б не был настроен так решительно, то и сам бы сбежал из города. Поехал бы в Бикон, у Ричарда там был дом, или в Квог, где дом был у Эзры, или в Вудсток, где дом был у Али, или… а, ладно. Кроме них теперь мало кто захочет его приютить, да и вообще, он почти со всеми перестал общаться, потому что они действовали ему на нервы. Но летом в Нью-Йорке было невыносимо. Летом в Нью-Йорке всем толстякам было невыносимо: все ко всему прилипало, плоть к плоти, плоть к ткани. Казалось, будто ты никак не можешь обсохнуть. Но все равно, вот он тут, отпирает свою студию на третьем этаже белого кирпичного здания в Кенсингтоне и, перед тем как войти, невольно косится в конец коридора, где находится студия Джексона.

Джей-Би не наркоман. Ну да, он употребляет наркотики. Да, употребляет порядочно. Но все равно он не наркоман. Это другие — наркоманы. Джексон — наркоман. И Зейн — наркоман, и Гера. Массимо с Тофером — тоже два наркомана. Иногда ему казалось, что только он один пока держится, не переступает черту.

Но он знал, что, по мнению многих, черту эту он давно переступил, потому-то и сидел в городе и никуда не собирался: четыре дня, никаких наркотиков, только работа — и после этого против него никто и рта не посмеет раскрыть.

Сегодня — пятница, день первый. Кондиционер в студии сломался, поэтому он первым делом открыл все окна, а заодно и дверь, предварительно легонько стукнувшись к Джексону, чтобы убедиться, что того нет. Так-то он дверь никогда не открывал — из-за Джексона и из-за шума. Таких студий, как у него, на этаже было четырнадцать, этаж был третьим, здание — пятиэтажным. По идее все комнаты надлежало использовать только как студии, но он видел, что процентов двадцать здешних обитателей тут еще и нелегально живут. Изредка ему случалось приезжать в студию до десяти утра, и он натыкался на людей, шаркающих по коридорам в одних трусах, а когда он шел в туалет, который находился в конце коридора, то там всегда кто-нибудь чистил зубы, или брился, или обтирался влажной губкой, и он кивал им — "Чокак, мужик?" — и они кивали ему в ответ. Жаль, что все это больше смахивало не на студенческое общежитие, а на тюрьму или больницу. Это его удручало. Джей-Би мог бы и другую студию снять, получше и где его бы никто не беспокоил, но он снял именно эту, потому что (стыдно сказать) здание было похоже на общежитский корпус и он надеялся, что и чувствовать себя тут будет как в колледже. Ничего не вышло.

Здание также считалось местом с "низким уровнем шума", что бы это ни значило, но студии здесь снимали не только художники, а еще и музыканты — псевдотрэш-бэнды, псевдофолк-бэнды и псевдоакустик-бэнды, — и поэтому в коридоре всегда стоял глухой шум, звуки всех музыкальных инструментов сплавлялись воедино, и получался один долгий, стонущий гитарный риф. Музыкантам нельзя было здесь находиться, поэтому раз в пару месяцев, когда владелец здания, мистер Чень, заявлялся с внезапной проверкой, Джей-Би даже через закрытую дверь слышал, как по коридорам мечутся вопли, каждый окрик эхом перетекал в следующий, пока сигнал тревоги не облетал все пять этажей — "Чень! Чень! Чень!" — и когда мистер Чень входил в здание, здесь уже было тихо, неестественно тихо, так что ему казалось, будто он слышит, как один его сосед растирает тушь на шлифовальном камне, а другой скрипит спирографом по холсту. А когда мистер Чень садился в машину и уезжал, эхо взлетало обратно — "Уехал! Уехал! Уехал!" — и какофония снова повисала в воздухе облаком визжащих цикад.

Убедившись, что он один на этаже (господи, да где все-то? Вымерли все, что ли?), он снял рубашку, а затем и штаны и начал прибирать в студии, чего не делал уже много месяцев. Он ходил туда-сюда к мусорным бакам возле грузового лифта и набивал их старыми коробками из-под пиццы, пустыми пивными банками, исчерканными обрывками бумаги, кистями, у которых щетина стала похожей на солому, потому что он их не мыл, и кюветами с акварельными красками, сухими как глина, потому что он их не смачивал.

Убирать было скучно, а на трезвую голову — и того скучнее. Время от времени он думал о том, что с ним не произошло ничего из тех якобы хороших вещей, которые якобы происходят со всеми, кто сидит на мете. Он знал людей, которые похудели и осунулись, знал тех, кто без перерыва трахался с незнакомцами, и тех, кто часами без роздыху наводил чистоту и порядок у себя в студии или в квартире. Но он так и не похудел. Секса ему больше не хотелось. И дома, и в студии как был бардак, так и остался. Вот работать он мог подолгу, что правда, то правда — по двенадцать, по четырнадцать часов кряду, — но считал, что мет тут ни при чем, он и без него всегда усердно работал. Когда он писал картину или что-то рисовал, то мог очень долго ни на что другое не отвлекаться.

Он уже второй час собирал мусор, а в студии как будто ничего и не изменилось, и ему хотелось закурить, но сигарет у него не было, или выпить, но выпивки не было тоже, да и не время еще пить, еще только полдень. Он вспомнил, что где-то в джинсах у него завалялся шарик жвачки, он порылся в карманах, отыскал его — шарик от жары слегка размяк — и принялся жевать, растянувшись с закрытыми глазами на прохладном цементном полу, который холодил спину и зад, и, жуя, представлял, что он где-то совсем в другом месте, совсем не в июльском Бруклине, не в девяностоградусной жаре.

"Как я себя чувствую?" — спросил он.

"Нормально", — ответил он.

Спрашивать себя об этом ему посоветовал психотерапевт, к которому он недавно начал ходить. "Это вроде как проверка звука, — сказал тот. — Это такой способ проверить: как я себя чувствую? Хочется ли мне принять наркотик? Если хочется, то почему? Это такой способ общаться с самим собой, изучать свои порывы, вместо того чтобы просто им следовать". Ну и дебил, подумал тогда Джей-Би. Он по-прежнему так считал. Но, как это часто случается с дебильными штуками, вопрос застрял у него в голове. Поэтому время от времени он вдруг спрашивал себя, как он себя чувствует. Иногда отвечал: "Чувствую, что нужно принять", — и закидывался наркотой, хотя бы для того, чтобы доказать психотерапевту, какие дебильные у него методы. "Видишь? — мысленно говорил он Джайлзу, Джайлзу, который даже диссертацию не защитил, так и остался магистром. — Вот и вся твоя проверочная теория. Что еще придумаешь, Джайлз? Дальше что?"

Ходить к Джайлзу Джей-Би придумал не сам. Полгода назад, в январе, мать с тетками устроили ему небольшой разнос. Все началось с того, что мать стала вспоминать, каким умным и не по годам смышленым мальчиком был Джей-Би, а теперь посмотрите, в кого он вырос, а потом тетка Кристина, буквально взяв на себя роль плохого полицейского, стала орать, что сестра ему помогла в люди выбиться, а он все пустил под откос и теперь от него одни проблемы, и потом тетка Сильвия, которая всегда была из них самой доброй, напомнила ему, какой он талантливый, и что они все очень хотят, чтобы он к ним вернулся, и, может быть, ему стоит полечиться? К разносу он готов не был, даже к такому мягкому и уютному (мать приготовила его любимый чизкейк, за поеданием которого они и обсуждали его недостатки), потому что, помимо всего прочего, он до сих пор злился на мать с тетками. Месяцем раньше умерла его бабка, и мать целый день ждала, чтоб ему позвонить. Она утверждала, что нигде не могла его найти и что, мол, на звонки он не отвечал, но он-то знал, что в тот день был трезвым и телефон у него был включен, и поэтому не совсем понимал, с чего это мать ему врет.

— Джей-Би, у бабушки бы сердце разорвалось, если б она увидела, в кого ты превратился, — сказала мать.

— Господи, мам, да отъебись ты от меня, — устало отозвался он, потому что его уже тошнило от ее нытья и причитаний, и тогда тетка Кристина вскочила и влепила ему пощечину.

После этого он согласился сходить к Джайлзу (который был другом какого-то друга Сильвии), чтобы вроде как извиниться перед Кристиной, ну и, конечно, перед матерью. К несчастью, Джайлз и вправду оказался идиотом, и во время сеансов (которые оплачивала мать, потому что он на психотерапевтов, а особенно на плохих психотерапевтов, свои деньги тратить не собирался) он отвечал на незатейливые вопросы Джайлза (Как по-твоему, Джей-Би, что тебя так привлекает в наркотиках? Что они тебе, по-твоему, дают? Как ты думаешь, почему ты в последние годы стал гораздо чаще их употреблять? Как по-твоему, почему вы с Малькольмом, Джудом и Виллемом теперь гораздо реже общаетесь?) так, чтобы его порадовать. Он вскользь упоминал покойного отца и то, какую пустоту и горечь утраты он ощутил, когда тот умер, говорил о заурядности арт-мира, о том, как боится, что не сумеет оправдать возложенных на него ожиданий, и, глядя, как восторженно скачет по блокноту ручка Джайлза, презирал и глупого Джайлза, и собственную незрелость. Засирать мозги психотерапевту, даже если этот терапевт и заслуживал того, чтоб ему кто-нибудь засрал мозги, еще можно в девятнадцать лет, но никак не в тридцать девять.

Но хоть Джайлз и оказался идиотом, Джей-Би поймал себя на том, что раздумывает над его вопросами, потому что и сам их себе давно задавал. И, несмотря на то что у Джайлза каждый вопрос был обособленной единицей, Джей-Би понимал, что на самом деле вопросы эти неотделимы друг от друга и что если бы грамматически и лингвистически было возможно слепить их все в один большой вопрос, то он бы и стал самым правдивым выражением того, как он до всего этого дошел.

Во-первых, сказал бы он Джайлзу, поначалу он вовсе не собирался так подсаживаться на наркотики. Вроде как говорить такое банально и даже глупо, но у Джей-Би на самом деле были знакомые — в основном богатые, белые и недолюбленные родителями, — которые действительно начинали употреблять наркотики потому, что считали, будто это сделает их интереснее, или страшнее, или привлечет к ним больше внимания, или что с ними время пройдет быстрее. Так попал, например, его друг Джексон. А вот он — нет. Конечно, он всегда употреблял — как и все, — но в колледже, когда ему было двадцать, и тогда наркотики для него были чем-то вроде сладостей, которые он тоже очень любил, — чем-то съедобным, что ему в детстве было нельзя, а теперь стало можно есть сколько влезет. Для него употреблять наркотики было все равно что заедать обед кукурузными хлопьями, когда от сладости перехватывало горло, а оставшееся в миске молоко на вкус напоминало сок сахарного тростника, — это было одним из преимуществ взрослой жизни, и упускать его он не собирался.

Вопросы два и три: когда и почему он стал так зависеть от наркотиков? И на это он мог ответить. В тридцать два у него была первая выставка. После нее случились две вещи. Первое — он в самом прямом смысле стал звездой. О нем писали в арт-прессе, о нем писали в газетах и журналах, чьи читатели не могли отличить Сью Вильямс от Сью Коу. И второе — его дружбе с Виллемом и Джудом пришел конец.

Ну, может, "конец" — это сильно сказано. Но их отношения изменились. Он поступил плохо — это он готов был признать, — и Виллем встал на сторону Джуда (а чего удивляться, что Виллем встал на сторону Джуда — ну правда, если взглянуть на всю историю их дружбы, сразу видно: раз за разом, раз за разом Виллем вставал на сторону Джуда), и хоть оба они сказали, что его простили, что-то сместилось в их отношениях. Они — Виллем с Джудом — объединились, объединились против всех, объединились против него (и как он раньше этого не замечал?): "всю землю / Мы населяем вдвоем". А он-то всегда думал, что это с Виллемом они — вдвоем.

Ну ладно, значит, не вдвоем. И кто у него остался? Не Малькольм же, потому что Малькольм все-таки начал встречаться с Софи и теперь они с ней вдвоем. А с кем он будет вдвоем, с кем бы ему объединиться? Да, похоже, ни с кем. Все от него отдалились.

С каждым годом они отдалялись от него все больше и больше. Он всегда знал, что первым из них добьется успеха. Никакая это не самонадеянность, он просто знал, и все. Он трудился упорнее Малькольма и был честолюбивее Виллема. (Джуда в эту гонку он не включал, потому что его профессия оперировала другой системой координат, и эта система Джей-Би мало волновала.) Он был готов к тому, что будет среди них самым богатым, или самым знаменитым, или самым уважаемым, но, даже мечтая о богатстве, славе и уважении, он знал, что так и будет дружить с ними со всеми, что никогда их ни на кого не променяет, даже если искушение будет очень велико. Он их любил, они были его.

Но он совершенно не был готов к тому, что они оставят его, что они его перерастут, потому что сами чего-то добьются. Малкольм открыл свое дело. Джуд, похоже, добился внушительных успехов в том, чем он там занимается: прошлой весной Джуд представлял его интересы в дурацкой тяжбе с одним коллекционером, которую Джей-Би затеял, пытаясь вернуть свою раннюю работу (коллекционер сначала пообещал продать ее ему обратно, а потом от своих слов отказался), и адвокат, представлявший коллекционера, вскинул брови, когда Джей-Би сказал, чтоб тот связался с его адвокатом, Джудом Сент-Фрэнсисом. "С Сент-Фрэнсисом? — переспросил тот юрист. — Как это вы его заполучили?"

Он рассказал об этом Черному Генри Янгу, который вовсе не удивился. "Ну да, — ответил он. — Все знают, какой Джуд жестокий и бесчувственный. Не волнуйся, Джей-Би, добудет он тебе эту картину". Он оторопел: это его-то Джуд? Человек, который в прямом смысле до самого выпускного курса головы не мог поднять и в глаза ему поглядеть? Это он — жестокий? В голове не укладывалось. "Понимаю, — ответил Черный Генри Янг, когда он усомнился в его словах, — но на работе он полностью меняется, Джей-Би, я его как-то раз видел в суде и чуть не испугался, вел он себя невероятно безжалостно. Не знай я его, решил бы, что он мудак, каких мало". И Черный Генри Янг оказался прав, ему мало того что вернули картину, так коллекционер еще и письмо с извинениями написал.

А тут еще Виллем. Какая-то мелочная, отвратительная часть его натуры признавала: он никогда, никогда не думал, что Виллем добьется такого успеха. Не то чтобы он ему этого не желал — просто не думал, что это когда-нибудь случится. Осмотрительный Виллем, Виллем, у которого полностью отсутствовал соревновательный дух, Виллем, который в колледже отказался от главной роли в "Оглянись во гневе" ради того, чтоб уехать домой и ухаживать за больным братом. С одной стороны, это он мог понять, но с другой — все-таки не понимал: тогда еще брат не был смертельно болен, даже мать сказала ему, чтоб не приезжал. Когда-то друзья нуждались в его энергии, в его яркости — а теперь он им больше не нужен. Не верилось, конечно, что он хотел видеть друзей — ну не то чтобы неудачниками, а, скажем так, на вторых ролях, но, может, так оно и было.

Он не знал, что от успеха люди скучнеют. От неудач тоже, но по-другому: неудачники хотели только одного — успеха. Но и успешные люди хотели только одного — оставаться успешными. Разница как между бегом и бегом на месте: бежать, конечно, по-любому, скучно, но бегун хотя бы движется, вокруг него сменяются виды, места. И вот опять — Джуд с Виллемом как будто знали что-то, чего не знал он, что защищало их от удушливой тоски успеха, от монотонных дней, когда ты просыпаешься, вспоминаешь об этой своей успешности и о том, что и сегодня надо делать все то же самое, чтобы оставаться успешным, потому что если перестанешь — все, никакой ты больше не успешный человек, ты теперь неудачник. Иногда ему казалось, что Джуд с Виллемом отличаются от них с Малькольмом не цветом кожи или уровнем дохода, а своей безграничной способностью удивляться — по сравнению с ним детство у них обоих было до того серым, до того унылым, что, повзрослев, они как будто без конца всему изумлялись. В июне, после выпускного, Ирвины подарили им всем билеты в Париж, где, как выяснилось, у них была квартира — *крошечная квартирка*, оправдываясь, объяснил Малькольм — в седьмом округе. Он ездил в Париж с матерью, когда учился в средней школе, и потом еще раз — вместе с классом, и потом на последнем курсе колледжа, но лишь когда он увидел лица Джуда и Виллема, он сумел всей кожей ощутить не только красоту города, но и то, сколько чудес он сулит. И он завидовал этому, этой их способности восхищаться (хоть и понимал, что в случае с Джудом это как минимум награда за долгое, тяжелое детство), этой их неугасающей вере в то, что жизнь, взрослая жизнь так и будет одаривать их невероятными впечатлениями, что их самые чудесные годы еще впереди. Он вспоминал, как они впервые пробовали икру морского ежа, какие у них были лица — как будто они были Хелен Келлер и наконец поняли, что эти холодные брызги у них на ладонях как-то называются и что это название они могут узнать, и это его и выводило из себя, и вызывало жгучую зависть. Каково это — быть взрослым и по-прежнему получать от жизни удовольствие?

И вот за это, думал он иногда, за это он так и любил наркотический угар — вовсе не потому, что наркотики, как думали многие, помогали ему сбежать от повседневности, а потому, что они делали повседневность менее повседневной. На короткий миг — который с каждой неделей становился все короче и короче — мир делался блистательным и непознанным.

И иногда он гадал: это мир стал бесцветным — или его друзья? Когда это все стали на одно лицо? Ему то и дело казалось, что после колледжа, после магистратуры он больше интересных людей и не встречал. Да и те потом — постепенно, неизбежно — становились такими же, как все. Взять хотя бы "Жиробасов": в колледже они маршировали, раздевшись до пояса, три толстых, сочных, колышущихся тела, маршировали до самой реки Чарльз в знак протеста против сокращений расходов на Ассоциацию планирования семьи (не совсем было ясно, зачем для этого нужно раздеваться до пояса, ну да ладно), играли потрясающие сеты в подвале Худ-Холла, сожгли во внутреннем дворе чучело сенатора-антифеминиста. А теперь Франческа с Мартой поговаривали о том, чтоб завести детей, и перебрались из своего бушвикского лофта в дом на Борум-Хилл, Эди на этот раз взаправду — взаправду! — собралась открывать свое дело, а когда он в прошлом году предложил "Жиробасам" воссоединиться, все только расхохотались, хотя он не шутил. Эта неотвязная ностальгия его удручала, и он никак не мог избавиться от ощущения, что самые его прекрасные годы, годы, когда все вокруг словно сияло и переливалось, остались позади. Тогда народ был куда веселее. Что со всеми случилось-то?

Возраст, думал он. А вместе с возрастом — работа. Деньги. Дети. Заслонки от смерти, страховка собственной значимости, все, что может тебя утешить и обеспечить подпоркой, содержанием. Забег, организованный биологией и условностями, противостоять которым не может даже самый непокорный ум.

А ведь все они — его ровесники. Но больше всего он хотел знать, когда это его друзья заделались такими рабами условностей и как он раньше этого не замечал. Малькольму, конечно, условности всегда были важны, но, наверное, от Джуда с Виллемом он все-таки ожидал большего. Он знал, плохо такое говорить (поэтому и не говорил), но частенько думал, что ему здорово не повезло со счастливым детством. А если бы вместо этого с ним случилось что-нибудь по-настоящему интересное? Пока что самым интересным в его детстве было то, что он ходил в детский сад, где почти все дети были белыми, да и это интересным не назовешь. Слава богу, что он не писатель, а то ему было бы не о чем писать. А тут вот есть Джуд, у которого и детство было не таким, как у всех, и выглядит он не так, как все, а он изо всех сил старается стать таким, как все, Джей-Би это видел. Конечно, он бы не отказался от такого лица, как у Виллема, но он бы убил какое-нибудь маленькое и славное существо ради того, чтобы выглядеть как Джуд, чтобы ходить, загадочно прихрамывая, а точнее — будто бы скользя по воздуху, чтобы заполучить его лицо и тело. Но Джуд только и делал, что замирал да опускал глаза, как будто так его никто не заметит. Грустно, конечно, но в колледже его хотя бы можно было понять, Джуд тогда был сущим ребенком и до того тощим, что у Джей-Би при одном взгляде на него заходилось сердце, но теперь-то, когда он вырос в такого красавца, его это попросту выводило из себя, еще и потому, что эта Джудова застенчивость частенько нарушала его планы.

— Ты что, всю жизнь хочешь прожить скучным, обычным, среднестатистическим человеком? — однажды спросил он Джуда (они тогда во второй раз крупно поссорились, потому что он уговаривал Джуда позировать ему обнаженным, впрочем, заранее понимая, что из этого ничего не выйдет).

— Да, Джей-Би, — ответил Джуд, окинув его взглядом, от которого Джей-Би всегда делалось не по себе, а то и слегка боязно, до того он был пустой и невыразительный. — Именно этого я и хочу.

Иногда ему казалось, что Джуд готов целыми днями торчать в Кеймбридже у Гарольда с Джулией, играть с ними в дочки-матери и больше ему от жизни ничего не надо. Вот, например, в прошлом году Джей-Би позвал в круиз один его коллекционер, невероятно богатый и важный клиент, он плавал на яхте по греческим островам, и яхта была вся завешана шедеврами современного искусства, которые любой музей был бы рад заполучить — да только они висели на яхте, в туалете.

Малкольм работал над проектом в Дохе или где там, но Виллем с Джудом были в городе, он позвонил Джуду и позвал его с собой — коллекционер оплатит им дорогу. Самолет свой за ними пошлет. Пять дней на яхте. Непонятно, зачем вообще он звонил. Надо было просто написать им сообщение: "Встречаемся в Тетерборо, захватите крем от загара".

Но нет, ему ведь надо было спросить, и Джуд его поблагодарил. А потом сказал:
— Но ведь даты попадают на День благодарения.
— И?.. — спросил он.
— Джей-Би, огромное тебе спасибо за приглашение, — Джей-Би слушал и ушам не верил, — это очень здорово. Но я еду к Гарольду и Джулии.

Он аж дар речи потерял. Конечно, он тоже очень любил Гарольда и Джулию, и он, как и все остальные, видел, что Джуду с ними хорошо, что, подружившись с ними, он перестал быть таким запуганным, но блин! Они живут в Бостоне! Он к ним когда угодно может приехать. Но Джуд отказался, и все тут. (Ну и, разумеется, раз Джуд отказался ехать, то отказался и Виллем, и в результате пришлось ему вместе с ними и Малкольмом торчать в Бостоне, внутренне кипя от вида застольных сцен — приемные родители, друзья приемных родителей, горы не бог весть какой еды, споры либералов о политике демократов, и все наперебой орут по поводу того, в чем и так согласны, — до того это было банально, до того типично, что ему выть хотелось, а Джуд с Виллемом, поди ж ты, пребывали в каком-то невероятном восторге.)

Так что же было раньше — он сначала подружился с Джексоном или сначала понял, какие скучные у него друзья? С Джексоном они познакомились после открытия его второй выставки, которая состоялась почти через пять лет после первой. Выставка называлась "Все, кого я знал, все, кого я любил, все, кого я ненавидел, все, кого я ебал" и полностью соответствовала своему названию: сто пятьдесят холстов, пятнадцать на двадцать два дюйма, на тонких картонках — лица всех его знакомых. Эту серию он задумал под впечатлением от портрета Джуда, который он подарил Гарольду с Джулией в день усыновления. (Господи, как же он обожал этот портрет. Не надо было его дарить. Или надо было его обменять — Гарольду с Джулией сгодилась бы и картина похуже, лишь бы на ней был нарисован Джуд. Когда он в последний раз ездил в Кеймбридж, то всерьез раздумывал ее стянуть — снять перед отъездом с гвоздя в коридоре и запихать в сумку.) Серия "Все, кого я знал" тоже имела успех, хотя не такую серию картин он всегда мечтал сделать, над серией мечты он как раз сейчас работал.

Джексон выставлялся в одной с ним галерее, Джей-Би о нем слышал, но раньше никогда с ним не встречался, и потому, познакомившись с ним на ужине после открытия выставки, с удивлением понял, что тот ему нравится, что шутки у него неожиданно смешные, хотя сам Джексон был не из тех, с кем Джей-Би обычно сходился. Во-первых, он терпеть не мог, не мог, и все тут, того, что делал Джексон, — реди-мейды, совершенно незрелые и банальные, ноги барби, приклеенные к консервной банке, все в таком вот духе. Господи, подумал он, впервые увидев это на сайте галереи. И мы с ним выставляемся в одной и той же галерее? Он даже за искусство это не считал. Он считал это провокацией, хотя только старшеклассник — да нет, младшеклассник даже — мог на такую провокацию повестись. Джексон полагал, что в его работах есть что-то кинхольцевское, и Джей-Би это задевало, а ведь он даже не любил Кинхольца.

Во-вторых, у Джексона были деньги, столько денег, что он в жизни ни дня не работал. Столько денег, что галерист согласился его выставлять (так, по крайней мере, все говорили, и, господи, пусть бы это и оказалось правдой), чтобы оказать услугу отцу Джексона. Столько денег, что его работы разлетались с выставок, потому что мать Джексона, которая, когда тот был маленьким, развелась с его отцом, производителем каких-то важных самолетных запчастей, и вышла замуж за изобретателя каких-то важных запчастей для операций по пересадке сердца, — так вот, мать по слухам скупала все его работы, а потом выставляла их на аукционы, скупая их снова, но уже по взвинченным ценам, наращивая видимость инвестиционного потенциала. В отличие от других его богатых друзей — Малкольма, Ричарда и Эзры в том числе — Джексон никогда не притворялся, что у него нет денег. Их скромность Джей-Би всегда раздражала, казалась ему напускной, но однажды они с Джексоном — голодные, хихикающие, под кайфом — в три часа ночи покупали две шоколадки, и когда Джей-Би увидел, как Джексон швырнул кассиру сотенную купюру и велел сдачу оставить себе, это его отрезвило. Было что-то непристойное в том, как Джексон разбрасывался деньгами, и это что-то навело Джей-Би на мысль, что Джексон может считать себя кем угодно, но вообще-то он тоже скучный обыватель, весь в свою мамашу.

Ну и, в-третьих, Джексон даже симпатичным не был. Он вроде был гетеро — по крайней мере, вокруг него всегда крутились девчонки, девчонки, к которым он относился с презрением, но они все равно липли к нему как пушинки: лица гладкие, пустые, — но менее сексапильного человека Джей-Би в жизни не встречал. У Джексона были очень светлые, почти белые волосы и обсыпанное прыщами лицо, а зубы, на которые когда-то явно ушло много денег, теперь посерели, и щели между ними были забиты желтым налетом, — от одного их вида Джея-Би чуть не выворачивало.

Его друзья Джексона терпеть не могли, и когда стало ясно, что Джексон и его группка приятелей — богатые одинокие девочки вроде Геры, типа художники вроде Массимо и якобы арт-критики вроде Зейна, многие из которых учились вместе с Джексоном в школе для лузеров, куда он попал после того, как его вышвырнули из всех нью-йоркских частных школ, включая и ту, где учился Джей-Би, — не собираются отставать от Джей-Би, все они стали заводить с ним разговоры о Джексоне. "Ты вечно зовешь Эзру пустышкой, — сказал ему Виллем, — но чем, скажи мне, Джексон отличается от Эзры, кроме того, что он абсолютнейший мудак?"

И правда, Джексон был мудаком, а рядом с ним мудаком становился и сам Джей-Би. Пару месяцев тому назад, когда Джей-Би раз в четвертый или в пятый пытался соскочить с наркотиков, он позвонил Джуду. Было пять вечера, он только что проснулся и чувствовал себя просто отвратительно, до невозможности старым, усталым и до того выжатым — кожа сальная, на зубах налет, глаза сухие как деревяшки, — что ему впервые захотелось умереть, просто чтобы не нужно было просыпаться снова, снова и снова. Пора что-то менять, сказал он себе. Хватит водиться с Джексоном. Мне уже хватит. Всего уже хватит. Ему недоставало друзей, недоставало их чистоты и невинности, недоставало того, что в их компании он всегда оказывался самым интересным, недоставало того, что с ними ему не нужно было кого-то из себя изображать.

Поэтому он позвонил Джуду (конечно, Виллем опять куда-то умотал на хер, а Малькольм мог раскудахтаться) и попросил его, упросил его заехать к нему после работы. Он рассказал ему, где именно спрятаны остатки мета (под половицей с правой стороны кровати) и где лежит трубка, и попросил смыть их в туалет, все выбросить.

— Джей-Би, — сказал Джуд, — послушай. Иди в то кафе на Клинтон, хорошо? Возьми блокнот для набросков. Поешь что-нибудь. Я приеду, как только смогу, сразу после встречи. Я напишу тебе, когда все уберу и можно будет вернуться домой, договорились?

— Договорились, — сказал он.

И он встал, и залез в душ, долго-долго под ним стоял, почти не мылся, просто стоял под струями воды, и потом сделал все, как ему велел Джуд.

Взял блокнот и карандаши. Пошел в кафе. Поковырял клаб-сэндвич с курицей, выпил кофе. Сидел, ждал.

И вот, сидя там, он увидел в окне Джексона, похожего на двуногого мангуста с немытой головой и безвольным подбородком. Он смотрел, как тот шагает мимо вразвалочку, с сытым, самодовольным видом, с самоуверенной ухмылкой на лице, от одного вида которой хотелось ему врезать — впрочем, походя, как будто Джексон был просто уродом-прохожим, а не уродом, которого он видел почти каждый день. Но тут, уже почти скрывшись из виду, Джексон обернулся и глянул в окно, прямо на него, расплылся в мерзкой улыбке, развернулся и вошел в кафе, как будто он так и знал, что Джей-Би тут сидит, как будто он и появился здесь только для того, чтобы напомнить Джей-Би, что он теперь его, что от него не убежишь, что Джей-Би будет делать то, чего хочет Джексон, и тогда, когда Джексон этого хочет, и что собственной жизнью он больше не распоряжается. Тогда он впервые испугался Джексона, запаниковал. "Да что происходит?" — думал он. Он, Жан-Батист Марион, всегда сам решал, что делать, это его люди слушались, никак не наоборот. Он понял, что Джексон от него никогда не отцепится, и ему стало страшно. Он больше не принадлежал себе, он был чьим-то. Как же ему снова стать ничьим? Как же ему снова стать собой?

— Чокак? — сказал Джексон, нимало не удивившись их встрече, как будто Джей-Би материализовался тут исключительно по его воле.

Ну а что он мог ответить?

— Да так, — сказал он.

Зазвонил телефон — Джуд сообщил, что все в порядке и он может вернуться.

— Мне пора. — Он встал, и Джексон пошел за ним.

Он заметил, как переменилось лицо Джуда, когда тот заметил Джексона.

— Джей-Би, — спокойно сказал он. — Рад тебя видеть. Ну что, пойдем?

— Куда пойдем? — тупо переспросил он.

— Ко мне домой, — ответил Джуд. — Ты же обещал мне достать коробку, до которой я дотянуться не могу.

Но он так растерялся, так смешался, что соображал с трудом.

— Какую коробку?

— Коробку на полке в шкафу, до которой я не могу дотянуться, — сказал Джуд, по-прежнему не обращая внимания на Джексона. — Мне нужна твоя помощь, мне не под силу вскарабкаться на стремянку.

Вот тогда он мог бы и догадаться, Джуд никогда не говорил о том, что ему не под силу. Джуд предлагал ему выход, а он по собственной глупости никак этого не мог понять.

А вот Джексон все понял.

— По-моему, твой друг хочет тебя от меня увести, — ухмыляясь, сказал он.

Джексон всегда их так называл, даже до того, как с ними познакомился: *твои друзья. Друзья Джей-Би.*

Джуд поглядел на него.

— Ты прав. — Говорил он все так же ровно, спокойно. — Хочу. — Он повернулся к Джей-Би: — Джей-Би, ну что, идем?

Ох, как же ему хотелось с ним уйти. Но он не мог. Он даже не понимал почему и никогда не поймет, он просто не мог. У него совсем не было сил, сил не было даже притвориться, что они есть.

— Не могу, — прошептал он Джуду.

— Джей-Би. — Джуд ухватил его за руку и подтащил поближе к обочине, Джексон глядел на них, тупо, насмешливо ухмыляясь. — Поехали. Отсюда можно уехать. Давай уедем отсюда, Джей-Би.

Тогда он расплакался, негромко, не навзрыд, но все равно расплакался.

— Джей-Би, — снова тихо сказал Джуд, — давай уедем. Не нужно тебе туда возвращаться.

— Но я не могу, — услышал он собственный голос. — Не могу. Я хочу зайти. Я хочу домой.

— Тогда я пойду с тобой.

— Нет. Нет, Джуд. Мне нужно побыть одному. Спасибо. Ты иди домой.

— Джей-Би, — начал было что-то говорить Джуд, но он отвернулся, кинулся к парадной двери, с грохотом повернул ключ в замке, взлетел наверх по лестнице, зная, что Джуду не по силам будет его догнать, но что Джексон следует за ним по пятам, заливаясь своим гаденьким смехом, и он перестал слышать крики Джуда "Джей-Би! Джей-Би!", только когда вбежал в квартиру (Джуд заодно прибрал: в раковине было пусто, в сушилке рядками стояли тарелки). Он выключил телефон, на который Джуд принялся ему звонить, отключил звонок домофона, в который все названивал и названивал Джуд.

И потом Джексон нарезал полосочками принесенный им кокаин, они нюхнули и вечер слился с сотней других таких же вечеров — все тот же темп, все то же отчаяние, все то же ужасное чувство неопределенности.

— А он хорошенький, твой друг, — сказал Джексон тем вечером, — жаль только, что...

Он встал и изобразил походку Джуда — гротескно задергался, что на Джуда было совсем не похоже, слабоумно раззявил рот, вытянул вперед трясущиеся руки. К тому моменту он уже так нанюхался, что не мог ничего ему возразить, так нанюхался, что вообще ни слова сказать не мог, поэтому, пытаясь выдавить хоть что-то в защиту Джуда, он просто моргал, глядя на ковылявшего по комнате Джексона, и глаза у него щипало от слез.

Очнулся он на следующий день, лежа ничком на полу возле кухни. Он обошел Джексона, который тоже спал на полу, рядом с книжным шкафом, и, зайдя в спальню, увидел, что Джуд заправил кровать, и от этого ему снова захотелось плакать. Он осторожно поднял половицу справа от кровати, заглянул туда — пусто. Тогда он улегся на покрывало и натянул его на голову, спрятавшись под ним, как, бывало, делал в детстве.

Пытаясь заснуть, он все думал о том, почему связался с Джексоном. Впрочем, не то чтобы он не знал почему — ему просто об этом стыдно было вспоминать. Он прибился к Джексону, чтобы доказать, что не зависит от своих друзей, что сам распоряжается своей жизнью, что хочет сам все решать и будет сам все решать, даже если решения эти ошибочные. К этому возрасту ты уже, как правило, со всеми друзьями перезнакомился. И даже с друзьями друзей. Жизнь все сужалась и сужалась. Джексон был тупым, жестоким инфантилом, совсем не тем человеком, которым стоило дорожить, на которого стоило тратить время. Он это знал. И вот почему продолжал с ним общаться — чтобы позлить друзей, чтобы показать, что ему все равно, чего они там от него ждут. Как глупо, глупо, глупо. И до чего высокомерно. И он же сам за это и поплатился.

— Ну не можешь же ты вправду к нему хорошо относиться, — как-то раз сказал ему Виллем.

Он прекрасно понимал, что Виллем имел в виду, но из вредности притворился, будто ничего нс понял.

— Это почему не могу, Виллем? — спросил он. — Он охуенный. С ним весело. И если мне одиноко, он хотя бы рядом. Так почему это не могу? А?

С наркотиками было то же самое. Употреблял он не потому, что хотел жесткача или какой-то особой крутизны, не для того, чтобы казаться интереснее, чем он есть. Просто по идее употреблять он был не должен. Теперь если ты серьезно относишься к своему искусству, то наркоту не ешь. Исчезла сама идея разврата, ушла вместе с эпохой битников и абстрактного экспрессионизма, оп- и поп-арта. Теперь — ну можно изредка дунуть. Ну, положим, разок-другой, в особенно ироничном настроении, занюхать дорожку кокаина. Но не более. Эпоха вдохновения прошла, настала эпоха дисциплины и лишений, да и вообще вдохновение теперь не имело никакого отношения к наркотикам. Все, кого он уважал — Ричард, Али, Желтый Генри Янг, — ничего не употребляли: ни наркотиков, ни сахара, ни кофеина, ни соли, ни мяса, ни глютена, ни никотина. Они были творцами-аскетами. Иногда, если ему хотелось найти себе хоть какое-то оправдание, он начинал уверять себя, что наркотики — тема до того старая и избитая, что снова стала модной. Но он знал, что это неправда. И неправда, будто ему нравились секс-вечеринки, которые время от времени случались в гулкой квартире Джексона в Вильямсбурге, где копошащиеся группки мягких, тощих людей наугад лапали друг друга; когда на первой такой вечеринке один мальчик, совсем не во вкусе Джей-Би — слишком маленький, слишком костлявый, слишком безволосый, — сказал, что хочет, чтоб Джей-Би смотрел, как он будет себя резать, а затем сосать свою кровь, Джей-Би чуть было не рассмеялся. Но не рассмеялся и, глядя, как мальчик сделал надрез на бицепсе, а затем, выгнув шею, принялся, будто умывающийся котенок, вылизывать кровь, ощутил непомерную печаль.

"Ох, Джей-Би, мне всего-то хочется милого белого мальчика", — как-то раз пожаловался ему его экс, а теперь просто друг Тоби, и, вспомнив об этом, он слегка улыбнулся. И ему тоже. Ему всего-то хотелось милого белого мальчика, а не эту унылую саламандру, не это бледное до прозрачности существо, которое слизывало с себя кровь так, что в этом не было ровным счетом никакой эротики.

Но на один вопрос он никак не мог ответить. Как ему из этого выбраться? Как ему все это прекратить? Вот он сидит в своей студии, в буквальном смысле как в ловушке, буквально в глазок выглядывает Джексона, чтобы не попасться ему на глаза. И как ему сбежать от Джексона? Как спасти свою жизнь?

На следующий вечер после того, как он попросил Джуда выбросить его запасы, он наконец перезвонил ему, и Джуд позвал его к себе, но он отказался, и тогда Джуд приехал к нему. Он сидел, уставившись в стену, пока Джуд готовил ему ужин — ризотто с креветками — и потом, опершись на кухонную стойку, следил за тем, как он ест.

— Добавки можно? — спросил он, съев одну тарелку, и Джуд положил ему добавки.

Он и не знал, что так проголодался, и трясущейся рукой подносил ложку ко рту. Он вспоминал воскресные ужины дома, где не был с тех самых пор, как умерла бабушка.

— Нотации читать будешь? — наконец спросил он, но Джуд покачал головой.

Поев, он уселся на диван и смотрел телевизор с выключенным звуком, особо не разбирая происходящего на экране, просто яркое мельтешение картинок его успокаивало, а Джуд вымыл посуду и уселся рядом с ним — писать резюме по судебному делу.

Показывали фильм с Виллемом — там, где он играл афериста в ирландском городишке и на левой щеке у него была целая сетка шрамов, — и он остановился на этом канале, но фильм не смотрел, смотрел он на Виллема, который беззвучно говорил что-то.

— Я скучаю по Виллему, — сказал он и понял, до чего неблагодарно с его стороны так говорить.

ХАНЬЯ ЯНАГИХАРА • Маленькая жизнь

Но Джуд отложил ручку и взглянул на экран.

— Я тоже по нему скучаю, — сказал он, и оба они стали глядеть на друга, который был от них так далеко.

— Не уходи, — сказал он Джуду, засыпая. — Не бросай меня.

— Не брошу, — сказал Джуд, и он знал, что Джуд его не бросит.

Рано утром он проснулся — он так и лежал на диване, под одеялом, и телевизор был выключен. Джуд был с ним, спал, уткнувшись в подушки на другом краю дивана. Его в какой-то мере всегда задевало нежелание Джуда хоть что-нибудь о себе рассказывать, его скрытность и уклончивость, но в тот миг он чувствовал к нему одну только признательность и уважение, он уселся на стул возле него и принялся разглядывать его лицо, которое так любил рисовать, копну волос непростого цвета, при виде которых он всегда вспоминал, сколько ему приходилось смешивать красок, сколько оттенков использовать, чтобы добиться точного сходства.

У меня получится, молча пообещал он Джуду. У меня получится.

Но у него явно ничего не получалось. Вот он у себя в студии, времени всего-то час дня, и ему уже хотелось покурить, до того хотелось, что его трубка с заиндевевшим от белого порошка стеклом так и стояла перед глазами, и это он всего один день пытался обойтись без наркотиков, а этот день — да и он сам — уже превратился в какую-то пародию. Его окружали картины — единственное, чем он дорожил — из его следующей серии "Секунды, минуты, часы, дни", для этой серии он провел по целому дню вместе с Малькольмом, Джудом и Виллемом, фотографируя все, что они делали, а затем отобрал по восемь-десять снимков из каждого дня, чтобы нарисовать их. Он решил запечатлеть обычный рабочий день каждого из них, одного месяца, одного и того же года, и каждую картину подписал — имя, место и дата, когда был сделан снимок.

Дальше всего ему пришлось ехать за серией о Виллеме, он летал в Лондон, где Виллем снимался в каком-то фильме под названием "Опоздавшие", и в финальную подборку вошли фотографии Виллема на съемках и между съемками. В каждом из дней у него были любимые изображения: у Виллема — "Виллем, Лондон, 8 октября, 9:08", где тот сидел в кресле гримера и глядел на свое изображение в зеркале, а гримерша, левой рукой придерживая его за подбородок, правой припудривала ему щеки. Глаза Виллем опустил, но все равно было видно, что он на себя смотрит, и он вцепился в деревянные подлокотники так, словно сидел в вагонетке на американских горках и боялся, что если разожмет руки, то свалится вниз. От свежезаточенных карандашей для бровей на столе остались завитки деревянной стружки, похожие на обрывки кружева, а между ними лежали раскрытые макияжные палетки со всевозможными оттенками красного — со всеми мыслимыми оттенками красного — и валялись скомканные салфетки, в красных будто кровь пятнах. Малькольма он снял издалека, поздно вечером, когда тот сидел у себя дома за кухонной стойкой и мастерил из квадратиков рисовой бумаги очередное воображаемое здание. "Малькольм, Бруклин, 23 октября, 23:17" он любил даже не за цвет или композицию, а скорее по личным причинам: в колледже он всегда подшучивал над Малькольмом, который выставлял на подоконнике эти свои поделки, хотя на самом-то деле всегда ими восхищался и любил смотреть, как Малькольм их делает — он тогда и дышал размереннее, и не говорил ни слова, и его вечная нервозность, временами казавшаяся почти осязаемой, своего рода придатком, хвостом, вдруг исчезала.

Над картинами он работал безо всякой последовательности, но для изображений Джуда никак не мог подобрать верные цвета, и потому картин с Джудом у него было сделано меньше всего. Просматривая фотографии, он заметил, что день каждого из его друзей был подсвечен, связан последовательностью тонов: когда он фотографировал Виллема, тот снимался в павильоне, изображавшем просторную квартиру в Белгравии, и свет там был подчеркнуто золотым, будто пчелиный воск. Потом он снимал Виллема за книгой, в его съемной квартире в Ноттинг-Хилле, но и там свет был желтоватым, хоть и не таким густым, скорее глянцевитым, будто кожица октябрьских яблок. С ним резко контрастировал синеватый мир Малькольма: его стерильный офис на Двадцать второй улице с белыми мраморными поверхностями, дом в Коббл-Хилл, который они с Софи купили после свадьбы. У Джуда мир был серым, но серебристо-серым, характерного для фототипных оттисков оттенка, который оказалось очень трудно передать акриловыми красками, хотя для картин с Джудом он краски эти основательно развел, стараясь сохранить этот переливчатый свет. Но сначала ему нужно придумать способ сделать серый цвет ярким и чистым, и это его злило, потому что ему хотелось рисовать, а не возиться с цветами.

Но злость на свои работы — а по-другому к своим работам и относиться нельзя было, только как к коллегам и напарникам, которые иногда приветливо шли тебе навстречу, а иногда грубили и уворачивались, точно капризные дети — была как раз неизбежной. Нужно было просто делать, что делаешь, делать, что делаешь, до тех пор, пока все не получится.

Но, как и обещание, которое он себе дал ("Ничего у тебя не выйдет! — приплясывая, визжал у него в голове насмешливый чертенок. — Ничего не выйдет!"), картины тоже издевались над ним. Он решил, что для этой серии зарисует и один свой день, но вот уже почти три года не мог выбрать и дня, который стоило бы запечатлеть. Он старался — он сотни раз себя фотографировал, истратил на это десятки дней. Но когда он отсматривал снимки, то все его дни заканчивались одним и тем же — он укуривался. Или фотографии обрывались в самом начале вечера, и он знал: это потому, что он тогда накурился, накурился так, что не мог больше фотографировать. На снимках были и другие вещи, которые ему не нравились: он не хотел включать Джексона в хронику своей жизни, но на фото Джексон был везде. Ему не нравилось, как он сам расплывался в дебильной улыбке, когда был под наркотой, ему не нравилось, как в течение вечера менялось его лицо — из толстого и жизнерадостного оно становилось толстым и алчным. Не таким ему хотелось себя рисовать. Но теперь он все чаще думал о том, что именно таким себя рисовать и надо: в конце концов, это и есть его жизнь. Теперь он такой. Случалось, он просыпался в темноте и не понимал, где он и сколько сейчас времени и какой сейчас день. Дни — да само понятие дня тоже превратилось в пародию. Он теперь с трудом мог различить, когда кончался один и начинался другой. "Помогите, — вырывалось у него в такие минуты. — Помогите мне". Но он и сам не знал, кого просил о помощи и чего ждал.

И вот он устал. Он старался. Сейчас 13:30, пятница, пятница перед выходными на День независимости. Он оделся. Закрыл окна в студии, запер дверь, вышел на лестничную клетку притихшего дома.

— Чень, — громко сказал он, на весь лестничный пролет, представляя, будто предупреждает коллег-художников, обращается к кому-то, кто нуждается в его помощи. — Чень, Чень, Чень.

А он пойдет домой и покурит.

Проснулся он от жуткого шума, от грохота моторов, от скрежета металла по металлу и долго кричал в подушку, пытаясь этот шум заглушить, пока не понял, что кто-то звонит в домофон, и тогда с трудом поднялся и прошаркал к двери.

— Джексон? — спросил он, прижав пальцем кнопку домофона, и услышал, до чего испуганный, до чего робкий у него голос.

Молчание.

— Нет, это мы, — наконец ответил Малкольм. — Впусти нас.

Он их впустил.

И вот все они стояли перед ним, Малкольм, и Джуд, и Виллем, как будто он давал представление, а они пришли на него поглядеть.

— Виллем, — сказал он, — ты ведь должен быть в Каппадокии.

— Я вчера вернулся.

— Но ты ведь должен был вернуться только, — так, это он помнил, — шестого июля. Ты сказал, что вернешься шестого июля.

— Сегодня седьмое, — тихо сказал Виллем.

Тогда он расплакался, без слез, он был обезвожен, и слез не было, одни звуки. Седьмое июля, он столько дней потерял. Он ничего не помнил.

— Джей-Би, — Джуд подошел к нему, — мы тебя вытащим. Пойдем с нами. Мы тебе поможем.

— Хорошо, — плача ответил он, — хорошо, хорошо.

Он все кутался в одеяло, так ему было холодно, но он позволил Малькольму усадить себя на диван, а потом, когда Виллем принес ему свитер, послушно поднял руки, как в детстве, когда его одевала мать.

— Где Джексон? — спросил он Виллема.

— Джексон тебя больше не побеспокоит, — услышал он откуда-то сверху голос Джуда. — Не волнуйся, Джей-Би.

— Виллем, — спросил он, — когда ты перестал со мной дружить?

— Я никогда не переставал с тобой дружить, Джей-Би, — ответил Виллем и уселся рядом с ним. — Ты ведь знаешь, что я тебя люблю.

Он откинулся на спинку дивана, закрыл глаза. Он услышал, что Малькольм с Джудом о чем-то тихонько переговариваются, как Малькольм потом прошел в другой конец квартиры, туда, где была спальня, как он поднял половицу, а затем вернул ее на место, как зашумела вода в туалете.

— Мы готовы, — услышал он голос Джуда, и Виллем поднял его с дивана, к ним подошел Малькольм и приобнял его за спину, и так, все вместе, они потащились к двери, но тут его охватил ужас: он ведь знал, что, стоит ему выйти на улицу, как он наткнется на Джексона, как тогда в кафе.

— Не пойду. — Он остановился. — Не хочу никуда идти, не заставляйте меня.

— Джей-Би, — начал было Виллем, и что-то в его голосе, что-то в самом его виде вдруг его необъяснимо взбесило, он стряхнул руку Малькольма и развернулся к ним, дрожа от переполнявшей его энергии.

— Не тебе решать, что мне делать, Виллем, — сказал он. — Тебя никогда нет рядом, ты меня никогда не поддерживал и ты мне никогда не звонил, поэтому не нужно теперь приходить и надо мной смеяться, над бедным, тупым лузером Джей-Би: "Я героический Виллем, я пришел, чтобы всех спасти", — просто потому, что тебе этого хочется, хорошо? Отъебись от меня, оставь меня в покое.

— Джей-Би, я понимаю, что тебе плохо, — сказал Виллем, — но никто и не думал над тобой смеяться, и уж я тем более.

Но Джей-Би заметил, что, перед тем как это сказать, Виллем быстро и, как ему показалось, заговорщицки глянул на Джуда, и почему-то от этого он взбесился еще сильнее.

Куда делись те деньки, когда все они друг друга понимали, когда они с Виллемом выбирались куда-нибудь на выходных и возвращались на следующий день, чтобы рассказать о ночных приключениях Малькольму и Джуду, Джуду, который никогда никуда не выбирался, который никогда не рассказывал о своих приключениях? Как же так вышло, что это он остался один-одинешенек? Почему они бросили его на съедение, на растление Джексону? Почему перестали за него биться? Почему он сам все испортил? Почему они ему это разрешили? Ему хотелось их уничтожить, хотелось, чтобы в них, так же, как и в нем, не осталось ничего человеческого.

— А тебе, — повернулся он к Джуду, — тебе нравится, наверное, что я такой лузер? Нравится быть человеком, который знает все чужие секреты, а сам о себе хер чего расскажет? Это вообще как, Джуд? Думаешь, можно дружить с людьми и никогда ничего им не рассказывать, думаешь, что и не нужно ничего рассказывать? Так вот, хера с два, так не бывает, и нас уже всех от тебя пиздец как тошнит.

— Джей-Би, хватит, — резко сказал Виллем и схватил его за плечо, но в нем вдруг откуда-то взялись силы, и он вывернулся из его хватки, и в ногах вдруг появилась легкость, и он, пританцовывая, будто боксер, отпрыгнул к книжному шкафу.

Он глядел на Джуда, который молча стоял — лицо застывшее, глаза огромные — и как будто ждал, что он еще что-нибудь скажет, что Джей-Би ударит его еще больнее. Когда он впервые рисовал глаза Джуда, то пошел в зоомагазин, чтобы сфотографировать там травяного ужа, до того цвет был похожий. Но теперь они были темнее, будто чешуя обычного ужа, и, нелепо, конечно, но ему захотелось, чтобы под рукой были краски, потому что он знал, что если б у него только были краски, то он идеально передал бы нужный оттенок с первого раза.

— Так не бывает, — повторил он Джуду.

И вот он, сам не зная, как это вышло, уже передразнивал Джуда, омерзительно его пародировал, как тогда Джексон — как и Джексон, раскрыв рот и слабоумно подвывая, приволакивая правую ногу так, будто она каменная.

— Меня зовут Джуд, — пробубнил он. — Джуд Сент-Фрэнсис.

Где-то с пару секунд в комнате звучал только его голос, только он двигался, и в эти секунды ему хотелось остановиться, но он не смог. И тут к нему рванулся Виллем, и последним, что он видел, был Виллем, который вскидывал кулак, последним, что слышал, — хруст кости.

Он очнулся и не знал, где он. Дышать было трудно. Он понял, что у него что-то на носу. Он хотел было поднять руку, чтобы проверить, что это такое, но не смог. Он скосил глаза и увидел, что запястья у него зафиксированы, и понял, что он в больнице. Он закрыл глаза и вспомнил: Виллем его ударил. А затем вспомнил почему и крепко зажмурился, беззвучно завыл.

Когда все прошло, он снова открыл глаза. Повернул голову влево — дверь закрывала уродливая голубая ширма. Повернул голову направо, к рассветному солнцу, и увидел, что Джуд спит на стуле возле его кровати. Стул был слишком маленький, спать в нем было нельзя, и Джуд скрючился в ужасной позе, подтянув колени к груди, уткнувшись в них щекой, обхватив ноги руками.

"Ты ведь сам знаешь, нельзя тебе спать в такой позе, — молча обратился он к Джуду. — Когда проснешься, спина болеть будет". Но даже если бы он мог протянуть руку, чтобы его разбудить, то не стал бы этого делать.

Господи, думал он. О господи. Что же я наделал?

Прости, Джуд, мысленно сказал он ему и в этот раз сумел по-настоящему расплакаться, слезы потекли ему в рот, захлюпали вместе с соплями, которых он не мог вытереть. Но он молчал, он не издавал ни звука. Прости, Джуд, прости, пожалуйста, все повторял он, а затем прошептал эти слова вслух, но тихо, так тихо, что расслышал только, как задвигались его губы, и больше ничего. *Прости меня, Джуд. Прости меня.*

Прости меня.

Прости меня.

Прости меня.

IV

АКСИОМА РАВЕНСТВА

1

———

Назавтра он должен ехать в Бостон на свадьбу их друга Лайонела, но вечером приходит известие от доктора Ли: умер доктор Кашен. "Инфаркт; все случилось очень быстро", — пишет доктор Ли. Похороны днем в пятницу.

Утром он на своей машине едет прямо на кладбище, а с кладбища — в двухэтажный особняк в Ньютоне, где доктор Кашен в конце года устраивал общий ужин для всех своих магистрантов. На этих сборищах разговоры о математике не приветствовались. "Можете беседовать о чем угодно, — говорил он им, — но математику мы обсуждать не будем". Только в гостях у доктора Кашена он оказывался самым социально адаптированным человеком в комнате (ну и, неслучайно, самым неодаренным), и профессор всегда побуждал его начать разговор. "Ну, Джуд, — говорил он, — а ты чем занят сейчас?" Как минимум двое из его однокашников по магистратуре (оба работали над диссертацией) страдали легкой формой аутизма, и он видел, как трудно им дается общая беседа, как трудно им следовать правилам поведения за столом, поэтому перед традиционной встречей он тратил некоторое время, чтобы разобраться в новостях сетевых игр (которыми увлекался один из них) и тенниса (которым увлекался другой) и задать им вопросы, на которые они смогут ответить. Доктор Кашен хотел, чтобы его студенты когда-нибудь смогли найти себе работу, и стремился не только обучить их математике, но и социализировать, научить вести себя в обществе.

Иногда за ужином к ним присоединялся сын доктора Кашена, Лео, который был лет на пять-шесть старше магистрантов. Тоже аутист, но не такой, как Дональд и Михаил: его аутизм был заметным и настолько серьезным, что Лео, хотя и окончил школу, больше семестра в колледже выдержать не смог и в конце концов получил работу в телефонной компании, где сидел день за днем в крошечной комнатке и правил код — экран за экраном. У доктора Кашена не было других детей, и Лео до сих пор жил в его доме, как и сестра профессора, переселившаяся к ним много лет назад, когда профессор овдовел.

Зайдя в дом, он здоровается с остекленелым Лео, который что-то невнятно бормочет, не глядя на него, а потом с сестрой доктора Кашена, бывшим профессором математики в Северо-Западном университете.

— Джуд, — говорит она, — как хорошо, что ты пришел. — Она пожимает ему руку. — Брат все время про тебя вспоминал.

— Он был прекрасным учителем, — говорит он ей. — Он так много мне дал. Мои соболезнования.

— Да, — кивает она, — так внезапно. Бедный Лео, — они оглядываются на Лео, который смотрит в никуда, — я не понимаю, как он с этим справится. — Она целует его на прощание. — Спасибо, спасибо тебе.

На улице лютый холод, лобовое стекло покрылось липкой коркой льда. Он медленно едет к дому Гарольда и Джулии, заходит, не звоня в дверь, окликает их с порога.

— А вот и он! — Гарольд возникает на пороге кухни, вытирая руки полотенцем. Гарольд обнимает его; он стал так делать в какой-то момент, и хотя ему от этого очень не по себе, он считает, что будет еще хуже, если он начнет объяснять Гарольду, почему так делать не стоит. — Как жалко Кашена, Джуд. В голове не укладывается — я с ним столкнулся на теннисе пару месяцев назад, и мне показалось, что он в отличной форме.

— Он и был, — отвечает он, разматывая шарф, Гарольд берет его пальто. — И совсем не старый, семьдесят четыре.

— Господи, — говорит Гарольд, которому только что исполнилось шестьдесят пять. — Оптимистично, ничего не скажешь. Брось вещи в своей комнате и приходи на кухню. Джулия застряла на совещании, но будет через час или около того.

Он бросает свою сумку в гостевой комнате — Гарольд и Джулия называют ее "комната Джуда", "твоя комната", — переодевается в домашнее и отправляется на кухню, где Гарольд вглядывается в кастрюлю на плите, словно в колодец.

— Я пытаюсь сделать соус для болоньезе, — говорит Гарольд, не оборачиваясь, — но что-то странное творится: он расслаивается, видишь?

Он заглядывает в кастрюлю.

— Сколько оливкового масла ты туда налил?

— Много.

— Много — это сколько?

— *Много.* Явно больше, чем надо.

Он улыбается:

— Сейчас исправим.

— Слава тебе господи, — говорит Гарольд, на шаг отступая от плиты. — Я надеялся услышать эти слова.

За ужином они говорят о любимом ученике Джулии, который работает под ее началом и хочет, как ей кажется, сбежать в другую лабораторию, и про последние слухи юридической школы, и про антологию эссе о деле "Браун против Совета по образованию", которую Гарольд редактирует, и про одну из дочерей-двойняшек Лоренса (она выходит замуж), а потом Гарольд с широкой улыбкой говорит:

— Ну что, Джуд, у тебя круглая дата на носу.

— Через три месяца! — подхватывает Джулия, и он стонет. — Как будешь праздновать?

— Да никак, наверное, — говорит он.

Он ничего не планирует и Виллему тоже запретил. Два года назад он устроил большой прием по случаю сорокалетия Виллема на Грин-стрит, и хотя они все четверо всегда говорили, что на сорокалетие надо куда-то уехать, так не вышло. В свой день рождения Виллем был в Лос-Анджелесе на съемках, но потом они отправились на сафари в Ботсвану. Вдвоем: Малькольм работал над проектом в Пекине, а Джей-Би — ну, Виллем ничего не сказал про Джей-Би, и он тоже промолчал.

— Но что-то же надо сделать, — говорит Гарольд. — Можем устроить ужин для тебя здесь или где-нибудь в городе.

Он улыбается, но качает головой.

— Ну сорок и сорок, — говорит он. — Просто еще один год.

Только вот в детстве он никогда не думал, что доживет до сорока. В первые месяцы после травмы он иногда представлял себя взрослым, и хотя эти мечты были очень туманными — он не знал, где живет и что делает, но он обычно ходил, иногда бегал, — он в них всегда был молод; воображение не давало ему стареть.

Чтобы сменить тему, он рассказывает им о похоронах доктора Кашена, где доктор Ли произнес надгробную речь.

"Те, кто не любят математику, всегда обвиняют математиков в том, что они все усложняют, — сказал доктор Ли. — Но каждый, кто любит математику, знает, что на самом деле все наоборот: математика вознаграждает простоту, и математики ценят простоту превыше всего. Поэтому нет ничего удивительного, что аксиома, которую Уолтер любил больше всего, — это самая простая аксиома в мире математики, аксиома о пустом множестве.

Аксиома о пустом множестве — это аксиома о нуле. Она утверждает, что понятие "ничто", понятие нуля — это нечто реально существующее: нулевая величина, ноль объектов. Математика предполагает, что существует такое понятие, как ничто, но доказано ли это? Нет. Тем не менее оно должно существовать.

Если же мы настроены философски — а сегодня это, без сомнения, так, — мы можем сказать, что сама жизнь есть аксиома о пустом множестве. Она начинается с нуля и кончается нулем. Мы знаем, что оба состояния существуют, но не осознаем ни одно из них как опыт: это состояния, которые неизбежно составляют часть жизни, хотя они не могут быть *прожиты*. Мы *предполагаем*, что понятие "ничто" существует, но не можем этого доказать. Однако оно *должно* существовать. Поэтому мне проще думать, что Уолтер не умер, а доказал для себя аксиому о пустом множестве, что он доказал понятие нуля. Ничто не могло бы сделать его счастливее. Красивый ум стремится к красивым концовкам, а ум Уолтера отличался невероятной красотой. Поэтому, прощаясь с ним, я желаю ему найти подтверждение аксиомы, которую он так любил".

Некоторое время все молчат, раздумывая над этим.

— Умоляю, скажи, что не это *твоя* любимая аксиома, — вдруг говорит Гарольд, и он смеется.

— Нет, — отвечает он, — не эта.

На следующий день он спит допоздна, а вечером отправляется на свадьбу, и поскольку оба жениха жили в Худ-Холле, он знает почти всех гостей. Остальные — коллеги Лайонела из Уэллсли и коллеги Синклера из Гарварда, где он преподает историю Европы — держатся кучно, как будто обороняясь, и вид у них скучающий и озадаченный. На свадьбе царит хаос: Лайонел раздает гостям поручения прямо с порога, но большинство относится к своим обязанностям спустя рукава; он, в частности, должен следить, чтобы никто не забыл расписаться в гостевой книге; Виллем должен помогать гостям найти свои столы — и все бродят и говорят, что благодаря Лайонелу и Синклеру, благодаря их свадьбе никому не придется ехать на двадцатилетие выпуска. Все они здесь: Виллем со свой девушкой Робин, Малькольм и Софи, Джей-Би и его новый бойфренд, он еще не знаком с ним, — и, даже не глядя на карточки с именами гостей, он знает, что их всех посадят за один стол. "Джуд! — обращаются к нему люди, которых он не видел много лет. — Как дела? Где Джей-Би? Я только что говорил с Виллемом! Я только что видел Малькольма!" А потом: "Вы и сейчас такая же неразлучная четверка, как тогда?"

"Мы все общаемся, — говорит он, — дела у них отлично". Они с Виллемом условились отвечать именно так. Ему любопытно, что говорит Джей-Би — уклоняется ли от правды, как они с Виллемом, или врет напропалую, или в припадке присущей ему прямоты говорит все как есть: "Нет. Мы почти не разговариваем. Я теперь нормально общаюсь только с Малькольмом".

Он не видел Джей-Би долгие месяцы. Слышал про его дела, конечно: от Малкольма, от Ричарда, от Черного Генри Янга. Сам он не видится с Джей-Би, потому что и теперь, почти три года спустя, не может его простить. Он пытался, много раз пытался. Он понимает, что им движет упрямство, злоба, бессердечие. Но ничего не может с собой поделать. Когда он видит Джей-Би, он видит, как тот его передразнивает, видит миг, который подтверждает все его худшие мысли и опасения о собственной внешности, все его мысли и опасения о том, как он выглядит в чужих глазах. Но он никогда не думал, что его друзья тоже видят его таким — или, по крайней мере, никогда не думал, что они об этом скажут. Точность пародии мучительна, но то, что она исходила от Джей-Би, — убийственно. По ночам, когда он не может заснуть, он порой видит ту самую картину: Джей-Би волочит ногу по дуге, его слюнявый рот разинут, руки клешнями выставлены вперед: *меня зовут Джуд. Джуд Сент-Фрэнсис.*

В ту ночь, после того как они положили Джей-Би в больницу — пока его оформляли, он был в ступоре, капал слюной, но потом отошел и разъярился, стал сопротивляться, бессвязно орать на них всех, бросаться на санитаров, вырываться, пока ему не вкололи успокоительного и не потащили по коридору, — они разъехались по домам на такси, Малкольм поехал к себе, они с Виллемом — на Перри-стрит.

В машине он не мог поднять глаза на Виллема, и теперь, когда его ничто не отвлекало — бумаги, которые надо заполнять, врачи, с которыми надо объясняться, — он чувствовал, как внутри у него все холодеет, несмотря на жаркую, липкую ночь, и руки начинают трястись, и Виллем потянулся к нему, взял его за руку и не отпускал на протяжении всей долгой и безмолвной поездки до Южного Манхэттена.

Он не отходил от Джей-Би, пока тот выздоравливал. Он решил, что побудет с ним, пока тому не станет лучше; он не мог тогда его бросить после стольких лет дружбы. Все трое дежурили посменно, и после работы он приходил и сидел с книгой возле больничной койки. Иногда Джей-Би бодрствовал, но чаще всего спал. Он проходил детоксикацию, но лечащий врач обнаружил также почечную инфекцию, поэтому Джей-Би лежал в основном крыле больницы с иглой капельницы в руке, и его опухшее лицо постепенно принимало нормальный вид. Если Джей-Би не спал, то просил прощения, иногда театрально и умоляюще, иногда — когда сознание прояснялось — тихо. От этих-то разговоров ему было тяжелее всего.

— Джуд, прости меня, — говорил он. — Я был не в себе. Пожалуйста, скажи, что прощаешь меня. Я вел себя как мудак. Я люблю тебя, ты же знаешь. Я ни в жизнь не хотел тебя обидеть, ни в жизнь.

— Я знаю, что ты был не в себе, Джей-Би, — отвечал он. — Я знаю.

— Ну так скажи, что прощаешь меня. Пожалуйста, Джуд.

Он молчал. "Все будет хорошо, Джей-Би", — говорил он, но не мог выдавить из себя слова "я тебя прощаю". По ночам, в одиночестве, он снова и снова повторял: "Я тебя прощаю, я тебя прощаю". Это же так просто, укорял он себя. Джей-Би станет легче. *Скажи*, приказывал он себе пока Джей-Би глядел на него мутными, пожелтевшими глазами. *Скажи это.* Но не мог. Он знал, что Джей-Би от этого сильнее страдает, знал и все равно не мог сказать. Слова были словно камни под языком. Он не мог их выплюнуть, не мог, и все.

Позже, когда Джей-Би каждую ночь звонил ему из реабилитационной клиники и педантично нудел о том, как стал другим человеком, как понял, что ни на кого не может рассчитывать, кроме себя самого, и он, Джуд, тоже должен понять, что жизнь состоит не только из работы, научиться ценить каждый день и полюбить себя, он молча выслушивал эти монологи. Слушал, дышал в трубку и ничего не отвечал. А потом Джей-Би вернулся домой, стал приспосабливаться к своей новой жизни, и никто о нем почти ничего не слышал несколько месяцев. Съемной квартиры у него больше не было, и он вернулся в материнский дом, пока обустраивал свое житье.

Но потом он вдруг позвонил. Было начало февраля, почти ровно через семь месяцев после госпитализации, и Джей-Би хотел увидеться и поговорить. Он предложил Джей-Би прийти в кафе "Клементина" около дома, где жил Виллем, и, протискиваясь между близко расставленными столами к месту у задней стены, понял, почему выбрал именно это место: в таком маленьком и тесном пространстве Джей-Би не смог бы повторить свою выходку, — и, осознав это, он почувствовал себя дураком и трусом.

Они давно не виделись; Джей-Би потянулся через стол и бережно обнял его, прежде чем сесть.

— Отлично выглядишь, — сказал он.

— Спасибо, — сказал Джей-Би. — Ты тоже.

Минут двадцать или около того они обсуждали жизнь Джей-Би; он вступил в Общество анонимных метамфетаминщиков. Он намеревался пожить у матери еще несколько месяцев, а потом решать, что делать дальше. Он снова рисовал, вернувшись к той серии, работу над которой прервала госпитализация.

— Как здорово, — сказал он. — Я тобой горжусь.

Потом они замолчали, и оба стали рассматривать других людей. Через несколько столиков от них сидела девушка с длинной золотой цепочкой, которую она наматывала на пальцы и разматывала. Он смотрел, как она что-то говорит подруге, свивая и развивая цепочку, пока она не взглянула в его сторону и он не отвел глаза.

— Джуд, — начал Джей-Би, — я хотел тебе сказать — в полностью трезвом уме, — как я виноват. Это было чудовищно. Это было… — он покачал головой, — это было ужасно жестоко. Я не могу… — Он снова осекся, возникла пауза. — Прости меня, — сказал он. — Прости.

— Я понимаю, Джей-Би, — сказал он и почувствовал печаль, какой раньше не испытывал. Другие люди вели себя с ним жестоко, заставляли его испытывать ужасные чувства, но это не были любимые люди, люди, которые, как он надеялся, считали его нормальным, неповрежденным. Джей-Би был первым.

Однако Джей-Би одним из первых стал его другом. Когда в колледже с ним случился приступ и всполошившиеся соседи по общежитию примчали его в больницу, где он впервые столкнулся с Энди, это именно Джей-Би (как позже рассказал ему Энди) внес его в приемный покой на руках, это Джей-Би потребовал, чтобы его осмотрели вне очереди и устроил такой скандал, что его выставили за дверь — но сначала все-таки позвали доктора.

Что Джей-Би любит его, было ясно по портретам. Он вспомнил лето в Труро, Джей-Би что-то рисовал, и по выражению лица, по полуулыбке, по медлительным, осторожным движениям его огромной руки над бумагой он видел, что тот рисует что-то важное, что-то ему бесконечно дорогое. "Что ты рисуешь?" — спросил он, и Джей-Би повернулся к нему и протянул в его сторону блокнот, и он увидел, что это его портрет, его лицо.

Ох, Джей-Би, подумал он. Как же я буду скучать по тебе.

— Ты можешь простить меня, Джуд? — спросил Джей-Би и посмотрел на него.

У него не было слов, он мог только помотать головой.

— Не могу, Джей-Би, — наконец сказал он. — Не могу. Я не могу смотреть на тебя и не видеть… — Он умолк, потом повторил: — Не могу. Мне очень жаль, Джей-Би, ужасно жаль.

— Ага, — сказал Джей-Би, и он сглотнул комок в горле. Потом они долго сидели и молчали.

— Я всегда желал тебе всего самого прекрасного, — сказал он Джей-Би, и тот медленно кивнул, не глядя на него.

— Ну… — сказал наконец Джей-Би и встал, и он встал тоже и протянул ему руку, и Джей-Би уставился на нее, изучая, всматриваясь, как будто это что-то инопланетное, никогда им не виденное. Потом он наконец прикоснулся к его руке, но, вместо того чтобы пожать, склонился, прижался к ней губами и некоторое время так стоял. А потом Джей-Би вернул ему руку и неуклюже вышел, почти выбежал из кафе, наталкиваясь на столики — "простите, простите" — по дороге.

Они по-прежнему иногда видятся, в основном у кого-нибудь в гостях, всегда в компании других людей, и общаются вежливо и приветливо. Они обмениваются новостями и любезностями, и это самое невыносимое. Джей-Би больше никогда не порывался его обнять или поцеловать; он теперь подходит к нему с заранее протянутой рукой, и Джей-Би ее берет и пожимает. Он послал Джей-Би цветы — с лаконичной запиской, — когда открылась выставка "Секунды, минуты, часы, дни", и хотя на открытие он не пришел, но заглянул в галерею в ближайшую субботу, по дороге в офис, и провел там час, медленно переходя от одной картины к другой. Джей-Би намеревался включить в этот цикл и себя, но в конце концов передумал: там были только он, и Малкольм, и Виллем. Картины были хороши, и, глядя на них, он думал не столько о жизни, изображенной на полотнах, сколько о жизни, создавшей их, — многие из этих картин были написаны, когда Джей-Би находился в самом беспомощном, в самом жутком состоянии, и при этом они были написаны уверенной, умной рукой, и невозможно было не думать о том, до чего добрый, нежный и благородный человек их создал.

Малкольм по-прежнему общался с Джей-Би, хотя счел нужным извиниться перед ним за это. "Вот уж ерунда, Малкольм, — сказал он, когда Малкольм признался в своем прегрешении и попросил благословения. — Конечно, ты должен с ним общаться".

Он не хочет, чтобы они все отвернулись от Джей-Би; он не хочет, чтобы Малкольм считал нужным доказывать свою верность ему, порвав все связи с Джей-Би. Он хочет, чтобы у Джей-Би по-прежнему был друг, знающий его с восемнадцати лет, когда он был самым остроумным и блестящим студентом и все вокруг, включая его самого, знали об этом.

Но Виллем больше с Джей-Би не разговаривал. Когда Джей-Би вернулся из клиники, Виллем позвонил ему и сказал, что они не могут оставаться друзьями и Джей-Би знает почему. И на этом все кончилось. Его это удивило и огорчило, потому что он всегда любил смотреть, как Джей-Би и Виллем над чем-то вместе хохочут, как сцепляются в споре, любил, когда они рассказывают ему о себе — оба были такие бесстрашные, такие смелые; они служили его проводниками в менее скованный, более радостный мир. Они всегда умели наслаждаться жизнью, и он всегда этим восхищался и был благодарен, что они готовы делиться с ним этим умением.

— Слушай, Виллем, — сказал он как-то раз, — я надеюсь, ты перестал общаться с Джей-Би не из-за меня.

— А из-за кого же, — ответил Виллем.

— Но это не повод, — сказал он.

— Глупости, — сказал Виллем. — А что тогда повод?

Он никогда раньше через такое не проходил, поэтому не понимал, какой это медленный, печальный и сложный процесс — умирание дружбы. Ричард знает, что ни он, ни Виллем больше не общаются с Джей-Би, но не знает почему — по крайней мере, он ему не рассказывал. Теперь, когда прошло столько лет, он даже ни в чем уже Джей-Би не винит, он просто не может забыть. Он чувствует, что какая-то маленькая, но неотвязная часть его всегда ожидает, что Джей-Би повторит свой трюк; он боится еще раз остаться с Джей-Би наедине.

Два года назад, когда Джей-Би впервые не приехал в Труро, Гарольд спросил, что случилось.

— Ты про него теперь ничего не рассказываешь, — сказал он.

— Ну, — он запнулся, не зная как продолжить, — мы больше… мы больше в общем-то не дружим, Гарольд.

— Как жалко, Джуд, — помолчав, отозвался Гарольд, и он кивнул. — Можешь рассказать, что произошло?

— Нет, — сказал он, сосредоточенно отрубая верхушки редисок. — Долгая история.

— Можно что-то поправить, как тебе кажется?

Он помотал головой:

— Вряд ли.

Гарольд вздохнул.

— Как жалко, Джуд, — повторил он. — Тяжело должно быть. — Он молчал. — Я, знаешь, всегда любил, когда вы были вчетвером. Что-то в этом было особенное.

Он снова кивнул.

— Я знаю, — сказал он. — Все так. Я скучаю по нему.

Он по-прежнему скучает по Джей-Би и, наверное, будет скучать всегда. Он особенно скучает по Джей-Би на таких вот свадьбах; в прежние времена они провели бы весь вечер вчетвером, болтая и потешаясь над остальными, возбуждая зависть и смутную неприязнь своей общей радостью, радостью общения. Но теперь Джей-Би и Виллем приветствуют друг друга кивком через стол, а Малкольм говорит что-то очень быстро, пытаясь замаскировать напряжение, и они вчетвером — он всегда будет думать об этом "они вчетвером", "мы вчетвером" — начинают с неожиданным пылом расспрашивать остальных трех соседей по столу, громко смеяться их шуткам, прикрываться ими без их ведома, как живым щитом. Он сидит рядом с бойфрендом Джей-Би, белым мальчиком из хорошей семьи, как тот всегда мечтал, — ему чуть за двадцать, он только что получил диплом медбрата и явно без ума от Джей-Би.

— Какой Джей-Би был в колледже? — спрашивает Оливер, и он отвечает:

— Примерно как и сейчас — смешной, резкий, невыносимый, умный. И талантливый. Он всегда, всегда был талантлив.

— Гммм, — задумчиво говорит Оливер, не отрывая глаз от Джей-Би, который слушает Софи с преувеличенным вниманием. — Мне никогда не приходило в голову, что Джей-Би *смешной*.

И тогда он тоже смотрит на Джей-Би и думает: это Оливер чего-то не понял про Джей-Би или Джей-Би на самом деле стал кем-то иным, кем-то, в ком он не узнал бы человека, с которым дружил столько лет.

В конце вечера наступает пора поцелуев и рукопожатий, и когда Оливер — которому Джей-Би явно ничего не рассказал — говорит ему, что им надо бы встретиться втроем, потому что он всегда мечтал поближе познакомиться с ним, с одним из старейших друзей Джей-Би, он улыбается, и говорит что-то уклончивое, и машет Джей-Би рукой, перед тем как выйти на улицу, где его дожидается Виллем.

— Ну и как ты? — спрашивает Виллем.

— Ничего, — отвечает он, улыбаясь. Кажется, такие встречи с Джей-Би Виллему даются еще тяжелее, чем ему. — А ты?

— Ничего, — говорит Виллем. Робин подъезжает к тротуару; они с Виллемом остановились в гостинице. — Я тебе завтра позвоню, хорошо?

Вернувшись в Кеймбридж, он заходит в тихий дом и крадется в ванную, где достает свой пакет из-под плитки рядом с унитазом и режет, пока не чувствует полную опустошенность, держит руки над ванной, глядя, как фарфор окрашивается в алый цвет. Как и всегда после встреч с Джей-Би, он размышляет о том, правильно ли он поступил. Он думает, все ли они — он, Виллем, Джей-Би, Малкольм — в эту ночь не смогут заснуть дольше обычного, вспоминая лица друг друга и разговоры, хорошие и плохие, которых было немало за двадцать с лишним лет их дружбы.

Если бы, думает он, я был бы не я, а кто-то лучше. Если бы я был благороднее. Если бы я был меньше зациклен на себе. Если бы я был храбрее.

Потом он встает, ухватившись за полотенцесушитель; в этот раз он порезался слишком сильно, у него кружится голова. Он подходит к зеркалу, которое закреплено на обратной стороне шкафа в ванной, это зеркало отражает его во весь рост. В квартире на Грин-стрит нет таких зеркал. "Никаких зеркал, — велел он Малкольму. — Не люблю их".

На самом деле он не хочет встречаться с собственным изображением; он не хочет видеть свое тело, не хочет смотреть себе в лицо.

Но здесь, у Гарольда и Джулии, зеркало есть, и он стоит перед ним несколько секунд, разглядывая себя, а потом принимает сгорбленную позу, как сделал Джей-Би в тот вечер. Джей-Би был прав, думает он. Он был прав. Вот почему я не могу его простить.

Вот он разевает рот. Вот он ковыляет, описывая небольшой круг. Вот он волочит ногу. Его стоны разносятся по молчаливому, тихому дому.

В первую субботу мая у них с Виллемом Тайная вечеря — последний ужин перед разлукой — в крошечном, страшно дорогом японском ресторане возле его офиса на Пятьдесят четвертой улице. В ресторане всего шесть мест, широкая, бархатистая стойка из кипариса, и все три часа, что они тут сидят, они единственные посетители.

Хотя они оба заранее знали, сколько здесь стоят суши, они с изумлением смотрят на счет, а потом начинают хохотать — он не мог бы сказать отчего: от абсурдности идеи, что можно столько заплатить за еду, оттого, что они все-таки это делают, или оттого, что могут себе это позволить.

— Давай я, — говорит Виллем, но пока Виллем шарит в кармане, официант возвращается с его карточкой, которую он дал ему, пока Виллем был в туалете.

— Ну елки, Джуд, — говорит Виллем, и он улыбается.

— Это последний ужин, Виллем, — говорит он. — Можешь угостить меня тако, когда вернешься.

— *Если* вернусь, — отвечает Виллем. Это их обычная шутка последнего времени. — Джуд, спасибо. Ты это зря, но спасибо.

Стоит первый теплый вечер в году, и он говорит Виллему, что, если тот хочет отблагодарить его за ужин, пусть пройдется с ним.

— Далеко? — с опаской спрашивает Виллем. — Мы не пойдем пешком до самого Сохо, Джуд.

— Недалеко.

— Тогда ладно, — говорит Виллем. — А то я страшно устал.

Это новая стратегия Виллема, которой он очень гордится: вместо того чтобы не давать ему делать все, что вредно для ног и спины, Виллем старается сделать вид, что сам испытывает затруднения. В последнее время Виллему постоянно трудно ходить — то он устал, то что-то болит, то слишком холодно, то слишком жарко. Но он знает, что все это неправда. Однажды субботним вечером, после осмотра каких-то галерей, Виллем сказал ему, что не может пройти от Челси до Грин-стрит ("слишком устал"), и они взяли такси. Но на следующий день Робин сказала:

— Какой отличный вчера был день! Когда Виллем вернулся, мы с ним пробежали — сколько? Восемь миль туда-обратно, да, Виллем?

— Правда? — переспросил он, глядя на Виллема, который ответил ему смущенной улыбкой:

— Так бывает, открылось второе дыхание.

Они направляются на юг, слегка отклоняясь к востоку, чтобы не пришлось пересекать Таймс-сквер. Волосы Виллема выкрашены в темный цвет для роли, и он отрастил бороду, так что его трудно узнать, но им не хочется застрять в толпе туристов.

Он видит Виллема последний раз в ближайшие полгода, а то и больше. Во вторник Виллем летит на Кипр, чтобы начать работу над "Илиадой" и "Одиссеей"; он играет Одиссея в обоих фильмах. Фильмы будут сниматься последовательно и выходить последовательно, с одним актерским составом и одним режиссером. Съемки запланированы на всем юге Европы, в Северной Африке, а часть батальных сцен — в Австралии, и поскольку темп задан очень интенсивный и расстояния огромные, неясно, сможет ли он приезжать домой в перерывах. Это самые трудоемкие и масштабные съемки, в каких Виллему до сих пор доводилось участвовать, и он нервничает.

— Это будет колоссальный успех, Виллем, — говорит он ему.

— Или колоссальная катастрофа, — отвечает Виллем.

Он не то чтобы мрачен, ему это несвойственно, но видно, что он волнуется, хочет сыграть хорошо, беспокоится, вдруг подведет людей, не справится. Он напоминает Виллему, что тот волнуется перед каждым фильмом и каждый раз получается отлично, лучше чем отлично. Однако, думает он, именно поэтому Виллему всегда будут предлагать работу, причем хорошую: он принимает все всерьез, с бесконечной ответственностью.

Однако сам он с ужасом думает об этих шести месяцах, особенно если учесть, как мало Виллем отсутствовал в последние полтора года. Сначала он снимался в небольшом фильме в Бруклине, всего несколько недель. Потом играл в пьесе под названием "Мальдивский додо", про двух братьев-орнитологов, один из которых медленно погружается в непонятное безумие. Они вместе ужинали каждый вторник все время, пока шла пьеса, которую он смотрел — как и все пьесы Виллема — множество раз. Во время третьего просмотра он заметил Джей-Би и Оливера, всего в нескольких рядах впереди, но с левой стороны зала, и всю пьесу поглядывал на Джей-Би: смеется ли он на этой реплике, как реагирует на другую, и все время думал о том, что это первый спектакль Виллема, который они ни разу не смотрели все вместе, втроем.

— Слушай, — говорит Виллем, когда они идут по Пятой авеню, где сейчас нет людей — одни освещенные витрины и случайный мусор, влекомый легким, мягким ветерком: целлофановые пакеты, надутые воздухом и похожие на медуз, обрывки старых газет. — Я обещал Робин кое о чем с тобой поговорить.

Он ждет. Он очень старался не совершать с Робин и Виллемом тех ошибок, которые допустил с Филиппой и Виллемом, — когда Виллем просит его составить им компанию, он сначала обсуждает это с Робин (в конце концов Виллем велел ему прекратить спрашивать Робин, она знает, как много он значит для Виллема, и она не против, а если будет против, то ей все равно придется быть не против), и он старался показать Робин, что он независимая личность и не собирается жить у них в старости. (Правда, он не знал, как именно это показать, и потому не был уверен, что сделал это успешно.) Но ему нравится Робин — она специалист по античности, профессор Колумбийского университета, ее наняли консультантом на оба фильма два года назад, и у нее колючий юмор, неуловимо напоминающий ему о Джей-Би.

— Хорошо. — Виллем глубоко вздыхает, и он собирается с духом. О нет, думает он. — Ты помнишь Клару, подругу Робин?

— Конечно, мы познакомились у Клементины.

— Да! — торжествующе восклицает Виллем. — Она самая!

— Господи, Виллем, за кого ты меня принимаешь, это было на той неделе.

— Да-да, точно. Так вот, она тобой интересуется.

— В смысле? — недоуменно спрашивает он.

— Она спрашивала Робин, есть ли у тебя кто-то. — Он делает паузу. — Я сказал, что ты, кажется, не стремишься ни с кем встречаться, но обещал, что спрошу. Ну и вот спрашиваю.

Идея кажется ему настолько безумной, что он не сразу понимает, что Виллем имеет в виду. А когда понимает, останавливается, смеется, смущенно и недоверчиво.

— Виллем, ты издеваешься? Это просто смехотворно.

— Что смехотворно? — спрашивает Виллем, вдруг посерьезнев. — Почему, Джуд?

— Виллем, — говорит он, приходя в себя, — это очень лестно, но… — Он морщится и снова смеется. — Это абсурд.

— Что именно? — спрашивает Виллем, и он чувствует, что разговор приобретает другой оборот. — Что кто-то находит тебя привлекательным? Это не в первый раз, кстати. Ты не замечаешь этого, потому что не даешь себе замечать.

Он мотает головой:

— Виллем, давай поговорим о чем-нибудь другом.

— Нет, — говорит Виллем. — Я не дам тебе сменить тему, Джуд. Почему это смехотворно? Почему это абсурд?

Внезапно он чувствует себя настолько не в своей тарелке, что останавливается прямо на углу Пятой и Сорок пятой, оглядываясь в поисках такси. Но, конечно, никаких такси нет.

Пока он думает, что бы ответить, ему вспоминается разговор через несколько дней после того случая с Джей-Би: он тогда спросил Виллема, правда ли это, хотя бы отчасти — Виллема действительно от него тошнит? Он действительно недостаточно им рассказывает?

Виллем тогда молчал так долго, что он угадал ответ прежде, чем его услышал. "Слушай, Джуд, — медленно проговорил Виллем. — Джей-Би был не в себе. Меня не может от тебя тошнить. И ты не *обязан* мне рассказывать свои секреты. — Он сделал паузу. — Но да, я бы хотел, чтобы ты мне больше рассказывал. Не потому, что мне нужна какая-то информация, а потому, что тогда я, может быть, сумел бы помочь. — Он остановился и взглянул на него. — Вот и все".

С тех пор он старался больше рассказывать Виллему. Но было столько тем, которые он никогда не обсуждал ни с кем, кроме Аны (двадцать пять лет назад), что он обнаружил странную вещь: у него в самом буквальном смысле нет для этого языка. Его прошлое, его страхи, все, что делали с ним, все это можно обсуждать лишь на языках, которыми он не владеет: на фарси, урду, мандарине, португальском. Однажды он попытался кое-что записать, думая, что так будет легче, но нет — он и самому себе не мог объяснить себя.

"Ты сам придумаешь, как говорить о том, что с тобой произошло, — говорила ему Ана. — Тебе придется, если хочешь хоть с кем-нибудь в жизни близко сойтись". Он часто жалеет, что не поговорил с ней, не дал ей научить себя, как это сделать. Его молчание началось как средство самозащиты, но с годами приобрело над ним своего рода деспотическую власть, теперь уже оно управляло им, а не наоборот. Теперь он не мог из него выбраться, даже когда хотел. Он представлял, как плавает в водном пузыре, со всех сторон упакованном в лед — стены, пол, потолок изо льда, многофутовой толщины. Он знает, что есть выход, но у него нет нужных инструментов, чтобы начать работу, и только руки беспомощно царапают скользкую гладь. Он думал, что, не рассказывая никому, кто он такой, сможет казаться более приемлемым, менее странным. Но теперь то, что он не рассказывает, делает его еще более странным, вызывает жалость и даже подозрения.

— Джуд? — не унимается Виллем. — Почему это абсурд?

Он мотает головой.

— Потому что потому.

И идет дальше.

Они проходят квартал в молчании. Потом Виллем спрашивает:

— Джуд, ты хотел бы вообще когда-нибудь с кем-то быть?

— Я никогда не думал, что могу этого захотеть.

— Я же не это спросил.

— Не знаю, Виллем, — отвечает он, не в силах поднять глаз. — Наверное, такие вещи просто не для таких, как я.

— Что это значит?

Он снова мотает головой, ничего не говоря, но Виллем не отстает.

— Из-за проблем со здоровьем? Почему?

Проблемы со здоровьем, повторяет внутри него кто-то желчный и саркастичный. *Вот уж эвфемизм так эвфемизм.* Но он не говорит этого вслух.

— Виллем, — просит он, — умоляю, не надо об этом. У нас был такой хороший вечер. И это последний вечер, потом я долго тебя не увижу. Давай сменим тему? Пожалуйста?

Виллем молчит еще квартал, и он думает, что разговор закончен, но Виллем вдруг говорит:

— Знаешь, когда я стал встречаться с Робин, она спросила меня, натурал ты или гей, и я вынужден был ей сказать, что не знаю. — Он помедлил. — На нее это произвело большое впечатление. Она все повторяла: "Это твой лучший друг, вы дружите с юности, и ты не знаешь?!" Филиппа тоже об этом спрашивала. И я сказал ей то же, что и Робин: что ты не склонен к откровенности, что я всегда старался уважать твое личное пространство. Но, пожалуй, я хотел бы, чтобы ты говорил мне такие вещи, Джуд. Не потому, что мне зачем-то нужна эта информация, а потому, что так мне легче понимать, кто ты. Может быть, ты ни то и не другое. Может, и то и другое. Может, тебе просто это неинтересно. Это ничего для меня не меняет.

Он ничего не говорит, не может ничего сказать в ответ, и они в молчании идут еще два квартала: Тридцать восьмая улица, Тридцать седьмая улица. Он чувствует, что его правая нога волочится по асфальту, как бывает, когда он устал или расстроен, слишком устал и расстроен, чтобы стараться, и он рад, что Виллем идет слева от него, так меньше вероятность, что он заметит.

— Иногда меня тревожит мысль, что ты решил, убедил себя, будто ты непривлекателен, в тебя нельзя влюбиться, и оттого некоторые вещи тебе просто недоступны. Но это не так, Джуд, кто угодно был бы счастлив быть с тобой, — говорит Виллем еще через квартал.

Ну хватит уже, думает он, чувствуя по тону Виллема, что тот разогревается для длинной речи; он впадает в панику, сердце начинает биться в странном ритме.

— Виллем, — говорит он, поворачиваясь. — Я, наверное, все-таки возьму такси. Я устал, мне надо лечь.

— Брось, Джуд, — говорит Виллем с таким раздражением, что он вздрагивает. — Послушай, прости, но правда, Джуд. Ты не можешь просто взять и *уйти*, когда я пытаюсь поговорить с тобой о чем-то важном.

Это останавливает его.

— Ты прав, — говорит он. — Извини. Я благодарен, Виллем, правда. Но мне слишком трудно это обсуждать.

— Тебе *все* слишком трудно обсуждать, — говорит Виллем, и он снова вздрагивает. Виллем вздыхает. — Прости. Я просто всегда думаю, что однажды поговорю с тобой, поговорю по-настоящему, но это никогда не происходит, потому что я боюсь, что ты захлопнешься и вообще больше не будешь со мной разговаривать.

Они молчат, он про себя признает правоту Виллема — именно так он и делает. Несколько лет назад Виллем пытался поговорить с ним о том, что он себя режет. Они тогда тоже говорили на ходу, и в какой-то момент разговор стал настолько невыносимым, что он махнул рукой проезжавшему такси, влез в него с лихорадочной поспешностью и оставил Виллема на тротуаре. Виллем кричал ему вслед, выпучив глаза от изумления; он проклинал себя, пока машина неслась на юг. Виллем был в ярости; он извинился, они помирились. Но Виллем никогда больше не заводил этот разговор, и он тоже.

— Но скажи, Джуд, разве тебе не бывает одиноко?

— Нет, — говорит он после паузы.

Мимо, смеясь, проходит парочка, и он вспоминает начало прогулки — тогда они тоже смеялись. Как он умудрился испортить этот вечер, последний, ведь он теперь не увидит Виллема много месяцев.

— Не беспокойся обо мне, Виллем. У меня все будет в порядке. Я всегда смогу о себе позаботиться.

В ответ на это Виллем вздыхает, сутулится и выглядит таким побитым, что он чувствует укол совести. Но и облегчение тоже: видно, что Виллем не знает, как продолжить разговор, и ему скоро удастся его отвлечь, закончить вечер чем-то более приятным, спастись бегством.

— Ты всегда так говоришь.

— Потому что это всегда правда.

Наступает долгое, долгое молчание. Они стоят у ресторана, корейское барбекю, воздух кажется плотным и ароматным от пара и дыма и запаха жарящегося мяса.

— Можно я пойду домой? — спрашивает он, и Виллем кивает. Он идет к обочине, поднимает руку, подъезжает такси.

Виллем открывает ему дверцу и обнимает его, и он наконец отвечает на объятие.

— Я буду скучать по тебе, — говорит Виллем ему в шею. — Ты будешь заботиться о себе, пока меня нет?

— Да, — говорит он. — Обещаю. — Он отступает и смотрит на Виллема. — До ноября.

Виллем отвечает ему гримасой, которая не тянет на улыбку.

— До ноября, — отзывается он эхом.

В такси он понимает, что действительно устал, утыкается лбом в грязное стекло, закрывает глаза. К тому времени, как он попадает домой, тело наливается свинцом, кажется мертвым, в квартире он начинает снимать с себя одежду — ботинки, свитер, рубашку, футболку, брюки — сразу, как только закрывает за собой дверь, оставляя вещи на полу, словно след, и устремляется в ванную. Руки дрожат, пока он отлепляет пакет из-под раковины, хотя он не думал, что ему сегодня придется себя резать — ничто не предвещало этого, — но сейчас его жажда неудержима. У него давно не осталось свободной кожи на предплечьях, и он режет поверх старых шрамов, используя угол бритвы, чтобы пропилить жесткую перепончатую ткань: когда новые порезы заживают, они образуют борозды и наросты, и он ужасается тому, как обезобразил себя, но отвращение смешивается со странной завороженностью. Недавно он стал мазать руки кремом, который Энди дал ему для спины, и, кажется, крем немного помогает: кожа теперь чуть менее натянута, шрамы чуть мягче, чуть податливей.

Душевая, созданная Малкольмом в ванной комнате, огромна — настолько, что сейчас он весь помещается в ней, вытянув ноги, и когда он заканчивает себя резать, он тщательно смывает кровь, потому что пол весь из мрамора, а Малкольм не раз повторял ему, что если запачкать мрамор, то ничего уже не сделаешь. И вот он уже в постели, в голове пусто, но спать еще не хочется, и он смотрит, как светильник ртутно мерцает в темной комнате.

— Я одинок, — говорит он вслух, и тишина квартиры впитывает его слова, как хлопок впитывает кровь.

Это одиночество для него внове, оно отличается от всех других одиночеств, которые он знал: это не детское одиночество сиротства; не бессонное одиночество в комнате мотеля с братом Лукой, когда стараешься не пошевелиться, чтоб не разбудить его, а луна бросает на кровать белые жесткие полосы света; это не одиночество, испытанное после побега из приюта, успешного побега, когда он провел ночь, вжавшись в ложбину между разросшимися вывороченными корнями дуба, похожими на раздвинутые ноги, стараясь съежиться, уменьшиться насколько это возможно. Он тогда думал, что одинок, но теперь он понимает, что это был страх, а не одиночество. Сейчас он защитил себя: у него есть квартира, где двери закрыты на три замка, у него есть деньги. У него есть родители и друзья. Ему никогда не придется делать то, чего он не хочет, за кусок хлеба, за перевозку куда-нибудь, за крышу над головой, за побег.

Он не лгал Виллему: он не создан для отношений и всегда это знал. Он никогда не завидовал своим друзьям — как кошка не завидует собачьему лаю; ему не пришло бы в голову завидовать их романам, потому что для него это невозможно, несовместимо с его биологическим видом. Но в последнее время люди вокруг него ведут себя так, будто ему это доступно, будто он должен этого хотеть, и хотя он знает, что они говорят так из лучших побуждений, но слова их звучат издевкой: с тем же успехом они могут убеждать его стать десятиборцем, это было бы так же глупо и жестоко.

Он ждет подобных реплик от Малкольма и Гарольда; Малкольм счастлив и видит только один — свой — путь к счастью и потому предлагает время от времени познакомить его с кем-нибудь или спрашивает, хочет ли он найти себе кого-нибудь, и каждый раз отрицательный ответ ставит его в тупик. Гарольду же особенно нравится эта часть его родительских обязанностей: укорениться в его жизни, устроиться там как можно прочнее. Он тоже научился иногда получать от этого удовольствие — его трогает, что кто-то достаточно интересуется им, чтобы давать указания, огорчаться из-за его поступков, ждать от него чего-то, брать на себя ответственность за него, потому что он "свой". Два года назад они с Гарольдом сидели в ресторане, и Гарольд читал ему нотацию о том, что работа в "Розен Притчард" делает его практически соучастником корпоративных злоупотреблений, и вдруг они оба заметили, что над ними стоит официант с блокнотом.

— Прошу прощения, — сказал официант. — Мне подойти попозже?

— Нет, ничего, — сказал Гарольд, подбирая со стола меню. — Я просто ругаю своего сына, но могу продолжить после того, как мы закажем.

Официант сочувственно ему улыбнулся, и он улыбнулся в ответ, ощущая восторг от этого публичного признания — он чей-то, он наконец принят в племя сынов и дочерей. Позже Гарольд возобновил свою тираду, и он притворялся расстроенным, но на самом деле весь вечер чувствовал себя счастливым, умиротворение наполняло все его существо, и он так часто улыбался, что Гарольд в конце концов спросил, не пьян ли он.

Но теперь и Гарольд стал задавать вопросы.

— Потрясающая квартира, — сказал он. Это было в прошлом месяце — Гарольд приехал к нему на день рождения, Виллем устроил ужин в его честь, хотя он и велел ему этого не делать. На другой день Гарольд пришел к нему, как он всегда делал, бродил по квартире, всем восхищался, повторял одно и то же: "Потрясающая квартира", "Как здесь чисто", "Малкольм постарался на славу" и, в последнее время, "Но она такая огромная, Джуд. Тебе не пусто здесь одному?"

— Нет, Гарольд, — отвечал он. — Я люблю быть один.

Гарольд что-то проворчал.

— Виллем, кажется, счастлив, — начал он снова. — Робин очень симпатичная.

— Да, — сказал он, заваривая Гарольду чай. — И он правда счастлив.

— Джуд, а ты разве не хотел бы этого для себя?

Он вздохнул.

— Нет, Гарольд, мне и так хорошо.

— А о нас с Джулией ты подумал? Нам бы хотелось, чтобы у тебя кто-то был.

— Ты знаешь, как я хочу, чтобы вы с Джулией были счастливы, — сказал он, стараясь говорить спокойно. — Но, боюсь, на этом фронте я ничем не смогу вам помочь. Вот. — И он подал Гарольду чашку.

Иногда он размышляет: может, он бы вообще не думал об одиночестве, если бы ему не внушали, что он *должен* чувствовать себя одиноко, что его жизнь в ее нынешнем виде странна и неприемлема. Люди всегда предполагают, что ему не хватает того, чего ему и в голову не приходило хотеть, да что там — не приходило в голову, что ему вообще это доступно. И не только Гарольд и Малкольм, но и Ричард, который вот-вот съедется со своей девушкой, тоже художницей, по имени Индия, и те, кого он видит не так часто, — Ситизен, и Илайджа, и Федра, и даже Керриган, старый приятель, с которым он работал у судьи Салливана (они виделись несколько месяцев назад, когда тот приезжал в город со своим мужем). Кто-то задает ему вопросы с жалостью, кто-то с подозрением: первые сочувствуют ему, потому что считают, что его одиночество вынужденное, не его решение, а стечение обстоятельств, вторые испытывают к нему своего рода враждебность, потому что считают как раз наоборот: его одиночество — именно сознательное решение, злостное нарушение фундаментальных законов взрослой жизни.

В любом случае быть одиноким в сорок не то, что в тридцать, с каждым годом это становится все менее понятным, менее завидным, более жалким и неприличным. В последние пять лет он всегда приходил один на ужин партнеров, а год назад, когда он стал долевым партнером, пришлось одному ехать на ежегодный выездной корпоратив. За неделю до этого, вечером пятницы, Люсьен зашел к нему в офис, чтобы посмотреть бумаги за неделю, как он часто делал. Они поговорили о будущем выезде, в этот раз в Ангилью, которого оба ждали с искренним ужасом, в отличие от других партнеров — те притворно ужасались, но на самом деле (как они с Люсьеном единодушно решили) только об этом и мечтали.

— Мередит поедет? — спросил он.

— Да. — Наступило молчание, и он знал, что за ним последует. — Ты возьмешь с собой кого-нибудь?

— Нет, — сказал он.

Еще пауза, во время которой Люсьен смотрел в потолок.

— Ты никогда никого не брал с собой на наши мероприятия, правда? — спросил наконец Люсьен с деланной небрежностью.

— Нет, — ответил он, и, когда Люсьен ничего не сказал, добавил: — Ты пытаешься мне что-то сказать?

— Нет, конечно нет. Мы не такая фирма, где следят за подобными вещами, ты же знаешь, Джуд.

Он почувствовал, как на него накатывает гнев и стыд.

— Получается, что именно такая. Если оргкомитет как-то это комментирует, ты должен сказать мне, Люсьен.

— Джуд, это не так. Ты знаешь, как все здесь тебя уважают. Просто я думаю… это не мнение фирмы, только мое личное — мне бы хотелось видеть тебя с кем-то.

— Хорошо, Люсьен, спасибо, — сказал он устало. — Я об этом подумаю.

Однако, как бы ни жаждал он выглядеть нормальным, ему не хотелось заводить отношения потому, что так положено: он захотел их потому, что чувствовал себя одиноким. Он так одинок, что иногда ощущает это физически, как будто ком грязного белья давит ему на грудь. Он не может разучиться чувствовать это. Людям кажется, что все так просто, как будто самое трудное — захотеть. Но он-то знает, что сблизиться с кем-то значит оказаться незащищенным, а он до сих пор позволял себе это только с Энди. Это означает встречу с собственным телом, которое он не видел обнаженным лет десять, — он не смотрит на себя, даже принимая душ. И это означает секс, которого у него не было с пятнадцати лет и который вызывает у него такой ужас, что живот моментально сводит ледяным спазмом. Когда он только начал обращаться к Энди, тот иногда спрашивал его про половую жизнь, пока он наконец не ответил, что, когда и если это случится, он сам скажет, а до тех пор можно не спрашивать. И Энди никогда больше не спрашивал, и ему самому не приходилось ничего говорить. Отсутствие секса было одним из главных преимуществ взрослой жизни.

Но, как бы он ни страшился секса, ему все-таки хочется, чтобы до него дотрагивались, хочется почувствовать прикосновение чьих-то рук, хотя и эта мысль пугает. Иногда он смотрит на собственные руки и испытывает такую острую ненависть к себе, что едва может дышать: не его вина, что тело так изувечено, но руки — его рук дело, винить больше некого. Когда он начал резать себя, он резал ноги — только лодыжки, — и, прежде чем он научился делать это как следует, он полосовал себя бритвой как попало, в разных направлениях, так, словно оцарапался перекрестными стеблями травы. Никто не замечал — никто не смотрит на чужие лодыжки. Даже брат Лука не задавал вопросов. Но теперь не заметить руки невозможно, а также спину и ноги — все они исчерчены бороздами там, где была удалена поврежденная ткань и мускулы, и еще есть вмятины размером с отпечаток большого пальца там, где когда-то были прикручены скобы, шурупами, которые просверливали плоть и кость, и блестящие впадины кожи там, где были ожоги, и места, где раны затянулись, и вокруг них бугрится кожа странного бронзового оттенка. В одежде он другой человек, но без нее он обнажает свою суть, годы гниения отпечатались на его коже, его плоть кричит о его прошлом, о пороке и мерзости.

Однажды в Техасе у него был клиент с безобразным телом, такой жирный, что живот свисал между ног курдюком, вся кожа была покрыта хлопьями экземы и так суха, что при каждом движении ошметки отшелушивались и взлетали в воздух. Его тошнило от одного взгляда на этого мужчину, но, с другой стороны, его тошнило от них всех, этот был не хуже и не лучше других. Когда он отсасывал у него, живот клиента давил ему на шею, мужчина кричал в голос и извинялся — *прости, прости*, — впиваясь кончиками пальцев ему в голову. У мужчины были длинные ногти, твердые словно кости, и он проводил ими по его скальпу, но осторожно, будто зубьями гребня. Иногда ему казалось, что за прошедшие годы он стал этим мужчиной, и если кто-то его увидит, то испытает то же отвращение, ту же тошноту от его уродства. Ему не хотелось, чтобы кого-то потом рвало над унитазом, как рвало его; он горстями тогда заливал в рот жидкое мыло, пытаясь очиститься.

Нет, ему больше никогда не придется делать то, чего он не хочет, за еду и кров — он наконец уверен в этом. Но на что он пойдет, чтобы почувствовать себя менее одиноким? Может ли он уничтожить все, что так тщательно строил и защищал, ради близости? Сколько унижений он согласен перенести? Он не знает этого и боится узнать.

Но с годами он все больше боится, что у него не будет случая узнать это. Что значит быть человеком, если ты лишен всего этого? И все же, напоминает он себе, одиночество — это не голод, не жажда, не болезнь: оно не фатально. Его не обязательно прекращать. У него жизнь лучше, чем у многих людей, лучше, чем он мог мечтать. Хотеть ко всему этому еще и не быть одиноким — почти уже жадность, непростительная дерзость.

Проходят недели. Расписание Виллема непредсказуемо, он звонит то в час ночи, то в три часа дня. Голос его звучит устало, но поскольку жаловаться не в его характере, Виллем не жалуется. Он рассказывает о декорациях, об археологических раскопках, на которых им разрешили снимать, о мелких происшествиях на съемочной площадке. Когда Виллема нет, ему хочется сидеть дома и ничего не делать, но он знает, что это нездоровое желание, и изо всех сил старается заполнить выходные встречами, вечеринками, ужинами. Он ходит в музеи и на спектакли с Черным Генри Янгом, в галереи с Ричардом. Феликс, у которого он сто лет назад был репетитором, теперь возглавляет панковскую группу под названием "Тихие американцы", и он уговаривает Малкольма вместе пойти на их концерт. Он рассказывает Виллему обо всем, что видел и прочитал, о разговорах с Гарольдом и Джулией, о последнем проекте Ричарда, о своих клиентах-художниках, о дне рождения дочери Энди и новой работе Федры; с кем он говорил, кто что сказал.

— Еще пять с половиной месяцев, — говорит Виллем в конце одной из таких бесед.

— Пять с половиной месяцев, — повторяет он.

Во вторник он идет на ужин в новую квартиру Родса, недалеко от дома родителей Малкольма. В декабре, когда они с Родсом выпивали, тот говорил, что из-за этой квартиры его мучают кошмары: он просыпается по ночам, и в голове прокручиваются бухгалтерские книги его жизни — репетиторы, ипотеки, налоги, выплаты, страшные цифры с нулями. "И это при том, что родители помогают, — сказал он. — А Алекс хочет родить еще одного ребенка. Мне сорок пять, Джуд, и я уже выдохся, а ведь мне придется работать до восьмидесяти, если мы родим третьего".

Сегодня он с облегчением видит, что Родс расслаблен, его шея и щеки пылают розовым румянцем.

— Боже, — говорит Родс, — как ты умудряешься быть таким худым?

Пятнадцать лет назад, когда они познакомились в прокуратуре, Родс выглядел как игрок в лакросс, весь мышцы и сухожилия, но, начав работать в банке, обрюзг, внезапно постарел.

— Ты хочешь сказать "костлявым", — говорит он.

Родс смеется.

— Я бы не отказался быть костлявым.

За стол садятся одиннадцать человек, и Родсу приходится принести кресло из кабинета и скамейку из гардеробной Алекс. Он знает, у Родса всегда так: прекрасная еда, цветы на столе, и все-таки всегда что-то идет не так, приходят нежданные гости, не хватает мест: Алекс пригласила кого-то, с кем только что познакомилась, и забыла сказать Родсу, Родс сам сбился со счета — и вот то, что обещало быть парадным чопорным ужином, превращается в хаотичные посиделки.

— Черт! — говорит Родс. Как всегда, он единственный, кого это заботит.

Алекс сидит по левую руку от него, и они говорят о ее работе: она была директором по связям с общественностью в модном доме под названием "Ротко", но только что ушла оттуда, к отчаянию Родса.

— Не скучаешь еще? — спрашивает он.

— Еще нет, — отвечает она. — Родс не очень доволен, — она улыбается, — но он привыкнет. Я решила посидеть дома, пока дети маленькие.

Он спрашивает о загородном доме, который они купили в Коннектикуте (еще один источник кошмаров для Родса), она рассказывает ему про ремонт, который длится уже третье лето, он мычит в знак сочувствия.

— Родс говорил, ты хотел купить дом где-то в Колумбии? Уже купил?

— Нет еще, — отвечает он.

У него был выбор: либо купить дом, либо вместе с Ричардом отремонтировать первый этаж, довести до ума гараж, сделать тренажерный зал и бассейн с постоянным течением, чтобы можно было плыть на месте, — и в конце концов он выбрал переделку первого этажа. Теперь он каждое утро плавает в полном одиночестве; даже Ричард не заходит в тренажерную часть, когда он там.

— Мы сначала хотели подождать с домом, — признается Алекс, — но у нас не осталось выбора: пока дети маленькие, им нужен дом с садом.

Он кивает, он уже слышал эту историю от Родса. Иногда ему кажется, что он и Родс (он и любой его ровесник в фирме) проживают параллельные версии взрослой жизни. Их миром управляют дети, маленькие деспоты, чьи нужды — школа, лагерь, хобби, репетиторы — диктуют каждое решение, и так будет продолжаться еще десять, пятнадцать, восемнадцать лет. Дети обеспечивают их взрослые годы постоянным и неотменяемым направлением, целью: они определяют, когда и на сколько ехать отдыхать; останутся ли свободные деньги, и если да, то как их потратить; они определяют каждый день, год, жизнь. Дети — это своего рода картография. Все что тебе остается, — следовать карте, которую они вручают тебе в день своего рождения.

Но у него и его друзей детей нет, и потому мир перед ними громоздится бесчисленными возможностями, буквально не давая прохода. Без детей статус взрослого никогда не может быть незыблемым, бездетный взрослый сам для себя создает взрослость, и как бы весело это ни было порой, это все же состояние постоянной зыбкости, постоянного сомнения. Во всяком случае для некоторых — например, для Малкольма, который недавно показывал ему список пунктов за и против детей, который они составили с Софи, примерно такой же, какой он составлял четыре года назад, когда решал, жениться или нет.

— Не знаю, Мэл, — сказал он, выслушав все пункты списка. — Кажется, что все причины иметь детей — потому, что так надо, а не потому, что ты их хочешь.

— Конечно, я считаю, что так надо, — сказал Малкольм. — Разве тебе никогда не кажется, что мы сами живем как дети, Джуд?

— Нет, — сказал он, и это была правда: его нынешняя жизнь была так далека от его детства, как это только возможно. — Это твой отец в тебе говорит, а не ты сам, Мэл. Твоя жизнь будет ничуть не менее ценной или оправданной, если у тебя не будет детей.

Малкольм вздохнул.

— Может быть, ты прав. — Он улыбнулся. — В смысле, я на самом деле не хочу детей.

Он улыбнулся в ответ:

— Что ж, всегда можно подождать. Может быть, в один прекрасный день ты усыновишь унылого тридцатилетнего оболтуса.

— Может быть, — снова сказал Малькольм. — В конце концов, как я слышал, кое-где это вошло в моду.

Алекс вдруг извиняется и уходит на кухню помочь Родсу, который зовет ее оттуда со все возрастающей настойчивостью и паникой — "Алекс. *Алекс! Алекс!!!*" — и он поворачивается к соседу справа, которого не помнит на других вечеринках Родса, это темноволосый мужчина со сломанным (вероятно) носом: нос сначала решительно стремится в одном направлении, после чего где-то посредине не менее решительно меняет его на противоположное.

— Калеб Портер.

— Джуд Сент-Фрэнсис.

— Дайте отгадаю: католик?

— И я отгадаю: *не* католик.

Калеб смеется:

— И будете правы.

Они разговаривают; оказывается, Калеб только что переехал в Нью-Йорк из Лондона, где провел последние десять лет в качестве президента дома моды, а теперь будет возглавлять "Ротко".

— Алекс очень любезно и внезапно пригласила меня вчера, и я подумал, — он пожимает плечами, — почему бы и нет? Хороший ужин в приятной компании против гостиничного номера, где я буду бессмысленно пялиться на описания недвижимости.

Из кухни доносится литавровый звон упавшего металла, Родс чертыхается. Калеб смотрит на него с улыбкой, поднимает брови.

— Не беспокойтесь, — говорит он. — Обычное дело.

Остаток вечера Родс пытается наладить общую беседу, но у него ничего не выходит — стол слишком широк, друзья недальновидно усажены рядом друг с другом, — так что он продолжает общаться с Калебом. Калебу сорок девять, он вырос в округе Марин, в Калифорнии, жил в Нью-Йорке, когда ему было чуть за тридцать. Он тоже закончил юридическую школу, но, по его словам, ничего из выученного ни разу не использовал в работе.

— Никогда? — переспрашивает он. Он всегда скептически относится к таким заявлениям, когда люди утверждают, что юридическая школа — пустая трата времени, ошибка длиной в три года. Хотя и понимает, что сам он необычайно сентиментален в этом отношении — ведь юридическая школа дала ему не только заработок, но и, во многом, саму жизнь.

Калеб задумывается.

— Нет, может быть, неправильно говорить "никогда", но не так, как можно было ожидать, — произносит он наконец. У него глубокий, осторожный, медленный голос, одновременно успокаивающий и таящий неясную угрозу. — В какой-то мере из всего этого мне пригодилось гражданское процессуальное право. У вас есть знакомые дизайнеры?

— Нет, — говорит он, — но у меня много друзей-художников.

— Ну вот, значит, вы знаете, что они совсем по-другому устроены — чем лучше художник, тем выше вероятность, что он совершенно не приспособлен к бизнесу. И это действительно так. За последние двадцать с чем-то лет я работал в пяти модных домах и с увлечением изучал модель их поведения — неспособность считаться со сроками, оставаться в рамках бюджета, управлять людьми, — которая повторяется настолько закономерно, что начинаешь задаваться вопросом, то ли это непременное условие получения работы, то ли сама работа располагает к такого рода пробелам в жизненных навыках. Так что в моем положении остается только выстраивать внутри компании систему управления, вынуждающую соблюдать правила под страхом наказания. Не знаю, как объяснить: им невозможно сказать, что поступать так-то и так-то хорошо для дела, для них это ничего не значит, для большинства во всяком случае, хотя они и будут уверять, что все понимают. Поэтому приходится устанавливать правила в их собственной маленькой вселенной и убеждать их, что, если они не будут следовать этим правилам, их вселенная развалится. Пока их удается держать в этом убеждении, они делают все, что тебе от них надо. Меня это сводит с ума.

— Тогда зачем же с ними работать?

— Потому что они настолько *иначе* думают. Безумно интересно за ними наблюдать. Иные из них буквально малограмотны, пишут записки, в которых предложения составлены кое-как. Но потом ты видишь, как они рисуют, или драпируют, или просто комбинируют цвета, и это… не знаю. Это чудо. Не могу объяснить иначе.

— Да, я знаю, как это бывает, — говорит он, думая о Ричарде, о Джей-Би, о Малькольме, о Виллеме. — Как будто тебе разрешили заглянуть в такое мышление, для которого ты даже языка не представляешь, куда там слово вставить.

— Именно, — соглашается Калеб и в первый раз улыбается ему.

Ужин заканчивается, все пьют кофе, и Калеб готовится встать из-за стола:

— Мне пора. Кажется, я все еще живу по лондонскому времени. Рад был познакомиться.

— Я тоже, — отзывается он. — С удовольствием побеседовал с вами. Удачи с установлением гражданского управления в "Ротко".

— Спасибо, удача мне понадобится. — И, уже вставая, он спрашивает: — Поужинаем как-нибудь вместе?

На мгновение его парализует страх. Но он тут же упрекает себя: что за глупости. Калеб только что вернулся в Нью-Йорк, он же сам знает, как трудно найти кого-то, с кем можно поговорить, найти новых друзей — в твое отсутствие все старые друзья обзавелись семьей, стали чужими. Он просто хочет поговорить.

— Конечно! — говорит он, и они обмениваются визитками.

— Не вставайте, — говорит Калеб, когда он начинает подниматься. — Я с вами свяжусь.

Он наблюдает как Калеб — он выше, чем казался, по крайней мере на пару дюймов выше его, с сильной спиной — прощается с Алекс и Родсом и уходит, не оглядываясь.

На другой день Калеб связывается с ним, они договариваются поужинать в четверг. Вечером он звонит Родсу поблагодарить за ужин и спрашивает его о Калебе.

— Неудобно вышло, я с ним даже не поговорил. Алекс пригласила его в последнюю минуту. Вот вечно она так, я ей говорю — зачем приглашать человека, который приехал руководить компанией, как раз когда она уходит?

— Значит, ты ничего о нем не знаешь?

— Ничего. Алекс говорит, у него хорошая репутация, в "Ротко" из кожи вон лезли, чтобы переманить его из Лондона. Это все что я знаю. А что? — Он почти видит, как Родс улыбается. — Неужели ты расширяешь бизнес не только в сторону блистательного мира ценных бумаг и фармакологии?

— Именно так, — говорит он. — Еще раз спасибо. И поблагодари от меня Алекс.

Настает четверг, и они с Калебом встречаются в идзакае, в Западном Челси. После того как они сделали заказ, Калеб говорит:

— Вы знаете, я весь тот вечер смотрел на вас и думал, откуда я вас знаю, а потом сообразил: картина Жан-Батиста Мариона. У художественного директора моей прошлой компании была картина — он даже пытался заставить фирму заплатить за нее, но это другая история. Там прекрасно схвачено ваше лицо: вы стоите на улице, за вашей спиной фонарь.

— Да, — отвечает он. Это уже случалось с ним неоднократно и всякий раз выбивало из колеи. — Я знаю, о какой картине вы говорите. Из третьей серии: "Секунды, минуты, часы, дни".

— Точно, — подтверждает Калеб и улыбается ему. — Вы близко дружите с Марионом?

— Сейчас уже не так. — Как всегда, ему больно в этом признаваться. — Но в колледже мы были соседями по общежитию, я знаю его много лет.

— Прекрасная серия, — говорит Калеб, и они обсуждают другие работы Джей-Би, и Ричарда, с чьим творчеством Калеб тоже знаком, и Желтого Генри Янга, и как мало в Лондоне приличных японских ресторанов; говорят о сестре Калеба, которая живет в Монако со вторым мужем и кучей детей, о родителях Калеба, которые оба умерли после долгой болезни, когда ему было чуть за тридцать, о доме в Бриджхэмптоне, который принадлежит приятелю Калеба по юридической школе и которым он сможет пользоваться этим летом, пока приятель в Лос-Анжелесе. Еще они довольно много говорят о компании "Розен Притчард" и о том, в каком финансовом хаосе оставил "Ротко" бывший директор, так что он утверждается в мысли, что Калеб ищет не только друга, но и юридическое сопровождение, и прикидывает, кому лучше всего это поручить внутри компании. Наверное, Эвелин, размышляет он: она из самых молодых партнеров, и в прошлом году они чуть ее не потеряли — ее как раз пытался переманить один модный дом, предлагал ей должность штатного юрисконсульта. Эвелин очень подойдет эта работа — она интересуется модной индустрией, прекрасный юрист, у нее отлично получится.

Он думает об этом, когда Калеб внезапно спрашивает его:

— У вас есть кто-нибудь? — И добавляет, смеясь: — Почему вы так на меня смотрите?

— Простите, — отвечает он в смятении, улыбаясь в ответ. — Нет, никого. Просто у меня только что был похожий разговор с одним другом.

— И что он сказал?

— Он сказал... — начинает он, но останавливается, смущенный и сбитый с толку этим внезапным изменением темы, тона. — Ничего.

Калеб улыбается, как будто живо представил себе эту беседу, но не настаивает. Он думает тем временем, как превратит этот вечер в историю, как расскажет ее Виллему, особенно последний обмен репликами. "Ты прав, Виллем", — скажет он. И если Виллем снова заведет тот разговор, он не будет сопротивляться, не станет на этот раз уклоняться от его вопросов.

Он расплачивается, и они выходят наружу, где идет дождь, не слишком сильно, но упорно, так что такси поблизости нет, а улица блестит как лакрица.

— Меня ждет машина, — говорит Калеб. — Подвезти вас?

— Если не трудно.

— Ничуть.

К тому времени, как машина подъезжает к Грин-стрит, на улице льет такой ливень, что ничего уже нельзя разглядеть из окон, только цвета, мазки желтых и красных огней, город низведен до автомобильных гудков, гулкого хлеста дождя по крыше машины, такого громкого, что они почти не слышат друг друга. Машина останавливается, и он уже собирается выйти, но Калеб велит ему подождать, у него есть с собой зонт, он проводит его до дверей. Прежде чем он успевает возразить, Калеб выскакивает, раскрывает зонт, и они вдвоем спешат под зонтом к подъезду, и вот дверь захлопывается за ними, оставляя их в темном вестибюле.

— Ну и катакомбы, — сухо замечает Калеб, бросая взгляд на голую лампочку, свисающую с потолка.

— Но им не откажешь в некотором шике — стиль "гибель империи", — смеется он, и Калеб тоже улыбается.

— В "Розен Притчард" знают, что вы живете в таком месте? — И, прежде чем он успевает ответить, Калеб наклоняется и целует его, очень крепко, прижав его голову к двери, а сам он оказывается в клетке из Калебовых рук.

В этот момент он отключается, все вокруг перестает существовать, весь мир, он сам. Прошло много-много времени с тех пор, как кто-то его целовал, и он помнит ощущение беспомощности, которое испытывал каждый раз, и как брат Лука говорил ему, открой рот, расслабься, ничего не делай, и теперь — в силу привычки и памяти, от невозможности поступить иначе — он именно так все и делает, ждет, когда это кончится, считает секунды, старается дышать через нос.

Наконец Калеб отступает назад и смотрит на него, и через несколько мгновений он отвечает на его взгляд. И тогда Калеб делает это снова, на сей раз держа его лицо в руках, и он ощущает то же, что всегда ощущал ребенком, когда его целовали, что его тело — не его, что каждое его движение предопределено, рефлекс за рефлексом, и он может только ничего не делать, только предоставить событиям идти своим чередом.

Калеб снова останавливается и отступает назад, глядя на него и поднимая брови, с тем же выражением, что тогда у Родса, ожидая какого-то ответа.

— Я думал, вы ищете юриста, — говорит он наконец, и звучит это так по-идиотски, что лицо его обдает жаром.

Но Калеб не смеется.

— Нет, — говорит он.

Снова наступает долгое молчание, и Калеб говорит:

— Ты не пригласишь меня к себе?

— Не знаю, — отвечает он, и вдруг ему отчаянно не хватает Виллема, хотя Виллему и не случалось помогать ему в подобного рода затруднениях, да и вряд ли он посчитал бы это затруднением, если на то пошло. Он привык быть осмотрительным и сдержанным, и пускай осмотрительность и осторожность не дают ему выделиться среди толпы, казаться интересным, интригующим, блестящим, но до сих пор эти качества защищали его, они сделали его взрослую жизнь свободной от грязи и мерзости. Однако иногда он думает: а вдруг этот кокон защищает его и от какой-то важной части того, что значит быть человеком; а вдруг он готов быть с кем-то. Может прошло достаточно времени, и теперь все будет иначе. Может, он ошибается, а Виллем прав, и этот путь не заказан ему навсегда. Может, он не так безобразен, как ему кажется. Может, он на это способен. Может, ему не причинят боли. Калеб кажется ему в этот момент джинном, воплотившимся из его худших кошмаров и самых смелых надежд, вброшенным в его жизнь для испытания. С одной стороны — весь его опыт, закономерности его существования, монотонные и знакомые, как звук капающей из крана воды; он одинок, но зато в безопасности, он защищен от всего, что может ранить. С другой стороны — волны, бури, водовороты, возбуждение: ничто не поддается контролю, все несет в себе ужас и восторг; там все, чего он избегал всю свою взрослую жизнь и без чего эта жизнь остается обескровленной и обесцвеченной. Внутри него зверек колеблется, приседает на задних лапах, трогает воздух передними, словно в поисках ответа.

Не делай этого, не обманывай себя, что бы ты ни говорил себе, ты знаешь, кто ты, говорит один голос.

Это твой шанс, говорит другой. *Ты одинок. Надо попытаться.* Он привык не слушаться этого голоса.

Больше такого случая не будет, добавляет голос, и это останавливает его.

Это плохо кончится, говорит первый голос, а потом оба голоса замолкают и ждут, что он решит.

Он не знает, что делать; он не знает, что будет. Придется это выяснить. Все, чему он научился в жизни, велит ему бежать; все, чего он желал, велит остаться. *Ну, смелее,* говорит он себе. *Раз в жизни будь смелым.*

И он смотрит в глаза Калебу:

— Пойдем.

И хотя он уже боится, но идет по узкому коридору к лифту как ни в чем не бывало, он слышит, как его нога волочится по цементу, слышит звук шагов Калеба, и как дождь хлещет по пожарной лестнице, и как бьется его собственное растревоженное сердце.

Год назад он возглавил команду адвокатов, которым поручили защищать гигантскую фармацевтическую компанию "Малграв и Баскетт"; там группа акционеров судилась с советом директоров, обвиняя их в злоупотреблении полномочиями, некомпетентности и пренебрежении фидуциарными обязанностями.

— Ишь ты, — саркастически сказал Люсьен. — С чего бы это?

Он вздохнул, сказал: "Ну да". Все знали, что "Малграв и Баскетт" — это катастрофа. За последние несколько лет, до того, как они обратились в "Розен Притчард", "Малграв и Баскетт" оказались вовлечены в два изобличительных процесса (один бывший сотрудник утверждал, что некий производственный цех опасно обветшал, второй — что другой цех выпускает загрязненную продукцию); получали повестки в суд в связи с расследованием сложной схемы откатов, в которой участвовала сеть домов престарелых; обвинялись в незаконном навязывании одного из своих самых популярных препаратов пациентам с болезнью Альцгеймера, при том что он был одобрен только для лечения шизофрении.

Поэтому он провел последние одиннадцать месяцев, опрашивая пятьдесят нынешних и бывших директоров и сотрудников "Малграв и Баскетт" и составляя отчет с детальным опровержением иска. В команде у него было пятнадцать человек; как-то ночью он услышал, что кто-то из них называет компанию "Удав и Бастард".

"Только попробуйте ляпнуть что-нибудь такое при клиенте", — строго сказал он им. Было поздно, два часа ночи; он понимал, что все устали. Будь он Люсьеном, он бы на них наорал, но он и сам устал. На прошлой неделе молодая женщина из числа его подчиненных встала из-за стола в три часа ночи, огляделась по сторонам и рухнула на пол. Он вызвал скорую и распустил всех по домам с требованием вернуться к девяти утра; сам задержался еще на час и тоже отправился домой.

— Ты распустил их *по домам*, а сам остался? — спросил на следующий день Люсьен. — Размяк ты, Сент-Фрэнсис, как я погляжу. Слава богу, ты на процессе такого себе не позволяешь, а то бы мы далеко не ушли. Представь себе, что будет, если юристы истца узнают, с какой тряпкой они имеют дело.

— Я правильно понимаю, что фирма не собирается послать цветы бедной Эмме Герш?

— Да мы уже все послали, — сказал Люсьен, вставая и направляясь к выходу из его кабинета. — "Эмма, выздоравливай, возвращайся поскорее. Или пеняй на себя. Твоя любящая семья в "Розен Притчард".

Он любил судебные процессы, любил прения и речи в зале суда — их всегда оказывалось меньше, чем хочется, — но в случае с "Малграв и Баскетт" он добивался того, чтобы судья выбросил дело на помойку, прежде чем оно войдет в мучительную, изматывающую, многолетнюю стадию расследования и предоставления доказательств. Он написал ходатайство об отклонении иска, и в начале сентября судья окружного суда отклонил иск.

— Я тобой горжусь, — говорит в тот вечер Люсьен. — "Удав и Бастард" понятия не имеют, как им повезло; иск был крепче некуда.

— Да похоже, "Удав и Бастард" много о чем понятия не имеют, — отвечает он.

300

— Верно. Но, как видишь, можно быть полными придурками, если хватает ума нанять правильных юристов. — Он встает. — Ты на уикенд куда-нибудь едешь?

— Нет.

— Ну найди способ расслабиться. Пройдись. Поешь. Видок у тебя так себе.

— Всего доброго, Люсьен!

— Понял, понял. Всего доброго. И поздравляю, серьезно. Большое дело.

Он остается в офисе еще на два часа, разбирает и сортирует бумаги, пытается справиться с упорно разрастающимися наносами. В таких обстоятельствах он не чувствует ни облегчения, ни радости от победы: всего лишь усталость, но приятную, заслуженную усталость, как будто после целого дня физической работы. Одиннадцать месяцев: опросы свидетелей, изыскания, снова опросы, проверка фактов, написание и переписывание текстов — и потом в одно мгновение все кончается, и новое дело займет освободившееся место.

Наконец он идет домой, где внезапно чувствует себя таким измотанным, что по пути в спальню опускается на диван и просыпается час спустя, взъерошенный, с пересохшим ртом. Почти ни с кем из друзей он не виделся и не разговаривал в последние несколько месяцев, даже разговоры с Виллемом были короче обычного. Отчасти тому виной "Удав и Бастард", невероятный объем работы, которой потребовал этот иск; но отчасти дело в непроходящей растерянности по поводу Калеба, о котором он так ничего и не сказал Виллему. В этот уикенд, впрочем, Калеб в Бриджхэмптоне, и он рад, что может побыть один.

Он до сих пор не понимает, как относится к Калебу, хотя прошло уже три месяца. Он не вполне уверен даже, что нравится Калебу. Точнее, он знает, что тому нравится с ним разговаривать, но время от времени он ловит взгляд Калеба, в котором читается что-то вроде отвращения. "Ты очень красивый, — сказал как-то Калеб с оттенком замешательства, взяв его рукой за подбородок и разворачивая лицом к себе, — но…" И хотя Калеб не стал продолжать, он почувствовал, что тот хотел сказать: но что-то не так. Но что-то в тебе есть отталкивающее. Но я не могу понять, почему ты мне не нравишься.

Он знает, например, что Калеб не выносит его походку. Через несколько недель после того, как они начали встречаться, Калеб сидел на диване, а он пошел взять бутылку вина и, возвращаясь, поймал на себе такой пристальный взгляд Калеба, что занервничал. Он разлил вино по бокалам, они выпили, и потом Калеб сказал:

— Знаешь, когда мы познакомились, ты сидел, так что я не знал, что ты хромаешь.

— Действительно, — сказал он, напоминая себе, что не обязан извиняться: он не вводил Калеба в заблуждение, не намеревался его обмануть. Он набрал воздуха, попытался говорить небрежно, с легким любопытством. — А если бы знал, не захотел бы со мной встречаться?

— Не знаю, — сказал Калеб, помолчав. — Не знаю.

Тогда ему захотелось исчезнуть, захотелось закрыть глаза и отмотать время назад, ко времени до встречи с Калебом. Он бы отклонил приглашение Родса, жил бы и дальше своей маленькой жизнью; он не знал бы ничего другого.

Его походку Калеб не выносит, но его инвалидное кресло просто не может терпеть. Когда Калеб впервые пришел к нему днем, он провел его по квартире. Он гордился этой квартирой, радовался каждому дню, проведенному в ней, и до сих пор не верил, что она принадлежит ему. Малкольм оставил комнаты Виллема — так они это называли — на прежнем месте, но расширил их и пристроил с северной стороны, рядом с лифтом, кабинет. А дальше открывалось обширное пространство с роялем, гостиная с окнами на юг и стол, который Малкольм разместил на северной стороне, где не было окон, и за ним — книжный шкаф, занимавший всю стену, вплоть до кухни, где висели работы его друзей и друзей друзей и другие картины, которые он покупал на протяжении многих лет. Вся восточная часть квартиры была его вотчиной: из спальни на северной стороне можно было через гардеробную пройти в ванную, где окна выходили на восток и на юг. Хотя он обычно держал жалюзи закрытыми, их можно было открыть все одновременно, и тогда пространство превращалось в прямоугольник чистого света, и пелена между тобой и внешним миром волшебно истончалась. Ему часто кажется, что эта квартира лжет: она притворяется, что ее обитатель — открытый, жизнелюбивый, откровенный человек, а он, конечно, не такой. Квартира на Лиспенард-стрит с ее полутемными закутками, мрачными закоулками, стенами, перекрашенными столько раз, что на них можно было прощупать бугорки и волдыри на месте замурованных в слоях краски жучков и мушек, гораздо точнее отражала его суть.

К приходу Калеба он наполнил пространство солнечными лучами, и Калеб был явно впечатлен. Они медленно прошли по квартире, Калеб рассматривал картины и задавал вопросы — где он их взял, кто их написал, отмечал знакомых художников.

А потом они вошли в спальню, и он показал Калебу картину в дальнем конце комнаты — на ней был изображен Виллем, сидящий в гримерке, он купил ее после закрытия "Секунд, минут, часов, дней", — и тут Калеб спросил:

— Это чье кресло?

Он проследил за его взглядом и ответил не сразу:

— Мое.

— Но зачем оно? — спросил Калеб с несколько растерянным видом. — Ты же ходишь.

Он не знал, что сказать.

— Иногда мне нужно кресло, — сказал он. — Редко. Я не часто им пользуюсь.

— Хорошо, — сказал Калеб. — Смотри, пусть так и будет.

Он встревожился. Что это было, забота или угроза? Но прежде чем он смог разобраться, что ему чувствовать и как ответить, Калеб развернулся и направился в сторону гардеробной, и осмотр продолжился.

Спустя месяц он договорился встретиться с Калебом поздно вечером возле его офиса на далекой западной окраине Митпэкинга. Калеб тоже работал допоздна; был июль, через два месяца "Ротко" представляла весеннюю коллекцию. В тот день он был за рулем, но вечер выдался сухой и теплый, поэтому он вылез из машины и сидел в своем кресле под фонарем. Калеб спустился не один; он знал, что Калеб его заметил, — он поднял руку при его появлении, и Калеб ответил едва заметным кивком; они оба были не склонны к бурным проявлениям эмоций. Он дождался, пока Калеб закончил свой разговор, а его собеседник повернулся и зашагал на восток.

— Привет, — сказал он, когда Калеб подошел к нему.

— Ты почему в кресле? — спросил Калеб.

На мгновение он потерял дар речи и ответил заикаясь:

— Сегодня понадобилось.

Калеб вздохнул и потер глаза.

— Я думал, ты им не пользуешься.

— Не пользуюсь, — сказал он, и ему стало так стыдно, что он вспотел. — Почти. Только когда совсем не могу обойтись.

Калеб кивнул, но продолжал тереть переносицу, не глядя на него.

— Слушай, — сказал он, — наверное, не стоит нам сегодня ужинать. Ты явно нездоров, а я устал. Надо выспаться.

— Ага, — растерянно сказал он. — Конечно. Я понимаю.

— Ну хорошо, да, — сказал Калеб. — Я тебе позвоню.

Он провожал Калеба взглядом, пока тот широкими шагами удалялся по улице; потом Калеб скрылся за углом, а он забрался в машину, приехал домой и резал себя, пока не ослаб от кровотечения настолько, что уже не мог удержать бритву.

Назавтра была пятница, и Калеб никак не проявился. Ну вот, подумал он. Вот и все. Ничего удивительного: Калебу не нравится, что он в инвалидном кресле. Ему и самому это не нравится. Он не мог упрекать Калеба, если тот не был готов принять то, что он и сам не мог принять.

Но в субботу утром Калеб позвонил, как раз когда он поднимался обратно в квартиру из бассейна.

— Извини за четверг, — сказал Калеб. — Я понимаю, что тебе моя… моя нелюбовь к твоему инвалидному креслу, наверное, кажется бессердечной и нелепой.

Он опустился на стул возле обеденного стола.

— Я не вижу в этом ничего нелепого, — сказал он.

— Я тебе говорил, что я во взрослом состоянии практически не видел своих родителей здоровыми, — сказал Калеб. — У отца был рассеянный склероз, а у матери… никто не знал, что у нее было. Она заболела, когда я учился в колледже, и лучше ей так и не стало. У нее были лицевые спазмы, головные боли; она постоянно испытывала какое-то недомогание, и хотя я не сомневаюсь, что все это было по-настоящему, меня больше всего задевало, что она как будто никогда и *не хотела* поправиться. Просто сдалась, как и отец. Куда ни глянь, всюду были знаки их капитуляции перед болезнью: сначала трости, потом ходунки, потом инвалидные кресла, потом кресла с моторчиком, и склянки с таблетками, и бинты, и постоянный запах анальгетиков и гелей и хрен знает чего еще.

Он сделал паузу.

— Я хочу и дальше с тобой встречаться, — продолжил он наконец. — Но… но я не могу выносить признаков слабости, болезни. Не могу, и все. Я их ненавижу. Я теряюсь. Они вызывают у меня… не депрессию, а ярость, как будто я должен с ними бороться. — Он снова замолчал. — Я просто не знал этого про тебя, когда мы познакомились, — сказал он после паузы. — Я думал, что справлюсь. Но я не уверен, что смогу. Ты понимаешь или нет?

Он сглотнул; ему хотелось плакать. Но он понимал; он чувствовал ровно то же, что и Калеб.

— Понимаю, — сказал он.

И все же, как ни удивительно, они не расстались. Он до сих пор не может прийти в себя от того, как быстро Калеб внедрился в его жизнь. Как в сказке: женщина живет на опушке темного леса, однажды она слышит стук и отворяет дверь хижины. Всего на миг, она никого не видит, но за эти секунды десятки демонов и призраков прорываются в ее жилище, и она больше никогда, никогда не сможет от них избавиться. Иногда он воспринимал случившееся именно так. Что, и у других так же? Он не знает, а спросить боится. Он прокручивает в уме давние разговоры с разными людьми про отношения, разговоры, в которых он участвовал или которые случайно слышал, и пытается путем сравнения определить, насколько его ситуация нормальна; ищет знаки, которые помогут ему правильно себя вести.

А ведь есть еще и секс, и тут все хуже, чем он ожидал: он забыл, как это больно, как оскорбительно, как отвратительно, как ему это не нравится. Ему ненавистны позы, положения, которых это занятие требует, они все унизительны, потому что делают его беспомощным и слабым; ему ненавистны запахи и вкус секса. Но больше всего ему ненавистны звуки: мясное шмяканье плоти о плоть, стоны и всхлипы раненого зверя, слова, призванные, видимо, его возбуждать, но на самом деле оскорбляющие. Он осознает, что в глубине души всегда считал, что, когда он вырастет, станет легче, как будто возраст сам по себе преобразит процесс во что-то прекрасное и приятное. В колледже и позже, после двадцати, после тридцати, он слышал, как люди говорят о сексе с удовольствием, с восторгом, и думал: вы вот этому так радуетесь? Правда? Мне помнится нечто совсем иное. Но ведь не может быть, что он один прав, а все остальные — тысячи людей — неправы. Очевидно, он чего-то не понимает про секс. Очевидно, он что-то делает не так.

В первый вечер, когда они поднялись к нему, он понимал, чего Калеб ждет.

— Нам придется продвигаться медленно, — сказал он. — Я давно не...

Калеб глядел на него в темноте; он не включил свет.

— Как давно? — спросил он.

— Давно, — ответил он и больше ничего не мог сказать.

И Калеб некоторое время проявлял сдержанность. Но потом перестал. Однажды ночью Калеб попытался раздеть его, и он вырвался из его хватки.

— Не могу, — сказал он. — Калеб, я не могу. Не хочу, чтобы ты видел, как я выгляжу. — Все его силы ушли на то, чтобы сказать эти слова; было так страшно, что он похолодел.

— Почему? — спросил Калеб.

— У меня шрамы. На спине, на ногах, на руках. Они ужасные. Я не хочу, чтобы ты их видел.

Он не знал, что на это скажет Калеб. Скажет: да брось, наверняка они не такие уж страшные? И потом ему все-таки придется раздеться? Или скажет: давай посмотрим, и он разденется, и Калеб встанет и уйдет? Он видел, что Калеб колеблется.

— Тебе не понравится, — добавил он. — Они отвратительные.

И это, видимо, как-то разрешило сомнения Калеба.

— Ну, — сказал он, — мне же не нужно видеть тебя целиком, правда? Только самое необходимое.

И в ту ночь он лежал в кровати, полуодетый, полураздетый, ждал, когда все кончится, и чувствовал себя более униженным, чем если бы Калеб все-таки заставил его раздеться.

Но, несмотря на эти разочарования, его отношения с Калебом не ужасны. Ему нравится медленная, раздумчивая речь Калеба, нравится, как он говорит о дизайнерах, с которыми сотрудничает, нравится его понимание цвета, любовь к искусству. Ему нравится, что он может рассказывать о своей работе — об "Удаве и Бастарде" — и Калеб не только поймет сложности, с которыми ему пришлось сталкиваться, но и проявит искренний интерес. Ему нравится, как внимательно Калеб слушает его рассказы, как по его вопросам видно, насколько внимательно он слушал. Ему нравится, что Калеб восхищается работой Виллема, и Ричарда, и Малкольма и что он позволяет ему говорить о них сколько угодно. Ему нравится, что, уходя, Калеб берет его лицо в ладони и так держит мгновение, как бы молча благословляя. Ему нравится мощь Калеба, его физическая сила; ему нравится смотреть, как он двигается, как непринужденно чувствует себя в собственном теле — это роднит его с Виллемом. Ему нравится, как иногда во сне Калеб по-хозяйски закидывает руку ему на грудь. Ему нравится просыпаться и видеть, что Калеб рядом. Ему нравится, что Калеб немного странный, что от него исходит ощущение смутной опасности: он не такой, как люди, к которым он стремился всю свою взрослую жизнь, как люди, от которых он решил не ждать ничего плохого, люди, чья доброта была их главным свойством в его глазах. С Калебом он чувствует в себе одновременно и больше человеческого, и меньше.

Когда Калеб впервые его ударил, он не слишком удивился. Это случилось в конце июля, он выехал с работы и приехал к Калебу около полуночи. В тот день он передвигался на кресле — в последнее время с ногами творилось что-то странное, он не понимал, что именно, но просто почти их не чувствовал, казалось, попытайся он ходить, непременно свалится, — но, приехав к Калебу, оставил кресло в машине и очень медленно пошел к дому, неестественно высоко задирая ноги, чтобы не споткнуться.

Не успел он зайти, как понял — приходить не стоило, ясно было, что Калеб в отвратительном настроении, и даже воздух в квартире казался затхлым, раскалившимся от его злости. Калеб наконец-то перебрался в дом в Цветочном квартале, но вещей еще, считай, не распаковывал и сам был нервный, напряженный и то и дело до скрипа стискивал зубы. Но он принес еду и, передвигаясь очень медленно, выложил ее на кухонную стойку, одновременно пытаясь беззаботной болтовней отвлечь Калеба от своей походки, отчаянно желая все как-то поправить.

— Ты почему так ходишь? — оборвал его Калеб.

Невыносимо было говорить Калебу, что с ним еще что-то не так, он не мог себя заставить снова пройти через это.

— Я странно хожу? — спросил он.

— Да, как чудище Франкенштейна.

— Извини, — сказал он.

Уходи, сказал голос внутри него. *Уходи немедленно.*

— Я не замечал, что так хожу.

— Ну и не ходи так. Выглядишь как дурак.

— Хорошо, — тихо сказал он и положил Калебу в миску немного карри. — Держи. — И он направился к Калебу, но, пытаясь идти нормально, задел правой ногой за левую, споткнулся и уронил миску, расплескав зеленый карри по ковру.

Потом он будет вспоминать, как Калеб, не говоря ни слова, просто развернулся и ударил его тыльной стороной ладони, так что он упал, стукнувшись головой о покрытый ковролином пол.

— Так, убирайся вон, Джуд, — услышал он голос Калеба еще до того, как к нему вернулось зрение; Калеб даже не кричал. — Вон, я сейчас видеть тебя не могу.

И он пошел вон, встав на ноги, шагая своей дурацкой чудовищной походкой, оставив Калеба убирать за ним.

На следующий день лицо у него расцветилось, кожа вокруг левого глаза окрасилась в невероятно прелестные оттенки: лиловые, янтарные, бутылочно-зеленые. К концу недели, когда он поехал на прием к Энди, щека у него стала мшистого цвета, глаз заплыл и почти не открывался, а верхняя губа вздулась, воспалилась и стала блестяще-красной.

— Господи боже, Джуд, — сказал Энди, когда его увидел. — Пиздец какой, что случилось?

— Теннис на инвалидных колясках, — ответил он и даже улыбнулся, он эту улыбку вчера вечером отрепетировал перед зеркалом, щеку подергивало от боли. Он все выяснил: где проходят матчи, как часто, сколько человек состоит в клубе. Он выдумал историю, которую рассказывал сначала себе, а затем и коллегам, до тех пор, пока она не стала правдоподобной и даже комичной: соперник, который играл еще с колледжа, подает правой, он не успевает повернуться, шмяк — мяч ему в лицо.

Все это он рассказал и Энди, и тот слушал его, качая головой.

— Ну, — сказал он, — я, конечно, рад, что ты чем-то увлекся. Но, черт, Джуд. Думаешь, это хорошая затея?

— Ты сам мне все время говоришь, чтобы я не перетруждал ноги, — напомнил он Энди.

— Знаю, знаю, — сказал Энди, — но ты ведь и так плаваешь, может, этого хватит? И вообще, надо было тогда сразу идти ко мне.

— Энди, это обычный синяк, — сказал он.

— Это чертовски жуткий синяк. Черт, ну, Джуд.

— Ладно, короче. — Он старался говорить беззаботно и даже чуть-чуть грубовато. — Мне нужно с тобой насчет ног посоветоваться.

— Советуйся.

— Странные какие-то ощущения, я как будто ноги в бочки с цементом засунул. Я их не чувствую в пространстве — не могу их контролировать. Поднимаю одну ногу, а когда ставлю ее на землю, то бедром-то чувствую, что поставил, но самой ноги не чувствую.

— Ох, Джуд, — сказал Энди. — Значит, нервы у тебя повреждены. — Он вздохнул. — Хорошая новость — ну если не считать того, что у тебя это могло начаться гораздо раньше, — так вот, хорошая новость такая: это не навсегда. Плохая новость: я не могу тебе сказать, когда это закончится, начнется ли это снова и когда. И еще одна плохая новость: единственное, чем тут можно помочь — ну кроме как ждать, пока пройдет, — так это обезболивающими, которые ты, как я знаю, принимать не хочешь. — Он помолчал. — Джуд, я знаю, тебе не нравится, как ты себя чувствуешь под обезболивающими, но теперь на рынке появились средства куда лучше тех, которые продавались, когда тебе было двадцать, да и даже тридцать. Может, попробуешь? Дай я хотя бы выпишу тебе что-нибудь простенькое для лица — тебе, наверное, дико больно?

— Да не очень, — соврал он.

Но рецепт все-таки взял.

— И ноги не перетруждай, — сказал Энди, осмотрев его лицо. — Да с теннисом, ради бога, смотри не переусердствуй тоже. — И, когда он уже уходил, добавил: — И насчет порезов мы с тобой тоже поговорим!

Потому что с тех пор, как они стали встречаться с Калебом, он стал чаще себя резать.

Вернувшись на Грин-стрит, он припарковался на въездной дорожке перед гаражом и как раз отпирал парадную дверь, когда услышал, что кто-то его зовет, и увидел вылезающего из машины Калеба. Он был в инвалидном кресле и попытался быстро заехать в подъезд. Но Калеб оказался быстрее, он успел схватить закрывавшуюся дверь, и вот они вдвоем снова оказались одни в вестибюле.

— Ты зря пришел, — сказал он Калебу, на которого даже взглянуть не мог.

— Джуд, послушай, — сказал Калеб. — Мне очень стыдно. Честно, очень. Мне просто… на работе такой кошмар творится, все ведут себя как распоследние мудаки… Я бы пораньше приехал, но я просто даже выбраться оттуда не мог… и вот, сорвался на тебя. Прости, пожалуйста. — Он присел рядом с ним на корточки. — Джуд. Взгляни на меня. — Он вздохнул. — Пожалуйста, прости. — Он обхватил его лицо руками, развернул к себе. — Бедное твое лицо, — тихо сказал он.

Он до сих пор не совсем понимает, зачем тогда разрешил Калебу подняться в квартиру. Впрочем, если быть до конца честным, он чувствует, что удар Калеба был неминуем, что после этого ему в какой-то мере даже стало легче: он ждал какого-то наказания за свою самоуверенность, за то, что думал, будто ему дозволено то же, что и другим, и вот — наконец — он наказан. *Так тебе и надо*, повторял голос у него в голове. *Так тебе и надо за то, что строил из себя невесть что, за то, что считал себя не хуже других.* Он вспоминает, как Джей-Би боялся Джексона, и ему понятен этот страх, понятно, как один человек может полностью оказаться во власти другого и как то, что кажется плевым делом — встать и уйти от них, — может быть непосильной задачей. К Калебу он чувствует то же, что когда-то чувствовал к брату Луке: он поспешил ему довериться, он возлагал на него столько надежд, он думал, что тот его спасет. Но даже когда стало понятно — нет, они его не спасут, даже когда все надежды рухнули, он не сумел от них освободиться, не сумел уйти. И в том, что он прибился к Калебу, есть даже своего рода симметрия: они с ним как боль и больной, накренившаяся куча мусора и обнюхивающий ее шакал. Они существуют только друг для друга — он не знал никого в жизни Калеба и ни с кем из своей жизни его не знакомил. Они оба знали, что делают что-то стыдное. Они оба связаны взаимным отвращением и неловкостью: Калеб терпит его тело, а он терпит омерзение Калеба.

Он всегда знал: захоти он найти себе пару — придется чем-то поступиться. Он знает, что Калеб — лучшее, на что он может рассчитывать. По крайней мере, Калеб хотя бы не урод, хотя бы не садист. Он не делает с ним ничего такого, чего с ним не делали раньше, — об этом он напоминает себе снова и снова.

Как-то на выходных в конце сентября он поехал в Бриджехэмптон, у друга Калеба там дом, где Калеб обосновался до начала октября. Презентация "Ротко" прошла гладко, и Калеб слегка расслабился, даже стал поласковее. Ударил его всего раз, под дых, так что он отлетел на несколько шагов и чуть не упал, но и то потом сразу извинился. Но в остальном — ничего примечательного: по средам и четвергам Калеб проводит вечера на Грин-стрит, затем в пятницу уезжает на побережье. Он рано утром уходит на работу и остается там допоздна. После успеха с "Удавом и Бастардом" он надеялся на передышку, хотя бы коротенькую, но ничего не вышло — появился новый клиент, инвестиционную компанию обвиняли в мошенничестве с ценными бумагами, и даже теперь ему совестно из-за того, что в субботу он не на работе.

Но если не считать этого, суббота выдалась отличной, и они почти весь день проводят на свежем воздухе за работой. Вечером Калеб поджаривает на гриле стейки. Калеб готовит и напевает, и тогда он отрывается от работы, чтобы его послушать, и понимает, что они оба — счастливы, что хотя бы на миг все их противоречия — не более чем пыль, нечто непостоянное, невесомое. Они рано ложатся спать, Калеб не заставляет его заниматься сексом, и он крепко засыпает — впервые за много недель.

Но на следующее утро он, даже окончательно не проснувшись, понимает, что ноги снова болят. Две недели назад боль прошла, полностью, как рукой сняло, но теперь она вернулась, и, встав на ноги, он чувствует, что она еще и усилилась: ноги теперь как будто заканчиваются на лодыжках, а стопы одновременно и омертвели, и невыносимо болят. Ему приходится смотреть на них во время ходьбы, ему нужно визуальное подтверждение того, что он поднял ногу, подтверждение того, что он ее опустил.

Он делает десять шагов, но каждый дается ему все труднее и труднее — двигаться так тяжело, это отнимает столько умственной энергии, что его начинает подташнивать и он присаживается на кровать. *Калебу нельзя видеть тебя в таком состоянии*, напоминает он себе, но тут вспоминает, что Калеб на пробежке, он всегда бегает по утрам. Он дома один.

Значит, у него есть немного времени. Он доползает до душа, подтягиваясь на руках. Вспоминает, что в машине есть запасное инвалидное кресло. Не будет же Калеб возражать против кресла, особенно если он предстанет перед ним в целом здоровым, а это будет просто маленькое неудобство, всего на день. Он собирался ехать обратно в город завтра рано утром, но, если нужно, может уехать и раньше, хотя ему, конечно, этого не очень хочется — вчера было так хорошо. Может, так же будет и сегодня.

Когда Калеб возвращается, он уже одет и сидит на диване, притворяется, что читает резюме по делу. Не совсем понятно, в каком Калеб настроении, но после пробежек он всегда добрее, даже снисходительнее.

— Я порезал остатки стейков, — говорит он ему. — Сделать яичницу?

— Не надо, я сам, — говорит Калеб.

— Как пробежка?

— Хорошо. Отлично.

— Калеб, — он старается говорить небрежно, — слушай, у меня опять что-то не то с ногами, небольшой побочный эффект от нервного повреждения, он обычно проходит сам собой, только ходить в это время очень трудно. Ничего, если я принесу кресло из машины?

С минуту Калеб молчит, допивает воду из бутылки.

— Но ходить ты при этом все равно можешь?

Он заставляет себя взглянуть на Калеба.

— Ну… технически да. Но…

— Джуд, — говорит Калеб, — знаю, что твой доктор со мной, наверное, не согласится, но должен тебе сказать, мне кажется, то, что ты всегда выбираешь самый легкий путь, это признак какой-то… ну да, слабости. По-моему, иногда нужно и потерпеть, понимаешь? У меня так с родителями было — вечно они шли на поводу у каждой своей болячки, каждой хвори. Поэтому мне кажется, тебе надо перестать себя жалеть. Мне кажется, если можешь ходить, значит — ходи. Как по мне, не стоит привыкать с собой нянчиться, когда ты способен на большее.

— А, — говорит он. — Ясно. Понял.

Его охватывает жгучий стыд, как будто он попросил о чем-то незаконном, противоестественном.

— Я в душ, — помолчав, говорит Калеб и уходит.

Весь день он старается как можно меньше двигаться, и Калеб, будто и сам избегая поводов на него рассердиться, не просит его ничего делать. Калеб готовит обед, который они оба съедают, сидя на диване за ноутбуками и работая. Кухня и гостиная — единое, залитое солнцем пространство с окнами во всю стену, выходящими на лужайку, за лужайкой — пляж, и когда Калеб на кухне готовит ужин, он, воспользовавшись тем, что тот отвернулся, проползает, будто червяк, в туалет. Он хочет добраться до спальни, чтобы достать из сумки еще аспирину, но спальня слишком далеко, и поэтому он, стоя у двери на коленях, ждет, пока Калеб снова повернется к плите, чтобы заползти обратно на диван, где он просидел весь день.

— Ужин! — сообщает Калеб, и он, глубоко вздохнув, встает на ноги как на бетонные блоки, до того они тяжелые и неповоротливые, и, глядя на них, начинает идти к столу. Кажется, будто на то, чтобы подойти к стулу, у него уходят минуты, часы, один раз он поднимает голову и видит Калеба, у того подрагивает челюсть, он смотрит на него как будто с ненавистью.

— Побыстрее, — говорит Калеб.

Едят они молча. Терпеть почти нет сил. Скрежет ножа по тарелке — невыносимо. Хруст стручковой фасоли, в которую Калеб слишком уж яростно вгрызается, — невыносимый. Ощущение во рту еды, которая вся превратилась в безымянного, рыхлого монстра, — невыносимое.

— Калеб, — начинает он, очень тихо, но Калеб ничего не отвечает, резко отодвигает стул, встает, идет к раковине.

— Неси свою тарелку, — говорит Калеб и смотрит на него.

Он медленно встает и начинает поход к раковине, взглядывая на каждую ногу, перед тем как сделать шаг.

Потом он все будет задаваться вопросом, не сам ли он все и начал, не мог ли он в самом деле сделать эти двадцать шагов и не упасть, просто если бы получше сосредоточился. Но этого не случилось. Он начинает поднимать правую ногу буквально на полсекунды раньше, чем опускает левую, и падает, и тарелка падает перед ним, осколки разлетаются по полу.

И тут Калеб, который словно только этого и ждал, подлетает к нему, хватает за волосы и с размаху бьет кулаком в лицо, так что он взмывает в воздух и, приземляясь, ударяется затылком о край стола. Когда он задевает стол, с него соскальзывает бутылка вина, жидкость, булькая, льется на пол и Калеб, взревев, хватает бутылку за горлышко и ударяет его ей по затылку.

— Калеб, — задыхается он, — прошу тебя, прошу.

Он никогда и ни у кого не выпрашивал милости, даже в детстве, но теперь вот каким-то образом превратился в просителя. В детстве жизнь не имела для него особой ценности, хотел бы он, чтобы это и сейчас было так.

— Прошу тебя, — говорит он. — Калеб, пожалуйста, прости меня… прости. Прости.

Но он знает, что Калеб больше не человек. Он — волк, он — койот. Он весь — ярость и мускулы. И для Калеба он — ничто, жертва, расходный материал. Его волокут к дивану, он понимает, что сейчас случится. И все равно продолжает его упрашивать.

— Пожалуйста, Калеб, — говорит он. — Пожалуйста, не надо. Калеб, прошу тебя.

Когда он приходит в себя, то лежит на полу возле дивана, в доме тихо.

— Эй? — зовет он, ненавидя себя за дрожь в голосе, но ему никто не отвечает.

Впрочем, ему это и не нужно — отчего-то он знает, что он в доме один.

Он садится. Натягивает трусы и штаны, шевелит пальцами, двигает руками, подтягивает колени к груди и снова их выпрямляет, дергает плечами туда-сюда, вертит головой вправо и влево. На затылке у него что-то липкое, но, ощупав шею, он с облегчением понимает, что это не кровь, а вино. Все болит, но ничего не сломано.

Он ползет в спальню. Быстро приводит себя в порядок в ванной, собирает вещи, складывает их в сумку. Быстро ковыляет к двери. Сначала он пугается, что машины во дворе не окажется и тогда ему отсюда не выбраться, но вот она, стоит рядом с машиной Калеба, ждет его. Он смотрит на часы: полночь.

Он ползет по лужайке на четвереньках, сумка больно оттягивает плечо, двести футов от двери до машины превращаются в мили. Ему хочется остановиться, он так устал, но он знает — нельзя.

В машине он, не глядя на себя в зеркало, заводит мотор и уезжает. Но где-то полчаса спустя, когда он понимает, что отъехал от дома на безопасное расстояние, его начинает бить озноб, такой сильный, что под ним трясется машина, и он съезжает на обочину, пережидает, опустив голову на руль.

Он ждет десять минут, двадцать. Затем поворачивается, хотя само движение уже наказуемо, чтобы найти в сумке телефон. Он набирает номер Виллема, ждет.

— Джуд! — удивленно восклицает Виллем. — А я как раз собирался тебе звонить.

— Привет, Виллем, — говорит он, надеясь, что голос у него нормальный. — Должно быть, я прочел твои мысли.

Пару минут они болтают, потом Виллем спрашивает:

— Ты в порядке?

— Конечно, — отвечает он.

— У тебя голос немного странный.

Виллем, хочет сказать он. *Виллем, как я хочу, чтобы ты был рядом.* Но вместо этого говорит:

— Извини, просто голова болит.

Они болтают еще, и потом, когда они уже попрощались, Виллем спрашивает:

— Ты точно в порядке?

— Да, — говорит он. — Все хорошо.

— Ладно, — говорит Виллем. — Ладно. — А затем: — Осталось пять недель.

— Еще пять.

Ему так остро недостает Виллема, что он едва может дышать.

Он заканчивает разговор, ждет еще десять минут, пока озноб не проходит окончательно, затем снова заводит машину и едет домой.

На следующий день он заставляет себя взглянуть в зеркало и еле сдерживает крик, до того ему стыдно, горько и страшно. Какой он стал безобразный, поразительный урод — даже для него это что-то запредельное. Он старается как может, чтобы придать себе пристойный вид, он надевает свой любимый костюм. Калеб пнул его в бок, и каждое движение, каждый вдох отдаются болью. Перед тем как выйти из дома, он звонит зубному, потому что один зуб в верхней челюсти, похоже, шатается, и записывается вечером на прием к Энди.

Он едет на работу.

— Не самый твой удачный образ, Сент-Фрэнсис, — во время утренней встречи правления говорит один из старших партнеров, который ему очень нравится, и все смеются.

Он заставляет себя улыбнуться.

— Боюсь, вы правы, — отвечает он. — И, кстати, хочу вас всех расстроить, на моей карьере паралимпийского чемпиона по теннису, увы, придется поставить крест.

— Ну, меня этим не расстроишь, — говорит Люсьен, а все за столом стонут с деланным огорчением. — Агрессию можно и в суде выплеснуть. Думаю, этим боевым искусством тебе и надо ограничиться.

Вечером Энди его распекает.

— Джуд, что я тебе говорил про теннис? — спрашивает он.

— Я помню, — отвечает он. — Энди, обещаю, больше — никогда.

— А это что? — Энди ощупывает его затылок.

Он наигранно вздыхает:

— Я повернулся, и тут кто-то нечаянно со всей силы пробил бэкхэндом.

Он ждет, что Энди что-нибудь скажет, но он только молча смазывает ему шею обезболивающим кремом и накладывает повязку.

На следующий день Энди звонит ему в офис.

— Мне нужно с тобой поговорить. Это важно. Сможем где-нибудь встретиться?

Он встревожен.

— Все нормально? — спрашивает он. — Энди, у тебя все хорошо?

— Все нормально, — отвечает Энди. — Но нам надо встретиться.

Он уходит на обед пораньше, и они встречаются неподалеку от его офиса, в баре, куда ходят в основном японские банкиры из соседней с "Розен Притчард" башни. Энди уже ждет его и осторожно прикладывает ладонь к его непострадавшей щеке.

— Я заказал тебе пиво, — говорит Энди.

Они молча пьют, и наконец Энди говорит:

— Джуд, я задам тебе один вопрос и хочу видеть твое лицо. Скажи, ты… ты сам себя ранишь?

— Что? — удивляется он.

— Эти твои теннисные травмы, — говорит Энди, — они… точно во время тенниса получены? Ты не скатывался с лестницы, не бился о стены, ничего такого? — Он делает глубокий вдох. — Я знаю, ты так в детстве делал. Ты снова начал?

— Нет, Энди, — отвечает он. — Нет. Я ничего с собой не делал. Клянусь. Клянусь… Гарольдом и Джулией. Клянусь Виллемом.

— Хорошо, — выдыхает Энди. — Ну то есть мне стало легче. Легче, когда знаешь, что ты просто упрямец и не слушаешь, что тебе врач говорит, тут, конечно, ничего нового. Ну и, похоже, игрок в теннис из тебя никудышный.

Энди улыбается, и он заставляет себя улыбнуться в ответ.

Энди заказывает еще пива, они молчат.

— Знаешь, Джуд, — медленно произносит Энди, — я ведь годами все ломал и ломал голову над тем, что с тобой делать. Нет-нет, погоди… дай я договорю. Я не спал — не сплю — ночами, все спрашиваю себя, правильно ли я с тобой поступаю, я ведь столько раз чуть не поместил тебя в больницу, столько раз собирался звонить Гарольду или Виллему, сказать им, что нам надо собраться вместе и тебя отвезти. Я общался со своими однокашниками — психотерапевтами, я рассказывал им о тебе, о пациенте, с которым я очень сблизился, и спрашивал их, как бы они поступили на моем месте. Я выслушивал все их советы. Выслушивал все, что мне советовал мой терапевт. Но правильного ответа мне никто так и не сумел дать. Я изводил себя этими мыслями. Но мне всегда казалось… ты столько всего умеешь, и ты сумел свою жизнь как-то странно, конечно, но явно удачно уравновесить, и мне казалось, ну не знаю, что не стоит мне это равновесие нарушать. Понимаешь? Поэтому я и позволял тебе годами себя резать, но каждый год, каждый раз, когда я тебя вижу, я все думаю, правильно ли я поступаю, не нужно ли было действовать понастойчивее, чтобы тебе помочь, чтобы ты перестал такое с собой делать?

— Прости, Энди, — шепчет он.

— Нет, Джуд, — говорит Энди, — ты ни в чем не виноват. Ты — пациент. Это я должен понять, что будет лучше для тебя, но мне кажется… я не знаю, удалось ли мне это. Поэтому, когда ты пришел ко мне с синяками, я первым делом подумал, что все-таки принял неверное решение. Понимаешь?

Энди бросает на него взгляд, и он снова с удивлением замечает, как Энди быстро вытирает глаза.

— Все эти годы… — после паузы говорит Энди, и они снова молчат.

— Энди… — Теперь он и сам чуть не плачет. — Клянусь, я ничего с собой не делаю. Только режу.

— Только режу! — повторяет Энди с похожим на всхрип смешком. — Ну тогда, наверное… с учетом всего остального… и на том спасибо. "Только режу". Понимаешь, да, как все запущено, если я вот от этого испытываю облегчение?

— Понимаю, — говорит он.

Вторник перетекает в среду, среда — в четверг, лицо болит: сначала сильнее, потом полегче, потом еще сильнее. Он боялся, что Калеб будет ему звонить или, хуже того, заявится к нему домой, но дни шли, а его не было — может, остался в Бриджхэмптоне. Может, его сбила машина. Удивительно, но он понимает, что ничего не чувствует — ни страха, ни ненависти, ничего. Самое худшее уже случилось, и теперь он свободен. У него были отношения с другим человеком, все закончилось ужасно, и больше ему никаких отношений не нужно, потому что он доказал, что не умеет быть в отношениях. За то время, которое он провел с Калебом, он убедился, что все его страхи насчет того, как другой человек воспримет его и его тело, были совершенно оправданны, и теперь ему нужно научиться это принимать, и принимать с легким сердцем. Он знает, что в будущем ему еще, может, и станет одиноко, но сейчас он способен противостоять этому одиночеству, сейчас он точно знает, что любое одиночество предпочтительнее всему тому — ужасу, стыду, омерзению, растерянности, головокружению, возбуждению, томлению и отвращению, — что он чувствовал, пока был с Калебом.

В пятницу он встречается с Гарольдом, приехавшим на конференцию в Колумбийский университет. Он заранее написал Гарольду о своих травмах, но Гарольд все равно переполошился — он суетится и причитает, то и дело спрашивая, точно ли он себя хорошо чувствует.

Они встретились в одном из любимых ресторанов Гарольда, где говядину получали из коров с фермы на севере штата, которых шеф-повар самолично растил и называл, а овощи росли на крыше здания, они едят закуски и разговаривают — он старается жевать только правой стороной, чтобы еда не касалась его нового зуба, — но тут он чувствует, что кто-то подошел к их столику, поднимает глаза и видит Калеба, и, хоть он и убедил себя, будто ничего не чувствует, его тотчас же захлестывает страх.

Пока они с Калебом были вместе, он ни разу не видел его пьяным, но сразу понимает — он пьян и опасен.

— Твоя секретарша сказала, где тебя найти, — говорит ему Калеб. — А вы, должно быть, Гарольд. — Он протягивает Гарольду руку, и тот с недоуменным видом ее пожимает.

— Джуд? — говорит Гарольд, но он не может вымолвить ни слова.

— Калеб Портер, — представляется Калеб и проскальзывает на полукруглый диванчик, прижимаясь к нему. — Мы с вашим сыном встречаемся.

Гарольд смотрит на Калеба, затем на него, открывает рот, за все то время, что они знают друг друга, ему впервые нечего сказать.

— Можно у вас кое-что спросить? — Калеб подается к Гарольду, как будто хочет поделиться с ним секретом, и он глядит на лицо Калеба, на его лисью привлекательность, на темные, поблескивающие глаза. — Только честно. Вам никогда не хотелось иметь нормального сына, не калеку?

Сначала никто ничего не говорит, и он чувствует что-то, словно какой-то ток искрит в воздухе.

— Ты, блядь, кто такой? — шипит Гарольд, и тут он видит, как у Гарольда меняется лицо, как моментально, яростно искажаются его черты — от шока до отвращения, до гнева, так что на какой-то миг он теряет человеческий облик и в одежде Гарольда сидит оборотень.

Потом выражение его лица снова меняется, и он видит, как оно застывает, будто в нем разом каменеют все мышцы.

— Ты это с ним сделал, — очень медленно произносит он. Затем растерянно говорит ему: — Это ведь не теннис, да, Джуд? Это он.

— Гарольд, не надо, — начинает он, но Калеб хватает его за руку, с такой силой, что ему кажется, будто запястье вот-вот хрустнет.

— Ах ты лжец, — говорит он. — Ты калека, ты лгунишка, и ебешься ты херово. И да, ты прав — ты омерзителен. Я глядеть на тебя не мог, не смог ни разу.

— Пошел вон отсюда! — говорит Гарольд, выплевывая каждое слово.

Они говорят шепотом, но разговор кажется оглушительно громким, и в ресторане так тихо, что он уверен — слышно всем.

— Гарольд, не надо, — умоляет он. — Пожалуйста, хватит.

Но Гарольд его не слушает.

— Я вызову полицию, — говорит он, и Калеб соскальзывает с диванчика, встает, Гарольд встает тоже. — Пошел вон, сейчас же! — повторяет Гарольд, и вот теперь все точно на них смотрят, и от унижения его начинает мутить.

— Гарольд, — умоляет он.

Калеб пошатывается, видно, что он и вправду очень пьян, он толкает Гарольда в плечо, и Гарольд вот-вот толкнет его, но тут к нему наконец-то возвращается голос, и он кричит: "Гарольд!", — и Гарольд опускает руку, оборачивается к нему. Калеб ухмыляется и уходит, расталкивая официантов, уже столпившихся рядом.

Сначала Гарольд смотрит на дверь, потом срывается с места и идет за Калебом, и он снова зовет Гарольда, зовет отчаянно, и Гарольд возвращается.

— Джуд… — начинает Гарольд, но он мотает головой.

Он так зол, так сердит, что гнев почти вытеснил унижение. Слышно, как люди вокруг возвращаются к прерванным разговорам. Он подзывает официанта, дает ему карточку, и кажется, что тот возвращает ее через считанные секунды. Сегодня кресло ему не понадобилось, за что он неимоверно, до боли благодарен, и когда он выходит из ресторана, ему кажется, что он никогда еще не был таким проворным, никогда не двигался так быстро и решительно.

На улице ливень. Он ковыляет по тротуару, потому что припарковался в квартале отсюда, Гарольд молча идет рядом. Он так зол, что ему даже не хочется подвозить Гарольда, но они в Ист-Сайде, недалеко от авеню А, и в такой дождь Гарольду ни за что не поймать такси.

— Джуд… — говорит Гарольд, как только они садятся в машину, но он обрывает его, не спуская глаз с дороги.

— Я же умолял тебя промолчать, Гарольд, — говорит он. — Но ты меня не послушал. Зачем ты это сделал, Гарольд? Думаешь, моей жизнью играть можно? Думаешь, мои проблемы — это просто тебе лишняя возможность покрасоваться?

Он сам не понимает, что говорит, не знает даже, что хочет сказать.

— Нет, Джуд, конечно, нет, — мягко отвечает Гарольд. — Извини… я просто сорвался.

Почему-то от этих слов он слегка приходит в себя, пару кварталов они едут молча, слушая, как хлюпают дворники по стеклу.

— Ты правда с ним встречался? — спрашивает Гарольд.

Он резко кивает, всего раз.

— Но больше не встречаешься? — спрашивает Гарольд, и он мотает головой.

— Хорошо, — бормочет Гарольд. Потом, очень тихо: — Он тебя бил?

Приходится подождать, взять себя в руки, чтобы ответить.

— Всего пару раз, — говорит он.

— Ох, Джуд, — говорит Гарольд, и такого голоса у Гарольда он еще не слышал никогда.

— Я все-таки кое о чем тебя спрошу, можно? — спрашивает Гарольд, когда они ползут по Пятнадцатой улице, мимо Шестой авеню. — Джуд... почему ты встречался с человеком, который так с тобой обращался?

Он молчит еще целый квартал, пытаясь придумать, что сказать, как сформулировать причины так, чтоб Гарольд понял.

— Мне было одиноко, — наконец говорит он.

— Джуд... — говорит Гарольд и умолкает. — Это я понимаю. Но почему с ним?

— Гарольд, — он и сам слышит, какой жалкий, какой ужасный у него голос, — когда выглядишь как я, приходится брать что дают.

Снова молчание, потом Гарольд говорит:

— Тормози.

— Что? — говорит он. — Я не могу. За мной люди.

— Тормози к чертям, Джуд, — повторяет Гарольд, но он не тормозит, и тогда Гарольд хватает руль и резко выкручивает его вправо, к свободному месту у пожарного гидранта. Машина, которая ехала сзади, проносится мимо под долгое, грозное гудение клаксона.

— Господи, Гарольд! — вопит он. — Ты что делаешь?! Мы чуть в аварию не попали!

— Послушай, Джуд, — медленно говорит Гарольд и протягивает к нему руки, но он уворачивается, вжимается в окно. — Красивее тебя я никого не видел... никогда.

— Гарольд, — говорит он, — хватит, хватит. Хватит, пожалуйста.

— Посмотри на меня, Джуд, — говорит Гарольд, но он не может. — Ты красив. И у меня сердце разрывается от того, что ты этого не видишь.

— Гарольд, — то ли говорит, то ли стонет он, — прошу тебя, прошу тебя. Если я тебе дорог — не надо больше.

— Джуд... — Гарольд тянется к нему, но он, дернувшись, закрывается руками.

Краем глаза он видит, как Гарольд медленно опускает руку.

Наконец он снова кладет руки на руль, но они так трясутся, что он не может включить зажигание, и тогда он подсовывает ладони под себя, ждет.

— Господи, — слышит он свой голос, — господи.

— Джуд, — снова говорит Гарольд.

— Отстань, Гарольд. — Теперь у него еще и зубы стучат, и говорить поэтому трудно. — Пожалуйста.

Так, молча, они сидят несколько минут. Он сосредотачивается на звуках дождя, на светофоре — красный, зеленый, оранжевый, на своих вдохах и выдохах. Наконец его перестает колотить, он заводит машину, и они едут на запад, а потом на север — к дому Гарольда.

— Останься сегодня у меня, — говорит Гарольд, повернувшись к нему, но он мотает головой, уставившись на дорогу. — Ну хоть зайди и выпей чашку чаю, приди в себя немного.

Но он снова мотает головой.

— Джуд, — говорит Гарольд, — прости меня… за то, что так вышло, за все.

Он кивает, но так и не может ничего сказать.

— Если что, позвонишь мне? — не унимается Гарольд, и он снова кивает.

Тогда Гарольд осторожно, будто к дикому зверю, тянет к нему руку и гладит его по голове — два раза, а затем вылезает из машины и тихонько прикрывает за собой дверь.

Домой он едет по Вест-сайдскому шоссе. Он измучен, он опустошен, но теперь он унижен сполна. Он достаточно наказан, думает он, даже по собственным меркам. Он придет домой и порежет себя, а затем начнет забывать — и этот вечер, и все предыдущие четыре месяца.

Приехав на Грин-стрит, он паркуется в гараже и едет на лифте сквозь безмолвные этажи, вцепившись в ячейки дверной сетки; если отпустить руки, то он сползет на пол, до того он устал. Ричарда нет дома, он всю осень проведет в Риме, в арт-резиденции, и здание возвышается над ним могильником.

Он заходит домой, в квартире темно, он нащупывает выключатель, но тут что-то с силой ударяет его по распухшей щеке, и даже в темноте он видит, как изо рта вылетает его новый зуб.

Это Калеб, конечно же, это Калеб, и он слышит и обоняет его дыхание, еще до того даже, как Калеб щелкает выключателем и в квартире становится ослепительно светло — светлее, чем днем, и он поднимает голову и видит над собой Калеба, который глядит на него. Даже пьяный, он прекрасно владеет собой, а теперь от ярости голова у него даже слегка прояснилась, и взгляд у него внимательный, осмысленный. Он чувствует, как Калеб хватает его за волосы, чувствует, как он бьет его в правую сторону лица — нетронутую, чувствует, как резко откидывается назад голова.

Калеб так и не произнес ни слова, и теперь он тащит его к дивану, и слышно только, как размеренно Калеб дышит и как лихорадочно он хватает ртом воздух. Он вжимает его лицом в подушки и, одной рукой удерживая его голову, другой начинает стаскивать с него одежду. Он в панике сопротивляется, но Калеб зажимает ему шею рукой, и это его парализует, он не может пошевелиться и чувствует, как постепенно оголяется его тело — спина, руки, ноги, — и когда на нем не остается ничего из одежды, Калеб рывком ставит его на ноги и отталкивает от себя, но он падает навзничь.

— Вставай, — говорит Калеб. — Быстро.

Он встает, из носа течет что-то, кровь или сопли, мешает вздохнуть. Он стоит — он в жизни никогда не чувствовал себя более голым, более нагим. Когда такое с ним случалось в детстве, у него получалось выскользнуть из тела, сбежать в другое место. Он притворялся чем-то неодушевленным — например, карнизом или вентилятором, — бесстрастным, бесчувственным свидетелем того, что происходило под ним. Он смотрел на себя и ничего не чувствовал: ни страха, ни злости, ничего. Но теперь сбежать никуда не получается, хоть он и старается изо всех сил. Он в квартире, в своей квартире, стоит перед мужчиной, который его презирает, и знает, что это не конец, что это только начало долгой ночи, и ее остается только вынести, только переждать — другого выхода нет. Он не сумеет справиться с этой ночью, не сумеет ее прекратить.

— Господи, — говорит Калеб; он оглядывает его несколько долгих секунд, он впервые видит его полностью обнаженным. — Господи, ты и вправду урод. Настоящий урод.

Отчего-то именно эти слова, это его заявление возвращает их обоих к реальности, и он впервые за многие годы начинает плакать.

— Пожалуйста, — говорит он. — Пожалуйста, Калеб, прости меня.

Но Калеб уже вцепился ему сзади в шею, он толкает и тащит его к входной двери. Они заходят в лифт, едут вниз, и вот Калеб выталкивает его из лифта, тащит по коридору в вестибюль. Теперь он уже заходится в истерике, умоляет Калеба, снова и снова спрашивает, что же тот делает, что он с ним сделает. Возле парадной двери Калеб поднимает его, на миг его лицо прижато к грязному маленькому окошечку, выходящему на Грин-стрит, и тут Калеб распахивает дверь и выталкивает его, голого, на улицу.

— Нет! — кричит он, стоя одной ногой на улице, другой — в подъезде. — Калеб, прошу тебя!

Он и безумно надеется, и отчаянно боится того, что его увидит какой-нибудь прохожий. Но дождь льет как из ведра, и прохожих нет. Дождь колошматит его по лицу.

— Умоляй меня, — говорит Калеб, перекрикивая дождь, и он умоляет, упрашивает его.

— Попроси, чтобы я не уходил, — требует Калеб. — Извинись передо мной.

И он извиняется снова и снова, и рот у него полон крови, полон слез.

Наконец Калеб впускает его обратно и тащит к лифту, где много чего ему говорит, а он извиняется снова и снова, повторяя за Калебом все, как тот ему велит. *Я омерзительный. Я отвратительный. Я никчемный. Я прошу меня простить. Я прошу меня простить.*

Они заходят в квартиру, Калеб отпускает его шею, и он валится на пол, ноги его не слушаются, и Калеб пинает его в живот с такой силой, что его рвет, и затем — еще раз в спину, и он скользит по чудесному чистому полу Малкольма и собственной рвоте. Его прекрасная квартира, думает он, где он всегда был в безопасности. И это происходит с ним в его прекрасной квартире, в окружении прекрасных вещей, вещей, которые были подарены ему в знак дружбы, вещей, которые он купил на собственные деньги. В его прекрасной квартире, где можно запереть двери, где ему не грозили больше сломанные лифты и унизительное ползание по лестницам, где он всегда должен был чувствовать себя полноценным человеком.

Но тут его снова поднимают, снова толкают, но теперь он почти не видит, куда его ведут: один глаз уже заплыл, перед вторым все плывет. Зрение дергается: пропадает и появляется.

Он понимает, что Калеб ведет его к двери, которая выходит на пожарную лестницу. Эту часть старого лофта Малкольм решил сохранить: во-первых, он был вынужден это сделать, во-вторых, ему понравилась ее откровенная утилитарность, ее неприкрытое безобразие. Теперь Калеб вытаскивает засов, и он стоит на верху темной, крутой лестницы. "Похоже на спуск в ад", — вспоминает он слова Ричарда. С одного бока он весь в липкой рвоте, чувствует он и другую жижу — и старается не думать о том, что это, — которая стекает по его телу: по лицу, по шее, по бедрам.

Он поскуливает от боли и страха, цепляется за дверной косяк и скорее слышит, нежели видит Калеба, который разбегается и толкает его ногой в спину, и он летит в черноту ступеней.

Взлетая, он вдруг вспоминает доктора Кашена. Точнее, не самого доктора Кашена, а вопрос, который тот ему задал, когда он писал заявление, чтобы тот стал его научным руководителем:

— Какая у вас любимая аксиома?

(Как однажды сказал Си-Эм — пикаперская фраза для ботанов.)

— Аксиома равенства, — ответил он.

И Кашен одобрительно кивнул:

— Хороший выбор.

Аксиома равенства утверждает, что x всегда равен x: предполагается, что если у тебя есть элемент x, то он всегда должен быть тождественен себе, что этот элемент уникален, что он обладает настолько неотъемлемым значением, что мы должны допустить, что он постоянно является абсолютным, неизменным эквивалентом самому себе и что самая его элементальность не поддается изменениям. Но доказать это невозможно. Вечности, абсолюты и невозможности — мир математики складывается не только из цифр, но и из этих слов. Не всем нравилась аксиома равенства — доктор Ли как-то раз назвал ее кривлякой-ломакой, не аксиома, мол, а танец с веером, — но он всегда любил эту ее неуловимость и то, как попытки доказать аксиому равенства нарушают саму красоту уравнения. Такие аксиомы сводят с ума, завладевают тобой целиком, становятся всей твоей жизнью.

Но теперь он точно знает, насколько верна эта аксиома, потому что он сам — всей своей жизнью — ее и доказал. Тот, кем я был, всегда будет тем, кто я есть, понимает он. Контекст может меняться: он может быть у себя дома, он может быть на любимой и хорошо оплачиваемой работе, у него могут появиться родители и друзья, которых он любит. Его могут уважать, а в суде его могут даже бояться. Но сама его суть не изменилась, он по-прежнему вызывает отвращение, его по-прежнему можно только ненавидеть. И в ту микросекунду, когда он зависает в воздухе между восторгом полета и предвкушением падения, понимая, что оно будет ужасным, он знает, что x всегда будет равен x, независимо от того, что он сделает, сколько лет оставит между собой и монастырем, между собой и братом Лукой, независимо от того, какая у него зарплата и как старательно он пытается обо всем забыть. И это последнее, о чем он думает, когда его плечо с хрустом врезается в бетон и мир на миг, с облегчением, от него отлетает: $x = x$, думает он, $x = x, x = x$.

————————————

2

Когда Джейкоб был совсем маленький, месяцев шесть, Лисл подхватила пневмонию. Как большинство здоровых людей, в болезни она была невыносима — ворчала, ныла и, главное, изумлялась непривычной ситуации, в которой вдруг оказалась. "Я же никогда не болею", — повторяла она, как будто случилась ошибка, как будто ей досталось что-то предназначенное кому-то другому. Джейкоб был болезненным ребенком, не катастрофически, нет, но к тому моменту он уже успел дважды простудиться, а его кашель — на удивление, кстати, взрослые раскаты — я услышал раньше, чем увидел его улыбку, и поэтому мы решили, пусть лучше Лисл проведет несколько дней у Салли, отдохнет, наберется сил, а я останусь дома с Джейкобом.

Я считал, что вполне могу справиться с собственным сыном, но за эти выходные я звонил отцу раз двадцать, чтобы задать ему разные мелкие вопросы, которые возникали постоянно, или уточнить что-то, что я наверняка знал, но забыл от растерянности: он издает странные звуки, похожие на икоту, но с произвольными промежутками, так что это вряд ли настоящая икота — что это? У него слегка жидковат стул, это что-нибудь значит? Он любит спать на животе, но Лисл сказала, что нужно класть его на спину, а мне вроде все говорили, что он прекрасно может спать и на животе, это правда? Конечно, я мог поискать всю эту информацию самостоятельно, но мне нужны были окончательные ответы, и услышать их я хотел от отца, который не только владел нужными ответами, но и знал, как их сообщить. Звук его голоса меня успокаивал. "Не волнуйся, — говорил он в конце каждого разговора. — Ты справляешься отлично. Ты отлично знаешь, как это делается". И я ему верил.

Когда Джейкоб заболел, я стал меньше звонить отцу; я не мог выдержать этих разговоров. Теперь у меня были другие вопросы: как мне справиться с этим? Что я буду делать потом? Как смотреть на угасание собственного ребенка? И у меня не было сил их задать, а он заплакал бы, пытаясь ответить.

Когда мы заметили неладное, ему только-только исполнилось четыре. Каждое утро Лисл отводила его в детский сад, и после своих семинаров я каждый день его забирал. У него было серьезное лицо, поэтому многие считали его мрачноватым ребенком, но это было не так: дома он бегал вниз-вверх по лестнице, и я бегал за ним, а когда я лежал на диване и читал, он радостно бросался мне на живот. Лисл рядом с ним тоже впадала в азарт, и иногда они носились друг за другом по всему дому с воплями и вскриками; это был мой любимый саундтрек, мой любимый фоновый шум.

Он стал уставать в октябре. Однажды я пришел его забирать и увидел, что все дети, все его друзья толкаются, прыгают и болтают в центре комнаты; я поискал глазами моего сына и увидел его в дальнем углу: он свернулся на коврике и спал. Одна из воспитательниц сидела рядом с ним, она жестом подозвала меня к себе. "Он, похоже, чем-то заболевает, — сказала она. — Он какой-то вялый уже пару дней, а после обеда так устал, что мы его не трогали, пусть спит". Нам нравилась эта школа: в других школах детей заставляли читать или делать какие-то уроки, а в этой, которую ценили университетские преподаватели, с четырехлетками обращались правильно: читали им книжки, делали с ними разные поделки и водили на экскурсии в зоопарк.

В машину его пришлось отнести на руках, но дома он проснулся, и все было в порядке: он съел сэндвич, который я приготовил, я ему почитал, а потом мы построили очередную конструкцию. На день рождения Салли подарила ему набор красивых деревянных кубиков, точнее, геометрических тел сложной формы, из которых можно было составлять очень высокие интересные башни; каждый день мы строили новую конструкцию в центре стола, и когда Лисл приходила домой, Джейкоб объяснял ей, что мы построили — динозавра или ангар для ракеты, — и Лисл это фотографировала.

В тот вечер я пересказал Лисл слова воспитательницы, и на следующий день она отвела его к врачу, который уверил ее, что все в порядке, что ничего необычного не видно. Но следующие несколько дней мы присматривались: он такой же энергичный, как обычно, или нет? Не спит ли дольше обычного, не ест ли меньше обычного? Было непонятно. Но мы были напуганы: нет ничего страшнее, чем вялый ребенок. Само слово теперь кажется эвфемизмом страшного исхода.

А потом вдруг события ускорились. Мы поехали к моим родителям на День благодарения, и за ужином у Джейкоба начались судороги. Вот он только что был с нами, а через мгновение окостенел, тело превратилось в доску, соскользнуло со стула на пол, глаза закатились, из горла раздались странные, гулкие щелчки. Это продолжалось секунд десять, но это было жутко, так жутко, что я до сих пор слышу эти страшные щелчки, вижу, как страшно неподвижна его голова, а ноги механически загребают по воздуху.

Отец бросился звонить знакомому в Пресвитерианскую больницу Нью-Йорка, и мы туда помчались, и Джейкоба госпитализировали, и мы вчетвером провели в его палате всю ночь — отец и Адель разложили куртки на полу и так легли, мы с Лисл сидели по сторонам кровати и не могли посмотреть друг на друга.

Когда его состояние нормализовалось, мы вернулись домой, и Лисл велела педиатру Джейкоба, который тоже был ее однокашником, записаться на консультации к лучшему неврологу, лучшему медицинскому генетику, лучшему иммунологу — мы не знали, что это было, но, что бы это ни было, она хотела, чтобы за Джейкоба взялись лучшие специалисты. И начались месяцы скитаний от одного врача к другому, анализы крови, сканирования мозга, тестирования рефлексов, изучения глазного дна и проверки слуха. Весь этот процесс был таким утомительным и одновременно таким бесполезным — до знакомства со всеми этими врачами я понятия не имел, что можно сказать "понятия не имею" столькими способами, — что время от времени я думал, каково же должно быть родителям, у которых нет наших связей, у которых нет научной грамотности и знаний Лисл. Но от этой грамотности не становилось легче, когда Джейкоб плакал от уколов — а кололи его так много, что одна из вен, в левой руке, начала спадать, и при всех этих связях его болезнь прогрессировала, судороги случались все чаще, он трясся, исходил пеной, испускал рев, дикий, пугающий, невероятно низкий для четырехлетнего ребенка, и голова его дергалась из стороны в сторону, а пальцы скрючивались.

Когда нам наконец поставили диагноз — это оказалось крайне редкое нейродегенеративное заболевание, синдром Нисихары, такое редкое, что в стандартный набор генетических анализов его не включали, — он уже почти ослеп. Это было в феврале. К июню, когда ему исполнилось пять, он почти перестал разговаривать. К августу мы сомневались, что он что-нибудь слышит.

Судороги случались все чаще. Мы перебирали одно средство за другим; мы пробовали их разные сочетания. У Лисл был друг-невролог, который рассказал нам про новый препарат, еще не одобренный в Штатах, но доступный в Канаде, и в ближайшую же пятницу Лисл и Салли помчались в Монреаль и обратно, обернувшись за двенадцать часов. Препарат некоторое время действовал, хотя от него он покрылся страшной сыпью, и стоило нам прикоснуться к его коже, как он открывал рот и беззвучно орал, а из глаз текли слезы. "Прости, сынок, — умолял я, хотя и знал, что он меня не слышит. — Прости, прости".

Я не мог сосредоточиться на работе. В тот год у меня была неполная нагрузка; это был мой второй год в университете, всего лишь третий семестр. Я шел по кампусу, слышал чужие разговоры — про расставание с бойфрендом, про проваленный зачет, про растянутую лодыжку — и закипал от ярости. Глупые, мелкие, эгоистичные, самовлюбленные людишки, хотелось мне сказать. Мерзкие людишки, я вас ненавижу. Ваши проблемы — это не проблемы. У меня умирает сын. Иногда отвращение было таким сильным, что меня рвало. Лоренс тогда тоже преподавал, он заменял меня, когда я возил Джейкоба в больницу. К нам постоянно приходил медработник, но мы возили Джейкоба на каждое обследование, чтобы отслеживать, с какой скоростью он от нас уходит. В сентябре его лечащий врач осмотрел его и поглядел на нас. "Уже недолго", — сказал он, очень бережно сказал, и это-то было хуже всего.

Лоренс приходил к нам по вечерам каждую среду и субботу, Джиллиан приходила по вторникам и четвергам, Салли — по понедельникам и воскресеньям, еще один друг Лисл, Нейтан, — по пятницам, они готовили или прибирали, а мы с Лисл сидели с Джейкобом и разговаривали с ним. Он перестал расти в этот последний год, руки и ноги его размягчились от бездействия, стали гибкими, почти бескостными, и держать его надо было, прижимая конечности, иначе они безвольно повисали, как будто он мертвый. В начале сентября он совсем перестал открывать глаза, хотя иногда из них сочилась жидкость — слезы или комковатая желтая слизь. Только лицо у него оставалось пухлым — из-за лошадиных доз стероидов. От какого-то из препаратов у него развилось раздражение вроде экземы на щеках, леденцово-красное, наждачное и вечно горячее на ощупь.

Отец и Адель переехали к нам в середине сентября; я не мог смотреть отцу в глаза. Я понимал, что ему известно, каково это — смотреть, как умирает ребенок; я знал, как ему больно оттого, что это мой ребенок. У меня было ощущение, будто я что-то провалил и меня наказывают за то, что я не так страстно хотел Джейкоба, когда он был нам дан. У меня было ощущение, что, если бы я более осознанно хотел детей, этого бы не случилось, что мне напоминают, какая это была глупость, какой идиотизм — не осознавать, что за подарок мне дается, подарок, о котором мечтает столько людей, а я поначалу был готов отослать его назад. Мне было стыдно — я никогда не стал бы таким отцом, как мой отец, и я злился, что он сейчас рядом, чтобы засвидетельствовать мой провал.

Когда Джейкоб еще не родился, я спросил отца, есть ли у него для меня какое-нибудь напутствие. Я шутил, но он отнесся к моему вопросу серьезно, как и всегда. "Гмм, — сказал он. — Знаешь, самое трудное в родительстве — рекалибровка. Чем лучше ты научишься ее проводить, тем лучше будешь как родитель".

Я тогда проигнорировал этот совет, но когда Джейкобу с каждым днем становилось все хуже, я в мыслях все чаще возвращался к нему и понял, как отец был прав. Мы все говорим, что желаем нашим детям счастья, только счастья и здоровья, но мы ведь не этого хотим. Мы хотим, чтобы они были как мы или лучше, чем мы. Мы как вид в этом смысле очень неизобретательны. У нас нет инструментария на случай, если они окажутся хуже. Но, наверное, нереалистично желать, чтобы он был. Должно быть, тут включается эволюционный предохранитель: если бы мы могли себе со всей ясностью, со всей прямолинейностью представить все самое страшное, что может случиться, то вовсе не стали бы заводить детей.

Когда мы впервые осознали, что Джейкоб болен, что с ним что-то не в порядке, мы оба бросили все усилия на быструю рекалибровку. Мы никогда не говорили, что хотим, чтобы он поступил в колледж, например; мы просто принимали это как данность, и в магистратуру он тоже поступит, мы же оба ее окончили. Но в ту первую ночь, проведенную в больнице, после первой судороги, Лисл, которая всегда все планировала и отличалась уникальной способностью просчитывать на пять, десять шагов вперед, сказала: "Знаешь, чем бы это ни оказалось, он все равно может прожить долгую и нормальную жизнь. Есть отличные школы, куда его можно послать; есть методики, которые помогут ему жить независимой жизнью". Я рявкнул на нее, обвинил в том, что она так быстро, так легко списывает его со счетов. Позже мне было стыдно за это. Позже я восхищался ею: я восхищался тем, как быстро, как гибко она приспосабливалась к факту, что ее ребенок, ребенок, которого она представляла, оказывается совсем не таким. Я восхищался тем, как она понимала — задолго до меня, — что ребенок придает твоей жизни смысл не осуществлением твоих надежд, а радостью, которую он тебе приносит, в какой бы форме она ни возникала, даже когда ее трудно опознать как радость, — и, что еще важнее, радостью, которую ты в состоянии принести ребенку. До самого конца жизни Джейкоба я отставал от Лисл на шаг: я воображал, что ему станет лучше, что он снова станет прежним, а она думала только о жизни, которую он может вести в рамках текущей реальности. Может быть, он сможет ходить в специализированную школу. Ну ладно, он ни в какую школу ходить не сможет, но, может быть, сможет в игровую группу. Ладно, он не сможет играть с детьми, но, может, все-таки проживет долгую жизнь. Ладно, он не проживет долго, но, может быть, ему можно обеспечить короткую счастливую жизнь. Ладно, его короткая жизнь не будет счастливой, но, может быть, он проживет свою короткую жизнь с достоинством: мы можем обеспечить ему это, и больше ни на что она не рассчитывала.

Мне было тридцать два, когда он родился, тридцать шесть, когда ему поставили диагноз, тридцать семь, когда он умер. Это случилось десятого ноября, чуть меньше чем через год после первой судороги. В университете прошла поминальная служба, и даже в своем омертвевшем состоянии я видел всех, кто пришел, — наших родителей, друзей, коллег, и друзей Джейкоба, которые уже учились в первом классе, и их родителей, — они пришли, они плакали.

Мои родители вернулись домой в Нью-Йорк. Мы с Лисл через какое-то время вернулись к работе. Долгие месяцы мы почти не разговаривали. Мы не могли даже прикоснуться друг к другу. Отчасти — от изнеможения, но отчасти и от стыда: нам было стыдно, что мы оба не справились, нас не оставляло несправедливое, но неотступное чувство, что каждый из нас сделал не все, что мог, что другой проявил себя недостаточно героически. Через год после смерти Джейкоба мы впервые заговорили о том, не завести ли нам еще одного ребенка, и хотя все началось мирно, закончился этот разговор ужасно, взаимными обвинениями: как я вообще никогда не хотел Джейкоба, как она его никогда не хотела, что я сделал не так, что она. Мы замолчали; мы извинились друг перед другом. Мы попробовали еще раз. Но каждый разговор кончался одинаково. Из этих разговоров невозможно было выйти без потерь, и в конце концов мы разъехались.

Я теперь изумляюсь тому, как радикально мы оборвали все связи. Развод был простым и безболезненным — может быть, слишком безболезненным и простым. Он заставил меня задуматься, что связывало нас до появления Джейкоба: если бы у нас не было сына, как и ради чего мы бы оставались вместе? Я только позже смог вспомнить, почему я любил Лисл, что я в ней видел, чем восхищался. Но в тот момент у нас была одна миссия на двоих, трудная, выматывающая, и как только она завершилась, пришла пора расстаться и вернуться каждому к своей жизни.

Много лет мы не общались вовсе — не со зла, по какой-то другой причине. Она переехала в Портленд. Вскоре после знакомства с Джулией я случайно встретил Салли — та тоже переехала, в Лос-Анджелес; она приезжала навестить родителей и сказала мне тогда, что Лисл снова вышла замуж. Я попросил Салли передать ей мои самые лучшие пожелания, и Салли обещала, что передаст.

Иногда я интересовался, что происходит в ее жизни. Она преподавала в медицинской школе Орегонского университета. Однажды у меня был студент, который был так похож на выросшего Джейкоба, каким мы его представляли, что я едва не позвонил ей. Но все-таки не позвонил.

А потом однажды она мне позвонила. Прошло шестнадцать лет. Она приехала в Бостон на конференцию, спросила, не хочу ли я сходить с ней пообедать. Это было странное ощущение — чужое и все же сразу узнаваемое — снова слышать ее голос, голос, с которым я вел тысячи разговоров о вещах важных и повседневных. Голос, который пел Джейкобу, пока он подрагивал у нее на руках, голос, который произносил "Эта самая лучшая!", когда она в очередной раз фотографировала нашу башню из кубиков.

Мы встретились в ресторане неподалеку от медицинского кампуса; во времена ее интернатуры этот ресторан рекламировал свое фирменное блюдо как "изысканный хумус", и мы туда ходили по особым случаям. Теперь он специализировался на тефтелях, но почему-то там по-прежнему пахло хумусом.

Мы увидели друг друга; именно такой я ее помнил. Мы обнялись, сели. Некоторое время говорили о работе, о Салли и ее новой партнерше, о Лоренсе и Джиллиан. Она рассказала мне про своего мужа-эпидемиолога, я рассказал ей о Джулии. В сорок три года она родила еще ребенка, девочку. Она показала мне фотографию. Девочка была красивая, очень похожая на Лисл. Я ей так и сказал, и она улыбнулась.

— А ты? — спросила она. — У тебя есть другой ребенок?

Да, сказал я. Я только что усыновил одного из своих бывших студентов. Я видел, что она удивилась, но улыбнулась, поздравила меня, спросила, кто он и как это случилось, и я ей рассказал.

— Как здорово, Гарольд, — сказала она, когда я закончил свой рассказ. А потом: — Ты его очень любишь.

— Да, — сказал я.

Я бы хотел сказать тебе, что с этого начался новый этап, что мы стали друзьями, что мы продолжали общаться и каждый год говорили о Джейкобе, о том, кем он мог бы вырасти. Но так не случилось, хотя ничего плохого не произошло. Я в тот раз рассказал ей о своем студенте, который произвел на меня такое странное впечатление, и она сказала, что отлично знает, что я имею в виду, что и ей приходилось видеть студентов — или просто юношей на улице, — которых она как будто откуда-то знает, и только потом она понимала, что это был наш воображаемый сын, живой и здоровый, живущий где-то отдельно, отдельный от нас; он свободно бродит по миру и ничего не знает о том, как мы все это время его ищем.

Я обнял ее на прощание; я пожелал ей всего хорошего. Я сказал, что она мне дорога. Она сказала все то же самое. Ни один из нас не предложил не пропадать; мне хочется думать, что мы оба слишком уважали друг друга, чтобы так говорить.

Но на протяжении последующих лет я иногда получал от нее весточки. На электронную почту приходило письмо, где говорилось только "Снова видела", и я знал, что она имеет в виду, потому что и сам посылал ей такие письма: "Гарвард-сквер, лет 25, тощий, пахнет марихуаной". Когда ее дочь окончила университет, она сообщила мне об этом; когда та выходила замуж — тоже, и когда у нее родился первый внук — тоже.

Я люблю Джулию. Она тоже ученый, но она всегда была так непохожа на Лисл — радовалась там, где Лисл была бы сосредоточена, бурлила, где Лисл уходила в себя, искренне переживала любой успех, любое удовольствие. Но, как бы я ее ни любил, на протяжении долгих лет какая-то часть меня не переставала напоминать, что с Лисл меня связывало нечто более глубокое. Мы вместе кого-то создали и вместе видели, как он умирает. Иногда я чувствовал, что мы соединены физически — длинным канатом, протянутым между Бостоном и Портлендом; когда она тянула свой конец, я это чувствовал. Где бы она ни была, где бы я ни был, он всегда присутствовал — сверкающий, витой трос, который растягивался, дергался, но никогда не обрывался, напоминая нам при каждом нашем движении, чего у нас больше никогда не будет.

Когда мы с Джулией решили, что усыновим его — где-то за полгода до того, как сказали ему об этом, — я поговорил с Лоренсом. Я знал, что Лоренсу он очень нравится, что он его уважает, что он ценит наши отношения, и при этом я знал, что Лоренс есть Лоренс и что он обеспокоится.

Он обеспокоился. Мы долго разговаривали.

— Ты знаешь, как он мне нравится, — сказал он, — но все-таки, Гарольд, что ты вообще о нем знаешь, на самом-то деле?

— Да немного, — сказал я. Но я знал, что к худшему сценарию, который существовал в голове у Лоренса, он не имел отношения. Я знал, что он не вор, что он не придет и не убьет нас с Джулией во сне. Лоренс тоже это знал.

Я, конечно, понимал — не зная ничего наверняка, без каких бы то ни было доказательств, — что в какой-то момент в его жизни случилось нечто ужасное. В тот первый раз, когда вы все приехали вместе в Труро, я ночью спустился на кухню и обнаружил там Джей-Би; он сидел за столом и рисовал. Мне всегда казалось, что Джей-Би другой человек, когда он один, когда он уверен, что ему не нужно ничего изображать, так что я сел и стал смотреть, что он рисует — это были наброски, изображавшие вас всех, — и спросил, чем он занят в магистратуре, а он рассказал мне про художников, которыми восхищается; три четверти имен я слышал впервые.

Я уже выходил было из кухни, но тут Джей-Би меня окликнул. Я вернулся.

— Слушай, — сказал он смущенно. — Я не поучаю и вообще ничего такого, но не приставай к нему уж так с расспросами.

Я снова сел.

— Почему?

Джей-Би явно испытывал неловкость, но был настроен решительно.

— Нет у него никаких родителей, — сказал он. — Я не знаю, что там случилось, но он с нами даже говорить об этом отказывается. Ну, со мной, по крайней мере. — Он помолчал. — Я думаю, с ним в детстве произошло что-то жуткое.

— Что именно жуткое? — спросил я.

Он помотал головой.

— Мы точно не знаем, но предполагаем, что какое-то ужасное физическое насилие. Ты заметил, что он никогда не раздевается на людях, никогда не позволяет к себе прикасаться? Я думаю, его кто-то избивал или… — Он снова остановился. Его самого всегда любили и берегли, у него не хватало духу представить, что может последовать за этим *или*, и у меня тоже. Но, конечно, я все это замечал — я расспрашивал его не затем, чтобы ему стало не по себе, но, даже видя, что ему не по себе, я не мог остановиться.

— Гарольд, — говорила Джулия, когда он уходил спать, — ты его мучаешь.

— Знаю, знаю, — отвечал я.

Я знал, что за его молчанием скрывается что-то страшное; я не хотел знать, что именно, и в то же время хотел узнать.

Примерно за месяц до официального усыновления он вдруг приехал на уикенд, очень неожиданно: я пришел с тенниса и обнаружил его на кушетке; он спал. Он приехал, чтобы поговорить со мной, чтобы попытаться в чем-то мне признаться. Но в конце концов так и не смог.

В ту же ночь Энди в панике позвонил мне: он не мог его разыскать, и когда я спросил, почему он вообще звонит ему в полночь, Энди сразу стал уходить от ответа.

— У него сейчас трудный период, — сказал он.

— Из-за усыновления? — спросил я.

— Не могу ничего сказать, — чопорно сказал Энди. Как ты знаешь, Энди оберегал врачебную тайну с переменным успехом, но уж если решал оберегать, то делал это со всей серьезностью.

А потом позвонил ты и тоже попытался что-то напридумывать.

На следующий день я попросил Лоренса выяснить, не числится ли за ним каких-нибудь судимостей по малолетству. Я знал, что он вряд ли что-нибудь обнаружит, а если и обнаружит, данные будут недоступны.

Я сказал ему правду в тот уикенд: для меня не имело значения все, что он делал когда-то. Я знал его. Для меня имело значение, каким человеком он стал. Я сказал ему, что мне не важно, кем он был раньше. Но, конечно, это были наивные слова: я усыновил человека, которым он стал, но к этому прилагался человек, которым он некогда был, и я не знал, кто это. Позже я жалел, что не объяснил достаточно ясно, что этот человек, кем бы он ни был, тоже мне нужен. Позже я думал — неотвязно думал, — что было бы, если бы я нашел его на двадцать лет раньше, младенцем. Или не на двадцать, так на десять, хотя бы на пять. Кем бы он стал, кем бы я стал?

Лоренс ничего не обнаружил; я испытал облегчение и досаду. Усыновление состоялось; это был прекрасный день, один из лучших. Я ни разу об этом не пожалел. Но быть его родителем оказалось непросто. На протяжении десятилетий он соорудил для себя множество правил, которые, видимо, основывались на когда-то преподанных ему уроках — на что он не имеет права, чему не должен радоваться, на что не должен рассчитывать или надеяться, чего не должен хотеть, — и прошли годы, прежде чем я разобрался, что это за правила, а еще больше времени понадобилось на то, чтобы придумать способы разубедить его. Но это было очень сложно: правила с детства помогали ему выживать, правила делали мир объяснимым. Он был невероятно дисциплинирован — во всем, — а от дисциплины, как и от бдительности, человека почти невозможно отучить.

Мне (и тебе) пришлось не легче в попытках развеять некоторые его представления о себе самом: как он выглядит, чего он заслуживает, чего он стоит, кто он такой. Я до сих пор не встречал человека столь безупречно и столь радикально раздвоенного: он мог вести себя абсолютно уверенно в каких-то областях и быть столь же беспредельно потерянным в других. Как-то раз я наблюдал за его выступлением в суде со смешанным чувством восхищения и ужаса. Он защищал фармацевтическую компанию — защита этих монстров его и прославила — на федеральном процессе, инициированном по сигналу инсайдера. Это был большой, важный процесс — его теперь изучают в университетах, — но он был очень, очень спокоен. Я редко видел, чтобы выступающий юрист был настолько спокоен. В свидетельском кресле находилась та самая сотрудница, которая подала сигнал, женщина средних лет, и он допрашивал ее так неотступно, так настойчиво, так компетентно, что весь зал замер, наблюдая за ним. Он ни разу не повысил голос, ни разу не позволил себе саркастического замечания, но я видел, что он наслаждается процессом, что само это действие — ловить свидетеля на крошечной нестыковке, настолько крошечной, что иной юрист ее бы не заметил — питало его, что он находил в нем радость. Он был мягкий человек (хотя к себе он мягок не был), мягкий в манерах, с мягким голосом, но в суде эта мягкость сгорала, обнажая что-то жестокое и холодное. Это было через семь месяцев после случая с Калебом, за пять месяцев до того, что случилось потом, и, глядя на него, пока он повторял свидетельнице ее собственные показания, ни разу не взглянув в блокнот, со спокойным, красивым, уверенным лицом, я снова и снова видел его в машине в ту страшную ночь, когда он отвернулся от меня и закрыл голову ладонями, стоило мне протянуть руку, чтобы прикоснуться к его щеке, как будто я тоже собираюсь его ударить. Все его существование было раздвоенным: на работе он был одним человеком, вне работы другим; одним человеком в прошлом, другим — в настоящем, одним в суде, другим в машине, таким одиноким, что я по-настоящему испугался.

В ту ночь в Нью-Йорке я ходил кругами и прокручивал в голове то, что узнал про него, то, что увидел, вспоминал, как едва сдерживал вой, когда он сказал мне то, что сказал, — хуже Калеба, хуже слов Калеба была его вера в их справедливость, вот как плохо он себя знал. Наверное, я всегда понимал, что он так думает, но когда он так попросту об этом говорил, оказалось еще тяжелее, чем я себе представлял. Я никогда этого не забуду: "Когда выглядишь как я, приходится брать что дают". Я никогда не забуду отчаяние, гнев, безнадежность, все, что я почувствовал, когда услышал эти слова. Я никогда не забуду его лицо, когда он увидел Калеба, когда Калеб присел рядом с ним, а я по глупости не распознал, что происходит. Что ты за родитель, если твой ребенок так относится к себе? Этого я так никогда и не сумел рекалибровать. Наверное, я просто не понимал, как это важно, ведь мне не приходилось раньше быть родителем взрослому ребенку. Не то чтобы мне эта роль не нравилась — я просто чувствовал себя глупым и бесполезным из-за того, что не понял такую простую вещь раньше. В конце концов, я сам, давно будучи взрослым, постоянно обращался за помощью к отцу.

Я позвонил Джулии — она была в Санта-Фе на конференции по новым заболеваниям — и рассказал ей, что произошло. Она вздохнула — долгий, печальный вздох.

— Гарольд… — начала она и замолкла.

Мы разговаривали о том, как он жил до встречи с нами, и хотя мы оба ошибались, ее догадки в результате оказались ближе к истине, чем мои, хотя тогда мне казалось, что это все смехотворные, невозможные выдумки.

— Вот так, — сказал я.

— Позвони ему.

Так я и сделал. Звонил и звонил — и слушал гудки, гудки.

В ту ночь я не мог уснуть и то тревожился о нем, то лелеял мужские фантазии — пистолеты, наемные убийцы, месть. Я мечтал, что позвоню кузену Джиллиан, следователю из Нью-Йорка, и Калеба Портера арестуют. Я мечтал, что звоню тебе, и мы втроем — ты, Энди и я — подкарауливаем Калеба у его квартиры и убиваем.

На следующее утро я ушел из дома рано, еще не было восьми, купил бейглов и апельсинового сока и отправился на Грин-стрит. День был серый и мокрый; я давил на кнопку домофона по нескольку секунд три раза подряд, потом отступил ближе к мостовой и задрал голову, щурясь, пытался найти окна шестого этажа.

Я собирался позвонить снова, когда в динамике раздался его голос.

— Кто там?

— Это я, — сказал я. — Можно я поднимусь? — Он не отвечал. — Я хочу извиниться, — сказал я. — Мне надо с тобой увидеться. Я бейглов принес.

Снова наступила тишина.

— Ты там? — спросил я.

— Гарольд, — сказал он, и я заметил, что его голос звучит странно. Приглушенно, как будто у него вырос лишний ряд зубов и он цедит сквозь них. — Если я тебя впущу, обещаешь не злиться и не кричать?

Тут я сам притих. Я не понимал, что это может значить.

— Да, — сказал я, и через пару секунд замок щелкнул, дверь отперлась.

Я вышел из лифта и некоторое время не видел ничего — только эту роскошную квартиру со стенами из чистого света. А потом услышал свое имя, посмотрел вниз и увидел его.

Я чуть не уронил бейглы. Я почувствовал, как руки и ноги у меня каменеют. Он сидел на полу, опираясь на правую руку, и когда я опустился рядом с ним на колени, он отвернулся и прикрыл лицо левой рукой, словно защищаясь.

— Он забрал комплект ключей, — сказал он; лицо распухло так, что губы с трудом шевелились. — Вчера вечером я пришел домой, а он тут. — Он повернулся ко мне. На меня смотрело животное, с которого содрали шкуру, вывернули наизнанку и так бросили, оставив внутренности сворачиваться в мешанину из плоти; глаза заплыли, видны были только длинные полосы ресниц, щеки посинели страшной синевой распада, плесени, и на них виднелись черные подтеки. Мне показалось, что он плачет, но он не плакал.

— Прости, Гарольд, — сказал он, — прости, прости.

Я сделал усилие, чтобы не начать орать — не на него, просто чтобы выразить что-то, чего я не мог облечь в слова, — прежде чем открыл рот.

— Все заживет, — сказал я. — Мы позвоним в полицию, а потом…

— Нет, — сказал он. — Не надо в полицию.

— Надо, — сказал я, — Джуд, надо.

— Нет, — сказал он. — Я не буду подавать заявление. Я не могу… — он запнулся, — не могу вынести такого унижения. Не могу.

— Хорошо, — кивнул я, думая, что это можно обсудить позже. — Но вдруг он вернется?

Он едва заметно помотал головой.

— Не вернется, — сказал он своим новым шамкающим голосом.

У меня даже голова закружилась, до того мне хотелось выскочить на улицу, помчаться, найти Калеба и расправиться с ним, до того невыносимо было думать, что кто-то с ним так поступил, от того, что он, с его чувством собственного достоинства, с его постоянным стремлением к опрятности и собранности — был избит, беспомощен.

— Где твое кресло? — спросил я.

Он издал сдавленный звук, похожий на блеяние, и проговорил что-то так тихо, что мне пришлось переспросить, хотя я видел, как ему больно разговаривать.

— Внизу на лестнице, — сказал он наконец, и на этот раз он точно плакал, хотя и глаза-то у него толком не открывались. Его начало трясти.

К этому моменту меня и самого уже трясло. Я оставил его там, на полу, и пошел за его креслом, которое сбросили в лестничный пролет с такой силой, что оно отскочило от дальней стены и преодолело полмарша до четвертого этажа. На обратном пути я почувствовал что-то липкое на полу и увидел большое яркое пятно загустевшей блевотины около обеденного стола.

— Хватай меня за шею, — сказал я, и он обхватил мою шею, а когда я его приподнял, вскрикнул, я извинился и опустил его в кресло. Я заметил, что его спина — он был одет в серую термофуфайку, он любил спать в таких — вся в крови, свежей и ссохшейся, и брюки сзади тоже окровавлены.

Я позвонил Энди, сказал, что у нас чрезвычайная ситуация. Мне повезло: в тот уикенд Энди остался в городе и был готов принять нас у себя в кабинете через двадцать минут.

Я отвез его туда, помог выбраться из машины — он явно не хотел двигать левой рукой и держал правую ногу на весу, не касаясь ею земли, а потом издал странный, птичий звук, когда я обхватил его, чтобы опустить в кресло, — и когда Энди открыл дверь и увидел его, мне показалось, что его сейчас вырвет.

— Джуд, — сказал Энди, когда смог говорить, и сел на корточки рядом с ним, но он не отвечал.

Мы оставили его в смотровой и вышли в вестибюль. Я рассказал Энди про Калеба. Я объяснил ему, что, по моим представлениям, случилось. Я как смог описал ситуацию с медицинской точки зрения: мне казалось, что у него сломана левая рука, что что-то не в порядке с правой ногой, что у него кровоточат разные части тела, что на полу была кровь. Я сказал, что он не хочет ничего сообщать в полицию.

— Понятно, — сказал Энди. Я видел, что он в шоке; он то и дело сглатывал слюну. — Понятно, понятно. — Он помолчал, потер глаза. — Подождешь тут немного?

Он вышел из смотровой через сорок минут.

— Отвезу его в больницу на рентген, — сказал он. — Я почти уверен, что у него перелом левого запястья и нескольких ребер. А если нога… — Он осекся. — Если сломана нога, то дело плохо, — сказал он, как будто не замечая меня. Потом встрепенулся и сказал: — Иди домой. Я позвоню, когда мы будем заканчивать.

— Я останусь, — сказал я.

— Не надо, Гарольд, — сказал он и добавил, смягчаясь: — Надо позвонить ему на работу; никаких шансов, что он выйдет на этой неделе. — Он помолчал. — Он велел… он велел им сказать, что попал в аварию.

На прощание он тихо сказал:

— А мне говорил, что играл в теннис.

— Ну да. — Мне было стыдно за нас обоих, за нашу тупость. — Мне он тоже так сказал.

Я вернулся на Грин-стрит с его ключами. Долго, много минут, я просто стоял в дверях и смотрел. Облака немного рассеялись, но этой квартире нужно было совсем чуть-чуть солнца — даже когда жалюзи были опущены, — чтобы она вся заполнилась светом. Мне всегда казалось, что это жизнеутверждающее место: высокие потолки, чистота, простор, обещание прозрачности.

Поскольку это была его квартира, там, конечно, нашелся склад чистящих средств, и я принялся за уборку. Я вымыл полы, липкие пятна оказались запекшейся кровью. На темном полу эти пятна были плохо различимы, но я находил их по запаху, плотному, звериному запаху, нос сразу его опознает. Он явно пытался привести в порядок ванную, но там на мраморе тоже были потеки крови, засохшие в ржаво-розовые краски заката; их было трудно отчищать, но я сделал что смог. Я заглянул в мусорные ведра — в поиске улик, должно быть, но там ничего не было, все уже вычистили и опустошили. Его вчерашняя одежда была разбросана около дивана в гостиной. Рубашка была вся порвана, как будто ее раздирали когтями; я ее выбросил. Костюм отложил, чтобы отдать в химчистку. В целом же квартира была идеально прибрана. Я вошел в спальню, сжавшись от ужаса, ожидая увидеть разбитые лампы, разбросанную одежду, но там все было так стерильно, как будто в комнате никто не живет, словно это идеальный дом, реклама завидной жизни. Человек, живущий в такой квартире, должен устраивать вечеринки, он должен быть беззаботным и самоуверенным, должен поднимать по ночам жалюзи и танцевать среди многочисленных гостей, а люди на Грин-стрит и на Мерсер будут глазеть на этот куб света, парящий в небе, и думать, что его обитателям не знакомо несчастье, не знаком страх, не знакомы вообще никакие заботы.

Я написал Люсьену, которого однажды видел и который вообще-то был другом друзей Лоренса, и сообщил, что случилась ужасная автомобильная авария и Джуд в больнице. Я сходил за продуктами и купил то, что он мог бы поесть, — супы, пудинги, соки. Я нашел адрес Калеба Портера и повторял его про себя — Западная Двадцать девятая, пятьдесят, квартира 17-Г, — пока не запомнил наизусть. Я вызвал слесаря и сказал, что из-за нештатной ситуации мне необходимо сменить все замки: на двери в подъезд, в лифте, в самой квартире. Я открыл окна, чтобы влажный воздух унес запахи крови и моющих средств. Я позвонил секретарше юридической школы и сказал, что по семейным обстоятельствам не смогу преподавать на этой неделе. Я оставил сообщения нескольким коллегам и попросил их меня заменить. Я думал, не позвонить ли однокашнику, который работал в прокуратуре. Я бы объяснил, что случилось, не упоминая его имени. Я бы спросил, как мы можем арестовать Калеба Портера.

— Но ты говоришь, что пострадавший не хочет заявлять в полицию? — сказал бы Ави.

— Не хочет, — пришлось бы признать мне.

— Его можно переубедить?

— Вряд ли, — пришлось бы признать мне.

— Ну слушай, Гарольд, — растерянно и раздраженно сказал бы Ави, — не знаю, что тебе сказать. Ты не хуже меня знаешь, что я ничего не могу поделать, если пострадавший отказывается давать показания.

Я помню, что подумал — а такая мысль приходит мне в голову крайне редко, — какая хрупкая вещь закон, как он зависит от обстоятельств, как мало защиты предлагает тем, кто больше всего в ней нуждается.

А потом я пошел в ванную, и пошарил под раковиной, и нашел его пакет с бритвами и ватными дисками, и выбросил его в мусоросжигатель. Мне был ненавистен этот пакет, как и собственная уверенность в том, что я его найду.

За семь лет до этого он приехал в Труро в начале мая. Это был спонтанный визит: я засел в доме, пытаясь писать, мне на глаза попались дешевые билеты, я его позвал, и, к моему удивлению — он даже в те времена никогда не покидал офис "Розен Притчард", — он приехал. В тот день он был счастлив; я тоже. Я оставил его на кухне за рубкой краснокочанной капусты и повел наверх сантехника, который пришел устанавливать новый унитаз в нашей ванной. Когда сантехник собирался уходить, я попросил его глянуть на раковину в нижней ванной — той, что примыкала к комнате Джуда; она подтекала.

Он глянул: что-то подправил, что-то заменил и, выходя из ванной, что-то мне протянул.

— Вот это было примотано под раковиной, — сказал он.

— Что это? — спросил я, взяв в руки пакет.

Он пожал плечами:

— Не знаю. Но крепко так было примотано, изолентой.

Он сложил свои инструменты, пока я тупо стоял и смотрел на пакет, помахал рукой на прощание и ушел. Я слышал, как он сказал "до свидания" Джуду и вышел из дому, насвистывая.

Я взглянул на пакет. Это был обычный небольшой прозрачный целлофановый пакет, а внутри — пачка из десяти бритвенных лезвий, спиртовые салфетки в разовой упаковке, куски марли, сложенные в пухлые квадратики, и бинты. Я стоял и держал этот пакет и понимал, для чего он предназначен, хотя у меня не было доказательств и ничего подобного я в жизни раньше не видел. Но я понимал.

Я зашел на кухню; он полоскал в миске пальчиковый картофель все с тем же счастливым видом. Он даже что-то напевал, очень тихо, а это с ним случалось, только когда он был чем-то очень доволен, так мурлычет кот, в одиночестве греясь на солнце.

— Ты бы предупредил, что нужно поставить унитаз, — сказал он, не поворачиваясь. — Я бы все сделал, и тебе не пришлось бы платить.

Он все это умел: сантехника, электрика, столярка, садовые работы. Однажды я специально водил его к Лоренсу, которому нужно было объяснить, как пересадить яблоню из одного угла сада в другой, где больше солнца, не повредив дерево.

Я некоторое время стоял и смотрел на него. Я чувствовал столько всего сразу, что в совокупности получалась пустота, отупение, отсутствие чувств от их избытка. Наконец я окликнул его, и он взглянул на меня.

— Что это? — спросил я, протягивая ему пакет.

Он замер с рукой, занесенной над миской, и я помню, как капли воды собирались и падали с кончиков его пальцев, как будто он порезался ножом и истекает водой. Он открыл рот, снова закрыл.

— Прости, Гарольд, — очень тихо сказал он. Он опустил руку и медленно вытер ее о кухонное полотенце.

Тут я разозлился.

— Я не прошу тебя извиняться, Джуд, — сказал я. — Я спрашиваю, что это такое. Только не говори "это пакет с бритвами". Что это? Зачем ты его примотал под раковиной?

Он долго смотрел на меня, и вид у него был такой — ты, конечно, понимаешь, о чем я, — как будто он удаляется, не отрывая взгляда, и ты видишь, как воротца внутри него захлопываются, баррикадируются, мост поднимается надо рвом.

— Ты знаешь зачем, — сказал он наконец, по-прежнему очень тихо.

— Я хочу, чтобы ты мне сказал, — настаивал я.

— Мне это нужно, — сказал он.

— Скажи мне, что ты с этим делаешь, — сказал я, глядя на него.

Он посмотрел вниз, на миску с картошкой.

— Иногда мне нужно резать себя, — сказал он наконец. — Гарольд, прости.

И я вдруг запаниковал, и паника отняла у меня способность мыслить рационально.

— Что это вообще значит?! — спросил я. Может быть, даже прокричал.

Он пятился, отступал к раковине, как будто ждал, что я брошусь на него, и хотел создать себе пространство для маневра.

— Не знаю, — сказал он. — Прости, Гарольд.

— Иногда — это как? — спросил я.

Его тоже охватила паника, я это видел.

— Не знаю, — сказал он. — По-разному.

— Ну примерно. В среднем.

— Не знаю, — с отчаянием сказал он. — Не знаю. Ну несколько раз в неделю, наверное.

— Несколько раз *в неделю!* — выдохнул я и осекся. Внезапно я понял, что не могу больше здесь оставаться. Я взял свое пальто со стула и запихнул пакет во внутренний карман.

— Чтоб был здесь, когда я вернусь, — сказал я ему и ушел.

(Он сбегал иногда: когда он думал, что Джулия или я им недовольны, он старался как можно скорее пропасть с глаз долой, как будто он неприятный предмет, который нужно убрать.)

Я пошел вниз, к пляжу, и зашагал через дюны, кипя гневом, который приходит от острого осознания собственной несостоятельности, от жгучего чувства вины.

Я впервые понял: как в нем уживались рядом с нами два разных человека, так и в каждом из нас рядом с ним уживались два разных человека — мы видели в нем то, что нам хотелось, и позволяли себе не видеть всего остального. Мы были плохо к этому подготовлены. Большинство людей устроены просто: их беды — это и наши беды, их тревоги понятны, их вспышки ненависти к себе преходящи и обсуждаемы. Но с ним все было не так. Мы не знали, как ему помочь, потому что у нас не хватало воображения, чтобы распознать его проблемы. Но все это — самооправдание.

Когда я вернулся в дом, уже почти стемнело, и я видел его силуэт в кухонном окне. Я присел на крыльце, жалея, что Джулии нет рядом, что она уехала в Англию навестить отца.

Задняя дверь открылась.

— Ужин готов, — тихо сказал он, и я встал и вошел.

Он приготовил все, что я люблю: сварил сибаса, которого я купил накануне, запек картошку так, как я люблю, с горой чабреца и моркови, приготовил капустный салат, а к нему наверняка сделал мой любимый горчичный соус. Но мне ничего этого не хотелось. Он подал тарелку мне, потом себе и сел.

— Выглядит потрясающе, — сказал я. — Спасибо тебе.

Он кивнул. Мы оба уставились в тарелки, на превосходную еду, которую ни одному из нас не хотелось есть.

— Джуд, — сказал я, — я должен извиниться. Прости, не следовало мне вот так убегать.

— Ничего страшного, — сказал он. — Я понимаю.

— Нет, — сказал я ему. — Это было некрасиво. Я просто очень расстроился.

Он опустил взгляд.

— Ты понимаешь, почему я расстроился?

— Потому что, — сказал он, — потому что я принес это в твой дом.

— Нет, — сказал я. — Не поэтому. Джуд, этот дом не только мой, не только наш с Джулией, он и твой тоже. Я хочу, чтобы ты понимал — ты можешь приносить сюда все, что у тебя есть в собственном доме. Я расстроился, потому что ты так ужасно с собой обращаешься. — Он не поднимал глаз. — Твои друзья знают, что ты это делаешь? Энди знает?

Он едва заметно кивнул.

— Виллем знает, — сказал он. — И Энди.

— И что Энди про это говорит? — спросил я, думая: ну елки, Энди.

— Он говорит… говорит, что мне нужно пойти к терапевту.

— Ты ходил?

Он помотал головой, и я почувствовал, что во мне опять поднимается волна гнева.

— Почему? — спросил я, но он ничего не ответил. — В Кеймбридже есть такой пакет? — спросил я, и, помолчав, он посмотрел на меня и снова кивнул.

— Джуд, — сказал я, — зачем ты это с собой делаешь?

Он долго ничего не говорил, и я ничего не говорил тоже. Я прислушивался к шуму прибоя. Наконец он сказал:

— По ряду причин.

— Например?

— Иногда я чувствую себя ужасно, или мне стыдно, и мне нужно перевести свои чувства в физические ощущения, — начал он и бросил на меня взгляд, прежде чем снова опустить глаза. — А иногда я чувствую слишком много всего сразу, и мне хочется не чувствовать ничего, совсем ничего — это помогает избавиться от таких ощущений. А иногда — потому что я чувствую себя счастливым и надо напомнить себе, что нельзя.

— Почему? — спросил я его, когда снова обрел дар речи, но он только помотал головой и не ответил, и я тоже умолк.

Он втянул воздух.

— Послушай, — вдруг сказал он с решимостью, глядя прямо на меня. — Если ты хочешь отменить усыновление, я пойму.

Я был так ошеломлен, что разозлился — такая мысль мне и близко не приходила в голову. Я собирался что-то рявкнуть в ответ, но тут посмотрел на него, увидел, как он храбрится, и понял, что он страшно напуган. Он в самом деле считал, что я могу так поступить. Он в самом деле понял бы, если бы я сказал: да, хочу. Он этого ожидал. Позже я осознал, что после усыновления он еще несколько лет гадал, надолго ли это, гадал, что такого он сделает в конце концов, из-за чего я от него откажусь.

— Никогда в жизни, — сказал я со всей твердостью, какую мог выразить.

В тот вечер я пытался поговорить с ним. Я видел, что ему стыдно, но он искренне не понимает, почему я так разволновался, почему это так расстраивало тебя, меня, Энди.

— Это не смертельно, — повторял он, как будто именно в этом было все дело. — Я умею это контролировать.

Он отказывался пойти к психологу, но не мог сказать мне почему. Эта привычка была ему в тягость, это было очевидно, но жизни без этого он тоже не мог себе представить.

— Мне это нужно, — повторял он. — Мне это нужно. От этого все становится на свои места.

— Но ведь явно было время в твоей жизни, когда ты этого не делал? — сказал я ему, и он помотал головой.

— Мне это нужно, — повторил он. — Это мне помогает, Гарольд, поверь мне, поверь.

— *Зачем* тебе это нужно? — спросил я.

Он опять помотал головой и сказал:

— Помогает мне держать жизнь под контролем.

В конце концов мне уже нечего было добавить.

— Я это не отдам, — сказал я, тряхнув пакетом; он поморщился и кивнул. — Джуд, — сказал я, и он посмотрел на меня. — Если я его выброшу, ты сделаешь новый?

Он затих и потом, глядя в тарелку, сказал:

— Да.

Я, конечно, все равно все выбросил, запихнул глубоко в мешок для мусора и отнес в контейнер в конце подъездной дороги. Мы молча убрали посуду — мы оба вымотались и так ничего и не съели, — и потом он отправился в свою спальню, а я в свою. Я тогда еще старался оберегать его личное пространство, не то я бы его схватил и обнял и так держал; но я этого не сделал.

Но, лежа в постели, я не мог заснуть и представлял себе его, представлял, как его длинные пальцы хотят почувствовать лезвие бритвы, и в конце концов я спустился вниз, на кухню. Я вынул из ящика под духовкой здоровую металлическую миску и принялся складывать в нее все острые предметы, какие мог найти: ножи, ножницы, штопоры, щипцы для омаров. А потом я взял ее с собой в гостиную и устроился в кресле, сжимая миску обеими руками и глядя на океан.

Я проснулся от шума. Паркет на кухне был скрипучим, и я сидел в темноте, стараясь не издавать никаких звуков и прислушиваясь к его походке — характерному мягкому шлепку левой ступни, а за ним шарканию правой, — а потом я услышал, как ящик открывается и через несколько секунд закрывается. Потом еще один ящик, и еще один, пока он не открыл и не закрыл каждый ящик, каждый шкафчик. Он не включал свет — ночь была лунная, — и я представлял, как он стоит в новом, затупленном мире этой кухни и понимает, что я отнял у него все, даже вилки. Я сидел, затаив дыхание, и прислушивался к тишине на кухне. На секунду мне даже показалось, что мы разговариваем, разговариваем, не слыша и не видя друг друга. А потом наконец я услышал, как он поворачивается и уходит обратно в спальню.

Когда на следующий день я вернулся домой, в Кеймбридж, я пошел в его ванную и нашел еще один пакет, такой же, как в Труро, и выкинул его. Но с тех пор я никогда не находил таких пакетов ни в Кеймбридже, ни в Труро. Видимо, он придумал для них какой-то другой тайник, который я так и не обнаружил, потому что возить их туда-сюда в самолете он бы не смог. Но когда я бывал на Грин-стрит, я всегда старался проникнуть в его ванную. Там он держал пакет в прежнем тайнике, и я каждый раз его воровал, запихивал в карман и потом выбрасывал. Он, конечно, знал, что это моих рук дело, но мы это никогда не обсуждали. Пакет каждый раз появлялся снова. Пока он не выяснил, что от тебя его тоже надо прятать, не было ни одного раза, чтобы моя проверка не принесла плодов. Но я продолжал проверять — каждый раз, когда я оказывался в квартире, и позже, в загородном доме или в лондонской квартире, я шел в ванную и искал этот пакет. Я больше не мог его найти. Ванные, спроектированные Малькольмом, были такие простые, такие прямолинейные, и все-таки в них он умудрялся находить тайники, которые мне уже так и не удавалось отыскать.

На протяжении многих лет я пытался с ним об этом поговорить. Когда я нашел тот первый пакет, я на следующий же день позвонил Энди и стал на него орать, и Энди меня не осадил, что было совсем не в его духе. — Я понимаю, — сказал он, — я понимаю. — И потом: — Гарольд, это не риторический вопрос и не саркастический: что мне делать?

И конечно, я не знал, что ему ответить.

Тебе удалось продвинуться с ним дальше всех. Но я знаю, что ты себя винил. Я тоже себя винил. Ладно бы я просто принял это — нет, я закрывал на это глаза. Я как будто решил забыть, что он это делает, потому что искать выход было слишком сложно, потому что я хотел радоваться тому человеку, которым он хотел нам казаться, хотя и знал, что все не так просто. Я сказал себе, что оберегаю его чувство собственного достоинства, но при этом эгоистично забывал, что бесчисленными ночами он приносит свое достоинство в жертву. Я его укорял и урезонивал, прекрасно зная, что такие методы не работают, но все равно не делая ничего другого — ничего более решительного, ничего, что могло бы воздвигнуть барьер между нами. Я знал, что веду себя как трус, потому что я не сказал Джулии про тот пакет, не сказал ей, что я узнал про него в ту ночь в Труро. Она потом узнала сама, и я редко видел ее в таком гневе. "Как ты мог это позволить? — спросила она меня. — Как ты мог позволить, чтобы это тянулось столько лет?" Она не сказала, что это моя прямая вина, но я знал, что она так считает. А как еще? Я сам так считал.

И вот теперь я стоял в его квартире, где несколько часов назад, когда я лежал без сна, его избивали. Я сел на диван, сжимая телефон в руке, и стал ждать, что Энди позвонит и скажет, что я могу его забрать, могу начать о нем заботиться. Я открыл окно напротив дивана, снова сел и уставился в стальное небо, пока облака не стали смазываться в одно, пока я не перестал видеть что-либо, кроме клубов серого тумана, в которых день медленно сливался с ночью.

Энди позвонил в шесть вечера, спустя девять часов после того, как я его отвез в клинику, и встретил меня у дверей.

— Он в смотровой, спит, — сказал он. Потом добавил: — Сломано левое запястье и четыре ребра, но, слава богу, кости ног целы. Сотрясения мозга тоже нет, слава богу. Трещина в копчиковой кости. Вывих плечевого сустава, я вправил. Синяки по всей спине и туловищу — его явно пинали. Но внутреннего кровотечения нет. С лицом все не так страшно, как кажется: глаза и нос в порядке, переломов нет, на гематомы я накладывал лед, и ты тоже накладывай — регулярно. Раны на ногах — вот о чем я беспокоюсь. Я выписал тебе рецепт на антибиотики, начнем с малой дозы, профилактически, но если он вдруг скажет, что ему становится жарко или холодно, дай мне знать немедленно — нам только инфекции там не хватало. Спина у него вся содрана…

— В каком смысле "содрана"? — спросил я.

Энди раздраженно фыркнул.

— Изодрана, — сказал он. — Его хлестали, видимо, ремнем, он отказывается мне сказать. Я все перевязал, но вот тебе мазь с антибиотиком, раны надо обрабатывать и менять повязки начиная с завтрашнего дня. Он будет сопротивляться, но, блин, там все хреново. Вот, я написал подробные указания.

Он протянул мне пластиковый пакет. Я заглянул внутрь: пузырьки с таблетками, связки бинтов, тюбики крема.

— Вот это, — сказал Энди, доставая что-то из пакета, — обезболивающее, а он такое терпеть не может. Но придется; заставь его принимать по таблетке каждые двенадцать часов, один раз утром, один раз вечером. От них будет кружиться голова, так что не выпускай его никуда одного, и пусть ничего не поднимает. Еще от них тошнит, но ты должен проследить, чтобы он ел: что-то простое, типа риса и бульона. Пусть он по возможности пользуется креслом; но ему сейчас вряд ли захочется много передвигаться. Я позвонил его стоматологу и записал его в понедельник на девять; он потерял несколько зубов. Главное — чтобы он спал как можно больше; я заскочу завтра днем и буду заходить на неделе каждый вечер. Не позволяй ему идти на работу — хотя я думаю, он и сам не захочет.

Он замолчал так же резко, как и заговорил, и мы некоторое время стояли молча.

— Поверить не могу, — наконец сказал Энди. — Вот же сволочь. Хочу найти этого уебка и придушить своими руками.

— Да-да, — сказал я, — и я.

Он покачал головой.

— Он не разрешает мне подать заявление, — сказал он. — Я уж просил-умолял.

— Да-да, — сказал я, — и я.

Я снова вздрогнул, когда увидел его, а он отрицательно помотал головой, когда я попытался помочь ему сесть в кресло, так что мы с Энди просто стояли и смотрели, как он опускается на сиденье — все в той же одежде, на которой кровь застыла ржавыми очертаниями континентов.

— Спасибо, Энди, — сказал он очень тихо. — Прости.

И Энди молча положил ладонь ему на затылок.

Когда мы добрались до Грин-стрит, уже стемнело. Инвалидное кресло у него, как ты знаешь, легкое, элегантное, из тех, которые так агрессивно защищают самодостаточность хозяина, что у него даже нет ручек — подразумевается, что человек в таком кресле никогда не опустится до того, чтобы его кто-то толкал. Приходилось хвататься за очень низкую спинку и так везти. Я остановился на пороге, зажег свет, мы оба заморгали.

— Ты все убрал, — сказал он.

— Ну да, — сказал я. — Боюсь, не так тщательно, как ты.

— Спасибо, — сказал он.

— Не за что, — ответил я. Мы помолчали. — Давай я тебе помогу переодеться, а потом ты что-нибудь съешь?

Он покачал головой:

— Не надо, спасибо. Я не голоден. И я сам справлюсь. — Он держался суховато, сдержанно: человек, которого я мельком видел, исчез, он снова был заключен в своем лабиринте, в своем дальнем погребе. Он всегда был вежлив, но защищаясь или утверждая свою независимость — вдвойне: вежлив и слегка отстранен, как антрополог в диком и опасном племени, который тщательно старается не вникать слишком глубоко в местные порядки.

Я украдкой вздохнул и отвез его в спальню; сказал, что я тут, и если буду нужен, пусть сразу зовет, и он кивнул. Я сел на полу возле закрытой двери и ждал: я слышал, как он открывает и закрывает краны, слышал его шаги, и потом долго ничего не было слышно, пока под ним не скрипнула кровать.

Когда я зашел, он уже залез под одеяло, и я присел рядом, на краешке кровати.

— Ты точно ничего не съешь? — спросил я.

— Точно, — сказал он и через мгновение посмотрел на меня. Теперь он мог приоткрыть глаза, и на фоне белья его лицо выделялось глинистым, черноземным цветом камуфляжа: тропическая зелень глаз, каштановые и золотистые пряди волос, лицо не такое синее, как утром, а цвета темной, мерцающей бронзы.

— Гарольд, пожалуйста, прости, — сказал он. — Прости, что я наорал на тебя вчера вечером, прости, что впутываю тебя во все эти проблемы. Прости, что…

— Джуд, — перебил я его, — ты не должен просить прощения. Это ты меня прости. Как бы мне хотелось как-то помочь тебе.

Он закрыл глаза, снова открыл, посмотрел в сторону.

— Мне ужасно стыдно, — тихо сказал он.

Тогда я погладил его по волосам, и он не отдернулся.

— Тебе нечего стыдиться, — сказал я. — Ты не сделал ничего плохого.

Мне хотелось плакать, но мне казалось, что он сам может заплакать, и поэтому я постарался сдержаться.

— Ты ведь это знаешь, правда? — спросил я его. — Ты знаешь, что это не твоя вина, что ты этого не заслуживаешь?

Он ничего не говорил, поэтому я не отставал, пока он не кивнул — едва заметно.

— Ты ведь знаешь, что этот тип — последняя мразь, да? — спросил я, и он отвернулся. — Ты знаешь, что ты не виноват, правда? — спросил я его. — Ты знаешь, что это ничего не говорит о тебе, о том, чего ты стоишь?

— Гарольд, — сказал он, — не надо. — И я замолчал, хотя вообще-то надо было продолжать.

Некоторое время мы оба ничего не говорили.

— Можно у тебя кое-что спросить? — сказал я, и через секунду-другую он снова кивнул. Я даже не знал, что собираюсь спрашивать, пока не услышал собственные слова, не знаю, откуда оно взялось, разве что, наверное, я всегда это знал и никогда не хотел уточнять, потому что боялся ответа: я знал, каким он будет, и не хотел его слышать.

— Ты в детстве подвергся сексуальному насилию?

Я не столько увидел, сколько почувствовал, как он напрягся и по его телу — и по моей ладони — прошла дрожь. Он по-прежнему не смотрел на меня и теперь повернулся на левый бок и положил забинтованную руку на подушку рядом.

— Господи, Гарольд, — сказал он наконец.

Я убрал руку.

— Сколько тебе было?

После паузы он глубже уткнулся лицом в подушку.

— Гарольд, — сказал он, — я ужасно устал. Мне надо поспать.

Я положил руку ему на плечо; плечо дернулось, но я не убрал ладонь. Я чувствовал, как напряглись его мышцы, чувствовал дрожь, бегущую по его телу.

— Тебе нечего стыдиться, — сказал я ему. — Ты не виноват, Джуд, ты понимаешь?

Но он притворился, что спит, хотя я по-прежнему чувствовал дрожь, чувствовал, как тревожно напряглось все его тело.

Я еще немного посидел с ним, и он был все такой же застывший. Потом я вышел и закрыл за собой дверь.

Я остался с ним до конца недели. Ты позвонил ему в тот вечер, и я подходил к телефону и врал тебе, говорил что-то дурацкое про аварию, слышал беспокойство в твоем голосе и страшно хотел рассказать правду. На следующий день ты позвонил снова, а я стоял за дверью, пока он тоже врал тебе:

— Попал в аварию. Нет. Ничего серьезного. Что? Я был у Ричарда за городом на выходных. Задремал и въехал в дерево. Не знаю, устал, наверное, заработался. Нет, из проката. Моя в мастерской. Ничего страшного. Да, все будет в порядке. Ну ты же знаешь Гарольда, он паникер. Честное слово. Клянусь. Нет, он в Риме, вернется через месяц с чем-то. Виллем, честное слово. Все хорошо. Да. Конечно. Обязательно. Обещаю. И тебе. Пока.

По большей части он был мягок и сговорчив. Ел свой суп каждое утро, принимал таблетки. Они вгоняли его в апатию. Каждое утро он работал у себя в кабинете, но к одиннадцати засыпал на кушетке. Он просыпал обед, спал весь день, я будил его только к ужину. Ты звонил ему каждый вечер. Джулия тоже звонила; я всегда пытался подслушать, но из их разговоров мне удавалось понять только, что он в основном молчал, то есть Джулия, стало быть, много говорила. Малкольм заходил несколько раз, и оба Генри Янга, и Илайджа, и Родс. Джей-Би прислал рисунок с ирисом; я не видел, чтобы он когда-нибудь раньше рисовал цветы. Он не позволял мне, как и предсказывал Энди, менять повязки на ногах и на спине, он не показывал мне спину, как бы я его ни умолял, как бы ни кричал на него. Энди он позволял это делать, и я слышал, как Энди говорит:

— Тебе надо приезжать ко мне в клинику через день, чтобы я все это менял. Я не шучу.

— Понял, — огрызнулся он.

Люсьен зашел его навестить, но он спал у себя в кабинете.

— Не буди его, — сказал Люсьен, заглянул в кабинет и произнес: — Господи боже.

Мы поговорили немного, и он рассказал, как им восхищаются на работе; слушать такое про своего ребенка не надоедает никогда — когда ему четыре года и он в детском саду лучше всех лепит фигурки из глины или когда ему сорок и в юридической фирме, набитой гарвардскими выпускниками, он лучше всех защищает коррумпированных дельцов.

— Я бы сказал, что ты должен им гордиться, но, боюсь, я слишком хорошо знаю твои политические взгляды, — с ухмылкой сказал Люсьен.

Я видел, что он очень привязан к Джуду, и испытал укол ревности, а потом — укол совести за собственную жадность.

— Нет-нет, — сказал я, — конечно я им горжусь.

Мне в тот момент стало стыдно, что столько лет я ругал его за работу в "Розен Притчард", единственном месте, где он чувствовал себя в безопасности, где жить ему было легко, куда его страхам, его неуверенности в себе не было доступа.

В следующий понедельник, накануне моего отъезда, он выглядел получше: щеки были горчичного цвета, но отек спал, и лицо снова приобрело нормальные очертания. Ему было чуть легче дышать, чуть легче разговаривать, и голос его меньше прерывался, был похож на обычный. Энди разрешил ему вдвое урезать утреннюю дозу анальгетика, и он был уже не такой вялый, хотя не то чтобы вполне ожил. Мы сыграли партию в шахматы, он выиграл.

— Я вернусь в четверг вечером, — сказал я ему за ужином.

В том семестре я преподавал только по вторникам, средам и четвергам.

— Нет, — сказал он, — не надо. Спасибо, Гарольд, но я обойдусь, правда.

— Я уже купил билет, — сказал я. — И вообще, Джуд, ты не обязан все время отказываться. Помнишь, что мы говорили про принятие?

Он на это не ответил.

Что мне еще тебе сказать? В ту среду он пошел на работу, хотя Энди рекомендовал оставаться дома до конца недели. И, несмотря на его сопротивление, Энди приходил каждый вечер, чтобы поменять повязки и осмотреть его ноги. Вернулась Джулия, и каждые выходные в октябре кто-то из нас ездил в Нью-Йорк и останавливался у него на Грин-стрит. В остальные дни у него ночевал Малькольм. Я видел, что он от этого не в восторге, но мы все решили, что в данном случае нам все равно, в восторге он или нет.

Он поправился. Раны на ногах не воспалились, на спине тоже. Энди все время повторял, что ему повезло. Он постепенно набрал вес. Когда ты вернулся домой, в начале ноября, он почти вылечился. К Дню благодарения, который мы в том году справляли в нью-йоркской квартире, чтобы ему не надо было никуда ехать, с него сняли гипс, он снова мог ходить. Я внимательно наблюдал за ним в тот вечер, смотрел, как он болтает с Лоренсом и смеется с его дочерью, но не мог выкинуть из головы его лицо в тот вечер, когда Калеб схватил его за руку, не мог забыть выражение боли, стыда и страха на этом лице. Я вспомнил тот день, когда узнал, что он иногда пользуется инвалидным креслом; это случилось вскоре после злосчастного случая с пакетом в Труро, я приехал в Нью-Йорк на конференцию, он заехал в ресторан на кресле, и я обомлел.

— Почему ты мне никогда не говорил об этом? — спросил я, и он изобразил удивление, мол, наверняка говорил.

— Нет, — настаивал я, — не говорил.

И в конце концов он признался, что не хотел казаться слабым и беспомощным в моих глазах.

— Мне бы в голову не пришло так думать, — сказал я ему, и хотя это, мне кажется, была правда, я все-таки стал думать о нем несколько по-другому; кресло напомнило мне, что из всей его жизни мне известна только крошечная доля.

Иногда казалось, что та неделя осталась с нами наваждением, которое видели только Энди и я. В течение следующих нескольких месяцев кто-нибудь время от времени шутил — про его стиль вождения, про его надежды на участие в Уимблдонском турнире, — и он смеялся в ответ, говорил что-нибудь самоуничижительное. В такие минуты он не мог посмотреть мне в глаза; я невольно напоминал ему о том, что произошло на самом деле, о том, что он считал своим падением.

Но позже мне пришлось признать, что этот случай многое у него отнял, изменил его — превратил то ли в кого-то другого, то ли в того, кем он некогда был. Я осознал, что незадолго до Калеба он был благополучнее прежнего: позволял мне обнимать его при встрече, и когда я прикасался к нему — обхватывал рукой, проходя мимо него на кухне, — он не сопротивлялся, его рука продолжала шинковать морковь с прежней сосредоточенностью. На это понадобилось двадцать лет. Но после Калеба наступил регресс. В День благодарения я подошел к нему, хотел обнять, но он быстро шагнул влево — крошечный шаг, но достаточный, чтобы мои руки сомкнулись вокруг пустоты, и в следующую секунду мы посмотрели друг на друга, и я понял: что мне позволялось всего несколько месяцев назад, больше не позволено. Я понимал, что он решил принять правоту Калеба: он отвратителен, он по какой-то причине заслуживает всего, что с ним случилось. И вот хуже этого, мучительнее этого ничего не было. Он решил поверить Калебу, а не нам, потому что Калеб подтвердил то, что он всегда думал, чему его всегда учили, а верить в прежние истины всегда проще, чем изменить свои взгляды.

Позже, когда дела пошли плохо, я спрашивал себя: что я мог бы сказать, что мог бы сделать? Иногда я думал, что говорить было бесполезно — какие-то вещи могли бы помочь, но, сколько бы мы их ни повторяли, убедить его не удавалось. Меня все еще посещали мрачные фантазии: пистолет, мы в засаде, дом пятьдесят, Западная Двадцать девятая, квартира 17-Г. Но на этот раз мы бы не стали стрелять. Мы схватили бы Калеба Портера под руки, запихнули в машину, отвезли на Грин-стрит, затащили наверх. Мы сказали бы ему, что говорить, предупредили, что будем стоять за дверью, в лифте, курок будет взведен, дуло направлено ему в спину. И из-за двери мы бы слушали, как он повторяет: *я наговорил глупостей. Я был неправ. То, что я сделал, а главное — то, что сказал, все это предназначалось для другого человека. Поверь мне, ты ведь верил мне раньше: ты красив, ты совершенен, все, что я говорил, говорилось не всерьез. Я был неправ, я ошибался, это была дикая, невозможная, чудовищная ошибка.*

3

К аждый день, в четыре часа пополудни, когда уроки
заканчивались, у него был один свободный час
до начала работ, а по средам целых два часа. Раньше
он или читал, или бродил по монастырскому парку,
но теперь с разрешения брата Луки он все это время
проводил в теплице. Если Лука тоже там был, он ему
помогал — поливал растения и заучивал их названия — *Miltonia spectabilis, Alocasia amazonica, Asystasia
gangetica*, — а затем повторял их брату, чтобы тот его похвалил.

— Кажется, *Heliconia vellerigera* подросла, — говорил он, поглаживая ворсистые прицветники, и брат Лука взглядывал на него, покачивая головой.

— Невероятно, — говорил он. — Боже правый, ну и память у тебя.

И он улыбался про себя, гордясь тем, что сумел произвести на брата впечатление.

Если же брата Луки там не было, то он играл со своими вещами. Брат показал ему небольшую решетку в дальнем углу теплицы, скрытую горкой пластмассовых вазонов. Под решеткой была небольшая ямка, и туда как раз помещался мусорный мешок со всеми его сокровищами. Поэтому он выкопал из-под дерева все палочки и камешки и перетащил свою добычу в теплицу, где было тепло и влажно и где можно было вертеть все эти штуки в руках, и руки при этом не немели от холода. С течением времени внес свою лепту в его коллекцию и брат Лука: он дал ему обточенное волнами стеклышко-облатку, сказав, что у него глаза такого же цвета, металлический свисток, внутри которого был маленький шарик, и если свисток потрясти, он позвякивал, как колокольчик, и тряпичную куколку в шерстяной бордовой куртке с поясом, отделанным крохотными бирюзовыми бусинками, — брат сказал, что куклу сделал индеец навахо и что в детстве он в нее играл. Два месяца назад он раскрыл мешок и обнаружил, что брат Лука оставил ему рождественский красно-белый леденец, и пришел в восторг, несмотря на то что был уже февраль: ему всегда хотелось попробовать такой леденец, и он разломал его на кусочки, каждый кусок обсосал до острых кончиков, а затем разгрыз, старательно перетирая сахар зубами.

Брат сказал ему, что назавтра он обязательно должен прийти в теплицу сразу после уроков, потому что его будет ждать сюрприз. Весь день он был рассеянным, вертелся как на иголках, и, даже получив два удара — по лицу от брата Михаила, по заду от брата Петра, — он почти не обратил на это внимания. Только после того, как брат Давид пригрозил ему, что если он не сосредоточится, то вместо свободного часа будет работать, он сумел взять себя в руки и кое-как досидел до конца уроков.

Стоило ему оказаться на улице и отойти подальше от монастыря, как он пустился бежать. Была весна, и он вопреки всему был счастлив: он любил вишневые деревья в розовой пене цветов, глянцевые, невероятные оттенки тюльпанов и нежную, мягкую молодую траву под ногами. Иногда, оставшись один, он вытаскивал куклу навахо и палочку, похожую на человека, садился на траву и играл с ними. Он говорил за них разными голосами, шепча себе под нос, потому что брат Михаил сказал, что мальчики в куклы не играют, да и вообще он уже слишком взрослый для игр.

Интересно, видит ли брат Лука, как он бежит? Как-то в среду брат Лука сказал ему: "Я видел сегодня, как ты сюда бежал", — и он уже раскрыл было рот, чтобы извиниться, но брат продолжил: "Ну ты и бегун! Вот это скорость!" — и он буквально лишился дара речи, пока брат со смехом не велел ему закрыть рот.

В теплице никого не было.

— Брат Лука? — позвал он. — Эй?

— Я здесь, — раздался голос из маленькой пристройки, где хранились запасы удобрения и бутылки с щелочной водой, висели рядами садовые ножницы, секаторы и сучкорезы, а пол был заставлен мешками с дерновым грунтом. Он любил эту комнатку, любил ее древесный, мшистый запах, поэтому с радостью кинулся туда и постучал.

Войдя, он поначалу смешался. В комнате было темно и тихо, только на полу горел крохотный огонек, над которым склонился брат Лука.

— Подойди, — сказал брат, и он подошел.

— Поближе, — рассмеялся брат. — Джуд, не бойся.

Он подошел поближе, брат протянул ему что-то и сказал:

— Сюрприз!

И он увидел, что в руках у него маффин, маффин, из которого торчит горящая спичка.

— Что это? — спросил он.

— У тебя ведь день рождения сегодня, верно? — спросил брат. — Так вот, это твой праздничный торт. Давай, загадывай желание и задувай свечку.

— Это мне? — спросил он, и огонек затрепетал.

— Да, тебе, — ответил брат. — Скорее, загадывай желание.

Ему никогда не дарили тортов на день рождения, но он о них читал и знал, что делать. Он закрыл глаза, загадал желание, а потом открыл глаза, задул свечку, и в комнате стало совсем темно.

— Поздравляю, — сказал Лука и включил свет.

Лука протянул ему маффин, он попытался было угостить брата, но Лука покачал головой:

— Это тебе.

Маффин был с маленькими черничинками, и ему показалось, что он в жизни не ел ничего вкуснее, такой он был сладкий и вязкий, а брат смотрел на него и улыбался.

— А у меня для тебя еще кое-что есть, — сказал Лука, нашарил что-то у себя за спиной и вручил ему сверток — большую плоскую коробку, обмотанную газетой и перевязанную веревкой.

— Давай, открывай, — сказал Лука, и он стал аккуратно разворачивать газету, чтобы ее потом можно было еще раз использовать.

Коробка была самая обычная, из выцветшего картона, внутри лежали круглые деревянные брусочки. У каждой деревяшки с двух сторон были выемки, и брат Лука показал ему, как вставлять бруски один в другой, чтобы получались ящички, и как потом на эти ящички класть ветки, чтобы было похоже на крышу. Много лет спустя, когда он уже будет учиться в колледже, он увидит коробку таких полешек в витрине магазина игрушек и поймет, что в его подарке недоставало деталей: островерхого красного конуса для крыши и зеленых планок, которые нужно было класть поверх нее. Но тогда он просто онемел от радости и только потом, спохватившись, вспомнил, как надо себя вести, и сказал брату Луке спасибо, спасибо, спасибо.

— Пожалуйста, — сказал Лука. — В конце концов, восемь лет ведь не каждый день исполняется, правда?

— Правда, — согласился он, расплываясь в безумной улыбке при виде подарка, и все оставшееся у него в тот день свободное время он строил дома и коробочки из деревяшек, а брат Лука смотрел на него, изредка поправляя ему волосы — заправляя их за уши.

Каждую свободную минуту он проводил в теплице с братом Лукой. С Лукой он становился другим человеком. Для остальных братьев он был обузой, скопищем бед и недостатков, и каждый день он в подробностях узнавал о том, что еще с ним не так: он слишком рассеянный, слишком эмоциональный, слишком мечтательный, слишком любопытный, слишком нетерпеливый, слишком тощий, слишком резвый. Ему следует быть поблагодарнее, половчее, посдержаннее, поучтивее, потерпеливее, порасторопнее, пособраннее, полюбезнее. Но для брата Луки он был умным, сообразительным, способным, бойким. Брат Лука никогда не говорил, что он задает слишком много вопросов, никогда не говорил, что он не поймет чего-то, пока не вырастет. Когда брат Лука впервые его пощекотал, он аж поперхнулся, а потом принялся безудержно хохотать, и брат Лука хохотал с ним вместе, пока они катались по полу под горшками с орхидеями. "Ты так замечательно смеешься", — говорил брат Лука и "Какая прекрасная у тебя улыбка, Джуд", и "Какой же ты весельчак", и наконец ему начало казаться, что теплица — это какое-то зачарованное место, где он превращался в другого мальчика, которого видел брат Лука, в смешного и сообразительного мальчика, в мальчика, с которым кто-то хотел дружить, в мальчика, который был совсем на него не похож, который был лучше него.

Когда с другими братьями дела обстояли плохо, он представлял, что он в теплице — играет в свои игрушки или разговаривает с братом Лукой, — и повторял себе все, что ему говорил брат Лука. Иногда все было так плохо, что он не мог даже выйти к ужину, однако на следующий день он всегда находил в комнате подарок от брата Луки: цветок, или красный лист, или какой-нибудь особенно пузатый желудь, и все это он тоже собирал и прятал под решеткой.

Другие братья заметили, что он все время проводит с братом Лукой, и он чувствовал, что они этого не одобряют.

— Поосторожнее с братом Лукой, — предупреждал его брат Павел, подумать только — брат Павел, который его лупил и который на него кричал. — Он не тот, за кого себя выдает.

Но он и слушать его не стал. Они все были не теми, за кого себя выдавали.

Однажды он пошел в теплицу вечером. Неделя выдалась тяжелая, его сильно избили, было больно ходить. Накануне вечером к нему приходили сразу и отец Гавриил, и брат Матфей, поэтому у него ныло все тело. Была пятница, брат Михаил вдруг отпустил его пораньше, и он думал — пойдет, поиграет с брусочками. После такого ему обычно хотелось побыть одному — хотелось посидеть в тепле со своими игрушками и притвориться, что он где-то далеко отсюда.

Когда он пришел, в теплице никого не было; он снял решетку, вытащил индейскую куклу и коробку с брусочками, начал играть, но потом все равно расплакался. Он старался поменьше плакать — от этого ему делалось только хуже, да и братья этого терпеть не могли и наказывали его за слезы, — но не сумел сдержаться. Но он хотя бы научился плакать молча и молча плакал, вот только плакать молча было очень больно, для этого нужно было хорошенько сосредоточиться, и поэтому игрушки все-таки пришлось отложить. Он сидел в теплице до первого колокола и, услышав его, сложил все на место и помчался вниз по склону — на кухню, где ему нужно было к ужину чистить картошку и морковь, резать сельдерей.

А потом — он так и не смог понять почему, даже когда стал взрослым — дела стали совсем плохи. Ухудшилось все: и побои, и визиты братьев, и нравоучения. В чем он провинился, он не знал — самому ему не казалось, что он как-то изменился. Но коллективное терпение братьев как будто разом подошло к концу. Даже братья Давид и Петр, которые давали ему книги и разрешали читать, сколько он хочет, похоже, не слишком хотели с ним разговаривать. “Уйди, Джуд, — сказал брат Давид, когда он пришел обсудить с ним сборник греческих мифов, который тот ему дал, — видеть тебя сейчас не могу”.

Он все сильнее убеждался в том, что они хотят выставить его на улицу, и паниковал, потому что другого дома, кроме монастыря, он не знал. Как же ему выжить, что же ему делать в мире за пределами монастыря, который, по словам братьев, полон соблазнов и опасностей? Работать он может, это он знал: он мог ухаживать за садом, умел готовить и убирать, быть может, этим он и сумеет заработать себе на жизнь. Может, его кто-нибудь еще приютит. Тогда, уверял он себя, дела его наладятся. Он не повторит ошибок, которые совершил с братьями.

— Ты знаешь, во сколько нам обходится твое содержание? — однажды спросил его брат Михаил. — Мы ведь и не думали даже, что ты у нас так надолго задержишься.

Он не знал, что на это ответить, и сидел, тупо уставившись в стол.

— Ты должен извиниться, — сказал брат Михаил.

— Извините, — прошептал он.

Теперь он так уставал, что у него не было сил идти в теплицу. Теперь после уроков он спускался в подвал, где, по словам брата Павла, водились крысы, а брат Матфей говорил, что никаких крыс там нет, и забивался в угол: залезал на проволочный короб, где хранились коробки с маслом и пастой и стояли мешки с мукой, и просто переводил дух, дожидаясь, пока прозвонит колокол и ему снова нужно будет идти наверх. За ужином он теперь избегал брата Луки, и если брат ему улыбался, отворачивался. Теперь он знал наверняка, что брат Лука ошибался насчет него — это он-то веселый? Это он-то смешной? — и ему было стыдно, стыдно, что он такой, стыдно, что он как-то сумел обмануть брата Луку.

Брата Луки он избегал где-то чуть больше недели, когда однажды, спустившись в свое укрытие, застал брата там. Он заозирался, ища, где бы спрятаться, но прятаться было негде, и он расплакался, отвернувшись к стене и прося прощения за свои слезы.

— Джуд, все хорошо, — говорил брат Лука, похлопывая его по спине, — все, все хорошо.

Брат присел на лестнице, ведущей в подвал.

— Иди сюда, иди, посиди со мной, — сказал Лука, но он помотал головой — ему было стыдно.

— Тогда присядь хотя бы.

И он сел, прислонившись к стене.

Тогда Лука встал, порылся в коробках, стоявших на верхних полках, и протянул ему стеклянную бутылку яблочного сока.

— Нельзя, — тотчас же сказал он.

Ему вообще запрещено было ходить в подвал, он сюда залезал через боковое окошечко и спускался вниз, хватаясь за полки. Кладовой заведовал брат Павел, который каждую неделю пересчитывал все припасы, если что-нибудь пропадет — он будет виноват. Как всегда.

— Не волнуйся, Джуд, — сказал брат. — Я потом положу туда новую бутылку. Ну же, бери. — И в конце концов он его уговорил.

Сок был сиропно-сладким, и он разрывался, не зная, то ли пить его мелкими глоточками, чтобы растянуть на подольше, то ли разом выхлебать, пока брат не передумал и не отобрал у него бутылку.

Он допил сок, какое-то время они просто сидели и молчали, а потом брат тихо сказал:

— Джуд... то, что они с тобой делают, это нехорошо. Нельзя так с тобой обращаться, нельзя так тебя обижать. — Тут он снова чуть не расплакался. — Я никогда тебя не обижу, Джуд, ты ведь это знаешь, да?

И тогда он смог взглянуть на Луку, на его вытянутое, доброе, встревоженное лицо с короткой седой бородкой и в очках, за которыми его глаза казались еще больше, и кивнуть.

— Знаю, брат Лука, — сказал он.

Брат Лука долго молчал, но наконец заговорил снова:

— Знаешь, Джуд, до того, как я приехал сюда, в монастырь, у меня был сын. Ты мне так его напоминаешь. Но он умер, а я вот здесь.

Он не знал, что сказать, но, похоже, ничего говорить было и не нужно, потому что брат Лука продолжал:

— Иногда я смотрю на тебя и думаю: ты не заслуживаешь того, что с тобой делают. Ты заслуживаешь того, чтобы быть с кем-нибудь другим, с кем-нибудь... — И тут брат Лука снова замолчал, потому что он опять расплакался.

— Джуд, — удивленно сказал брат.

— Пожалуйста, — всхлипывал он, — пожалуйста, брат Лука, помогите, я не хочу, чтоб меня выгнали. Я исправлюсь, честное, честное слово. Только пусть они меня не выгоняют.

— Джуд, — сказал брат и уселся рядом с ним, притянув его к себе. — Никто тебя не выгоняет. Я тебе обещаю, никто тебя отсюда не выгонит.

Наконец он успокоился, и они вдвоем долго сидели, не говоря ни слова. — Я просто хотел сказать, что ты заслуживаешь того, чтобы быть с тем, кто тебя любит. Как я. Если б ты был со мной, я бы тебя не обижал. Нам было бы с тобой так хорошо.

— А что бы мы делали? — наконец спросил он.

— Ну-у, — медленно сказал брат Лука, — мы могли бы пойти в поход. Ты когда-нибудь ходил в поход?

В поход он, конечно, не ходил, и брат Лука рассказал ему, как это бывает: палатка, костер, запах и потрескивание горящих сосновых веток, маршмэллоу на палочках, совиное уханье.

На следующий день он вернулся в теплицу, и после этого брат Лука на протяжении многих недель и месяцев рассказывал ему о том, что они смогут делать вместе, только вдвоем: они поедут на пляж, в парк аттракционов, будут гулять по городу. Они будут есть пиццу и гамбургеры, вареную кукурузу и мороженое. Он научится играть в бейсбол и рыбачить, они будут жить в маленьком домике, только вдвоем, как отец с сыном, и каждое утро они будут читать, а каждый вечер — играть. У них будет огород, где они будут выращивать овощи, да, и цветы тоже — и как знать, может быть, и теплицу они свою когда-нибудь поставят. Они все будут делать вместе, будут всюду ходить вместе и будут самыми лучшими друзьями, только еще лучше.

Он упивался рассказами Луки, и когда все было совсем плохо, вспоминал их: огород, где у них будут расти тыквы и кабачки, ручей за домом, в котором они будут ловить окуней, домик — увеличенная версия домиков, которые он строил из своих брусочков, — где у него, как обещал брат Лука, будет настоящая кровать, где даже в самые холодные ночи им всегда будет тепло, где они смогут печь маффины хоть каждую неделю.

Однажды вечером — дело было в начале января, было так холодно, что не спасали даже обогреватели, и им пришлось обернуть все тепличные растения мешковиной — они молча работали вдвоем. Он всегда знал, когда Луке хочется поговорить об их доме, а когда нет, и чувствовал, что сегодня как раз такой тихий день, когда брат думает о чем-то своем. В таком состоянии брат Лука злым тоже не был, просто тихим, и он понимал, что эту тишину лучше не нарушать. Но он изголодался по рассказам Луки, они ему были нужны. День был такой ужасный, в такие дни ему хотелось умереть, и он хотел послушать, как брат Лука рассказывает об их домике и о том, что они там будут делать, когда останутся только вдвоем. В их домике не будет ни брата Матфея, ни отца Гавриила, ни брата Петра. Никто не будет кричать на него, никто не будет его обижать. Он будет все равно что целыми днями жить в теплице, где чары никогда не спадут.

Он твердил себе, что открывать рот нельзя, но тут сам брат Лука заговорил с ним.

— Джуд, — сказал он. — Мне сегодня очень грустно.

— Почему, брат Лука?

— Потому что... — сказал брат Лука и замолчал. — Ты ведь знаешь, как ты мне дорог, да? Но в последнее время мне кажется, что я тебе совсем не дорог.

Услышав эти ужасные слова, он на миг потерял дар речи.

— Это неправда! — сказал он брату.

Но брат Лука покачал головой.

— Я все рассказываю тебе о нашем домике в лесу, — сказал он, — но что-то мне кажется, ты на самом деле совсем не хочешь там оказаться. Для тебя это просто истории, сказки.

Он помотал головой:

— Нет, брат Лука. Для меня они тоже настоящие.

Как же ему хотелось объяснить брату Луке, какие они настоящие, как сильно они ему нужны, как сильно они ему помогают. У брата Луки был очень огорченный вид, но в конце концов ему все-таки удалось его убедить, что и он хочет так жить, что он хочет жить с братом Лукой, и ни с кем больше, что он сделает все что угодно, только бы так жить. И наконец, наконец брат Лука улыбнулся, наклонился и обнял его, потирая его спину.

— Спасибо, Джуд, спасибо, — сказал он, а он, обрадовавшись, что обрадовал брата Луку, поблагодарил его в ответ.

Внезапно брат Лука посерьезнел, взглянул на него. Он уже давно об этом думает, сказал он, он думает, что им пора уже начать строить себе дом, пора уехать отсюда вместе. Но один он, Лука, строить дом не будет — поедет ли Джуд с ним? Дает ли он честное слово? Хочет ли он быть с братом Лукой так же, как с ним хочет быть брат Лука — только вдвоем в их маленьком идеальном мире? Ну конечно же он хотел — конечно.

Тогда план такой. Они уедут через два месяца, перед Пасхой, а его девятый день рождения отпразднуют уже в домике. Брат Лука все организует, а ему нужно только хорошо себя вести, прилежно учиться и не бедокурить. И, самое важное, он должен пообещать, что никому ничего не расскажет. Если в монастыре обо всем узнают, сказал брат Лука, то его точно выгонят, и будет он жить один, и брат Лука тогда ничем не сумеет ему помочь. Он пообещал.

Следующие два месяца были и ужасными, и удивительными. Ужасными, потому что тянулись так медленно. Удивительными, потому что у него теперь была тайна, с которой ему легче жилось, ведь она означала, что его жизнь в монастыре закончится. Он стал охотнее просыпаться по утрам, потому что каждый новый день приближал его к жизни с братом Лукой. Каждый раз, когда к нему приходил кто-нибудь из братьев, он думал о том, что скоро уедет от них далеко-далеко, и тогда ему становилось чуть легче. Каждый раз, когда его били, когда на него кричали, он представлял, что он в домике, и тогда он стоически — этому слову его научил брат Лука — все это выносил.

Он умолял брата Луку, чтоб тот разрешил ему помочь с приготовлениями, и брат Лука велел ему собрать образцы всех цветов и листьев со всех растений в монастырском саду. Поэтому вечерами он бродил по саду с Библией в руках, перекладывая страницы лепестками и листьями. В теплице он теперь проводил меньше времени, но брат Лука всякий раз при встрече деловито ему подмигивал, и тогда он улыбался про себя от восхитительного тепла их тайны.

Заветный вечер настал, он нервничал. Рано вечером, сразу после ужина, к нему приходил брат Матфей, но потом наконец ушел, и он остался один. И вот вошел брат Лука, прижимая палец к губам, и он кивнул. Брат Лука раскрыл бумажный пакет, он помог ему сложить туда книги и белье, и потом они на цыпочках прокрались по коридору, спустились по лестнице, прошли сквозь сумеречное здание и вышли в темноту.

— До машины нужно пройти всего ничего, — прошептал ему Лука, но он вдруг замер. — Джуд, что такое?

— Мой мешок, — сказал он, — мешок, который в теплице.

И тогда Лука улыбнулся доброй своей улыбкой и положил руку ему на голову.

— Я уже отнес его в машину.

И он с благодарностью — брат Лука не забыл! — улыбнулся ему в ответ.

Было холодно, но холода он почти не замечал. Они все шли и шли, по длинной, усыпанной гравием подъездной дорожке, прошли через деревянные ворота, поднялись на холм, вышли к шоссе, пошли по шоссе — ночь была до того тихой, что в ушах звенело. Пока они шли, брат Лука показывал ему разные созвездия, называл их, а он повторял за ним все названия, ни разу не перепутав, и брат Лука, одобрительно бормоча, гладил его по голове.

— Ты такой умный, — говорил он. — Я так рад, что тебя выбрал, Джуд.

Теперь они шли по дороге, которую он видел всего пару раз в жизни — когда его возили к врачу или к зубному, — только сейчас на ней никого не было, и вокруг шныряли маленькие зверьки, ондатры и опоссумы. Потом они сели в машину — вытянутый бордовый универсал, рябой от ржавчины, заднее сиденье которого было завалено коробками и черными мусорными мешками, там же стояли любимые растения Луки — *Cattleya schilleriana* с безобразными пятнистыми лепестками, *Hylocereus undatus* с сонно обмякшими бутонами — в темно-зеленых пластмассовых гнездах.

Странно было видеть брата Луку в машине, гораздо страннее даже, чем самому в ней сидеть. Но особенно странно было чувствовать, что все это того стоило, что все его страдания окончены, что теперь у него начнется жизнь, и она будет ничуть не хуже, а может быть, даже и лучше той, о которой он читал в книгах.

— Ну что, готов? — прошептал ему брат Лука и улыбнулся.

— Готов, — прошептал он в ответ.

И брат Лука повернул ключ в зажигании.

Забывать можно было двумя способами. На протяжении многих лет он, не проявляя особой оригинальности, рисовал в воображении сейф и в конце дня собирал образы, события, слова, про которые не хотел думать, и открывал тяжелую стальную дверь — ровно настолько, чтобы забросить их внутрь и захлопнуть дверь снова, быстро и плотно. Но этот метод был неэффективен: воспоминания просачивались наружу. Он пришел к выводу, что их следует не просто прятать, а уничтожать.

Тогда он изобрел несколько приемов. Мелкие воспоминания — обиды, оскорбления — следовало переживать снова и снова, чтобы они потеряли остроту, стали почти бессмысленными от повторения или чтобы можно было поверить, будто все это случилось с кем-то другим, а ты об этом только слышал. Воспоминания посерьезнее надо было представить в виде отрезка киноленты — а потом стереть его кадр за кадром. Ни один из способов не был легок в исполнении: например, нельзя было останавливаться в процессе стирания и приглядываться к стираемому; нельзя было проматывать какие-то части в надежде не погрязнуть в деталях происшедшего — потому что не погрязнуть не удавалось. Трудиться надо было каждую ночь, пока воспоминание не стиралось полностью.

Хотя, конечно, полностью оно не пропадало. Но хотя бы отдалялось — уже не преследовало тебя, как привидение, дергая за рукав, прыгая перед носом, когда ты пытаешься его не замечать, претендуя на твое время, на твое внимание, так что думать о чем-то еще становилось невозможно. В неучтенные мгновения — перед тем как заснуть, перед посадкой на ночной рейс, когда для работы не хватает бодрости, а для сна не хватает усталости — они снова давали о себе знать, и тут надежнее всего было воображать белый экран, огромный, неподвижный, залитый светом, и держать его в уме подобно щиту.

После избиения он неделями пытался забыть Калеба. Прежде чем лечь, он шел к двери в квартиру и, чувствуя себя довольно глупо, пытался силой воткнуть старые ключи в новые замки, чтобы убедиться, что они не вставляются, что он снова в безопасности. Он устанавливал и переустанавливал новую сигнализацию в квартире, такую чувствительную, что даже пробегающие тени вызывали у нее обеспокоенный писк. А потом лежал с открытыми глазами в темной комнате и сосредоточенно забывал. Но это было ужасно трудно — его обступали и кололи бесчисленные воспоминания прошедших месяцев, их было слишком много. Он слышал, как голос Калеба ему что-то говорит, он видел, с каким выражением Калеб смотрит на его раздетое тело, вспоминал жуткую безвоздушную пустоту падения в лестничный пролет и сжимался в узел, закрывал уши руками, зажмуривался. В конце концов он вставал и шел работать в свой кабинет на другом конце квартиры. К счастью, ему предстояло участвовать в важном процессе; он был так занят целыми днями, что у него почти не оставалось сил еще о чем-то думать. Некоторое время он почти не появлялся дома — два часа на сон, час, чтобы принять душ и переодеться, — пока как-то вечером у него не случился приступ на работе, сильный, впервые. Уборщик, работавший по ночам, обнаружил его на полу, вызвал охрану, охранники позвонили президенту фирмы, человеку по имени Петерсон Тремейн, а тот позвонил Люсьену — только Люсьену он в свое время давал инструкции на случай чего-то подобного; Люсьен позвонил Энди, а потом вместе с президентом приехал в офис, и там они оба дожидались Энди. Он видел их, видел их ботинки, и, даже задыхаясь и извиваясь на полу, он все-таки пытался найти силы, чтобы попросить их уйти, уверить их, что все в порядке, что его просто надо оставить в покое. Но они не ушли, и Люсьен нежно обтер его рот от рвоты и держал его за руку, и он был смущен почти до слез. Позже он все повторял, что это ерунда, так часто бывает, но они заставили его отдохнуть до конца недели, а в понедельник Люсьен объявил, что они будут отправлять его домой в разумное время: в полночь в рабочие дни, в девять вечера в выходные.

— Люсьен, — раздраженно сказал он, — это смешно. Я не ребенок.

— Джуд, поверь мне, — ответил Люсьен, — я убеждал остальных членов правления, что тебя следует и дальше гнать как арабского жеребца на балтиморской скачке, но по какой-то непостижимой причине они обеспокоены твоим здоровьем. А, и процессом. Почему-то они считают, что, если ты заболеешь, мы не выиграем дело.

Он упорно спорил с Люсьеном, но без толку: в полночь свет на его рабочем месте вдруг выключался, и он в конце концов смирился и стал уходить домой, когда ему велели.

После случая с Калебом он почти утратил способность общаться с Гарольдом; любая встреча с ним превращалась в пытку. Это осложняло визиты Гарольда и Джулии, которые к тому же участились. Он был в ужасе оттого, что Гарольд застал его в таком виде: когда он думал о том, что Гарольд видел его окровавленные штаны, спрашивал о детстве (это настолько очевидно? Просто поговорив с ним, люди понимают, что произошло столько лет назад? Как же тогда скрыть все так, чтобы никто не замечал?), ему делалось до того дурно, что приходилось бросать все дела и ждать, пока пройдет. Он чувствовал, что Гарольд старается обращаться с ним так же, как раньше, но что-то изменилось. Гарольд больше не приставал к нему с нападками на "Розен Притчард", больше не спрашивал, каково ему потворствовать должностным преступлениям. И уж точно больше ни разу не заикнулся о том, что он может найти себе пару, жить с кем-то вместе. Теперь он задавал вопросы про самочувствие: как он? Как его здоровье? Как ноги? Он не слишком утомляется? Он часто пользуется креслом? Нужна ли ему какая-нибудь помощь? Он всегда отвечал абсолютно одинаково: в порядке, в порядке, в порядке; нет, нет, нет.

А еще Энди вдруг возобновил свои ночные звонки. Теперь он звонил в час ночи, и в клинике, куда он теперь являлся чаще прежнего, раз в две недели, Энди не был похож на себя и обращался с ним тихо и вежливо, отчего ему становилось не по себе. Энди осматривал его ноги, считал порезы, задавал все обычные свои вопросы, проверял рефлексы. И каждый раз, придя домой и выгребая мелочь из карманов, он обнаруживал, что Энди тайком сунул ему визитную карточку специалиста, психотерапевта по имени Сэм Ломан, с надписью: "ПЕРВЫЙ СЕАНС ЗА МОЙ СЧЕТ". Карточка оказывалась у него в кармане постоянно, каждый раз с новой запиской: "ДЖУД, РАДИ МЕНЯ" или "ОДИН РАЗ, И ВСЕ". Эти карточки напоминали надоедливые печенья с предсказаниями из китайского ресторана, и он всегда их выбрасывал. Намерение Энди казалось ему трогательным, но при этом утомительным, бессмысленным; с тем же чувством он всякий раз заменял пакет под раковиной после визитов Гарольда. Он шел в кладовку, где хранил в ящике сотни спиртовых салфеток и бинтов, стопки марли и десятки упаковок с лезвиями, собирал новый пакет и приматывал его в положенном месте. Как использовать его тело — это всегда решали другие, и, даже зная, что Гарольд и Энди пытаются ему помочь, он позволял чему-то детскому и упрямому в себе сопротивляться: нет, он сам решит. Он ведь и так почти не контролирует собственное тело, как они могут лишать его еще и этого?

Он говорил себе, что все в порядке, что он пришел в себя, что равновесие восстановлено, но на самом деле понимал: что-то не так, он изменился, он на грани. Вернулся Виллем, и хотя он не знал о произошедшем, не видел Калеба, не застал его унижения — он позаботился об этом, сказав Гарольду, Джулии и Энди, что никогда больше не станет с ними разговаривать, если они хоть словом кому-нибудь проболтаются, — он все равно теперь стеснялся Виллема, старался не попадаться ему на глаза. "Джуд, ох, ужас, — сказал Виллем, когда, вернувшись, увидел гипсовую шину. — Ты точно в порядке?" Но гипс — это была ерунда, самая нестыдная деталь, и на мгновение ему захотелось сказать Виллему правду, рухнуть ему на руки, как он никогда не делал, и зарыдать, признаться во всем, попросить его о помощи, попросить, чтобы он сказал, что по-прежнему любит его, даже вот такого. Но, конечно, он ничего подобного не сделал. Он давно уже послал Виллему длинное письмо с подробным враньем про автомобильную аварию, и, воссоединившись, они заболтались допоздна, обсуждая все на свете, кроме того письма, и Виллем не пошел домой и заснул вместе с ним на диване в гостиной.

Но жизнь продолжалась. Он вставал по утрам, он ходил на работу. Он одновременно стремился к людям, чтобы не вспоминать про Калеба, и сторонился людей, потому что Калеб напомнил ему, как он не похож на человека, как неполноценен, как отвратителен, и ему было стыдно оказываться в кругу других людей, нормальных людей. Он представлял свои дни так же, как представлял ступени, когда у него болели и немели ступни: он сделает шаг, и другой, и еще один, и в конце концов дела пойдут лучше. В конце концов он научится складывать эти месяцы в свою жизнь, принимать их и жить дальше. Ему не привыкать.

Начался процесс, и он его выиграл. Люсьен не уставал повторять, какая это грандиозная победа, а он знал, что так оно и есть, но испытывал по этому поводу лишь панику: а теперь что ему делать? У него уже были новые клиенты — банк, — но эта работа была рассчитана на долгую перспективу, на кропотливый и скучный сбор информации, а не на бешеную круглосуточную деятельность. Он останется дома, один, и его мысли не будут заняты ничем, кроме истории с Калебом. Тремейн лично его поздравил, и он знал, что этим следует гордиться, но когда он попросил Тремейна сильнее его загрузить, тот только рассмеялся.

— Нет, Сент-Фрэнсис, — сказал он. — Ты отправляешься в отпуск. Это приказ.

Он не отправился в отпуск. Он поклялся — сначала Люсьену, потом Тремейну, — что отправится непременно, просто сейчас не может. Но все происходило так, как он и опасался: он готовил ужин дома или шел в кино с Виллемом, и вдруг перед глазами вставала одна из сцен с участием Калеба. А потом появлялись другие воспоминания — о жизни в приюте, о годах с братом Лукой, о времени, проведенном у доктора Трейлора, о том, как его сбивает машина: белое сияние фар, его голова резко дергается вбок. Память заполнялась образами, ведьмами, которые требовали внимания, хватали его, царапали своими длинными, острыми пальцами. Калеб выпустил наружу что-то, всегда сидевшее в нем, и теперь он не мог заманить этих тварей обратно в подземелье — теперь он ясно осознавал, как много времени он проводит, сторожа свои воспоминания, сколько сосредоточенности это требует, какой ненадежной все это время была его власть над ними.

— У тебя все нормально? — однажды спросил его Виллем. Они сходили на пьесу, из которой он ничего не запомнил, а потом пошли в ресторан, и за ужином он вполуха слушал Виллема и надеялся, что отвечает впопад, передвигая еду по тарелке и стараясь выглядеть нормальным человеком.

— Да, — ответил он.

Дела шли все хуже; он это знал и не понимал, как все исправить. С того случая прошло восемь месяцев, и с каждым днем он думал о нем больше, а не меньше. Иногда ему представлялось, что месяцы, проведенные с Калебом, — это стая гиен, и каждый день они его преследуют, и каждый день он тратит все силы, убегая от них, пытаясь не попасть в их зловещие, вспененные пасти. Все, что раньше ему помогало — сосредоточенность, бритвы, — больше не могло помочь. Он резал себя все яростнее, но воспоминания не исчезали. Каждое утро он ходил в бассейн, и каждую ночь тоже, и проплывал целые мили, и утомлял себя так, чтобы сил оставалось только забраться в душ, а потом в кровать. Плавая, он заговаривал себя: спрягал латинские глаголы, декламировал математические доказательства, цитировал вердикты, которые проходил в юридической школе. Мой разум принадлежит мне, говорил он себе. Я властен над ним; я не позволю над собой властвовать.

— У меня есть мысль, — сказал Виллем после очередного ужина, когда он снова почти все говорил невпопад. Он реагировал на все слова Виллема с опозданием на секунду-другую, и в конце концов они оба притихли. — Давай поедем в отпуск вместе. В Марокко, как мы собирались два года назад. Можно поехать, как только я вернусь. Что скажешь, Джуд? Осенью там красиво.

Этот разговор состоялся в конце июня, спустя девять месяцев после случившегося. Виллем снова уезжал в начале августа на съемки на Шри-Ланку и возвращался только в начале октября.

Пока Виллем что-то говорил, он вспоминал, как Калеб назвал его уродом, и только молчание Виллема подсказало ему, что надо отвечать.

— Конечно, Виллем, — сказал он. — Отличная идея.

Ресторан был во Флэтайроне, и, расплатившись, они некоторое время шли пешком, в молчании, как вдруг он увидел, что навстречу идет Калеб, и, в панике схватив Виллема, толкнул его в сторону ближайшего подъезда, с силой и быстротой, удивившей их обоих.

— Джуд, — обеспокоенно сказал Виллем, — ты что делаешь?

— Тсс, молчи, — прошептал он Виллему. — Просто стой так и не оборачивайся. — Виллем послушался, стоя вместе с ним лицом к двери.

Он считал секунды и, убежденный, что теперь Калеб наверняка прошел мимо, осторожно выглянул на тротуар и увидел, что это вовсе не Калеб, просто какой-то другой темноволосый высокий мужчина, но не Калеб, и он с облегчением выдохнул, ругая себя за глупость и панику. Тут он заметил, что до сих пор держит Виллема за рубашку, и разжал кулак.

— Прости, — сказал он. — Прости, Виллем.

— Джуд, что произошло? — спросил Виллем, стараясь заглянуть ему в глаза. — Что это было?

— Ничего, — ответил он. — Просто показалось, что это человек, которого я не хочу видеть.

— Какой человек?

— Никакой. Один юрист, занят тем же процессом, что и я. Мерзкий тип, не люблю с ним иметь дело.

Виллем вгляделся в него.

— Нет, — наконец сказал он. — Это не другой юрист. Это кто-то еще, кто-то, кого ты боишься.

Оба молчали. Виллем посмотрел вслед незнакомцу, потом снова перевел взгляд на него.

— Ты испуган, — сказал он с некоторым удивлением в голосе. — Кто это был, Джуд?

Он помотал головой, пытаясь придумать, что именно соврать Виллему. Он всегда врал Виллему — всерьез и по мелочи. Их отношения в целом были ложью — Виллем принимал его за человека, которым он на самом деле не был. Только Калеб знал правду. Только Калеб понял, кто он.

— Я ж тебе сказал, — наконец произнес он, — один юрист.

— Нет.

— Да.

Мимо прошли две женщины, и когда они поравнялись с ними, он услышал, как одна взволнованно прошептала другой: "Это же Виллем Рагнарссон!" Он закрыл глаза.

— Так, — тихо сказал Виллем, — что вообще происходит?

— Ничего, — сказал он. — Я устал. Мне пора домой.

— Хорошо, — сказал Виллем, подозвал такси, помог ему сесть в машину и залез сам.

— Угол Грин и Брум, — сказал Виллем водителю.

В такси у него затряслись руки. Это случалось все чаще, и он не знал, что с этим делать. Началось оно еще в детстве, но происходило только в исключительных обстоятельствах — когда он пытался не заплакать или когда было очень больно, но нельзя было издать ни малейшего звука. Но теперь эти приступы случались неожиданно и непредсказуемо; справиться можно было только при помощи порезов, но иногда руки тряслись так сильно, что трудно было удержать лезвие. Он скрестил руки на груди в надежде, что Виллем ничего не заметит.

У входной двери он попытался спровадить Виллема, но Виллем отказывался уходить.

— Мне нужно побыть одному, — сказал он Виллему.

— Я понимаю, — сказал Виллем. — Будем одни вместе.

Они стояли лицом к лицу, и наконец он повернулся к двери, но не смог вставить ключ в замок, потому что его слишком сильно трясло, и Виллем вынул у него из рук ключи и отпер дверь.

— Да что ж с тобой такое творится? — спросил Виллем, как только они оказались в квартире.

— Ничего, — ответил он, — ничего. — Но теперь он еще и стучал зубами — в детстве, когда его трясло, такого никогда не бывало, а теперь случалось почти каждый раз.

Виллем подошел вплотную, но он отвернулся.

— Что-то случилось, пока меня не было, — сказал Виллем, прощупывая почву. — Я не знаю что, но что-то случилось. Что-то не так. Ты ведешь себя странно, с тех пор как я вернулся со съемок "Одиссеи". Не знаю, в чем дело. — Виллем замолчал и положил руки ему на плечи. — Расскажи мне, Джуд, — сказал он. — Расскажи, в чем дело. Расскажи, и мы придумаем, как с этим быть.

— Нет, — прошептал он. — Я не могу, Виллем, не могу. — Наступила долгая пауза. — Я хочу лечь, — сказал он, и Виллем отступил, и он пошел в ванную.

Когда он вышел, Виллем, в его футболке, раскладывал покрывало из гостевой комнаты на диване в его спальне — на том диване, что стоял под картиной, изображающей Виллема в гримерке.

— Ты что делаешь? — спросил он.

— Остаюсь ночевать, — сказал Виллем.

Он вздохнул, но Виллем не дал ему заговорить, потому что начал первым:

— У тебя есть три варианта, Джуд. Первый: я звоню Энди, говорю ему, что с тобой что-то серьезно не в порядке, и везу тебя в клинику на осмотр. Второй: я звоню Гарольду, он начинает сходить с ума и звонить Энди. И третий: я остаюсь здесь и слежу за тобой, раз ты разговаривать со мной не хочешь, раз ты, черт тебя дери, отказываешься мне хоть что-то сказать и, кажется, не понимаешь и вообще не можешь понять, что ты должен дать своим друзьям хотя бы попытаться помочь тебе — ты мне должен хотя бы это... — Его голос дрогнул. — Ну, и что ты выбираешь?

Ох, Виллем, подумал он. Если бы ты знал, как я хочу тебе все рассказать.

— Прости, Виллем, — сказал он вместо этого.

— Ага, "прости Виллем", — сказал Виллем. — Иди ложись. Запасные зубные щетки где обычно?

— Да, — ответил он.

На следующий день он вернулся с работы поздно вечером и обнаружил, что Виллем снова лежит на диване в его комнате и читает.

— Как дела? — спросил он, не отрываясь от книги.

— Хорошо, — ответил он, ожидая, что Виллем, может быть, как-то объяснит свое присутствие, но тот не стал, и он отправился в ванную. Проходя через гардеробную, он заметил большую спортивную сумку, набитую одеждой: очевидно, Виллем был намерен здесь на некоторое время обосноваться.

Ему было стыдно в этом признаться, но присутствие Виллема — не просто в квартире, а непосредственно в его комнате — помогало. Они разговаривали мало, но жизнь все равно делалась устойчивее, прочнее. Он меньше думал о Калебе; он вообще меньше думал. Как будто необходимость доказывать свою нормальность Виллему и в самом деле укрепляла его нормальность. Простое присутствие рядом человека, который никогда, ни за что не причинит ему зла, успокаивало; он мог утихомирить свой рассудок и заснуть. Испытывая благодарность, он одновременно ненавидел себя, свою зависимость, слабость. Получается, его нужда бездонна? Сколько людей помогает ему все эти годы — и зачем? Почему он принимает их помощь? Хороший друг велел бы Виллему отправляться домой, сказал бы, что сам отлично справится. Но он этого не делал. С его попустительства Виллем растрачивал немногие оставшиеся нью-йоркские недели, ночуя на его диване, как собака.

По крайней мере, он не боялся обидеть Робин, потому что Виллем и Робин расстались ближе к концу съемок "Одиссеи", когда Робин узнала, что Виллем переспал с костюмершей.

— И ведь она мне даже не особо нравилась, — сказал ему Виллем, еще когда звонил со съемок. — Я сделал это от скуки — хуже причины не придумаешь.

— Нет, — возразил он, немного подумав, — хуже было бы, если бы ты нарочно пытался уязвить Робин. Твоя причина всего лишь самая глупая из возможных.

После паузы Виллем расхохотался.

— Ну спасибо, Джуд, — сказал он. — Спасибо, мне теперь одновременно полегчало и поплохело.

Виллем жил у него до самого отъезда в Коломбо. Он собирался играть старшего сына обедневшей голландской купеческой семьи на Цейлоне начала 1940-х и отрастил по этому поводу лихо закрученные густые усы; когда Виллем обнял его на прощание, они пощекотали ему ухо. На мгновение ему захотелось разрыдаться и уговорить Виллема не уезжать. *Не уезжай*, хотел он сказать. *Побудь со мной. Мне страшно оставаться одному.* Он знал, что, скажи он такое, Виллем останется или по крайней мере попытается остаться. Но он ни за что не сказал бы так. Он знал, что Виллем никак не сможет отложить съемки и будет чувствовать себя виноватым. Вместо этого он прижал к себе Виллема крепче, что делал редко — его привязанность к Виллему редко выражалась физически, — и почувствовал, что Виллем удивился, но и сам обнял его сильнее, и они долго стояли так, уткнувшись друг в друга. Он помнил, что в тот момент подумал: на нем слишком мало слоев одежды, чтобы можно было позволить Виллему такое объятие, Виллем почувствует через рубашку шрамы на его спине, но в тот момент важнее было просто быть рядом; у него было ощущение, что это происходит в последний раз, что он больше не увидит Виллема. Он боялся этого каждый раз, когда Виллем уезжал, но на этот раз чувство было более острым, менее абстрактным, больше похожим на настоящее прощание.

После отъезда Виллема несколько дней прошли спокойно. Но потом все опять стало плохо. Гиены вернулись, их было больше прежнего, они оголодали и набрасывались на него с удвоенной силой. А потом вернулось и все остальное: годы воспоминаний, которые казались ему побежденными и обезвреженными, вновь обступили его, замельтешили, визжа, перед глазами — неумолчные, требующие неотступного внимания. Он просыпался, хватая ртом воздух; он просыпался, окликая людей, чьи имена давным-давно поклялся забыть. Он снова и снова прокручивал в голове ночь с Калебом, неотступно, покадрово, так, что секунды, когда он стоял голый под дождем на Грин-стрит, замедлялись в часы, так, что его полет вниз по ступенькам занимал целые дни, так, что изнасилование в ванной, в лифте тянулось неделями. Ему мерещилось, что он хватает нож для колки льда и втыкает его через ухо в мозг, чтобы воспоминания прекратились. Ему мечталось, что он лупит головой о стену, и она трескается, и серая мякоть выскальзывает из черепа с влажным кровяным чавканьем. Он воображал, как обливает себя из канистры с бензином и чиркает спичкой, как огонь пожирает его разум. Он купил набор лезвий X-ACTO, зажал три штуки в кулаке и смотрел, как кровь капает в раковину, он кричал во весь голос в тишине безмолвной квартиры.

Он попросил дать ему больше работы, и Люсьен загрузил его, но этого было недостаточно. Он попытался набрать дополнительные часы в арт-фонде, но все смены там и так были заняты. Он попытался сунуться в контору, где Родс когда-то что-то делал *pro bono*, там занимались защитой прав иммигрантов, но ему сказали, что им больше всего нужны люди со знанием китайского и арабского и он только зря потратит время. Он резал себя все чаще; он стал делать надрезы вокруг шрамов, так, чтобы можно было удалять клинышки кожи с серебристой пленкой рубцовой ткани, но это почти не помогало. По ночам он обращался к богу, в которого не верил уже много лет: *помоги мне, помоги мне, помоги мне*, молил он. Он терял себя; это не могло продолжаться. Нельзя убегать вечно.

Стоял август; город был пуст. Малкольм с Софи отдыхали в Швеции, Ричард был на Капри, Родс в Мэне, Энди — на Шелтер-Айленде ("Учти, — сказал он перед отъездом, как всегда делал перед отпуском, — я всего в двух часах отсюда; если будет надо, я сяду на первый же паром"). Он не мог видеть Гарольда, потому что один его вид напоминал о пережитом унижении; он позвонил, сказал, что слишком занят, чтобы ехать в Труро. Вместо этого он вдруг купил билет в Париж и провел там длинный и одинокий уикенд на День труда, просто бродя по улицам. Он не виделся ни с кем из знакомых — ни с Ситизеном, который работал на французский банк, ни с Исидором, соседом сверху на Херефорд-стрит, который там преподавал, ни с Федрой, которая руководила филиалом нью-йоркской галереи, — да их все равно и не было в городе.

Он устал, он так устал. Удерживать зверей на расстоянии становилось все тяжелее. Иногда он представлял, что сдается на их милость и они набрасываются на него и рвут когтями, клювами, зубами, грызут, колют, клюют, пока он не превращается в ничто, и он не сопротивляется.

Вернувшись из Парижа, он увидел сон; в этом сне он бежал по растрескавшейся красной равнине. Его преследовала темная туча, и хотя бежал он быстро, туча надвигалась быстрее. Когда она подступила вплотную, он услышал жужжание и понял, что это рой насекомых, жутких, маслянистых и шумных, с клешнеобразными наростами под глазами. Он знал, что если он остановится, то умрет, но даже во сне понимал, что скоро не сможет бежать; потом он больше не мог бежать и заковылял, подчиняясь реальности даже во сне. А потом он услышал голос, незнакомый, но спокойный и властный, который обращался к нему. *Остановись*, сказал голос. *Ты можешь это прекратить. Ты можешь остановиться.* Слова принесли ему огромное облегчение, и он резко остановился и повернулся лицом к туче, которая отстала на считанные секунды, на считанные шаги, измотанный, в ожидании конца.

Он проснулся в испуге, потому что понял, что значат слова, которые его одновременно ужаснули и утешили. Теперь он день за днем неизменно слышал у себя в голове голос, который напоминал, что вообще-то он может остановиться. Что вообще-то он не обязан двигаться дальше.

Конечно, он и раньше задумывался о самоубийстве — в приюте, и в Филадельфии, и когда умерла Ана. Но что-то его всегда останавливало, хотя теперь он не помнил что. Теперь, убегая от гиен, он спорил с собой: зачем он убегает? Он так устал, он так хотел остановиться. Знать, что он не обязан бежать дальше, было утешительно; у него есть выход, помнил он, и даже если подсознание отказывается подчиниться сознанию, это не значит, что он не владеет ситуацией.

Он начал думать, что случится, если он уйдет, почти в порядке эксперимента: предыдущий год принес ему больше денег, чем все прежние, и в январе он обновил завещание, так что тут все было в порядке. Надо будет написать письмо Виллему, письмо Гарольду, письмо Джулии; что-то нужно будет черкнуть Люсьену, Ричарду, Малькольму. Энди. Написать Джей-Би и простить его. Потом можно уйти. Каждый день он думал об этом, и от таких мыслей все становилось проще. Эти мысли придавали ему сил.

А потом в какой-то момент это перестало быть экспериментом. Он не мог вспомнить, как принял решение, но он перестал мучиться, ему стало легче и свободнее. Гиены все еще бежали за ним, но теперь он видел где-то очень далеко впереди дом с распахнутой дверью и знал, что, как только доберется до этого дома, он окажется в безопасности и преследование прекратится. Им это, конечно, не нравилось — они тоже видели дверь, они знали, что он намеревается ускользнуть, — и с каждым днем погоня становилась все отчаяннее, мчавшаяся за ним армия — все сильнее, громче, настойчивее. Его мозг выблевывал воспоминания, в которых все тонуло, — он вспоминал людей, ощущения, случаи, о которых не думал много лет. Привкус чего-то вдруг алхимически возникал на языке, нос ощущал запахи, которые десятилетиями никак себя не проявляли. Это был системный сбой; он тонул в воспоминаниях; нужно было что-то сделать. Он пытался — он пытался всю жизнь. Он пытался стать лучше, пытался стать чище. Но не вышло. Приняв решение, он эйфорически радовался собственному оптимизму: он сможет избавить себя от долгих лет скорби, просто покончив с этим, — он будет сам себе спаситель. Никакой закон не принуждал его жить, он по-прежнему мог сделать со своей жизнью что угодно. Как он этого не понимал столько лет? Решение казалось теперь таким очевидным — непонятно было только, почему он так долго с этим тянул.

Он поговорил с Гарольдом, и по облегчению в его голосе понял: слышно, что он пришел в норму. Он поговорил с Виллемом. "У тебя голос повеселее", — сказал Виллем, и в его голосе он тоже услышал облегчение.

"Так и есть", — ответил он. Он почувствовал ноющее сожаление после этих двух разговоров, но его решимость не поколебалась. Так или иначе, им он ни к чему; он лишь скопище нелепых проблем, и больше ничего. Если он сам себя не остановит, он задавит их своими потребностями. Он будет бесконечно паразитировать на них, пока не сжует их плоть полностью; они справлялись с любыми сложностями, которые он создавал, и все равно он находил новые способы их уничтожать. Какое-то время они будут его оплакивать, потому что они хорошие люди, лучше не бывает, и ему хотелось попросить прощения за это — но в конце концов они увидят, что без него их жизнь стала лучше. Они увидят, сколько времени он у них крал; увидят, какой он был вор, как он высасывал всю их энергию, все внимание, как он их обескровливал. Он надеялся, что они простят его; он надеялся, что они поймут, что он таким способом просит у них прощения. Он отпускал их — он любил их больше всего на свете, и именно так поступают с любимыми людьми: им дарят свободу.

День пришел, понедельник в конце сентября. Накануне вечером он осознал, что прошел почти ровно год после избиения, хотя он ничего специально не подгадывал. В тот вечер он ушел с работы рано. Он провел уикенд, приводя в порядок свои проекты; написал Люсьену служебную записку, подробно описывая состояние всех своих рабочих дел. Дома он разложил на обеденном столе письма и экземпляр завещания. Он сообщил менеджеру мастерской Ричарда, что туалет в большой ванной комнате подтекает, и попросил, чтобы Ричард на следующий день в девять впустил в квартиру водопроводчика — и у Ричарда, и у Виллема были ключи от его квартиры, — потому что он сам будет в командировке.

Он снял пиджак, ботинки, часы, развязал галстук и пошел в ванную. Он сел в душевой кабине с закатанными рукавами. У него был с собой стакан виски, из которого он отхлебывал для уверенности, и канцелярский нож — он понимал, что нож будет легче удержать, чем лезвие. Он знал, что надо сделать: три прямых продольных надреза, глубоких и длинных насколько возможно, по венам на обеих руках. А потом он ляжет и будет ждать.

Он немного подождал и немного поплакал, потому что он устал, ему было страшно и потому что он был готов отправиться в путь, готов уйти. Наконец он потер глаза и начал. Сначала левая рука. Он сделал первый надрез, получилось больнее, чем он ожидал, он вскрикнул. Потом второй. Он снова отхлебнул виски. Кровь была густой, не жидкой, а скорее студенистой, переливчатой, яркой и маслянисто-черной. Штаны уже промокли от крови, хватка уже ослабевала. Он сделал третий надрез.

Когда с обеими руками было покончено, он прислонился к стене душевой кабины. Глупо, но ему не хватало подушки. Ему было тепло от виски и от собственной крови, которая плескалась вокруг, собираясь в лужу вокруг ног — нутро встречалось с оболочкой, внутреннее омывало внешнее. Он закрыл глаза. За спиной выли взбешенные гиены. Впереди маячил дом с распахнутой дверью. Он еще не добежал, но приблизился; приблизился достаточно, чтобы видеть, что внутри стоит кровать, на которой можно будет отдохнуть, где можно будет лечь и поспать после долгого бега, где он впервые в жизни окажется в безопасности.

Когда они въехали в Небраску, брат Лука остановил машину на краю пшеничного поля и поманил его наружу. Было еще темно, но он слышал, как оживляются птицы, отвечая пока что невидимому солнцу. Он взял брата за руку, и они подкрались к большому дереву, где Лука объяснил, что вся братия будет их искать, так что нужно замаскироваться. Он снял ненавистную рубаху и надел вещи, которые протянул ему брат Лука, — фуфайку с капюшоном и джинсы. Но перед этим он некоторое время стоял неподвижно, пока Лука обстригал его электробритвой. Братья редко его стригли, волосы отросли почти до плеч, и брат Лука печально хмыкал, орудуя бритвой.

— Такие красивые волосы, — сказал он, аккуратно заворачивая их в свою рубаху и запихивая ее в мешок для мусора. — Теперь ты выглядишь как обычный мальчик, Джуд. Но позже, когда мы будем в безопасности, ты их снова отрастишь, хорошо?

И он кивнул, хотя на самом деле он был доволен, что выглядит как обычный мальчик. А потом брат Лука сам переоделся, и он отвернулся, чтобы его не смущать.

— Да не отворачивайся, Джуд, — со смехом сказал Лука, но он помотал головой.

Когда он повернулся обратно, брат был неузнаваем в клетчатой рубашке и джинсах. Лука улыбнулся ему и стал сбривать бороду — серебристая щетина падала металлической стружкой. Для них обоих были заготовлены бейсболки, причем у брата Луки к бейсболке был прилеплен желтоватый парик, который закрывал его лысеющую голову. Еще были очки — для него в черной круглой оправе с простыми стеклами, для брата Луки — в большой квадратной коричневой оправе, с такими же толстыми стеклами, как его прежние очки (их он убрал в сумку). Он сможет снять очки, когда они будут в безопасности, сказал ему брат Лука.

Они отправлялись в Техас, где собирались построить свою хижину. Он всегда думал, что Техас плоский, что там только пыль, небо и дороги, и брат Лука подтвердил, что это, в общем, так и есть, но некоторые части штата — например, Восточный Техас, откуда он родом, — покрыты хвойными лесами.

Дорога до Техаса заняла девятнадцать часов. Они могли добраться быстрее, но в какой-то момент брат Лука съехал с шоссе и сказал, что должен поспать, и они на несколько часов заснули. Брат Лука взял с собой немного еды — сэндвичи с арахисовым маслом, — и в Оклахоме они снова остановились на заправке и съели их.

Его воображаемый Техас после нескольких скупых слов брата Луки преобразился из пейзажа пастбищ и перекати-поля в пейзаж с соснами, такими высокими и душистыми, что все звуки, вся жизнь отступала на задний план, поэтому, когда брат Лука объявил, что они пересекли границу Техаса, он поглядел в окно с разочарованным видом.

— И где же леса? — спросил он.

Брат Лука рассмеялся:

— Терпение, Джуд.

Им надо несколько дней переждать в мотеле, объяснил брат Лука, — во-первых, чтобы убедиться, что остальные братья не пустились в погоню, а во-вторых, чтобы начать поиски идеального места для их хижины. Мотель назывался "Золотая рука", и в комнате было две кровати — настоящих кровати; брат Лука позволил ему выбрать ту, которая ему больше нравится. Он выбрал кровать ближе к ванной, а брат Лука — у окна, откуда была видна их машина.

— Сходи прими душ, а я съезжу в магазин за продуктами, — сказал брат, и он сразу испугался.

— Ты вернешься? — спросил он, с отвращением слыша испуг в собственном голосе.

— Конечно я вернусь, Джуд, — сказал брат, обняв его. — Конечно вернусь.

Когда Лука вернулся, он принес нарезанный хлеб, банку арахисового масла, связку бананов, литр молока, пакетик миндаля, лук, перец, куриные грудки. Вечером брат поставил на парковке прихваченную с собой небольшую жаровню, и они поджарили лук, перец и курятину, и брат Лука дал ему стакан молока.

Брат Лука разработал их распорядок дня. Они просыпались рано, до рассвета, брат Лука заваривал во взятой из монастыря кофеварке кофе, и они ехали в ближайший город, на стадион местной школы, где Лука пускал его побегать и целый час сидел на трибунах со своим термосом, наблюдая за ним. Потом они возвращались в мотель и садились за уроки. До монастыря брат Лука преподавал математику в колледже, но он хотел работать с детьми и позже поступил работать в школу и учил шестиклассников. Другие предметы ему тоже были хорошо знакомы: история, литература, музыка, иностранные языки. Лука знал гораздо больше, чем остальные братья, так что он удивлялся, почему тот его никогда ничему не учил за годы жизни в монастыре. Потом они обедали — снова сэндвичами с арахисовым маслом — и продолжали заниматься до трех часов, когда ему разрешалось выйти и побегать по парковке или пройтись с братом вдоль шоссе. Мотель выходил окнами на федеральную трассу, и они вечно слышали гул проезжающих автомобилей. "Как будто живем у моря", — всегда говорил брат Лука.

После этого брат Лука заваривал третий термос кофе и уезжал искать место для строительства хижины, а он оставался в номере мотеля. Брат всегда запирал номер снаружи из соображений безопасности. "Никому не открывай, слышишь? — говорил он. — Никому. У меня есть ключ, я сам открою. И занавески не раздвигай: я не хочу, чтобы кто-нибудь видел, что ты тут один. Мир полон опасных людей, я не хочу, чтобы тебя кто-нибудь обидел". По этой же причине ему нельзя было пользоваться компьютером брата Луки, который тот всегда забирал с собой. "Ты не знаешь, на кого можно натолкнуться, — говорил брат Лука. — Я хочу, чтобы ты был в безопасности, Джуд. Обещай мне". Он обещал.

Он лежал на кровати и читал. Телевидение было под запретом: вернувшись в номер, Лука щупал телевизор, проверяя, не теплый ли он, а он не хотел его расстраивать, не хотел, чтобы на него сердились. Брат Лука взял с собой синтезатор, и он занимался музыкой; брат никогда на него не злился, но к занятиям относился серьезно. Когда небо начинало темнеть, он усаживался на кровать брата Луки и сквозь щель в шторах напряженно высматривал его машину; в глубине души он всегда опасался, что когда-нибудь брат Лука за ним не вернется, что он ему надоел, что он останется один. Он почти ничего не знал о мире, а мир был страшен. Он напоминал себе, что он может что-то делать, что он многое умеет, что, может быть, его возьмут уборщиком в мотель, но продолжал волноваться, пока не появлялся бордовый универсал, и он с облегчением обещал себе, что назавтра будет вести себя лучше и никогда не даст брату Луке причины не возвращаться к нему.

Однажды вечером брат вернулся в номер, и вид у него был усталый. Несколько дней назад он приехал в радостном возбуждении и сказал, что нашел идеальный участок. Он описал его: окруженная кедрами и соснами поляна, рядом небольшой ручей, полный рыбы, а воздух такой прохладный и тихий, что слышно, как падают шишки на мягкую землю. Он даже показал ему фотографию из сплошных темно-зеленых теней и объяснил, где они поставят хижину, и как он поможет ее строить, и где разместят спальню-чердак, тайную крепость, специально для него.

— Что случилось, брат Лука? — спросил он, когда молчание брата затянулось так надолго, что он больше не мог этого выдержать.

— Эх, Джуд, — сказал брат. — Не вышло у меня. — Он рассказал, как снова и снова пытался купить участок, но не хватило денег. — Прости, Джуд, прости, — сказал он, а потом, к его изумлению, расплакался.

Он раньше никогда не видел, как плачет взрослый.

— Но ведь ты можешь снова пойти работать в школу, брат Лука, — сказал он, пытаясь его утешить. — Ты хороший. Будь я школьником, я бы хотел, чтобы ты меня учил.

Брат слабо улыбнулся, погладил его по голове и сказал, что это так не работает, что нужно получать лицензию штата, а это долгое и сложное дело.

Он надолго задумался. А потом сообразил.

— Брат Лука, — сказал он, — я могу помочь, я могу пойти работать. Я могу помочь заработать.

— Нет, Джуд, — сказал брат. — Я тебе не разрешаю.

— Но я хочу помочь.

Он вспомнил слова брата Михаила о том, как дорого монастырю обходится его содержание, и одновременно устыдился и испугался. Брат Лука так много сделал для него, а он ничем не отплатил за это. Он не просто хочет помочь с деньгами — он обязан это сделать.

В конце концов ему удалось убедить брата, и тот его обнял.

— Ты один такой на свете, знаешь? — сказал Лука. — Ты — особенный.

И он улыбнулся, уткнувшись в свитер брата.

На следующий день они позанимались как всегда, а потом брат опять уехал, на этот раз — чтобы найти ему хорошую работу, чтобы он помог заработать денег на участок земли и строительство хижины. Вернулся Лука с улыбкой, в радостном возбуждении, и, увидев его, он тоже обрадовался.

— Джуд, — сказал брат, — я встретил человека, который хочет дать тебе кое-какую работу; он ждет прямо за дверью, начинать можно прямо сейчас.

Он улыбнулся брату.

— Что я буду делать? — спросил он.

В монастыре его научили подметать, убирать пыль, мыть полы. Он умел так здорово навощить паркет, что даже брат Матфей удовлетворенно хмыкал. Он умел чистить столовое серебро, и медь, и дерево. Он умел отчищать затирку между кафельными плитками и драить туалет. Он умел убирать опавшую листву из водостоков, чистить и перезаряжать мышеловки. Он умел мыть окна и стирать. Он умел гладить, пришивать пуговицы, он умел делать такие ровные стежки, что казалось, будто ткань прострочили на швейной машинке.

Он умел готовить. От начала до конца он мог приготовить всего с десяток блюд, но он умел мыть и чистить картошку, морковь, брюкву. Он умел нарезать гору лука и не заплакать. Он умел извлечь кости из рыбы, ощипать курицу. Он умел приготовить тесто и испечь хлеб. Он умел взбивать яичные белки так, чтобы они превращались из жидкости во что-то плотное, а потом — не просто в плотное — во что-то вроде воздуха, который обретает форму.

А еще он умел садовничать. Он знал, какие растения любят солнце, а какие — тень. Он знал, когда растение задыхается от жажды, а когда от избытка влаги. Он знал, когда деревце или куст пора перевалить в другой горшок, а когда им уже по силам прижиться в почве. Он знал, какие растения надо защищать от холодов и как это сделать. Он знал, как обрезать дерево и как вырастить из срезанной ветки новое. Он умел смешивать удобрения, добавлять яичную скорлупу в почву, чтобы повысить содержание белка, давить тлей, не повреждая листочков, на которых они устроились. Он многое умел, но надеялся, что его пошлют именно в сад, потому что хотел работать на воздухе, потому что во время утренних пробежек он чувствовал, что лето близко, а когда они ездили на стадион, он видел, что все луга покрыты ковром полевых цветов, и хотел быть к ним поближе.

Брат Лука опустился рядом с ним на колени.

— Ты будешь делать то, что ты делал с отцом Гавриилом и еще несколькими братьями, — сказал Лука, и, медленно осознавая смысл его слов, он отступил на шаг к кровати, все его внутренности сжались от страха.

— Джуд, теперь все будет по-другому, — сказал Лука, прежде чем он успел открыть рот. — Все кончится очень быстро, честное слово. У тебя ведь так хорошо получается. А я буду ждать в ванной, чтобы убедиться, что все хорошо, ладно? — Он взъерошил ему волосы. — Подойди ко мне, — сказал Лука и обнял его. — Ты такой замечательный мальчик. Это ты, своим трудом, добудешь нам нашу хижину, понимаешь?

Брат Лука все говорил и говорил, и в конце концов он кивнул.

Мужчина вошел (много лет спустя из их лиц он помнил очень немногие, и среди прочих — лицо этого человека, и иногда он встречал на улице кого-то смутно знакомого и думал: откуда я его знаю? Мы вместе выступали в суде? Он, что ли, был адвокатом ответчика по тому прошлогоднему делу? А потом вспоминал: этот человек был похож на первого из них, на первого клиента), и Лука ушел в ванную, расположенную прямо за кроватью, и они занялись сексом, а потом мужчина ушел.

Той ночью он совсем затих, и Лука был с ним мягок и нежен и даже принес ему имбирное печенье, а он попытался улыбнуться Луке и съесть печенье, но не смог, завернул его в бумажку и выбросил, пока Лука не видел. На следующее утро он не хотел отправляться на стадион, но Лука сказал, что от физической нагрузки ему полегчает, так что они поехали, и он пытался бегать, но было слишком больно, так что в конце концов он просто сел и дожидался, пока Лука скажет, что можно вернуться.

Их распорядок дня изменился: утром и днем они по-прежнему занимались уроками, но теперь были вечера, когда брат Лука приводил мужчин, его клиентов. Иногда клиент был один, иногда их было несколько. Мужчины приносили собственные полотенца и простыни, предварительно расстилали их на кровати, а потом сворачивали и уносили с собой.

Он очень старался не плакать по ночам, но если не получалось, брат Лука садился рядом, гладил его по спине и успокаивал.

— Сколько их еще нужно, чтобы у нас была хижина? — спрашивал он, но Лука только печально мотал головой.

— Пока не могу сказать, — говорил он. — Но ты так здорово справляешься, Джуд. У тебя так здорово получается. Тут нечего стыдиться.

Но он знал, что в этом было что-то стыдное. Никто и никогда ему этого не говорил, но он все-таки знал. Он знал, что все это нехорошо, неправильно.

А потом, спустя несколько месяцев и множество мотелей — они переезжали каждые десять дней или около того, кружа по всему Восточному Техасу, и после каждого переезда Лука вел его в лес, действительно очень красивый, на вырубку, где у них будет хижина, — все снова изменилось. Однажды ночью он лежал в кровати (эта ночь пришлась на неделю, когда клиентов не было. "Небольшие каникулы, — с улыбкой сказал Лука. — Всем нужен отдых, особенно если работать так усердно, как ты"), и Лука спросил:

— Джуд, ты любишь меня?

Он не знал, что сказать. Четыре месяца назад он ответил бы "да" — с гордостью и без раздумий. Но теперь — а любит ли он брата Луку? Он часто размышлял об этом. Он хотел его любить. Брат ни разу не обидел его, не ударил, не сказал ни одной гадости. Он заботился о нем. Он всегда ждал тут же, за стеной, и следил, чтобы ничего плохого не случилось. На прошлой неделе клиент попытался заставить его сделать нечто, что, по словам брата Луки, он ни за что не должен делать, если не хочет, и он вырывался и пытался закричать, но лицо его было накрыто подушкой, которая приглушала все звуки. Он был в отчаянии, почти рыдал, но тут вдруг подушка перестала давить ему на лицо, а вес клиента перестал давить на него, и он услышал, как брат Лука говорит мужчине, чтобы тот немедленно убирался, — таким тоном, какого он от брата никогда не слышал, а теперь вот услышал с испугом и восхищением.

Но что-то подсказывало ему, что он не должен любить брата Луку, что брат делает с ним что-то нехорошее. Только ведь это неправда. В конце концов, он сам вызвался; он делает все это ради хижины в лесу, где у него будет собственный чердак. Поэтому он сказал брату "да".

Увидев улыбку на лице брата, он испытал мгновенный прилив счастья, как будто тот уже подарил ему заветную хижину.

— Ох, Джуд, — сказал Лука, — я не могу вообразить подарка лучше. Знаешь, как я люблю тебя? Больше, чем себя. Ты для меня как мой собственный сын.

И он тогда улыбнулся в ответ, потому что иногда он про себя действительно думал о Луке как об отце, а о себе — как о его сыне.

"Твой папаша сказал, что тебе девять, но выглядишь ты постарше", — с подозрением сказал один из клиентов, прежде чем они приступили к делу, и он ответил так, как научил его Лука: "Я высокий для своих лет", — одновременно довольный и отчего-то недовольный, что клиент принял Луку за его отца.

Тогда брат Лука объяснил ему, что, когда люди любят друг друга так сильно, они спят в одной постели, раздевшись. Он не знал, что на это ответить, и не успел еще ничего придумать, а брат Лука уже ложился к нему в кровать и раздевал его, а потом целовал. Он раньше никогда не целовался — брат Лука не позволял клиентам этого делать, — и ему не понравилось, не понравилось ощущение мокрой настойчивости.

— Расслабься, — сказал ему брат. — Просто расслабься, Джуд.

И он постарался, он правда постарался.

Перед тем как впервые заняться с ним сексом, брат пообещал, что все будет не так, как с клиентами, "потому что мы любим друг друга", и он поверил, а когда все-таки получилось так же — так же больно, так же трудно, так же неудобно, так же стыдно, — он решил, что делает что-то неправильно, особенно когда увидел, как счастлив был после случившегося брат.

— Разве это не прекрасно? — спросил его брат. — Разве не иначе?

И он согласился, потому что ему было неловко признать, что все было совсем не иначе, что все было так же ужасно, как с клиентом накануне.

Брат Лука обычно не занимался с ним сексом, если до этого вечером были клиенты, но они всегда спали в одной постели и всегда целовались. Теперь одну кровать использовали для клиентов, а другая принадлежала им. Он возненавидел рот Луки, вкус кофейной отрыжки, голый и скользкий язык, пытающийся проникнуть в него. Поздно ночью, когда брат спал рядом с ним и своим весом прижимал его к стене, он иногда тихонько плакал и молился, чтобы его забрали отсюда, куда-нибудь, куда угодно. Он больше не думал о хижине, теперь он мечтал о монастыре и думал, какой он дурак, что сбежал. Все-таки там было лучше. Когда во время утренних прогулок они сталкивались с людьми, брат Лука велел ему опускать глаза, потому что они у него необычные, и если братья их ищут, его глаза их выдадут. Но иногда он хотел поднять глаза, как будто самим своим цветом и формой они могли бы отстучать телеграмму братьям через многие мили и штаты: я здесь, помогите, возьмите меня обратно. У него не осталось ничего своего — ни глаз, ни рта, ни даже имени, которым брат Лука теперь пользовался только с ним наедине. При других он теперь был Джои. "А вот Джои", — говорил брат Лука, и он вставал с кровати и ждал, склонив голову, пока клиент его осмотрит.

Он дорожил своими уроками, потому что в эти часы брат Лука к нему не прикасался и вообще становился тем человеком, которого он помнил, за которым так доверчиво последовал. Но потом ежедневная порция уроков подходила к концу, и каждый вечер завершался точно так же, как предыдущий.

Он все реже разговаривал. "Где мой улыбчивый мальчишка?" — спрашивал брат, и он пытался улыбнуться в ответ. "Получай удовольствие, это нормально", — говорил иногда брат, и он кивал, и брат улыбался и гладил его по спине. "Тебе нравится, правда?" — спрашивал он, подмигивая, и он безмолвно кивал. "Я же вижу, — говорил Лука, все еще улыбаясь, с гордостью за него. — Ты рожден для этого, Джуд". Некоторые клиенты тоже говорили ему такое: "Да ты просто рожден для этого дела", — и хотя он эти слова ненавидел, он знал, что это правда. Он рожден для этого. Его родили, и бросили, и нашли, и использовали ровно так, как и следовало использовать.

Позже, годы спустя, он пытался вспомнить, когда именно понял, что хижина никогда не будет построена, что жизнь, о которой он мечтает, никогда ему не достанется. Поначалу он мысленно подсчитывал клиентов, думая, что по достижении определенного количества — сорока? пятидесяти? — все наверняка кончится, ему наверняка позволят прекратить. Но число все росло и росло, и однажды он осознал, какое оно огромное, и заплакал от испуга и отвращения к тому, что делал, и перестал считать. Тогда ли это случилось, когда он достиг этого числа? Или когда они совсем уехали из Техаса, потому что, по словам Луки, в штате Вашингтон леса в любом случае получше, и двинулись на запад через Нью-Мексико и Аризону, а потом на север, проводя целые недели в маленьких городках, останавливаясь в маленьких мотелях, клонах самого первого их мотеля, и где бы они ни остановились, везде были мужчины, а в те ночи, когда мужчин не было, был брат Лука, который, казалось, хотел его так, как он сам никогда не хотел ничего в жизни? Или когда он осознал, что свободные недели ненавидит еще сильнее обычных, потому что возвращение к привычной жизни было таким ужасным, что лучше бы у него никаких каникул и не было? Или когда он начал замечать нестыковки в историях брата Луки: иногда речь шла не о сыне, а о племяннике, и он не умер, а переехал, и брат Лука никогда его больше не видел; или иногда он бросал преподавание, потому что вдруг ощущал в себе потребность уйти в монастырь, а иногда — из-за постоянных стычек с директором школы, которому дети явно были неинтересны, в отличие от него, Луки; по одним рассказам он вырос в Восточном Техасе, а по другим — провел детство в Кармеле, или в Ларами, или в Юджине?

Или это случилось в тот день, когда они ехали через Юту в сторону Айдахо по пути в Вашингтон? Они редко заезжали в настоящие города — их Америка была лишена деревьев и цветов, им принадлежали лишь длинные участки дорог, и единственным клочком зелени была каттлея, одинокий выживший цветок брата Луки, которая все пускала побеги, хотя не цвела, — но на этот раз пришлось, потому что у брата Луки был знакомый врач в одном из городков, а его надо было осмотреть, он явно подцепил какую-то гадость от клиента, несмотря на все предосторожности, на которых настаивал брат Лука. Он не знал, как называется городок, но его завораживала нормальная жизнь вокруг, и он молча глядел в окно машины на сцены, которые постоянно воображал, но так редко видел: женщины с колясками стоят и болтают друг с другом; мужчина бежит трусцой, тяжело дыша; семьи с детьми; мир, состоящий не из одних мужчин, но также из женщин и детей. Обычно во время переездов он закрывал глаза — он теперь спал все время, ждал, когда закончится очередной день, — но в тот раз он был удивительно бодр, как будто мир порывался ему что-то сказать и нужно было всего лишь расслышать этот сигнал.

Брат Лука пытался вести машину и читать карту одновременно и в конце концов припарковался у тротуара и углубился в карту, что-то бормоча. Они остановились напротив бейсбольного поля, и он видел, как на нем стали собираться люди — сначала женщины, а потом шумные, юркие мальчишки.

Мальчики были одеты в форму, белую с красными полосами, но, несмотря на это, они все выглядели по-разному — разные волосы, разные глаза, разный цвет кожи. Некоторые были тощие, как он, некоторые толстые. Он никогда не видел столько сверстников одновременно и не мог оторваться от этого зрелища. А потом он заметил, что хотя они были разные, они все-таки были одинаковые: все улыбались, смеялись, радовались, что оказались вместе в сухом, жарком воздухе, под ярким солнцем, рядом с мамами, которые выгружали банки с газировкой и бутылки с водой и соком из переносных пластиковых контейнеров.

— Ага! Разобрались! — сказал с переднего сиденья брат Лука, и он услышал, как тот складывает карту. Но прежде чем повернуть ключ, Лука проследил направление его взгляда, и несколько секунд они оба сидели в тишине, пока наконец Лука не погладил его по голове.

— Я люблю тебя, Джуд, — сказал он, и через мгновение он ответил так, как отвечал всегда:

— Я тоже люблю тебя, брат Лука.

И они поехали дальше.

Он был такой же, как эти мальчики, но на самом деле не такой; он отличался от них. Он никогда не станет одним из них. Он никогда не будет бежать через поле, а мать никогда не крикнет ему вслед, что надо что-нибудь съесть перед игрой, а то он устанет. У него никогда не будет своей кровати в хижине. Он никогда больше не будет чист. Мальчики играли на поле, а он с братом Лукой ехал к врачу, и это был врач, который, как он знал по опыту предыдущих визитов к другим врачам, окажется каким-то не таким, каким-то нехорошим человеком. Он был так же далек от этих мальчиков, как и от монастыря. Он ушел так далеко от себя, от человека, которым надеялся стать, что словно и не был больше мальчиком, словно стал кем-то совершенно иным. Такова теперь была его жизнь, и он ничего не мог с этим поделать.

Возле здания, где был кабинет врача, Лука потянулся и приобнял его.

— Сегодня отпразднуем, только ты и я, — сказал брат, и он кивнул, потому что ему больше ничего не оставалось.

— Пошли, — сказал Лука, и он вылез из машины и зашагал за братом Лукой через парковку по направлению к коричневой двери, которая уже открывалась перед ними.

Первое воспоминание: больничная палата. Он знал, что это палата, еще не открыв глаз, по запаху, по особенной знакомой тишине — не вполне тихой. Рядом с ним — Виллем, спит в кресле. Недоумение: почему Виллем здесь? Он же должен быть где-то далеко. Ну да, на Шри-Ланке. Но Виллем не там, а здесь. Как странно, подумал он. Интересно, почему он здесь? Это было первое воспоминание.

Второе воспоминание: та же больничная палата. Он повернулся и увидел, что на краю его койки сидит Энди, небритый и изможденный, и улыбается ему странной, неубедительной улыбкой. Он почувствовал, как Энди сжимает его руку — он не осознавал, что у него есть рука, пока Энди ее не пожал, — и попытался ответить тем же, но не смог. Энди на кого-то посмотрел, и он услышал, как он спрашивает: "Нервы повреждены?" — "Возможно, — сказал другой человек, человек, который ему не был виден, — но если повезло, то это скорее…" — и он закрыл глаза и снова уснул. Это было второе воспоминание.

Третье, четвертое, пятое и шестое воспоминания на самом деле вовсе и не были воспоминаниями: то были лица людей, их руки, их голоса, они склонялись к его лицу, брали его за руку, обращались к нему — Гарольд, и Джулия, и Ричард, и Люсьен. Как и седьмое и восьмое: Малькольм, Джей-Би.

В девятом воспоминании снова возник Виллем, он сидел рядом и просил прощения за то, что вынужден уехать. Ненадолго, потом он сразу вернется. Он плакал, было не вполне понятно почему, но это не казалось необычным — все они плакали, плакали и просили у него прощения, что приводило его в замешательство, потому что никто из них ничего плохого не сделал, уж в этом-то он был уверен. Он попытался сказать Виллему, чтобы тот не плакал, что он в порядке, но распухший язык лежал во рту огромной бесполезной плитой, и он не мог им пошевелить. Виллем держал его за руку, а у него не хватало сил поднять другую руку, накрыть ею руку Виллема и успокоить его, и он вскоре оставил попытки.

В своем десятом воспоминании он все еще был в больнице, но в другой палате и по-прежнему чувствовал себя ужасно усталым. Болели руки. В ладонях он сжимал по поролоновому шарику, и надо было сжимать их по пять секунд и отпускать на пять секунд. Потом сжимать их на пять секунд и отпускать еще на пять. Он не помнил, кто ему велел так делать, кто дал ему шарики, но выполнял указания, хотя от этого упражнения по рукам проходила жгучая, резкая боль и после трех-четырех циклов он выматывался так сильно, что приходилось остановиться.

А потом однажды ночью он проснулся, выплывая из-под нагроможденных незапоминающихся снов, и понял, где он и почему. Потом он снова заснул, но на следующий день повернул голову и увидел человека, сидящего на кресле возле его койки; он не знал, кто это, но он этого человека уже видел. Человек приходил, садился, смотрел на него, иногда обращался к нему, но у него еще ни разу не получалось сосредоточиться на том, что он говорит, и в конце концов приходилось закрывать глаза.

— Я в сумасшедшем доме, — сказал он теперь этому человеку, и голос его звучал непривычно — пронзительно и грубо.

Человек улыбнулся.

— Вы в психиатрическом отделении больницы, да, — сказал он. — Вы меня помните?

— Нет, — сказал он, — но я вас узнаю.

— Я доктор Соломон. Я психиатр, работаю в этой больнице. — Пауза. — Вы знаете, почему вы здесь?

Он закрыл глаза и кивнул.

— Где Виллем? — спросил он. — Где Гарольд?

— Виллему пришлось вернуться на Шри-Ланку, там заканчиваются съемки. Он приедет, — послышалось шелестение страниц, — девятого октября. Стало быть, через десять дней. Гарольд придет в двенадцать; он всегда приходит в это время, помните?

Он помотал головой.

— Джуд, — сказал врач, — вы можете мне сказать, из-за чего вы тут оказались?

— Из-за того, — начал он, сглотнув, — из-за того, что я сделал в ванной.

Снова протянулась пауза.

— Верно, — тихо сказал врач. — Джуд, можете мне сказать, почему... — Но больше он ничего не слышал, потому что снова заснул.

Когда он проснулся в следующий раз, тот человек ушел, а на его месте сидел Гарольд.

— Гарольд, — произнес он своим странным новым голосом, и Гарольд, который сидел, поставив локти на колени и закрыв лицо ладонями, подпрыгнул и посмотрел на него так, будто он заорал.

— Джуд, — сказал он и сел рядом с ним на кровать. Он вынул шарик из его правой руки и вложил ему в ладонь свою руку.

Он подумал, что Гарольд ужасно выглядит.

— Прости, Гарольд, — сказал он, и Гарольд расплакался. — Не плачь, — сказал он ему, — не плачь, пожалуйста.

И Гарольд встал, зашел в туалет и шумно высморкался.

В ту ночь, оставшись один, он тоже заплакал — не из-за того, что сделал, а из-за того, что не добился цели и все-таки остался жив.

С каждым днем его сознание прояснялось. С каждым днем он все дольше бодрствовал. По большей части он ничего не чувствовал. Люди приходили его навестить и плакали, он смотрел на них и отмечал только непривычность их лиц и сходство всех плачущих — разбухшие носы, редко используемые мышцы растягивают рты в неестественные стороны, в неестественные очертания.

Он не думал ни о чем, его сознание оставалось чистым листом бумаги. Постепенно ему становились известны подробности: как менеджер студии Ричарда решил, что сантехник придет в тот же день в девять вечера, а не в девять на следующее утро (даже в своем затуманенном состоянии он недоумевал, кому могло прийти в голову, что сантехник явится в девять вечера); как Ричард обнаружил его, вызвал скорую помощь и поехал с ним в больницу; как Ричард позвонил Энди, и Гарольду, и Виллему; как Виллем вылетел из Коломбо, чтобы быть с ним рядом. Он чувствовал неловкость из-за того, что Ричарду пришлось его найти — эта деталь замысла всегда его смущала, хотя он помнил ход своих мыслей: Ричард спокойно переносит вид крови, он когда-то создавал скульптуры из крови, так что в его случае травматическое переживание будет не таким сильным, как у любого другого из его друзей, — но он попросил прощения у Ричарда, а тот погладил его по руке и сказал, чтобы он не беспокоился, что все хорошо.

Доктор Соломон приходил каждый день и пытался с ним беседовать, но ему было нечего сказать доктору Соломону. Чаще всего посетители с ним не разговаривали. Они приходили, садились, занимались своими делами или рассказывали что-то, явно не ожидая ответа, за что он был им признателен. Люсьен приходил часто, обычно с подарком, один раз — с большой открыткой, которую подписали все сотрудники конторы: "Это, конечно, ровно то, что тебе сейчас нужно, — сухо сказал он, — но уж как есть". Малькольм сделал ему модель воображаемого дома с окнами из веленевой бумаги и поставил на прикроватную тумбочку. Виллем звонил каждое утро и каждый вечер. Гарольд читал ему "Хоббита" — он раньше эту книгу не читал, — а когда Гарольд не мог прийти, приходила Джулия и продолжала с того места, на котором Гарольд остановился; эти визиты ему нравились больше всего. Энди приходил каждый вечер, когда посетителей уже не пускали, и ужинал с ним; беспокоясь, что он мало ест, Энди приносил ему то, чем ужинал сам, — однажды принес контейнер говяжьего бульона с перловкой, но он был все еще слишком слаб, ничего не мог удержать в руках, и Энди пришлось терпеливо кормить его с ложки. Когда-то такое его бы смутило, но теперь ему попросту было все равно: он открывал рот, принимая безвкусную еду, жевал и глотал.

— Я хочу домой, — сказал он Энди как-то вечером, пока тот ел сэндвич с индейкой.

Энди прожевал кусок и посмотрел на него:

— Вот как?

— Да, — сказал он. Другие слова не шли на ум. — Хочу убраться отсюда.

Он думал, что Энди ответит что-нибудь саркастическое, но тот сосредоточенно кивнул.

— Хорошо, — сказал он, — хорошо. Я поговорю с Соломоном. — Он нахмурился. — Съешь свой сэндвич.

На следующий день доктор Соломон сказал:

— Мне передали, вы хотите домой?

— У меня такое чувство, что я здесь уже очень долго.

Доктор Соломон тихо ответил:

— Вы действительно здесь уже некоторое время. Но с учетом прошлой аутоагрессии и серьезности этой попытки ваш доктор — Энди — и ваши родители сочли, что так будет лучше.

Он задумался.

— То есть если бы моя попытка была менее серьезной, я бы мог отправиться домой раньше? — Такая политика казалась слишком логичной, чтобы быть эффективной.

Врач улыбнулся:

— Возможно. Но я не то чтобы категорически возражаю, Джуд, хотя нам придется принять какие-то защитные меры, если мы отпустим вас домой. Просто меня тревожит, что вы наотрез отказываетесь обсуждать свою попытку. Доктор Контрактор — простите, Энди — говорит, что вы всегда сопротивлялись психотерапии; можете объяснить почему?

Он ничего не сказал, врач тоже.

— Ваш отец сообщил мне, что в прошлом году вы вступили в травматические отношения, имевшие долгосрочные последствия, — нарушил молчание врач, и он похолодел, но заставил себя промолчать, и закрыл глаза, и в конце концов услышал, что доктор Соломон встает, чтобы уйти.

— Я приду завтра, Джуд, — сказал он на прощание.

В конце концов, когда стало понятно, что ни с кем из них он разговаривать не собирается, а навредить себе в этом состоянии не сможет, они его отпустили, поставив ряд условий. Его выписывали под ответственность Джулии и Гарольда. Ему настоятельно рекомендовали принимать (в меньших дозах) прописанные в больнице лекарства. Ему весьма настоятельно рекомендовали дважды в неделю встречаться с психотерапевтом. Раз в неделю он должен был ходить к Энди. Его обязали взять длительный отпуск и уже договорились об этом. Он на все согласился и поставил свою подпись, с трудом удерживая ручку, на выписных документах, сразу под подписями Энди, доктора Соломона и Гарольда.

Гарольд и Джулия отвезли его в Труро, где Виллем его уже ждал. Каждую ночь он спал сколько захочет, а днем они с Виллемом медленно спускались по холму к океану. Было начало октября, слишком холодно, чтобы лезть в воду, но они сидели на песке, смотрели на горизонт, и Виллем иногда говорил ему что-то, а иногда они просто молчали. Ему снилось, что море превратилось в плотный лед, волны застыли, и Виллем стоит на дальнем берегу и машет ему, а он медленно бредет к Виллему по широкому простору замерзшего моря, навстречу ветру, от которого немеют руки и лицо.

Они ужинали рано, потому что он очень рано ложился спать. На ужин всегда было что-нибудь простое, удобоваримое, и если готовили мясо, кто-то из них троих заранее нарезал его на кусочки, чтобы ему не пришлось управляться с ножом. Гарольд каждый вечер наливал ему стакан молока, как ребенку, и он выпивал молоко. Ему не разрешали выйти из-за стола, пока он не съест как минимум половину тарелки, и накладывать себе еду тоже не разрешали. Он слишком устал, чтобы возражать, и выполнял все требования как мог.

Он все время мерз и иногда просыпался посреди ночи, дрожа под несколькими одеялами, и лежал, глядя на Виллема, который спал на диване в той же комнате, и на облака, которые плыли мимо месяца, светившего в щель между жалюзи, пока не засыпал снова.

Иногда он думал о том, что сделал, и испытывал ту же досаду, что и в больнице — от поражения, оттого что остался жив. А иногда он думал об этом с ужасом: теперь все будут относиться к нему по-другому. Теперь он на самом деле урод, еще хуже, чем раньше. Теперь ему придется с нуля убеждать людей в своей нормальности. Он подумал про свою работу, единственное место, где его прошлое не имело значения. Но теперь его будет всегда сопровождать другой, конкурирующий сюжет. Теперь он будет не просто самый молодой долевой партнер в истории фирмы (так его иногда представлял Тремейн); теперь он будет тот партнер, что пытался покончить с собой. Наверное, думал он, они в ярости. Он размышлял о своих проектах, о том, кто сейчас мог бы ими заниматься. Наверное, им и не надо, чтобы он возвращался. Кто захочет снова с ним работать? Кто захочет снова ему довериться?

И ведь не только в "Розен Притчард" на него будут смотреть другими глазами — нет, везде. Вся независимость, которую он копил годами, пытаясь всем доказать, что он ее заслуживает, пошла прахом. Теперь он даже еду себе порезать не может. Накануне Виллему пришлось завязывать ему ботинки. "Будет легче, Джуди, — сказал он, — будет легче. Доктор сказал, что на это просто уйдет какое-то время". По утрам Гарольду или Виллему приходилось его брить, потому что его руки пока что не окрепли; он смотрел на свое незнакомое лицо, пока они скребли бритвой его щеки и шею.

Он научился бриться в Филадельфии, когда жил у Дугласов, но на первом курсе Виллем его переучил, а позже рассказал, что его встревожили робкие, резкие движения, как будто он стриг газон серпом. "В матанализе разбираешься, а в бритье нет", — сказал тогда Виллем и улыбнулся, стараясь его не смутить.

Он говорил себе: *ты всегда можешь повторить*, — и от одной этой мысли чувствовал прилив сил, хотя, как ни странно, повторять хотелось все меньше. Он был слишком вымотан. Это значило — найти что-то острое, найти возможность остаться в одиночестве, а он никогда не оставался в одиночестве. Конечно, он знал, что есть другие методы, но он упрямо цеплялся за опробованный, хотя он уже один раз не сработал.

Но, как правило, он не чувствовал ничего. Гарольд и Джулия и Виллем спрашивали, что он хочет на завтрак, но выбор оказывался слишком сложным, количество вариантов подавляло. Блинчики? Вафли? Мюсли? Яйца? Как приготовленные? Всмятку? Вкрутую? Омлет? Яичница? Болтунья? Глазунья? Пашот? Он мотал головой, и в конце концов они перестали задавать вопросы. Они перестали интересоваться его мнением, и он вздохнул спокойнее. После обеда, тоже абсурдно раннего, он дремал на диване в гостиной перед камином, засыпая под приглушенный звук их разговоров, плеск воды, когда они мыли посуду. По вечерам Гарольд читал ему вслух; иногда Виллем и Джулия тоже оставались послушать.

Дней через десять они с Виллемом отправились домой на Грин-стрит. Он страшился возвращения, но, зайдя в ванную, обнаружил, что мрамор безупречно чист. "Малкольм, — объяснил Виллем, предупреждая его вопрос. — Закончил на прошлой неделе. Все новое". Виллем помог ему лечь в кровать и протянул большой конверт, на котором было написано его имя; он открыл конверт, когда Виллем ушел. Внутри были письма, которые он всем написал, запечатанные, запечатанный экземпляр завещания и записка от Ричарда: "Я решил, что это следует отдать тебе. Обнимаю, Р.". Он сунул все обратно в конверт трясущимися руками и на следующий день спрятал конверт в свой сейф.

Наутро он проснулся очень рано, прокрался мимо Виллема, спящего на диване в дальнем конце спальни, и прошелся по квартире. В каждой комнате кто-то поставил букеты цветов, кленовые ветки, вазы с тыковками. Кругом вкусно пахло яблоками и кедровой древесиной. Он прошел в кабинет, где кто-то аккуратно сложил его корреспонденцию на столе и где на стопке книг возвышался маленький деревянный дом работы Малкольма. Он увидел запечатанные конверты от Джей-Би, от Желтого Генри Янга, от Индии, от Али и понял, что они все что-то для него нарисовали. Он прошел мимо обеденного стола, провел пальцами по корешкам книг на полках; забрел на кухню, открыл холодильник и увидел, что он забит его любимыми продуктами. Ричард в последнее время вернулся к работе с керамикой, и в центре обеденного стола стоял большой аморфный объект с грубой, приятной на ощупь глазурью, расписанный белыми нитевидными полосами. Рядом с этим объектом стояла статуэтка святого Иуды Фаддея, которой он владел на пару с Виллемом, — Виллем взял ее с собой, переезжая на Перри-стрит, но теперь она к нему вернулась.

Дни шли своей чередой, и он их не удерживал. По утрам он плавал, потом завтракал с Виллемом. Приходила женщина-физиотерапевт, заставляла его сжимать резиновые шарики, куски веревки, зубочистки, карандаши. Иногда она велела подбирать несколько предметов одной рукой, держать их между пальцами; это было сложно. Руки тряслись больше обычного, и по пальцам пробегали колючие разряды, но она говорила, что волноваться не следует — это мышцы восстанавливаются, работа нервов нормализуется. Он обедал, дремал. Пока он дремал, Ричард приходил за ним последить, а Виллем убегал по делам, шел в спортзал на нижнем этаже и — надеялся он — делал еще что-то интересное и приятное, не связанное с ним и с его проблемами. Во второй половине дня его навещали — все те же люди и новые тоже. Они оставались примерно час, потом Виллем их выгонял. Малкольм пришел с Джей-Би, и они вчетвером вели неловкий, вежливый разговор о студенческих днях, но он был рад видеть Джей-Би и думал, что было бы неплохо увидеть его опять, в более вменяемом состоянии, и извиниться перед ним, сказать, что прощает. Уходя, Джей-Би тихо сказал ему: "Будет лучше, Джуди. Поверь мне, я-то знаю". И добавил: "По крайней мере, ты никому не навредил в процессе", — и он почувствовал укол вины, потому что знал, что это неправда. Энди приходил в конце дня и осматривал его, разматывал повязки и обрабатывал кожу вокруг швов. Он сам так и не видел еще эти швы — не мог себя заставить, — и когда Энди их обрабатывал, отворачивался или закрывал глаза. После ухода Энди они ужинали, а после ужина, когда бутики и немногие сохранившиеся в окрестностях галереи закрывались на ночь и квартал пустел, они гуляли, описывая аккуратный квадрат вокруг Сохо — на восток до Лафайетт, на север до Хаустон, на запад до Шестой, на юг до Гранд, на восток до Грин, — а потом возвращались домой. Это была короткая прогулка, но его она выматывала, и как-то раз он упал по дороге в спальню, ноги просто подкосились. Джулия и Гарольд приезжали на поезде по четвергам и уезжали только в воскресенье.

Каждое утро Виллем спрашивал: "Поговоришь сегодня с доктором Ломаном?" И каждое утро он отвечал: "Пока нет, Виллем. Скоро поговорю, честное слово".

К концу октября он окреп, дрожь отступила. Бодрствовать получалось дольше. Он мог лежать на спине и держать книгу, и книга не тряслась уже так сильно, что приходилось ложиться на живот и подпирать ее подушкой. Он мог сам намазать масло на хлеб и снова мог носить сорочки, потому что теперь у него получалось просовывать пуговицы в петли.

— Ты что читаешь? — спросил он Виллема, сидя рядом с ним на диване в гостиной.

— Пьесу, в которой мне предложили сыграть, — ответил Виллем, откладывая страницы в сторону.

Он уставился в точку за головой Виллема.

— Ты опять уезжаешь? — Это был чудовищно эгоистичный вопрос, но он не смог сдержаться.

— Нет, — помолчав, сказал Виллем. — Я решил, что пока побуду в Нью-Йорке, если ты не против.

Он улыбнулся диванным подушкам.

— Я совсем не против, — сказал он и, подняв глаза, увидел, что Виллем ему улыбается.

— Приятно видеть, что ты снова улыбаешься, — только и сказал Виллем и снова углубился в чтение.

В ноябре он сообразил, что в конце августа не поздравил Виллема с сорокатрехлетием, и сказал ему об этом.

— Ну, строго говоря, ты не виноват, потому что меня не было в городе, — сказал Виллем. — Но я с радостью дам тебе возможность исправить это упущение. Гмм. — Он задумался. — Ты готов вылезти во внешний мир? Хочешь пойти поужинать? Ранний ужин?

— Конечно, — сказал он, и на следующей неделе они пошли в небольшой японский ресторан в Ист-Виллидже, где подавали осидзуси; они ходили туда уже много лет подряд. Он сам заказал еду, нервничая, беспокоясь, что выбирает что-то не то, но Виллем терпеливо ждал, не мешая ему размышлять, и потом кивнул: “Правильный выбор”. За едой они говорили о друзьях, о пьесе, в которой Виллем решил-таки играть, о романе, который он читал; о чем угодно, только не о нем.

— Я думаю, нам надо поехать в Марокко, — сказал он по дороге домой, и Виллем поглядел на него.

— Буду думать, — сказал Виллем и мягко потянул его за руку, чтобы возникший на их пути велосипедист в него не врезался.

— Я хочу тебе что-нибудь подарить на день рождения, — сказал он несколько кварталов спустя. Он хотел подарить Виллему что-нибудь, чтобы выразить свою благодарность, попытаться сказать то, чего он сказать не мог: подарок, который мог бы передать долгие годы признательности и любви. После разговора про пьесу он вспомнил, что Виллем еще в прошлом году согласился сыграть в фильме, который должны были в начале января снимать в России. Но когда он напомнил ему об этом, Виллем пожал плечами.

— А, это, — сказал он. — Не сложилось. Ничего страшного. Я и не хотел в нем сниматься.

Но это выглядело подозрительно, и когда он поискал сведения о проекте в сети, оказалось, что Виллем отказался от съемок по личным причинам и вместо него пригласили другого актера. Он смотрел на монитор, и статья расплывалась у него перед глазами, но когда он обратился к Виллему, тот опять пожал плечами.

— Так говорят, когда видят, что не сработаются с режиссером, но все хотят сохранить лицо, — сказал Виллем.

Но он понимал, что Виллем говорит неправду.

— Да не надо мне ничего дарить, — сказал Виллем (он ожидал такого ответа), и он сказал (как всегда говорил):

— Я знаю, но все равно хочу что-нибудь подарить. — А потом добавил, тоже как всегда: — Друг получше сам бы догадался, что дарить, и не приставал бы с расспросами.

— Друг получше — конечно, — согласился Виллем, как соглашался всегда он сам, и он улыбнулся, потому что этот разговор был похож на их нормальные разговоры.

Шли дни. Виллем вернулся на свою половину квартиры. Люсьен несколько раз звонил с вопросами, каждый раз извиняясь, но он радовался этим звонкам, радовался, что Люсьен теперь начинает разговор с жалоб на клиента или на коллегу, а не спрашивает о его самочувствии. Кроме Тремейна, Люсьена и еще пары человек, никто в фирме не знал истинную причину его отсутствия: им, как и клиентам, сообщили, что он восстанавливается после неотложной операции на позвоночнике. Он знал, что, стоит ему вернуться в "Розен Притчард", Люсьен немедленно загрузит его в прежнем объеме, без всяких разговоров про постепенное вхождение, без размышлений о том, справится ли он со стрессом, и он был признателен за такой подход. Он перестал принимать лекарства, поняв, что они держат его в состоянии полусна, и, очистив от них организм, поразился, каким ясным стало все вокруг — даже видел он по-другому, словно оконное стекло отмыли от жира и грязи и он наконец смог разглядеть изумрудно-зеленую лужайку и грушевый сад с желтыми плодами.

Но понял он и другое: лекарства служили защитой, и когда их не стало, вернулись гиены — не такие многочисленные и менее проворные, но они по-прежнему ходили кругами, по-прежнему преследовали его — не так упорно, но неотвязно, как нежеланные, но неотступные спутники. Другие воспоминания захлестнули его, наряду со знакомыми и старыми — новые, и он еще отчетливее понял, как сильно он всем мешал, как многого требовал от окружающих, как легко брал в долг без всякой надежды когда-либо отплатить. А еще был голос, который вдруг неожиданно шептал: *можешь повторить, можешь повторить*, — и он пытался не замечать его, потому что в какой-то момент — так же необъяснимо и неопределенно, как решил покончить с собой — он решил, что будет выздоравливать, и не хотел напоминаний о своей попытке, о том, что жить — при всей унизительности и абсурдности этого занятия — не единственный доступный выбор.

Пришел День благодарения, который они опять праздновали в квартире Гарольда и Джулии на Вест-Энд-авеню, и опять в узком кругу: Лоренс и Джиллиан (их дочери поехали на праздник к родителям мужей), он, Виллем, Ричард и Индия, Малкольм и Софи. За едой он чувствовал, что все стараются не смущать его избыточным вниманием, и когда Виллем упомянул предстоящую поездку в Марокко в середине декабря, Гарольд отнесся к ней так буднично и проявил так мало интереса, что он понял: Гарольд заранее подробно обсудил все с Виллемом (и, вероятно, с Энди) и дал согласие.

— Ты когда снова появишься в "Розен Притчард"? — спросил Лоренс, как будто ему предстояло вернуться из отпуска.

— Третьего января, — сказал он.

— Так скоро! — воскликнула Джиллиан.

Он улыбнулся ей:

— Можно было бы и поскорее.

И он в самом деле был готов снова попытаться быть нормальным человеком, сделать еще одну попытку остаться в живых.

Они с Виллемом ушли рано, и в тот вечер он резал себя во второй раз после больницы. Лекарства приглушали и эту потребность — чувствовать яркую, будоражащую пощечину боли. В первый раз после перерыва он изумился, как это больно, и даже удивился, что так долго этим занимался — что вообще у него было в голове? Но потом он почувствовал, как все внутри замедляется, и расслабился, воспоминания затуманились, и он вспомнил, как это ему помогало, вспомнил, почему он вообще начал так делать. От его попытки осталось по три вертикальных шрама на каждой руке, от основания ладони до локтевого сгиба, и зажили они плохо — казалось, будто он засунул горсть карандашей прямо себе под кожу. Шрамы блестели странным перламутровым блеском, словно кожа там обгорела, и, сжимая руку в кулак, он видел, как они стягиваются в ответ.

В ту ночь он проснулся с криком; такое случалось, пока он заново приспосабливался к жизни, к сосуществованию с миром снов; под таблетками снов не было, почти не было, а если были, то такие странные, бессмысленные и запутанные, что он их сразу же забывал. Но в этом сне он оказался в номере какого-то мотеля, и там же было несколько мужчин, которые хватали его, а он отчаянно пытался сопротивляться. Но их становилось все больше, и он знал, что проиграет, что будет уничтожен.

Один из мужчин все время называл его по имени и потом положил ладонь ему на щеку, и от этого почему-то стало совсем страшно, и он оттолкнул руку, и тогда мужчина облил его водой, и он проснулся, задыхаясь, и увидел, что побледневший Виллем сидит с ним рядом и держит в руках стакан.

— Прости, прости, — сказал Виллем, — я не мог тебя разбудить, Джуд, прости. Сейчас дам полотенце.

Виллем вернулся с полотенцем и со стаканом воды, но его трясло слишком сильно, и он не мог удержать стакан. Он снова и снова просил прощения у Виллема, а Виллем качал головой, говорил, что не надо беспокоиться, что все в порядке, что это всего лишь сон. Виллем принес ему новую футболку, отвернулся, пока он переодевался, а потом взял мокрую футболку и отнес ее в ванную.

— Кто такой брат Лука? — спросил Виллем, пока они молча сидели и ждали, когда он отдышится. Он не отвечал, и Виллем добавил: — Ты кричал: "На помощь, брат Лука, спаси меня!"

Он молчал.

— Кто это, Джуд? Кто-то из монастыря?

— Не могу, Виллем, — сказал он и мучительно пожалел об Ане. *Спроси меня еще раз, Ана, сказал он ей, и я расскажу. Научи меня, как это делается. На этот раз я буду слушать. На этот раз я заговорю.*

На уикенд они поехали на север штата, где у Ричарда был дом, и долго гуляли в лесу, который вплотную подходил к участку. Позже он успешно приготовил свое первое блюдо после больницы. Он сделал бараньи ребрышки, которые Виллем так любил, и хотя ему понадобилась помощь Виллема при резке мяса — у него все еще не хватало ловкости, чтобы справиться самостоятельно, — все остальное он сделал сам. В ту ночь он опять проснулся с криком, и опять Виллем был рядом (только на этот раз без стакана воды) и спрашивал про брата Луку, и почему он молил о помощи, и он опять не мог ответить.

На следующий день он чувствовал усталость, руки болели, все тело тоже болело, на прогулке он почти ничего не говорил, и Виллем тоже был немногословен. Во второй половине дня они обсудили поездку в Марокко: они начнут с Феса, потом пересекут пустыню на машине, остановятся неподалеку от Уарзазата и закончат путь в Марракеше. На обратном пути они на несколько дней задержатся в Париже, навестят Ситизена и одного приятеля Виллема и вернутся домой перед самым Новым годом.

За ужином Виллем сказал:

— Знаешь, я придумал, что ты мне можешь подарить на день рождения.

— Да? — сказал он, радуясь, что можно сосредоточиться на том, что он может дать Виллему, а не просить Виллема о какой-то еще помощи, и думая о времени, которое он у Виллема украл. — Выкладывай.

— Ну, — сказал Виллем, — это вообще-то довольно серьезная штука.

— Что угодно, — сказал он. — Я серьезно.

Виллем посмотрел на него с выражением, которое он не мог истолковать.

— Правда-правда, — заверил он. — Что угодно.

Виллем отложил свой сэндвич с бараниной и сделал глубокий вдох.

— Ладно, — сказал он. — Вот чего я хочу на день рождения: чтобы ты рассказал мне, кто такой брат Лука. И не просто кто он такой, а какие у тебя с ним были… какие были отношения и почему ты до сих пор зовешь его по ночам. — Виллем поднял глаза. — Я хочу, чтобы ты честно и подробно рассказал мне все. Вот чего я хочу.

Наступила долгая тишина. Он понял, что сидит с полным ртом еды, и осторожно проглотил ее, а потом положил на стол сэндвич, который до этого долго держал на весу.

— Виллем, — наконец сказал он, понимая, что Виллем не шутит, что он не сможет его переубедить, предложить ему другой подарок, — я отчасти и сам хочу тебе это рассказать. Но если это случится… — Он осекся. — Но если это случится, я боюсь, что стану тебе отвратителен. Погоди, — сказал он, подняв глаза на Виллема, который уже было открыл рот, чтобы возразить. — Я обещаю, что расскажу. Обещаю. Но… но дай мне время. Я никогда об этом раньше не говорил, и мне надо понять, как все это выразить словами.

— Хорошо, — сказал наконец Виллем. — Понятно. А что, если мы будем к этому подступаться постепенно? Я спрошу у тебя что-нибудь попроще, и ты ответишь и увидишь, что говорить о таких вещах не так ужасно? А если будет ужасно, мы это тоже обсудим.

Он вдохнул, выдохнул. Это Виллем, напомнил он себе. Он никогда не сделает тебе больно, никогда в жизни. Пора. Пора.

— Хорошо, — сказал он наконец. — Хорошо. Спрашивай.

Он увидел, что Виллем откинулся на спинку стула и смотрит на него, пытаясь выбрать один из сотен вопросов, обычных между друзьями, но до этого дня запретных. Он чуть не заплакал, подумав, как он извратил их дружбу, как долго Виллем терпел его, год за годом, даже когда он уворачивался или просил о помощи, отказываясь объяснить, откуда, собственно, взялась проблема. Он пообещал себе, что в своей новой жизни будет меньше требовать от друзей и больше предлагать. Он даст им то, чего они хотят. Если Виллему нужны сведения, он их получит, а уж как это сделать — он должен придумать. Ему будет больно, и не раз — всем бывает больно, — но если он хочет попробовать, если он хочет остаться в живых, нужно быть сильнее, нужно подготовиться к тому, что жизни без этого не бывает.

— Ну ладно, придумал, — сказал Виллем, и он выпрямился, внутренне готовясь. — Откуда у тебя шрам на тыльной стороне ладони?

Он удивленно моргнул. Он не знал, какой вопрос придумает Виллем, но теперь, когда вопрос был задан, он чувствовал облегчение. В последнее время он редко вспоминал об этом шраме и теперь, поглядев на его атласный блеск, пробежав по нему кончиками пальцев, подумал, что от него ведет прямая дорога ко множеству других проблем, а от них — к брату Луке, а потом к приюту, к Филадельфии, ко всему.

Но что в жизни не ведет к какой-то большей и печальной истории? Виллем спрашивал про эту конкретную деталь; он не обязан тащить за ней все ее последствия, весь огромный уродливый клубок бед.

Он подумал, как начать, и мысленно отрепетировал свои слова, прежде чем открыть рот. Он готов.

— Я всегда был жадным ребенком, — начал он и увидел, как напротив него Виллем ставит локти на стол, подпирает руками голову, потому что впервые за время их дружбы он — слушатель и ему рассказывают историю.

Ему исполнилось десять, одиннадцать. У него снова отросли волосы — длиннее, чем были в монастыре. Он подрос, и брат Лука отвел его в сэконд-хэнд, где одежду продавали на вес. "Эй, помедленнее! — шутил брат Лука, нажимая ему на макушку, как будто пытался сложить до размера поменьше. — Слишком быстро ты растешь, не угнаться".

Теперь он все время спал. На время уроков он просыпался, но когда день начинал клониться к вечеру, что-то находило на него, и он принимался зевать, не в силах разодрать глаза. Поначалу брат Лука про это тоже шутил: "Соня ты мой, — говорил он, — все о чем-то грезишь", — но однажды ночью, когда клиент ушел, Лука усадил его рядом с собой для разговора. Долгие месяцы, годы он сопротивлялся клиентам, скорее рефлекторно, чем думая, будто их можно остановить, но в последнее время он просто безвольно лежал и ждал, когда все закончится.

— Я понимаю, что ты устаешь, — сказал брат Лука. — Это нормально; ты растешь. Расти — это тяжелый труд. Я понимаю, что ты усердно работаешь. Но, Джуд, когда к тебе приходят клиенты, надо показать, что в тебе есть хотя бы маленькая толика жизни; они ведь платят, чтобы быть с тобой, понимаешь, — надо показать им, что тебе приятно.

Он ничего не ответил, и брат добавил:

— Конечно, я понимаю, что это не то чтобы прямо *приятно*, не так, как у нас с тобой, но будь немного поживее, ладно? — Он склонился к нему, убрал прядь волос ему за ухо. — Ладно?

Он кивнул.

Примерно тогда же он начал бросаться на стены. Они остановились в двухэтажном мотеле — это было в штате Вашингтон, — и как-то раз он пошел наверх с ведерком принести льда. День был мокрый и скользкий, и на обратном пути он оступился, упал и проехал по лестничным ступеням до самого низа. Брат Лука услышал шум и выбежал из номера. Все кости уцелели, но он поцарапался, из ссадин шла кровь, и брат Лука отменил вечернего клиента. Ночью брат был с ним ласков, принес чаю, но при этом он уже много недель не чувствовал в себе столько жизни. В падении, в неожиданной боли было что-то освежающее. Это была честная боль, чистая боль, боль без привкуса стыда и грязи, и такого с ним не случалось уже много лет. На следующей неделе он снова пошел за льдом, но теперь, возвращаясь в номер, остановился в маленьком закутке под лестницей и, не успев еще сообразить, что делает, принялся биться о кирпичную стену, и с каждым ударом представлял, что выколачивает из себя грязь до последних ошметков, жидкость до последней капли, все воспоминания за несколько лет. Он перезагружался, возвращался в состояние первозданной чистоты, наказывал себя за содеянное. После этого он почувствовал себя лучше, энергичнее, как будто после очень длинной пробежки; а потом его вырвало, и он смог вернуться в номер.

Вскоре брат Лука догадался, что он делает, и провел с ним еще одну беседу.

— Я понимаю, что тебе время от времени бывает не по себе, — сказал брат Лука, — но, Джуд, так поступать вредно. Меня это беспокоит. И клиентам не нравится, что ты весь в синяках.

Наступила тишина. Месяц назад, после особенно тяжелой ночи — пришла целая группа мужчин, и после их ухода он хныкал, выл, с ним впервые за много лет случилось что-то вроде истерики, а Лука сидел рядом, гладил его по ноющему животу и затыкал ему рот подушкой, чтобы приглушить звук, — он умолял Луку, чтобы тот позволил ему прекратить. И брат тоже плакал и говорил, что позволил бы, что он ничего не хочет так сильно, как просто быть с ним вместе, но он давно потратил все свои деньги, заботясь о нем.

— Я не жалею об этом ни секунды, Джуд, — сказал брат, — но у нас сейчас совершенно нет денег. Кроме тебя, у меня ничего нет. Прости. Но я коплю, коплю; ты сможешь прекратить, обещаю.

— Когда? — всхлипнул он.

— Скоро, — сказал Лука, — скоро. Через год. Обещаю.

И он кивнул, хотя давно уже знал, что обещания брата ничего не стоят.

Но потом брат сказал, что откроет один секрет, который поможет ему справляться с отчаянием, и на следующий день научил его резать себя и подарил пакет, в котором уже был набор лезвий, спиртовых салфеток, ваты и бинтов.

— Надо потренироваться, чтобы понять, что лучше всего помогает, — сказал брат и показал, как чистить и перевязывать порез. — Это тебе. — И он передал ему пакет. — Скажи, когда тебе понадобятся новые запасы, я достану.

Поначалу ему не хватало театральности, силы и весомости падений и ударов, но вскоре он научился ценить уединенность и чувство контроля, которые обеспечивала бритва. Брат Лука был прав: порезы помогали лучше. Когда он резал себя, он как будто выводил яд, грязь, гнев, все, что скопилось внутри. Как будто его давний сон про пиявок стал реальностью и возымел то действие, на которое он всегда так надеялся. Он хотел бы быть металлическим, пластмассовым — чем-то, что можно полить из шланга и отдраить до блеска. Ему виделось, как все его тело заполняется водой, чистящим средством, хлоркой и потом досуха очищается изнутри, вновь становится гигиеничным. Теперь, когда последний клиент удалялся, он занимал место брата Луки в туалете, и пока брат не говорил ему, что пора ложиться, его тело принадлежало только ему, и он мог делать с ним что захочет.

Он так во многом зависел от Луки: тот обеспечивал ему пропитание, защиту, а теперь еще и лезвия. Когда приходилось идти к врачу — он заражался от клиентов, как брат Лука ни пытался этому препятствовать, а иногда к тому же нагнаивались плохо обработанные порезы, — брат Лука вел его к врачу и доставал нужные антибиотики. Он привык к телу брата Луки, к его рту и рукам; они ему не нравились, но он больше не шарахался, когда Лука начинал его целовать, и покорно обнимал брата, когда тот заключал его в объятия. Он знал, что никто никогда не будет с ним обращаться лучше Луки: даже когда он что-то делал не так, Лука никогда не кричал и за все эти годы ни разу его не ударил. Раньше он думал, что может однажды встретить клиента, который окажется лучше, который захочет его забрать, но теперь понял, что это никогда не случится. Как-то раз он стал раздеваться, а клиент был еще не готов, дал ему пощечину и рявкнул: "А ну потише, шлюха малолетняя. Ты вообще сколько раз это проделывал, а?" Лука выскочил из туалета, как всегда бывало, когда клиент распускал руки, наорал на него и велел, чтобы тот вел себя пристойно или убирался. Клиенты обзывали его: шлюха, потаскушка, грязный мальчишка, дрянь, нимфоман (это слово пришлось поискать в словаре), раб, отребье, оборванец, пустышка, ничтожество. Но Лука никогда не говорил ему ничего подобного. Ты безупречный, повторял Лука, ты умный, ты прекрасно выполняешь свою работу, и в ней нет ничего постыдного.

Брат по-прежнему рассуждал о том, как они заживут вместе, хотя теперь речь шла о домике на морском берегу, где-то в Центральной Калифорнии; он говорил о каменистых пляжах, шумных птицах, о предгрозовой воде. Они будут вместе, вдвоем, как супружеская пара. Они больше не отец и сын, теперь они равны. Когда ему исполнится шестнадцать, они поженятся. Они проведут медовый месяц во Франции и в Германии, где он наконец сможет опробовать свои языковые навыки на настоящих французах и немцах, и в Италии, и в Испании, где брат Лука жил дважды — один раз студентом, другой раз сразу после колледжа. Они купят фортепиано, чтобы он играл и пел. "Другие не захотят тебя, если узнают, сколько клиентов через тебя прошло, — сказал брат. — И очень глупо с их стороны. Но я всегда буду тебя хотеть, даже если у тебя будет десять тысяч клиентов". Он сможет уйти на покой в шестнадцать, сказал брат Лука, и после этих слов он тайком плакал, потому что уже считал дни до своего двенадцатилетия — брат Лука обещал ему, что тогда он сможет прекратить.

Иногда Лука просил прощения за то, что ему приходилось делать: когда клиент вел себя жестоко, причинял ему боль, когда у него шла кровь или когда оставались синяки по всему телу. А иногда Лука вел себя так, словно получал удовольствие. "Этот был ничего, да? — говорил он, когда очередной клиент уходил. — Я же видел, что тебе он понравился. Не отпирайся, Джуд! Я слышал, что тебе было хорошо. Это нормально. Это правильно — получать удовольствие от работы".

Ему исполнилось двенадцать. Теперь они были в Орегоне и, по словам Луки, потихоньку двигались в сторону Калифорнии. Он снова подрос; брат Лука предсказывал, что он вырастет до шести футов и дюйма, двух дюймов — пониже, чем сам Лука, но ненамного. У него ломался голос. Он больше не был ребенком, и находить клиентов стало сложнее. Одиночек стало меньше, групп — больше. Групповых клиентов он ненавидел, но Лука говорил, что на лучшее надеяться не приходится. Он выглядел старше своих лет: клиентам казалось, что ему тринадцать или четырнадцать, а в этом возрасте, говорил Лука, важен каждый год.

Была осень, двадцатое сентября. Они оказались в Монтане: Лука решил, что ему понравится тамошнее ночное небо, со звездами, яркими, как электрические лампы. День был совершенно обыкновенный. Два дня назад он принимал большую группу клиентов, и все оказалось так ужасно, что Лука не только отменил все посещения на следующий день, но разрешил ему обе ночи спать одному, просторно раскинувшись на кровати. Но тем вечером жизнь вошла в привычную колею. Лука залез к нему в постель и стал его целовать. А потом, когда они занимались сексом, раздался стук в дверь, такой громкий, настойчивый и внезапный, что он чуть не укусил брата Луку за язык.

— Полиция, — услышал он, — откройте. Откройте немедленно.

Брат Лука зажал ему рот ладонью.

— Ни звука, — прошипел он.

— Полиция! — снова проорал голос. — Эдгар Уилмот, у нас ордер на ваш арест. Открывайте дверь немедленно.

Он не понял: что еще за Эдгар Уилмот? Клиент, что ли? Он собирался сказать брату Луке, что полицейские ошиблись, но, подняв глаза, увидел его лицо и понял, что они пришли за братом Лукой.

Брат Лука вышел из него и жестом велел оставаться в кровати.

— Не шевелись, — прошептал он. — Я сейчас вернусь. — И он убежал в туалет; было слышно, как щелкнула дверная задвижка.

— Нет! — отчаянно взмолился он. — Не бросай меня, брат Лука, не бросай меня одного.

Но брат уже исчез.

А потом все словно бы завертелось очень медленно и очень быстро — одновременно. Он не двигался, он был слишком испуган, но вот полетели щепки, и комната заполнилась мужчинами, которые держали яркие фонари на уровне голов, так что он не видел их лиц. Один из них подошел к нему и что-то ему сказал — он не слышал ничего за пеленой шума и собственной паники, — натянул на него трусы и поднял его на ноги. "Ты теперь в безопасности", — сказал ему кто-то.

Он услышал, как один из них выругался и крикнул из туалета: "Скорую сюда немедленно!", — и он вырвался из рук державшего его человека, проскользнул под руку другого и в три быстрых скачка оказался в ванной, где увидел, что брат Лука висит на крюке — вокруг шеи у него обмотан удлинитель, рот разинут, глаза закрыты, а лицо одного цвета с седой бородой. Тогда он закричал, и кричал и кричал, и пока его вытаскивали оттуда, он так и продолжал выкрикивать имя брата Луки.

Он плохо помнит, что было дальше. Его снова и снова допрашивали; его отвели в больницу к врачу, который осмотрел его и спросил, сколько раз его насиловали, но он не смог ответить. Его насиловали? Он согласился на это, на все это — это было его собственное решение, он сам его принял. "Сколько раз ты занимался сексом?" — спросил тогда врач, и он сказал: "С братом Лукой или с остальными?" — и врач сказал: "С какими остальными?" И когда он все рассказал, врач отвернулся, закрыл лицо ладонями, а потом снова посмотрел на него и открыл рот, чтобы что-то сказать, но ничего не вышло. И тогда-то он точно понял, что делал что-то нехорошее, и ему стало так стыдно, так мерзко, что он захотел умереть.

Его отправили в детский приют. Ему вернули вещи: книги, куклу навахо, камни, ветки, желуди, Библию с сушеными цветами, которую он взял с собой из монастыря, одежду, над которой смеялись другие мальчики. В приюте все знали, кто он такой, знали, чем он занимался, знали, что он уже испорчен, и поэтому он не удивился, когда некоторые из воспитателей стали делать с ним то, что с ним делали уже несколько лет. Другие мальчики тоже как-то прознали, кто он такой. Они обзывали его — так же, как некогда обзывали клиенты; они игнорировали его. Когда он подходил к компании мальчишек, они вскакивали и убегали.

Ему не вернули пакет с лезвиями, поэтому приходилось импровизировать: он нашел среди мусора алюминиевую консервную крышку, стерилизовал ее на газу, когда дежурил по кухне, и использовал, пряча под матрас. Каждую неделю он воровал новую крышку.

Он думал о брате Луке каждый день. Он перепрыгнул через четыре класса, и ему разрешили посещать занятия по математике, музыке, литературе, французскому и немецкому в местной муниципальной школе. Преподаватели спрашивали, кто его раньше учил, и он говорил, что отец. "Это потрясающе, — сказала учительница литературы. — Он явно был отличный учитель", — и он не смог ответить, а она скоро переключилась на следующего студента. По ночам, с воспитателями, он представлял себе, что брат Лука стоит прямо за стеной, готовый выпрыгнуть, если дела пойдут уж совсем ужасно, а это означало, что происходящее прямо сейчас, по мнению брата Луки, он вполне мог вынести.

Доверившись Ане, он рассказал ей кое-что про брата Луку. Но он не хотел рассказывать ей все. Все он не рассказывал никому. Он знал, что пойти за Лукой было глупо. Лука лгал ему, делал с ним ужасные вещи. Но он хотел верить, что все это время, несмотря ни на что, Лука по-настоящему любил его, что это не было просто извращением или оправданием, что любовь была настоящая. Он считал, что не сможет пережить, если Ана скажет про него, как она говорила про других: "Он был чудовищем, Джуд. Они говорят, что любят тебя, но ведь это только для того, чтобы манипулировать тобой, понимаешь? Именно так педофилы и поступают, именно так они заманивают детей". Когда он вырос, он по-прежнему не мог разобраться в своем отношении к Луке. Да, он был плохой человек. Но был ли Лука хуже прочих братьев? Действительно ли он принял неверное решение? Действительно ли было бы лучше, останься он в монастыре? Если бы он провел там еще сколько-то времени, это нанесло бы ему больший или меньший ущерб? Наследие Луки было во всем, что он делал, во всем, чем он был: его любовь к чтению, к музыке, к математике, к садоводству, к языкам — все это был Лука. Его порезы, его ненависть, его стыд, его страхи, его болезни, его неспособность к нормальной половой жизни, к нормальности — это все тоже был Лука. Лука научил его получать удовольствие от жизни, и он же полностью уничтожил всякое удовольствие.

Он следил за тем, чтобы не произносить его имени, но иногда думал о нем, и, как бы он ни взрослел, сколько бы лет ни прошло, улыбающееся лицо Луки появлялось перед ним как по волшебству. Он думал о том времени, когда они с Лукой влюблялись друг в друга, когда его совращали, а он был слишком маленьким, слишком наивным, слишком одиноким, слишком исстрадавшимся по сочувствию, чтобы это понять. Он бежал к оранжерее, открывал дверь, тепло и цветочный запах окутывали его пеленой. С тех пор он никогда не бывал так простодушно счастлив, никогда не знал такой незамутненной радости. "А вот и мой прекрасный мальчик! — восклицал Лука. — Джуд, Джуд, как я счастлив тебя видеть".

V

СЧАСТЛИВЫЕ ГОДЫ

1

———

Однажды, где-то через месяц после того, как ему исполнилось тридцать восемь, Виллем понял, что стал знаменитостью. Поначалу это его даже не слишком напрягало, отчасти потому, что он и так знал, что вроде как знаменит — ну то есть они с Джей-Би знамениты. Например, где-то в гостях кто-нибудь подходит поздороваться с Джудом, а Джуд его представит: "Аарон, а ты знаешь Виллема?" И Аарон скажет: "Конечно. Виллем Рагнарссон. Кто ж не знает Виллема", — но скажет он так не потому, что Виллем актер, а потому, что в Йеле сестра соседа Аарона по комнате встречалась с Виллемом, или потому, что два года назад Виллем участвовал в прослушивании для пьесы драматурга, дружившего с братом друга Аарона, или потому, что Аарон — художник и как-то раз выставлялся вместе с Джей-Би и Желтым Генри Янгом, а потом на фуршете познакомился с Виллемом. Большую часть взрослой жизни Нью-Йорк казался ему приставкой к колледжу, где все знали его и Джей-Би, как будто всю основу колледжа выдернули из Бостона и перебросили на Нижний Манхэттен, поближе к Бруклину. Они все четверо общались если не с теми же самыми людьми, что и в колледже, то, по крайней мере, с людьми того же типа, ну и, конечно, в среде художников, актеров и музыкантов его все знали, потому что так оно всегда было. Мирок-то этот был не сказать чтобы большой, тут все всех знали.

Из них четверых только Джуду и в какой-то степени Малкольму удалось пожить и в другом мире, в реальном мире, в мире, где люди делали необходимые для жизни вещи: принимали законы, учили, лечили, решали проблемы, вертели деньгами, продавали и покупали (он всегда думал: удивительно не то, что он знает Аарона, а то, что его знает Джуд). Как раз накануне своего тридцатисемилетия он согласился на роль в немудреном фильме под названием "Платановая аллея". Дело там происходило в маленьком южном городке, и он играл юриста, который наконец открыто признает свою гомосексуальность. Он взялся за эту роль ради того, чтобы поработать с актером, которым очень восхищался, — тот играл его отца, угрюмого и злого на язык человека, разочаровавшегося в сыне и от своих разочарований ставшего еще злее. Работая над ролью, он попросил Джуда объяснить ему, чем именно он занят весь день, и, слушая его рассказ, слегка расстроился, что Джуд, такой талантливый — некоторые его таланты Виллему и умом-то понять было сложно, — тратит жизнь на работу, которая кажется невыносимо скучной, как домашняя уборка, только для ума: чистишь, сортируешь, отмываешь, раскладываешь по местам, а потом — в другой дом, и все сначала. Вслух он, разумеется, этого не сказал и как-то в субботу зашел в "Розен Притчард", полистал папки с документами, побродил по офису, пока Джуд работал.

— Ну, что скажешь? — спросил Джуд, откинувшись на спинку кресла и улыбаясь, и он, улыбнувшись в ответ, сказал:

— Впечатляет! — потому что в чем-то это все его, конечно, впечатлило, и Джуд рассмеялся.

— Я знаю, о чем ты думаешь, Виллем, — сказал он. — Все нормально. Гарольд тоже так считает. "Ты зарываешь свои таланты, Джуд", — передразнил он Гарольда. — Зарываешь таланты!

— Ничего я такого не думал, — запротестовал он, хотя думал, конечно: Джуд вечно жаловался, что у него полностью отсутствует воображение, что практичность из него ничем не выбьешь, но Виллем никогда так не считал.

И да, казалось, будто он действительно зарывает свои таланты, — и дело даже не в том, что он стал корпоративным юристом, а в том, что он вообще стал юристом, когда на самом деле, думал Виллем, с такой головой, как у Джуда, нужно бы заниматься чем-то совершенно другим. Чем именно, он не знал, но только не этим. Глупо, конечно, но он никогда всерьез не верил, что Джуд, выучившись на юриста, и впрямь станет юристом, ему всегда казалось, что в какой-то момент Джуд все бросит и найдет себе совсем другое занятие, например станет профессором математики, или преподавателем вокала, или (хотя он уже тогда понимал всю иронию этого варианта) психологом, потому что он умел слушать и так хорошо умел утешать друзей. Он и сам не понимал, почему до сих пор цепляется за такое свое представление о Джуде, хотя уже давно было ясно, что тот любит свою работу и весьма в ней преуспел.

"Платановая аллея" имела неожиданный успех, фильм принес Виллему несколько номинаций на разные кинопремии и самые восторженные отзывы критиков, а его выход на экраны совпал с выходом более эффектного и более массового фильма, в котором он снимался еще два года назад, но который застрял на стадии пост-продакшена, и даже он понимал, что именно этот миг стал для его карьеры поворотным. Он всегда очень грамотно выбирал роли — если и есть у него какой-то выдающийся талант, думал он, так это вот он, нюх на роли, — но только в этом году он почувствовал себя по-настоящему уверенно, только теперь начал заговаривать о фильмах, в которых хотел бы сниматься лет в пятьдесят или шестьдесят. Джуд всегда ему говорил, что он чересчур осторожно относится к своей карьере, что он куда талантливее, чем сам себя считает, но он никогда в это не верил и, зная, что его уважают и коллеги, и критики, где-то внутри всегда боялся, что все это резко и внезапно кончится. Он был практичным человеком в самой непрактичной из профессий и всякий раз, когда его утверждали на роль, говорил друзьям, что другой роли ему больше не видать, что это уж точно последняя. Отчасти из-за суеверия — если признать, что такое может случиться, то вряд ли оно произойдет, — а отчасти чтобы высказать свои страхи, потому что они были вполне реальными.

И только потом, когда они с Джудом оставались одни, он мог позволить себе по-настоящему поволноваться.

— А что, если мне перестанут давать роли? — спрашивал он Джуда.

— Не перестанут, — говорил Джуд.

— А вдруг?

— Ну, — серьезно отвечал Джуд, — в том — совершенно невозможном — случае, если ты перестанешь быть актером, займешься чем-то еще. А пока будешь решать, поживешь у меня.

Разумеется, он знал, что у него еще будут роли, в это нужно было верить. В это верил каждый актер. Актерство было в чем-то сродни мошенничеству: если сам не веришь, что можешь кого-то надуть, то тебе никто и не поверит. Но ему все равно нравилось, когда Джуд его успокаивал, нравилось знать, что ему есть куда податься, если все и вправду закончится. Изредка, когда на него особенно накатывала почти не свойственная ему жалость к себе, он представлял, чем займется, когда его карьера окончится, и думал, что мог бы работать с детьми-инвалидами. С этой работой он прекрасно справится, эту работу он будет любить. Он воображал, как возвращается домой из начальной школы, которая, как ему думалось, будет где-то в Нижнем Ист-Сайде, идет на запад, через Сохо к Грин-стрит. Квартиру ему, конечно же, придется продать, чтобы расплатиться с кредитом на обучение в магистратуре (все миллионы, которые он заработал, все миллионы, которые он так и не потратил, при этом куда-то испарялись), и жить он будет у Джуда, словно бы и не было этих двадцати лет.

Но после "Платановой аллеи" эти упаднические фантазии стали посещать его значительно реже, и вторую половину своего тридцать седьмого года он чувствовал себя увереннее, чем когда-либо. Что-то сдвинулось, что-то схватилось, его имя где-то выбили в камне. Теперь без работы он не останется, теперь он, если захочет, даже сможет немного передохнуть.

В сентябре он вернулся со съемок и после них сразу должен был отправиться в европейский промо-тур, у него был день в Нью-Йорке, всего один день, и Джуд сказал, что готов отвести его, куда он скажет. Они встретятся, пообедают, а из ресторана он поедет прямиком в аэропорт, на рейс до Лондона. Он так давно не был в Нью-Йорке, что, по правде сказать, с удовольствием наведался бы в какую-нибудь родную дешевую забегаловку в даунтауне, вроде той вьетнамской лапшичной, куда они ходили, когда им было лет по двадцать, но вместо этого он выбрал французский ресторан в мидтауне, который славился блюдами из морепродуктов, чтобы Джуду не нужно было далеко ехать.

Ресторан был набит бизнесменами из той породы, которая телеграфирует о своем богатстве и влиятельности с помощью покроя костюмов и неброскости часов, и нужно было самому быть богатым и влиятельным, чтобы сообщение до тебя дошло. Для всех остальных они были просто мужчинами в серых костюмах, все на одно лицо. Официантка подвела его к столику, где его уже ждал Джуд, и когда Джуд встал, он потянулся к нему и крепко обнял — он знал, что Джуд этого не любит, но недавно все-таки решил его к этому приучать. Так они стояли, обнявшись, в окружении серых костюмов, потом он разжал объятия, и они уселись за столик.

— Ну как, скомпрометировал я тебя? — спросил он, и Джуд улыбнулся в ответ, покачал головой.

Им нужно было столько всего обсудить, а времени у них было так мало, что Джуд даже написал на оборотной стороне чека повестку дня, увидев которую Виллем расхохотался, но от этой повестки они в результате почти не отступали. Между пунктом пятым (свадьба Малкольма: что они будут говорить в тостах?) и пунктом шестым (ремонт квартиры на Грин-стрит, которую уже распотрошили) он вышел в туалет, а возвращаясь, никак не мог отделаться от ощущения, что на него все смотрят. Разумеется, он привык к тому, что его осматривают и оценивают, но здесь было внимание совсем другого толка, напряженное, почтительное, и он впервые за долгое время застеснялся, вспомнив вдруг, что пришел сюда в джинсах, а не в костюме и ему тут явно не место. Он вдруг заметил, что все в ресторане одеты в костюмы, а без костюма — он один.

— Кажется, я одет неподобающим образом, — тихо сказал он Джуду, усевшись на место. — На меня все смотрят.

— На тебя все смотрят вовсе не из-за того, как ты одет, — сказал Джуд. — На тебя смотрят, потому что ты знаменитость.

Он покачал головой:

— Ну да, для тебя и еще буквально пары десятков человек.

— Нет, Виллем, — сказал Джуд. — Ты — знаменитость. — Он улыбнулся. — Ну а как по-твоему, почему они тебя пустили без пиджака? Нельзя просто взять и войти сюда без корпоративного камуфляжа. И как думаешь, с чего это они все подносят и подносят нам закуски? Дело не во мне, это уж точно. — Тут он рассмеялся. — А почему ты вообще этот ресторан выбрал? Я думал, ты выберешь местечко в даунтауне.

Он вздохнул:

— Я слышал, тут крудо отличное. И, погоди — тут что, дресс-код?

Джуд снова улыбнулся и только хотел ответить, как один из неприметных мужчин в серых костюмах подошел к ним и, страшно смущаясь, извинился за то, что вмешивается в их разговор.

— Я просто хотел сказать, что мне очень понравилась "Платановая аллея", — сказал он. — Я ваш большой поклонник.

Виллем поблагодарил его, и мужчина — постарше Виллема, где-то за пятьдесят, — хотел сказать что-то еще, но тут заметил Джуда и, заморгав, на него уставился: было видно, что он его узнал и теперь явно пытался пересмотреть все, что знал о Джуде, как-то упорядочить новую информацию. Он раскрыл рот, закрыл рот и, еще раз извинившись, ушел. Все это время Джуд безмятежно ему улыбался.

— Так-так, — сказал Джуд, когда мужчина поспешно отошел от их столика. — Это был глава судебного отдела одной из крупнейших фирм в городе. И, как видишь, твой поклонник. — Он улыбнулся Виллему. — Ну что, теперь убедился, что ты — знаменитость?

— Ну, если считать критерием знаменитости то, что тебя узнают двадцатилетние выпускницы род-айлендской школы дизайна и стареющие латентные гомосексуалисты, тогда да, — сказал он, и оба они расхихикались, как дети, и не сразу сумели взять себя в руки.

Джуд поглядел на него.

— Только ты можешь появляться на обложках журналов и не считать себя знаменитым, — с нежностью сказал он.

Но, когда все эти журналы выходили, Виллема не было в реальной жизни, он был на съемках. А на съемках все себя вели как знаменитости.

— Это другое, — сказал он Джуду. — Не могу объяснить.

Потом, когда он ехал в аэропорт, то понял, в чем разница. Да, он привык к тому, что люди на него смотрят. Но на самом-то деле он привык к тому, что на него смотрят определенные люди в определенных помещениях — люди, которые хотят с ним переспать, или люди, которые хотят с ним поговорить, желая продвинуть собственную карьеру, или люди, у которых сам банальный факт его узнаваемости вызывает какой-то лихорадочный голод, желание побыть в его обществе. Однако он не привык, что на него смотрят люди, которым и без него есть чем заняться, у которых есть дела и заботы побольше и поважнее, чем очередной актер в Нью-Йорке. Актеры в Нью-Йорке — они повсюду. Влиятельные люди глядели на него только на премьерах, когда его знакомили с директорами киностудий; тогда они пожимали руки, вели светскую беседу, и он видел, как они его изучают, подсчитывая, хорошо ли он справился с ролью, и сколько они за него заплатили, и какую выручку должен собрать фильм, и надо ли присмотреться к нему получше.

Но, как назло, такое теперь случалось с ним все чаще и чаще — он входил в комнату, в ресторан, в какое угодно здание и чувствовал общую — буквально секундную — заминку, но еще, правда, он выяснил, что видимость свою может включать и выключать. Если он входил в ресторан, ожидая, что его узнают, его всегда узнавали. Если не ожидал — не узнавали почти никогда. Он так и не сумел определить от чего, кроме его собственного желания, это зависит. Но это срабатывало: с того ужина прошло шесть лет, а он мог, почти не прячась, свободно передвигаться по Сохо, после того как они съехались с Джудом.

Он жил на Грин-стрит с тех самых пор, как Джуда выписали из больницы после попытки самоубийства, и со временем понял, что перетащил в свою бывшую спальню уже много вещей: сначала одежду, потом ноутбук, потом коробки с книжками и любимый плед, в который он заворачивался по утрам, когда шаркал по кухне и варил кофе; он вел настолько бродячий образ жизни, что кроме этого ему ничего особенно и не было нужно. Прошел уже год, а он так и жил тут. Однажды он проснулся поздно утром, сварил себе кофе (пришлось привезти и свою кофемашину, потому что у Джуда ее не было) и, сонно слоняясь по квартире, будто бы впервые заметил, что его книги каким-то образом оказались у Джуда на полках, что купленные им картины висят у Джуда на стенах. Когда это произошло? Он толком и не помнил, но казалось, что именно так все и должно быть, именно здесь им и место.

Даже мистер Ирвин не имел ничего против. Виллем с ним виделся прошлой весной, когда они отмечали день рождения Малькольма, и мистер Ирвин сказал:

— Я слышал, ты снова перебрался к Джуду.

И он ответил, да, перебрался, готовясь выслушать очередную нотацию на тему того, что они никак не повзрослеют, в конце концов, ему ведь скоро стукнет сорок четыре, а Джуду уже почти сорок два. Но мистер Ирвин сказал:

— Ты хороший друг, Виллем. Я рад, что вы, мальчики, друг друга не бросаете.

Его глубоко потрясла попытка Джуда покончить с собой, она их всех потрясла, но Джуд был любимцем мистера Ирвина, и они все об этом знали.

— Спасибо, мистер Ирвин, — удивленно ответил он. — Я и сам рад.

В первые, щемящие недели после того, как Джуда выписали из больницы, Виллем то и дело заходил к нему в комнату, чтобы убедиться: Джуд там, Джуд жив. Тогда Джуд почти все время спал, и Виллем иногда присаживался у него в ногах, с каким-то ужасом дивясь тому, что он еще с ними. Он все думал: если бы Ричард нашел его всего на каких-нибудь двадцать минут позже, Джуд бы умер. Где-то через месяц после того, как Джуда выписали, Виллем увидел в магазине нож для картона — какой-то пыточный, средневековый инструмент — и чуть не расплакался. По словам Энди, хирург в скорой помощи сказал, что впервые за все время работы видит, чтобы самоубийца так решительно, так глубоко себя ранил. Что у Джуда в жизни не все гладко, он всегда знал, но теперь с каким-то внутренним трепетом понял, как плохо он знает и самого Джуда, и то, с какой решимостью он готов причинять себе вред.

Он чувствовал, что за последний год узнал о Джуде больше, чем за двадцать шесть лет их знакомства, и каждое новое знание было хуже другого: ему нечего было ответить на рассказы Джуда, зачастую еще и потому, что ответов попросту не существовало. Рассказ о том, откуда у него шрам на тыльной стороне ладони, — с него все и началось — оказался настолько ужасным, что Виллем потом ночью не мог заснуть и всерьез раздумывал, не позвонить ли Гарольду, просто чтобы с кем-то поделиться, с кем-то вместе онеметь от ужаса.

На следующий день он то и дело невольно поглядывал на руку Джуда, и в конце концов тот натянул на нее рукав.

— Я начинаю стесняться, — сказал он.

— Извини, — сказал он.

Джуд вздохнул.

— Виллем, я не буду тебе ничего рассказывать, если ты будешь так реагировать, — наконец сказал он. — Все нормально, правда. Это все было давным-давно. Я об этом и не вспоминаю. — Он помолчал. — Я не хочу, чтобы ты стал глядеть на меня по-другому, если я все тебе расскажу.

Он тоже глубоко вздохнул.

— Да, — сказал он, — ты прав. Ты прав.

И поэтому теперь, слушая рассказы Джуда, он старался молчать, старался издавать только тихие, ничего не значащие возгласы, словно бы всех его друзей лупили до беспамятства вымоченным в уксусе ремнем или заставляли есть с пола собственную рвоту, словно бы через это проходил каждый ребенок. Но, даже несмотря на рассказы, он все равно ничего не знал. Он до сих пор не знал, кто такой брат Лука. Он до сих пор не знал ничего, кроме отдельных эпизодов, о монастыре и приюте. Он до сих пор не знал, как Джуд попал в Филадельфию и что там с ним произошло. И он до сих пор так ничего и не знал о его травме. Но раз Джуд начал с историй полегче, то теперь он хотя бы понимал, что, если ему доведется услышать и остальные рассказы, они будут жуткими. И он почти не желал их слышать.

Эти рассказы стали своего рода компромиссом, когда Джуд ясно дал им понять, что к доктору Ломану он не пойдет. Энди, который теперь почти всегда заглядывал к ним по пятницам, зашел как-то вечером, вскоре после того, как Джуд вернулся в "Розен Притчард". Пока Энди в спальне осматривал Джуда, Виллем налил всем выпить, и потом они выпили, усевшись на диване, притушив свет — небо за окном было зернистым от снега.

— Сэм Ломан говорит, что ты ему так и не позвонил, — сказал Энди. — Джуд, ну что за херня. Ты должен ему позвонить. Такой был уговор.

— Энди, говорю же, — сказал Джуд, — я к нему не пойду.

Виллем хоть и не был с ним согласен, но обрадовался, услышав, как к Джуду возвращается его былое упрямство. Два месяца назад, когда они были в Марокко, он как-то раз за ужином поднял голову от тарелки и увидел, что Джуд глядит на мисочки с мезе и не может себе ничего положить.

— Джуд? — позвал его он, и Джуд со страхом на него взглянул.

— Я не знаю, с чего начать, — тихо сказал он, и тогда Виллем зачерпнул немного закусок из каждой мисочки, наложил их Джуду в тарелку и сказал, чтобы тот начинал с тушеных баклажанов, которые были в самом верху тарелки, и затем двигался по часовой стрелке.

— Но надо же что-то делать! — сказал Энди.

Было видно, что Энди безуспешно старался сохранять спокойствие, и его это тоже приободрило — знак, что все определенно приходит в норму.

— Виллем тоже так считает, правда, Виллем? Так дальше нельзя! Ты пережил серьезное потрясение! Пора уже начать с кем-то об этом разговаривать!

— Ладно, — устало откликнулся Джуд. — Я поговорю с Виллемом.

— Виллем не медицинский работник! — сказал Энди. — Виллем — актер!

Тут Джуд взглянул на него, и оба они покатились со смеху — даже стаканы пришлось отставить, чтоб не расплескать. В конце концов Энди встал и ушел, заявив, что они ведут себя как дети и непонятно вообще, чего ради он тут надрывается. Джуд пытался его вернуть, крича "Энди! Прости нас! Не уходи!", но хохотал так, что понять его было невозможно. Впервые за много месяцев — за много месяцев даже до попытки самоубийства — он услышал, как Джуд смеется.

Потом, когда они наконец успокоились, Джуд сказал:

— Я тут подумал, Виллем, что, знаешь… наверное, я мог бы иногда тебе что-то рассказывать. Ты не против? Это тебя не обременит?

И он ответил, что, конечно, не против, что он хочет все знать. И всегда хотел, но этого он не сказал, потому что понимал, что это прозвучит как упрек.

Но хоть он и сумел убедить себя в том, что Джуд вернулся к жизни, он не мог не заметить, как тот изменился. Конечно, были перемены и к лучшему, думал он, — например, Джуд начал что-то ему рассказывать. Но были и печальные изменения: руки у Джуда окрепли, но все равно еще время от времени тряслись — впрочем, все реже и реже, и он знал, что Джуд этого очень стыдится. И на прикосновения он теперь реагировал гораздо острее, особенно, заметил Виллем, на прикосновения Гарольда: когда Гарольд приезжал к ним в прошлом месяце, Джуд буквально ужом уворачивался от его объятий. Когда он увидел, какое у Гарольда сделалось лицо, ему стало его очень жалко, поэтому он сам его обнял.

— Ты же знаешь, он это не нарочно, — тихонько сказал он Гарольду, и Гарольд поцеловал его в щеку.

— Виллем, ты очень славный, — сказал он.

Был октябрь, с попытки самоубийства минул год и месяц. По вечерам он был в театре, а в декабре, когда они отыграли спектакль, у него начались съемки — первые после возвращения из Шри-Ланки. Снимался он в экранизации "Дяди Вани" — проект ему очень нравился, как и то, что съемки проходили в Гудзонской долине: он сможет по вечерам возвращаться домой.

Впрочем, это не было удачным совпадением.

— Сделай так, чтобы я остался в Нью-Йорке, — сказал он своему менеджеру и агенту, после того как прошлой осенью не поехал на съемки в Россию.

— Надолго? — спросил Кит, его агент.

— Не знаю, — ответил он. — Как минимум на весь следующий год.

— Виллем, — помолчав, сказал Кит, — я, конечно, понимаю, что вы с Джудом очень близки. Но раз уж ты сейчас на подъеме, может, стоит этим воспользоваться? Для тебя сейчас все двери открыты.

Он говорил об "Илиаде" с "Одиссеей", которые имели бешеный успех, а это значит, то и дело напоминал ему Кит, что теперь для него открыты все двери.

— И Джуд, насколько я его знаю, тебе то же самое скажет.

Он молчал, и тогда Кит добавил:

— Ведь это не то же самое, что жена или там ребенок. Это твой друг.

— Ты хочешь сказать — "всего-навсего друг", — раздраженно отозвался он.

Что с Кита возьмешь, он мыслил как агент, и ему можно было доверять — Кит был с ним с самого начала карьеры, и он старался с ним не ссориться.

Кроме того, Кит всегда давал ему хорошие советы. "Без подтяжек и натяжек", — хвалился Кит, говоря о карьере Виллема и о том, в каких ролях он снимался. Они оба знали, что к его карьере Кит относится куда ревностнее его самого — и так было изначально. И однако же именно благодаря Киту он сумел после звонка Ричарда улететь из Шри-Ланки первым же рейсом, благодаря Киту продюсеры согласились прервать съемки на целую неделю, чтобы он мог слетать в Нью-Йорк и обратно.

— Я не хотел тебя обидеть, Виллем, — осторожно сказал Кит. — Я знаю, что ты его любишь. Но слушай. Я б еще понял, если бы он был любовью всей твоей жизни. Но, как по мне, рисковать из-за этого карьерой — уж совсем чересчур.

Он, впрочем, иногда задумывался, сможет ли вообще полюбить кого-то сильнее, чем Джуда. Конечно, он любил его самого, но еще — и то, до чего комфортно ему жилось с ним, с человеком, которого он знал так долго и который всегда будет воспринимать его таким, какой он есть в каждый конкретный день своей жизни. Вся его работа, вся его жизнь была чередой шарад и маскарадов. Все в нем и вокруг него постоянно менялось — волосы, тело, место, где он сегодня заночует. Ему часто казалось, будто он сделан из какой-то жидкости, которую постоянно переливают из одной яркой бутылки в другую, и с каждым разом что-то проливается, что-то остается в прежней бутылке. Но дружба с Джудом помогала ему почувствовать себя кем-то реальным, кем-то неизменным, почувствовать, что в его маскарадной жизни есть место чему-то земному, чему-то, что Джуд мог в нем разглядеть, даже когда он сам этого не видел, словно Джуд был ему свидетелем, подтверждая, что он существует.

Один преподаватель в университете сказал ему, что чем талантливее актер, тем он скучнее. Быть выдающейся личностью — только себе вредить, потому что актер должен уметь от этой личности избавляться, должен полностью растворяться в персонаже. "Хотите быть яркой личностью, идите в поп-звезды", — говорил преподаватель.

Он до сих пор понимал, насколько мудрым было это замечание, но, по правде сказать, именно за личности они и цеплялись сильнее всего, потому что каждая новая роль уводила тебя все дальше и дальше от собственных представлений о себе, и отыскать путь назад с каждым разом становилось все труднее и труднее. Не удивительно, что многих его соратников по цеху это подкашивало. Они зарабатывали, жили, формировались, изображая других людей, — что ж тогда удивительного, если и в жизни они не могли сойти со сцены, с одних подмостков перекочевывали на другие? Без них кто они такие, что они такое? И вот они ударялись в религию, заводили подружек, хватались за любой способ обрести что-то свое;

они не спали, не переводили дух, боялись остаться наедине с собой, боялись самим себе задать вопрос, кто же они такие. ("А если актер говорит что-то в пустоту, то он все равно считается актером?" — как-то раз спросил его друг Роман. Иногда он тоже себя об этом спрашивал.)

Но для Джуда он не был актером, он был другом, и это определение вытесняло все прочие. Он так давно вжился в эту роль, что она стала неотделима от него самого. Для Джуда он был таким же актером, как Джуд для него — юристом, то есть это не было ни первым, ни вторым, ни даже третьим, что приходило им в голову, когда они думали друг о друге. Ведь Джуд помнил, кем он был до того, как сделал себе имя, изображая других людей, — помнил, что он был братом, помнил, что он был сыном, помнил, что когда-то ему все казалось волшебным и удивительным. Он знал актеров, которым до того хотелось переродиться, что они вообще не желали, чтобы кто-нибудь помнил их прежних, но он был не из таких. Он хотел, чтобы ему напоминали о том, кем он был, он хотел, чтобы рядом с ним были люди, которых не будет интересовать только его карьера.

А если уж совсем честно, он любил и то, что прилагалось к Джуду, — Гарольда и Джулию. Когда Джуда усыновили, он впервые ему позавидовал. Он часто восхищался Джудом — его умом, его чуткостью, его волей к жизни, но прежде никогда ему не завидовал. Но когда он смотрел на Джуда с Гарольдом и Джулией, смотрел, как они смотрят на него, даже когда он не видит, то чувствовал какую-то пустоту: у него родителей не было, и пусть он почти никогда об этом не думал, а все-таки даже такие безучастные родители, как у него, были каким-никаким жизненным якорем. Без семьи же он был все равно что клочок бумаги, который треплет ветром и с каждым порывом швыряет из стороны в сторону. В этом они с Джудом были похожи.

Конечно, он понимал, что завидовать Джуду не просто глупо, а как-то даже гадко: он ведь, в отличие от Джуда, вырос в семье. И он знал, что Гарольд с Джулией любят его так же сильно, как и он их. Они видели все его фильмы, и каждый раз он получал от них по длинному и подробному отзыву, в котором они всегда хвалили его игру, делали толковые замечания о его партнерах по фильму и операторской работе. (Они не стали смотреть только один фильм — по крайней мере, о нем он отзывов никогда не получал, — "Принц корицы", тот самый, в котором он снимался, когда Джуд пытался покончить с собой. Он и сам его не видел.) Они прочитывали все статьи о нем — сам он таких статей, как и рецензий на свои фильмы, всячески избегал — и покупали все журналы, в которых о нем писали. В день рождения они звонили ему и спрашивали, как он собирается праздновать, и Гарольд напоминал ему, что он не молодеет. На Рождество они всегда что-нибудь ему посылали — книгу, например, а вместе с ней небольшой шуточный подарок, или головоломку, которую он потом таскал в кармане и, разговаривая по телефону или сидя в кресле визажиста, вертел в руках. На День благодарения они с Гарольдом всегда смотрели в гостиной футбол, а Джулия составляла компанию Джуду на кухне.

— Чипсы заканчиваются, — говорил Гарольд.

— Вижу, — отвечал он.

— Так, может, сходишь за добавкой? — говорил Гарольд.

— Хозяин дома — ты, — напоминал он Гарольду.

— А ты — гость.

— Вот именно.

— Позови Джуда, пусть принесет чипсов.

— Сам позови.

— Нет, ты зови.

— Ладно, — говорил он. — Джуд! Гарольд хочет еще чипсов!

— Ох и выдумщик ты, Виллем, — говорил Гарольд, когда приходил Джуд и подсыпал им чипсов. — Джуд, это все Виллем.

Но в целом он понимал, что Гарольд и Джулия его любят, потому что он любит Джуда, понимал, что они готовы вверить ему заботу о Джуде — вот кем он был для них, да он и не возражал. Он этим гордился.

Впрочем, в последнее время его чувства к Джуду несколько изменились, и он не совсем понимал, что с этим делать. Однажды в пятницу поздним вечером они сидели на диване — он только что вернулся из театра, а Джуд из офиса — и разговаривали, просто разговаривали, ни о чем особенном, и вдруг еще немного — и он бы потянулся к нему и поцеловал. Он вовремя опомнился, и миг был упущен. Но с тех пор его снова посещал этот порыв — два, три, четыре раза.

Это начинало его беспокоить. Не потому, что Джуд был мужчиной — секс с мужчинами у него был и раньше, все его знакомые через это проходили, а в колледже они с Джей-Би как-то раз, напившись, со скуки и от любопытства принялись целоваться (опыт, к взаимному облегчению обоих, оказался совершенно неудовлетворительным: "Даже интересно, такой красавчик, а секса в тебе ноль", — вот что сказал ему тогда Джей-Би). И не потому, что он не чувствовал к Джуду того, что чувствовал ко всем остальным своим друзьям, — спокойной, ровной привязанности. А потому, что знал: нельзя ничего начинать, если он сам ни в чем до конца не уверен. Потому, что очень хорошо понимал, что Джуд, в котором и так не было ни капли легкомыслия, уж точно не станет легкомысленно относиться к сексу.

Сексуальная жизнь Джуда и его ориентация были предметом неувядающего интереса всех его знакомых, и особенно подружек Виллема. Периодически, когда они — он, Джей-Би и Малькольм — оставались втроем, у них тоже заходил об этом разговор: бывает ли у него секс? Был ли хоть раз? С кем? Они все видели, как на него заглядываются на вечеринках, как с ним флиртуют, но Джуд всякий раз этого словно бы и не замечал.

— Та девушка тебе просто на шею вешалась, — говорил он Джуду, когда они возвращались домой с очередной вечеринки.

— Какая девушка? — спрашивал Джуд.

Они обсуждали это втроем, потому что Джуд ясно дал им понять: он ни с кем из них это обсуждать не собирается; едва кто-нибудь об этом заговаривал, Джуд вместо ответа окидывал их выразительным взглядом и так подчеркнуто менял тему, что притвориться, будто ты его не понял, было никак нельзя.

— Он хоть раз не ночевал дома? — спрашивал Джей-Би (когда они с Джудом еще жили на Лиспенард-стрит).

— Слушайте, — отвечал он (от этих разговоров ему делалось неловко), — мне кажется, не стоит нам это обсуждать.

— Виллем! — кричал Джей-Би. — Да не ломайся ты! Мы же не просим тебя выдавать ничьи секреты. Просто скажи — да или нет? Хоть раз?

Он вздыхал.

— Нет, — отвечал он.

Наступало молчание.

— Может, он асексуал? — после паузы говорил Малкольм.

— Нет, Мэл, асексуал у нас — это ты.

— Джей-Би, иди на хуй.

— Как думаешь, он девственник? — спрашивал Джей-Би.

— Нет, — отвечал он.

Он и сам не знал, почему он так думал, но отчего-то был уверен — девственником Джуд не был.

— Все без толку, — говорил тогда Джей-Би, и они с Малкольмом переглядывались, потому что уже знали, что он скажет. — У него такая внешность — и без толку. Лучше бы мне его внешность досталась. Я бы, по крайней мере, времени не терял, с такой-то внешностью.

Постепенно они свыклись и с этой особенностью Джуда, просто добавили еще один пункт к списку тем, которые не стоило затрагивать. Шли годы, он ни с кем не встречался, они ни разу ни с кем его не видели.

— Может, он ведет бурную двойную жизнь? — предположил однажды Ричард, и Виллем пожал плечами.

— Может, — ответил он.

Впрочем, он знал — не ведет, хоть никаких доказательств у него и не было. Он как-то так же бездоказательно решил, что Джуд, скорее всего, гей (а может, и нет) и, скорее всего, никаких отношений у него никогда не было (впрочем, он очень надеялся, что тут он ошибся). Но, как бы там Джуд ни убеждал его в обратном, Виллем все равно не верил, что ему не одиноко, что он, хотя бы где-то в глубине души, не хочет с кем-то быть. Он вспомнил, как на свадьбу Лайонела и Синклера Малкольм пришел с Софи, он — с Робин, Джей-Би, хоть они тогда с ним и не разговаривали, — с Оливером, а Джуд пришел один. Сам Джуд вроде и не переживал из-за этого, но Виллем глядел на него и расстраивался. Он не хотел, чтобы Джуд старел в одиночестве, он хотел, чтобы кто-нибудь был рядом с Джудом, любил его и заботился о нем. Джей-Би был прав: все без толку.

Так откуда же оно взялось, это его влечение? Страх и сострадание, которые переплавились в более удобоваримую форму? Уж не внушил ли он себе, что его тянет к Джуду, просто потому, что Джуд одинок, а ему больно на это смотреть? Нет, в это он не верил. Но и наверняка не знал.

Раньше он обязательно бы поговорил об этом с Джей-Би, а теперь не мог, хотя они вроде бы снова стали друзьями, ну или, по крайней мере, старались воскресить прежнюю дружбу. По возвращении из Марокко Джуд позвонил Джей-Би, и они с ним вдвоем ходили ужинать, а через месяц и Виллем с Джей-Би поужинали вместе. Странно, впрочем, что ему оказалось гораздо труднее простить Джей-Би, чем Джуду, их первая встреча была полнейшим провалом — Джей-Би натужно, напоказ шутил, в нем самом все кипело, — выйдя из ресторана, они принялись орать друг на друга. Они стояли там, на пустынной Пелл-стрит (падал легкий снежок, на улице никого не было), и обвиняли друг друга в снисходительности и жестокости, в нелогичности и эгоцентризме, в самодовольстве и самовлюбленности, в мученичестве и идиотизме.

— Ты хоть представляешь, как я себя ненавижу? Думаешь, хоть кто-нибудь так себя ненавидит?! — орал Джей-Би.

(Его четвертая выставка, для которой он запечатлел тот период жизни, когда употреблял наркотики и дружил с Джексоном, называлась "Пособие по самобичеванию для нарцисса", и за ужином Джей-Би несколько раз эту выставку упомянул как доказательство того, что он-то себя публично и сурово наказал и теперь стал совсем другим человеком.)

— Да, Джей-Би, думаю! — орал он в ответ. — Джуд себя ненавидит куда больше твоего, тебе такая ненависть и не снилась, и ты знал об этом, и ты сделал так, чтобы он еще больше себя возненавидел!

— Думаешь, я этого не понимаю? — кричал Джей-Би. — За что, блядь, по-твоему, я так себя ненавижу?!

— Мало, значит, ненавидишь! — кричал он. — Зачем ты так поступил, Джей-Би? Зачем ты с ним-то — с ним! — так обошелся?

И тут, к его удивлению, Джей-Би сник, осел на тротуар.

— Почему ты меня никогда не любил так, как любишь его, Виллем? — спросил он.

Он вздохнул.

— Ох, Джей-Би, — сказал он и уселся рядом с ним на промозглый камень. — Тебе я никогда не был нужен так, как ему.

Он знал, что это не единственная причина, но существенная. Он никому больше не был так нужен. Были люди, которые хотели заняться с ним сексом, сделать с ним проект, даже дружить с ним — но нужен он был только Джуду. Только Джуду он был жизненно необходим.

— Знаешь, Виллем, — помолчав, сказал Джей-Би, — а может, ты ему и не нужен так сильно, как тебе кажется.

Какое-то время он это обдумывал.

— Нет, — наконец ответил он. — Мне кажется, нужен.

Теперь вздохнул Джей-Би.

— Честно говоря, — сказал он, — ты, наверное, прав.

Как ни странно, после этого их отношения стали налаживаться. Но хоть он и привыкал снова — с опаской, впрочем — к обществу Джей-Би, говорить с ним на эту тему он был пока не готов. Ему не хотелось выслушивать шутки Джей-Би о том, как он уже, значит, перетрахал все с двумя икс-хромосомами и теперь переключается на игреки, или рассуждения о том, как он отходит от гетеронормативных стандартов, или — самое ужасное — что его вовсе и не тянет к Джуду, что на самом деле он просто винит себя за то, что тот пытался покончить с собой, или просто хочет как-то его опекать, или — что еще проще — не знает, куда деться от скуки.

Поэтому он ничего не говорил и ничего не делал. Шли месяцы, он встречался с другими — ничего серьезного — и все это время прислушивался к своим чувствам. "Это бред, — твердил он себе. — Это плохая затея". И то и другое было правдой. Было бы куда проще, если бы он ничего такого не чувствовал. "Ну а если есть эти чувства, что теперь?" — препирался он сам с собой. У всех бывают чувства, которым лучше не давать воли, потому что все понимают, что жизнь это только усложнит. Диалоги он сам с собой вел целыми страницами, перед глазами у него стояли реплики — его и Джей-Би, только он говорил за них обоих, — напечатанные на белой бумаге.

Но чувства не утихали. На День благодарения они впервые за два года поехали в Кеймбридж. Им с Джудом пришлось спать в одной комнате, потому что в доме гостил приехавший из Оксфорда брат Джулии и ему отвели спальню наверху. Тогда ночью он не мог уснуть, лежал на диване и глядел на спящего Джуда. Ведь чего проще, думал он, залезть к нему в кровать и наконец уснуть самому? Казалось, будто по-другому даже и быть не может, и никакой это не бред, а бред как раз то, что он этому так долго противился.

В Кеймбридж они поехали на машине, и на обратном пути Джуд сел за руль, чтобы он мог поспать.

— Виллем, — сказал Джуд, когда они уже подъезжали к Нью-Йорку, — можно я спрошу кое-что? — Он взглянул на него. — У тебя все нормально? Ничего не беспокоит?

— Ну да, — ответил он, — все нормально.

— Ты просто какой-то… задумчивый, — сказал Джуд.

Он ничего не ответил.

— Знаешь, это такой огромный подарок — то, что ты живешь со мной. И не просто живешь, а… делаешь вообще все. Не знаю, что бы я без тебя делал. Но ты, наверное, уже вымотался. И поэтому ты знай: если ты хочешь вернуться к себе обратно, я справлюсь. Обещаю. Я ничего с собой не сделаю. — Сначала он глядел на дорогу, но потом обернулся к нему. — И за что мне так повезло? — сказал он.

Поначалу он даже не знал, что ответить.

— Ты хочешь, чтобы я уехал? — спросил он.

Джуд помолчал.

— Конечно нет, — тихо ответил он. — Но я хочу, чтобы ты был счастлив, а вид у тебя в последнее время не самый счастливый.

Он вздохнул.

— Извини, — сказал он. — Ты прав, у меня голова другим забита. Но это никак не связано с тем, что я с тобой живу. Мне очень нравится с тобой жить. — Он хотел прибавить еще что-то — что-то совсем верное, что-то совсем идеальное, но так и не сумел. — Извини, — снова сказал он.

— Не извиняйся, — сказал Джуд. — Но если что, ты всегда можешь со мной об этом поговорить.

— Знаю, — ответил он. — Спасибо.

Весь оставшийся путь до дома они молчали.

А потом наступил декабрь. Спектакль закончился. Они поехали отдыхать в Индию, все вчетвером — в полном составе впервые за много лет. В феврале начались съемки "Дяди Вани". С такой съемочной командой он всегда мечтал поработать, но удавалось ему это редко: он со всеми работал раньше, все друг друга любили и уважали, режиссер был космат, кроткий и вежливый, автором сценария был писатель, которым Джуд восхищался, и он вышел простым и прекрасным, диалоги — одно удовольствие.

В молодости Виллему довелось играть в пьесе "Дом на Репейной улице", речь в ней шла о людях, которые готовились съехать из родового гнезда в Сент-Луисе — дом много поколений принадлежал семье отца, но теперь стал им не по карману. Пьесу играли не в театре, а на этаже полуразрушенного дома в Гарлеме, зрителям разрешалось бродить по комнатам вокруг отгороженной канатами сцены — в зависимости от того, где ты стоял, ты и актеров, и пространство воспринимал совершенно по-разному. Он играл старшего сына, которого переезд подкосил сильнее всего, почти весь первый акт он молча простоял в столовой, заворачивая посуду в газету. У сына в исполнении Виллема развился нервный тик, он никак не мог смириться с тем, что ему придется уехать из дома, где он вырос, и когда его родители ссорились в гостиной, он откладывал свои тарелки, вжимался в угол столовой — рядом с дверью на кухню — и начинал отковыривать со стен длинные полоски обоев. Несмотря на то что основное действие разворачивалось в гостиной, несколько зрителей всегда оставались в его комнате и смотрели на него, смотрели, как он ковыряет обои — темно-синие, почти черные, с узором из бледно-алых махровых роз, — как катает их между пальцев, как кидает комочки на пол, и каждый вечер пол в этом углу оказывался усыпан крохотными скрутками обоев, как будто он был мышью, которая неумело пыталась выстлать себе норку. Пьеса выжимала из него все соки, но он ее любил — за близость к зрителю, за необычность сцены, за мелкую, подчеркнутую тактильность роли.

Съемки чем-то очень напоминали ту пьесу. Снимали они в особняке "позолоченного века" на Гудзоне, величественном, но скрипучем и обшарпанном — в свое время его бывшей подруге Филиппе казалось, что именно в таком доме они поселятся, когда станут дряхлой супружеской парой, — и режиссер использовал только три комнаты: столовую, гостиную и веранду. Вместо зрителей у них была съемочная команда, которая ходила за ними по дому. Но, даже наслаждаясь работой, он отчасти понимал, что именно сейчас сниматься в "Дяде Ване" не совсем разумно. На площадке он был доктором Астровым, но стоило ему вернуться на Грин-стрит, как он становился Соней, и Соня — как бы он ни любил пьесу, как бы он ни любил и ни жалел саму бедняжку Соню — была не той ролью, которую ему когда-либо хотелось сыграть, ни при каких обстоятельствах. Когда он рассказал друзьям о фильме, Джей-Би сказал:

— Так, значит, кастинг там гендерно нейтральный?

А он спросил:

— В смысле?

И Джей-Би ответил:

— Ну ты же Елену играешь, верно?

И все расхохотались, а громче всех — он сам.

Вот за что он любил Джей-Би, думал он, Джей-Би такой сообразительный, что даже сам не всегда об этом догадывается.

— Староват он для Елены, — с нежностью прибавил Джуд, и все снова расмеялись.

"Дядю Ваню" отсняли без проволочек, всего за каких-нибудь тридцать шесть дней, и в конце марта съемки уже закончились. Однажды, вскоре после окончания съемок, он пообедал в Трайбеке с Кресси, своей давней знакомой и бывшей девушкой, и, возвращаясь на Грин-стрит под легким колючим снежком, вспомнил, до чего он любил Нью-Йорк в конце зимы, когда погода словно бы застывала в межсезонье, а Джуд каждые выходные что-нибудь готовил, и можно было часами бродить по улицам и встретить разве что пару одиноких собачников, которые выгуливали псов.

Он шел на север, к Черч-стрит, и, переходя Рид-стрит, поглядел направо и в окне кафе увидел Энди, тот сидел за столиком в углу и читал.

— Виллем! — воскликнул Энди, когда он подошел. — Что ты здесь делаешь?

— Обедал со знакомой, теперь домой иду, — сказал он. — А ты что здесь делаешь? Далековато забрался.

— Ох уж эти ваши прогулки, — покачал головой Энди. — Джорджа пригласили на день рождения, в паре кварталов отсюда, и я вот сижу, жду, чтобы потом его забрать.

— Сколько уже Джорджу?

— Девять.

— Господи, уже девять?

— И не говори.

— Составить тебе компанию? — спросил он. — Или хочешь посидеть в одиночестве?

— Не хочу, — ответил Энди и заложил книгу салфеткой. — Посиди со мной. Пожалуйста.

И он уселся за столик.

Сначала они, конечно, поговорили о Джуде, который уехал в командировку в Мумбаи, потом о "Дяде Ване" ("Я помню только, что Астров — невероятная роль", — сказал Энди) и его следующем фильме, съемки которого начнутся в конце апреля в Бруклине, и о жене Энди, Джейн, которая как раз расширяла практику, и о детях: у Джорджа на днях диагностировали астму, а Беатрис хотела в будущем году учиться в школе-пансионе.

А потом, особенно не раздумывая — впрочем, раздумывать ему и не хотелось, — он вдруг начал рассказывать Энди о своих чувствах к Джуду, о том, как он не совсем понимает, что это за чувства и как с этим быть. Он говорил и говорил, и Энди слушал с бесстрастным выражением лица. В кафе кроме них двоих никого не было, а на улице снег валил все сильнее, все гуще, и, невзирая на снедавшую его тревогу, ему вдруг стало необычайно спокойно и радостно от того, что он с кем-то этим поделился и что этот кто-то знает их с Джудом уже много лет.

— Понимаю, выглядит это очень странно, — сказал он. — И, Энди, я думал о том, что же это такое может быть. Но где-то глубоко внутри я все спрашиваю себя: а может, так оно и было задумано? Ну то есть я десятилетиями встречался с самыми разными людьми, но, может быть, у меня ничего ни с кем не вышло, потому что и не должно было, потому что мне всегда было суждено быть с ним. Или, может, я просто хочу себя в этом убедить. А может, это простое любопытство. Но нет, вряд ли любопытство — уж тут я, пожалуй, себя все-таки хорошо знаю. — Он вздохнул. — Как думаешь, что мне делать?

Энди помолчал.

— Во-первых, Виллем, — сказал он, — мне это не кажется странным. Это, в общем, даже многое объясняет. Между вами двоими всегда было что-то необычное, что-то особенное. Так что... несмотря на всех твоих подружек, я всегда думал, а вдруг. Моя точка зрения, конечно, эгоистичная, но я думаю, что это было бы замечательно — и для тебя, и особенно для него. Мне кажется, что если ты захочешь начать с ним отношения, то для него это станет самым живительным, самым великим даром. Но, Виллем, если ты на это решишься, ты должен быть готов к тому, что ваши отношения будут серьезными, потому что ты прав — с ним у тебя не получится поразвлечься, а потом свести все на нет. И, думаю, еще нужно понимать: тебе придется очень, очень нелегко. Он должен будет снова тебе во всем довериться, должен будет увидеть тебя в совершенно новом свете. Вряд ли я выдам какую-то тайну, если скажу, что секс для него станет тяжким испытанием и тебе придется быть с ним очень, очень терпеливым.

Они оба помолчали.

— То есть, если я на это решусь, то должен четко понимать, что это навсегда? — спросил он Энди, и Энди поглядел на него и улыбнулся.

— Ну, — сказал Энди, — это не худший вариант пожизненного приговора.

— Твоя правда, — сказал он.

Он отправился на Грин-стрит. Настал апрель, Джуд вернулся домой. Они отпраздновали день рождения Джуда. "Сорок три, — вздыхал Гарольд, — я уж и не помню, что я в сорок три делал". Начались съемки нового фильма. В фильме снималась его давняя знакомая, с которой они дружили еще с университета — он играл продажного полицейского, а она — его жену, — и они пару раз переспали. Все шло как всегда. Он работал, он приходил домой на Грин-стрит, он обдумывал слова Энди.

А потом, однажды субботним утром, он проснулся очень рано, когда небо только-только начинало светлеть. Был конец мая, погода стояла совершенно непредсказуемая: иногда казалось, что на дворе март, иногда — что июль. В девяноста футах от него спал Джуд. И внезапно вся его робость, все его замешательство, все его сомнения показались ему глупыми. Он — дома,

Джуд — его дом. Он любит его, ему суждено быть с ним, он никогда его не обидит — тут он был в себе уверен. Так чего же он тогда боится?

Он вспомнил разговор с Робин, когда он только готовился к съемкам “Одиссеи” и перечитывал ее, а заодно и “Илиаду” — книги, которые не открывал с первого курса. Они тогда только начали встречаться и изо всех сил старались произвести друг на друга впечатление, потому что даже чувство интеллектуального превосходства партнера вызывало приятное головокружение.

— Как по-твоему, какие строки “Одиссеи” — самые переоцененные? — спросил он.

Робин закатила глаза и процитировала:

— Еще не конец испытаниям нашим / Много еще впереди предлежит мне трудов несказанных, / Много я подвигов тяжких еще совершить предназначен.

Она изобразила, будто ее вот-вот стошнит.

— Такая банальщина. Но отчего-то у нас в стране каждая лузерская футбольная команда делает эти строки своим боевым кличем, — прибавила она, и он расхохотался.

Она лукаво взглянула на него:

— Ты же играл в футбол, — сказала она, — наверное, и ты эти строки любишь.

— Терпеть не могу! — воскликнул он с наигранной обидой.

Это было частью игры, которая, впрочем, игрой была не всегда: он был глуповатым актером, тупым качком, а она — его умной подружкой, которая всему его учила.

— Тогда скажи, какие любишь? — дразнила его она, и когда он сказал, она пристально на него взглянула.

— Гммм, — сказала она. — Интересно.

Он вылез из кровати, зевая, завернулся в плед. Сегодня вечером он поговорит с Джудом. Он не знал, к чему это все приведет, но знал, что ничего страшного не случится, он постарается, чтобы с ними обоими ничего страшного не случилось. Он пошел на кухню сварить кофе и, пока варил, шептал себе под нос те самые строки, которые всегда всплывали у него в голове, когда он возвращался домой, возвращался на Грин-стрит после долгого отсутствия: “Также и это скажи мне правдиво, чтоб знал хорошо я: / Вправду ль мы прибыли в Итаку?” — и кухню постепенно заливало светом.

Каждое утро он встает, проплывает две мили, а потом возвращается наверх, завтракает, читает газеты. Друзья смеются над ним, их забавляет, что он готовит еду, вместо того чтобы перехватить что-нибудь по дороге на работу, что ему доставляют газеты, бумажные газеты — но этот ритуал всегда его успокаивал: даже в приюте это было единственное время, когда воспитатели были слишком расслаблены, а воспитанники слишком хотели спать, чтобы докучать ему. Он сидел в уголке столовой за завтраком и читал, и на эти минуты его оставляли в покое.

Он прилежный читатель: сначала он просматривает "Уолл-стрит джорнал", потом "Файнэншл таймс" и только потом приступает к "Нью-Йорк таймс", которую читает, ничего не пропуская, и там он видит вдруг заголовок в разделе некрологов: "Калеб Портер, 52 года, директор модного дома". В ту же секунду омлет со шпинатом у него во рту превращается в картон и клей, он тяжело сглатывает, его тошнит, каждый нерв в теле оживает, пульсирует болью. Ему приходится трижды прочитать заметку, прежде чем он осознает ее смысл: рак поджелудочной железы. "Сгорел в одночасье", — говорит коллега и близкий друг покойного. Под его руководством молодая марка "Ротко" стала агрессивно расширяться на азиатский и ближневосточный рынки, а также открыла первый бутик в Нью-Йорке. Умер в собственном доме на Манхэттене. Осталась сестра, Микаэла Портер де Сото, в Монте-Карло, шесть племянников и племянниц и партнер, Николас Лейн, также работающий в индустрии моды.

Он сидит неподвижно, уставившись на страницу, пока слова не начинают расплываться в абстрактный серый рисунок, а потом со всей возможной скоростью ковыляет к ближайшему туалету возле кухни, где его тошнит всем, что он только что съел, и он еще долго сгибается над унитазом, выблевывая длинные нити слюны. Потом он опускает крышку и садится, уткнув голову в ладони, и сидит так, пока ему не становится лучше. Ему страшно хочется достать лезвие, но он взял за правило не резать себя днем, отчасти потому, что это кажется ему неправильным, отчасти потому, что он знает: необходимо ставить себе какие-то рамки, какими бы искусственными они ни были, иначе он будет резать себя непрерывно. В последнее время он очень старался вообще не делать этого. Но сегодня вечером, думает он, можно в виде исключения. Сейчас семь утра. Часов через пятнадцать он снова будет дома. Нужно только прожить этот день.

Он кладет тарелку в посудомоечную машину и тихо проходит через спальню в ванную, принимает душ, бреется, одевается в гардеробной, убедившись вначале, что дверь в спальню плотно закрыта. На этом этапе в его ежеутренний ритуал добавился еще один шаг — если бы сейчас он вел себя, как обычно в последние месяцы, то открыл бы дверь, прошел к кровати, примостился бы с левой стороны и положил бы руку на руку Виллема, а Виллем бы открыл глаза и улыбнулся ему.

— Я пошел, — сказал бы он, а Виллем покачал бы головой.

— Не уходи, — сказал бы Виллем. — Еще пять минут.

И он бы сказал:

— Пять.

И тогда Виллем приподнял бы одеяло, и он бы залез под него, а Виллем прижался бы к его спине, а он бы закрыл глаза, и Виллем бы обнял его, и ему бы хотелось остаться так навсегда. А потом, через пятнадцать минут, он бы наконец неохотно поднялся, поцеловал Виллема куда-то возле губ, но не в губы — ему это все еще трудно, хотя и прошло четыре месяца — и ушел бы на работу.

Однако сегодня он пропускает этот шаг. Вместо этого он останавливается у стола в столовой, чтобы написать Виллему записку: пришлось уйти раньше, не хотел будить; дойдя до двери, он возвращается и забирает с собой "Таймс". Он знает, что это иррациональный поступок, но не хочет, чтобы Виллем увидел имя Калеба или его портрет, хоть что-то, что касается Калеба. Виллем до сих пор не знает о том, что Калеб сделал с ним, и не надо, чтоб знал. Вообще не надо, чтобы Виллем знал о существовании Калеба, вернее, вдруг понимает он, о его бывшем существовании, потому что Калеба больше нет. Под его рукой бумага оживает, раскаляется, имя Калеба — словно сгусток яда, притаившийся между страниц.

Он решает поехать в офис на машине, чтобы побыть немного в одиночестве, но прежде чем выехать из гаража, он еще раз читает некролог, а потом складывает газету и кладет ее в портфель. И вдруг его начинают душить рыдания, отчаянные всхлипы идут откуда-то из диафрагмы, он ложится головой на руль, пытается взять себя в руки и только теперь может признаться себе, какое огромное, глубокое облегчение испытывает, какой страх владел им эти три года, какой стыд, какое унижение он чувствует до сих пор. Ненавидя себя, он снова достает газету, снова читает некролог, доходит до слов "партнер, Николас Лейн, также работающий в индустрии моды". Интересно, Калеб делал с этим Николасом Лейном то, что делал с ним, или Николас — как оно и должно быть — не заслуживал такого обращения? Он надеется, что Николас никогда не испытал того, что испытал он; более того, он уверен, что так оно и есть, и это знание заставляет его плакать еще горше. Когда Гарольд пытался уговорить его заявить в полицию на Калеба, это был один из главных аргументов: Калеб опасен, и если заявить на него, если его арестуют, это спасет от него других. Но он знал, что это неправда: Калеб не станет делать с другими людьми того, что сделал с ним. Он бил и ненавидел его не потому, что вообще ненавидел и бил людей; он бил и ненавидел его за то, что *он* такой, а не потому, что сам Калеб такой.

Наконец ему удается собраться, он вытирает глаза, высмаркивается. Слезы — еще одно последствие истории с Калебом. Многие годы он умел их контролировать, а теперь — с той самой ночи — он, кажется, все время плачет, или на грани слез, или изо всех сил старается сдержаться. Как будто все, чего он достиг за десятилетия, стерлось, и он снова тот мальчик на попечении брата Луки, плачущий, беспомощный, беззащитный.

Он пытается завести машину, но руки дрожат. Он понимает, что придется подождать, складывает руки на коленях, старается дышать глубоко и ровно, иногда это помогает. Когда через несколько минут звонит телефон, дрожь уже немного улеглась, он надеется, что голос его звучит как обычно.

— Привет, Гарольд.

— Джуд! — Голос Гарольда кажется каким-то бесцветным. — Ты сегодня читал "Таймс"?

Дрожь тут же усиливается.

— Да.

— Рак поджелудочной — это страшные мучения, — говорит Гарольд, и в голосе его звучит мрачное удовлетворение. После паузы он спрашивает: — Ты ничего?

— Да, да. Все нормально.

— Что-то связь прерывается, — говорит Гарольд, но он-то знает, что связь тут ни при чем: просто он так дрожит, что не может толком держать телефон.

— Прости, — говорит он. — Я в гараже. Гарольд, мне пора выезжать. Спасибо, что позвонил.

— Ну хорошо, — вздыхает Гарольд. — Позвони, если захочешь поговорить, ладно?

— Да. Спасибо.

В офисе суматошный день, и он рад этому, он старается не давать себе времени думать о чем-то кроме работы. Днем приходит сообщение от Энди: "Ты видел, что этот ублюдок сдох? Рак поджелудочной = жуткие страдания. Как ты?" — и он пишет ответ, что в порядке, а за ланчем последний раз читает некролог, прежде чем засунуть газету в шредер и опять уткнуться в компьютер.

Вечером он получает сообщение от Виллема, что режиссер, с которым он должен обсудить свой следующий проект, перенес ужин на более позднее время, так что Виллем вряд ли будет дома раньше одиннадцати, и вздыхает с облегчением. В девять он говорит сотрудникам, что сегодня уйдет пораньше, едет домой и идет с порога прямо в ванную, по дороге стряхивая с себя пиджак, закатывая рукава, расстегивая часы; когда он делает первый надрез, ему трудно дышать от невыносимого желания. Прошло два месяца с тех пор, как он делал больше двух надрезов зараз, но сейчас он отбрасывает самодисциплину и режет, режет, пока наконец дыхание не замедляется, пока не приходит хорошо знакомое ощущение внутренней пустоты.

Потом он убирает за собой, умывается, идет на кухню, там разогревает суп, приготовленный в выходные, и впервые за день по-настоящему ест, потом чистит зубы и падает в кровать. На него накатывает слабость, но он знает, что если полежать несколько минут, то это пройдет. Надо прийти в себя к тому времени, как вернется Виллем, чтобы он не разволновался, чтобы не потревожить ту драгоценную галлюцинацию, в которой он живет вот уже четыре с половиной месяца.

Когда Виллем сказал ему о своих чувствах, он был настолько выбит из колеи, так изумлен, что, будь это не Виллем, а кто-то другой, он посчитал бы все это чудовищным розыгрышем; но вера в Виллема была сильнее, чем абсурдность его слов.

Не намного, впрочем.

— Я не понимаю: что ты говоришь? — спрашивал он в десятый раз.

— Я говорю, что меня влечет к тебе, — терпеливо повторял Виллем. И, когда он ничего на это не отвечал: — Джуди, я не думаю, что это так уж странно. Разве ты никогда не испытывал ничего такого ко мне, за все эти годы?

— Нет, — моментально ответил он, и Виллем засмеялся. Но он не шутил.

Никогда бы у него не хватило самомнения даже вообразить себя с Виллемом. Кроме того, он хорошо представлял себе, кто должен быть на этом месте: существо женского пола, воплощение красоты и ума, она должна понимать, как ей повезло, и Виллем должен чувствовать, как повезло ему. Он знал, что все эти картины — как большинство его представлений о взрослой жизни — несколько туманны и наивны, но ведь это не значит, что они несбыточны. Уж конечно не *он* тот человек, с которым должен быть Виллем; мир должен встать с ног на голову, чтобы Виллем предпочел его этой гипотетической девушке мечты.

На следующий день он составил для Виллема список из двадцати причин, почему тот не должен хотеть быть с ним. Когда он вручил Виллему список, тот улыбнулся, но когда начал читать, выражение его лица изменилось, и он ушел к себе в кабинет, чтобы не наблюдать за ним.

Через некоторое время Виллем постучал.

— Можно?

Он сказал, можно.

— Смотрю на пункт номер два, — серьезно сказал Виллем. — Мне неприятно тебе это говорить Джуд, но тело у нас практически одинаковое. Ты на дюйм выше, да, но позволь напомнить, что мы легко можем меняться одеждой.

Он вздохнул.

— Виллем, ну ты же понимаешь, что я имею в виду.

— Джуд, я понимаю, что для тебя все это странно и неожиданно. Если ты действительно не хочешь этого, я оставлю тебя в покое и обещаю, что между нами все будет по-прежнему. Но если ты пытаешься убедить меня, что мы не должны быть вместе, просто потому, что ты боишься и не веришь в себя, — что ж, я понимаю и это. Но это недостаточная причина, чтобы не попробовать. Мы будем продвигаться так медленно, как ты захочешь, клянусь.

Он молчал.

— Можно я подумаю? — спросил он наконец, и Виллем кивнул.

— Конечно. — И вышел, закрыв за собой дверь.

Он долго сидел в тишине своего кабинета и думал. После Калеба он поклялся, что больше не позволит себе ничего подобного. Он знал, что Виллем никогда не сделает ему ничего плохого, но его воображение было ограничено: он не мог представить себе отношения, которые не заканчиваются тем, что его бьют, скидывают с лестницы, в которых его не заставляют делать все то, что, как он обещал себе, ему никогда больше не придется делать. Возможно ли, спрашивал он себя, что даже такого доброго человека, как Виллем, он доведет до этой неизбежности? Неужели это предрешено и он даже у Виллема в конце концов вызовет ненависть? Неужели ему так необходим кто-то, что он снова забудет уроки истории — своей собственной истории?

Но снова в голове его звучал другой голос, споря с первым. *Безумие отказываться от такой возможности*, говорил этот голос. *Это единственный человек, которому ты всегда доверял. Виллем не Калеб, он никогда не сделает этого, никогда.*

И наконец он пошел на кухню, где Виллем готовил ужин.

— Хорошо, — сказал он. — Давай.

Виллем посмотрел на него и улыбнулся. "Иди сюда", — сказал он, и он подошел, и Виллем поцеловал его. Его охватил страх, паника, ему снова представлялся брат Лука, и он открыл глаза, чтобы напомнить себе: это ведь Виллем, его не надо бояться. Но едва его немного отпустило, перед глазами всплыло лицо Калеба, оно пульсировало в голове, и он отпрянул, давясь, закрывая рот ладонью.

— Прости, — сказал он, отворачиваясь, — Прости. Я не очень это умею, Виллем.

— В смысле? — спросил Виллем, поворачивая его к себе. — Ты все прекрасно умеешь.

И он выдохнул с облегчением: Виллем не сердится на него.

С тех пор он постоянно сравнивал то, что знает о Виллеме, с тем, чего ожидает от человека — любого человека, — который испытывает к нему физическое влечение. Он как будто ждет, что Виллема, которого он знает, заменит кто-то другой, как будто в других отношениях вдруг обнаружится другой Виллем. В первые несколько недель он постоянно боялся, что чем-то огорчит или разочарует Виллема, что доведет его до вспышки ярости. Он много дней набирался смелости, чтобы сказать Виллему, что ему невыносим вкус кофе на его губах (хотя и не объяснил почему: брат Лука, его ужасный, мускулистый язык, частички кофейной гущи у десен. Что он ценил в Калебе, так это что тот не пил кофе). Он извинялся и извинялся, пока Виллем не велел ему перестать.

— Джуд, все нормально, — сказал он. — Я должен был сообразить, правда. Я просто не буду больше пить кофе.

— Но ты любишь кофе.

Виллем улыбнулся:

— Мне нравится кофе, да. Но я могу без него обойтись. — Он снова улыбнулся: — Мой дантист будет в восторге.

Тогда же, в тот первый месяц, они с Виллемом говорили о сексе. Эти разговоры велись ночью, в постели, так легче было произносить некоторые вещи. У него ночь всегда ассоциировалась с возможностью себя резать, но теперь ночь была о другом — об этих беседах с Виллемом в темной комнате, когда он не так боялся прикосновений и мог различить каждую черточку Виллема, в то же время притворяясь, будто сам для него невидим.

— Ты хочешь, чтобы мы когда-нибудь занялись сексом? — спросил он однажды ночью и, уже произнося эти слова, осознал, как глупо они звучат.

Но Виллем не посмеялся над ним.

— Да, — сказал он. — Я бы этого хотел.

Он кивнул. Виллем ждал.

— Это может быть нескоро, — сказал он наконец.

— Хорошо, — сказал Виллем. — Я подожду.

— Но что, если пройдет несколько месяцев?

— Значит, пройдет несколько месяцев.

Он задумался.

— А если дольше? — спросил он тихо.

Виллем потянулся и дотронулся до его лица.

— Значит, дольше.

Они долго молчали.

— А что ты будешь делать все это время? — спросил он, и Виллем рассмеялся.

— У меня есть все-таки *кое-какой* самоконтроль, Джуд, — ответил он, улыбаясь. — Я знаю, тебя это потрясет, но я могу некоторое время обходиться без секса.

— Я не это имел в виду, — начал он виновато, но Виллем сгреб его в охапку и шумно поцеловал в щеку.

— Я шучу. Все нормально, Джуд. У тебя есть столько времени, сколько тебе нужно.

У них до сих пор не было секса, и иногда он пытался убедить себя, что, может быть, так и будет дальше. Однако он стал получать удовольствие от физической близости Виллема, от его ласк, таких простых, естественных и спонтанных, что и сам он чувствовал себя гораздо более естественно и непринужденно. Виллем спит на левой стороне кровати, а он на правой, и в первую ночь, когда они спали в одной постели вместе, он повернулся на правый бок по привычке, и Виллем прижался к нему, правой рукой обнял его за плечи, а левой обхватил в районе живота, просунул ногу между его ног. Он удивился, но, преодолев начальную неловкость, обнаружил, что ему это нравится, как будто его запеленали.

Однажды ночью в июне Виллем не обвился вокруг него, и он испугался, что сделал что-то не так. На следующее утро — раннее утро было еще одним временем, когда они говорили о вещах слишком трудных и болезненных для дневного света — он спросил Виллема, не сердится ли тот за что-то, и Виллем с изумлением сказал: нет, конечно нет.

— Я просто подумал, — сказал он, запинаясь, — потому что ночью ты не… — Но он не окончил фразу, не смог выговорить.

Но он увидел, что лицо Виллема прояснилось, и он придвинулся к нему, обхватил его руками.

— Так? — спросил Виллем, и он кивнул. — Просто ночью было очень жарко.

Он ждал, что Виллем будет смеяться над ним, но нет.

— Только поэтому, Джуди.

С тех пор Виллем обнимал его каждую ночь, даже в июле, когда кондиционер не справлялся с тяжестью воздуха, когда они оба просыпались мокрыми от пота. Он понял, что это именно то, чего он хотел от отношений. Когда он надеялся, что однажды кто-то будет прикасаться к нему, он представлял именно это. Иногда Калеб кратко обнимал его, и ему приходилось сдерживаться, чтобы не попросить его обнять еще, подольше. Но теперь это свершилось: он узнал, что такое физический контакт, телесная близость, которая бывает между здоровыми людьми, которые любят друг друга и вместе спят, только без секса.

Он не может проявить инициативу или попросить Виллема обнять его, но он ждет этого — вот он проходит по гостиной, а Виллем притягивает его за руку и целует, вот он стоит у плиты на кухне, а Виллем подходит и обнимает его сзади, обхватывая грудь и живот, как в постели. Он всегда восхищался тем, как физически раскованны Виллем и Джей-Би — и друг с другом, и с остальными людьми; он знал, что они не станут так вести себя с ним, и хотя он был благодарен им за сдержанность, иногда испытывал смутное сожаление: иногда ему хотелось, чтобы они нарушили запрет, чтобы обращались с ним с той же дружеской бесцеремонностью, что и с остальными. Но это никогда не происходило.

Только через три месяца, к концу августа, он смог раздеться перед Виллемом. Каждую ночь он приходил в постель в футболке с длинными рукавами и спортивных штанах, и каждую ночь Виллем ложился в нижнем белье. "Тебе это неприятно?" — спрашивал Виллем, и он отрицательно мотал головой: хотя ему и было неловко, но в то же время и не сказать чтоб совсем уж неприятно. Каждый день этого последнего месяца он обещал себе: сниму одежду, и будь что будет. Вот прямо этой ночью, надо же когда-нибудь начинать. Но его воображение отказывалось двигаться дальше; он не мог представить реакцию Виллема или что будет на следующий день. А потом наставала ночь, и они ложились, и решимость покидала его.

Однажды ночью Виллем засунул руки под его футболку, положил ладони ему на спину, и он рванулся прочь с такой силой, что упал с кровати.

— Прости, — сказал он Виллему, — прости. — И, взобравшись обратно, улегся на самом краешке матраса.

Они оба молчали. Он лежал на спине и смотрел на светильник.

— Знаешь, Джуд, — сказал Виллем, — я ведь видел тебя без рубашки.

Он взглянул на Виллема, тот затаил дыхание.

— В больнице, когда они меняли тебе повязку и купали тебя.

Глазам стало горячо, он снова уставился в потолок.

— Ты все видел?

— Не все, — успокоил его Виллем, — но я знаю, что у тебя шрамы на спине. И руки твои я тоже видел.

Виллем ждал и, когда он ничего не ответил, вздохнул.

— Джуд, честное слово, это не так страшно, как ты думаешь.

— Я боюсь, что ты почувствуешь отвращение, — наконец выговорил он. Слова Калеба звенели у него в ушах: "Ты действительно изуродован, что да то да. Ты и вправду урод. Настоящий урод". — Наверное, нельзя, чтобы я вообще никогда не раздевался? — спросил он, стараясь рассмеяться, обратить все в шутку.

— Нельзя, — сказал Виллем. — Потому что я думаю — хотя ты и почувствуешь это не сразу, — это будет хорошо для тебя, Джуди.

И на следующую ночь он сделал это. Как только Виллем лег, он быстро разделся под одеялом, потом отбросил одеяло и повернулся спиной к Виллему. Он все время держал глаза закрытыми, но когда почувствовал, что Виллем положил ладонь ему на спину, между лопаток, он заплакал, яростно, горько, злыми слезами, скорчившись от стыда, как не плакал много лет. Он вспоминал ночь с Калебом, когда последний раз оказался так беззащитен, когда последний раз так рыдал, и знал, что Виллем только отчасти поймет причины его горя, Виллем не знает, что стыд этой минуты — быть обнаженным, отдаться на милость другого — почти так же велик, как стыд того, что ему пришлось открыть. Он слышал, скорее по интонации, что Виллем говорит что-то доброе, что он расстроен и старается утешить его, но в смятении не мог разобрать слов. Он хотел выбраться из постели, пойти в ванную, чтобы резать себя, но Виллем поймал его и держал так крепко, что он не мог двинуться и в конце концов как-то успокоился.

Когда он проснулся наутро — поздно, было воскресенье, — Виллем смотрел на него. У него был усталый вид.

— Как ты? — спросил он.

Он вспомнил, что было ночью.

— Виллем, прости меня. Прости меня, пожалуйста. Я не знаю, что на меня нашло.

Только тут он сообразил, что все еще раздет, спрятал руки под одеяло, натянул одеяло до подбородка.

— Нет, Джуд, это ты меня прости, — сказал Виллем. — Я не знал, что это настолько тебя травмирует. — Он погладил его по голове. Они помолчали. — Я впервые видел, как ты плачешь.

— Что ж, — сказал он, сглотнув. — Видимо, это не такой эффективный способ обольщения, как я надеялся. — И он слегка улыбнулся Виллему, и Виллем улыбнулся в ответ.

Они все утро лежали в постели и разговаривали. Виллем спрашивал про отдельные шрамы, и он рассказывал. Он объяснил, откуда шрамы на спине: про тот день, когда его поймали при попытке бегства из приюта, как его били, как потом раны инфицировались, спина много дней гноилась, пузырилась волдырями там, где занозы от ручки метлы попали под кожу; и каким он остался, когда все это закончилось. Виллем спросил, когда он последний раз раздевался перед кем-нибудь, и он солгал, что — не считая Энди — в пятнадцать лет. И тогда Виллем стал говорить добрые, невероятные слова про его тело, на которые он старался не обращать внимания, потому что знал, что это неправда.

— Виллем, если ты больше не захочешь быть со мной, я пойму, — сказал он. Он сразу предложил никому не говорить о том, что их дружба, возможно, преобразуется во что-то другое, и хотя он объяснил Виллему, что это даст им больше личного пространства, времени, чтобы разобраться, он еще и думал, что так Виллему будет проще передумать, не оглядываясь на то, что скажут другие. Конечно, в этом решении слышалось эхо его отношений с Калебом, которые тоже сохранялись в тайне, и ему приходилось напоминать себе, что это совсем другое дело; совсем другое, если только он не сделает его тем же.

— Конечно нет, Джуд, — сказал Виллем. — Конечно нет!

Виллем провел кончиком пальца по его брови — этот жест успокоил его, в нем была ласка, но не было сексуального напряжения.

— Просто жизнь со мной может оказаться чередой неприятных сюрпризов, — сказал он наконец, но Виллем покачал головой.

— Сюрпризов — возможно. Но не неприятных.

И вот он стал стараться каждый раз раздеваться на ночь. Иногда он может сделать это, а иногда нет. Иногда он позволяет Виллему трогать свою спину и руки, а иногда нет. Но он не может обнажиться перед Виллемом днем или при свете и делать другие вещи, которые, как он знает из фильмов и подслушанных разговоров, делают пары: он не может одеваться при Виллеме или принимать душ вместе с ним (ему приходилось делать это с братом Лукой, и он это ненавидел).

Его собственная застенчивость, однако, оказалась незаразной — его поражает, как часто и непринужденно обнажается Виллем. По утрам он откидывает край одеяла и разглядывает спящего Виллема с клинической отстраненностью, отмечая, как совершенно его тело, и потом вспоминает со странным, болезненным головокружением, что именно ему дано смотреть на него, что ему дарована эта красота.

Иногда невозможность происходящего оглушает его, и он замирает. Его первые отношения: брат Лука (можно ли это назвать отношениями?), его вторые отношения: Калеб Портер. И вот третьи: Виллем Рагнарссон, его любимый друг, лучший человек, какого он знает, человек, который мог бы получить любого, кого захочет — мужчину или женщину, и который все-таки по каким-то безумным причинам — неодолимое любопытство? Сумасшествие? Жалость? Идиотизм? — решил, что ему нужен он. Ему как-то приснился сон: Виллем и Гарольд сидят за столом, склонив головы над какой-то бумагой, Гарольд считает что-то на калькуляторе, и он знает, хоть ему никто и не говорил, что Гарольд платит Виллему за то, чтобы тот был с ним. Во сне он чувствует одновременно унижение и благодарность: Гарольд так щедр, и Виллем соглашается на сделку. Когда он просыпается, он хочет сказать что-то про это Виллему, но тут логика вступает в свои права, и ему приходится напомнить себе, что Виллем не нуждается в деньгах, что денег у него полно и, какими бы странными и невероятными ни были причины выбрать именно его, он принял это решение свободно, без чужого влияния.

В этот вечер он читает в постели и ждет Виллема, но засыпает и просыпается, только почувствовав, что Виллем гладит его по щеке.

— Ты дома, — говорит он и улыбается, и Виллем улыбается в ответ.

Они лежат в темноте, обсуждают ужин Виллема с режиссером, съемки, которые начнутся в январе в Техасе. Фильм "Дуэты" основан на романе, который ему нравится, он о мужчине и женщине, которые скрывают свою гомосексуальность, оба работают учителями музыки в школе маленького городка; перед читателем разворачиваются двадцать пять лет их брака, с шестидесятых до восьмидесятых годов двадцатого века.

— Мне нужна будет твоя помощь, — говорит Виллем. — Мне придется серьезно поработать над игрой на пианино. И мне придется там петь. Они наймут мне учителя, но ты можешь со мной позаниматься?

— Конечно! Но тебе не о чем беспокоиться: у тебя прекрасный голос, Виллем.

— Слишком слабый.

— Очень красивый.

Виллем смеется, сжимает его руку.

— Скажи это Киту, он уже лезет на стенку от ужаса. — Он вздыхает. — Как ты провел день?

— Хорошо, — говорит он.

Они начинают целоваться — ему до сих пор приходится держать глаза открытыми, чтобы помнить, что он целует Виллема, а не брата Луку, и все идет хорошо, пока в памяти не всплывает первый вечер, когда он привел сюда Калеба, как Калеб прижимал его к стене и что за этим последовало, и он резко отстраняется от Виллема, отворачивается от него.

— Прости, — говорит он. — Прости.

Он сегодня не снял на ночь одежду и теперь натягивает рукава на руки. Рядом ждет Виллем, и в тишине он слышит собственный голос:

— Вчера умер человек, которого я знал.

— Ох, Джуд, — говорит Виллем. — Сочувствую. Кто?

Он долго молчит, стараясь выговорить нужные слова.

— Человек, с которым у меня были отношения, — произносит он наконец, едва ворочая во рту языком. Он чувствует, как внимание Виллема сгущается, как тот придвигается ближе.

— Я не знал, что у тебя с кем-то были отношения, — спокойно говорит Виллем. Он откашливается. — Когда?

— Когда ты снимался в "Одиссее", — отвечает он тихо и снова чувствует, как меняется атмосфера. Он вспоминает слова Виллема: "Что-то случилось, пока меня не было. Что-то не так". Он знает, что Виллем тоже вспоминает сейчас тот разговор.

— Ну, расскажи мне, — говорит Виллем после паузы. — Кто был этот счастливчик?

Он почти уже не может дышать, но продолжает.

— Это был мужчина, — говорит он, и хотя он не смотрит на Виллема, сосредоточив взгляд на светильнике, он чувствует, как тот ободряюще кивает, ждет продолжения. Но он не может продолжить, Виллему придется задавать вопросы, и Виллем их задаст.

— Расскажи мне о нем. Как долго вы встречались?

— Четыре месяца.

— И почему это закончилось?

Он думает, как ответить.

— Он не очень хорошо ко мне относился, — говорит он наконец.

Он чувствует гнев Виллема раньше, чем слышит ответ.

— Значит, он был придурок, — говорит Виллем сдавленным голосом.

— Нет, он был очень умный. — Он открывает рот, чтобы сказать что-то еще, но не может, закрывает рот, и они дальше лежат в молчании.

Наконец Виллем задает новый вопрос:

— И что потом случилось?

Он ждет, и Виллем ждет тоже. Он слышит, как они дышат в такт: так, словно вбирают в себя весь воздух этой комнаты, этой квартиры, этого мира, и потом выдыхают — только они двое, одни на свете. Он считает выдохи: пять, десять, пятнадцать. На двадцатом он говорит:

— Если я расскажу тебе, Виллем, обещаешь не сердиться? — И он снова чувствует, как Виллем чуть сдвигается.

— Обещаю, — глухо отвечает Виллем.

Он делает глубокий вдох.

— Помнишь, я попал в автомобильную аварию?

— Да, помню, — отвечает Виллем. Его голос звучит неуверенно, приглушенно. Он часто дышит.

— Это была не авария. — Его руки начинают дрожать, он прячет их под одеяло.

— В каком смысле? — спрашивает Виллем, но он молчит и снова скорее чувствует, чем видит, что Виллем начинает понимать. И тут Виллем подвигается к нему, смотрит ему в лицо, находит под одеялом его руки.

— Джуд, это кто-то сделал с тобой? Кто-то… — он с трудом выговаривает эти слова, — кто-то избил тебя?

Он кивает, с трудом, радуясь, что не плачет, хотя ему кажется, что он вот-вот взорвется: он представляет, как плоть его отрывается от скелета, разлетается шрапнелью, прилипает к стенам, свисает со светильника, заляпывает кровью простыни.

— О господи, — говорит Виллем, выпускает его руки, торопливо вылезает из кровати.

— Виллем! — кричит он, вскакивает и идет вслед за ним в ванную, где Виллем, тяжело дыша, склоняется над раковиной, но когда он пытается дотронуться до его плеча, Виллем стряхивает его руку.

Он идет обратно в комнату и ждет, сидя на краешке кровати, и когда Виллем выходит из ванной, видно, что он плакал.

Несколько долгих минут они сидят рядом, их руки соприкасаются, они молчат.

— Ты прочитал некролог? — наконец спрашивает Виллем, и он кивает. — Покажи мне.

Они идут к компьютеру в его кабинет, и он стоит рядом, пока Виллем читает. Виллем читает некролог дважды, трижды. А потом встает и обнимает его, очень крепко, и он обнимает Виллема в ответ.

— Почему ты не сказал мне? — шепчет Виллем ему в ухо.

— Это ничего бы не изменило, — говорит он, и Виллем отступает, смотрит ему в глаза, держа его за плечи.

Он видит, что Виллем пытается сдерживаться, он сжимает губы, мышцы челюсти напрягаются.

— Я хочу, чтобы ты рассказал мне все, — говорит Виллем. Он берет его за руку, ведет к дивану, который стоит в кабинете, усаживает. — Я сейчас пойду на кухню, налью себе чего-нибудь выпить, потом вернусь. И тебе тоже налью. — Он только и может, что кивнуть.

Пока он ждет, он думает о Калебе. Они не общались после той ночи, но каждые пару месяцев он искал информацию о нем в интернете. Это было нетрудно: вот он улыбается и позирует на выставках, на шоу, на вечеринках. Статья о первом монобутике "Ротко", где Калеб объясняет, как непросто новой марке войти на развитый рынок. Другая статья — про новую жизнь Цветочного квартала, с цитатой из Калеба: он говорит о том, каково жить в районе, который, несмотря на отели и бутики, остается живым и неприглаженным. И теперь он думает: может быть, Калеб тоже следил за его жизнью? Может быть, показывал его фотографии Николасу? Говорил: "Я когда-то с ним встречался, он настоящий урод"? Может быть, Калеб передразнивал его походку, чтобы рассмешить Николаса — которого он представляет себе красивым, уверенным в себе блондином, — и они хохотали вместе, и Калеб рассказывал, каким никчемным, безжизненным бревном он оказался в постели? Может, он говорил: "Меня от него тошнило"? Или ничего не говорил? Просто забыл его, никогда о нем не думал — как об ошибке, о неприятном эпизоде, об отклонении; просто завернул в целлофан и засунул в дальний угол памяти, вместе со сломанными детскими игрушками и давними разочарованиями? Он тоже хотел бы забыть, никогда не думать о Калебе. Однако он все время задается вопросом, как и почему он позволил этим четырем месяцам — которые все дальше уходят в прошлое — так повлиять на него, так изменить его жизнь. Но с тем же успехом можно спросить себя — и он часто спрашивает, — почему он позволил первым пятнадцати годам своей жизни так повлиять на последующие двадцать восемь. Ему везло больше, чем можно вообразить, о такой взрослой жизни, как у него, можно только мечтать — почему же он все возвращается к тем давним событиям, снова и снова проигрывает их в своем воображении? Почему просто не радоваться настоящему? Зачем так много значения придавать прошлому? Почему оно становится все яснее по мере того, как отдаляется во времени?

Виллем возвращается, приносит два стакана виски со льдом. Он надел рубашку. Некоторое время они сидят на диване, потягивая виски, и он чувствует, как его тело наполняется теплом.

— Я все тебе расскажу, — говорит он Виллему, и Виллем кивает, но перед тем, как начать рассказывать, он наклоняется и целует Виллема. Впервые в жизни он первый кого-то поцеловал, и он надеется, что этот поцелуй расскажет Виллему о том, о чем не может рассказать он сам, даже в темноте, даже при сером рассвете раннего утра: обо всем, чего он стыдится и за что благодарен. На этот раз его глаза закрыты, и он думает, что скоро сможет уноситься туда, куда все люди уносятся во время поцелуя, во время секса: в те края, где он никогда не был, но которые он хочет увидеть, в тот мир, который, может быть, не закрыт для него навсегда.

Когда Кит в городе, они встречаются на обед или на ужин в нью-йоркском офисе агентства, но на этот раз, в начале декабря, Виллем предлагает встретиться на Грин-стрит.

— Я сам приготовлю ланч, — говорит он.

— Что вдруг? — настороженно спрашивает Кит. Они всегда хорошо ладили, но не были друзьями, и Виллем никогда раньше не приглашал его на Грин-стрит.

— Мне нужно поговорить с тобой кое о чем. — И слышит, как Кит начинает дышать медленно и глубоко.

— Окей, — говорит Кит. Он не спрашивает, о чем именно и случилось ли что-нибудь; наверняка случилось. В его вселенной фраза "Мне нужно поговорить с тобой кое о чем" не предвещает ничего хорошего.

Он, конечно, понимал это и мог разуверить Кита, но какой-то бес внутри шепнул ему не делать этого.

— Окей! — сказал он бодро. — Увидимся на следующей неделе.

С другой стороны, подумал он, повесив трубку, может быть, его нежелание развеять опасения Кита не было просто ребячеством: он сам считал, что новость, которую он собирался сообщить — что они с Джудом теперь пара, — не была плохой новостью, но, возможно, Кит посмотрит на это иначе.

Они решили сказать о своих отношениях только нескольким людям. Сначала они сказали Гарольду и Джулии, и это был очень радостный и приятный момент, хотя Джуд почему-то жутко нервничал. Это случилось всего пару недель назад, на День благодарения, и они оба так обрадовались, так растрогались и стали его обнимать, Гарольд даже поплакал немного, а Джуд все это время сидел на диване и смотрел на них троих с легкой улыбкой.

Потом они сказали Ричарду, и тот удивился куда меньше, чем они ожидали. — По-моему, отличная идея! — сказал он твердо, как будто они сообщили ему о совместной инвестиции. Он обнял их обоих. — Молодцы! Молодец, Виллем! — И он понимал, что Ричард пытается сказать — то же самое, что он сам пытался сказать Ричарду, когда много лет назад заговорил с ним о том, что Джуду нужно какое-то безопасное место для жизни, а на самом деле просил Ричарда приглядеть за Джудом, пока он сам не может.

Потом они сказали Малкольму и Джей-Би, по отдельности. Сначала Малкольму, от которого ждали либо глубокого потрясения, либо искренней радости. Оправдался второй прогноз. "Я так рад за вас! — просиял Малкольм. — Это просто прекрасно. Вы так друг другу подходите". Он спросил, как это произошло, и давно ли, и, немного поддразнивая, что нового они друг о друге узнали. (При этом они переглянулись — если бы Малкольм только знал! — и сказали "ничего". А Малкольм улыбнулся, словно получил доказательство существования целого склада грязных секретов, который он в один прекрасный день обнаружит.) А потом он вздохнул. "Меня только одно печалит, — сказал он, и они спросили, что именно. — Твоя квартира, Виллем. Она такая красивая. Ей, должно быть, одиноко стоять пустой". Каким-то образом им удалось не засмеяться, и они утешили Малкольма, что сдают квартиру другу, актеру из Испании, который снимался в одном проекте на Манхэттене и решил остаться еще на год, а то и больше.

С Джей-Би все оказалось сложнее, как они и думали. Они знали, что он решит, будто его предали, им пренебрегли, что ему будет не давать покоя оскорбленное собственническое чувство, и все это еще удвоится оттого, что сам он недавно, после четырех с лишним лет, расстался с Оливером. Они пригласили его в ресторан: так было меньше шансов, что он устроит сцену (хотя гарантий нет, отметил Джуд), и новость сообщил Джуд, поскольку Джей-Би все еще держался с ним осторожно и с меньшей вероятностью стал бы говорить ему гадости. Они наблюдали, как Джей-Би положил вилку и закрыл лицо руками. "Мне дурно, — сказал он. Но наконец открыл лицо и добавил: — Но я счастлив за вас, друзья", — и они выдохнули. Джей-Би воткнул вилку в буррату. "То есть я злюсь, что вы не сказали мне раньше, но счастлив". Принесли горячее, и Джей-Би пронзил насквозь сибаса. "То есть я *ужасно* злюсь. Но. Я. Счастлив". Когда прибыл десерт, стало ясно, что Джей-Би, яростно избивающий ложкой суфле из гуавы, действительно пребывает в смятении, и они пинали друг друга под столом, отчасти на грани истерического смеха, отчасти и впрямь опасаясь, что Джей-Би взорвется прямо здесь и сейчас.

После ужина они стояли у ресторана, Виллем и Джей-Би курили, они обсуждали ближайшую выставку Джей-Би, уже пятую по счету, его студентов в Йеле, где Джей-Би преподавал последние пару лет; но это хрупкое перемирие было нарушено какой-то девушкой, которая подошла к нему ("Можно с вами сфотографироваться?"), отчего Джей-Би издал нечто среднее между стоном и фырканьем. Позже, на Грин-стрит, они с Джудом вволю посмеялись: над тем, как потрясен был Джей-Би, и как он старался проявить благородство, и как непросто ему это далось, и над его вечным, неизменным эгоцентризмом.

— Бедный Джей-Би, — сказал Джуд. — Я думал, у него голова просто взорвется. — Он вздохнул. — Но его можно понять. Он всегда был влюблен в тебя, Виллем.

— Но не в этом смысле.

Джуд посмотрел на него:

— А *теперь* кто не может увидеть себя со стороны?

Именно так всегда говорил Джуду Виллем: что его видение, его версия себя не имеет ничего общего с реальностью.

Он тоже вздохнул:

— Надо ему позвонить.

— Сегодня не надо, — сказал Джуд. — Он сам позвонит, когда будет готов.

Так и вышло. В воскресенье Джей-Би явился на Грин-стрит, Джуд впустил его, извинился (много работы) и закрылся в кабинете, чтобы оставить их наедине с Виллемом. Следующие два часа Виллем сидел и слушал сумбурные излияния, в которых вопросы и упреки то и дело прерывались припевом "Но я действительно счастлив за вас". Джей-Би был сердит: почему ему не сказали раньше, почему Виллем с ним не посоветовался, почему Малкольму и Ричарду — Ричарду! — сказали раньше, чем ему? Джей-Би был расстроен: пусть Виллем скажет наконец правду — он всегда больше любил Джуда, чем его, да? Почему бы наконец не признаться в этом? И всегда ли он был в него влюблен? Что, все эти годы, когда он трахал женщин, были одной сплошной ложью, которой Виллем надеялся сбить их с толку? Джей-Би ревновал: он понимает, что Джуд привлекателен, ей-богу, понимает, и понимает, что его претензии лишены логики и даже немного эгоистичны, но он бы покривил душой, если бы не сказал о своей обиде: почему Виллем выбрал Джуда, а не его.

— Джей-Би, — повторял он снова и снова, — все получилось само собой. Я не говорил тебе, потому что мне нужно было время, чтобы обо всем подумать. А насчет того, чтоб влюбиться в тебя, — что я могу сказать? Нет, меня к тебе не влечет. И тебя ко мне тоже! Мы пробовали однажды, помнишь? Ты сказал, что тебя с души воротит, помнишь?

Джей-Би, однако, игнорировал эти доводы.

— Я не понимаю, почему вы сначала сказали Малкольму и Ричарду, — повторил он обиженно, на что Виллему было нечего ответить. — И вообще, — добавил Джей-Би после паузы, — я очень счастлив за вас. Правда.

Он вздохнул:

— Спасибо, Джей-Би, это много для меня значит.

Они снова помолчали.

— Джей-Би, — сказал Джуд, выходя из кабинета. — Он явно был удивлен, что Джей-Би до сих пор здесь. — Хочешь с нами поужинать?

— А что у вас на ужин?

— Треска. И запеку картошку как ты любишь.

— Ну ладно, — сказал Джей-Би мрачно, и Виллем улыбнулся Джуду за его спиной.

Он пошел за Джудом на кухню и стал резать салат, а Джей-Би переместился к обеденному столу и принялся листать роман, оставленный там Джудом.

— Я это читал! — крикнул он. — Хочешь знать, чем кончается?

— Нет, Джей-Би. Я только на середине.

— Священник все-таки умрет!

— Джей-Би!

После этого настроение у Джей-Би улучшилось. Последние залпы негодования звучали неубедительно, как будто он выпускал их из чувства долга, а не по велению сердца.

— Через десять лет вы будете как две старые лесбиянки. Дело дойдет до кошек, помяните мое слово!

Или:

— Вы вдвоем на кухне — это прямо как та картина Джона Каррена, только с чуть меньшей степенью расовой определенности. Знаете? Ну, посмотрите при случае.

— Вы собираетесь вылезать из чулана или будете скрывать? — спросил Джей-Би после ужина.

— Мы не планируем выпускать пресс-релиз, — сказал Виллем. — Но и прятаться тоже не станем.

— По-моему, это ошибка, — быстро добавил Джуд. Виллем не стал даже отвечать — они спорили об этом уже месяц.

После ужина они с Джей-Би сидели на диване и пили чай, а Джуд загружал посудомоечную машину. К этому времени Джей-Би почти угомонился, и он вспомнил, что его настроение всегда выписывало эту кривую, еще на Лиспенард-стрит: в начале вечера Джей-Би был колюч и ехиден, а к концу усмирялся и добрел.

— Как секс? — спросил Джей-Би.

— Офигительно, — быстро ответил он.

Джей-Би помрачнел.

— Черт, — сказал он.

Но, конечно, это была ложь. Он понятия не имел, будет ли секс офигительным, потому что никакого секса у них не было. В прошлую пятницу приходил Энди, и они сказали ему, и он встал и очень торжественно обнял их обоих, как будто приходился Джуду отцом и ему только что сообщили о помолвке. Виллем провожал его к выходу, и пока они ждали лифта, Энди спросил тихо:

— И как оно?

Он помедлил.

— Хорошо, — сказал он наконец, и Энди сжал его плечо, как будто понял все то, чего он не сказал.

— Виллем, я знаю, что все непросто, но ты явно делаешь все правильно: я никогда не видел его таким расслабленным и счастливым, никогда. — Казалось, он хочет еще что-то добавить, но что он мог сказать? Не мог же он предложить "Звони, когда захочешь о нем поговорить" или "Дай знать, если нужна будет помощь", так что он просто ушел, помахав Виллему из уплывающего вниз лифта.

Вечером, после того как Джей-Би ушел домой, он вспомнил разговор с Энди в кафе, как Энди предупреждал его, что будет очень трудно, а он не вполне ему верил. Теперь он был рад, что не поверил Энди, — поверив, он мог бы испугаться так сильно, что не стал бы пробовать.

Он повернулся и посмотрел на спящего Джуда. Сегодня ночью тот снял одежду и сейчас лежал на спине, закинув руку за голову, и Виллем, как он часто делал, пробежал пальцами по этой руке, по ее печальному пейзажу: шрамы превратили ее в долины и горы, опаленные огнем. Иногда, если он был уверен, что Джуд спит очень крепко, он включал лампу со своей стороны кровати и изучал его более пристально, поскольку Джуд никогда не показывался ему при дневном свете. Он откидывал одеяло, проводил ладонями по его рукам, ногам, спине, чувствуя, как текстура кожи меняется от шершавой до глянцевой, удивляясь, сколько метаморфоз может пережить кожа, как по-разному залечивает себя тело, сколько бы его ни пытались уничтожить. Однажды он снимался в фильме на Гавайях, на Большом острове, и в выходной вся труппа пошла в поход по плато застывшей лавы, наблюдая, как меняется земля — от скал, пористых и сухих как окаменевшая кость, до сверкающих черных пейзажей, где лава застыла глазурью взметнувшихся водоворотов. Кожа Джуда была так же разнообразна и чудесна, иногда настолько не похожа на кожу, которую он когда-либо видел или осязал, что казалась чем-то потусторонним, футуристическим, прототипом кожи будущего, какой она станет через десять тысяч лет.

— Я тебе отвратителен, — тихо сказал Джуд, когда во второй раз снял одежду, и он помотал головой. Он не испытывал отвращения, на самом деле Джуд так тщательно оберегал, скрывал свое тело, что Виллем, увидев его обнаженным, испытал даже некоторое разочарование: в сущности, тело это было нормальным, гораздо менее страшным, чем он воображал. Но ему трудно было видеть шрамы, не из эстетических соображений, а потому, что каждый из них был делом чьих-то рук. Поэтому больше всего его огорчали предплечья Джуда. Ночами, когда Джуд спал, он гладил их, считая порезы, стараясь представить себя в таком состоянии, чтобы добровольно причинить себе боль, чтобы активно разрушать самого себя. Порой он находил новые порезы — он всегда знал, когда Джуд себя режет, потому что в этих случаях тот спал в рубашке, ему приходилось закатывать рукава спящему Джуду и ощупывать повязку, — и он задавался вопросом, в какой момент Джуд их сделал и почему он не заметил. Когда он переехал к Джуду после попытки самоубийства, Гарольд рассказал ему, где он прячет лезвия, и, как и Гарольд, он стал их выбрасывать. Но потом они полностью исчезли, и он не мог догадаться, где Джуд их держит.

Иной раз он испытывал не любопытство, а благоговейный ужас: он не мог представить себе такую глубину травмы. “Как я мог этого не знать? — спрашивал он себя. — Как я мог этого не видеть?”

И еще существовала проблема секса. Он помнил, что Энди предостерегал его на этот счет, но страх Джуда перед сексом, его неприятие всего с этим связанного, тревожили и порой пугали его. Однажды в конце ноября, когда они были вместе уже полгода, он просунул руку под нижнее белье Джуда, и Джуд издал странный, сдавленный звук, как животное, попавшее в челюсти хищнику, и рванулся прочь с такой силой, что ударился головой о тумбочку. “Прости” — “Прости”, — извинялись они друг перед другом. Тогда впервые Виллем и сам почувствовал страх. Все это время он считал, что Джуд застенчив, пускай болезненно, но в конце концов он преодолеет свою робость и раскрепостится и будет готов к сексу. Но в этот момент он осознал, что это не нежелание секса, а животный ужас; может быть, Джуд никогда достаточно не раскрепостится, и если у них будет секс, то только потому, что Джуд решит, что он должен на это пойти, или Виллем решит, что он должен его заставить. Ни один из этих вариантов его не устраивал. Люди легко отдавались ему, никогда ему не приходилось ждать, никогда не приходилось никого убеждать, что он не опасен, что он не причинит им боли. “Что же мне делать?” — спрашивал он себя. Он не знал, как разобраться во всем этом самостоятельно, и в то же время ему некого было спросить. А между тем от недели к неделе его желание становилось все острее, все труднее было его игнорировать, росла решимость. Он очень давно никого не хотел так сильно, и тот факт, что это был человек, которого он любит, делал ожидание невыносимым, абсурдным.

Той ночью Джуд спал, а он смотрел на него. Может быть, я совершил ошибку, думал он. Вслух он сказал:

— Не думал, что это будет так сложно.

Джуд ровно дышал рядом, не ведая о вероломстве Виллема.

А потом настало утро, и он вспомнил, почему ввязался в эти отношения, если отбросить в сторону собственную наивность и самонадеянность. Было рано, и он наблюдал сквозь полуоткрытую дверь гардероба, как Джуд одевается. Это началось недавно, и Виллем знал, как это для него сложно. Он видел, как Джуд старается, как ему приходится практиковаться во всем, что для него и других людей само собой разумеется — одеваться при ком-то, раздеваться при ком-то; он видел его решимость, видел его мужество. И это напомнило ему, что он тоже должен не оставлять стараний. Они оба были растеряны, оба старались как могли, оба неизбежно будут сомневаться в себе, продвигаться вперед и откатываться назад. Но они не оставят стараний, потому что они доверяют друг другу, потому что каждый для другого — единственный человек на свете, который стоит таких трудов, таких препятствий, такой беззащитности.

Когда он снова открыл глаза, Джуд сидел на краешке кровати и улыбался ему, и его переполнила радость: какой он красивый, какой родной, как легко его любить.

— Не уходи, — сказал он.

— Мне пора.

— Пять минут.

— Пять, — сказал Джуд и скользнул под одеяло, Виллем обнял его, осторожно, чтобы не помять костюм, и закрыл глаза. И это он тоже любил: знать, что в такие моменты он делает Джуда счастливым, знать, что Джуду нужно тепло и он тот человек, который может его дать. Самонадеянность? Самодовольство? Гордыня? Пожалуй нет, да и не важно. В ту ночь он предложил Джуду рассказать все Гарольду и Джулии, когда они поедут к ним на День благодарения.

— Ты уверен, Виллем? — тревожно спросил Джуд, и он знал, что на самом деле Джуд спрашивает, уверен ли он в их отношениях: он всегда держал дверь открытой, давал понять, что Виллем может уйти, если захочет. — Я хочу, чтобы ты хорошенько подумал, прежде чем мы им скажем.

Он мог бы этого и не говорить, Виллем сам знал, каковы будут последствия, если они скажут Гарольду и Джулии, а потом он передумает. Они простят его, конечно, но отношения изменятся навсегда. Они всегда будут на стороне Джуда. Он знал это: так и должно было быть.

— Я уверен, — сказал он, и так они и сделали.

Он вспоминал тот разговор, когда наливал Киту стакан воды и ставил на стол тарелку сэндвичей.

— Что это? — спросил Кит, глядя на сэндвичи с подозрением.

— Поджаренный на гриле крестьянский хлеб с вермонтским чеддером и инжиром, — сказал он. — И салат эскариоль с хамоном и грушами.

Кит вздохнул.

— Ты же знаешь, я стараюсь не есть хлеб, Виллем, — сказал он, хотя Виллем этого не знал. Кит откусил кусок сэндвича. — Вкусно, — признал он с неохотой. И добавил, откладывая сэндвич: — Ну давай, говори.

И он рассказал и добавил, что, хотя он и не собирается афишировать эти отношения, но и скрывать их не собирается, и Кит застонал.

— Твою мать! Я так и думал. Не знаю почему, но думал. Твою мать, Виллем! — Он уткнулся лбом в стол. — Подожди, дай мне прийти в себя, — сказал он столу. — Ты уже говорил Эмилю?

— Ага.

Эмиль был менеджером Виллема. Кит и Эмиль лучше всего работали вместе, когда объединялись против Виллема. Когда их мнения совпадали, они нравились друг другу, а когда нет — нет.

— И что он сказал?

— Он сказал: "О боже, Виллем, как я рад, что ты наконец нашел человека, которого действительно любишь и с которым тебе хорошо, я так рад за тебя, ведь я твой друг и мы знаем друг друга много лет". (На самом деле Эмиль сказал: "Елки. Ты уверен? Ты уже говорил с Китом? Что он сказал?")

Кит поднял голову и стал сверлить его взглядом (с чувством юмора у него было так себе).

— Виллем, я рад за тебя, — сказал он. — Я хорошо к тебе отношусь. Но ты подумал, что будет с твоей карьерой? Ты подумал, какие роли будешь играть? Ты не знаешь, что такое быть актером-геем в нашем бизнесе.

— Но я не считаю себя геем… — начал он, но Кит только закатил глаза.

— Не будь таким наивным, Виллем. Если ты дотронулся до члена — ты гей.

— Сказано изящно и тонко, как всегда.

— Виллем, ты не можешь позволить себе на все наплевать.

— Я не плюю, Кит. Но я ведь и так не на первых ролях.

— Ты любишь так говорить! Но это не так — нравится тебе это или нет. Ты так рассуждаешь, как будто твоя карьера будет идти по той же траектории как ни в чем не бывало! Помнишь, что случилось с Карлом?

Карл был клиентом коллеги Кита, одной из главных звезд предыдущего десятилетия. Когда его вынудили открыто признать свою гомосексуальность, его слава померкла. Ирония заключалась в том, что именно внезапный упадок популярности Карла дал толчок карьере Виллема — он получил по крайней мере две роли, которые раньше автоматически достались бы Карлу.

— Конечно, ты гораздо талантливее Карла, и амплуа у тебя разнообразнее. И сейчас другой климат, чем когда стало известно про Карла, по крайней мере в Америке. Но я бы оказал тебе дурную услугу, если бы не предупредил, что тебя ожидает период охлаждения. Ты никогда не афишировал личную жизнь — нельзя ли все это держать в секрете?

Он не ответил, потянулся за новым сэндвичем, а Кит изучал выражение его лица.

— Что думает Джуд?

— Что мне останется только петь куплеты на манер Кандера и Эбба на каком-нибудь круизном лайнере у берегов Аляски, — признался он.

Кит фыркнул.

— Тебе надо держаться середины между собственными представлениями и пророчествами Джуда, — сказал он. — После всего, чего мы достигли вместе, — добавил он траурным тоном.

Он тоже вздохнул. Первый раз, когда Джуд встретился с Китом, почти пятнадцать лет назад, он потом повернулся к Виллему и сказал с улыбкой: "Это твой Энди". И с годами он все больше понимал, насколько это верно. Кит и Энди даже оказались каким-то загадочным образом знакомы — вместе учились, были соседями по общежитию на первом курсе, к тому же каждый из них видел в себе творца Джуда и Виллема соответственно. Они были их защитниками и опекунами, но также и пытались при каждом удобном случае определять порядок и форму их жизни.

— Я надеялся хоть на какую-то поддержку, Кит, — сказал он печально.

— Почему? Потому что я гей? Быть агентом и геем совсем не то, что быть актером твоего калибра и геем, Виллем. — Он снова фыркнул. — Ну, кое-кто будет поистине счастлив. Ноэл, — Кит имел в виду режиссера "Дуэтов", — будет в полном восторге. Такая реклама для его скромного проекта. Надеюсь, тебе нравятся гей-фильмы, Виллем, потому что, возможно, ты будешь сниматься в них *до конца жизни*.

— Я не считаю "Дуэты" гей-фильмом, — сказал он и, прежде чем Кит успел закатить глаза и продолжить нотацию, быстро добавил: — А если даже и так, ничего страшного.

Он сказал Киту то же, что Джуду:

— Не волнуйся, без работы я не останусь.

("Но что, если тебя перестанут приглашать сниматься в кино?" — спросил Джуд. "Буду играть в пьесах. Буду работать в Европе, мне всегда хотелось больше работать в Швеции. Джуд, обещаю тебе, я не останусь без работы". Джуд помолчал. Они лежали в постели, было поздно. "Виллем, я совсем не против, чтобы ты держал это в секрете". — "Но я не хочу", — сказал он. Он и вправду не хотел — у него не было на это сил, умения все планировать и рассчитывать, терпения. Он знал парочку актеров — постарше, гораздо более раскрученных, чем он, — которые, будучи геями, были женаты на женщинах, и он видел, какая искусственная, какая фальшивая это жизнь. Он не хотел для себя такой жизни, не хотел продолжать играть роль, уйдя с площадки. Когда он был дома, он хотел чувствовать себя дома. "Я просто боюсь, что станешь тяготиться мной", — сказал Джуд глухо. "Я никогда не буду тобой тяготиться", — пообещал он.)

Еще час слушал он мрачные пророчества Кита, и наконец, когда Кит понял, что Виллем не передумает, он передумал сам.

— Виллем, все будет хорошо, — сказал он твердо, как будто это Виллем высказывал опасения. — Если кто-то может такое провернуть, так это ты. Мы сделаем так, что все сработает. Все будет хорошо. — Кит склонил голову набок и посмотрел на него. — Вы собираетесь пожениться?

— Господи, Кит, только что ты пытался уговорить нас расстаться.

— Вовсе нет, Виллем. Вовсе нет. Я просто пытался уговорить тебя помолчать для твоего же блага. — Он снова вздохнул, как бы умывая руки. — Надеюсь, Джуд способен оценить твою жертву.

— Это не жертва, — возразил он, но Кит только покачал головой.

— Пока нет, но вполне может стать.

Джуд рано пришел с работы в этот вечер.

— Ну как? — спросил он, пристально вглядываясь в лицо Виллема.

— Прекрасно, — сказал он твердо. — Все прошло хорошо.

— Виллем… — начал было Джуд, но он остановил его.

— Джуд, дело сделано. И все будет хорошо, клянусь.

Офис Кита умудрился замалчивать историю еще две недели, и к моменту публикации первой статьи они с Джудом уже летели в Гонконг, где собирались повидаться с Чарли Ма, старинным приятелем Джуда еще по Херефорд-стрит, а оттуда они намеревались отправиться во Вьетнам, Камбоджу и Лаос. Он старался не проверять сообщения, когда был в отпуске, но Киту звонил журналист из журнала "Нью-Йорк", так что было ясно, что скоро последует публикация. Он был в Ханое, когда она вышла — Кит переправил ему статью без комментариев, и он быстро просмотрел ее, пока Джуд был в ванной. "Рагнарссон в отпуске и не доступен для комментариев, но его представитель подтвердил роман актера с Джудом Сент-Фрэнсисом, весьма уважаемым и известным юристом, работающим в крупной компании "Розен, Притчард и Кляйн", с которым они вместе учились и были близкими друзьями со студенческих лет", — прочитал он. "Рагнарссон — самый известный актер из тех, кто когда-либо добровольно объявлял о своей гомосексуальности", — сообщала статья в стиле некролога, далее перечислялись фильмы, в которых он играл, и приводились цитаты различных агентств и изданий, восхваляющие его мужество и одновременно предрекающие неизбежный закат его карьеры, доброжелательные высказывания знакомых актеров и режиссеров, уверявших, что ничего не изменится, и заключительная цитата неназванного сотрудника студии, который рассуждал о том, что Виллем все равно был не силен в романтических ролях, так что все обойдется. В конце статьи красовалась фотография: они с Джудом на открытии сентябрьской выставки Ричарда в Уитни.

Когда Джуд вышел из ванной, он дал ему телефон и наблюдал, как тот читает.

— Ох, Виллем, — сказал Джуд и потом с ужасом добавил: — Здесь называют мое имя.

И ему впервые пришло в голову, что Джуд, возможно, хотел сохранить их отношения в тайне не только из-за него, но и из-за себя.

— Ты не считаешь, что надо спросить разрешения у Джуда, прежде чем называть его имя? — спросил его Кит, когда они обсуждали, что сказать репортеру.

— Да нет, он не будет против.

Кит помолчал.

— Он может быть против, Виллем.

Но он-то был уверен, что Джуд не будет возражать. Может быть, это было самонадеянно. "Почему ты думал, — спрашивал он себя теперь, — что если ты согласен на это, то и он согласен тоже?"

— Прости, Виллем, — сказал Джуд, и хотя он знал, что надо поддержать Джуда, что, возможно, тот чувствует себя виноватым и ему надо тоже, в свою очередь, извиниться, сейчас у него не было настроения для таких разговоров.

— Я на пробежку, — объявил он, не глядя на Джуда, и почувствовал, что тот кивнул.

Ранним утром в городе все еще стояла тишина и прохлада, воздух был грязно-белого цвета, по улицам скользило всего несколько машин. Гостиница находилась возле старого здания французской оперы, и он обежал его вокруг, а потом побежал обратно к гостинице, к району колониальных времен, мимо торговцев, сидящих на корточках возле больших плоских бамбуковых корзин с ярко-зелеными лаймами и пучками срезанной зелени, пахнущей лимоном, розами и перцем. Улицы сужались, и он перешел на шаг, повернул в переулок, где тесно жались друг к другу маленькие импровизированные ресторанчики, где женщина разогревает суп или масло за прилавком и рядом штук пять пластиковых табуреток, на которых сидят клиенты, быстро поедая что-то, прежде чем устремиться к выходу из переулка, где они сядут на свои велосипеды и укатят прочь. Он остановился, чтобы пропустить велосипедиста, к багажнику велосипеда была привязана корзина с торчащими пиками багетов, и ноздри его наполнились густым, жарким, молочным запахом; потом он завернул в другой переулок, где тоже стояли торговцы с пучками зелени, громоздились черными горами мангостаны, сверкали металлические подносы серебристо-розовой рыбы, такой свежей, что слышно было, как она хватает воздух, безнадежно выкатывая глаза. Над ним бусами были нанизаны клетки, словно фонари, и в каждой — яркая чирикающая птица. У него было с собой немного мелочи, и он купил Джуду букет из каких-то трав, похожих на розмарин, но с приятно-мыльным запахом — он не знал, что это, но подумал, что Джуд, может быть, знает.

Как же наивен он был, думал он, медленно продвигаясь обратно к гостинице, наивен во всем: возьми хоть карьеру, хоть Джуда. Почему ему казалось, будто он знает, что делает? Почему он считал, что можно делать что хочешь и все получится так, как задумано? Был ли это недостаток воображения, самонадеянность или (к чему он все больше склонялся) просто глупость? Люди, те люди, которым он доверял, которых уважал, предостерегали его — Кит о карьере, Энди о Джуде, Джуд о самом себе, — а он не обращал на них внимания. Впервые он задумался: а вдруг Кит прав, а вдруг Джуд прав, вдруг ему не удастся найти работу, во всяком случае такую, как ему нравится? Будет ли он винить в этом Джуда? Пожалуй, нет, он надеялся, что нет. Но он-то ведь считал, что до этого просто не дойдет, вот в чем дело.

Но гораздо сильнее мучил его другой страх, другой вопрос, который он избегал себе задавать: вдруг он заставляет Джуда делать то, что для него плохо? Позавчера они впервые вместе принимали душ, и Джуд после был так молчалив, так глубоко ушел в себя, как он это умеет, и глаза его были такими пустыми и тусклыми, что Виллем по-настоящему испугался. Он ведь не хотел идти вместе в душ, Виллем его уговорил, и там, внутри, он был пассивен и угрюм, сжимал челюсти, и было видно, что он просто терпит, ждет, когда все закончится. Но он не выпустил его, заставил его остаться. Он вел себя (не нарочно, но какая разница!) как Калеб — просто заставил Джуда сделать что-то, чего тот не хотел, и Джуд сделал, потому что ему велели. "Тебе понравится", — сказал он, и сейчас, вспомнив об этом — хотя говорил он совершенно искренне, — он почувствовал прилив тошноты. Никто и никогда не доверял ему так безусловно, как Джуд. Но он понятия не имел, что делает.

Он вспомнил, как Энди говорил им: "Виллем не медицинский работник. Виллем — актер". И хотя оба они с Джудом в тот раз рассмеялись, теперь он понимал правоту Энди. Кто он такой, чтобы управлять душевным здоровьем Джуда? Ему хотелось сказать: "Не доверяй мне так!" Но как можно такое сказать? Разве не этого он хотел от Джуда, от их отношений? Быть настолько необходимым другому человеку, что человек этот не представляет жизни без тебя? И вот теперь это свершилось, и он в ужасе от этой ответственности. Он взял ее на себя, не понимая, какой вред может нанести. Справится ли он? Он знал, с каким ужасом Джуд относится к сексу, и знал, что за этим ужасом прячется другой, который он ощущает, но о котором не смеет спросить. Так что же делать? Ему хотелось, чтобы кто-нибудь мог сказать ему точно, правильно он поступает или нет; чтобы кто-то направлял его в этих отношениях так, как Кит направлял его карьеру, подсказывая, когда идти на риск, а когда отступить, когда давать Виллема Великодушного, а когда Рагнарссона Грозного.

“Что же я делаю? — повторял он про себя, пока ноги его бежали по дороге, мимо мужчин, женщин и детей, готовящихся к новому дню, мимо зданий, узких, как шкафы, мимо лавочек, торгующих похожими на кирпичи подушечками из плетеной соломы, мимо мальчишки, прижимающего к груди величественного вида ящерицу, — что же я делаю, что же я делаю?”

Когда через час он вернулся в гостиницу, цвет неба сменился с белого на чудесный мятно-голубоватый. Агент забронировал им номер с двумя отдельными кроватями, как всегда (он забыл сказать помощнику, чтобы в заказ внесли изменение), и Джуд лежал на той кровати, на которой они оба спали прошлой ночью, уже одетый, и читал, и когда Виллем зашел в номер, он встал, подошел и обнял его.

— Я весь потный, — сказал он, но Джуд не отпускал.

— Ничего, — сказал Джуд, потом отступил и посмотрел на него, держа его за плечи. — Все будет хорошо, Виллем, — сказал он тем твердым, решительным тоном, каким говорил иногда по телефону с клиентами. — Правда. Ты же знаешь, что я всегда о тебе позабочусь?

Он улыбнулся.

— Я знаю, — сказал он; его успокоили не слова, а то, что Джуд выглядел таким решительным, таким уверенным в своих силах, в том, что он тоже может что-то дать. Это напомнило Виллему, что их отношения — все-таки не спасательная экспедиция, а продолжение их дружбы, в которой он много раз выручал Джуда, а Джуд так же часто выручал его. Он помогал Джуду, когда того одолевала боль или когда кто-то задавал ему слишком много вопросов, а Джуд всегда был рядом, когда он беспокоился о работе, утешал его, когда ему не давали роль, а как-то заплатил за него студенческий кредит (как ни унизительно, за целых три месяца подряд), когда он сидел без работы и у него совсем не было денег. И несмотря на это, в последние семь месяцев он считал, что его долг — вылечить Джуда, починить его, хотя Джуд совершенно не нуждался в починке. Джуд никогда ни минуты не сомневался в нем; надо попытаться отвечать ему тем же.

— Я заказал завтрак в номер, — сказал Джуд. — Я подумал, ты захочешь уединения. Хочешь залезть в душ?

— Спасибо, я могу принять душ после завтрака.

Он вдохнул полной грудью. Его тревога развеивалась, он возвращался к самому себе.

— Споешь со мной?

Последние два месяца они каждое утро пели вместе, чтобы подготовиться к "Дуэтам". В фильме главный герой и его жена готовят ежегодное рождественское представление, и каждый из них исполняет отдельный вокальный номер. Режиссер прислал ему список песен, над которыми надо работать, и Джуд помогал ему практиковаться: Джуд вел мелодию, он пел второй голос.

— Конечно! — сказал Джуд. — Нашу обычную?

Всю последнюю неделю они работали над гимном *Adeste Fideles*, который ему придется петь а капелла, и всю неделю он брал выше, чем нужно, на одном и том же месте, на словах *Venite adoremus*, прямо в первом куплете. Он каждый раз морщился, слыша свою ошибку, но Джуд качал головой и продолжал, и он следовал за ним до конца.

— Ты слишком много думаешь, — говорил Джуд. — Ты завышаешь, потому что слишком стараешься спеть чисто; просто не думай об этом, Виллем, и все получится.

В то утро, однако, он был уверен, что споет правильно. Он вручил Джуду букет трав, который все еще держал в руках, и Джуд поблагодарил его и растер в пальцах маленький пурпурный цветок, чтобы выпустить запах.

— Кажется, это какая-то перилла, — сказал он, поднося пальцы к лицу Виллема.

— Приятно пахнет, — сказал Виллем, и они улыбнулись друг другу.

И вот Джуд начал, и он подхватил и пропел всю песню без ошибок. А в конце, как только отзвучала последняя нота, Джуд тут же стал петь следующую песню в списке, "Ибо младенец родился нам", и сразу после "Доброго короля Вацлава", и у Виллема все получалось. Его голос не был таким звучным, как у Джуда, но в эти минуты он чувствовал, что поет сносно, а может, и лучше, чем просто сносно: конечно, его голос звучал лучше вместе с голосом Джуда, и он закрыл глаза и позволил себе насладиться пением.

Они все еще пели, когда звякнул звонок, возвещая прибытие завтрака, но Джуд положил руку ему на запястье, и они остались как были — он стоя, Джуд сидя, и только допев последние слова песни, он пошел открывать. Комната благоухала неизвестными травами, зелеными, свежими, смутно знакомыми, как бывает, когда ты и не знал, что любишь что-то, пока оно внезапно не встретилось на твоем пути.

2

Впервый раз, когда Виллем уехал — год и восемь месяцев назад, два января назад, — все сразу пошло вкривь и вкось. За две недели, прошедшие с момента отъезда Виллема в Техас, где начинались съемки "Дуэтов", у него случилось три приступа боли в спине, включая один на работе и один дома, который длился полных два часа. Вернулась боль в ногах. Открылся невесть откуда взявшийся порез на правой лодыжке. И все-таки все было хорошо.

— Чему ты так радуешься? — спросил его Энди, к которому он вынужден был обратиться уже второй раз за неделю. — Это подозрительно.

— Подумаешь, — сказал он с трудом, боль была слишком сильна, чтобы разговаривать. — И не такое бывало.

Однако ночью, лежа в постели, он возблагодарил свое тело за то, что оно не подвело его раньше, что столько времени он мог себя контролировать. Все эти месяцы, о которых он тайно думал как о времени их романа с Виллемом, ему ни разу не понадобилось инвалидное кресло. Приступы случались редко, кратко, всегда в отсутствие Виллема. Он понимал, что это глупо — Виллем прекрасно знал о его болезни, — но он был благодарен, что именно в этот период, когда они стали смотреть друг на друга новыми глазами, ему была дана передышка, возможность сочинить себя заново, изобразить полноценного человека. Поэтому, вернувшись в свое нормальное состояние, он не стал говорить об этом Виллему — ему скучно было это обсуждать и казалось, что другим тоже должно быть скучно, — а к марту, когда Виллем вернулся, ему уже было получше, он снова ходил, мог более или менее держаться на ногах.

Потом Виллем уезжал надолго еще четыре раза — дважды на съемки, дважды в промо-туры, — и каждый раз, иногда прямо в день отъезда Виллема, его тело как-то ломалось. Но он радовался, что оно так точно, так деликатно выбирает момент: как будто бы тело раньше разума решило, что хочет поддерживать эти отношения, и постаралось убрать с дороги все препятствия и шероховатости.

Теперь была середина сентября, и Виллем опять готовился к отъезду. Согласно ритуалу — который сложился в первую Тайную вечерю, полжизни назад, — в субботу перед отъездом Виллема они ужинали в каком-нибудь дорогом ресторане, а потом долго разговаривали. В воскресенье они долго спали, а вечером обсуждали насущные проблемы: что надо сделать, пока Виллема не будет, какие есть срочные дела, какие надо принять решения. С тех пор, как их отношения изменились, беседы их стали одновременно более интимными и более приземленными, и последние выходные перед разлукой представляли собой квинтэссенцию этой перемены: суббота для страхов, секретов, признаний и объятий, воскресенье для бытовых вопросов и повседневных планов, из которых и состоит ткань жизни.

Ему нравятся и те и другие разговоры с Виллемом, но бытовые — больше, чем он мог бы предположить. Он всегда был связан с Виллемом чем-то важным: любовью, доверием, но ему нравилось быть связанным с ним еще и мелочами — счетами, налогами, записью к зубному врачу. Он всегда вспоминал, как много лет назад, в гостях у Гарольда и Джулии, страшно простудился и провел большую часть выходных на диване в гостиной, завернутый в одеяло, то засыпая, то выплывая из дремы. В субботу вечером они вместе смотрели какой-то фильм, и Гарольд с Джулией стали вполголоса обсуждать переделку кухни в Труро. Он дремал под их негромкий разговор, такой скучный, что не было сил следить за его ходом, но этот разговор наполнял его душу покоем: это было идеальное воплощение взрослых отношений, когда у тебя есть кто-то, с кем можно обсудить механику совместного существования.

— В общем, я оставил дендрологу сообщение и сказал, что ты позвонишь на этой неделе, да? — говорит Виллем. Они в спальне, заканчивают паковать его чемоданы.

— Да, — отвечает он. — Я записал себе — позвоню ему завтра.

— И я сказал Мэлу, что ты поедешь с ним на стройку в следующие выходные.

— Да, это у меня тоже записано.

Виллем, который все это время складывал в чемодан одежду, останавливается и смотрит на него.

— Я чувствую себя ужасно виноватым, — говорит он, — столько всего на тебя оставляю.

— Брось. Мне совсем не трудно, честное слово.

Обычно их расписание составляет помощник Виллема или его секретари, но строительством дома на севере штата они занимаются сами. Они никогда специально это не обсуждали, но для них обоих важно участвовать в строительстве их общего дома — ведь это первое место, которое они обустраивают вместе со времен Лиспенард-стрит.

Виллем вздыхает:

— Но ты ведь так занят.

— Не волнуйся. Правда, Виллем, я со всем справлюсь.

Однако Виллем по-прежнему выглядит обеспокоенным.

В эту ночь они оба лежат без сна. Всю жизнь, сколько он знает Виллема, ему всегда не по себе за день до его отъезда; даже разговаривая с ним, он уже чувствует, как сильно будет по нему скучать. Как ни странно, именно сейчас, пока они физически рядом, это ощущается особенно остро; он так привык теперь к присутствию Виллема, что его отсутствие стало еще мучительней, еще больше выбивает из колеи.

— Знаешь, о чем еще мы должны поговорить? — И когда он не отвечает, Виллем поднимает его рукав и держит его за запястье. — Я хочу, чтобы ты мне обещал.

— Обещаю, — говорит он. Виллем отпускает его руку, снова ложится на спину. Они молчат.

— Мы оба устали. — Виллем зевает. И это правда, столько всего произошло за эти два года: Виллема записали в геи; Люсьен ушел на пенсию, и он теперь возглавляет судебный отдел; они строят загородный дом, час двадцать езды на север от Нью-Йорка. Когда они вместе в выходные — а когда Виллем в городе, он старается проводить выходные дома и не задерживаться в субботу, хотя для этого приходится еще раньше приходить в офис по рабочим дням, — они иногда проводят ранний вечер, просто лежа рядом на диване в гостиной, не разговаривая, пока комната вокруг них постепенно темнеет. Иногда они идут куда-нибудь, но гораздо реже, чем раньше.

— Переход к лесбиянству произошел быстрее, чем я рассчитывал, — объявляет Джей-Би однажды вечером. Они пригласили на ужин Джей-Би с его новым бойфрендом Фредриком, а также Малкольма с Софи, и Ричарда, и Индию, и Энди с Джейн.

— Отстань от них, Джей-Би, — говорит Ричард с улыбкой, пока все остальные хохочут, но, кажется, Виллем совсем не обиделся, и он, безусловно, тоже. В конце концов, какое ему дело до всего, кроме Виллема.

Некоторое время он ждет, скажет ли Виллем что-то еще. Еще он думает, придется ли заниматься сексом; он все еще не в состоянии определить, когда Виллем хочет этого, а когда нет, — он не знает, перерастет ли объятие в нечто настойчивое и нежеланное, но он всегда готов к этому. Это одна из вещей — и он ненавидит признаваться в этом себе, он никогда бы не сказал этого вслух, — очень немногих вещей, которые радуют его в отсутствии

Виллема: в эти недели и месяцы ему не надо заниматься сексом, и он может наконец вздохнуть свободно.

Они занимаются сексом ровно полтора года (он знает, что пора уже прекращать счет, как будто это тюремное заключение и скоро он отсидит и освободится); Виллем ждал его почти десять месяцев. И все это время он остро ощущал, что где-то тикают часы, что, хотя он и не знает, сколько времени ему осталось, все-таки ясно: как бы терпелив ни был Виллем, он не будет ждать вечно. Несколько месяцев назад, когда Виллем соврал Джей-Би про офигительный секс, он поклялся себе этой же ночью сказать, что он готов. Но струсил, позволил себе новую отсрочку. Через месяц, когда они поехали в Юго-Восточную Азию, он опять пообещал себе попробовать — и опять ничего не сделал.

А потом наступил январь, и Виллем уехал в Техас на съемку "Дуэтов", и он неделями готовил себя к решительному шагу, и в ту ночь, когда Виллем вернулся — а он до сих пор не мог побороть изумление от того, что Виллем к нему возвращается — изумление и восторг, — он был так счастлив, что хотелось высунуть голову в окно и кричать просто от невероятности всего этого, — он сказал Виллему, что готов.

Виллем посмотрел на него.

— Ты уверен? — спросил он.

Конечно, он не был уверен. Но он знал, что, если он хочет быть с Виллемом, рано или поздно придется решиться.

— Да, — сказал он.

— Ты действительно этого хочешь? — спросил Виллем, все еще не сводя с него глаз.

Что это, думал он, проверка? Настоящий вопрос? Лучше перестраховаться, решил он, и сказал "да".

— Да, конечно, — сказал он, и по улыбке Виллема понял, что ответил правильно.

Но сначала ему пришлось рассказать Виллему о своих болезнях. "В будущем перед сексом предупреждайте партнера о своих заболеваниях, — сказал ему один из врачей в Филадельфии. — Нехорошо, если вы кого-то заразите". Врач говорил с ним сурово, и с ним навсегда остался этот стыд и страх, что он передаст кому-то всю эту грязь. Он написал себе целую речь и повторял ее, пока не запомнил наизусть, но все равно говорить об этом оказалось гораздо труднее, чем он ожидал, он говорил настолько тихо, что приходилось повторять, и от этого получалось еще хуже. Прежде ему приходилось произносить эту речь всего однажды, перед Калебом, который долго молчал, а потом сказал низким голосом: "Джуд Сент-Фрэнсис, ну ты и развратник", — и ему пришлось улыбнуться в знак согласия.

— Колледж, — только и сказал он, и Калеб слегка улыбнулся в ответ.

Виллем тоже молчал, наблюдая за ним, потом спросил:

— Откуда, Джуд? — И потом: — Мне ужасно жаль.

Они лежали рядом, Виллем на боку, лицом к нему, он на спине.

— У меня был пропащий год в Вашингтоне, — сказал он наконец, хотя это была, конечно, неправда. Но сказать правду значило начать долгий разговор, а он не был готов к этому разговору, пока еще нет.

— Джуд, мне ужасно жаль, — повторил Виллем и потянулся к нему. — Ты расскажешь мне об этом?

— Нет, — ответил он упрямо. — Я думаю, нам надо перейти к делу. Сейчас.

Он уже приготовился. Еще один день ожидания ничего не изменит, а он может растерять всю решимость.

Так они и сделали. Какая-то его часть надеялась и даже ожидала, что с Виллемом все будет иначе, что он наконец сможет получить от этого удовольствие. Но как только все началось, он испытал то же, что испытывал прежде. Он старался концентрировать внимание на том, что было явно лучше: Виллем был нежнее Калеба, не проявлял нетерпения, и вообще это был Виллем, любимый человек. Но когда все кончилось, он испытывал тот же стыд, ту же тошноту, то же желание причинить себе боль, вытащить у себя внутренности и швырнуть их об стену с громким чавкающим звуком.

— Все хорошо? — тихо спросил Виллем, и он повернулся и взглянул в лицо Виллема, которое так любил.

— Да, — сказал он.

Может быть, думал он, в следующий раз будет лучше. А потом, в следующий раз, когда все было так же, он думал, что, может, в следующий. Каждый раз он надеялся, что будет по-другому. Каждый раз говорил себе, что обязательно будет. Печаль оттого, что даже Виллем не может его спасти, что он безнадежен, что этот опыт потерян для него навсегда, была одной из больших печалей в его жизни.

В конце концов он придумал для себя правила. Во-первых, никогда не отказывать Виллему, ни при каких обстоятельствах. Если Виллему это нужно, то так и будет, он никогда его не отвергнет. Виллем стольким пожертвовал ради него, дал ему такой покой, что он отблагодарит его всем, чем только сможет. Во-вторых, он попытается — как когда-то велел ему брат Лука — быть немного поживее, проявлять хоть какой-то энтузиазм. В конце отношений с Калебом он стал возвращаться в давнюю колею: Калеб поворачивал его, снимал с него штаны, он лежал и ждал. Теперь, с Виллемом, он пытался припомнить указания брата Луки, которых всегда слушался — *повернись, издавай звуки, скажи, что тебе это нравится*, — и применял их по возможности, чтобы казаться активным участником процесса.

Он надеялся, что опыт скроет недостаток желания, и пока Виллем спал, он заставлял себя вспоминать уроки брата Луки, уроки, которое он всю свою взрослую жизнь пытался забыть. Он знал, что Виллем удивляется его опытности — ведь он всегда молчал, когда другие хвастались своими постельными подвигами или рассказывали о своих планах; он никогда не принимал участия в подобных разговорах, лишь молча слушал все, что говорили его друзья.

Третье правило было такое: на каждые три раза, когда секс происходит по инициативе Виллема, должен приходиться один раз, когда инициативу проявляет он, чтобы было какое-то равновесие. И четвертое: он будет делать все, чего от него захочет Виллем. *Это же Виллем*, напоминал он себе снова и снова. *Он никогда нарочно не причинит тебе боль. Любое его желание остается в пределах разумного.*

Но потом он начинал видеть перед собой лицо брата Луки. *Ты и ему доверял*, говорил ему голос. *Ты и о нем думал, что он тебя защитит.*

Как ты смеешь, спорил он с голосом. *Как ты смеешь сравнивать?*

Какая разница? — издевался голос. *Они хотят от тебя одного и того же. Ты — одно и то же для Виллема и брата Луки.*

В конце концов его страх перед сексом уменьшился, а отвращение — нет. Он всегда знал, что Виллему нравится секс, но он был неприятно удивлен, что тот получает такое удовольствие от секса с ним. Он понимал, как это несправедливо, но меньше уважал Виллема за это и еще больше ненавидел себя за эти чувства.

Он пытался сосредоточиться на том, что с Виллемом получается лучше, чем с Калебом. Ему все еще было больно, но не так больно, как с другими, и это точно было хорошо. Ему было неловко, но опять же не так, как раньше. И он испытывал стыд, но с Виллемом он мог утешаться тем, что дает хотя бы малую толику удовольствия тому, кого любит больше всех, и эта мысль всегда его поддерживала.

Он сказал Виллему, что потерял способность к эрекции из-за того случая с автомобилем, но это была неправда. Энди уверял (много лет назад), что не существует никакой физической причины, по которой он мог бы потерять эту способность. Но в любом случае эрекций у него не было уже много лет, с колледжа, и даже в колледже они были редкими и бесконтрольными. Виллем спросил, может ли он что-то сделать — может быть, укол, таблетка, — но он сказал, что у него аллергия на один из ингредиентов подобных лекарств и что ему это не важно.

Калеба эта его особенность не очень заботила, но Виллем огорчился.

— Но можно все-таки что-то сделать? — спрашивал он снова и снова. — Ты говорил с Энди? Может, попробовать что-то еще?

В конце концов он довольно резко оборвал Виллема, сказав, что от этих вопросов чувствует себя каким-то уродом.

— Прости, Джуд, я не хотел, — сказал Виллем после паузы. — Я просто хотел, чтобы тебе было хорошо.

— Мне хорошо, — сказал он. Ужасно было так много врать Виллему, но что ему оставалось? В противном случае он потерял бы его и остался один навсегда.

Иногда, даже часто, он проклинал себя, свою неполноценность, а иногда был к себе добрее: он понимал, что его мозг защищает тело, что сексуальное желание выключено для его защиты, в нем окаменело все, что могло причинять острую боль. Но обычно он понимал, что неправ. Что его досада на Виллема несправедлива. Что напрасно его так раздражает пристрастие Виллема к предварительным ласкам — этот долгий, изнурительный пролог, как будто кто-то бесконечно откашливается, прежде чем начать речь, это физическое свидетельство близости, которое, как он знал, Виллем использует, чтобы испытать глубины собственного желания. Согласно его жизненному опыту, с сексом надо было покончить как можно скорее, со сноровкой и резкостью, граничащими с брутальностью, и когда он чувствовал, что Виллем пытается продлить процесс, он начинал направлять его с решительностью отчаяния, которую, как он позже сообразил, Виллем принимал за страсть. А потом в голове его звучал торжествующий голос брата Луки — *я слышал, как тебе понравилось*, — и он кривился, словно от боли. *Нет*, хотелось ему сказать и тогда, и сейчас, *нет, мне не понравилось*. Но он не смел. У них отношения и, значит, должен быть секс. Если он хочет удержать Виллема, то надо выполнить свою часть договора, и если ему не нравятся его обязанности, то это ничего не меняет.

И все-таки он не сдавался. Он обещал себе, что попробует исправиться, ради них обоих. Он купил — тайно, и лицо его горело, когда он делал заказ — три книги о сексе и прочитал их, пока Виллем был в рекламном турне, а когда он вернулся, попытался применить инструкции из этих книг, но ничего не изменилось. Он покупал журналы для женщин с советами, как удовлетворить мужчину, и тщательно их изучал. Он даже заказал книгу о том, как возвращаются к половой жизни жертвы сексуального насилия — он ненавидел этот термин и никогда не применял его к себе, — и прочел ее однажды вечером, запершись у себя в кабинете, чтобы Виллем его не застукал. Но где-то через год он решил умерить свои амбиции: *он сам*, возможно, никогда не сможет получать удовольствие от секса, но это не значит, что он не может доставлять больше удовольствия Виллему, из благодарности и более эгоистических соображений: чтобы сохранять близость с ним. Так что он пытался отбросить стыд и думать только о Виллеме.

Теперь, когда в его жизни снова появился секс, он осознал, как плотно был окружен им все эти годы и как умудрялся полностью исключить мысли о нем в часы бодрствования. Десятилетиями он уклонялся от разговоров о сексе, но теперь слышал их везде: разговоры коллег, женщин в ресторанах, мужчин на улице, все говорили о сексе, о том, как именно это происходит и как они хотят, чтобы секса было больше (кажется, никто не хотел, чтоб его стало меньше). У него было ощущение, что он вернулся в студенческие годы, когда ровесники становились его невольными учителями: теперь он постоянно искал новую информацию, уроки правильной жизни. Иногда он смотрел по телевизору ток-шоу: многие из них были о том, как пара вдруг перестала жить половой жизнью, гостями обычно были супруги, которые не спали друг с другом месяцами, а то и годами. Он изучал эти шоу, но ни одно из них не давало ему ответа на волнующий его вопрос: как долго люди продолжают это делать? Сколько еще ему ждать, пока у них с Виллемом секс сойдет на нет? Он смотрел на пары в телевизоре: счастливы ли они? (Ясное дело, нет: в конце концов, они пришли на ток-шоу и рассказывают о своей интимной жизни незнакомым людям в поисках помощи.) Но они кажутся счастливыми — разве нет? — в какой-то версии счастья во всяком случае, эти мужчина и женщина, у которых не было секса три года и все-таки видно, по тому, как мужчина касается руки женщины, что между ними сохранилась теплота, что их связывает нечто более важное, чем секс. В самолетах он смотрел романтические комедии, фарсы о женатых людях, которым не хватает секса. В фильмах о молодежи все хотели секса. Он смотрел их и испытывал отчаяние. Когда это прекращается? Иногда он остро чувствовал иронию этого расклада: Виллем, идеальный партнер во всех отношениях, все еще хочет его, он, партнер во всех отношениях неидеальный, не хочет. И все-таки Виллем был его версией счастья, он никогда не думал, что такое счастье будет ему доступно.

Он уверял Виллема, что, если тот скучает по сексу с женщинами, он не будет возражать. Но: "Нет, мне нужен только ты", — отвечал Виллем. Другого бы это тронуло — и его трогало тоже, но и повергало в отчаяние: когда же это закончится? И неизбежный вопрос: а вдруг не закончится никогда? Ему вспоминались годы в мотелях, но и тогда он знал, когда это кончится (пусть даже это была ложь) — в шестнадцать лет. Ему исполнится шестнадцать, и все закончится. Теперь ему было сорок пять, а кажется, что снова одиннадцать, и он ждет дня, когда кто-то — тогда брат Лука, теперь (о, как это несправедливо) Виллем — скажет ему: "Все. Ты выполнил свой долг. Хватит". Ему хотелось, чтобы кто-нибудь сказал ему, что, несмотря на эти чувства, он полноценное человеческое существо; что он имеет право быть таким. Должен же быть кто-то, хоть кто-то еще в мире, кто чувствует то же самое? Может быть, его ненависть к половому акту — не дефект, а просто вопрос предпочтений?

Однажды ночью они с Виллемом лежали в постели — оба усталые после рабочего дня, — и Виллем вдруг стал говорить о старой знакомой, Молли, с которой он недавно вместе обедал, они видятся раз в несколько лет, и у нее трудный период: после многих десятилетий молчания она решилась рассказать своей матери о том, что отец, умерший год назад, насиловал ее в детстве.

— Ужасно, — ответил он машинально. — Бедная Молли.

— Да, — сказал Виллем, и снова воцарилось молчание. — Я сказал ей, что ей нечего стыдиться, что она не сделала ничего дурного.

Его бросило в жар.

— Ты все сказал правильно, — отозвался он и преувеличенно зевнул. — Спокойной ночи, Виллем.

Минуту-другую они молчали.

— Джуд, — сказал Виллем негромко, — ты когда-нибудь расскажешь мне об этом?

Что же можно об этом рассказать, думал он, замерев. Почему Виллем спрашивает об этом сейчас? Ему казалось, он так успешно притворялся нормальным, но может быть, и нет. Придется стараться больше. Он никогда не рассказывал Виллему, что случилось с ним на попечении брата Луки — помимо того, что ему невыносимо было об этом говорить, он знал, что в этом нет необходимости: в последние два года Виллем с разных сторон пытался подобраться к этой теме — через истории о друзьях и знакомых, иногда упоминая их имена, иногда нет (наверняка некоторые из этих людей были вымышленные, совершенно точно ни у кого не может быть такой разнообразной коллекции друзей, подвергавшихся сексуальному насилию); через истории о педофилах, которые он прочитал в журналах; через обсуждения темы стыда, того, что стыд часто необоснован. После каждой такой речи Виллем останавливался и ждал, как будто мысленно протягивал ему руку и приглашал на танец. Но он никогда не брал руку Виллема. Каждый раз он отмалчивался, менял тему, притворялся, что Виллем ничего не говорил. Он не знал, откуда Виллему известно что-то о нем, и не хотел знать. Было ясно, что Виллем — и Гарольд — видели в нем не того человека, которым он хотел казаться.

— Почему ты меня об этом спрашиваешь?

Виллем переменил позу.

— Потому что… — сказал он и осекся. — Потому что я должен был заставить тебя поговорить об этом со мной давным-давно. — Он снова замолчал. — Уж точно до того, как спать с тобой.

Он закрыл глаза.

— Я что-то делаю не так? — спросил он тихо и тут же пожалел о своих словах: так он мог бы спросить брата Луку, но Виллем — не брат Лука.

Он чувствовал по молчанию Виллема, что вопрос его неприятно удивил.

— Нет, Джуд, при чем тут это. Я знаю, что с тобой что-то случилось, но ты мне про это не рассказываешь. Я хочу помочь.

— Виллем, это было давно, это закончилось, — сказал он наконец. — Мне не нужна помощь.

Снова наступило молчание.

— Это брат Лука причинял тебе боль? — спросил Виллем и, когда он ничего не ответил и секунды продолжали отсчитываться в тишине: — Тебе нравится заниматься сексом, Джуд?

Если бы он заговорил, то заплакал бы, поэтому он ничего не сказал. Слово "нет", такое короткое, так легко произносимое, детское слово, просто выдох: разожмешь губы, и оно скажется само — и что? Виллем уйдет, и с ним уйдет все. Я могу это выдержать, думает он во время секса, я могу это выдержать. Он мог это выдержать ради того, чтобы каждое утро просыпаться рядом с Виллемом, ради тепла, которое Виллем давал ему, ради счастья его близости. Когда Виллем смотрел телевизор в гостиной, а он проходил мимо, Виллем протягивал руку, и он брал ее, и они застывали так: Виллем — сидя и глядя в телевизор, он — стоя, рука в руке, пока он в конце концов не отпускал Виллема и не шел дальше. Ему необходимо было присутствие Виллема; каждый день с тех пор, как Виллем переехал к нему, он испытывал чувство покоя, то же, какое испытывал, пока Виллем жил с ним до отъезда на съемки "Принца корицы". Виллем был его якорем, и он льнул к нему, хотя всегда знал, что это эгоистично. Если бы он любил Виллема по-настоящему, он бы ушел от него. Он бы позволил Виллему — заставил, если надо — найти кого-то получше, кого-то, кто наслаждался бы сексом с ним, кто действительно бы его хотел, кого-то, у кого меньше проблем и больше достоинств. Виллем был хорош для него, но он был плох для Виллема.

— А *тебе* нравится секс со мной? — спросил он, когда смог говорить.

— Да, — тут же ответил Виллем. — Очень. Но *тебе* нравится?

Он сглотнул, сосчитал до трех.

— Да, — сказал он тихо, ненавидя себя и в то же время испытывая облегчение: он выиграл еще немного времени — присутствия Виллема, но и секса тоже. А что, если бы он сказал "нет"?

И все продолжалось. Компенсацией за секс была возможность себя резать, он делал это все чаще: так можно было притупить стыд, наказать себя за чувство отторжения. Он так долго соблюдал дисциплину: раз в неделю, два пореза, не больше. Но в последние полгода он снова и снова нарушал свои правила и сейчас уже резал себя так же часто, как когда был с Калебом, как в недели перед усыновлением.

Это послужило причиной их первой действительно ужасной ссоры, не только как пары, но и за все двадцать девять лет дружбы. Иногда то, что он себя режет, не имело значения для их отношений. А иногда это и были их отношения, каждый их разговор, то, что они продолжали обсуждать, даже когда молчали. Он никогда не знал, приходя в постель в футболке с длинными рукавами, промолчит ли Виллем или станет его допрашивать. Он сто раз объяснял Виллему, что ему это нужно, ему это помогает, он не может остановиться, но Виллем никак не хотел его понять.

— Неужели ты не понимаешь, почему это так меня огорчает?

— Нет, Виллем, я знаю, что делаю. Ты должен мне доверять.

— Я доверяю тебе, Джуд, но доверие тут ни при чем. Ты причиняешь себе вред. — И на этом беседа иссякала.

Иногда разговор шел по другому пути.

— Джуд, а как бы тебе понравилось, если б я с собой такое делал?

— Это не одно и то же, Виллем.

— Почему?

— Потому что это ты, Виллем, ты этого не заслуживаешь.

— А ты, значит, *заслуживаешь*?

И на это у него не было ответа, во всяком случае такого ответа, который был бы понятен Виллему.

За месяц до ссоры у них была другая ссора. Виллем, конечно, заметил, что он режет себя больше, но не знал почему, только что эпизоды участились, и однажды, когда он собрался прокрасться в ванную в уверенности, что Виллем спит, Виллем вдруг крепко схватил его за руку, и он задохнулся от испуга.

— Господи, Виллем! — сказал он. — Как ты меня напугал.

— Куда ты, Джуд? — спросил Виллем напряженно.

Он старался высвободить руку, но Виллем держал его слишком крепко.

— Мне нужно в ванную, — сказал он. — Пусти, Виллем, я серьезно.

Они смотрели друг на друга в темноте, пока Виллем не отпустил его и не встал с кровати.

— Пошли вместе, — сказал он. — Я посмотрю.

Они поссорились, шипели друг на друга, каждый злился на другого, чувствовал себя преданным, он упрекал Виллема, что тот обращается с ним как с ребенком, а Виллем упрекал его в том, что он имеет от него секреты, и они дошли до того, что оба почти кричали. В конце концов он вырвался от Виллема и попытался рвануться в кабинет, чтобы запереться там и использовать ножницы, но в панике споткнулся, упал, рассек губу, Виллем стал суетиться вокруг него и прикладывать лед, и они долго сидели, обнявшись, на полу гостиной, на полпути из спальни в кабинет, и извинялись друг перед другом.

— Я не могу позволить тебе это делать, — сказал Виллем на другой день.

— Я не могу этого не делать, — сказал он после долгого молчания. *Ты не представляешь, что со мной будет без этого,* хотел он сказать Виллему. Или: *я не представляю, как бы я без этого жил.* Но не сказал. Он никогда не смог бы объяснить Виллему, зачем он режет себя, так, чтобы тот понял: это одновременно наказание и очищение, это позволяет избавиться от всей отравы, всей гадости, которая копится в нем, это удерживает от беспричинного гнева по отношению к другим людям, ко всем на свете, удерживает от крика и насилия, дает ему чувство, что его тело, его жизнь принадлежат только ему, и никому больше. Уж конечно, без этого он не смог бы заниматься сексом. Иногда он думал: если бы брат Лука не подсказал ему этот выход, кем бы он стал? Скорей всего, он причинял бы боль другим, думал он, старался бы сделать так, чтобы все чувствовали себя так же мерзко, как он; он был бы еще хуже, чем сейчас.

Виллем молчал еще дольше.

— Попробуй, Джуди, — сказал он. — Ради меня. Попробуй.

И он попробовал. В следующие несколько недель, когда он просыпался ночами или ждал, когда Виллем заснет после секса, он, вместо того чтобы пойти в ванную, заставлял себя лежать неподвижно, сжимал кулаки, считал вдохи и выдохи, со вспотевшей спиной, с сухостью во рту. Он представлял себе лестницу в мотеле, как он бросается об нее, с каким звуком, как приятно обессиливает от этого, какую испытывает боль. Он одновременно и жалеет, и радуется, что Виллем не знает, чего ему это стоит.

Но иногда этого оказывалось недостаточно, и в такие ночи он тихонько спускался на первый этаж и плавал до полного изнеможения. Утром Виллем требовал, чтобы он показал ему руки, и они ссорились из-за этого, но в конце концов оказывалось, что проще показать.

— Доволен? — прорычал он, вырываясь из рук Виллема, опуская и застегивая рукава, не в силах поднять на него глаз.

— Джуд, — нарушил воцарившееся молчание Виллем, — иди полежи со мной, пока не ушел.

Но он помотал головой и ушел и весь день жалел об этом, и с каждым днем, когда Виллем больше не просил его полежать с ним, он все больше ненавидел себя. Их новый утренний ритуал заключался в том, что Виллем осматривал его руки, и каждый раз, сидя возле Виллема на постели, пока он высматривал следы порезов, он все глубже погружался в отчаяние и унижение.

Однажды, через месяц после того, как он дал обещание Виллему, он понял, что не справляется, не может подавить свое желание. Это был день, неожиданно богатый на воспоминания, один из дней, когда занавес, отделяющий прошлое от будущего, стал странно истончаться. Целый вечер он видел, как будто боковым зрением, обрывки разных эпизодов, которые проплывали перед ним один за другим; за ужином он изо всех сил старался уцепиться за реальность, не позволить себе погрузиться в этот страшный, знакомый мир теней, мир воспоминаний. В тот вечер он впервые чуть не сказал Виллему, что не хочет заниматься сексом, но удержался, и ему пришлось.

После он лежал совершенно изможденный. Обычно он старался не отрываться от реальности во время секса, не улетать далеко-далеко. В детстве он научился как будто покидать свое тело, и клиенты жаловались брату Луке: "У него глаза мертвые", им это не нравилось. Калеб говорил то же самое. "Проснись, — сказал он однажды, похлопав его по щеке. — Ты где?" И он изо всех сил старался не отвлекаться, хотя это делало процесс более мучительным. В ту ночь он лежал и смотрел на Виллема, который спал на животе, засунув руки под подушку; лицо его во сне было более безмятежным, чем днем. Он подождал, посчитал до трехсот, и еще раз; так прошел час. Потом он включил свет со своей стороны кровати и попытался читать, но видел только лезвие, и руки его покалывало от возбуждения, они сжимались от желания, как будто вместо вен у него были провода, искрящиеся, мерцающие электричеством.

— Виллем, — прошептал он, Виллем не ответил; он положил руку ему на шею, Виллем не пошевелился; и тогда он наконец выбрался из постели, и пошел так бесшумно, как мог, к гардеробной, и оттуда достал пакет, который хранил во внутреннем кармане одного из своих зимних пальто; а потом он вышел из комнаты и прошел через всю квартиру в ванную в противоположном конце, закрыл за собой дверь. Здесь тоже была большая душевая, и он сел в ней, снял рубашку, прислонился к прохладному камню. Его руки были теперь так плотно покрыты шрамовой тканью, что издалека могло показаться, будто их окунули в гипс, и только с трудом можно было различить те шрамы, которые остались от попытки самоубийства: он резал с тех пор внутри и вокруг каждой борозды, накладывая порез на порез, маскируя шрамы. Недавно он стал резать руки выше (не бицепсы, которые тоже были все в шрамах, а трицепсы, которые, однако, не приносили такого удовлетворения: ему нравилось видеть порезы, не сворачивая при этом шею), но теперь он сделал длинные, осторожные разрезы вдоль левого трицепса, считая секунды, которые ушли на каждый такой разрез: один, два, три, — и дыша в такт.

Он четырежды провел лезвием по левой руке и трижды по правой, и когда он делал четвертый надрез, руки его дрожали от сладкой слабости, и тут он понял глаза и увидел в дверях Виллема, который за ним наблюдал. За все годы, что он себя резал, никто никогда не видел его в процессе, и он резко остановился — это было такое грубое нарушение границ, что он впал в ступор.

Виллем ничего не сказал, но двинулся к нему, и он вжался в стену душевой, омертвевший, объятый ужасом перед тем, что сейчас произойдет. Он смотрел на Виллема, а тот нагнулся, осторожно вынул из его рук лезвие, и на секунду они оба застыли, не сводя глаз с острия. А потом Виллем встал и внезапно, без предупреждения, полоснул себя по груди.

Тут он пришел в себя.

— Нет! — закричал он и попытался вскочить, но силы покинули его, и он упал. — Виллем, нет!

— Блядь! — проорал Виллем. — Блядь! — Но полоснул себя еще раз, прямо под первым порезом.

— Прекрати, Виллем! — кричал он, почти в слезах. — Виллем, прекрати, тебе же больно!

— Да ну? — спросил Виллем, и по тому, как блестели его глаза, было ясно, что и он на грани слез. — Видишь, каково это, Джуд? — И он сделал третий надрез и снова выругался.

— Виллем, — простонал он и поднялся на ноги, но Виллем отступил. — Пожалуйста, не надо. Пожалуйста, Виллем.

Он умолял и умолял, но Виллем остановился только после шестого пореза и тяжело прислонился к противоположной стене.

— Блядь, — сказал он тихо и согнулся пополам, обхватив себя руками. — Блядь, это больно.

Он кинулся к Виллему со своим пакетом, чтобы помочь ему обработать порезы, но Виллем не дался.

— Оставь меня в покое, Джуд, — сказал он.

— Надо сделать перевязку.

— Сделай себе, — ответил Виллем, все еще не отводя он него взгляда. — Еще не хватало устроить из этого племенной ритуал: перевязывать друг другу раны, которые мы сами себе нанесли.

Он отступил.

— Я не предлагал этого, — сказал он, но Виллем не ответил, и он обработал свои порезы и передал пакет Виллему, который наконец, морщась, последовал его примеру.

Они долго-долго сидели молча, Виллем все еще сгибался пополам, он наблюдал за Виллемом.

— Прости, Виллем, — сказал он.

— Елки, Джуд, — сказал Виллем какое-то время спустя. — Это и правда адски больно. — Он наконец взглянул на него: — Как ты это терпишь?

Он пожал плечами:

— Привыкаешь.

Виллем покачал головой.

— Ох, Джуд, — сказал Виллем, и он увидел, что Виллем беззвучно плачет. — Ты хоть счастлив со мной?

Он почувствовал, как что-то внутри него разломилось и распалось.

— Виллем… — начал он и потом начал снова: — Я никогда в жизни не был так счастлив, как с тобой.

Виллем издал странный звук — позже он сообразил, что это был смех.

— Тогда почему ты режешь себя? Почему стало хуже?

— Не знаю, — сказал он тихо и сглотнул. — Наверное, боюсь, что ты меня бросишь. — Это была не вся правда, всю правду он сказать не мог. Но доля правды в этом была.

— Почему я должен тебя бросить? — спросил Виллем и, когда он не смог ответить, продолжил: — Что это, проверка? Ты пытаешься понять, как далеко можешь зайти и останусь ли я с тобой после этого? — Он взглянул на него, вытирая глаза. — Так?

Он покачал головой.

— Может быть, — сказал он мраморному полу. — Неосознанно, конечно. Но может быть, не знаю.

Виллем вздохнул.

— Не знаю, как мне убедить тебя. Я не собираюсь уходить, тебе не надо меня испытывать. — Они снова помолчали. Потом Виллем сделал глубокий вдох. — Джуд, может, тебе ненадолго вернуться в больницу? Чтобы просто разобраться немного со всем этим?

— Нет, — сказал он, от накатившей паники у него перехватило дыхание. — Виллем, нет! Ты не будешь меня заставлять?

Виллем внимательно посмотрел на него.

— Нет. Я не буду тебя заставлять. — Он помолчал. — Но хотелось бы.

Как-то прошла ночь, как-то начался следующий день. Он так устал, что шатался как пьяный, но все-таки пошел на работу. Эта ссора никак не разрешилась — ни обещаниями, ни ультиматумами, — но несколько следующих дней Виллем не разговаривал с ним. То есть разговаривал ни о чем: "Хорошего дня", — говорил он утром, "Как прошел день?" — спрашивал он вечером. "Хорошо", — отвечал он. Он знал, что Виллем не понимает, что делать и как относиться к создавшейся ситуации, и пока что старается вести себя как можно нейтральнее. Ночами в постели они не разговаривали, как раньше, лежали молча, и их молчание было будто третье существо, которое улеглось между ними, — огромное, мохнатое и свирепое, если его тронуть.

На четвертую ночь он не мог больше этого выносить и, пролежав так час или два в молчании, перекатился через существо и обнял Виллема.

— Виллем, — прошептал он, — я люблю тебя. Прости меня. — Виллем не ответил, но он продолжал: — Я стараюсь, я правда стараюсь. Это был просто сбой, я буду стараться больше. — Виллем по-прежнему не отвечал, и он обнял его крепче. — Пожалуйста, Виллем. Я знаю, что тебе это тяжело. Но дай мне еще один шанс. Пожалуйста, не сердись на меня.

Он услышал, как Виллем вздохнул:

— Я не сержусь на тебя, Джуд. И я знаю, что ты стараешься. Просто хочется, чтоб тебе не приходилось так стараться, чтобы тебе не с чем было так яростно бороться.

Теперь настала его очередь молчать.

— Мне тоже хочется, — сказал он наконец.

С той ночи он пробует разные методы: плавает, конечно, и еще иногда что-то печет по ночам. Он запасается мукой, сахаром, дрожжами и яйцами, чтобы они всегда были под рукой, и пока выпечка стоит в духовке, он сидит в столовой и работает, а когда хлеб, пирог или печенье (которое ассистент Виллема отсылает потом Гарольду и Джулии) готовы, уже светает, и он проскальзывает обратно в постель и час-другой досыпает, пока не прозвонит будильник. На следующий день он ходит с красными от усталости глазами. Он знает, что Виллему не нравятся эти ночные кулинарные упражнения, но альтернатива нравится ему еще меньше, так что он молчит. Уборка уже не годится: с тех пор, как они переехали на Грин-стрит, у них появилась помощница, миссис Чжоу, которая приходит четыре раза в неделю и убирает квартиру с огорчительной тщательностью — ему иногда хочется специально что-то запачкать, а потом самому вымыть. Но он знает, что это глупо, и сдерживается.

— Давай попробуем вот что, — говорит Виллем однажды вечером. — Когда ты просыпаешься и тебе хочется себя резать, буди меня, ладно? В любое время. — Он взглядывает на Виллема. — Давай попробуем, а? Ну, ради меня.

Он так и поступает, ему любопытно, что будет делать Виллем. Однажды ночью, очень поздно, он теребит Виллема за плечо, и когда тот открывает глаза, извиняется перед ним. Но тот мотает головой, а потом ложится на него сверху и обнимает так крепко, что ему трудно дышать.

— И ты меня обнимай, — говорит Виллем. — Представь, что мы падаем, нам страшно, мы держимся друг за друга.

Он обнимает Виллема так крепко, что напрягаются все мускулы, от спины до кончиков пальцев, так крепко, что слышит, как сердце Виллема бьется у его сердца, его грудная клетка вжимается в грудную клетку Виллема, он чувствует, как живот его надувается и опадает с каждым вдохом и выдохом. "Крепче", — говорит Виллем, и он сжимает крепче, руки устают, а потом немеют, все тело наполняется усталостью, и он чувствует, что действительно падает: сначала сквозь матрас, потом сквозь каркас кровати, потом сквозь пол, а потом, как в замедленной съемке, вниз, сквозь все этажи здания, которые поддаются и проглатывают его, словно желе. Он летит сквозь пятый этаж, где семья Ричарда сейчас хранит марокканскую плитку, сквозь четвертый, который пустует, сквозь квартиру Ричарда и Индии, через мастерскую Ричарда, на первый этаж, в бассейн и дальше, вниз, вниз, дальше и дальше, сквозь подземные туннели, твердую породу и ил, подземные озера и океаны нефти, ископаемые и сланец, пока не попадает в пламя земного ядра. И все это время Виллем сплетен с ним в тесном объятии, и когда они попадают в огонь, то переплавляются в одно существо, их руки, ноги, туловища и головы становятся единым целым. Когда он просыпается утром, Виллем лежит рядом, а не на нем, но они все еще переплетены, голова немного тяжелая, как после снотворного, и он испытывает облегчение — ведь он не только не резал себя, но и спал, крепко спал, а ведь и то и другое не удавалось ему месяцами. В то утро он чувствует себя чисто вымытым, свежим, как будто ему дали еще одну попытку прожить жизнь правильно.

Но, конечно, он не может будить Виллема каждый раз, когда ему это нужно, он устанавливает квоту: раз в десять дней. Следующие шесть-семь плохих ночей он старается справляться сам, он плавает, печет, готовит. Ему нужна физическая работа, чтобы умерить свое желание; Ричард дал ему ключ от мастерской, и иногда ночами он приходит туда в пижаме и выполняют задание, оставленное Ричардом, — что-то успокоительно механическое, монотонное и в то же время загадочное: одну неделю он сортирует по размеру птичьи позвонки, другую разбирает по цвету стопку блестящих и будто чуть масляных хорьковых шкурок. Эти задания напоминают ему о тех временах, когда они вчетвером проводили выходные, разбирая пряди волос для Джей-Би, и ему хочется рассказать об этом Виллему, но, конечно, нельзя. Он взял с Ричарда слово ничего не говорить Виллему, но он знает, что Ричарду все это не очень нравится, — он заметил, что ему никогда не оставляют работу, в которой могли бы понадобиться лезвия, ножницы, ножи, что о многом говорит, учитывая, как часто Ричарду нужны для работы режущие предметы.

Однажды вечером он заглядывает в старый кофейник, оставленный на столе Ричарда, и обнаруживает, что тот заполнен лезвиями: там и маленькие лезвия со срезанным углом, и большие клиновидные, и обычные прямоугольные, такие, как он предпочитает. Он опускает руку в кофейник, набирает лезвия в горсть, смотрит, как они высыпаются из его ладони. Он берет одно прямоугольное лезвие и кладет в карман, но когда уже собирается уходить — такой усталый, что пол уплывает у него из-под ног, — осторожно кладет его обратно. В эти часы, когда он бодрствует и крадется по зданию, он иногда чувствует себя демоном, который лишь притворяется человеком, и только ночью может сбросить маскарадный костюм и проявить свою истинную природу.

А потом наступает вторник, день кажется совсем летним, и это последний день Виллема дома. В это утро он рано уходит на работу, а в обеденный перерыв возвращается, чтобы попрощаться.

— Я буду скучать, — говорит он Виллему как всегда.

— А я еще больше, — как всегда отвечает Виллем и потом, тоже как всегда, спрашивает: — Береги себя, обещаешь?

— Да, — говорит он, не отпуская Виллема, — обещаю.

Он слышит, как Виллем вздыхает.

— Помни, что ты всегда можешь мне позвонить, в любое время, — говорит Виллем, и он кивает.

— Иди, — говорит он. — Со мной все будет в порядке.

Виллем снова вздыхает и уходит.

Он ненавидит, когда Виллем уезжает, но чувствует радостное возбуждение: по эгоистическим причинам и еще потому, что у Виллема столько работы, это приносит ему облегчение и радость. После того, как они вернулись в январе из Вьетнама, перед тем как уехать на съемки "Дуэтов", Виллем то нервничал, то преувеличенно бодрился, и хотя он старался не говорить с ним об этом, он знал, что Виллем неспокоен. Помимо прочего, Виллема беспокоило, что первый фильм, в котором он снялся после обнародования их отношений, был гей-фильм, как бы убежденно он ни утверждал обратное. Кроме того, Виллема беспокоило, что режиссер фантастического триллера, в котором он хотел сниматься, не позвонил ему так быстро, как он ожидал (хотя в конце концов все получилось так, как он надеялся). Виллема беспокоил поток публикаций, которому, казалось, не будет конца, бесконечные просьбы об интервью, телепередачи, колонки в желтой прессе, статьи о его признании, которые встретили их по возвращении в Штаты и которые, как сказал им Кит, невозможно было контролировать или остановить: придется просто ждать, когда людям наскучит эта тема, а это может потребовать нескольких месяцев. (Виллем в принципе не читал того, что о нем писали, но тут всего было слишком много: стоило только включить телевизор, выйти в интернет, открыть газету — везде были статьи о Виллеме и о том, что он теперь представлял в глазах публики.) Когда они говорили по телефону — он на Грин-стрит, Виллем в Техасе, — он понимал, что

Виллем старается помалкивать о своих волнениях, чтобы он не чувствовал себя виноватым. "Расскажи мне, — попросил он наконец. — Обещаю, я не буду себя винить, клянусь тебе". И после того, как он повторял это каждый день целую неделю, Виллем наконец все ему рассказал, и он все-таки почувствовал себя виноватым — он резал себя после каждого разговора, — но он не просил у Виллема утешения, не заставлял его чувствовать себя еще хуже; он только слушал и старался его успокоить. *Хорошо*, хвалил он себя, вешая трубку, хорошо, что не сказал ни слова о собственных страхах. *Молодец.* Позже он вонзал острие лезвия в один из своих шрамов, раздвигая загрубевшую ткань, пока край бритвы не впивался в нежную плоть под ней.

Он считает добрым знаком, что фильм, в котором Виллем снимается в Лондоне, — гей-фильм, как сказал бы Кит. "В обычной ситуации я бы от него отказался, — говорит Кит, — но уж очень сценарий хорош". Фильм называется "Отравленное яблоко" и рассказывает о последних четырех годах жизни Алана Тьюринга, после того как он был арестован за непристойное поведение и подвергнут химической кастрации. Конечно, он боготворил Тьюринга — как все математики, — и сценарий тронул его почти до слез.

— Виллем, ты должен это сыграть, — сказал он.

— Не знаю даже, — ответил Виллем с улыбкой. — Еще один гей-фильм?

— "Дуэты" имели успех, — напомнил он, и это была правда: гораздо больший, чем кто-либо предполагал, — но это не был настоящий спор, поскольку он знал, что Виллем уже решил играть в фильме, и он гордился им, по-детски ждал проката, как это бывало со всеми фильмами Виллема.

В субботу после отъезда Виллема за ним заходит Малкольм, и они едут на север, где строится их дом — недалеко от Гаррисона. Виллем купил участок земли — семьдесят акров, с озером и лесом — три года назад, и все три года участок стоял пустым. Малкольм чертил планы, Виллем их одобрял, но никак не давал команду начинать. Но однажды утром, года полтора назад, он застал Виллема в гостиной, когда тот рассматривал чертежи Малкольма.

Виллем протянул к нему руку, не отводя глаз от листа, он взял ее и позволил Виллему притянуть его к себе.

— По-моему, пора, — сказал Виллем.

И они снова встретились с Малкольмом, и Малкольм начертил новые планы: сначала предполагалось, что это будет двухэтажное здание, модернистская "солонка", но теперь у дома был один уровень, а стены в основном из стекла. Он предложил заплатить за дом, но Виллем отказался. Они долго спорили, Виллем напоминал, что ничего не платит за Грин-стрит, а он отвечал, что это не важно. "Джуд, — сказал наконец Виллем. — Мы никогда не ссорились из-за денег. Давай не начинать". И Виллем был прав: их дружба никогда не измерялась деньгами. Когда денег не было, они не говорили о них вовсе, он всегда считал, что все, что он зарабатывает, принадлежит и Виллему тоже, — и теперь, когда у них были деньги, он считал так же.

Полтора года назад, когда Малкольм только начинал строительство, они с Виллемом поехали на участок и долго бродили там. Он в тот день чувствовал себя необыкновенно хорошо и позволил Виллему держать себя за руку, пока они спускались по пологому холму, ведущему от места, где будет их дом, к лесу, который как будто обнимал озеро. Лес был гуще, чем он ожидал, земля была так густо усыпана сосновыми иголками, что они проваливались при каждом шаге, как будто ступали по чему-то резиновому, зыбкому, наполненному воздухом. Ему было трудно идти по такому покрытию, и теперь он всерьез держался за руку Виллема, но когда Виллем предложил остановиться, он помотал головой. Примерно через двадцать минут, когда они прошли уже половину окружности озера, перед ними появилась поляна словно из волшебной сказки: небо зеленело верхушками сосен, под ногами расстилался ковер из сосновых иголок. Они остановились, огляделись по сторонам и долго молчали, а потом Виллем сказал: "Надо строить прямо здесь", — и он улыбнулся, и внутри у него что-то повернулось, словно все нервы вытягивали из него через пупок, потому что он вспомнил, что однажды уже собирался жить в лесу, и понял, что у него все-таки будет это: дом в лесу у воды и рядом тот, кто любит его. А потом он вздрогнул, дрожь прошла по всему его телу, и Виллем посмотрел на него.

— Замерз?

— Нет, — сказал он, — но давай пойдем дальше. — И они пошли.

С тех пор он избегает леса, но ему нравится приезжать на участок, нравится снова работать с Малкольмом. Он или Виллем приезжают сюда раз в две недели по выходным, но он знает, что Малкольм больше любит, когда приезжает он, потому что Виллему не очень интересны мелкие детали проекта. Он доверяет Малкольму, но Малкольм не хочет доверия: он хочет показывать кому-то серебристый полосатый мрамор, который он нашел в маленьком карьере возле Измира, и спорить, сколько такого мрамора будет уже чересчур; заставлять кого-то нюхать кипарис, выписанный из Гифу, чтобы сделать ванну; показывать разные объекты — молотки, ключи, клещи, — впаянные, словно трилобиты, в залитые бетонные полы. Кроме дома и гаража, будет еще открытый бассейн и еще один, закрытый, в пристройке: дом будет закончен чуть больше чем через три месяца, а пристройка и бассейн — к следующей весне.

Он идет по дому с Малкольмом, трогает поверхности, слушает, как Малкольм дает распоряжения подрядчику, что надо исправить. Как всегда, он с восхищением наблюдает Малькольма за работой, он никогда не устает наблюдать за работой своих друзей, но превращение Малькольма — самое удивительное из всех, даже удивительней, чем Виллема. В такие моменты он вспоминает, как методично и тщательно Малькольм строил макеты своих воображаемых домов, с какой серьезностью; однажды на первом курсе Джей-Би (нечаянно, как он уверял) сжег такой макет, будучи под кайфом, и Малькольм был так расстроен и сердит, что чуть не расплакался. Он тогда пошел за Малькольмом, когда тот выбежал из общежития, и сидел с ним на холодных ступеньках библиотеки.

— Я знаю, это глупо, — сказал Малькольм, когда немного успокоился, — но они много для меня значат.

— Я понимаю, — сказал он. Ему всегда нравились дома Малькольма; он до сих пор хранит макет, который Малькольм подарил ему много лет назад на его семнадцатый день рождения. — Это не глупо.

Он знал, что эти дома значат для Малькольма: они были утверждением его власти, напоминанием, что, как бы зыбко ни было все в жизни, есть одна вещь, которая полностью ему подчиняется, где он может выразить все, чего не может выразить словами. "Малькольму-то о чем беспокоиться?" — спрашивал Джей-Би, когда Малькольм почему-либо нервничал, но он понимал: Малькольм беспокоится потому, что быть живым — значит беспокоиться. Жизнь непознаваема, полна страхов. Даже деньги Малькольма не могут защитить его полностью. Жизнь случится с ним, и ему придется держать перед ней ответ, как и всем остальным. Они все искали опору — Малькольм в своих домах, Виллем в девушках, Джей-Би в красках, он в лезвиях, — искали чего-то, что будет принадлежать только им, за что можно будет держаться в этом страшном просторе и непостижимости мира, в беспощадности его минут, часов, дней.

Теперь Малькольм все реже проектирует частные дома; они даже видят его гораздо реже. "Беллкаст" открыл филиалы в Лондоне и Гонконге, и хотя Малькольм сам занимается почти всеми американскими проектами — сейчас он проектирует новое крыло музея в их бывшем колледже, — он часто уезжает. Но их домом он занимается сам и ни разу не пропустил и не перенес встречу. Когда они уезжают с участка, он кладет руку Малькольму на плечо.

— Мэл, — говорит он, — спасибо тебе.

— Это мой любимый проект, Джуд. Для моих любимых людей.

В городе он подвозит Малькольма на Коббл-Хилл, а потом едет через мост и на север, к себе в офис. Еще одна мелочь, которая радует его в отсутствие Виллема: он может чаще и дольше оставаться на работе. Без Люсьена ему и хуже, и лучше — хуже потому, что, хотя он и продолжает видеться с Люсьеном, который вышел на пенсию и теперь, по его словам, притворяется, будто ему нравится играть в гольф в Коннектикуте, он скучает по их ежедневным беседам, скучает по вечным попыткам Люсьена вывести его из равновесия; а лучше потому, что ему нравится работать в комитете по вознаграждениям, решать, как в каждом году будут распределяться прибыли компании. "Кто знал, Джуд, что ты так жаждешь власти?" — сказал Люсьен, когда он признался ему в этих чувствах, но он возразил: нет, не в этом дело, ему просто нравится видеть, сколько заработала фирма в каждом году, как его часы и дни в офисе — его и всех остальных — превращаются в цифры, а эти цифры в деньги, а деньги в полотно жизни его коллег, в их дома, поездки, образование детей, машины. (Последнюю часть он оставил при себе. Люсьен бы посчитал его романтиком, прочитал бы ему суховатую ироничную лекцию о вреде сентиментальности.)

"Розен Притчард" всегда была важной частью его жизни, но после Калеба стала ее основой. В фирме его оценивали только по тому, каких клиентов он приводит, как работает: здесь у него не было прошлого, не было немощи. Их интерес к его жизни начинался с того, где он изучал юриспруденцию, как себя проявил, и заканчивался его ежедневными успехами, ежегодным подсчетом рабочих часов, за которые он выставлял счета, клиентами, которых он привел в фирму. В "Розен Притчард" не было места брату Луке, Калебу, доктору Трейлору, монастырю, приюту; все это не имело значения, это были никому не интересные подробности, не имеющие отношения к тому человеку, какого он из себя сделал. Здесь он не был тем несчастным, который корчится в ванной и режет себя, здесь он был строчками цифр: одно число говорило, сколько денег он заработал для фирмы, другое — сколько часов он работал на клиентов, третье — сколько людей было под его началом, четвертое — какое вознаграждение он смог им выплатить. Он никогда не сумел бы объяснить этого своим друзьям, которые удивлялись, как много он работает, и жалели его; как рассказать им, что здесь, в офисе, в окружении работы и людей, которые казались им невыносимо скучными, он по-настоящему чувствовал себя человеком, защищенным и полным достоинства?

Виллем дважды приезжает домой в ходе съемок на длинные уикенды, но в первый раз он болеет желудочным гриппом, а во второй у Виллема бронхит. Но оба раза — как и всегда, когда Виллем заходит в квартиру и произносит его имя — он должен напоминать себе, что это его жизнь, Виллем возвращается к нему. В эти минуты он остро чувствует, как ужасна его нелюбовь к сексу, говорит себе, что память подводит его, наверняка это не так страшно, а даже если нет, надо просто больше стараться и меньше жалеть себя. *Соберись*, велит он себе, целуя Виллема на прощание в конце этих уикендов. *Не смей все портить. Не смей жаловаться на то, чего ты даже не заслуживаешь.*

А потом однажды ночью, меньше чем за месяц до окончательного возвращения Виллема, он просыпается и видит, что он в кузове огромного грузовика, а кровать под ним — сложенное пополам голубое лоскутное покрывало, и каждая его кость трясется, пока грузовик громыхает по шоссе. О нет, думает он, о нет, и бросается к пианино, и начинает играть сюиты Баха, столько, сколько может вспомнить, не по порядку, слишком громко и слишком быстро. Ему вспоминается басня, которую однажды рассказал брат Лука во время одного из их уроков музыки, про старушку в доме, которая играла на своей флейте все быстрей и быстрей, чтобы чертята возле ее дома дотанцевались до того, что угодили в болото. Брат Лука рассказал ему эту историю в назидание — нужно было ускорить темп, — но ему всегда нравился этот образ, и иногда, когда его одолевает воспоминание, какое-то одно, которое можно контролировать и подавить, он поет или играет, и воспоминание уходит, музыка становится щитом между ними.

Он был на первом курсе юридической школы, когда его стали посещать воспоминания, картины из его жизни. Он делал что-то обычное: готовил ужин, сортировал книги в библиотеке, украшал торт в "Глазури", искал статью для Гарольда, — и вдруг перед ним всплывала пантомима, театр одного зрителя. В те годы воспоминания были не историями, а живыми картинами, и он снова и снова, дни и дни напролет видел одно и то же: диораму с братом Лукой, который лежит на нем, или одного из воспитателей детдома, который обычно хватал его, когда он проходил мимо, или клиента, вынимающего мелочь из карманов брюк и ссыпающего ее в тарелку на тумбочке, которую специально для этих целей поставил туда брат Лука. А иногда воспоминание было более коротким, более туманным: синий носок клиента с узором из лошадиных голов, клиент не снял носки даже в постели; первая еда в Филадельфии, которую ему дал доктор Трейлор (бургер, бумажный пакетик с жареной картошкой); шерстяная подушка телесного цвета в его комнате в доме доктора Трейлора — глядя на нее, он всякий раз думал о разорванной плоти. Когда на него накатывали эти воспоминания, он не сразу понимал, что видит: проходило несколько мгновений. В те дни он позволял воспоминаниям прерывать его, порой он приходил в себя и обнаруживал, что рука все еще сжимает конус с глазурью, занесенный над пирожным, или все еще держит книгу, наполовину задвинутую на полку. Именно тогда он стал понимать, как многое из своей жизни он научился просто стирать, как с доски, иногда всего через несколько дней после случившегося, и еще он понял, что каким-то образом потерял эту способность. Он знал, что это цена за хорошую жизнь, что, если теперь он хочет остро чувствовать все то, от чего получает удовольствие, ему придется за это платить. Потому что, как бы болезненны ни были воспоминания, это его жизнь возвращалась к нему кусками, и он знал, что выдержит, если при этом у него будут друзья, если он по-прежнему сможет находить утешение в отношениях с другими людьми.

Он представлял себе дырку между двумя мирами, куда, выкарабкавшись из рыхлой развороченной земли, проникали давно похороненные мертвецы, — и вот они нависают над ним, хотят утащить с собой. Появляясь вновь, они глядели на него вызывающе: *вот и мы*, казалось, говорили они, *неужели ты думал, мы позволим тебе уйти? Неужели ты думал, что мы не вернемся?* В конце концов он осознал, как многое из своего прошлого отредактировал — переписал, перелил в более приемлемую форму, — даже из последних нескольких лет: тот фильм, который он видел на первом курсе, как двое полицейских пришли сказать студенту колледжа, что человек, изувечивший его, умер в тюрьме, это был не фильм вовсе, а его жизнь — он сам был этим студентом, и он стоял во дворе общежития, а полицейские были те самые, что когда-то нашли его ночью в поле и арестовали доктора Трейлора, те самые, что отвезли его в больницу и отправили доктора Трейлора в тюрьму, и они приехали сказать ему лично, что ему нечего больше бояться. "А ты неплохо устроился, — сказал один из них, оглядывая живописный кампус, старые кирпичные здания, где можно было чувствовать себя в полной безопасности. — Мы гордимся тобой, Джуд". Он замылил это воспоминание, изменил фразу: теперь полицейский просто говорил "Мы гордимся тобой", не произнося имя, и еще он стер память о панике, которая, как он теперь вспомнил, охватила его, несмотря на их новость, ужас, что кто-нибудь спросит его, кто это с ним говорил, тошнотворное чувство, что противоестественность его прошлой жизни физически вторгается в его настоящее.

В конце концов он научился управляться с этими воспоминаниями. Он не мог их остановить — раз начавшись, они уже не уходили, — но научился предчувствовать их появление. Он научился определять миг, когда что-то вот-вот нахлынет на него и ему придется понять, чего оно хочет: ссоры, утешения, просто внимания? Он поймет, какого рода гостеприимство надо оказать, и потом спровадит его, заставит отступить в тот, другой мир.

Он мог обуздать маленькое воспоминание, но по мере того, как дни идут и он ждет Виллема, он начинает понимать, что это воспоминание — длинный угорь, скользкий и неуловимый, который прокладывает себе путь сквозь его тело, задевая хвостом внутренние органы; это живое, враждебное существо, звучно, наотмашь бьющее его по внутренностям, сердцу, легким. Такие воспоминания труднее всего было загнать в корраль, накинуть на них лассо, они, казалось, с каждым днем росли внутри, пока ему не начинало казаться, что он состоит не из крови, мяса, костей, воды, а из памяти, заполняющей его, как воздушный шар, до самых кончиков ногтей. После Калеба выяснилось, что с некоторыми воспоминаниями он совсем ничего не может поделать, и приходилось просто ждать, пока они истощатся, устанут, уплывут в темноту подсознания, оставят его в покое.

И он ждет, позволяя воспоминанию — о тех почти двух неделях, которые он провел в грузовиках, пытаясь добраться из Монтаны в Бостон, — заполнить его, как будто его тело, его ум сами превратились в мотель, а воспоминание — единственный его постоялец. Но он старается выполнить обещание, данное Виллему, не резать себя, и он придумывает себе строгое плотное расписание на самое опасное время — с полуночи до четырех утра. В субботу он составляет список ночных действий на несколько недель вперед: в нем чередуются плавание, готовка, игра на пианино, выпечка, работа у Ричарда; кроме того, он планирует разобрать старую одежду, свою и Виллема, навести порядок на книжных стеллажах и пришить разболтавшиеся пуговицы на рубашках Виллема — эту работу он думал поручить миссис Чжоу, но прекрасно справится сам, — а также вычистить хлам, накопившийся в кухонном ящике у плиты: веревки, резинки, булавки и спичечные коробки. Он пинтами заготавливает куриный бульон и бараньи тефтельки к возвращению Виллема и замораживает их, печет хлеб, буханку за буханкой — Ричард отнесет его на передвижную кухню, в правление которой они оба входят (он помогает им управлять финансами). Приготовив закваску, он сидит за столом и перечитывает свои любимые романы, в которых слова, сюжеты и персонажи утешают его привычностью, неизменностью. Ему бы хотелось иметь домашнее животное — безмолвную, благодарную собаку, которая бы шумно дышала и улыбалась, невозмутимую кошку, которая бы глядела на него осуждающе сощуренными желтыми глазами, — живое и дышащее существо рядом, с которым он мог бы разговаривать, чьи тихие шаги приводили бы его в чувство. Он трудится всю ночь и, перед тем как заснуть, режет себя — один порез на левой руке, один на правой — и просыпается усталый, но гордый собой оттого, что так хорошо справился.

Но потом остается две недели до приезда Виллема, и когда воспоминание бледнеет, оставляет его до следующего визита, возвращаются гиены. Или, может быть, "возвращаются" — неправильное слово, потому что с тех пор, как в его жизни появился Калеб, они не оставляют его. Теперь, правда, они уже не гонятся за ним, потому что знают, что в этом нет необходимости: его жизнь простирается как широкая саванна, и он окружен. Они лежат, распластавшись, в желтой траве, лениво опираются на нижние ветви баобабов, отходящие от ствола словно щупальца, и неотрывно смотрят на него желтыми глазами. Они всегда были здесь, и после того, как они с Виллемом начали заниматься сексом, их становилось все больше, а в плохие дни и в дни, когда он особенно их боялся, — еще больше. В такие дни он чувствует, как дрожат их вибриссы, когда он медленно продвигается по их территории, он чувствует их презрительные ухмылки: он знает, что никуда не денется, и они тоже это знают.

И хотя он мечтает о перерывах в сексе, которые дает ему работа Виллема, он знает, что это неразумно: ему всегда трудно заново войти в этот мир; так было и в детстве, когда единственной вещью, худшей, чем ритмы секса, была необходимость заново приспосабливаться к этим ритмам.

— Не могу дождаться, когда вернусь домой и тебя увижу, — говорит Виллем в следующем разговоре, и хотя в его тоне нет ничего похотливого и он ни слова не говорит о сексе, он знает по прошлому опыту, что Виллем захочет секса в первую же ночь по возвращении и всю первую неделю будет хотеть его чаще, чем обычно, особенно потому, что оба они по очереди болели в две его предыдущие побывки, и оба раза между ними ничего не было.

— Я тоже, — говорит он.

— Режешься? — спрашивает Виллем как бы между делом, как будто интересуется, как растут клены, посаженные Джулией, или как погода. Он задает этот вопрос в конце каждого разговора, безразличным тоном, как будто из вежливости.

— Все хорошо, — отвечает он как всегда. — Только дважды за эту неделю, — добавляет он, и это правда.

— Отлично, Джуди, — говорит Виллем. — Слава богу. Я знаю, как это трудно. Я горжусь тобой.

В эти моменты в его голосе звучит огромное облегчение, как будто он ожидал услышать совсем другое — и, вероятно, так оно и есть, — например: *все плохо, Виллем. Я так много резал себя прошлой ночью, что рука отвалилась. Не удивляйся, когда меня увидишь.* Он тоже искренне гордится тем, что Виллем так доверяет ему и что он больше не лжет Виллему, но в то же время его пронзает глубокая, всепроникающая тоска — о том, что Виллему приходится задавать эти вопросы и, господи, подумать только, чем они оба гордятся. Другие гордятся талантами своих возлюбленных, их внешностью, спортивными достижениями; а Виллем гордится, что его бойфренд еще одну ночь не резал себя бритвами.

И наконец наступает вечер, когда он понимает, что его ухищрения больше не помогают: ему нужно себя резать, много и сильно. Гиены начинают поскуливать, издавать резкий лай, который, кажется, исходит из каких-то других существ внутри них, и он знает, что их не успокоит ничто, кроме его боли. Он размышляет, что делать: Виллем будет дома через неделю. Если он сейчас себя порежет, порезы не заживут толком до его возвращения, и Виллем будет сердиться. Но если он не сделает что-нибудь — трудно представить, что тогда будет. Надо, надо что-то сделать. Он слишком долго ждал, думал, что справится, слишком на себя понадеялся.

Он встает с постели и идет через пустую квартиру в тихую кухню. Ночь расписана: печенья для Гарольда, разобрать свитера Виллема, студия Ричарда — список белеет на столе, забытый, но все еще ждущий, жаждущий быть выполненным, и спасение, которое он предлагает, так же хрупко, как бумага, на которой он напечатан. Секунду он стоит, не в состоянии сдвинуться с места, а потом медленно, неохотно идет к двери над лестницей и отпирает засов, а потом, еще помедлив, медленно, неохотно открывает ее.

Он не открывал эту дверь с той ночи с Калебом, и теперь он наклоняется в ее пасть, заглядывает вниз, в черноту, держась за проем, как в ту ночь, гадая, сможет ли выполнить задуманное. Он знает: это утихомирит гиен. Но это так унизительно, так дико и болезненно; если он сделает это, то переступит еще одну черту, он действительно станет человеком, которого необходимо упечь в больницу. И наконец он отлепляется от дверного проема, дрожащими руками захлопывает дверь, задвигает засов и ковыляет прочь.

На следующий день на работе он спускается вниз с другим партнером фирмы по имени Санджай и с клиентом, чтобы клиент мог покурить. У них несколько курящих клиентов, и он всегда спускается с ними, чтобы продолжить беседу на улице. У Люсьена есть теория, что курильщики всегда расслабленнее, сговорчивее, когда курят, и потому ими легче манипулировать именно в этот момент, и хотя он посмеялся, когда это услышал, но Люсьен, пожалуй, был прав.

Он сегодня в инвалидном кресле, потому что ноги болят, а он не любит, когда клиенты видят его слабость. "Поверь мне, Джуд, — сказал ему Люсьен много лет назад, когда он поделился с ним своими опасениями, — клиенты не сомневаются, что ты кого угодно подвесишь за яйца, сидишь ты или стоишь, поэтому, бога ради, оставайся в своем кресле". Снаружи сухо и холодно, почему-то ноги от этого болят меньше, и они беседуют втроем, когда он вдруг обнаруживает, что не может оторвать взгляда от оранжевого огонька на конце сигареты клиента, который подмигивает ему, то тускнея, то вспыхивая, когда курильщик затягивается и выдыхает. Внезапно он понимает, что ему делать, но тут же ощущает как будто удар под дых: он знает, что собирается предать Виллема и к тому же еще солгать ему.

Сегодня пятница, и по дороге к Энди он продумывает свой план, с азартом и облегчением оттого, что наконец-то нашел выход. Энди сегодня в веселом и задиристом настроении, и он позволяет себе отвлечься, поддаться этой кипучей энергии. Они с Энди давно уже обсуждают его ноги так, будто это докучливый и непутевый родственник, которого тем не менее не бросишь, поскольку он нуждается в постоянном пригляде. Энди называет их "палки-хромалки", и в первый раз он рассмеялся от точности этого прозвища, в котором раздражение всегда грозило захлестнуть неохотную давнюю симпатию.

— Как наши палки-хромалки? — спрашивает Энди, и он улыбается.

— Лентяйничают, высасывают из меня все соки, как обычно.

Но у него не идет из головы то, что он собирается сделать, и когда Энди спрашивает: "А что говорит твоя лучшая половина?", он вдруг огрызается "Ты о чем?", а Энди замолкает и глядит на него с любопытством.

— Да так, — говорит Энди. — Просто хотел узнать, как дела у Виллема.

Виллем, думает он. Один звук этого имени вызывает терзания.

— У него все отлично, — говорит он тихо.

Под конец, как всегда, Энди осматривает его руки и снова, как и в последние несколько визитов, одобрительно мычит.

— Ты действительно урезал это дело, — говорит он. — Прости за каламбур.

— Ты же знаешь, я вечно совершенствуюсь, — говорит он шутливым тоном, но Энди смотрит ему в глаза.

— Я знаю, — говорит он серьезно. — Я знаю, как это тяжко, Джуд. Но я рад, я правда рад.

За ужином Энди жалуется на нового бойфренда своего брата, которого он страшно невзлюбил.

— Да, да, я все понимаю, — говорит Энди. — Но этот такой чурбан. Беккет мог бы найти кого-то поумнее. Я тебе говорил, что он произносит не "Пруст", а "Прюст"?

— Неоднократно, — отвечает он, улыбаясь украдкой. Он познакомился с этим недавним бойфрендом Беккета — милым и веселым малым, начинающим ландшафтным инженером — в гостях у Энди, три месяца назад. — Энди, мне он понравился. И он любит Беккета. И неужели ты собираешься вести с ним разговоры о Прусте?

Энди вздыхает.

— Ты прямо как Джейн, — ворчит он.

— Может, стоит послушать Джейн? — снова улыбается он. Он смеется, впервые за долгие недели у него поднимается настроение, и не только от обиженного выражения на лице Энди. — Есть преступления похуже, чем недостаточное знакомство с романом "По направлению к Свану".

По пути домой он обдумывает план, но потом понимает, что надо выждать, потому что он ведь скажет, что обжегся, пока готовил, но если что-то пойдет не так и ему придется обратиться к Энди, Энди спросит, с чего это он взялся готовить, когда они и так сегодня поужинали. Тогда завтра, думает он, сделаю это завтра. А сегодня можно написать Виллему и в письме упомянуть, что он думает пожарить бананов, как Джей-Би любит: полуспонтанное решение, которое приведет к ужасным последствиям.

Ты ведь понимаешь, что именно так сумасшедшие все и планируют, слышит он внутри себя сухой, уничижительный голос. *Понимаешь ведь, что только ненормальный может такое планировать.*

Замолчи, говорит он голосу. *Замолчи. Я знаю, что это ненормально, и именно поэтому я — нормальный.* В ответ на это голос принимается хохотать — над его оправданиями, над его логикой шестилетки, над тем, какое отвращение у него вызывает слово "ненормальный", над боязнью, что оно может каким-то образом пристать к нему. Но даже голос, даже его издевательская, фамильярная брезгливость не может его остановить.

На следующий вечер он переодевается в футболку с короткими рукавами, которую берет у Виллема, и идет на кухню. Он подготавливает все необходимое: оливковое масло, длинную деревянную спичку. Кладет левую руку в раковину, словно птицу, которую нужно ощипать, выбирает участок в паре дюймов над ладонью, а затем берет смоченное в масле бумажное полотенце и начинает втирать масло в кожу — небольшими кругами, величиной с абрикос. Пару секунд он смотрит на блестящее пятно масла, потом делает вдох, зажигает спичку и подносит пламя к коже, пока она не вспыхивает.

Боль — что такое боль? С тех самых пор, когда он получил травму, у него каждый день что-нибудь болит. Боль может быть редкой, легкой или периодической. Но больно ему всегда. "Будь поосторожнее, — вечно повторяет Энди. — Ты так приноровился к боли, что теперь не чувствуешь, когда она сигнализирует о чем-то серьезном. Так что даже если тебе кажется, что болит где-то на пять-шесть из десяти, но выглядит все вот так, — в тот раз они обсуждали рану у него на ноге, он заметил, что кожа вокруг нее стала ядовитого черно-серого цвета, цвета гнили, — тогда вообрази уж, пожалуйста, что для большинства людей это будет девяткой или десяткой, и обязательно, обязательно приходи ко мне. Хорошо?"

Но такой боли он не чувствовал уже много лет, и он кричит и кричит. Голоса, лица, обрывки воспоминаний, странные ассоциации вихрем проносятся у него в голове: запах дымящегося оливкового масла вызывает в памяти запах жареных грибов, которые они с Виллемом ели в Перудже, и оттуда он переносится на выставку Тинторетто в музее Фрика, куда они с Малкольмом ходили, когда им было чуть за двадцать, отсюда — к мальчишке из приюта, которого все называли Фрийком, но непонятно почему, ведь его звали Джед, отсюда — к ночам в коровнике, отсюда — к стогу сена на пустом, покрытом клочьями тумана лугу на окраине Сономы, в котором они с братом Лукой однажды занимались сексом, а оттуда он переносится к… переносится, переносится и переносится. Он чувствует запах горящего мяса и, очнувшись от транса, в ужасе взглядывает на плиту, не забыл ли он там чего, ломоть стейка, шипящий на сковороде, но на плите ничего нет, и тут он понимает, что запах — его, что внизу жарится его собственная рука, и тогда он наконец включает воду, вода с плеском льется на ожог — поднимается маслянистый дым, и он снова кричит. Правой рукой — левая так и лежит бесполезно в раковине, культя в металлической почкообразной миске — он судорожно нашаривает на полке над плитой солонку с морской солью и, всхлипывая, втирает пригоршню острых кристалликов в ожог, отчего боль делается белее белого, словно он взглянул на солнце и ослеп.

Он приходит в себя лежа на полу, упершись головой в дверку шкафчика под раковиной. У него дергаются руки и ноги, его лихорадит, и ему холодно, он жмется к шкафчику так, будто это что-то мягкое, будто туда можно провалиться. Закрывая глаза, он видит гиен, они облизываются, словно в буквальном смысле им поживились. *Довольны?* — спрашивает он их. *Вы довольны?* Конечно, они не могут ему ответить, но у них мутные, сытые взгляды, он видит, что их бдительность ослабла, что они удовлетворенно жмурят большие глаза.

На следующий день у него поднимается температура. Из кухни до кровати он добирается целый час: ноги у него ноют, а на руках подтянуться нельзя. Он не спит, скорее периодически теряет сознание, боль плещется в нем прибоем: то схлынет — и тогда он проснется, то накроет серой грязной волной. Поздно ночью он наконец приходит в себя настолько, что может взглянуть на руку, на огромный запекшийся круг, черный и налитый ядом, и ему видится в нем земля, где он только что провел ужасающий оккультный ритуал — сжег ведьму, например. Принес в жертву животное. Вызвал духов. Кожа теперь как будто и не кожа совсем (впрочем, так оно и есть), а что-то, что кожей никогда и не было: деревяшка, бумага, асфальт, — выгоревшее дотла.

К понедельнику он понимает, что в ожог попала инфекция. В обеденный перерыв он меняет повязку, которую наложил вечером, и вместе с ней сдирает кожу, приходится засунуть в рот носовой платок из нагрудного кармана, чтобы не закричать. Но из его руки все время что-то валится — сгустки, похожие на кровь, только угольного цвета, и он раскачивается взад-вперед, сидя на полу в ванной, в желудке у него в кислоте ворочается давняя еда, а рука извергает из себя болезнь, свои экскременты.

На следующий день боль становится сильнее, и он пораньше уходит с работы и идет к Энди.

— Господи, — говорит Энди при виде раны и в кои-то веки умолкает, не говорит больше ни слова, и это его страшно пугает.

— Сможешь подлечить? — шепчет он, потому что до этой минуты даже и не думал, что сможет поранить себя так, что его нельзя будет подлечить. Вдруг он представляет себе, как Энди говорит ему, что руку придется отнять, и думает: что я скажу Виллему?

Но Энди отвечает:

— Да, сделаю что смогу, но потом тебе придется поехать в больницу. Ложись.

Он ложится и разрешает Энди промыть рану, прочистить ее и перевязать, разрешает ему извиняться, когда у него вырываются крики боли.

Он лежит час, а когда наконец снова может сесть — Энди вколол ему "заморозку" в кожу вокруг пораженного участка, — оба они молчат.

— Может, скажешь мне, как это ты ухитрился получить такой идеально круглый ожог третьей степени? — наконец спрашивает Энди, и он, игнорируя его ледяной сарказм, выдает заготовленную историю: бананы, загоревшееся масло.

Снова молчание, на этот раз другого характера, в чем разница, он понять не может, но ему это не нравится. И тут Энди тихо говорит:

— Ты врешь, Джуд.

— То есть? — спрашивает он, и в горле у него пересыхает, несмотря на то что он пьет апельсиновый сок.

— Ты врешь, — повторяет Энди все так же, не повышая голоса, и он сползает со смотрового стола, бутылка сока выскальзывает у него из пальцев, осколки разлетаются по полу, а он идет к выходу.

— Стой! — говорит Энди с холодной яростью. — Признавайся, мать твою. Что ты сделал?

— Я рассказал, — говорит он. — Я все рассказал.

— Нет, — говорит Энди. — Что ты сделал, скажи. Скажи словами. Скажи. Я хочу от тебя это услышать.

— Я все уже сказал! — кричит он, и как же ему плохо — мозг пульсирует в черепной коробке, на ногах дымящиеся железные кандалы, рука будто прикипела к булькающему котлу. — Пусти меня, Энди. Пусти меня!

— Нет! — Теперь Энди тоже кричит. — Джуд, ты… ты… — Энди замирает, он замирает тоже, и оба они ждут, пока Энди это скажет. — Ты ненормальный, Джуд, — говорит он тихим, срывающимся голосом. — Ты с ума сошел. Ты ведешь себя как сумасшедший. Да за такое тебя можно и нужно на годы упечь в психушку. Ты больной, ты ненормальный, ты сошел с ума, и тебе нужна помощь.

— Не смей называть меня сумасшедшим! — кричит он. — Не смей! Это неправда, *неправда!*

Но Энди как будто его не слышит.

— Виллем в пятницу приезжает, да? — спрашивает он, хоть и так знает, что в пятницу. — У тебя есть неделя, чтобы во всем признаться Виллему. Начиная с сегодняшнего дня. Неделя. Не скажешь — я скажу ему сам.

— Ты этого не сделаешь, Энди, это незаконно! — кричит он, и все плывет у него перед глазами. — Я выставлю тебе такой иск, что у тебя денег не будет даже на…

— Прецеденты проверь, юрист, — шипит в ответ Энди. — "Родригес против Меты". Два года назад. Если пациент, которого уже один раз в экстренном порядке помещали в лечебное заведение, снова нанесет себе серьезные травмы, лечащий врач пациента имеет право — обязан даже! — проинформировать об этом партнера пациента или его ближайшего родственника, независимо от того, дал ли пациент на это свое гребаное согласие или нет.

Он снова теряет дар речи, его пошатывает от боли и страха, слова Энди его оглушили. Они так и стоят в смотровой, в комнате, где он был уже много-много раз, но он чувствует, как подламываются ноги, как его охватывает горечь, как тускнеет гнев.

— Энди, — говорит он и слышит, до чего умоляющий у него голос, — прошу тебя, не говори ему. Не говори, пожалуйста. Если ты ему скажешь, он меня бросит.

Едва договорив, он понимает, что это правда. Он не знает, почему Виллем его бросит — то ли из-за того, что он сделал, то ли из-за того, что соврал, — но знает: так оно и будет. Виллем его бросит, хоть он и сделал то, что сделал, только ради того, чтобы и дальше заниматься сексом, потому что, если он не будет заниматься сексом, Виллем его и тогда бросит.

— Не в этот раз, Джуд. — Энди больше не кричит, но говорит мрачно и решительно. — Больше я тебя прикрывать не буду. У тебя есть неделя.

— Это ведь его даже не касается, — с отчаянием говорит он. — Это мое дело!

— В этом-то и проблема, Джуд, — говорит Энди. — Это и его дело тоже. Это и означает, черт тебя дери, состоять в отношениях, до тебя что, не дошло еще? Не дошло, что ты не можешь больше делать что хочешь? Не дошло, что, когда ты себе делаешь больно, ты делаешь больно и ему?

— Нет. — Он мотает головой, вцепившись правой рукой в стол, чтобы не упасть. — Нет. Я делаю это с собой, чтобы не делать больно ему. Я это делаю, чтобы не навредить ему.

— Нет, — говорит Энди. — Если ты все испортишь, Джуд, если так и будешь врать человеку, который тебя по-настоящему любит, которому ты и нужен именно таким, какой ты есть, — тогда только ты и будешь во всем виноват. Только ты. И проблема будет не в том, кто ты такой, или что с тобой сделали, или чем ты болеешь, или как ты там, по-твоему, выглядишь, а в твоем поведении, в том, что ты не хочешь довериться Виллему и честно с ним обо всем поговорить, отказывая ему в вере и великодушии, в которых он никогда, никогда не отказывал тебе. Я знаю, ты думаешь, что щадишь его, но это не так. Ты эгоист. Ты эгоист, ты упрямец, ты гордец, и ты вот-вот собственными руками уничтожишь самое лучшее, что у тебя есть в жизни. Неужели ты этого не понимаешь?

Во второй раз за вечер он теряет дар речи, и только когда он чувствует, что устал, так устал, что вот-вот упадет, Энди подхватывает его за талию, и разговор заканчивается.

По настоянию Энди следующие три ночи он проводит в больнице. Днем он ходит на работу, вечером возвращается, и Энди заново его оформляет. Над ним болтаются два прозрачных пакетика — по одному над каждой рукой. Он знает, что в одном только глюкоза. В другом же — что-то еще, что-то, от чего боль становится шерстяной и мягкой, а сон — чернильно-неподвижным, как темно-синее небо на японской гравюре с изображением зимы: молчаливый путник в соломенной шапке и снег кругом.

Пятница. Он возвращается домой. Виллем приедет вечером, около десяти, миссис Чжоу уже сделала уборку, но он хочет убедиться, что никаких доказательств не осталось, что он спрятал все улики, хотя вне контекста улики эти — соль, спички, оливковое масло и бумажные полотенца — и не улики вовсе, они символы их совместной жизни, вещи, которыми они оба пользуются каждый день.

Он так и не решил, что делать. Решить надо до следующей субботы — он вымолил у Энди еще девять дней, убедил его, что ему нужно больше времени — потому что на носу праздники, потому что они в следующую среду едут в Бостон на День благодарения, — чтобы рассказать все Виллему или (хотя об этом он умолчал) чтобы переубедить Энди. Оба сценария кажутся ему одинаково несбыточными. Но он все равно рискнет. Одна беда: в последние ночи он так много спал, что у него почти не осталось времени, чтобы придумать, как выпутаться из этой ситуации. Он чувствовал, что сам превращается в какой-то паноптикум и все сущности, которые его населяют — хорькообразное существо, гиены, голоса, — смотрят, как же он поступит, чтобы потом его осудить, высмеять и сообщить ему, что он все сделал неправильно.

Он садится на диван в гостиной, чтобы подождать Виллема, и когда открывает глаза, Виллем сидит с ним рядом, улыбается, зовет его по имени, и он обнимает его, стараясь не прижимать сильно левой рукой, и на один этот миг ему все кажется и посильным, и неописуемо трудным.

Как же мне без этого жить? — спрашивает он себя.

А потом: что же мне делать?

Девять дней, зудит голос у него внутри. *Девять дней*. Но он не обращает на него внимания.

— Виллем, — говорит он из укрытия его рук. — Ты дома, ты дома. — Он выдыхает, долго-долго, надеясь, что Виллем не чувствует, как внутри у него все дрожит. — Виллем, — говорит он снова и снова, набивая рот его именем. — Виллем, Виллем… я так скучал, ты и представить не можешь.

Самое лучшее в путешествии — возвращаться домой. Кто это сказал? Не он, хотя мог бы, думает он, бродя по квартире. Вечер, вторник, завтра они едут в Бостон.

Если любишь свой дом — да даже если и не любишь, — нет ничего уютнее, спокойнее, приятнее первой недели после возвращения. Даже вещи, которые обычно раздражают — завывание автосигнализации в три часа ночи, голуби, которые решают поворковать и потоптаться у тебя на подоконнике именно тогда, когда хочешь поспать подольше, — в эту неделю, напротив, напоминают о том, что в тебе есть постоянного, о том, что жизнь, твоя жизнь всегда любезно позволит тебе в эту постоянность вернуться, и не важно, давно ли ты от нее уехал и далеко ли забрался.

Более того, в эту неделю начинаешь радоваться самому существованию того, что тебе и так всегда нравилось: торговцу засахаренными грецкими орехами на Кросби-стрит, который всегда машет тебе в ответ, когда пробегаешь мимо, сэндвичам с фалафелем и двойной порцией маринованной редьки, которые продают в фургончике в конце квартала и которых тебе однажды так захотелось в Лондоне, что ты проснулся посреди ночи, самой квартире и солнечному свету, который в течение дня перепрыгивает с одного ее конца на другой, и всем твоим вещам, и еде, и кровати, и душевой кабине, самому запаху дома.

Ну и, конечно, там есть человек, к которому ты возвращаешься, — к его лицу, телу и голосу, к его прикосновениям, к тому, как он всегда дает тебе договорить, прежде чем начать отвечать, даже если говоришь ты очень долго, к тому, как медленно улыбка расцвечивает его лицо, будто луна всходит, и к тому, как явно он по тебе скучал и как явно рад тебя видеть. Ну а если ты совсем везучий, там будет еще и то, что этот человек для тебя сделал, пока ты был в отъезде: в кухонном шкафу, в морозилке, в холодильнике будет твоя любимая еда, твой любимый скотч. В шкафу обнаружится любимый свитер — ты думал, что в прошлом году забыл его в театре, а он, выстиранный и аккуратно сложенный, будет лежать на полке. Болтавшиеся пуговицы на рубашке будут крепко пришиты. Почта будет сложена стопочкой на краю стола, на полях контракта для съемок рекламной кампании австрийского пива, которые будут проходить в Германии, он оставит пометки, чтобы ты знал, что обсудить со своим юристом. Он об этом ничего не скажет, но ты будешь знать, что он делал это с искренним удовольствием, ты будешь знать: в какой-то мере — пусть и очень небольшой, но все же — ты любишь и эту квартиру, и этого человека за то, как он обустраивает для тебя дом, и когда ты ему об этом скажешь, он не обидится, а только обрадуется, и ты сам тоже обрадуешься, потому что говорил это с благодарностью. И в эти дни — почти через неделю после возвращения — ты станешь задаваться вопросом, зачем же ты так часто уезжаешь и не стоит ли, после того как развяжешься со всеми обязательствами на следующий год, побыть какое-то время здесь, дома.

Но постоянные отъезды отчасти всем этим и вызваны, и это понятно им обоим. Когда он официально объявил о своих отношениях с Джудом и пока он сам, Кит и Эмиль выжидали, что же случится дальше, его снова охватила прежняя неуверенность: а вдруг его больше не будут снимать? А вдруг это — конец? Теперь он, конечно, и сам видел, что все прошло почти без какой-либо ощутимой заминки, но минул целый год, пока он наконец снова смог поверить в то, что для него ничего не изменилось, что все те же режиссеры жаждут его снимать и все те же — не жалуют ("Чушь собачья, — сказал Кит, и он был ему за это благодарен, — да с тобой все хотят работать") и что в любом случае актером он остался все тем же, не лучше и не хуже прежнего.

Но если прежним актером ему и удалось остаться, остаться прежним человеком ему не дали, и спустя несколько месяцев после того, как его публично объявили геем — а он не стал это опровергать, у него и пресс-агента не было, некому было заниматься всякими признаниями и отрицаниями, — он обнаружил, что теперь у него появилось больше вариантов для самоидентификации, чем за все предыдущие годы. До этого его взрослая жизнь складывалась таким образом, что он чаще расставался с какими-то сторонами своего "я": перестал быть братом, перестал быть сыном. Но одно-единственное откровение — и он стал геем, актером-геем, высокооплачиваемым актером-геем, высокооплачиваемым и не афиширующим свою ориентацию актером-геем, высокооплачиваемым лицемерным актером-геем. Где-то год назад он ужинал с режиссером по имени Макс, с которым они были много лет знакомы, и за ужином Макс пытался убедить его выступить на одном торжественном вечере с речью в поддержку организации, которая занимается защитой прав геев, и заодно объявить о своей гомосексуальности. Организацию эту Виллем поддерживал и сказал Максу, что с радостью вручит какую-нибудь награду или оплатит часть билетов на мероприятие — что он, впрочем, и делал каждый год все последние десять лет, — но открыто заявлять о своей гомосексуальности не будет, потому что заявлять тут не о чем: он не гей.

— Виллем, — сказал Макс, — ты встречаешься с мужчиной, ты живешь с мужчиной. Именно это и называется быть геем.

— Я не живу с мужчиной, — сказал он и сам понял, насколько абсурдно это звучит. — Я живу с Джудом.

— О господи, — пробормотал Макс.

Он вздохнул. Макс был старше его на шестнадцать лет, его юность пришлась на то время, когда борьба за самоопределение и была самоопределением, и он понимал Макса и вообще всех, кто сначала донимал его уговорами публично признать себя геем, а когда он отказывался, обвинял в том, что он трус и лицемер, что он сам себе противен и засовывает голову в песок. За него вдруг решили, что он стал представлять отдельную группу людей, и он понимал, что его желание — хочет ли он их представлять или не хочет — здесь особой роли не играет. Понимал — и все равно не мог на это решиться.

Джуд рассказал ему, что они с Калебом никому не говорили о своих отношениях, Джуд, конечно, все скрывал, потому что ему было стыдно (а Калеб — потому что чувствовал себя хоть самую малость, но виноватым, Виллем, по крайней мере, на это очень надеялся), но и он сам чувствовал, что их отношения с Джудом принадлежат только им двоим: они для обоих были чем-то неприкосновенным, выстраданным и уникальным. Довольно нелепо, конечно, но что поделать, именно это он и чувствовал, хотя быть таким актером, как он, во многом означало не принадлежать себе, означало, что любой может раскрыть рот и осудить, обсудить и раскритиковать в нем все — его внешность, его умения, его игру. Но не отношения, это другое: в них он играл роль только для одного человека, и этот человек был его единственным зрителем, и кто бы там что себе ни воображал, но другой публики у него не было.

Кроме того, отношения эти казались ему неприкосновенными потому, что он сам только недавно — в последние полгода или около того — приноровился к их ритму. Человек, которого, как ему думалось, он знал, на деле оказался несколько другим, и он не сразу свыкся с тем, что ему предстоит увидеть еще много скрытых граней: это как если бы он долго считал некую фигуру пентаграммой, а она оказалась додекаэдром — многосторонним, многогранным, измерить который было не так-то просто. Но, несмотря на все это, у него и в мыслях не было уходить от Джуда — он остался не колеблясь, из любви, из верности, из любопытства. Но ему нелегко пришлось. По правде сказать, временами ему было невыносимо трудно, и времена эти еще не прошли. Когда он пообещал себе, что не станет исправлять Джуда, он позабыл, что невозможно разгадать человека и не желать при этом его исправить; все равно что диагностировать проблему и даже не попытаться ее решить — это не просто легкомысленно, это преступно.

Основной проблемой был секс — их сексуальная жизнь и отношение к ней Джуда. Они с Джудом были вместе уже десять месяцев, Виллем все ждал, пока Джуд будет готов, и к концу десятого месяца (такого затянувшегося целибата у него не было с пятнадцати лет, и выдержал он отчасти, взяв себя на слабо, вроде как когда люди перестают есть хлеб или пасту за компанию с партнерами) он уже серьезно беспокоился насчет того, чем это все закончится и может ли Джуд вообще заниматься сексом. Откуда-то он знал, всегда знал, что Джуд пережил насилие, что с ним случилось что-то ужасное (быть может, и не один раз), но, к своему стыду, никак не мог найти верные слова, чтобы поговорить с ним об этом. Виллем твердил себе, что даже если и сумеет найти слова, Джуд все равно не станет с ним это обсуждать, пока не будет готов, но сам в то же время понимал, что он, по правде сказать, просто-напросто трус и трусость — единственная причина его бездействия. Но потом он вернулся из Техаса, и секс у них все-таки случился, и он вздохнул с облегчением — еще и от того, что ему было очень хорошо, что не было никакой неловкости, неестественности, а когда оказалось, что Джуд сексуально подкован куда лучше, чем он думал, он вздохнул с облегчением в третий раз. Впрочем, пока что он обходил вопрос о том, отчего Джуд так опытен — неужели Ричард был прав и Джуд все это время жил какой-то двойной жизнью? Такое объяснение казалось слишком уж простым. Но альтернатива ему — что знания эти Джуд получил еще до их встречи, то есть в детстве — попросту не укладывалась в голове. И поэтому, терзаясь огромнейшим чувством вины, он промолчал. Он решил поверить в теорию, которая не слишком усложняла его жизнь.

Впрочем, однажды ему приснился сон, будто они с Джудом занимались сексом (тем вечером секс и вправду был) и потом Джуд лежал с ним рядом и плакал, стараясь делать это беззвучно, но у него не получалось, и он знал, даже во сне знал, почему он плачет — потому что он всего этого не выносит, не выносит того, что Виллем заставляет его делать. Поэтому в следующий раз он без обиняков спросил Джуда: тебе это нравится? Каким будет ответ, он не знал, но наконец Джуд сказал "да", и он снова вздохнул с облегчением — иллюзия может продолжаться, равновесие не будет нарушено, ему не придется заводить беседу, которую он и как начать-то не знал, не говоря уже о том, чтобы вести. Ему все виделась лодочка, надувная шлюпка, которая раскачивалась на волнах, но потом выправлялась и спокойно плыла себе дальше, хотя вода под ней была черной, кишела чудовищами и клубками водорослей и с каждой новой волной казалось, что они вот-вот утянут лодочку под воду и она, булькая, скроется из виду и пропадет на дне океана.

Но время от времени — очень редко, очень случайно, не уследишь — ему случалось замечать лицо Джуда, когда он входил в него или после, ощущать его молчание, такое черное и всеобъемлющее, что оно казалось газообразным, и тогда он знал, что Джуд солгал ему, что он задал ему вопрос, на который можно было дать лишь один ответ, и Джуд этот ответ ему дал, но только на словах. И тогда он принимался спорить сам с собой, пытаясь оправдать свое поведение и вместе с тем упрекая себя за него. Но если он был с собой совсем честен, то признавал: проблема существует.

Впрочем, в чем именно она заключалась, сформулировать он тоже не мог, в конце концов, ведь когда он хотел секса, его хотел и Джуд. (Хотя разве это уже само по себе не подозрительно?) Но он еще ни разу не встречал человека, который так избегал прелюдии, который даже не желал говорить о сексе, который даже само слово никогда не произносил. "Виллем, я стесняюсь, — всякий раз отвечал Джуд, стоило ему завести об этом разговор. — Давай сделаем это, и все".

Ему часто казалось, будто они занимаются сексом на время и его задача — сделать все быстро и максимально аккуратно и потом об этом не разговаривать. Отсутствие эрекций у Джуда его беспокоило куда меньше, чем странное чувство, которое он иногда испытывал, слишком неопределенное и противоречивое, даже и названия не подберешь: что с каждым их новым контактом он все ближе подбирается к Джуду, а Джуд — удаляется от него. Джуд говорил все, что нужно, издавал все нужные звуки, был ласковым и на все готовым, и все равно Виллем знал — что-то, *что-то* было не так. Его это озадачивало, ведь всем и всегда нравилось заниматься с ним сексом — а тут-то что происходит? И, как назло, от этого ему еще больше хотелось секса, хотя бы ради того, чтобы получить ответы на свои вопросы, даже если ответов этих он боялся.

И точно так же, как он знал о проблемах в их сексуальной жизни, он знал и о том — знал, даже не зная, никто ему об этом не говорил, — что именно из-за секса Джуд себя и режет. И тогда его пробирала дрожь — от осознания этого, от того, что не может он больше выдумывать себе оправдания, до того они старые и затасканные (*Виллем Рагнарссон, что это ты еще надумал? Да у тебя мозгов не хватит во всем разобраться...*), оправдания, чтобы не рыть глубже, не совать руку в кишащую змеями и мокрицами слизь прошлого Джуда, не искать там многостраничный, обернутый в пожелтевший целлофан том, где прячется ключ к человеку, которого, как ему казалось, он в целом вполне разгадал. А затем он неизбежно начинал думать о том, что ни у кого из них — ни у него, ни у Малькольма, ни у Джей-Би, ни у Ричарда, ни даже у Гарольда — не хватило на это смелости. У каждого нашлись причины, чтобы не пачкать рук. Одного Энди нельзя было в этом упрекнуть.

Но все равно: до чего легко было притворяться, не замечать того, что он знал, потому что по большей части притворство не стоило ему никакого труда — потому что они были друзьями, потому что им нравилось быть вместе, потому что он любил Джуда, потому что у них была жизнь на двоих, потому что его к нему тянуло, потому что он его желал. Но у него был Джуд, которого он знал днем, ну хорошо — даже на рассвете и в сумерках, и еще один Джуд, который завладевал его другом на несколько часов каждую ночь, и это, как он иногда боялся, и был настоящий Джуд. Этот Джуд в одиночку бродил по квартире, у него на глазах медленно водил лезвием по руке, широко распахнув глаза от дикой боли, и до него он никогда не мог достучаться, сколько бы он его ни успокаивал, как бы ему ни угрожал. Иногда казалось, что именно этот Джуд и управляет их отношениями, и, когда он появлялся, никто, даже Виллем, не мог его прогнать. Но он упрямо не сдавался — он прогонит его силой своей любви, ее настойчивостью, ее мощью. Он понимал, что это ребячество, но все упрямые поступки и есть ребяческие. А здесь ему, кроме упрямства, вооружиться было и нечем. Терпение, упрямство, любовь — нужно верить, что этого ему хватит. Нужно верить, что они окажутся сильнее привычек Джуда, как бы усердно, как бы долго тот им ни следовал.

Иногда он получал что-то вроде отчета об успеваемости от Энди с Гарольдом, которые всякий раз при встрече принимались его благодарить — не то чтобы он считал это необходимым, но, с другой стороны, это его подбадривало: значит, перемены, которые он подмечал в Джуде — что он стал чуть заметнее проявлять чувства, чуть меньше стесняться своего тела, — не были плодом его воображения. И в то же время он остро ощущал, что остался один, один со своими вновь возникшими подозрениями насчет Джуда и истинной глубины его проблем, один с пониманием, что тот никак не может — да и не хочет — нормально с этими проблемами разобраться. Несколько раз он порывался позвонить Энди, спросить его совета, спросить его, правильно ли он поступает. Но не позвонил.

Вместо этого он позволил своему природному оптимизму заслонить все страхи, превратить их отношения во что-то солнечное и радостное. На него часто накатывало чувство — то же самое было и на Лиспенард-стрит, — что они играют в домик, что он живет в какой-то мальчишеской фантазии, когда представляешь, как вместе со своим лучшим другом сбежишь от всего мира с его правилами и будешь жить в каком-нибудь совершенно непригодном для жилья, но вполне просторном месте (вагоне поезда, шалаше на дереве), которое не должно было быть домом, но стало им просто потому, что его обитатели общими усилиями в это поверили. Мистер Ирвин не так уж и ошибался, то и дело думал он: жизнь и впрямь казалась ему какой-то затянувшейся пижамной вечеринкой, вечеринкой, которая длилась уже третий десяток лет и на которой его накрывало волнующим чувством, будто им удалось прикарманить что-то ценное, что-то, чего их должны были лишить еще много лет тому назад. Когда, например, ты приходишь на вечеринку, и кто-нибудь порет чушь, а вы с ним сидите за столом напротив друг друга, и он взглядывает на тебя, совершенно не меняясь в лице, только легонько так вскидывая бровь, и тебе приходится торопливо глотать воду, чтобы от хохота еда не вывалилась изо рта, а потом вы с ним возвращаетесь к себе в квартиру — в вашу абсурдно прекрасную квартиру, которую вы обожаете почти до неприличия, и вам не нужно друг другу объяснять, почему вы ее так обожаете, — и разбираете по косточкам весь этот ужасный обед, и смеетесь так, что счастье начинает ассоциироваться с болью. Или, например, ты каждый вечер можешь обсудить все свои проблемы с человеком, который умнее и вдумчивее тебя, поделиться мыслью, что столько лет прошло, а у вас обоих все никак не пройдет изумление и неловкость от того, что вы теперь богаты, богаты до нелепости, богаты, как злодеи из комиксов, или когда вы едете домой к его родителям, один из вас ставит совершенно инопланетный плейлист, которому вы оба подпеваете во всю глотку, дурачитесь на всю катушку так, как не дурачились никогда, даже в детстве. И чем старше становишься, тем отчетливее понимаешь, что людей, с которыми тебе хочется быть (а не встречаться время от времени), очень, очень мало и в то же время вот он ты, а рядом с тобой человек, с которым тебе и так всегда хотелось быть, даже когда все было сложно и непонятно. Так что — счастлив. Да, он был счастлив. Ему даже думать об этом не нужно было, вот честно — не нужно. Он знал, что он человек простой, проще не придумаешь, а ему в результате выпало быть вместе со сложнейшей личностью.

— Все, что мне нужно, — сказал он Джуду как-то ночью, пытаясь описать словами удовольствие, которое в тот миг булькало у него внутри, будто вода в ярко-голубом чайнике, — это любимая работа, жилье и человек, который меня любит. Понимаешь? Ничего сложного.

Джуд печально рассмеялся.

— Виллем, — сказал он, — я тоже только этого и хочу.

— Но у тебя же это все есть, — тихо сказал он, и Джуд тоже замолчал.

— Да, — наконец сказал он, — ты прав.

Но по его голосу было слышно, что сам он не очень-то в это верит.

Во вторник ночью они лежат рядом и то заводят, то обрывают путаную полубеседу, которая начиналась у них всякий раз, когда оба уже засыпали, но изо всех сил старались не заснуть, как вдруг Джуд окликает его до того серьезным голосом, что он резко открывает глаза.

— Что такое? — спрашивает он, и лицо у Джуда такое замершее, такое строгое, что ему становится страшно. — Джуд? — говорит он. — Ну, выкладывай.

— Виллем, ты знаешь, что я старался не резать себя, — говорит он, и Виллем кивает, ждет, что он скажет дальше.

— И я буду и дальше стараться, — продолжает Джуд. — Но я не всегда… не всегда смогу удержаться.

— Я знаю, — говорит он. — Я знаю, как ты стараешься. Я знаю, как тебе тяжело.

Тогда Джуд отворачивается от него, и Виллем поворачивается к нему, обнимает его сзади.

— Я просто хочу, чтобы ты это понимал, если я снова совершу ошибку, — глухо говорит Джуд.

— Конечно, я пойму, — говорит он. — Конечно, Джуд.

Наступает долгое молчание, и он ждет, не скажет ли Джуд чего-то еще. У него тело марафонца, худое, с поджарыми мышцами, но за последние полгода он исхудал еще больше, он теперь почти такой же худой, каким был, когда его выписали из больницы, и Виллем еще крепче прижимает его к себе.

— Ты сильно похудел, — говорит он.

— Работа, — отвечает Джуд, и они снова молчат.

— Мне кажется, тебе надо есть побольше, — говорит он.

Для роли Тьюринга ему пришлось набрать вес, часть он уже, конечно, сбросил, но все равно рядом с Джудом он кажется себе огромным, каким-то надувшимся пузырем.

— Энди решит, что я плохо о тебе забочусь, и будет на меня орать, — добавляет он, и Джуд издает какой-то звук, который он принимает за смех.

На следующее утро, накануне Дня благодарения, они оба в хорошем настроении — оба любят поездки в машине, — они загружают в багажник сумки и коробки с печеньями, пирогами и хлебом, которые Джуд испек для Гарольда с Джулией, и выезжают с утра пораньше: сначала едут на восток, прыгая по мощеным улочкам Сохо, потом проносятся по магистрали ФДР, подпевая саундтреку "Дуэтов". Проехав Вустер, они останавливаются на заправке, и Джуд выходит купить мятных пастилок и воды. Он ждет в машине, листает газету, у Джуда звонит телефон, он смотрит, кто звонит, и отвечает.

— Ты уже сказал Виллему? — слышит он голос Энди, не успев даже сказать привет. — У тебя есть еще три дня, Джуд, не то я сам ему скажу. Я серьезно.

— Энди? — говорит он, и в трубке наступает резкая, внезапная тишина.

— Виллем, — говорит Энди. — Блядь.

На заднем плане он слышит, как звонко и радостно взвизгивает ребенок: "Дядя Энди сказал нехорошее слово!" — и тут Энди снова чертыхается, и он слышит, как захлопывается дверь.

— Почему ты отвечаешь на телефон Джуда? — спрашивает Энди. — Где он?

— Мы едем к Гарольду и Джулии, — отвечает он. — Он вышел купить воды.

В телефоне тишина.

— Энди, скажи — что?.. — спрашивает он.

— Виллем, — начинает Энди и умолкает. — Не могу. Мы договорились, что он сам тебе скажет.

— Он ничего мне не сказал, — говорит он, чувствуя, как в нем слоятся эмоции: слой страха, слой раздражения, слой страха, слой любопытства, слой страха. — Уж лучше ты мне скажи, Энди, — говорит он. В нем поднимается паника. — Что-то плохое? — спрашивает он. Потом начинает умолять: — Энди, не надо так со мной.

Он слышит, как Энди дышит — дышит медленно.

— Виллем, — тихо говорит он. — Спроси, откуда у него на самом деле взялся ожог на руке. Мне пора.

— Энди! — кричит он. — *Энди!*

Но Энди отсоединился.

Он оборачивается, выглядывает из окна и видит, что Джуд идет к машине. Ожог, думает он, а что с ожогом? Джуд обжегся, когда жарил бананы, как любит Джей-Би. "Сраный Джей-Би, — сказал он, увидев забинтованную руку Джуда. — Из-за него всегда все через жопу", — и Джуд рассмеялся. "Ну а если серьезно, — сказал он, — ты как, Джуди, в порядке?" И Джуд сказал, что он в порядке, что он сходил к Энди и они пересадили на ожог какой-то материал, похожий на искусственную кожу. Тогда они даже повздорили из-за того, что Джуд не сказал ему, что ожог серьезный — из имейла Джуда он понял, что там обычный волдырь, не тот случай, чтобы кожу пересаживать, — и опять повздорили утром, когда Джуд сказал, что поведет машину, хотя видно было, что рука у него еще болит, но так что же там с ожогом? И тут внезапно он понимает, что слова Энди можно истолковать только одним способом, и он резко опускает голову, потому что его начинает подташнивать так, будто его кто-то ударил.

— Извини, — говорит Джуд, садясь в машину. — Очередь никак не кончалась. — Он вытряхивает пастилки из коробки и тут поворачивается и видит его. — Виллем? — спрашивает он. — Что случилось? У тебя жуткий вид.

— Энди звонил, — говорит он и смотрит на лицо Джуда, смотрит, как оно мертвеет, как на нем проступает страх. — Джуд, — говорит он, и его собственный голос кажется ему далеким, будто доносится из глубокого ущелья, — откуда у тебя ожог на руке?

Но Джуд ничего не отвечает, просто смотрит на него. Это все не взаправду, твердит он себе.

Но, конечно, это все взаправду.

— Джуд, — повторяет он, — откуда у тебя ожог на руке?

Но Джуд все смотрит на него, не раскрывая рта, и он спрашивает снова и снова. И наконец:

— Джуд! — кричит он, и собственная ярость его ошеломляет, а Джуд дергается, сжимается. — Джуд! Говори! *Говори сейчас же!*

И тогда Джуд говорит что-то, так тихо, что ничего не слышно.

— Громче! — кричит он. — Я тебя не слышу!

— Я себя обжег, — наконец еле слышно произносит Джуд.

— Как? — разъяренно спрашивает он, и снова Джуд отвечает так тихо, что он почти ничего не слышит, но отдельные слова все-таки различить удается: *оливковое масло — спичка — огонь.*

— Почему? — в отчаянии воет он. — Почему ты это делаешь, Джуд?

Он так зол — на себя, на Джуда, что впервые за все то время, что они знакомы, ему хочется его ударить, и он представляет, как его кулак врезается в нос Джуда, в его щеку. Он хочет видеть, как сминается его лицо, хочет сам его смять.

— Чтобы не резать себя, — тихонько говорит Джуд, и от этого в нем все снова вскипает.

— Так, значит, я во всем виноват? — спрашивает он. — Ты это делаешь, чтобы меня наказать?

— Нет, — умоляет его Джуд, — нет, Виллем, нет… я просто…

Но он его обрывает:

— Почему ты так и не рассказал мне, кто такой брат Лука? — слышит он свой голос.

Он видит, как Джуд вздрагивает.

— Что? — спрашивает он.

— Ты обещал, что скажешь, — говорит он. — Помнишь? Обещал сделать подарок на *день рождения.* — Последние слова выходят куда саркастичнее, чем он хотел. — Скажи, — говорит он. — Скажи прямо сейчас.

— Не могу, Виллем, — говорит Джуд. — Пожалуйста. Пожалуйста.

Он видит, как мучается Джуд, но все равно настаивает.

— У тебя было четыре года, чтобы придумать, как мне об этом рассказать, — говорит он, и когда Джуд пытается вставить ключ в зажигание, он выхватывает ключ. — Мне кажется, отсрочка была порядочной. Говори сейчас же. — Джуд никак на это не реагирует, и тогда он снова кричит на него: — Говори!

— Это был один из братьев в монастыре, — шепчет Джуд.

— И?.. — кричит он.

Какой же я тупой, думает он. Я такой, такой, такой тупой. Такой наивный. И одновременно: он меня боится. Я кричу на человека, которого люблю, и он меня боится. Вдруг он вспоминает, как много лет назад орал на Энди: "Ты просто бесишься, потому что он твой пациент, а ты сам ни хера ему помочь не можешь, вот и валишь все на меня!" О господи, думает он. Господи. Почему же я так себя веду?

— И я сбежал с ним, — говорит Джуд, и голос у него такой тихий, что Виллему приходится склониться к нему, чтобы что-то расслышать.

— И?.. — говорит он, но видит, что Джуд вот-вот расплачется, и вдруг умолкает, отодвигается от него — он вымотан, его от самого себя тошнит, и к тому же внезапно его охватывает страх: а что, если следующий его вопрос и станет тем вопросом, который пробьет ворота, и все, что он всегда хотел знать о Джуде, все, с чем он никогда не хотел сталкиваться, наконец хлынет наружу?

Так они сидят очень долго, и машина полнится их судорожными вздохами. Он чувствует, как у него немеют кончики пальцев.

— Поехали, — наконец говорит он.

— Куда? — спрашивает Джуд, и Виллем взглядывает на него.

— До Бостона всего час остался, — говорит он. — И они нас ждут.

И Джуд кивает, вытирает лицо платком, берет у него ключи, и они медленно выруливают с заправки.

Пока они едут по шоссе, он вдруг ясно представляет себе, что это такое — поджечь себя. Он вспоминает, как бойскаутом разводил костры, шалашик из веточек, который нужно было соорудить над скомканной газетой, как от переливов пламени подрагивал воздух, какими до ужаса красивыми были эти переливы. И потом он представляет, как Джуд делает это с собственной кожей, как эта рыжина разъедает его плоть, и его начинает тошнить.

— Останови, — задыхаясь говорит он Джуду, и Джуд, взвизгнув тормозами, съезжает с дороги, и он высовывается из машины, и его тошнит до тех пор, пока ему больше нечем блевать.

— Виллем, — говорит Джуд, и от одного звука его голоса он приходит и в ярость, и в отчаяние разом.

Весь оставшийся путь они молчат, и когда Джуд рывками выруливает на подъездную дорогу к дому Гарольда и Джулии, они обмениваются взглядами — буквально секунду, — и ему кажется, что перед ним человек, которого он видит впервые в жизни. Он смотрит на Джуда и видит привлекательного мужчину: у него изящные руки и длинные ноги, у него красивое лицо, такое лицо, на которое раз посмотришь — и не можешь оторвать взгляда; если бы он встретил его на вечеринке или в ресторане, то заговорил бы с ним только ради того, чтобы был повод на него глядеть, и никогда бы не подумал, что этот мужчина режет себя так, что кожа у него на руках напоминает скорее хрящевые наросты, чем кожу, или что когда-то он встречался с человеком, который избил его так, что он чуть не умер, или что однажды вечером он натер кожу маслом, чтобы пламя, которое он поднес к своему телу, горело сильнее и ярче, и что идею эту заронил ему в голову человек, который однажды, давным-давно, сделал с ним ровно то же самое, когда он был еще ребенком и весь его проступок заключался в том, что он взял блестящую, манящую штучку со стола презренного и презираемого им попечителя.

Он хочет что-то сказать и уже открывает рот, как тут они слышат Джулию с Гарольдом — те их зовут, приветствуют, и оба они моргают, отворачиваются, вылезают из машины, попутно растягивая рты в улыбках. Он целует Джулию и слышит, как позади него Гарольд спрашивает Джуда:

— С тобой все нормально? Точно? Вид у тебя какой-то не такой.

И затем слышит, как Джуд вполголоса заверяет его, что все в порядке.

Джуд отправляется прямиком на кухню, а он берет сумку с их вещами и идет в спальню. Он вытаскивает зубные щетки, электробритвы, кладет их в ванной, а затем ложится на кровать.

Он спит до вечера, ни на что другое сил у него нет. За столом их всего четверо, и он быстро репетирует смех перед зеркалом, перед тем как спуститься в столовую к остальным. За ужином Джуд почти все время молчит, но Виллем старается и говорить, и вслушиваться в разговор, как если бы ничего не случилось, хотя это трудно и голова у него забита тем, что он узнал.

Несмотря на ярость и отчаяние, которые его снедают, он замечает, что тарелка Джуда почти пуста, но когда Гарольд говорит: "Джуд, тебе надо есть побольше, а то ты совсем отощал. Верно, Виллем?" — и смотрит на него в поисках поддержки (обычно он автоматом включался в уговоры), он только пожимает плечами.

— Джуд уже взрослый, — говорит он, и ему самому собственный голос кажется странным. — Он сам знает, как ему лучше. — И краешком глаза он видит, как Джулия с Гарольдом переглядываются, а Джуд опускает голову и сидит, уставившись в тарелку.

— Я объелся, пока готовил, — говорит он, и они все знают, что это неправда, потому что Джуд никогда не таскает еду, пока готовит, и никому не разрешает. Джей-Би его так и зовет: кухонный штази. Он видит, как Джуд рассеянно прикрывает рукой другую руку, там, где под рукавом свитера прячется ожог, но потом поднимает голову, замечает, что Виллем на него смотрит, отдергивает руку и снова опускает глаза.

Кое-как они досиживают до конца ужина, и пока они с Джулией моют посуду, он болтает с ней о разной ерунде. Потом они идут в гостиную, где его ждет Гарольд, чтобы посмотреть матч, который он специально записал на прошлых выходных. Он медлит в дверях: обычно он садился рядом с Джудом, они втискивались вместе в огромное, пухлое кресло, притиснутое к Креслу Гарольда, но сегодня он не может сидеть рядом с Джудом — ему и смотреть-то на него тяжело. А если он не сядет с ним рядом, Гарольд и Джулия точно поймут, что между ними произошла какая-то серьезная размолвка. Но пока он медлит, Джуд встает и, словно предугадав его замешательство, говорит, что устал и идет спать.

— Правда? — спрашивает Гарольд. — Еще ведь совсем рано.

Но Джуд говорит, что правда устал, целует Джулию, машет рукой куда-то в сторону Гарольда с Виллемом, и он снова замечает, как Гарольд с Джулией переглядываются.

Джулия вскоре тоже уходит спать — она никогда не понимала, в чем прелесть американского футбола, — и после ее ухода Гарольд ставит игру на паузу и смотрит на него.

— У вас с ним все нормально? — спрашивает он, и Виллем кивает.

Потом, когда он тоже поднимается, чтобы идти спать, Гарольд хватает его за руку.

— Знаешь, Виллем, — говорит он, сжимая его ладонь, — мы ведь не только одного Джуда любим. — И он снова кивает, перед глазами у него все расплывается, он желает Гарольду спокойной ночи и уходит.

В спальне тихо, и какое-то время он просто стоит, уставившись на лежащего под одеялом Джуда. Виллем видит, что на самом деле тот не спит — слишком уж неподвижно лежит, — а просто притворяется, но в конце концов и сам начинает раздеваться, вешая одежду на спинку стула возле гардероба. Он ложится и понимает, что Джуд все еще не уснул, и оба они так и лежат на разных сторонах кровати, долго-долго, и оба боятся того, что он, Виллем, может сказать.

Впрочем, он все-таки засыпает, а когда просыпается, в комнате куда тише, и тишина на этот раз настоящая, и он по привычке переворачивается к Джуду и открывает глаза, когда понимает, что Джуда там нет и даже его сторона кровати успела простыть.

Он садится. Встает. Он слышит тихий звук, такой тихий, что его и звуком-то не назовешь, и, обернувшись, видит дверь в ванную — она закрыта. И везде темно. Но он все равно идет к ванной, дергает ручку двери, резко ее распахивает, и подложенное на пол полотенце — чтобы не пробивался свет — тянется за дверью будто шлейф. И там, на полу, прислонившись к ванне, сидит Джуд — он полностью одет, глаза у него огромные, испуганные.

— Где они? — шипит он, хотя ему хочется выть, хочется плакать из-за того, что ничего у него не вышло, из-за этой жуткой, гротескной пьесы, которая разыгрывается из ночи в ночь, из ночи в ночь и на которую он попадает лишь изредка, потому что пьесу эту разыгрывают даже при полном отсутствии зрителей, в пустом доме, и единственный занятый в ней актер играет с таким рвением и пылом, что ничто не помешает ему продемонстрировать свое мастерство.

— Я не режу, — говорит Джуд, и Виллем знает, что он лжет.

— Где они, Джуд? — спрашивает он, опускается возле него на корточки, хватает его за руки: чисто. Но он знает, что он себя резал, потому что видит, какие огромные у него глаза, как посерели у него губы, как трясутся руки.

— Я не режу, Виллем, не режу, — говорит Джуд, они оба шепчут, чтобы не разбудить Гарольда и Джулию, которые спят над ними, — и тут он, не успев даже опомниться, хватает Джуда, начинает сдирать с него одежду, Джуд сопротивляется, но он совсем не владеет левой рукой, да и вообще не в лучшей форме, и оба они беззвучно кричат друг на друга. И вот он сидит на Джуде верхом, вот он придавливает его плечи коленями, как его однажды для съемок учил преподаватель боевых искусств — он знает, что именно так можно и обездвижить противника, и причинить ему боль, — и вот он уже срывает с Джуда одежду, и Джуд извивается под ним, угрожает ему и затем умоляет прекратить. Без особых эмоций он отмечает, что со стороны можно подумать, что это изнасилование, но нет, он не насилует Джуда, говорит он себе, он просто хочет найти лезвие. И тут он его слышит — звяканье металла о плитку, — хватает и отшвыривает за спину, а потом продолжает раздевать Джуда, стаскивает с него одежду с грубым проворством, которое его самого удивляет, но порезы замечает, только когда стягивает с Джуда трусы: порезов шесть, шесть ровных параллельных горизонтальных полосок — вверху на левом бедре, и он отпускает Джуда и отползает от него, как от прокаженного.

— Ты… ты… ненормальный, — говорит он, медленно и монотонно, после того как слегка унялся первоначальный шок. — Ты ненормальный, Джуд. Режешь себя — и где! — на ногах. Ты же знаешь, что может случиться, ты же знаешь, что может начаться воспаление. Ты хоть головой думаешь? — Он задыхается от напряжения, от горя. — Ты болен, — говорит он, и тут он снова видит Джуда словно впервые, видит, как он исхудал, и думает, почему же он не замечал этого раньше. — Ты болен. Тебе лечиться нужно. Тебе нужно…

— Хватит меня лечить, Виллем, — огрызается Джуд. — Зачем я тебе сдался? Зачем ты вообще со мной? Я тебе что, благотворительный проект? Я и без тебя прекрасно справлялся.

— Правда? — спрашивает он. — Ну прости, что не дотягиваю до идеального бойфренда, Джуд. Ты ведь в отношениях предпочитаешь здоровую долю садизма, верно? Может, если б я тебя пару раз с лестницы скинул, тогда стал бы соответствовать твоим стандартам? — Он замечает, как Джуд отодвигается от него, вжимается в ванну, видит, как что-то тускнеет и гаснет в его глазах.

— Я тебе не Хемминг, Виллем, — шипит Джуд. — Одного калеку не спас, другого себе нашел?

Он отшатывается, встает, нашаривая на полу позади себя лезвие, и затем со всей силы швыряет его в лицо Джуду. Джуд вскидывает руки, закрывает лицо, и лезвие отскакивает от его ладони.

— Прекрасно! — выдыхает он. — Хоть всего себя на куски изрежь, мне насрать. Ты свои лезвия любишь гораздо больше, чем меня.

Ему очень хочется хлопнуть дверью, когда он уходит, но вместо этого он просто бьет по выключателю.

Вернувшись в спальню, он хватает подушки и одно одеяло с кровати, валится на диван. Если б можно было уехать, он уехал бы прямо сейчас, но он не уезжает только из-за Гарольда и Джулии. Он переворачивается и кричит, в голос кричит, уткнувшись лицом в подушку, молотит ее кулаками, стучит ногами по диванным валикам, будто ребенок, который бьется в истерике, и ярость его перемежается настолько всеобъемлющим разочарованием, что ему не хватает воздуха. Он думает о многом, но ни сформулировать, ни отделить одну мысль от другой не может, и в голове у него цепочкой проносятся три фантазии: он садится в машину, уезжает и больше никогда с Джудом не разговаривает; он возвращается в ванную, обнимает его и держит, пока тот не сдается, пока он его не излечивает; он звонит Энди сейчас, прямо сейчас, и завтра же с утра Джуда забирают в психушку. Но ничего из этого он не делает, только бесцельно дергает и сучит ногами, будто плывет по дивану.

Наконец он затихает и лежит не двигаясь, и когда кажется, что прошло уже очень много времени, он слышит, как Джуд крадется обратно в спальню, ступая неслышно и медленно, будто какое-то побитое существо — скажем, собака, — какое-то всем немилое существо, которому в жизни доставались одни побои, и потом он слышит скрип кровати.

Долгая неприглядная ночь тянется рывками, и он забывается неглубоким, прерывистым сном, а когда просыпается, еще даже не до конца рассвело, но он все равно натягивает одежду и кроссовки, выходит на улицу — весь выжатый от усталости, стараясь ни о чем не думать. Он бежит, и слезы, непонятно, из-за холода ли или из-за всего случившегося, то и дело застилают ему глаза, он сердито их вытирает и бежит дальше, все больше разгоняясь, хватая ветер огромными, злыми глотками, чувствуя, как от него болят легкие. Когда он возвращается в спальню, Джуд так и лежит на боку, свернувшись клубком, и он вздрагивает от ужаса — на миг ему кажется, будто он умер; он уже хочет его окликнуть, но тут Джуд шевелится во сне, и он идет в ванную, принимает душ, складывает свою одежду для бега в сумку, одевается и, тихонько прикрыв за собой дверь, идет на кухню. На кухне Гарольд наливает ему кофе — как и всегда, — и, как всегда, с самого начала их с Джудом отношений, он отрицательно мотает головой, хотя сегодня сам аромат кофе — его древесная, смолистая теплота — вызывает у него почти волчий аппетит. Гарольд не знает, почему он бросил пить кофе, знает только, что бросил, и все, и поэтому всегда говорит, что пытается вернуть его на путь соблазна, но хотя обычно он с этого места начинал с ним перешучиваться, в это утро он молчит. Он даже взглянуть на Гарольда не может, до того ему стыдно. Стыдно — и обидно: Гарольд, конечно, ничего не говорит, но он чувствует его непоколебимую уверенность в том, что уж он-то всегда знает, что делать с Джудом, и представляет, как зол будет Гарольд на него, как будет в нем разочарован, если узнает о том, что он сказал и сделал ночью.

— Выглядишь ты не очень, — говорит ему Гарольд.

— Это да, — отвечает он. — Гарольд, ты извини, правда. Кит написал ночью, я думал, что с одним режиссером встречаюсь через неделю, а он, оказывается, сегодня вечером уезжает, мне нужно сегодня вернуться в Нью-Йорк.

— Ох, нет, Виллем, как же так? — начинает Гарольд, но тут входит Джуд, и Гарольд обращается к нему: — Виллем говорит, что вам надо сегодня же утром вернуться в Нью-Йорк.

— Можешь остаться, — говорит он Джуду, не поднимая глаз от тоста, который намазывает маслом. — Машину я тоже могу тебе оставить. Но мне нужно вернуться.

— Нет, — говорит Джуд, немного помолчав. — Мне тоже нужно вернуться.

— Ну и что это за День благодарения? Поели, значит, и смываетесь? Куда я дену столько индейки? — театрально гневается Гарольд, впрочем, довольно вяло, и Виллем чувствует, как он переводит взгляд с одного на другого, пытаясь понять, что же происходит, что стряслось.

Он ждет, пока Джуд соберется, а сам в это время старается болтать о пустяках с Джулией и не обращать внимания на невысказанные вопросы Гарольда. Он первым идет к машине, чтобы дать понять — поведет он, и когда он прощается, Гарольд глядит на него, хочет что-то сказать, но потом просто его обнимает.

— Поаккуратнее на дороге, — говорит он.

Внутри у него все так и кипит, он то и дело жмет на газ и потом одергивает себя, сбавляет скорость. Еще нет и восьми утра, сегодня День благодарения, и на дорогах пусто. Джуд отвернулся к окну, прижался к стеклу щекой, Виллем еще даже ни разу на него не взглянул, он не знает, какое у него выражение лица, не видит темных клякс у него под глазами — Энди еще в больнице сказал, что это верный признак того, что Джуд слишком сильно себя изрезал. С каждой милей его гнев то вспыхивает, то угасает: иногда перед глазами у него встает Джуд, который лгал ему, — он понимает, что Джуд всегда ему лжет, и ярость вскипает в нем, как горячее масло. А иногда он вспоминает о том, что он сказал и как себя вел, и обо всем, что случилось, и о том, что человек, которого он любит, так ужасно к себе относится, и на него накатывает такая жалость, что ему приходится изо всех сил стискивать руль, чтобы сосредоточиться на дороге. Он думает: неужели он прав? Я правда вижу в нем Хемминга? Но потом думает: нет. Это все Джудовы выдумки, потому что он не может себе представить, что кто-то вообще захочет быть с ним. Это неправда. Но это объяснение его не успокаивает, более того — от него ему делается еще более тошно.

Сразу после Нью-Хейвена он останавливается. Обычно, когда они проезжают Нью-Хейвен, он рассказывает их любимые истории о том времени, когда они с Джей-Би учились в университете и жили в одной комнате. О том, как ему пришлось помогать Джей-Би и Желтому Генри Янгу выкатывать их партизанскую выставку из подвешенных на крюки мясных туш к дверям медицинского колледжа. О том, как Джей-Би однажды отстриг себе дреды и они валялись в раковине, пока Виллем наконец через две недели их не убрал. О том, как они с Джей-Би однажды танцевали под техно сорок минут без перерыва, пока друг Джей-Би, видеохудожник по имени Грег, снимал их на камеру. "Расскажи, как Джей-Би напустил Ричарду в ванну головастиков", — просил Джуд, расплываясь в улыбке от предвкушения. "Расскажи, как ты с той лесбиянкой встречался". "Расскажи, как Джей-Би тогда испортил феминисткам оргию". Но сегодня оба они молчат и Нью-Хейвен проезжают, не говоря ни слова.

Он вылезает из машины, чтобы заправиться и сходить в туалет.

— Больше остановок не будет, — говорит он Джуду, который так и не пошевелился, но Джуд только мотает головой, и Виллем резко хлопает дверью, его снова охватывает гнев.

Они приезжают на Грин-стрит еще до полудня, молча выходят из машины, молча едут в лифте, молча входят в квартиру. Он относит сумку в спальню и слышит, как за спиной у него Джуд начинает наигрывать что-то на пианино — Шуман, узнает он мелодию, "Фантазия до мажор": довольно энергичный номер для такого слабого и беспомощного человека, угрюмо думает он — и понимает, что ему нужно выйти вон из квартиры.

Он даже пальто не снял, просто возвращается в гостиную, в руках — ключи.

— Я выйду, — говорит он, но Джуд так и продолжает играть. — Слышишь? — кричит он. — Я ухожу!

Тогда Джуд поднимает голову, прекращает играть.

— Когда вернешься? — тихо спрашивает он, и Виллем чувствует, что его решимость ослабевает.

Но тут он вспоминает, до чего зол.

— Не знаю, — отвечает он. — Не жди меня.

Он бьет по кнопке, которая вызывает лифт. Пауза, затем Джуд снова начинает играть.

И вот он снова на улице, все магазины закрыты, в Сохо тихо. Он доходит до Вест-сайдского шоссе, идет вдоль него — кругом тишина, на нем темные очки, на нем шарф, который он купил в Джайпуре (серый — Джуду, синий — себе), кашемир настолько мягкий, что даже от легкой щетины на нем остаются зацепки, теперь обмотан вокруг небритой шеи. Он идет и идет, потом он даже не вспомнит, о чем тогда думал, думал ли о чем-то. Проголодавшись, он сворачивает на восток, покупает кусок пиццы и, почти не чувствуя вкуса, съедает ее прямо на улице, а затем снова возвращается к шоссе. Вот он, мой мир, думает он, стоя у реки и глядя на другой ее берег, в сторону Нью-Джерси. Вот он, мой маленький мир, а я не знаю, что мне в этом мире делать. Ему кажется, будто он загнан в ловушку, но с другой стороны — о какой ловушке тут можно говорить, когда он не способен освоить даже то крохотное пространство, которое ему отведено? Как можно надеяться на большее, если не можешь умом понять хотя бы то, что у тебя есть?

Темнеет резко и быстро, поднимается ветер, но он все идет. Ему хочется тепла, еды, хочется оказаться среди смеющихся людей. Но идти в ресторан невыносимо, на День благодарения — и в одиночестве, только не это, только не в нынешнем настроении: его узнают, а на светские беседы, на дружелюбность, на любезности, необходимые в таких случаях, сил у него совсем нет. Друзья вечно поддразнивали его насчет этого умения якобы делаться невидимым, насчет того, что он каким-то образом умеет делать так, чтобы его либо узнавали, либо нет, но сам он вправду в это верил, даже когда все указывало на обратное. Теперь эта его вера видится ему еще одним доказательством того, что он все время себе врет, все время воображает, что мир подстроится под него — что Джуду станет лучше только потому, что он этого хочет. Что он его понимает только потому, что ему нравится так думать. Что он может разгуливать по Сохо и его никто не узнает. А на деле он — заложник, заложник своей работы, своих отношений, а больше всего — заложник собственной непрошибаемой наивности.

Наконец он покупает сэндвич и ловит такси до Перри-стрит, где находится его квартира, которая уже почти, считай, и не его — ему действительно осталось тут быть хозяином каких-нибудь пару недель, потому что он продал ее Мигелю, своему испанскому другу, который все больше времени проводит в Штатах. Впрочем, пока что квартира его, и он опасливо открывает дверь, будто боясь, что за время его отсутствия там все обветшало или расплодились монстры. Еще рано, но он все равно раздевается, стаскивает одежду Мигеля с кушетки Мигеля, снимает одеяло Мигеля с кровати Мигеля и укладывается на кушетку, и весь бестолковый, весь этот сумбурный день наваливается на него — всего один день, а столько всего произошло! — и тогда он плачет.

Пока он плачет, звонит телефон, и он встает, думая, вдруг звонит Джуд, но это не он, это Энди.

— Энди, — рыдает он, — я все испортил, я правда все испортил. Я поступил отвратительно.

— Виллем, — нежно говорит Энди. — Ну конечно же все не так плохо, как ты думаешь. Ты слишком к себе строг, я уверен.

Тогда он, запинаясь, рассказывает все Энди, объясняет ему, что произошло, и когда он умолкает, Энди тоже молчит.

— Ох, Виллем, — вздыхает он, но не сердито — печально разве. — Так. Ты прав, все действительно плохо.

И отчего-то, услышав это, он фыркает от смеха, но затем опять всхлипывает.

— Что мне делать? — спрашивает он, и Энди снова вздыхает.

— Если хочешь остаться с ним, я бы на твоем месте пошел домой и поговорил бы с ним, — медленно говорит он. — И если не хочешь с ним оставаться — я бы все равно пошел и поговорил. — Пауза. — Виллем, прости, мне правда очень жаль.

— Я знаю, — говорит он.

Когда Энди уже прощается, он вдруг его прерывает:

— Энди, — спрашивает он, — скажи честно, он сумасшедший?

Энди очень долго молчит, потом отвечает:

— Не думаю, Виллем. Или так: не думаю, что с ним что-то не так в химическом плане. Все, что в нем безумного, — дело рук человека. — Он молчит. — Заставь его с тобой поговорить, Виллем, — говорит Энди. — Если он с тобой поговорит, тогда, мне кажется… тогда ты поймешь, почему он такой.

И вдруг ему скорее нужно домой, он одевается и выскакивает за дверь, ловит такси, садится и вылезает, вбегает в лифт, открывает дверь — в квартире тихо, до тревожного тихо. Пока он сюда ехал, у него перед глазами стояла картина — дурным предчувствием, — что Джуд умер, что он покончил с собой, и он мчится сквозь комнаты, выкрикивая его имя.

— Виллем? — слышит он и кидается в спальню — кровать застелена, — но тут он видит Джуда, он забился в гардеробную, в дальний левый угол, свернулся клубком, уткнулся лицом в стену.

Он даже не задумывается о том, почему Джуд здесь лежит, просто падает на пол рядом с ним. Он не знает, можно ли ему теперь до него дотрагиваться, но все равно его обнимает.

— Прости, — говорит он Джуду в затылок, — прости, прости. Я не всерьез это все говорил… мне будет очень плохо, если ты себя порежешь. Мне плохо. — Он выдыхает. — И мне нельзя, нельзя было применять силу, Джуд. Прости меня.

— Ты тоже меня прости, — шепчет Джуд, и они оба молчат. — Прости за то, что я тебе наговорил. Прости, что я лгал тебе, Виллем.

Они снова надолго умолкают.

— Помнишь, ты однажды сказал мне, что боишься, мол, для меня ты просто станешь чередой неприятных сюрпризов? — спрашивает он, и Джуд еле заметно кивает. — Это не так, — говорит он ему. — Не так. Но быть с тобой — все равно что очутиться посреди какого-то сюрреального ландшафта, — медленно продолжает он, — ты думаешь, что это, например, лес, но потом вдруг все меняется, и это не лес, а луг, или джунгли, или ледяной утес. И все эти ландшафты — прекрасные, но еще все они очень, очень странные, и карты у тебя нет, и ты не знаешь, когда будет следующее превращение, и снаряжения у тебя тоже никакого нет. И вот ты идешь и идешь и пытаешься по пути как-то ко всему этому приноровиться, но на самом деле ты вообще не понимаешь, что делаешь, и зачастую оступаешься, очень нехорошо оступаешься. Вот на что это похоже.

Они молчат.

— То есть в целом, — наконец говорит Джуд, — в целом ты утверждаешь, что я — Новая Зеландия.

Только спустя секунду он понимает, что Джуд шутит, но когда до него это доходит, он принимается хохотать как ненормальный — с горечью и облегчением, — и разворачивает Джуда к себе, и целует его.

— Да, — говорит он. — Да, ты — Новая Зеландия.

Они снова замолчали, снова посерьезнели, но теперь, по крайней мере, они хотя бы смотрят друг на друга.

— Ты меня бросишь? — спрашивает Джуд так тихо, что Виллем с трудом различает слова.

Он открывает рот, закрывает рот. Странно, но за прошлые сутки ему столько всего пришло и не пришло в голову, а вот о том, чтобы уйти, он даже не задумался, и теперь он думает об этом.

— Нет, — говорит он. А затем: — Нет, вряд ли. — И смотрит на Джуда — тот закрывает глаза, открывает их, кивает. — Джуд, — говорит он, и слова льются у него изо рта, он говорит и понимает, что теперь поступает правильно. — Я считаю, тебе нужна помощь — помощь, которой я оказать тебе не могу. — Он делает глубокий вдох. — Я хочу, чтобы ты или добровольно лег в больницу, или начал ходить к доктору Ломану два раза в неделю.

Он долго глядит на Джуда; он не знает, о чем тот думает.

— А если я не хочу ни того ни другого? — спрашивает Джуд. — Тогда ты уйдешь?

Он качает головой.

— Джуд, я люблю тебя, — говорит он. — Но я не могу... не могу потворствовать такому твоему поведению. Я не смогу стоять и смотреть на то, что ты с собой делаешь, если буду думать, что мое присутствие ты принимаешь за мое негласное всего этого одобрение. Вот. Да. Наверное, тогда уйду.

И снова они молчат, Джуд переворачивается, ложится на спину.

— Если я расскажу тебе, что со мной случилось, — срывающимся голосом говорит он, — если я расскажу тебе обо всем, что не могу обсудить с... если я расскажу тебе, Виллем, мне все равно нужно будет туда ходить?

Он смотрит на него, снова качает головой.

— Ох, Джуд, — говорит он. — Да. Да, все равно нужно. Но я надеюсь, что ты в любом случае мне все расскажешь. Правда надеюсь. Что бы там ни было, что бы там ни было.

Они снова затихают, и на этот раз их молчание превращается в сон, и они спят, вжавшись друг в друга, спят и спят, но в какой-то миг Виллем просыпается от звуков голоса Джуда, который обращается к нему, и слушает, а Джуд говорит. На это у них уйдет много часов, потому что иногда Джуд не может продолжать, и Виллем ждет и прижимает его к себе так крепко, что Джуд едва дышит. Он дважды попытается вывернуться из его объятий, но Виллем прижмет его к полу и будет держать до тех пор, пока тот не успокоится. Они лежат в гардеробной и поэтому не узнают, который час, заметят только, что день настал и прошел, когда из спальни, из ванной до дверей гардеробной докатятся тонкие солнечные коврики. Он будет слушать невообразимые рассказы, омерзительные рассказы, трижды он встанет и уйдет в ванную, чтобы взглянуть на себя в зеркало, чтобы напомнить себе, что ему нужно набраться храбрости и все выслушать, хотя ему уже тогда захочется заткнуть себе уши, заткнуть Джуду рот, чтобы рассказы эти прекратились. Он будет разглядывать затылок Джуда, потому что Джуд не сможет взглянуть ему в лицо, и представлять, как человек, которого, как ему казалось, он знал, рассыпается на мелкие обломки, как вокруг него клубится пыль, а в это же время неподалеку команда ремесленников пытается выстроить его из другого материала, отлить в другой форме — другим человеком вместо того, что стоял перед ним долгие годы. Рассказы будут следовать один за другим, и путь их будет усеян отбросами: кровью, костями, грязью, болезнями и бедами. После того как Джуд расскажет ему о том, как жил с братом Лукой, Виллем снова его спросит, нравится ли ему вообще заниматься сексом, хотя бы капельку, хотя бы изредка, и минуты будут долго тянуться, и наконец Джуд ответит: нет, не нравится, он не выносит секс, никогда не выносил, — и он кивнет, сгорая со стыда и в то же время с облегчением, потому что теперь получил правдивый ответ. И потом спросит, даже не понимая, в чем тут, собственно, вопрос, нравятся ли ему мужчины, и Джуд, помолчав, ответит ему, что он толком не знает, что он всегда занимался сексом только с мужчинами, ну и предположил, что так оно будет всегда.

— Тебе хочется заниматься сексом с женщинами? — спросит он, и после очередного долгого молчания Джуд помотает головой.

— Нет, — скажет он. — Мне уже поздно, Виллем.

А он скажет, что совсем не поздно, что ему еще можно помочь, но Джуд только снова помотает головой.

— Нет, — скажет он. — Нет, Виллем, с меня хватит. Больше не надо.

И до него — пощечиной — дойдет вся правда этих слов, и он больше не будет об этом спрашивать.

Они снова уснут, и на этот раз он будет видеть кошмары. Ему приснится, что он — один из тех мужчин в мотелях, во сне он поймет, что вел себя как они, он проснется в холодном поту, и уже Джуду придется его успокаивать. Наконец они поднимутся с пола — в субботу после полудня, в гардеробной они пролежат с ночи четверга, — примут душ, поедят — горячей, умиротворяющей еды, — а затем пойдут прямиком из кухни в кабинет, где он услышит, как Джуд оставит сообщение для доктора Ломана, чей номер Виллем столько лет носил в бумажнике и теперь, будто фокусник, вытаскивает его в считаные секунды, а из кабинета отправятся в постель, где улягутся и будут глядеть друг на друга, и обоим будет нелегко — ему попросить Джуда закончить рассказ, Джуду — спросить его, когда он уйдет, потому что он, конечно же, уйдет, это неизбежно, дело только за деталями.

Они долго-долго будут глядеть друг на друга, пока лицо Джуда не перестанет быть для него лицом, а станет чередой красок, плоскостей и форм, которые сошлись так, чтобы окружающие получали от них удовольствие, а их обладатель — ничего. Он не знает, как поступить. У него голова идет кругом от того, что он услышал, от понимания того, как крупно он заблуждался, от того, что его воображению пришлось растянуться, чтобы вместить в себя невообразимое, от того, что вся его тщательно выстроенная система взглядов теперь рухнула и ее уже не восстановить.

Но пока что они лежат в их кровати, в их спальне, в их квартире, и он берет Джуда за руку и нежно ее сжимает.

— Ты рассказал о том, как попал в Монтану, — слышит он свой голос. — Теперь скажи: что было дальше?

Об этом периоде своей жизни, о бегстве в Филадельфию, он думал редко, потому что в то время настолько отделился от себя самого, что повседневное существование казалось ему сновидением; в те недели бывало, что он открывал глаза и по-настоящему не мог различить, что в действительности случилось, а что в его воображении. Такой постоянный и непробиваемый лунатизм оказался полезным навыком и защищал его, но потом эта способность, как и способность забывать, тоже его покинула, и он так и не смог ею вновь овладеть.

Это подвешенное состояние он впервые испытал в приюте. Порой по ночам его будили какие-нибудь воспитатели, и он следовал за ними в кабинет, где всегда кто-то дежурил, и делал то, что они от него хотели. Управившись, они отводили его обратно в комнату, небольшую каморку с двухъярусной кроватью, которую он делил с умственно отсталым мальчиком, вялым, толстым, вечно испуганным и склонным к вспышкам ярости — воспитатели его тоже иногда забирали по ночам, — где снова запирали. Воспитатели пользовались несколькими мальчиками, но, если не считать соседа, про остальных он знал только то, что они есть. Во время этих сеансов он был почти нем, и, лежа на спине или животе, стоя на коленях или сидя на корточках, он представлял круглый циферблат, по которому бесстрастно скользит секундная стрелка, и считал обороты, пока все не кончится. Но он никогда не умолял, никогда ничего не просил. Он никогда не торговался, ничего не обещал, не плакал. У него не хватало на это сил, не хватало стойкости — ее не было больше, совсем не осталось.

Он решил сбежать спустя несколько месяцев после уикенда в семействе Лири. Он ходил на занятия в муниципальной школе по понедельникам, вторникам, средам и пятницам, и в эти дни кто-нибудь из воспитателей ждал его на парковке и отвозил обратно в приют. Он обмирал при мысли о конце занятий, при мысли о поездке в приют: никогда не было известно заранее, кто из воспитателей за ним приедет, и иногда, выйдя на парковку и увидев приехавшего, он замедлял шаги, но его тело было словно магнит, управляемый ионами, а не волей, и его неизбежно затягивало внутрь машины.

Но однажды днем — в марте, незадолго до своего четырнадцатилетия — он вышел из-за угла, увидел воспитателя по имени Роджер, самого жестокого, самого требовательного, самого злобного из всех, и остановился. Впервые за долгое время что-то внутри начало сопротивляться, и, вместо того чтобы двинуться в сторону Роджера, он проскользнул обратно в школьный коридор, а потом, убедившись, что с парковки его не видно, бросился бежать.

Он никак не готовился к побегу, не строил никаких планов, но какой-то потаенный, яростный механизм, видимо, проводил наблюдения, пока остальное сознание дремало в толстом ватном коконе, и он обнаружил, что мчится к химической лаборатории, где шел ремонт, потом ныряет под завесу голубого брезента, которая прикрывала здание с той стороны, где велись работы, а потом забирается в восемнадцатидюймовое пространство, отделяющее полуразвалившуюся внутреннюю стену от новой цементной внешней стены. Места впритык хватало, чтобы укрыться, и он вжался в этот промежуток как можно глубже и принял горизонтальное положение, стараясь, чтобы ноги не торчали наружу.

Лежа в укрытии, он задумался, что делать дальше. Роджер еще подождет, а потом, не дождавшись, рано или поздно организует поиски. Но если продержаться тут до ночи, если дождаться, пока все вокруг затихнет, он сможет ускользнуть. Дальше его мысль не простиралась, хотя ему хватало сообразительности, чтобы понимать, как невелики его шансы на успех: у него не было еды, не было денег, и уже сейчас, в пять часов вечера, он успел страшно замерзнуть. Он чувствовал, как его спина, ноги, ладони и вообще все, что упирается в камень, онемело, как нервы превращаются в тысячи покалываний. Но одновременно он чувствовал, как впервые за долгие месяцы его разум пробуждается, чувствовал хмельную радость самостоятельного решения — впервые за несколько лет, каким бы неудачным, плохо продуманным или нереалистичным это решение ни оказалось. Покалывания вдруг превратились из наказания в торжество, словно внутри в его честь взрывались сотни крошечных фейерверков, как будто тело напоминало ему, кто он такой и что ему по-прежнему принадлежит: он сам.

Он продержался два часа, потом появился охранник с собакой, и его вытащили за ноги, обдирая его ладони о цементные блоки, за которые он все еще цеплялся, хотя к тому моменту так замерз, что едва мог идти и не сумел открыть дверь машины заледеневшими пальцами, и как только он оказался в салоне, Роджер повернулся к нему и ударил его по лицу, и потекшая из носа кровь была такой густой, горячей, бодрящей, ее вкус на губах так причудливо подкрепил его, словно это был суп, словно его тело стало чем-то волшебным, самоисцеляющим, твердо намеренным спастись.

Вечером его отвели в коровник, куда иногда водили по ночам, и избили так сильно, что он потерял сознание почти сразу. Ночью его госпитализировали, и потом еще раз через несколько недель, когда раны загноились. На эти недели его оставили в покое, и хотя больнице сообщили, что он нарушитель, что у него не все дома, что он трудный подросток и лгун, медсестры обращались с ним по-доброму; одна из них, пожилая, сидела возле его койки и придерживала стакан яблочного сока с соломинкой, чтобы он пил, не поднимая головы (лежать приходилось на боку, чтобы можно было обрабатывать раны на спине).

— Не важно, что ты там сделал, — сказала она ему однажды вечером, закончив перевязку. — Никто такого не заслуживает. Ты меня понял, юноша?

Так помоги мне, хотел сказать он. *Помоги мне, пожалуйста*. Но не сказал. Ему было слишком стыдно.

Она снова села рядом и положила ладонь ему на лоб.

— Постарайся вести себя прилично, хорошо? — сказала она, но голос ее был мягок. — Не хочу, чтобы тебя снова сюда привозили.

Он хотел сказать ей вслед: *помоги мне. Пожалуйста. Пожалуйста.* Но не смог. Больше он ее никогда не видел.

Позже, уже взрослым, он размышлял: не выдумал ли он эту медсестру, не соткал ли из собственного отчаяния муляж доброты, почти такой же убедительный, как реальность? Он спорил с собой: существуй она на самом деле, разве она не сообщила бы кому-нибудь про него? Разве кто-нибудь не явился бы ему на помощь? Но воспоминания того периода всегда были слегка зыбкими и ненадежными, и по прошествии лет он постепенно осознавал, что всегда пытался сделать из своей жизни, из своего детства что-то более приемлемое, более нормальное. Он с содроганием пробуждался от сна про воспитателей и пытался себя успокоить, уговорить: *тебя использовали только двое из них. Максимум трое. Остальные в этом не участвовали. Не все были к тебе жестоки.* А потом целыми днями пытался вспомнить, сколько их на самом деле было: двое? Или все-таки трое? Многие годы он не мог понять, почему это для него так важно, почему это так его мучает, почему он все время пытается спорить с собственными воспоминаниями, проводит столько времени, обдумывая детали происшедшего. А потом понял: он считает, что если сможет убедить себя, будто все было не так жутко, как ему помнится, то сможет убедить себя и в том, что он не такой ущербный, не такой душевнобольной, как опасается.

В конце концов его отправили обратно в приют, и, впервые увидев свою спину, он отшатнулся, отдернулся от зеркала в ванной так поспешно, что поскользнулся на мокром кафеле и упал. В первые недели после избиения, когда рубцовая ткань еще только формировалась, она вздулась на спине набухшим горбом, и мальчики постарше швырялись в него скатанными в шарик мокрыми салфетками, стараясь попасть в этот горб, и издавали радостные вопли, если попадали. До этого момента он никогда не задумывался по-настоящему о собственной внешности. Он знал, что некрасив, знал, что испорчен, знал, что нездоров. Но раньше он никогда не считал себя уродом — а теперь считал. В этом, во всей его жизни, была какая-то неизбежность: с каждым днем он будет становиться все хуже — все отвратительнее, все развратнее. С каждым годом иссякало его право на принадлежность к человеческому роду; с каждым годом он был все меньше и меньше личностью. Но он больше об этом не тревожился, не в силах позволить себе такую роскошь.

Но все-таки жить не тревожась было трудно, и он, как ни странно, все не мог забыть обещание брата Луки про то, что с шестнадцатилетием его старая жизнь закончится и начнется новая. Он знал, конечно, знал, что брат Лука лгал, но не мог перестать об этом думать. *Шестнадцать*, думал он про себя по ночам. *Шестнадцать. Когда мне исполнится шестнадцать, это кончится.*

Как-то раз он спросил у брата Луки, как они будут жить, когда ему исполнится шестнадцать. “Ты пойдешь в колледж”, — без колебания сказал брат Лука, и он просиял. Он спросил, в какой, и Лука назвал колледж, в котором учился сам (когда он в конце концов действительно туда поступил и поискал в архивах брата Луку — Эдгара Уилмота, — то убедился: нет никаких свидетельств, что тот когда-либо посещал это учебное заведение, и испытал облегчение от того, что в этом смысле у него нет ничего общего с братом, хотя именно Лука поселил в нем мысль когда-нибудь здесь оказаться). “Я тоже перееду в Бостон, — добавил Лука. — И мы будем женаты, поэтому жить будем в квартире, а не на кампусе”.

Иногда они обсуждали эту жизнь: учебные курсы, которые он будет посещать; студенческие годы брата Луки; куда они поедут путешествовать после получения диплома. “Может быть, у нас с тобой когда-нибудь будет сын”, — сказал однажды Лука, и он замер, потому что точно знал: Лука будет делать с этим их воображаемым сыном все, что делали с ним, и твердо решил, что это никогда не случится, что он не позволит этому призрачному ребенку, несуществующему ребенку когда-либо осуществиться, не позволит другому ребенку оказаться рядом с Лукой. Он помнил свою твердую решимость защищать этого их сына, и на короткое ужасное мгновение ему захотелось никогда не достигать шестнадцатилетия, потому что он знал: как только это произойдет, Луке понадобится кто-то другой, а такого он допустить не сможет.

Но теперь Лука мертв. Воображаемый ребенок в безопасности. Опасность больше не подстерегает его на пороге шестнадцатилетия. Шестнадцать теперь безопасный возраст.

Прошли месяцы. Спина зажила. Теперь после занятий в школе его ждал охранник, чтобы препроводить к дежурному воспитателю. Однажды в конце осеннего семестра преподаватель математики попросил его остаться после занятий и спросил, подумывает ли он о колледже. Он может ему помочь, помочь поступить — он сможет пойти в какой-то хороший университет, один из лучших. И ох как же он хотел уйти, сменить обстановку, поступить в колледж. В те дни его разрывало между попытками примириться с тем, что жизнь всегда будет такой же, как сейчас, и надеждой — жалкой, глупой, упрямой надеждой, — что она может стать чем-то иным. Соотношение смирения и надежды менялось каждый день, каждый час, порой каждую минуту. Он всегда, всегда старался решить, что он должен делать — думать о приятии или о бегстве. В тот момент он взглянул на преподавателя и уже собирался ответить: "Да, да, помогите мне", — но вдруг его что-то остановило. Этот преподаватель всегда был с ним ласков, но не напоминала ли эта ласковость брата Луку? Что, если предложение о помощи подразумевало плату? Он спорил с собой, пока преподаватель ждал ответа. *Подумаешь, еще один раз, ничего с тобой не случится*, сказал доведенный до отчаяния голос той его части, которая мечтала сбежать, которая считала дни до шестнадцатилетия, над которой издевательски смеялась другая его часть. *Еще раз. Очередной клиент. Не время разыгрывать недотрогу.*

Но он все-таки проигнорировал этот голос — он так устал, так измучился, так вымотался от разочарований — и помотал головой.

— Колледж не для меня, — сказал он преподавателю неестественно тонким от вранья голосом. — Спасибо, но мне ваша помощь не потребуется.

— По-моему, ты совершаешь большую ошибку, Джуд, — ответил преподаватель. — Обещай, что еще подумаешь. — Он протянул ладонь, дотронулся до его руки, и он резко отдернулся, и преподаватель посмотрел на него странным взглядом, а он развернулся, выбежал из комнаты и побежал так быстро, что коридор превратился в сплошное мелькание бежевых прямоугольников.

В ту ночь его отвели в коровник. Коровник уже давно не использовали по назначению, а просто складывали туда все, что смастерили на занятиях по ремеслу и автоделу: в стойлах приютились полусобранные карбюраторы, каркасы полупочиненных прицепов, полуошкуренные кресла-качалки, которые приют сдавал в магазины на продажу. Он был в стойле с качалками, и пока один из воспитателей впиливался в него, он покинул свое тело и взлетел над стойлами к стропилам, где задержался, осматривая раскинувшуюся под ним сцену, с мебелью и механизмами, застывшими инопланетными скульптурами, с полами, покрытыми грязью и случайными клоками сена, напоминавшими об изначальной жизни коровника, которую никак не удавалось полностью стереть, с двумя людьми, из которых складывалось причудливое восьминогое существо, — один был тихий, другой шумный, покрякивающий, раскачивающийся, живой. А потом он уже вылетал из круглого окошка высоко под потолком, над приютом, над его полями, которые были так хороши, так желто-зелены от дикой горчицы в летнюю пору, а сейчас, в декабре, все-таки были тоже по-своему хороши, раскинувшись сверкающими просторами лунной белизны, покрытые таким свежим, таким недавним снегом, что по нему никто еще не успел пройти. Он летел над землей, над пейзажами, о которых читал, но которых никогда не видел, над такими чистыми горами, что от одного их вида он и сам очищался, над озерами величиной с океаны, пока не воспарил над Бостоном и не стал спиралями снижаться к зданиям на речном берегу, к разлапистому кольцу с проплешинами зеленых квадратов, в которое он войдет и преобразится, где начнется его жизнь, где он сможет притвориться, что все, что было прежде, — это чья-то другая жизнь или череда ошибок, которую никто никогда не будет обсуждать, не будет изучать.

Когда он очнулся, воспитатель лежал на нем и спал. Его звали Колин, и он часто бывал пьян, вот и сегодня горячее пивное дыхание ударяло ему в лицо. Он был раздет, на Колине был только свитер и больше ничего, и некоторое время он лежал, придавленный весом Колина, тоже дышал и ждал, пока Колин проснется, чтобы его вернули в спальню, где он сможет добраться до лезвий.

А потом, бездумно, почти как если бы был марионеткой, машинально двигая конечностями, он выпутался из-под Колина, неслышно и стремительно, торопливо оделся и, опять-таки не успев подумать, схватил дутую куртку Колина с крючка, приколоченного изнутри стойла, и напялил ее на себя. Колин был намного крупнее его, толще, мускулистее, но ростом они не сильно отличались, и куртка была менее неуклюжей и тяжелой, чем казалась. А потом он подхватил с пола джинсы Колина, вытащил бумажник, а оттуда вытащил деньги — он не считал, сколько там было, но по толщине пачки догадывался, что немного, — засунул купюры в карман своих джинсов и побежал. Он всегда отлично бегал, быстро, бесшумно, целеустремленно — брат Лука, наблюдая за его упражнениями на стадионе, всегда говорил, что у него в роду явно были могикане, — и теперь он выбежал из коровника, двери которого распахнулись в сверкающую, тихую ночь, осмотрелся и, никого не увидев, побежал в поля за спальным корпусом приюта.

От спального корпуса до дороги было полмили, и хотя обычно ему бывало больно после коровника, в ту ночь он не испытывал боли — только подъем, чувство сверхбодрствования, которое словно бы соткалось специально для этой ночи и этого приключения. Там, где кончалась территория приюта, он обмотал рукава Колиновой куртки вокруг ладоней, припал к земле, приподняв над головой завитки колючей проволоки, аккуратно прополз под ней. Когда он высвободился, эйфория только усилилась, и он побежал со всех ног, побежал на восток — он знал, где восток, — к Бостону, подальше от приюта, от Запада, от всего. Он понимал, что через какое-то время ему придется покинуть эту дорогу и направиться к шоссе, где его будет легче заметить, но труднее опознать, и он помчался вниз по холму, за которым начинался густой темный лес, отделявший дорогу от федеральной трассы. По траве бежать было труднее, но он все равно бежал, прижимаясь к опушке, чтобы при приближении какой-нибудь машины нырнуть в лес и спрятаться за деревом.

Когда он стал взрослым — взрослым калекой, а позже настоящим калекой, который даже ходить больше не мог, которому бег казался несбыточным волшебством, он вспоминал ту ночь с благоговением: какой он был проворный, быстрый, неутомимый, какой удачливый. Он прикидывал, сколько пробежал в ту ночь — не меньше двух часов, а может быть, и все три, — хотя тогда он об этом вовсе не думал, а только стремился оказаться как можно дальше от приюта. Небо окрасилось первыми лучами солнца, и он вбежал в лес, которого так боялись многие из мальчиков помладше и где было так тесно и темно, что даже он испугался, хотя его обычно не пугала никакая природа, но он углубился в чащу насколько смог, потому что через лес все равно надо было пройти, чтобы выйти на трассу, а еще потому, что знал: чем глубже он заберется, тем труднее будет его найти, — и в конце концов остановился возле могучего дерева, выбрав самое большое, как будто самый его размер давал некую гарантию безопасности, как будто оно обещало оберегать и защищать его, и, пристроившись между корнями, заснул.

Когда он проснулся, было опять темно, хотя он точно не знал, ранний сейчас вечер или поздний или, может быть, раннее утро. Он снова двинулся через лес, напевая себе под нос — для храбрости и чтобы продемонстрировать тому, что могло его ждать, собственное бесстрашие, и когда лес наконец выплюнул его с другой стороны, было по-прежнему темно, и он понял, что сейчас ночь и он проспал весь день, и это открытие придало ему сил и бодрости. *Сон важнее еды*, увещевал он себя, потому что очень хотел есть, и потом приказывал ногам: *двигайтесь!* И они двигались, несли его в горку, по направлению к трассе.

В лесу он в какой-то момент понял, что у него есть только один способ добраться до Бостона, так что он встал на обочине, и когда первый грузовик остановился и он забрался в кабину, он понимал, что ему придется сделать, когда этот грузовик остановится, и он это сделал. Он делал это снова, и снова, и снова; иногда дальнобойщики давали ему еды или денег, а иногда нет. У них у всех были устроены небольшие гнезда в прицепах, где они ложились, и иногда, потом, они везли его еще немного, а он спал, и мир двигался под ним в вечном землетрясении. На заправках он покупал еду и ждал, и потом кто-нибудь подходил к нему — кто-нибудь всегда подходил, — и он забирался в кабину.

— Куда направляешься? — спрашивали они.

— В Бостон, — отвечал он. — У меня там дядя.

Иногда ему становилось так стыдно от того, что он делал, что его тошнило: он знал, что никогда не сможет сказать себе, будто его принуждали; он занимался сексом с этими мужчинами добровольно, позволял им делать что угодно, выполнял свою роль искусно и с энтузиазмом. А иногда ему было не до сантиментов: он делает что должен. Другого пути нет. У него есть некий навык, отлично разработанный навык, и он использует его, чтобы добраться до лучшей жизни, — использует, чтобы спастись.

Иногда мужчины хотели удержать его подольше, снимали номер в мотеле, и он представлял, что брат Лука ждет его в туалете. Иногда они разговаривали с ним — у меня сын твоего возраста, говорили они; у меня дочь твоего возраста, — а он лежал и слушал. Иногда они смотрели телевизор, восстанавливали силы для следующего раза. Некоторые из них были с ним жестоки; некоторые были такие страшные, что он боялся за свою жизнь, боялся, что его изобьют так сильно, что он не сможет убежать, и в такие мгновения он сжимался от ужаса и отчаянно хотел вернуться к брату Луке, в монастырь, к медсестре, которая была с ним так добра. Но большинство из них не отличались ни жестокостью, ни добротой. Это были клиенты, и он предлагал им то, чего они хотели.

Годы спустя, когда он смог оценить эти недели более объективно, он ужаснулся своей глупости, узости своего горизонта: почему он просто не сбежал? Почему не купил на заработанные деньги автобусный билет? Он пытался вспомнить, сколько заработал, и хотя он понимал, что немного, этого, наверное, хватило бы на билет *докуда-нибудь*, пусть даже и не до Бостона. Но тогда ему это просто не пришло в голову. Словно весь запас изобретательности, каждая крупица смелости, которой он обладал, все ушло на побег из приюта, а оказавшись один, он просто позволил другим диктовать условия его жизни, и, пропуская через себя мужчину за мужчиной, он просто делал то, чему был обучен. И из всех изменений, которые он произвел в себе, став взрослым, именно это — представление, что он может сформировать хотя бы часть собственного будущего — оказалось для него самой трудной, но и самой благодарной наукой.

Один раз ему попался мужчина такой вонючий, такой потно-громадный, что он чуть не улизнул от него, но хотя секс и был чудовищен, этот человек потом проявил доброту, купил ему сэндвич и газировку, заинтересованно задавал вопросы про его жизнь и внимательно слушал лживые ответы. Он провел с ним две ночи. В пути клиент слушал блюграсс и подпевал песням; у него был приятный голос, низкий и чистый, и, узнав от него слова, он неожиданно тоже стал подпевать, пока под колесами бежала гладкая дорога. "Надо же, какой у тебя отличный голос, Джои!" — сказал мужчина, и он — как он был слаб, как жалок! — позволил себе порадоваться этому замечанию, набросился на похвалу, как крыса на крошку заплесневелого хлеба. На второй день мужчина спросил, не хочет ли он остаться с ним; из Огайо он, к сожалению, не мог ехать дальше на восток, надо было сворачивать на юг, но если он хочет с ним остаться, он будет очень рад, он о нем позаботится. Он отверг предложение, и мужчина кивнул, словно этого и ожидал, и дал ему денег, и поцеловал его — первый из всех. "Ну счастливо, Джои", — сказал мужчина, и потом, когда грузовик уехал, он пересчитал деньги и понял, что там больше, чем он ожидал, больше, чем он заработал за все предшествующие десять дней. Позже, когда очередной клиент был злобен, вел себя грубо и рукоприкладствовал, он жалел, что не уехал с тем дальнобойщиком: Бостон внезапно оказался не так важен, как доброта, как человек, готовый его защитить и пожалеть. Он сокрушался о том, как плохо он разбирается в людях, как не может ценить тех, кто ведет себя порядочно; он снова вспоминал брата Луку, который ни разу не ударил его, не накричал на него, который никогда не повышал голос.

Где-то в дороге он заболел и не знал, случилось это уже в пути или еще в приюте. Он заставлял мужчин пользоваться презервативами, но некоторые говорили, что наденут, а потом не надевали, и он сопротивлялся, кричал, но сделать ничего не мог. По прошлому опыту он понимал, что ему нужен доктор. От него воняло; от боли он с трудом мог ходить. На окраине Филадельфии он решил прерваться — другого выхода не было. Он проделал небольшую дыру в рукаве Колиновой куртки, скатал деньги в трубочку, засунул их внутрь и сколол дырку английской булавкой, найденной в номере одного из мотелей. Он вылез из последнего грузовика, хотя в тот момент не знал, что это будет последний грузовик, думал: еще один, еще один, и я доберусь до Бостона. Останавливаться так близко от цели было невыносимо, но он понимал, что нуждается в помощи; он и так терпел до последнего.

Водитель остановился на бензоколонке неподалеку от Филадельфии — он не хотел въезжать в город. Оказавшись там, он медленно пробрался в туалет и постарался привести себя в порядок. Из-за болезни он легко утомлялся; его бросало в жар. Последнее, что он помнил об этом дне — был, кажется, конец января, все еще холодно, но теперь к холоду добавился еще и влажный, колючий ветер, который словно бы бил его по щекам, — это путь до края стоянки, где росло небольшое дерево, облетевшее, заброшенное, одинокое, и как он садится, прислоняясь к нему, чувствуя спиной сквозь давно уже грязную куртку Колина корявый, ненадежный ствол, и закрывает глаза в надежде, что если он немного поспит, то почувствует себя хоть капельку лучше.

Когда он проснулся, то понял, что лежит на заднем сиденье автомобиля, что автомобиль едет и что играет Шуберт, и позволил себе найти в этом успокоение, зацепиться за что-то знакомое в незнакомой ситуации, в чужой машине, которую вел чужой человек, чужак, которого он от слабости даже не мог толком рассмотреть, чужак, который вез его сквозь чужой пейзаж в неизвестном направлении. Когда он снова проснулся, он находился в комнате, в гостиной; оглядевшись, он увидел диван, на котором лежал, кофейный столик перед диваном, два кресла, каменный камин, все в коричневых тонах. Он встал, все еще шатаясь, но уже не так сильно, и в этот момент заметил, что в дверном проеме стоит мужчина, ростом немного меньше его самого, худой, но с брюшком и по-женски широкими бедрами. Он глядел сквозь очки с полоской черного пластика наверху, но без оправы с нижней стороны, а волосы его были подстрижены в тонзуру очень короткой и мягкой шерсти, как норковый мех.

— Иди на кухню и съешь чего-нибудь, — сказал мужчина тихим, бесцветным голосом, и он медленно поплелся за ним на кухню, которая, за исключением плитки и стен, тоже была выдержана в коричневых тонах: коричневый стол, коричневые ящики, коричневые стулья. Он сел на стул в торце стола, и мужчина поставил перед ним тарелку с гамбургером и картошкой фри и стакан молока.

— У меня обычно не бывает гамбургеров, — сказал мужчина и посмотрел на него.

Он не знал, что на это ответить.

— Спасибо, — сказал он, и мужчина кивнул.

— Ешь, — сказал он и сел напротив, во главе стола, глядя на него. В обычных обстоятельствах он бы смутился, но сейчас был слишком голоден.

Поев, он отодвинулся от стола и снова поблагодарил, и мужчина снова кивнул, но ничего не сказал.

— Ты проститутка, — сказал после паузы мужчина, и он покраснел, глядя на полированную коричневую древесину стола.

— Да, — признал он.

Мужчина издал короткий тихий звук, посопев носом, и спросил:

— Давно ты стал проституткой? — Но он не мог ему ответить и молчал. — Ну? — спросил тот. — Два года? Пять лет? Десять? Всю свою жизнь? — В его голосе сквозило раздражение или что-то очень похожее, но говорил он мягко и не повышал голос.

— Пять лет, — сказал он, и мужчина снова издал короткий звук.

— У тебя венерическое заболевание, — сказал мужчина, — это заметно по запаху.

И он съежился, опустил голову и кивнул.

Мужчина вздохнул.

— Ну, — сказал он, — тебе повезло, потому что я доктор и у меня есть кое-какие антибиотики. — Он встал, подошел к одному из шкафов, вернулся с баночкой из оранжевого пластика и вынул из нее таблетку.

— Выпей, — сказал мужчина, и он выпил таблетку. — Допей молоко.

И он допил, и тогда мужчина вышел из кухни, а он остался и ждал, пока тот не заглянул внутрь.

— Ну? — сказал мужчина. — Иди за мной.

Он пошел на ватных ногах и проследовал за мужчиной к двери на противоположном конце гостиной, которую тот отпер, отворил и теперь придерживал. Он поколебался, и мужчина издал нетерпеливый щелкающий звук.

— Заходи уже, — сказал он. — Это спальня.

Он закрыл усталые глаза, потом снова открыл их и стал готовиться к жестокости; тихие всегда оказывались жестокими.

Подойдя к двери вплотную, он увидел, что она ведет в подвал и спускаться придется по деревянным ступеням, крутым, как стремянка, и снова замер в нерешительности, а мужчина опять издал тот же странный звук, похожий на щелчок насекомого, и подтолкнул его — несильно — в поясницу, и он неуклюже сбежал вниз.

Он ожидал увидеть подземелье — скользкое, с потеками сырости, но это и правда была спальня с матрасом, заправленным простыней и накрытым одеялом, а под матрасом лежал синий круглый коврик; вдоль левой стены тянулись полки из такой же необработанной древесины, из какой была сделана лестница, и на них стояли книги. Пространство заливал агрессивный, безжалостный свет, знакомый ему по больницам и полицейским участкам, а в верхней части дальней стены было прорезано небольшое окно, размером примерно со словарь.

— Я оставил тебе одежду, — сказал мужчина, и он увидел, что на матрасе сложена рубашка, спортивные штаны, а еще полотенце и зубная щетка. — Туалет вон там, — добавил он, показывая на дальний правый угол комнаты.

И он двинулся обратно.

— Подождите! — крикнул он вслед мужчине, и тот остановился посреди лестницы, а он, чувствуя на себе его взгляд, стал расстегивать рубашку. Что-то изменилось в выражении лица мужчины, и он поднялся еще на несколько ступеней.

— Ты нездоров, — сказал он. — Сначала тебе надо поправиться. — И ушел, и дверь за ним захлопнулась.

Он спал в ту ночь — потому, что делать больше было нечего, и потому, что очень устал. На следующее утро он проснулся и почувствовал запах еды; он с трудом встал, медленно поднялся по лестнице и на верхней ступени обнаружил пластиковый поднос, а на подносе — тарелку с омлетом, два кусочка бекона, булочку, стакан молока, банан и такую же белую таблетку, как накануне. Он недостаточно твердо держался на ногах, чтобы отнести все это вниз и не уронить, поэтому съел еду и проглотил таблетку прямо там, сидя на ступеньке из необработанного дерева. Немного передохнув, он встал, чтобы открыть дверь и отнести поднос на кухню, но ручка не поворачивалась — дверь была заперта. В нижней части двери было прорезано небольшое квадратное отверстие — для кошки, предположил он, хотя кошки он не видел, и он приподнял резиновый клапан и сунул туда нос.

— Простите? — крикнул он. Он сообразил, что не знает, как зовут мужчину, что было нормально — он никогда не знал, как их зовут. — Эй? Простите? — Но ответа не было, и по тишине дома он догадывался, что остался один.

Он должен был бы запаниковать, испугаться, но он не чувствовал ни паники, ни испуга, только тягостную усталость, так что он оставил поднос на верхней ступеньке, медленно спустился вниз, забрался в постель и снова уснул.

Он дремал весь этот день, а проснувшись, увидел, что мужчина снова стоит и смотрит на него, и резко сел.

— Ужин, — сказал мужчина, и он последовал за ним наверх, все в той же чужой одежде, которая была широка ему в талии и коротка в руках и ногах, потому что своей одежды он не нашел. Мои деньги, подумал он, но от общей растерянности его мысль на этом остановилась.

Он снова сидел в коричневой кухне, и мужчина дал ему таблетку, и тарелку с коричневым мясным рулетом, и горку картофельного пюре, и брокколи, и поставил другую тарелку себе, и они приступили к ужину в тишине. Тишина его не беспокоила — обычно он только радовался, — но молчание мужчины было похоже на созерцание: так кошка сидит и смотрит, смотрит, смотрит так неотрывно, что ты не знаешь, что она видит, а потом вдруг прыгает и что-то прижимает лапой.

— А вы какой доктор? — осторожно спросил он, и мужчина взглянул на него.

— Психиатр, — сказал доктор. — Знаешь, что это такое?

— Да, — сказал он.

Мужчина снова издал свой характерный звук.

— Тебе нравится быть проституткой? — спросил он, и у него отчего-то защипало в глазах, но он сморгнул, и слез больше не было.

— Нет, — сказал он.

— Тогда почему ты этим занимаешься? — спросил мужчина, и он помотал головой. — Отвечай, — сказал мужчина.

— Не знаю, — ответил он, и мужчина хмыкнул. — Это то, что я умею, — сказал он наконец.

— И хорошо у тебя получается? — спросил мужчина, и он снова почувствовал резь в глазах и долго молчал.

— Да, — сказал он, и это было худшее признание в его жизни, слово, которое далось ему тяжелее всего.

Когда они поели, доктор снова препроводил его до двери и так же, как накануне, подтолкнул внутрь.

— Погодите, — сказал он, когда мужчина закрывал дверь. — Меня зовут Джои. — И когда мужчина ничего не сказал, а только продолжал смотреть на него, добавил: — А вас?

Мужчина по-прежнему смотрел на него, но теперь, подумал он, почти улыбался или, по крайней мере, на его лице собиралось проступить какое-то выражение. Но так и не проступило.

— Доктор Трейлор, — сказал мужчина и затем быстро захлопнул дверь, словно эта информация была птицей, которая улетит, если ее не запереть там, внизу, вместе с ним.

На следующий день ему было не так больно, температура спала. Встав, он понял, что все еще очень слаб, но, шатаясь и хватая воздух руками, все-таки удержался на ногах. Он подошел к книжным полкам, изучил книги — они были в мягких обложках, распухшие от жары и влажности, и сладко пахли плесенью. Он нашел "Эмму", которую читал на занятиях в школе перед побегом, и медленно поднялся по лестнице, прихватив книгу с собой, а на верхней ступеньке сел, нашел место, где остановился, и стал читать, потихоньку поглощая завтрак с очередной таблеткой. На этот раз на подносе был еще сэндвич, завернутый в бумажное полотенце с мелкой надписью "Обед". Поев, он спустился с книгой и сэндвичем и, лежа в постели, осознал, как ему не хватало чтения, как благодарен он был за эту возможность на время покинуть свою жизнь.

Он опять поспал, опять проснулся. К вечеру он чувствовал себя очень усталым, боль частично вернулась, и когда доктор Трейлор открыл дверь, ему понадобилось много времени, чтобы взобраться наверх. За ужином он ничего не сказал, и доктор Трейлор тоже молчал, но когда он предложил помочь доктору Трейлору с мытьем посуды или готовкой, доктор Трейлор взглянул на него и сказал:

— Ты нездоров.

— Мне лучше, — сказал он. — Я могу помочь вам на кухне, если хотите.

— Нет, ты нездоров, — сказал доктор Трейлор. — Ты больной. Нельзя, чтобы больной прикасался к моей еде.

И он униженно опустил глаза.

Наступила тишина.

— Где твои родители? — спросил доктор Трейлор, и он снова помотал головой. — *Отвечай*, — сказал доктор Трейлор, и на этот раз он был раздражен, хотя голос так и не повысил.

— Не знаю, — промычал он, — у меня их никогда не было.

— Как ты стал проституткой? — спросил доктор Трейлор. — Сам начал или кто-нибудь тебе помог?

Он сглотнул, чувствуя, как еда в животе превращается в замазку.

— Кто-то помог, — прошептал он.

Наступила тишина.

— Тебе не нравится, когда я называю тебя проституткой, — сказал мужчина, и на этот раз он сумел поднять голову и посмотреть на него.

— Нет, — сказал он.

— Я понимаю, — сказал мужчина. — Но ведь ты и есть проститутка. Впрочем, я могу звать тебя как-нибудь иначе: например, шлюха. — Он снова молчал. — Так лучше?

— Нет, — снова прошептал он.

— Значит, — сказал мужчина, — будешь проституткой, так? — И посмотрел на него, и он в конце концов кивнул.

Той ночью он обшарил всю спальню, ища, чем сделать порез, но в комнате не было ничего острого, вообще ничего, даже страницы книг были вспухшие и мягкие. Поэтому он впился ногтями в икры со всей силы, согнувшись, дрожа от усилия и неловкости позы, и в конце концов смог все-таки проколоть кожу, а потом, работая ногтями, расширить надрез. Ему удалось сделать всего три надреза на правой ноге, он очень устал и вскоре снова заснул.

На третье утро он чувствовал себя заметно лучше — к нему вернулись силы и готовность к действию. Он съел завтрак, почитал книгу, а потом отодвинул поднос, просунул голову в прорезь со шторкой и попытался пропихнуть туда плечи. Но плечи не пролезали ни под каким углом — он был слишком велик, а отверстие слишком мало, и в конце концов он был вынужден оставить эти попытки.

Отдохнув, он снова высунул голову в прорезь. Его взгляду открывалась гостиная слева и кухня справа, и он долго изучал обстановку. Все выглядело очень опрятным; по этой опрятности он делал вывод, что доктор Трейлор живет один. Вывернув шею, он видел слева лестницу, уводящую на второй этаж, и сразу за ней — входную дверь, но сколько на ней замков, видно не было. Главной особенностью этого дома была тишина: не слышалось ни тиканья часов, ни звука проезжающих машин или проходящих людей снаружи. Можно было представить, что дом летит через безвоздушное пространство, так тихо в нем было. Только прерывистое жужжание холодильника нарушало общий покой, но когда оно прекращалось, тишина становилась абсолютной.

Но даже такой безличный дом занимал его воображение: это был всего третий настоящий дом, в котором он оказался. Вторым был дом Лири. Первым был дом клиента, очень важного, по словам брата Луки, клиента, который заплатил сверху, потому что не хотел приходить в мотель. Тот дом, неподалеку от Солт-Лейк-Сити, был огромным, из стекла и песчаника, и брат Лука пришел с ним и спрятался в ванной — вся ванная была размером с типичный номер в их мотелях — рядом со спальней, где они с клиентом занимались сексом. Позже, став взрослым, он благоговел перед идеей дома, особенно собственного, хотя даже до Грин-стрит, и до Фонарного дома, и до лондонской квартиры он раз в несколько месяцев покупал интерьерный журнал — почитать про людей, которые проводили жизнь, делая свои прелестные дома еще прелестнее, и переворачивал страницы медленно, изучая каждую фотографию. Друзья над ним смеялись, но он не реагировал: он мечтал о том дне, когда у него будет собственное жилище и вещи, которые будут безусловно принадлежать ему.

В тот вечер доктор Трейлор снова его выпустил, и снова была кухня и молчаливая трапеза на двоих.

— Я чувствую себя лучше, — сказал он и потом, когда доктор Трейлор не ответил, добавил: — Если хотите чего-нибудь.

У него хватало здравого смысла, чтобы понимать: ему не позволят уйти, не расплатившись с доктором Трейлором так или иначе; у него хватало оптимизма надеяться, что ему вообще позволят уйти.

Но доктор Трейлор покачал головой.

— Тебе лучше, но ты по-прежнему заразный, — сказал он. — Антибиотикам нужно десять дней, чтобы уничтожить инфекцию. — Он вынул изо рта прозрачно-тонкую рыбную кость и аккуратно положил ее на край тарелки. — Только не говори мне, что это твое первое венерическое заболевание. — Доктор поглядел на него, и он снова покраснел.

Той ночью он обдумывал свои действия. Он окреп почти достаточно, чтобы бежать, думал он. За ужином на следующий день он последует за доктором Трейлором, а когда тот отвернется, подбежит к двери, выскочит наружу и поищет помощь. План этот был не лишен недостатков — он так и не получил назад свою одежду, у него не было вообще никакой обуви, — но он понимал, что с этим домом что-то не так, с доктором Трейлором что-то не так, надо спасаться.

На следующий день он пытался беречь силы. Он нервничал, ему не читалось и приходилось удерживать себя от ходьбы взад-вперед по комнате. Он сберег утренний сэндвич и засунул его в карман одолженных домашних штанов, чтобы было чем перекусить, если придется долго прятаться. В другой карман он запихнул пластиковый пакет из мусорного ведра в ванной, планируя разорвать его пополам и сделать себе обувь, когда убежит от доктора Трейлора. Теперь ничего не оставалось, кроме как ждать.

Но в тот вечер его вообще не выпустили из комнаты. Из наблюдательного пункта возле отверстия со шторкой он видел, как зажегся свет в гостиной, чувствовал запах готовки. "Доктор Трейлор? — крикнул он. — Вы там?" Но слышно было только, как шипит мясо на сковородке, как по телевизору рассказывают новости дня. "Доктор Трейлор! — крикнул он. — Подойдите, пожалуйста!" Но ничего не произошло, и через некоторое время он устал кричать и спустился вниз по ступенькам.

В ту ночь ему приснилось, что на верхнем этаже дома расположена череда других спален, все с низкими кроватями и круглыми вязаными ковриками рядом, и в каждой находится по мальчику: одни постарше, потому что уже давно живут в доме, другие помладше. Никто из них не знал о существовании других; они друг друга не слышали. Он понял, что не представляет себе физических размеров дома, и во сне дом превратился в небоскреб с сотнями комнат и камер, и в каждой был мальчик, который ждал, что доктор Трейлор его выпустит. Он проснулся, задыхаясь, и помчался наверх по ступенькам, но когда он нажал на шторку, она не подалась. Он поднял ее и увидел, что отверстие заделано куском серого пластика, и, как он его ни толкал, ничего сделать не удалось.

Он не знал, что предпринять. Он попытался не ложиться всю ночь, но заснул, а когда проснулся, увидел поднос с завтраком, обедом и двумя таблетками — на утро и на вечер. Он зажал таблетки между пальцами и задумался — если их не принимать, он не поправится, а доктор Трейлор не притронется к нему, если он будет нездоров. Но если он не будет их принимать, он не поправится, а он знал по прежнему опыту, как ужасно он будет себя чувствовать, в какую почти невообразимую грязь погрузится, как будто все его существо, внутри и снаружи, вымазано экскрементами. Тогда он начал раскачиваться взад-вперед. *Что мне делать,* спрашивал он, *что мне делать?* Он вспоминал толстого дальнобойщика, того, что был с ним добр. *Помоги мне,* взывал он к нему, *помоги мне.*

Брат Лука, умолял он, *помоги, помоги мне.*

Он снова подумал: я принял неверное решение. Я оставил мир, где у меня, по крайней мере, были свежий воздух и учеба и где я знал, что со мной случится. А теперь у меня ничего этого нет.

Какой ты дурак, сказал голос внутри, *какой же ты дурак.*

Так продолжалось еще шесть дней: еда появлялась, пока он спал. Он принимал таблетки — не мог себя заставить не принимать.

На десятый день дверь отворилась, и за дверью стоял доктор Трейлор. Он так испугался, так изумился, что оказался совершенно к этому не готов, но прежде чем он успел встать, доктор Трейлор закрыл дверь и направился к нему. На плече доктор держал железную кочергу, небрежно, как держат бейсбольную биту, и пока доктор Трейлор приближался, он в ужасе думал: что это значит? Что он с ним собирается делать этим предметом?

— Раздевайся, — сказал доктор Трейлор все тем же бесцветным голосом, и он разделся, и доктор Трейлор отвел кочергу от плеча, и он инстинктивно шарахнулся, подняв руки над головой. Он услышал, как доктор издал свой короткий влажный хмык. А потом доктор Трейлор расстегнул ремень на брюках и подошел еще ближе.

— Снимай штаны, — сказал доктор, и он их снял, но прежде чем он успел начать, доктор Трейлор коснулся кочергой его шеи.

— Только попробуй хоть что-нибудь, — сказал он, — кусаться, что угодно, голову разобью так, что превратишься в овощ, понял меня?

Он кивнул, онемев от ужаса.

— Отвечай! — заорал доктор Трейлор, и он вздрогнул.

— Да, — выдохнул он, — да, я понял.

Конечно, он боялся доктора Трейлора; он их всех боялся. Но ему никогда не приходило в голову драться с клиентами или перечить им. На их стороне была сила, на его стороне — нет. К тому же брат Лука слишком хорошо его вышколил. Он был слишком послушен. Он был, как заставил его признаться доктор Трейлор, хорошей проституткой.

Каждый день повторялось одно и то же, и хотя секс был не ужаснее, чем то, с чем ему приходилось иметь дело и раньше, он не сомневался, что это прелюдия, что рано или поздно он перерастет во что-то очень плохое, очень странное. Он слышал рассказы брата Луки — и видел на видео, — что люди делают друг с другом: какие предметы используют, какие инструменты, какое оружие. Несколько раз он сам с этим сталкивался. Но он знал, что во многих отношениях ему повезло; он был избавлен от самого страшного. Ужас неизвестности был во многих смыслах хуже, чем ужас собственно секса. По ночам он воображал то, что не умел вообразить, и начинал задыхаться в панике, и его одежда — уже другая, но по-прежнему чужая — становилась влажной от холодного пота.

В конце одного из сеансов он попросил у доктора Трейлора разрешения уйти. "Пожалуйста, — сказал он. — Прошу вас". Но доктор Трейлор сказал, что обеспечил ему десять дней гостеприимства и он должен отплатить за них. "А потом я смогу уйти?" — спросил он, но доктор уже закрывал за собой дверь.

На шестой день своей отработки он придумал план. Была секунда или две — не больше, — когда доктор Трейлор закладывал кочергу под левую руку и расстегивал ремень правой рукой. Если рассчитать точно, он сможет ударить доктора книгой в лицо и попытаться выбежать. Это потребует от него отчаянной быстроты и ловкости.

Он изучил книги на полках и в очередной раз пожалел, что среди них нет ни одного издания в твердой обложке, только толстые мягкие кирпичи. Он понимал, что маленькая книга произведет действие, сравнимое с пощечиной, и с ней легче будет управляться, поэтому в конце концов выбрал томик "Дублинцев": книга была достаточно тонкая, чтобы ловко ее ухватить, достаточно гибкая, чтобы ударить ею по лицу. Он упихал ее под матрас, но тут же понял, что хитрить совершенно незачем — можно просто положить ее на расстоянии вытянутой руки. Так он и сделал и стал ждать.

А потом явился доктор Трейлор с кочергой, и стоило ему начать расстегивать ремень, как он подпрыгнул и ударил его по лицу изо всех сил и услышал и почувствовал, как доктор закричал, и кочерга с грохотом упала на цементный пол, и рука доктора уцепилась за его щиколотку, но ему удалось отбрыкаться и вскарабкаться наверх по ступенькам, рвануть на себя дверь и побежать. У входной двери он увидел хитросплетения замков и, чуть не плача, негнущимися пальцами расшвырял задвижки туда и сюда, и вот оказался снаружи, и побежал, побежал так быстро, как никогда раньше не бегал. *Ты справишься, ты справишься*, кричал голос у него в голове, для разнообразия решивший его подбодрить, и потом лихорадочно твердил: *быстрей, быстрей, быстрей!* По мере его выздоровления порции еды, которые выдавал ему доктор Трейлор, становились все меньше, отчего он постоянно был слаб и чувствовал усталость, но сейчас он был бодр, он был настороже, он бежал и звал на помощь. Но, не прерывая бега, не прекращая кричать, он начинал осознавать, что никто не услышит его призывов: вокруг не было видно никакого другого обиталища; он надеялся, что там будут деревья, но их не было, только голые поля, среди которых негде было спрятаться. Тут он почувствовал, как ему холодно и как в подошвы что-то впивается, но все равно продолжал бежать.

А потом он услышал за собой звук приближающихся шагов на дороге и знакомое позвякивание и понял, что это доктор Трейлор. Тот даже не кричал, не угрожал, но когда он повернулся, чтобы посмотреть, близко ли доктор — а доктор был очень близко, всего в нескольких ярдах позади, — он споткнулся и упал, ударившись щекой об асфальт.

После падения из него ушла вся энергия, словно стайка птиц вспорхнула с шумом и мигом улетела, и он понял, что позвякивал расстегнутый ремень доктора Трейлора, который он теперь вытаскивал из штанов, чтобы отхлестать его, и он сжался, и ремень ударил его снова, и снова, и снова. За все это время доктор не произнес ни слова, и он не слышал ничего, кроме его дыхания, разгоряченных вдохов и выдохов, в такт которым ремень все сильнее ударял по его спине, ногам, шее.

В доме экзекуция продолжилась, и на протяжении следующих дней, следующих недель доктор продолжал его избивать. Не регулярно — он никогда не знал, когда это случится опять, — но достаточно часто, чтобы от побоев и от нехватки еды он постоянно чувствовал головокружение, слабость; он понимал, что у него никогда не хватит сил на новый побег. Как он и опасался, в сексе тоже все стало хуже, и он был вынужден делать такие вещи, о которых потом никогда не мог говорить — ни с кем, даже с самим собой; жутким секс был не всегда, но достаточно часто, чтобы держать его в постоянном мареве страха и в уверенности, что он умрет в доме доктора Трейлора. Однажды ему приснилось, что он мужчина, настоящий взрослый, но по-прежнему сидит в подвале и ждет доктора Трейлора, и он понимал во сне, что с ним что-то случилось, что он лишился рассудка, что он стал таким, как его сосед в детском доме, и, проснувшись, он молился о скорейшей смерти. Когда он спал днем, ему снился брат Лука, и, пробуждаясь от этих снов, он понимал, как надежно Лука его всегда защищал, как хорошо с ним обращался, как был к нему добр. Тогда он доковылял до верха деревянной лестницы и бросился вниз, а потом снова вскарабкался и бросился снова.

А потом однажды (через три месяца? через четыре? Ана позже скажет ему, что, по словам доктора Трейлора, с момента, когда он нашел его на заправке, прошло двенадцать недель) доктор Трейлор сказал:

— Я устал от тебя. Ты грязный и отвратительный, я хочу, чтобы ты убрался.

Он не поверил своим ушам, но потом сообразил, что надо ответить.

— Хорошо, — сказал он, — хорошо, я сейчас же уйду.

— Нет, — сказал доктор Трейлор, — как я захочу, так ты и уйдешь.

Несколько дней не происходило ничего, и он решил, что это тоже была ложь, и порадовался, что не позволил себе уж слишком вознадеяться, что научился наконец-то распознавать неправду. Доктор Трейлор теперь давал ему еду на газете, и однажды он посмотрел на дату и понял, что это его день рождения. "Мне пятнадцать", — сообщил он тихой комнате и, услыхав собственные слова — надежды, фантазии, небылицы, которые скрывались за этими словами и про которые знал он один, — почувствовал, что его мутит. Но он не заплакал: способность не плакать была его единственным достижением, единственным поводом для гордости.

А потом однажды ночью доктор Трейлор спустился вниз со своей кочергой. "Вставай", — сказал он и толкал его кочергой в спину, пока он карабкался по ступенькам, падая на колени, поднимаясь, снова спотыкаясь и вставая. Тычки продолжались до самой входной двери, которая была чуть приоткрыта, а потом его вытолкали наружу, в ночь. Было все еще холодно, все еще сыро, но даже сквозь пелену страха он понимал, что погода меняется, что хотя время для него остановилось, оно не остановилось для остального мира, где времена года менялись с равнодушной методичностью; он чувствовал, что воздух зеленеет. Рядом с ним рос голый куст с черной веткой, но на самом ее кончике распускались бубоны светло-сиреневого цвета, и он уставился на них, пытаясь впитать эту картинку, удержать ее в памяти, прежде чем его снова толкнут в спину.

Возле автомобиля доктор Трейлор открыл багажник и снова ткнул его кочергой, а он издавал всхлипывающие звуки, но не плакал и забрался внутрь, хотя он так ослаб, что доктору Трейлору пришлось ему помочь, ухватив пальцами рукав его рубашки, так, чтобы к нему самому не прикасаться.

Они тронулись с места. Багажник был чистый и просторный, и он катался по нему, чувствуя, как они огибают углы, едут в горку и вниз, а потом по долгим участкам ровной, прямой дороги. А потом они резко свернули налево, его потрясло по неровной дороге, и машина остановилась.

Некоторое время — три минуты, он считал — ничего не происходило; он прислушивался, но не слышал ничего, кроме собственного дыхания, стука собственного сердца.

Багажник открылся, и доктор Трейлор помог ему вылезти, ухватившись за его рубашку, и кочергой вытолкал его к капоту автомобиля. "Стой здесь", — сказал он и оставил его перед капотом, и он стоял и дрожал, глядя, как доктор садится обратно в машину, опускает стекло, выглядывает из окна и смотрит на него.

— Беги, — сказал доктор, а он стоял, неподвижный, застывший, — ты же так любишь бегать, да? Ну вот беги.

И доктор Трейлор завел двигатель, и он наконец очнулся и побежал.

Они были в поле, на большом пустом лоскуте грязи, где через несколько недель должна была вырасти трава, но пока что не было ничего, кроме неглубоких луж, покрытых тонкой коркой льда, ломавшейся под его босыми ногами, как черепки, и маленьких белых камней, сиявших как звезды. В середине поле было чуть вогнуто, а справа проходила дорога. Он не видел, большая или нет, видел только, что она есть, но машины по ней не проезжали. Слева поле было обнесено проволокой, но эта граница была далеко, и ему не было видно, что за проволокой.

Он бежал, и автомобиль следовал за ним по пятам. Поначалу было даже приятно бежать, быть на воздухе, вдали от того дома: даже это, даже стекляшки льда под ногами, ветер, бьющий в лицо, прикосновение бампера к икрам — даже все это было лучше, чем тот дом, чем комната со шлакобетонными стенами и таким маленьким окном, что и окном-то его не назовешь.

Он бежал. Доктор Трейлор следовал за ним, иногда ускоряясь, и тогда он бежал быстрее. Но он не мог бегать так, как бегал когда-то, так что он падал и потом снова падал. Каждый раз, когда он падал, автомобиль притормаживал, а доктор Трейлор кричал — не злобно и даже не громко: "Вставай. Вставай и беги, вставай и беги, а то вернемся в дом", — и он заставлял себя вставать и бежать.

Он бежал. Он не знал тогда, что бежит последний раз в жизни, и много позже размышлял: если бы я тогда это знал, смог бы я бежать быстрее? Но, конечно, это был невозможный вопрос, не-вопрос, неразрешимая аксиома. Он падал снова и снова, и на двенадцатый раз он двигал губами, пытаясь что-то сказать, но ничего не выходило. "Вставай, — услышал он, — вставай. Следующее падение будет последним", — и он снова встал.

К этому моменту он уже не бежал, он шел, спотыкаясь, ковылял от машины, и машина ударяла его все сильнее и сильнее. Пусть это прекратится, думал он, пусть прекратится. Он вспомнил — кто ему это рассказал? кто-то из братьев, но кто? — историю про жалкого маленького мальчика, мальчика, сказали ему, который оказался в обстоятельствах гораздо худших, чем у него, который долго был хорошим ребенком (в чем опять-таки отличался от него) и однажды ночью стал молить Бога, чтобы Он его забрал: я готов, сказал мальчик из этого рассказа, я готов, и ангел, страшный и златокрылый, ангел с огненными глазами явился, обернул мальчика своими крылами, и мальчик превратился в пепел и исчез, освободился от бренного мира.

Я готов, сказал он, *я готов*, и приготовился к явлению ангела страшной, пугающей красоты, который придет и спасет его.

Упав в последний раз, он не смог подняться. "Вставай! — слышал он крик доктора Трейлора. — Вставай!" Но он не мог встать. А потом он услышал, как двигатель опять зарычал, и почувствовал, как приближаются фары —

два огненных снопа, как глаза ангела, и отвернулся в ожидании, и машина подъехала к нему и потом проехала по нему, и дело было сделано.

И это был конец. После этого он стал взрослым. Пока он лежал в больнице, а Ана сидела рядом, он давал себе обещания. Он оценивал сделанные ошибки. Он никогда не понимал, кому доверять, и следовал за каждым, кто был к нему хоть капельку добр. Но после всего случившегося он решил, что будет вести себя иначе. Он больше не будет так легко доверять людям. Он больше не будет заниматься сексом. Он больше не будет ждать, что его спасут.

"Так плохо уже не будет никогда, — говорила ему в больнице Ана. — Никогда тебе больше не будет так плохо", — и хотя он понимал, что она говорит про физическую боль, ему хотелось думать, что она имеет в виду жизнь вообще: что с каждым годом дела будут идти все лучше. И она была права: жизнь налаживалась. И брат Лука тоже был прав, потому что, когда ему исполнилось шестнадцать, его жизнь изменилась. Через год после доктора Трейлора он учился в колледже, о котором мечтал; с каждым днем, проведенным без секса, он все больше очищался. Год за годом его жизнь становилась все невероятнее. С каждым годом его удача множилась и крепла, и он снова и снова изумлялся щедрости даров, которые ему достались, людям, которые входили в его жизнь, таким непохожим на известных ему людей, что они казались совершенно другим видом — как, как можно причислить к одному классу существ доктора Трейлора и Виллема? Отца Гавриила и Энди? Брата Луку и Гарольда? Неужели то, что было у первых, было и у вторых, и если да, как эти вторые смогли сделать свой выбор, как они выбрали, кем стать? Жизнь не просто наладилась, она пошла в противоположном направлении, в степени почти абсурдной — от полного нуля к непристойному изобилию. Тогда он припоминал утверждение Гарольда, будто жизнь воздает за причиненный ею же ущерб, и признавал его правоту, хотя иногда казалось, что тут уже речь не просто о компенсации: его собственная жизнь как будто умоляла о прощении, осыпала сокровищами, окружала прекрасным, чудесным, желанным, чтобы он ее не ненавидел, чтобы позволил ей и дальше вести его. Так что с течением времени он снова и снова нарушал данные себе когда-то обещания. Он все-таки следовал за людьми, которые были добры к нему. Он все-таки снова позволял себе довериться людям. Он все-таки снова занимался сексом. Он все-таки надеялся на спасение. И это было правильно — не в каждом случае, конечно, но в большинстве случаев. Он отвернулся от уроков прошлого и чаще, чем следовало, бывал за это вознагражден. Он не жалел ни о каком из нарушенных обещаний, даже про секс, потому что занимался им с надеждой и для того, чтобы порадовать другого человека, человека, который давал ему все.

Однажды вечером, вскоре после того, как они с Виллемом стали настоящей парой, они оказались на ужине у Ричарда; это было шумное, неформальное сборище любимых и приятных им людей: Джей-Би и Малкольм, и Черный Генри Янг, и Желтый Генри Янг, и Федра, и Али, и все их спутники и спутницы, мужья и жены. Он был на кухне, помогал Ричарду приготовить десерт, и вошел Джей-Би, слегка навеселе, обхватил его рукой за шею и поцеловал в щеку.

— Смотри, Джуди, — сказал он, — все-то ты подгреб под себя в результате, а? Карьеру, деньги, квартиру, мужика. Как это тебе так повезло? — Джей-Би широко улыбался, и он улыбнулся в ответ. Он был рад, что Виллем не слышит эту тираду, потому что знал: Виллем разозлится на зависть Джей-Би — он так это воспринимал, — на его убеждение, что жизнь у всех есть и была легче, чем у него, и что он, Джуд, как-то особенно обласкан судьбой.

Но он воспринимал это иначе. Он знал, что отчасти Джей-Би таким манером иронизирует, поздравляет его с удачей, действительно избыточной, это ясно им обоим, но от этого еще более ценной. И, говоря начистоту, зависть Джей-Би ему льстила: для Джей-Би он не калека, которому баснословно повезло с воздаянием за невзгоды, нет, он — ему ровня, и Джей-Би, глядя на него, находит исключительно поводы для зависти, а не для жалости. Плюс ко всему Джей-Би прав: как это ему так повезло? Как он приобрел все, что у него теперь есть? Он никогда не узнает; он всегда будет недоумевать.

— Сам удивляюсь, Джей-Би, — сказал он, вручая ему первый кусок пирога и улыбаясь доносящемуся из столовой голосу Виллема, который что-то рассказывал, сопровождаемый взрывами смеха всех остальных, звуками чистой радости. — Но понимаешь какое дело, мне всю жизнь везет.

3

Женщину зовут Клодин, она подруга подруги одной знакомой, ювелир, что для него скорее отклонение от нормы: обычно он спит только с коллегами из мира кино, они более привычны к временным отношениям, легче их прощают.

Ей тридцать три, у нее длинные волосы — темные, чуть светлее на кончиках, очень маленькие руки, руки ребенка, на которых она носит кольца собственного изготовления: темное золото, сверкающие камни; перед сексом она снимает их в последнюю очередь, как будто именно кольца, а не белье, скрывают самые сокровенные части ее тела.

Они спят вместе — не встречаются, а именно спят, потому что он ни с кем не встречается — почти два месяца, и это тоже отклонение, он знает, что скоро придется положить этому конец. Он сказал ей с самого начала, что это будет только секс, что он любит другого человека и не сможет оставаться на ночь, никогда, и она ответила, что ее это устраивает, она и сама влюблена в другого человека. Но он не видел в ее квартире следов другого мужчины, и когда бы он ни написал ей сообщение, она всегда свободна. Еще один тревожный знак: скоро придется заканчивать.

Он целует ее в лоб, садится в постели.

— Мне пора, — говорит он.

— Нет, — отвечает она, — побудь еще немного.

— Не могу, — говорит он.

— Пять минут.

— Пять, — соглашается он и снова ложится. Но через пять минут снова целует ее в щеку. — Мне действительно пора.

Она издает протестующее, недовольное ворчание и переворачивается на бок.

Он идет в ее ванную, принимает душ, полощет рот, возвращается, снова целует ее.

— Я тебе позвоню, — говорит он, с отвращением отмечая, что словарь его сократился до одних клише. — Спасибо, что разрешила прийти.

Дома он молча проходит по темной квартире, в спальне снимает с себя одежду, со стоном ложится в постель, обхватывает руками Джуда, который просыпается и смотрит на него.

— Виллем, — говорит он, — ты дома.

И Виллем целует его, стараясь унять чувство вины и печаль, которые охватывают его, когда он слышит это облегчение и счастье в голосе Джуда.

— Конечно, — говорит он. Он всегда приходит домой, он ни разу не нарушил это правило. — Прости, что так поздно.

Стоит жаркая ночь, воздух влажен и неподвижен, и все-таки он прижимается к Джуду, как будто пытаясь согреться, оплетает ноги Джуда своими. Завтра, говорит он себе, я расстанусь с Клодин.

Они никогда это не обсуждали, но он знает, что Джуд знает, что он спит с другими людьми. Джуд сам разрешил ему. Это случилось после того ужасного Дня благодарения — тогда после нескольких лет умолчаний Джуд рассказал ему все, и обрывки облаков, всегда заслонявших от него Джуда, внезапно развеялись. Много дней он не знал, что ему делать (кроме как самому снова бежать со всех ног к психотерапевту — он позвонил своему на другой день после того, как Джуд назначил первую встречу с доктором Ломаном), и стоило ему взглянуть на Джуда, к нему возвращались обрывки того разговора, и он украдкой разглядывал Джуда и дивился, как тому удалось пройти этот путь, от того, кем он был, до того, кем он стал теперь, поражаясь, что Джуд стал тем, кто он есть, тогда как все в его жизни должно было этому воспрепятствовать. Чувства, которые он испытывал — трепет, почтение, ужас, отчаяние, — скорее годились для божества, чем для другого смертного, особенно такого, которого знаешь лично.

— Я знаю, что ты чувствуешь, Виллем, — сказал Энди во время одной из их тайных бесед, — но он не хочет, чтобы ты им восхищался, он хочет, чтобы ты видел его таким, как он есть. Он хочет, чтобы ты сказал ему, что его жизнь — при всей своей невероятности — все-таки жизнь. — Он помедлил. — Понимаешь?

— Да, — сказал он.

В первые ужасные дни после рассказа Джуда он чувствовал, как Джуд затихает в его присутствии, словно старается не привлекать к себе внимания, словно боится напомнить Виллему о том, что тот узнал. Однажды вечером, примерно через неделю после того разговора, они сидели в квартире за молчаливым ужином, и Джуд вдруг тихо сказал:

— Ты даже не можешь больше смотреть на меня.

Он тогда взглянул на него, увидел бледное, испуганное лицо и, не отрывая глаз, придвинул свой стул вплотную к стулу Джуда.

— Прости, — пробормотал он. — Я боюсь сказать какую-нибудь глупость.

— Виллем, — сказал Джуд. — Мне кажется, я получился довольно нормальным, учитывая все обстоятельства. Разве нет?

Виллем слышал, что голос его звенит от страха и надежды.

— Нет, — сказал он, и Джуд дернулся. — Я думаю, ты получился необыкновенным, хоть учитывай обстоятельства, хоть нет.

И Джуд наконец улыбнулся.

В ту ночь они обсуждали, как им быть.

— Боюсь, что тебе от меня не избавиться, — начал он и, увидев облегчение на лице Джуда, отругал себя мысленно: надо было раньше сказать, что он остается. Потом он заставил себя обсудить физиологические вопросы: как далеко он может заходить, чего Джуд не хочет.

— Мы можем делать все, чего тебе хочется, Виллем, — сказал Джуд.

— Но тебе это не нравится.

— Но я должен сделать это для тебя.

— Нет, — сказал он, — ты не должен делать это для меня, и, кроме того, ты мне вообще ничего не должен. — Он замолчал. — Если что-то не возбуждает тебя, то и мне это не нужно, — сказал он, хотя, к своему стыду, он до сих пор хотел Джуда. Он больше не будет заниматься с ним сексом, раз Джуд этого не хочет, но это не значит, что он может вот так сразу перестать этого желать.

— Но ты стольким пожертвовал, чтобы быть со мной, — сказал Джуд после паузы.

— Например? — спросил он с любопытством.

— Нормальностью. Социальной приемлемостью. Легкостью жизни. Даже кофе. Я не могу добавить к этому списку еще и секс.

Они говорили и говорили, и он наконец смог убедить Джуда, заставить его описать, какой физический контакт ему нравится. (Получилось не густо.)

— Но что ты будешь делать? — спросил Джуд.

— Обо мне не беспокойся, — ответил он, сам не зная, что имеет в виду.

— Ты знаешь, Виллем, — сказал Джуд, — ты, конечно же, должен спать с другими людьми. Я только… — Его голос дрогнул. — Понимаю, это эгоистично, но я не хотел бы об этом знать.

— Это вовсе не эгоистично, — сказал он, потянувшись, чтобы обнять его. — Конечно, Джуд.

Это было восемь месяцев назад, и за эти восемь месяцев все стало лучше: конечно, думал Виллем, это была несколько другая версия “лучше”, не та, в которой он притворялся, что все хорошо, и игнорировал все неудобные факты и подозрения, свидетельствовавшие об обратном; теперь стало лучше на самом деле. Он видел, что Джуд по-настоящему расслабился, стал менее физически застенчив, более ласков, и все это происходило потому, что Виллем освободил его от того, что Джуд считал своим долгом. Он намного реже себя резал. Теперь ему не нужно было спрашивать Гарольда и Энди, улучшилось ли состояние Джуда, он знал, что да. Единственная трудность заключалась в том, что он все еще хотел Джуда, и ему приходилось постоянно напоминать себе о приемлемых для Джуда границах, заставлять себя останавливаться и не заходить за эти границы. В такие минуты он сердился, но не на Джуда и даже не на себя — он никогда не чувствовал себя виноватым в том, что хочет секса, и сейчас тоже не чувствовал вины, — он сердился на жизнь, которая заставила Джуда бояться того, что для него самого всегда было только удовольствием.

Он был очень осторожен и выбирал людей (или, скорее, женщин: это почти всегда были женщины), про которых он чувствовал или знал по предыдущему опыту, что их интересует только секс и что они будут держать язык за зубами. Они часто не могли разобраться в деталях, и он их не винил. "Разве ты не живешь с мужчиной?" — спрашивали они, и он отвечал, да, живу, но у нас открытые отношения. "Значит, ты на самом деле не гей?" — спрашивали они, и он говорил: "Нет, не обязательно". Женщины помладше принимали это как должное: у них были уже любовники, которые спали с мужчинами; сами они спали с другими женщинами. "Вот как", — говорили они, и на этом разговор заканчивался; если у них и оставались какие-то вопросы, они их не задавали. Эти женщины помладше — актрисы, гримерши, костюмерши — тоже не хотели вступать с ним в серьезные отношения, зачастую они вообще не хотели никаких отношений. Иногда женщины спрашивали его о Джуде: как они познакомились и все в таком духе — и он отвечал им, и чувствовал себя не в своей тарелке, и скучал о нем.

Но он стойко защищал свою домашнюю жизнь от этой второй жизни. Однажды в колонке сплетен промелькнула заметка без имен — ее переслал ему Кит, — которая явно относилась к нему, и, поразмышляв, говорить ли Джуду, он в конце концов решил не говорить; Джуд никогда ее не увидит, и совершенно ни к чему заставлять Джуда сталкиваться в реальности с тем, о чем он знал только в теории.

Джей-Би, однако, увидел заметку (вероятно, и другие его знакомые видели, но только Джей-Би заговорил с ним об этом) и спросил, правда ли это.

— Я не знал, что у вас открытые отношения, — сказал он, скорее любопытствуя, чем обвиняя.

— Ага, — сказал он небрежно, — с самого начала.

Конечно, его печалило, что его сексуальная жизнь и домашняя жизнь протекали в разных вселенных, но он был достаточно взрослым и знал: в любых отношениях есть что-то неосуществившееся, разочаровавшее, что-то, чего приходится искать на стороне. Например, жена его друга Романа, красивая и верная, не отличалась большим умом: она не понимала фильмов, в которых снимался Роман; разговаривая с ней, приходилось все время приспосабливаться, корректировать скорость, сложность и содержание беседы — ее неизменно сбивали с толку разговоры о политике, финансах, литературе, искусстве, еде, архитектуре или экологии. Он видел, что Роман знает об этом недостатке Лизы и их отношений. "Ну знаешь, — сказал он как-то Виллему, — если я захочу интересной беседы, я могу поговорить с друзьями, правда же?" Роман женился одним из первых среди его друзей, и в свое время Виллем был поражен его выбором. Но теперь он знал: всегда приходится чем-то жертвовать. Вопрос только чем. Он знал, что некоторым — Роману, Джей-Би, вероятно — его жертва показалась бы немыслимой. Ему и самому так показалось бы когда-то.

В эти дни он часто вспоминал пьесу студенческих лет, написанную плодовитой и пробивной студенткой отделения, которая потом прославилась сценариями шпионских фильмов, но в то время пыталась писать про несчастливых супругов в стиле Гарольда Пинтера. Пьеса "Как в кино" рассказывала про такую несчастливую пару, живущую в Нью-Йорке: он профессор классической музыки, она либреттистка. Поскольку им обоим было за сорок (в те годы этот возраст представлялся им серым берегом, невероятно далеким и невообразимо мрачным), они были лишены чувства юмора и пребывали в тоске по своей молодости, поре надежд и обещаний, когда все таило в себе романтику и сама жизнь казалась сплошным романом. Он играл мужа, и хотя давно понял, что пьеса ужасна (в ней встречались реплики вроде: "Пойми, это не "Тоска"! Это жизнь!"), он не мог забыть финальный монолог, который произносил во втором акте, после того как жена объявляла, что уходит от него, поскольку не реализовалась в браке и уверена, что ей еще встретится кто-то более подходящий.

Сет. Но разве ты не понимаешь, Эми? Это ошибка. Отношения никогда не могут дать тебе *все*. Они дают тебе *что-то*. Представь себе все, что ты хочешь от человека: чтобы он был сексуально привлекательным, например, чтоб был интересным собеседником, чтобы обеспечивал тебя материально, был наделен высоким интеллектом, добротой, верностью — ты можешь выбрать три пункта из этого списка. *Три* — и все. Может быть, четыре, если очень повезет. Все остальное тебе придется искать где-то еще.

Это только в кино бывает иначе, но мы не в кино. В реальном мире надо решить, какие три качества для тебя важнее всего, и их искать в человеке, чтобы прожить с ним жизнь. Вот что такое реальная жизнь. Это ловушка, понимаешь? Если ты будешь искать все сразу, то останешься ни с чем.

Эми (*плачет*). И что же выбрал ты?

Сет. Не знаю. (*Пауза*) Я не знаю.

В то время он не верил в эти слова, потому что тогда все и вправду казалось возможным: ему было двадцать три, все вокруг были красивы, привлекательны, умны и блестящи. Все думали, что останутся друзьями на десятилетия, навсегда. Но у большинства, конечно, так не случилось. Только становясь старше, понимаешь, что в людях, с которыми встречаешься и спишь, можно ценить одни качества, а в тех, с кем собираешься жить жизнь, быть рядом, проводить день за днем, — совсем другие. Если ты умен и удачлив, ты запомнишь эту истину, научишься ее принимать. Выяснишь, что для тебя важнее всего, и будешь искать именно это, научишься быть реалистом. Они все выбрали разное: Роман красоту, добрый нрав, покладистость; Малкольм, очевидно, надежность, здравый смысл (Софи была ужасающе практична) и общность эстетических взглядов. А он? Он выбрал дружбу. Разговоры. Доброту. Ум. Когда ему было чуть за тридцать, он смотрел на отношения окружающих и задавался вопросом, который тогда (и теперь) подогревал бесчисленные застольные беседы: что происходит между двумя людьми? Теперь, когда ему было почти сорок восемь, он видел отношения между людьми как отражение их самых острых и в то же время невыразимых желаний, их надежд и комплексов, которые обретали физическое воплощение в форме другого человека. Теперь он смотрел на пары — в ресторане, на улице, на вечеринке — и думал: почему вы вместе? Что для вас оказалось важнее всего? Чего не хватает в вас, что вам нужно получить от другого? Он считал теперь, что удаются те отношения, в которых оба партнера увидели в другом лучшее и решили это ценить.

И, может быть, не случайно он впервые стал сомневаться в психотерапии — в ее обещаниях, ее основах. Раньше он всегда считал, что терапия как минимум безвредна: в юности он относился к ней как к роскоши; само право говорить о своей жизни пятьдесят минут кряду, практически монологом, казалось ему доказательством, что его жизнь теперь достойна такого пристального внимания, такого внимательного слушателя. Но в последнее время он стал замечать, что терапия его раздражает — своей зловещей, как ему теперь казалось, педантичностью, своей предпосылкой, будто жизнь подлежит починке, будто существует социальная норма и пациента следует направлять в ее русло.

— Ты чего-то недоговариваешь, Виллем, — сказал Идрисс, который был его терапевтом много лет, и он промолчал. Терапия, терапевты обещали категорически воздерживаться от оценки (но разве это возможно — говорить с человеком и не подвергаться оценке?), и все-таки каждый вопрос как будто тихонько, но неумолимо подталкивал к признанию какого-то недостатка, к решению проблемы, о существовании которой ты и не подозревал. За долгие годы он видел, как люди, уверенные, что у них было счастливое детство и родители их любили, обнаруживали благодаря терапии, что нет, не было, и нет, не любили. Он не хотел этого для себя, не хотел, чтобы ему говорили, что его довольство жизнью всего лишь иллюзия.

— И как ты относишься к тому, что Джуд вообще не хочет секса? — спросил Идрисс.

— Не знаю, — ответил он. Но он знал и сформулировал вслух: — Я бы хотел, чтобы было иначе, ради него. Мне жаль, что он лишает себя одной из самых прекрасных вещей. Но я считаю, что он заслужил это право.

Идрисс сидел напротив и молчал. Вообще-то он не хотел, чтобы Идрисс ставил диагноз, указывал, что не так в его отношениях с Джудом. Он не хотел, чтобы ему говорили, как исправить эти отношения. Он не хотел заставлять себя или Джуда делать что-то, чего они не хотят, потому что так положено. Их отношения, по его мнению, были единственными в своем роде, и они работали: он не хотел слышать ничего другого. Иногда он думал, что, может быть, им с Джудом с самого начала не хватило творческого подхода — почему они вообще решили, что их отношения должны включать секс? Но тогда это казалось единственным способом выразить всю глубину чувства. Слово "друг" казалось слишком размытым, неконкретным, неудовлетворительным — разве можно описывать одним и тем же словом его отношение и к Джуду, и, допустим, к Индии или Генри Янгам? И тогда они выбрали другую, более близкую форму отношений, и она не сработала. Но теперь они придумывают свой собственный тип отношений, который официально не признан историей, о котором не сложили стихов и песен, но который не стреноживает их, позволяет быть честными.

Однако он не стал говорить Джуду о своем растущем скептицизме по отношению к психотерапии, потому что отчасти все же верил, что терапия нужна людям, которые действительно больны, а Джуд — он наконец смог признаться в этом себе — действительно болен. Он знал, как Джуд ненавидит эти сеансы, после одного из первых он пришел домой такой прибитый, такой отстраненный, что Виллему пришлось напомнить себе: он заставляет Джуда ходить туда для его собственного блага.

Наконец он не выдержал.

— Как дела с доктором Ломаном? — спросил он однажды вечером, примерно через месяц после того, как Джуд начал терапию.

Джуд вздохнул.

— Виллем, как долго еще мне туда ходить?

— Не знаю, — ответил он. — Я об этом не думал.

Джуд внимательно посмотрел на него.

— То есть ты думал, что я теперь буду ходить к нему всегда, — сказал он.

— Ну, — сказал он. (Он действительно так думал.) — Это что, так ужасно? — Он помедлил. — Тебе не нравится Ломан? Может, найти кого-то другого?

— Нет, дело не в Ломане, — сказал Джуд. — Сам процесс.

Он теперь тоже вздохнул.

— Слушай, — сказал он, — я понимаю, что тебе это тяжело. Правда понимаю. Но давай ты походишь к нему год, ладно? Год. И постарайся как следует. А потом посмотрим.

Джуд обещал.

А потом, весной, он уехал на съемки, и однажды ночью они разговаривали по телефону, и Джуд вдруг сказал:

— Виллем, я должен тебе кое-что сказать, раз уж мы договорились о полном раскрытии информации.

— Хорошо, — сказал он, крепче сжав трубку. Он находился в Лондоне, на съемках фильма "Генри и Эдит". Он играл — хоть и был на двенадцать лет моложе и на шестьдесят фунтов легче, чем нужно, как сообщил ему Кит, но кто считает? — Генри Джеймса в начале их дружбы с Эдит Уортон. Фильм был на самом деле о путешествии, и снимали его в основном во Франции и на юге Англии, и остались уже последние сцены.

— Я виноват, — сказал Джуд. — Пропустил четыре последних сеанса с доктором Ломаном. Или, правильнее сказать, я ходил, но не ходил.

— Что это значит?

— Ну, я приезжаю, — сказал Джуд, — а потом сижу снаружи в машине и читаю, пока не кончится время сеанса, а потом еду обратно на работу.

Он помолчал, и Джуд тоже, а потом они оба расхохотались.

— Что ты читаешь? — спросил он, отсмеявшись.

— "Введение в нарциссизм", — признался Джуд, и они снова стали хохотать, так что Виллему даже пришлось сесть.

— Джуд… — начал он, но Джуд его перебил.

— Я все понимаю, Виллем. Я вернусь. Это было глупо. Я просто не мог заставить себя последние несколько раз, не знаю почему.

Повесив трубку, он все еще улыбался, а когда услышал в голове голос Идрисса: "Как ты относишься к тому, что Джуд не выполнил свое обещание, Виллем?" — помахал рукой перед лицом, как будто отмахиваясь от этих слов. Ложь Джуда, его собственный самообман — он понимал, что все это формы самозащиты, усвоенные с детства, привычки, которые позволяли им преобразовать мир в нечто более удобоваримое, чем на самом деле. Но теперь Джуд старался врать меньше, а сам он старался принять тот факт, что некоторые вещи никогда не будут соответствовать его представлениям о жизни, как бы он ни надеялся, как бы ни обманывался. И в самом деле, чем терапия может помочь Джуду? Он знал, что Джуд будет продолжать себя резать. Он знал, что никогда не сможет его вылечить. Его любимый человек болен и всегда будет болен, и его долг — не добиться улучшения, а сделать его менее больным. Ему никогда не удастся заставить Идрисса увидеть эту разницу, иногда он сам с трудом ее различал.

В эту ночь к нему пришла женщина, ассистент художника-постановщика, и когда они лежали в постели, ему пришлось отвечать все на те же вопросы: он рассказал, как они с Джудом познакомились, объяснил, кто такой Джуд, — в том варианте, который придумал для подобных случаев. — Здесь очень красиво, — сказала Изабель, и он взглянул на нее с подозрением: Джей-Би, увидев эту квартиру, заявил, что она выглядит так, будто ее изнасиловал восточный базар, а ведь главный оператор уверял, что у Изабель отменный вкус. — Я серьезно, — добавила она, увидев его лицо. — Здесь прелестно.

— Спасибо, — сказал он.

Это была его квартира — их с Джудом. Они купили ее всего два месяца назад, когда стало очевидно, что оба все чаще летают по работе в Лондон. Ему было поручено подыскать что-нибудь подходящее, и он умышленно выбрал спокойный, скучный Мэрилебон — не за его консервативный шарм или удобство, а за то, что в окрестностях принимало много врачей.

— О, — сказал Джуд, изучая перечень жильцов, пока они ждали агента, который должен был показать им понравившуюся Виллему квартиру. — Смотрите-ка, внизу клиника хирурга-ортопеда. — Он поднял бровь, пристально глядя на Виллема. — Какое интересное совпадение, а?

Он улыбнулся:

— И правда.

Но за этими шутками стояло нечто такое, что они не готовы были обсуждать, не только как пара, но и как друзья, — а именно, что настанет момент, когда Джуду станет хуже. Виллем не вполне понимал, что конкретно это будет означать, но пытался подготовить себя, их обоих, к будущему, которое не мог предсказать, к будущему, в котором Джуд, вероятно, не сможет ходить, а возможно — и стоять тоже. И поэтому эта квартира на четвертом этаже на Харли-стрит была единственным приемлемым вариантом; из всех квартир, которые он посмотрел, она одна напоминала Грин-стрит:

одноуровневое пространство с широкими дверными проемами и коридорами, большими квадратными комнатами и ванными, которые можно было приспособить под нужды колясочника (ортопедическая клиника внизу была последним веским аргументом, что надо покупать именно эту квартиру). Они купили ее и перевезли сюда все ковры, лампы и покрывала, которые он вечно привозил с гастролей и которые хранились прежде в коробках в подвале на Грин-стрит. Прежде чем он вернется в Нью-Йорк по окончании съемок, один из бывших младших соратников Малкольма, переехавший обратно в Лондон, чтобы работать в филиале "Беллкаста", начнет здесь ремонт.

О, думал он, глядя на планы квартиры на Харли-стрит, как же трудно, как грустно иногда жить в реальной жизни. Еще одно напоминание такого рода он получил на последней встрече с архитектором: он спросил Викрама, зачем менять старые деревянные окна на кухне, выходящие на кирпичное патио, откуда открывался вид на крыши Уэймут-мьюз.

— Может, оставим их? — спросил он. — Они такие красивые.

— Они действительно красивые, — согласился Викрам. — Но эти окна очень трудно открывать из сидячего положения — нужно упираться ногами.

Он понял тогда, что Викрам очень серьезно отнесся к его инструкциям, данным в первую их встречу: помнить, что один из жильцов квартиры может оказаться очень ограничен в движении.

— Вот как, — сказал он, быстро заморгав, — Конечно. Спасибо. Спасибо.

— Не за что. Обещаю, Виллем, вы оба будете чувствовать себя дома.

У Викрама был мягкий, ласковый голос, и Виллем не знал, грустно ему от доброты этих слов или от интонации, с какой они были произнесены.

Он вспоминает все это уже в Нью-Йорке. Стоит конец июля, он уговорил Джуда взять выходной, и они едут в свой загородный дом. Несколько недель Джуд казался усталым и необычайно слабым, а теперь вдруг это прошло, и именно в такие дни — ярко-синее небо над головой, воздух сухой и жаркий, вокруг их дома простираются луга с островками тысячелистника и первоцветов, камни у бассейна холодят ноги, а Джуд поет на кухне, готовя лимонад для Джулии и Гарольда, которые приехали побыть с ними, — он впадает в старую привычку самообмана. Такие дни кажутся зачарованными, и он одновременно чувствует, что улучшать его жизнь просто некуда и вместе с тем все исправимо: конечно же, Джуду не станет хуже. Конечно же, его можно починить. И кому это сделать, как не Виллему. Конечно же, это и возможно, и вероятно. У таких дней, казалось, не бывает ночей, а значит, Джуд не будет себя резать, не будет тоски, не о чем беспокоиться.

"Ты пытаешься верить в чудо, Виллем", — говорит ему Идрисс, как будто читает его мысли, а он и вправду их читает. Но, с другой стороны, думает он, разве его жизнь, разве жизнь Джуда — не чудо? Он должен был жить в Вайоминге и работать на ферме. Джуд должен был оказаться… где? В тюрьме, в больнице, в могиле, где-то еще похуже. Но этого не случилось. Разве не чудо, что ничем, в сущности, не примечательный человек зарабатывает миллионы, изображая других людей, что он летает из города в город и все только и делают, что исполняют каждое его желание, что в этих воображаемых мирах с ним обращаются как с сувереном маленькой коррумпированной страны? А не чудо разве усыновление в тридцать лет, когда находятся люди, любящие тебя так, что хотят назвать сыном? Разве не чудо пережить то, что пережить нельзя? А разве не чудо дружба — вот так найти человека, с которым огромный одинокий мир становится не таким одиноким? А этот дом, эта красота и комфорт — разве это не чудо? И кто сказал, что нельзя верить в еще одно, надеяться, что вопреки разуму, биологии, времени, истории случится исключение из правил и болезнь Джуда не будет развиваться так, как у других людей с его диагнозом; после всего, что он преодолел, почему бы не преодолеть еще и это?

Он сидит у бассейна, разговаривает с Гарольдом и Джулией, когда вдруг его настигает эта странная пустота внутри, это случается, даже когда они с Джудом находятся в одном доме: он скучает о нем, испытывает острое желание его увидеть. И хотя он никогда не скажет ему этого, в чем-то Джуд напоминает ему Хемминга — в ощущении, легком, как касание крыла, что любимые им люди более недолговечны, чем остальные, они даны ему ненадолго и скоро их заберут. "Не уходи, — говорил он Хеммингу по телефону, когда тот умирал. — Не оставляй меня, Хемминг". Хотя медсестры, державшие трубку у уха Хемминга за тысячи миль от него, велели ему говорить обратное: что он может уйти, что Виллем его отпускает. Но он не мог.

Как он не мог отпустить Джуда тогда в больнице; Джуд был настолько одурманен лекарствами, что глаза его двигались туда-сюда со скоростью, пугавшей Виллема больше, чем все остальное.

— Отпусти меня, Виллем, — умолял он, — отпусти меня.

— Не могу, Джуд. Не могу.

Он мотает головой, отгоняя это воспоминание. "Пойду посмотрю, как он там", — говорит Виллем Гарольду и Джулии, но в этот момент раздвигаются стеклянные двери, они все трое поднимают голову и видят Джуда, несущего поднос с напитками, и все трое встают, чтобы ему помочь. Но на мгновение, перед тем как пойти — им вверх по склону холма, а Джуду вниз, — все застывают, и это напоминает ему съемочную площадку, где можно переиграть любую сцену, исправить любую ошибку, переснять любую печаль.

В этот момент они втроем находятся на одном крае кадра, а Джуд на другом, но они улыбаются друг другу, и мир, кажется, не сулит им ничего, кроме радости.

В последний раз он ходил самостоятельно — не пробирался по стеночке из комнаты в комнату, не шаркал по коридорам "Розен Притчард", не ковылял от лифта до гаража, чтобы со стоном облегчения усесться в машину, а по-настоящему ходил — на Рождество, когда они ездили в отпуск. Ему было сорок шесть. Они поехали в Бутан и, как он потом поймет, сделали прекрасный выбор, потому что в последний раз ему довелось подолгу ходить (хотя тогда он, конечно, этого не знал) в стране, где все ходили пешком. Все, кого они там встречали, — в том числе и Карма, их старая знакомая, которая теперь была министром лесного хозяйства, — измеряли ходьбу не километрами, а часами.

— Да-да, — говорила Карма, — когда мой отец был маленьким, он по выходным навещал тетку, которая жила в четырех часах ходьбы от него. Четыре часа туда — четыре часа обратно.

Поначалу их с Виллемом это изумляло, но потом они и сами поняли: пейзажи здесь настолько красивые — череда крутых, заросших лесом парабол, а над ними голубая и ясная полоса неба, — что, когда идешь пешком, и время, наверное, проходит куда быстрее и приятнее, чем где-нибудь еще.

В поездке он себя чувствовал не лучшим образом, но хотя бы мог двигаться. До нее он слабел с каждым месяцем, впрочем, чем именно вызвана эта слабость, понять было нельзя, да и не похоже было, что это признак каких-то более серьезных проблем со здоровьем. Он просто стал быстрее терять силы, теперь все у него не саднило, а ныло — он засыпал под непрерывное глухое биение боли и под него же просыпался. Разница, объяснял он Энди, как между грозами, которые случаются пару раз в месяц, и мелкими, но постоянными дождями, которые идут месяц подряд без перерыва — серый, действующий на нервы дискомфорт. В октябре он не смог ни дня обойтись без инвалидного кресла, так часто он им еще ни разу не пользовался. В ноябре у него хоть и хватило сил приехать на День благодарения к Гарольду и Джулии, но на сам обед сил уже не осталось, так было больно, и поэтому он весь вечер пролежал в спальне, стараясь не шевелиться, отмечая краем сознания, что Гарольд, Виллем и Джулия время от времени заходят проверить, как он, что он извиняется за испорченный праздник, что из столовой доносятся обрывки приглушенной беседы — слышны голоса их троих, Лоренса с Джиллиан, Джеймса и Кэри. После этого Виллем хотел было отменить поездку, но он на ней настоял и был рад, что настоял, —

было что-то живительное в красоте пейзажей, в ясности и тишине гор, в том, чтобы видеть Виллема в окружении ручьев и деревьев, где ему, кажется, самое место.

Хорошие вышли каникулы, но уезжал он тоже без сожаления. Ему, в общем-то, удалось уговорить Виллема на эту поездку только потому, что его друг Илайджа, который теперь руководил клиентским хедж-фондом, тоже улетал на каникулы в Непал вместе со всей своей семьей и им удалось слетать туда и обратно на его самолете. Он боялся, что Илайдже захочется поговорить, но все обошлось, и он с облегчением проспал почти всю дорогу до дома, спина и ноги горели от боли.

Они вернулись на Грин-стрит, и на следующий день он не смог встать с кровати. Боль была такой, будто все его тело превратилось в один оголенный нерв, поистершийся с обоих концов; ему казалось, что, упади на него капля воды, он весь зашипит и заискрит. Никогда раньше он так не уставал, никогда не болел так, что даже сесть не мог, и хотя в присутствии Виллема он изо всех сил старался этого не показывать, все равно видел, как тот встревожен — пришлось даже его упрашивать, чтоб не звонил Энди.
— Ну ладно, — неохотно согласился Виллем, — но если завтра тебе не станет лучше, я ему позвоню.

Он кивнул, и Виллем вздохнул.
— Черт, Джуд, — сказал он. — Так и знал, не надо нам было никуда ездить.

Но на следующий день ему стало получше — по крайней мере, он сумел наконец встать с кровати. Ходить он не мог, весь день ему казалось, будто его спину, ноги и ступни дырявят железными кольями, но он заставлял себя улыбаться, разговаривать, двигаться, хотя стоило Виллему отвернуться или выйти из комнаты, он чувствовал, как лицо у него опадает от изнеможения.

Так вот оно все и продолжалось, и оба они постепенно с этим свыклись — теперь он ни дня не мог обойтись без кресла, но все равно каждый день старался ходить сколько сможет, даже если мог всего-то дойти до ванной, и силы он старался беречь. Перед тем как начать готовить, он раскладывал все необходимое на кухонной стойке, чтобы не пришлось потом ходить туда-сюда к холодильнику, от приглашений на ужины, вечеринки, открытия выставок и благотворительные мероприятия он теперь отказывался, говоря всем, говоря Виллему, что у него нет на это времени, слишком, мол, много работы, но на самом деле он возвращался домой и медленно ездил в кресле по квартире, по невыносимо огромной квартире, то и дело останавливаясь перевести дух, или дремал, экономя силы на то, чтобы поговорить с Виллемом, когда тот вернется.

В конце января он все-таки пришел к Энди, который выслушал его и затем внимательно осмотрел.

— В целом ничего страшного с тобой не происходит, — сказал он после осмотра. — Ты просто стареешь.

— А, — сказал он, и оба они замолчали, потому что — ну что тут скажешь?

— Ладно, — наконец сказал он, — может, я ослабею настолько, что смогу убедить Виллема, что у меня больше нет сил ходить к Ломану? — Потому что осенью однажды вечером он — по глупости, по пьяни, из романтических даже побуждений — пообещал Виллему, что будет еще девять месяцев посещать доктора Ломана.

Энди вздохнул, но потом тоже улыбнулся.

— Вот ты паршивец, — сказал он.

Теперь, впрочем, он с нежностью вспоминает то время, потому что во всем остальном зима выдалась замечательной. В декабре Виллема номинировали на престижную кинопремию за роль в "Отравленном яблоке", и в январе он эту премию получил. Затем его снова номинировали — на еще более важную и более престижную кинонаграду, — и снова он ее получил. В тот вечер, когда Виллему вручали награду, он был в Лондоне, в командировке, но специально поставил будильник на два часа ночи, чтобы посмотреть церемонию вручения онлайн, и вскрикнул, когда назвали имя Виллема — он смотрел, как Виллем, просияв, целует Джулию, которую взял с собой в качестве спутницы, как он поднимается на сцену, как благодарит создателей фильма, киностудию, Эмиля, Кита, самого Алана Тьюринга, Романа, Кресси, Ричарда, Малкольма, Джей-Би, "моих свекров, Джулию Альтман и Гарольда Стайна, которые всегда и ко мне относились как к собственному сыну, и наконец — самое важное — я хотел бы поблагодарить Джуда Сент-Фрэнсиса, моего лучшего друга и любовь всей моей жизни, — за все". Тогда он с трудом сдержал слезы, и когда через полчаса сумел дозвониться Виллему, то снова чуть не расплакался.

— Я так горжусь тобой, Виллем, — сказал он. — Я знал, что ты победишь, я знал.

— Ты всегда так думаешь, — рассмеялся Виллем, и он рассмеялся в ответ, потому что Виллем был прав — он всегда так думал.

Всякий раз, когда Виллема номинировали на какую-нибудь премию, он считал, что именно Виллему ее и должны вручить, и искренне недоумевал, если этого не случалось: политика, предпочтения — это одно, но как судьи, как люди, обладающие правом голоса, не дали награду за объективно лучшую игру объективно лучшему актеру и лучшему человеку?

На следующее утро во время деловых встреч — на которых ему нужно было удерживаться не от слез, а от того, чтоб не расплываться то и дело в глупой улыбке — коллеги, поздравляя его, спрашивали, почему он не поехал на церемонию, и он качал головой.

— Это не мое, — отвечал он, и правда: Виллему по работе приходилось посещать много премьер, вечеринок, церемоний вручения разных премий, но сам он был от силы на двух или трех.

В прошлом году, когда серьезный литературный журнал взялся писать о Виллеме большую статью, он исчезал из квартиры всякий раз, когда к ним приходил журналист. Он знал, что Виллем на него не обижается, думая, что он не появляется на людях потому, что бережет личное пространство. Он угадал, но это не было единственной причиной.

Однажды, вскоре после того, как они с Виллемом стали парой, в "Нью-Йорк таймс" опубликовали их фото вместе со статьей о Виллеме и о первой части шпионской трилогии, в которой он только что снялся. Их сфотографировали на наконец-то открывшейся пятой выставке Джей-Би "Квак и Жаб": на всех картинах были только они вдвоем, правда, изображения были очень размытые, куда более абстрактные, чем предыдущие работы Джей-Би. (Как относиться к названию выставки, они толком не понимали, но Джей-Би уверял их, что это он любя. "Арнольд Лобел?! — провизжал он в ответ на их расспросы. — Эй, алё?" Но ни он, ни Виллем в детстве не читали книжек Лобела, пришлось купить и прочесть, чтобы понять, что хотел сказать Джей-Би.) Занятно, что именно эта выставка, даже больше, чем исходная статья в журнале "Нью-Йорк" о новой жизни Виллема, наконец-то убедила коллег и друзей в реальности их отношений, хотя почти все фотографии, с которых Джей-Би писал картины, были сделаны задолго до этого.

Эта выставка станет также, как выразится Джей-Би, его точкой взлета: несмотря на все его продажи, на все рецензии, гранты и награды, они все равно знали, что ему не дает покоя ретроспективная выставка Ричарда (и Желтого Генри Янга тоже), которая у них уже была, а у него — нет. Но после "Квака и Жаба" для Джей-Би наступил какой-то переломный момент, так же как для Виллема он наступил после "Платановой аллеи", а для Малькольма — после музея в Дохе, так же как для него — хвастаться так хвастаться — таким переломом стало дело "Малграв и Баскетт". Впрочем, стоило ему выглянуть за пределы их дружеского мирка, как он понял, что все они и сами не до конца осознавали, насколько ценным, насколько уникальным был этот переломный момент, момент, которого все они ждали и который для каждого из них все-таки настал. Из них всех один Джей-Би был уверен, что заслуживает такого момента, что уж для него-то он совершенно точно настанет, ни у него, ни у Малькольма, ни у Виллема такой уверенности не было, поэтому-то они и восприняли успех с таким замешательством. Но хоть Джей-Би и пришлось дольше всех ждать, когда его жизнь круто переменится, случившуюся наконец перемену он воспринял спокойно — что-то в нем словно перегорело, и он, впервые за все время их знакомства, стал мягче, а его неизменный колкий юмор, которым от него вечно било, будто током, словно бы размагнитился, поутих. Он был рад за Джей-Би, рад, что тот наконец получил признание, которого заслуживал, признание, которое, как ему казалось, к Джей-Би должно было прийти еще после "Секунд, минут, часов, дней".

— Вопрос только в том, кто из нас Квак, а кто Жаб, — сказал Виллем после того, как они впервые увидели картины у Джей-Би в студии и, беспомощно хохоча, в этот же вечер прочли друг другу добродушные книжки.

Он улыбнулся; они лежали в кровати.

— Ну разумеется, я Жаб, — сказал он.

— Нет, — сказал Виллем, — по-моему, ты Квак, у тебя глаза такого же цвета, как лягушачья кожа.

Виллем говорил так серьезно, что он рассмеялся.

— И это все твои доказательства? — спросил он. — Что же тогда у тебя общего с Жабом?

— Мне кажется, у меня даже есть точно такой же пиджак, как у него, — сказал Виллем, и они снова расхохотались.

Но он-то знал, Жаб — это он, и лишний раз в этом убедился, увидев их совместное фото в "Нью-Йорк таймс". Огорчался он не столько за себя — он вообще старался поменьше думать о своих переживаниях, — сколько из-за Виллема, потому что видел, насколько неподходящую, насколько неполноценную они составляли пару, и ему было стыдно перед Виллемом, он боялся, что само его присутствие рядом с ним может каким-то образом ему навредить. И поэтому он старался не показываться вместе с ним на публике. Он всегда думал, что Виллему под силу его вылечить, но с годами в нем росли опасения: если Виллем может его вылечить, не значит ли это, что он, в свою очередь, может Виллема заразить? И опять же, если Виллем может превратить его в человека, на которого не так противно глядеть, не превратит ли он тогда Виллема в урода? Он понимал, что никакой логики в этом нет, но все равно так думал, и иногда, когда они собирались куда-нибудь пойти вместе, он ловил свое отражение в зеркале в ванной, видел свое глупое, самодовольное лицо — нелепое, гротескное, как у разряженной мартышки, — и тогда ему хотелось с размаху засадить в зеркало кулаком.

Кроме того, он боялся, что, если его будут видеть с Виллемом, за этим неизбежно последует разоблачение. С самого первого дня в колледже он боялся, что когда-нибудь кто-нибудь — один из его клиентов, какой-нибудь мальчишка из приюта — захочет с ним связаться, выудить у него что-нибудь в обмен на молчание. "Ничего такого не будет, Джуд, — уверяла его Ана. — Обещаю. Ведь тогда им придется рассказать и о том, как они с тобой познакомились". Но страх так никуда и не делся, и за эти годы несколько призраков прошлого все-таки дали о себе знать. Первый появился вскоре после того, как он начал работать в "Розен Притчард": всего-то открытка от человека, который утверждал, что знал его в приюте, — от человека с заурядным и ничего не говорящим ему именем Роб Уилсон, от человека, которого он не помнил; тогда он целую неделю паниковал, почти не спал, лихорадочно перебирая в голове сценарии, один ужаснее и неизбежнее другого. А что, если этот Роб Уилсон свяжется с Гарольдом, свяжется с его коллегами и расскажет им о том, кто он такой, расскажет им о том, чем он занимался? Но он заставил себя никак не реагировать на открытку, не поступать так, как хотелось: отправить полуистеричное письмо с предписанием автору прекратить любые действия в его адрес и пригрозить судебным преследованием, письмо, которое ничего не докажет, кроме самого факта его существования и существования у него прошлого, — и больше Роб Уилсон ему не писал.

Но после того как в прессе появилось несколько их фотографий с Виллемом, он получил еще два письма и один имейл, все — на рабочий адрес. Электронное и одно бумажное письмо опять были от мужчин, которые утверждали, что были с ним в одном приюте, но их имена тоже ни о чем ему не говорили, поэтому он ничего им не ответил, и они не пытались снова с ним связаться. Но во втором письме оказалась копия черно-белого снимка — раздетый мальчик лежит на кровати, — только снимок был таким размытым, что непонятно было, он это или нет. И вот с этим письмом он поступил так, как ему и велели поступить много лет тому назад — когда он был еще ребенком и лежал на больничной койке в Филадельфии, — если вдруг кто-то из его клиентов его опознает и попытается с ним связаться. Он вложил письмо в конверт и отправил его в ФБР. Они-то всегда знали, где он, и примерно раз в пять лет к нему на работу заходил агент, показывал ему фотографии и спрашивал, не узнает ли он кого-нибудь из мужчин, мужчин, которых они находили и много десятилетий спустя, которые оказывались друзьями и подельниками доктора Трейлора и брата Луки. Они редко предупреждали о своем появлении, но за эти годы он уже понял, как потом нейтрализовать эффект от этих визитов, как сразу нужно окружать себя людьми, событиями, шумом и грохотом, свидетельствами жизни, которую он теперь вел.

В то время, когда он получил письмо и с ним разделался, его терзали жгучий стыд и острое одиночество — тогда Виллем еще ничего не знал о его детстве, а Энди знал о нем недостаточно, чтобы в полной мере осознать, какой ужас он испытывает, — и когда все закончилось, он все-таки решился нанять детективов (впрочем, не из того агентства, услугами которого пользовались в "Розен Притчард"), чтобы те разыскали о нем все, что только можно. Расследование заняло месяц, но ощутимых результатов не принесло — по крайней мере, не нашлось ощутимой связи между ним и его прошлым. И только тогда он позволил себе расслабиться, поверить наконец, что Ана была права, привыкнуть к мысли о том, что от его прошлого почти не осталось следа, словно бы его и вовсе не существовало. Люди, которые больше всего о нем знали, которые были ему свидетелями и его творцами, — брат Лука, доктор Трейлор, даже Ана — уже умерли, а мертвые ничего и никому не скажут. *Ты в безопасности*, то и дело напоминал он себе. Напоминал — но не терял бдительности, это вовсе не значило, что теперь его фотографии могут появляться в газетах и журналах.

Конечно, он уже примирился с мыслью, что его жизнь с Виллемом всегда и будет такой, но иногда ему хотелось, чтобы все было по-другому, хотелось меньше осторожничать на людях, говоря о Виллеме, как Виллем не осторожничал насчет него. Когда у него выдавалась свободная минутка, он снова и снова пересматривал видео с речью Виллема, и голова у него шла кругом — точно так же, как в тот раз, когда Гарольд впервые назвал его сыном, обращаясь к другому человеку. *Это вправду произошло*, думал он тогда. *Я это не выдумал.* Теперь его так же лихорадило — *я с Виллемом, это правда. Он сам так сказал.*

В марте, когда сезон кинопремий подошел к концу, они с Ричардом закатили Виллему вечеринку на Грин-стрит. Большую партию скамей и дверных коробок из резного тика как раз вывезли с пятого этажа, и Ричард натянул под потолком гирлянды фонариков, а вдоль стен выставил стеклянные банки с горящими свечами. Управляющий студией Ричарда притащил наверх два их самых больших стола, а он заказал кейтеринг и нанял бармена. Они позвали всех, кого только могли, — всех общих друзей и всех друзей Виллема тоже. Гарольд и Джулия, Джеймс и Кэри, Лоренс и Джиллиан, Лайонел и Синклер приехали из Бостона, Кит приехал из Лос-Анджелеса, Каролина — из Йонтвилля, Федра и Ситизен — из Парижа, друзья Виллема, Кресси и Сюзанна, — из Лондона, Мигель — из Мадрида. Он заставил себя встать, смешаться с толпой, где были люди, которых он знал только по рассказам Виллема — режиссеры, актеры и драматурги, — и они все подходили к нему, говорили, что уже столько лет о нем слышали, а теперь вот рады наконец с ним познакомиться, что они подозревали даже, будто Виллем его выдумал, и он, конечно, смеялся, но и печалился тоже, наверное, потому, что надо было ему махнуть рукой на свои страхи и почаще показываться вместе с Виллемом.

Здесь собралось столько людей, которые много лет друг друга не видели, что вечеринка выдалась шумной, на такие вечеринки они ходили в молодости, все разговаривали, стараясь переорать музыку, которой заведовал один из помощников Ричарда, диджей-любитель, и через пару часов он здорово утомился и, прислонившись к северной стене лофта, глядел, как остальные танцуют. Где-то в толпе он заметил Виллема, танцевавшего с Джулией, и улыбался, глядя на них, а потом заметил, что на другой стороне комнаты стоит Гарольд, который тоже на них смотрит и тоже улыбается. Тут Гарольд его увидел, отсалютовал ему бокалом — он в ответ поднял свой и увидел, что теперь Гарольд пробирается к нему.

— Отличная вечеринка! — прокричал Гарольд ему на ухо.

— Это все Ричард! — прокричал он в ответ и хотел что-то добавить, но тут музыка стала еще громче, и они с Гарольдом глянули друг на друга, пожали плечами и рассмеялись.

Какое-то время они просто стояли, улыбаясь и глядя, как перед ними мельтешат танцоры. Он устал, у него все болело, но все это было не важно, усталость казалась ему сладостной, теплой, боль была привычной, ожидаемой, и в такие вот минуты он понимал, что способен радоваться, что жизнь у него не без ложки меда. Тут сменилась музыка, стала неспешной, поплыла, и Гарольд прокричал, что хочет вызволить Джулию из лап Виллема.

— Иди, — ответил он и вдруг, повинуясь какому-то импульсу, потянулся к Гарольду, обнял его, впервые по собственной воле дотронулся до него после того случая с Калебом. Он видел, как Гарольд поначалу замер, а потом просиял, и его так и накрыло чувством вины, и он как можно быстрее отодвинулся, прогоняя Гарольда — мол, иди-иди, танцуй.

В одном углу было гнездышко из набитых ватой мешков, которые Ричард разложил для тех, кому захочется куда-то приткнуться, и он уже шел к ним, когда Виллем поймал его за руку:

— Пойдем потанцуем.

— Виллем, — с улыбкой принялся отнекиваться он, — ты же знаешь, что я не умею танцевать.

Виллем окинул его оценивающим взглядом.

— Пойдем со мной, — сказал он, и он пошел — в восточный угол лофта, и Виллем затащил его в ванную, запер дверь, поставил свой бокал на край раковины. Музыку здесь все равно было слышно — играла песня, которая была популярна, когда они учились в колледже, глупая, но даже какая-то трогательная в этой своей бесстыдной сентиментальности, сиропности, искренности; в ванную она просачивалась глухой струйкой, словно из далекой равнины.

— Обними меня вот так, — велел ему Виллем, и он обнял. — Теперь я двигаю левую ногу вперед, а ты отставляй правую назад. — И он отставил.

Какое-то время они топтались на месте, медленно и неуклюже, молча глядя друг на друга.

— Видишь? — тихо сказал Виллем. — Ты танцуешь.

— Очень плохо танцую, — смутившись, пробормотал он.

— Ты отлично танцуешь, — сказал Виллем, и хотя ноги у него уже болели так, что его даже пот прошиб, до того он крепился, чтобы не закричать, но он все равно двигался, правда еле-еле, так что к концу песни они просто покачивались туда-сюда, не отрывая ног от пола, и Виллем придерживал его, чтобы он не упал.

Когда они вышли из ванной, группка людей, стоявших неподалеку от двери, одобрительно заулюлюкала, и он покраснел — в последний, в самый последний раз они с Виллемом занимались сексом почти полтора года назад, — но Виллем рассмеялся и вскинул кулак, словно боец, только что победивший в раунде.

А потом настал апрель и его сорок седьмой день рождения, а за ним — май, в мае у него открылись раны на обеих голенях, а Виллем улетел в Стамбул сниматься во второй части шпионской трилогии. Он рассказал Виллему о ранах, он старался рассказывать обо всем, что случалось, даже если ему это не казалось важным, — и Виллем встревожился.

Сам он, впрочем, не волновался. Сколько у него этих ран уже было? Десятки, дюжины. Он просто тратил больше времени на то, чтобы с ними справиться. Энди он теперь посещал два раза в неделю: в обед по вторникам и в пятницу вечером, один раз, чтобы очистить рану, и один — для вакуумной терапии, которую проводила медсестра. Энди раньше считал, что для такого лечения (на открытой ране закрепляли стерильный пеноматериал и через насадку откачивали воздух, в результате чего пена, как губка, всасывала омертвевшую ткань) у него слишком тонкая кожа, но в последнее время он хорошо переносил эту процедуру, да и помогала она ему гораздо лучше, чем простое очищение.

С возрастом состояние ран — частота их появлений, степень тяжести, размер и то, сколько неудобств они ему причиняли — непрерывно ухудшалось. В прошлом, в десятилетиях прошлого остались те дни, когда он мог пройти хоть сколько-нибудь ощутимое расстояние с ранами на ногах. (Воспоминания о том, как он с такой вот раной на ноге прогуливался — не без боли, конечно — от Чайнатауна до Верхнего Ист-Сайда, теперь казались настолько странными и далекими, что как будто бы были вовсе не его воспоминаниями.) Когда он был моложе, одна рана могла затянуться за несколько недель. Теперь на это уходили месяцы. Но с ним столько творилось неладного, что раны его волновали меньше всего — хотя с их появлением он свыкнуться так и не смог. Крови он, конечно, не боялся, но до сих пор, даже по прошествии стольких лет, не мог спокойно смотреть на гной, гниение и на то, как его тело в отчаянной попытке излечиться убивает часть себя.

Когда Виллем вернулся домой насовсем, лучше ему не стало. Теперь у него было четыре раны на голенях, столько сразу — впервые, и хотя он все равно старался ходить каждый день, иногда ему трудно было даже стоять, и теперь он тщательно анализировал каждое усилие: он идет, потому что, кажется, может ходить, или он идет, потому что хочет доказать себе, что может ходить. Он чувствовал, что худеет, чувствовал, что слабеет — он уже не мог больше даже плавать по утрам, — но всерьез в этом убедился, только увидев лицо Виллема.

— Джуди, — тихонько сказал Виллем и опустился на колени возле дивана, — ну что же ты мне не сказал.

Странно, конечно, но говорить-то было и нечего, ведь все это — он и есть. А если не брать в расчет ноги и спину, так он и вовсе чувствовал себя нормально. Он чувствовал себя — хоть и не решался сказать, боясь показаться самонадеянным — душевно здоровым. Он снова резал себя всего раз в неделю. Он обнаружил, что насвистывает, когда снимает вечером штаны и осматривает кожу вокруг повязок, проверяя, не промокли ли они. Люди привыкают к своим телам в любом их виде, и он не был исключением. Если тело здоровое — ждешь, что оно всегда будет тебя слушаться, постоянно, с полуслова. Тело больное — и ожидания другие. По крайней мере, к этому он пытался себя приучить.

Виллем вернулся в конце июля и вскоре после этого разрешил ему прекратить их — по большей части молчаливые — отношения с доктором Ломаном, но только потому, что у него теперь действительно не оставалось на них времени. Он тратил на врачей четыре часа в неделю — два на Энди, два на Ломана, — и эти два часа были ему нужны теперь, чтобы дважды в неделю ездить в больницу, где он снимал штаны, перекидывал галстук через плечо и заезжал в компрессионную камеру, в стеклянный гроб, в котором он лежал, работал и надеялся, что концентрированный кислород, который туда со всех сторон закачивают, ускорит заживление ран. Он чувствовал себя виноватым в том, что за полтора года не рассказал Ломану почти ничего, что почти все это время ребячливо оборонял свои тайны, стараясь ничего не выдать, впустую тратя и свое время, и время доктора. Впрочем, его ноги были одной из немногих тем, которые им удалось обсудить, — не как он получил травму, а как именно он их лечит, — и во время их последнего сеанса доктор Ломан спросил, что будет, если он все-таки не поправится.

— Подозреваю, что ампутация, — сказал он, стараясь говорить непринужденно, хотя, конечно, ничего непринужденного в этом не было, да и какие уж тут подозрения, он наверняка знал две вещи: что когда-нибудь умрет и что умрет он уже без ног.

Он просто надеялся, что случится это еще не скоро. *Пожалуйста*, иногда умолял он ноги, лежа в стеклянном коробе. *Пожалуйста. Ну дайте мне еще несколько лет. Еще десять лет. Пусть я доживу целым до пятидесяти, до шестидесяти. Я буду о вас заботиться, я обещаю.*

К концу лета он так свыкся и с новым витком болезни, и с лечением, что даже не сразу задумался о том, как все это сказывается на Виллеме. В начале августа они обсуждали, как праздновать (праздновать ли? или не стоит?) сорок девятый день рождения Виллема, и Виллем сказал, что в этом году надо обойтись как-то по-простому.

— Ну тогда мы в следующем году что-нибудь грандиозное устроим на твое пятидесятилетие, — сказал он. — Если я, конечно, жив буду. — И только заметив, что Виллем вдруг замолчал, он поднял голову от плиты, увидел выражение лица Виллема и понял, что зря это сказал. — Виллем, прости. — Он выключил газ и медленно, превозмогая боль, поплелся к нему. — Прости.

— Нельзя так шутить, Джуд, — сказал Виллем, обняв его.

— Знаю, — ответил он. — Прости меня. Я глупость сказал. Конечно, никуда я в следующем году не денусь.

— И еще много лет не денешься.

— И еще много лет не денусь.

Сейчас уже сентябрь, и он лежит на смотровой кушетке у Энди, раны на ногах открыты, по сей день — как лопнувшие спелые гранаты, а по ночам он лежит в постели рядом с Виллемом. Он до сих пор остро чувствует нестандартность их отношений, и часто его мучает совесть из-за того, что он не хочет исполнять фактически одну из ключевых обязанностей совместной жизни. Иногда он думает, что готов решиться на это снова, но затем, едва он собирается сказать об этом Виллему, как вдруг осекается и тихонько упускает очередную возможность. Но даже сильное чувство вины не может заглушить ни огромного облегчения, которое он испытывает, ни благодарности за то, что он, несмотря на свою ущербность, сумел сохранить Виллема — это чудо, и поэтому в остальном он старается всеми способами донести до Виллема, как он ему благодарен.

Однажды посреди ночи он просыпается в таком поту, что простыни под ним, кажется, только что вытащили из лужи, и он в полусне вскакивает, не успев понять, что стоять не может, — и падает. Тогда просыпается Виллем, приносит ему градусник, нависает над ним, пока он держит градусник под языком.

— Сто два, — говорит Виллем, взглянув на градусник, и трогает его лоб. — Да тебя знобит. — Он с тревогой глядит на него. — Я сейчас позвоню Энди.

— Не звони Энди. — Несмотря на то что он вспотел, несмотря на лихорадку и озноб, чувствует он себя нормально, больным себя не чувствует. — Аспирин выпью, и все.

И Виллем приносит ему аспирин, приносит ему рубашку, меняет постельное белье, и они снова засыпают в обнимку.

На следующую ночь он снова просыпается с температурой — его снова знобит, снова прошибает пот.

— Что-то гуляет по офису, — на этот раз говорит он Виллему. — Какой-то двухдневный грипп. Подхватил, наверное.

Он снова принимает аспирин, от аспирина ему снова становится легче, он снова засыпает.

Следующий день — пятница, он идет к Энди прочищать раны, но ничего не говорит ему о лихорадке, которая, впрочем, к утру проходит. Вечером Виллема нет дома, он ужинает с Романом и рано ложится в кровать, предварительно выпив пару таблеток аспирина. Он засыпает так глубоко, что даже не слышит прихода Виллема, а наутро просыпается в таком поту, будто стоял под душем, а ноги и руки у него занемели и трясутся. Рядом с ним тихонько посапывает Виллем, и он медленно садится, проводит руками по мокрым волосам.

В субботу он и вправду чувствует себя лучше. Он идет на работу. Виллем отправляется обедать с режиссером. Перед тем как вечером уйти из офиса, он пишет Виллему, чтобы тот позвал Индию с Ричардом поесть с ними суши в Верхнем Ист-Сайде, в ресторанчике, куда они с Энди иногда ходят после его процедур. У них с Виллемом и на Грин-стрит есть два любимых места, где можно поесть суши, но там везде нужно спускаться вниз по ступенькам, которые он не одолеет, поэтому они там уже несколько месяцев не были. Вечером у него хороший аппетит, и даже когда в середине ужина на него резко наваливается усталость, он все равно чувствует, что прекрасно проводит время, что он рад очутиться в этом теплом местечке с желтыми огоньками фонариков над головой, с лежащей перед ним деревянной доской, похожей на подошву от гэта, на которой выложены язычки сашими из скумбрии — любимое блюдо Виллема. В какой-то момент он — от усталости и от нежности — приваливается к Виллему и даже не отдает себе в этом отчета, пока Виллем не прижимает его к себе.

Потом он просыпается дома, в растерянности, и видит, что Гарольд сидит рядом с ним и не сводит с него взгляда.

— Гарольд, — спрашивает он. — Что ты здесь делаешь?

Но Гарольд ничего не отвечает и молча набрасывается на него, и все внутри у него подкатывает к горлу, когда он понимает, что Гарольд пытается его раздеть. Нет, думает он. *Только не Гарольд. Этого быть не может.* Один из его самых глубоких, самых мерзких, самых потаенных страхов вдруг становится явью. Тут в нем просыпается старинный рефлекс: Гарольд — это просто очередной клиент, значит, от него можно отбиться. Тогда он принимается кричать, вертеться, размахивать руками и — по мере возможности — ногами, пытаясь напугать, пытаясь устыдить этого молчаливого, напористого Гарольда, подзывая брата Луку на помощь.

Но тут Гарольд внезапно исчезает, и на его месте появляется Виллем — его лицо близко-близко, и он что-то говорит, только непонятно что. Но он видит, что за спиной у Виллема стоит Гарольд с непривычным, угрюмым лицом, и снова начинает вырываться. Он слышит над собой какие-то голоса, слышит, что Виллем с кем-то разговаривает, и даже сквозь свой собственный страх чувствует страх Виллема.

— Виллем, — зовет его он, — он хочет меня обидеть, не давай меня в обиду, Виллем. Помоги мне. Помоги мне, пожалуйста.

Потом — ничего, время чернеет и тянется, и когда он снова приходит в себя, он в больнице.

— Виллем? — взывает он к комнате, и Виллем сразу появляется, садится на кровать, берет его за руку.

Из тыльной стороны ладони у него, змеясь, выползают пластмассовые трубки, из другой ладони — тоже.

— Осторожно с капельницами, — говорит Виллем.

Они молчат, Виллем поглаживает его по голове.

— Он хотел напасть на меня, — наконец, запинаясь, признается он Виллему. — Ни за что бы не подумал, что Гарольд так со мной поступит. Ни за что.

Виллем замирает.

— Нет, Джуд, — говорит он. — Гарольда тут не было. Тебя лихорадило, ты бредил, ничего этого не было.

Он слушает его с ужасом и облегчением. С облегчением — потому что ничего этого не было, с ужасом — потому что все казалось таким реальным, таким настоящим. С ужасом — потому что как тогда это его характеризует, что тогда вообще можно сказать о его мыслях и о его страхах, если он даже о Гарольде может такое подумать? Насколько же тогда жесток его собственный разум, если он пытается настроить его против человека, которому он с таким трудом учился доверять, человека, от которого он видел одну доброту? Он чувствует, как к глазам подступают слезы, но все равно спрашивает Виллема:

— Он же со мной ничего такого не сделает, да, Виллем?

— Нет, — говорит Виллем, и голос у него напряженный. — Никогда, Джуд. Никогда, ни за что Гарольд с тобой ничего такого не сделает.

Когда он снова просыпается, то понимает, что не знает, какой сегодня день, и когда Виллем ему говорит, что понедельник, его охватывает паника.

— Работа, — говорит он. — Мне нужно на работу.

— Ну вот еще, — резко обрывает его Виллем. — На работу я позвонил, Джуд. Никуда ты не пойдешь, пока Энди не поймет, что с тобой творится.

Потом приходят Гарольд с Джулией, и когда Гарольд его обнимает, он усилием воли заставляет себя тоже его обнять, хоть и не может на него глядеть. За плечом у Гарольда он видит Виллема, который ободряюще ему кивает.

К ним присоединяется Энди.

— Остеомиелит, — тихо сообщает он ему, — инфекция в кости.

Энди объясняет, что его ждет: в больнице ему придется остаться еще на неделю…

— На неделю! — восклицает он, и тут все четверо разом начинают на него орать, так что он и сказать больше ничего не успевает…

…или две, пока не собьют температуру. Антибиотики ему будут вводить через центральный катетер, а потом еще месяца два или два с половиной амбулаторного лечения. Медсестра каждый день будет приходить и ставить ему капельницу, лежать под ней нужно час, никаких пропусков. Когда он снова пытается что-то возразить, Энди его перебивает.

— Джуд, — говорит он, — все серьезно. Правда. И срать я хотел на "Розен Притчард". Хочешь сохранить ноги, будешь делать все, что я скажу, понял?

Остальные молчат.

— Да, — наконец говорит он.

Приходит медсестра, чтобы подготовить его к введению центрального венозного катетера, который Энди поставит ему прямо под правую ключицу, в подключичную вену.

— Вена сложная, в нее просто так не попасть, потому что глубокая, — говорит медсестра, отгибая воротник больничной рубашки, протирая участок кожи. — Но вам повезло с доктором Контрактором. Он с иголками отлично управляется, еще ни разу не промахнулся.

Он и не волнуется, но знает, что волнуется Виллем, и он держит Виллема за руку, пока Энди сначала вводит ему под кожу холодную металлическую иглу, а затем протягивает через нее кольца проводника.

— Не смотри, — говорит он Виллему. — Все нормально.

И поэтому Виллем глядит ему прямо в лицо, и поэтому он изо всех сил старается не дергаться и сохранять спокойствие, пока Энди ставит ему катетер и, наконец, закрепляет тонкую пластмассовую трубку у него на груди.

Он спит. Поначалу он рассчитывал, что сможет работать из больницы, но он куда слабее, чем думал, рассудок куда мутнее, и сил у него хватает только на то, чтобы поговорить с руководителями разных отделов и кое с кем из коллег.

Гарольд и Джулия уходят — у них семинары и консультации, — но о том, что он лежит в больнице, они сообщают только Ричарду и нескольким коллегам Джуда: долго он здесь не пробудет, а Виллем считает, что сон ему нужен куда больше, чем посетители. Его по-прежнему лихорадит, но уже не так сильно, и бредить он больше не бредит. Странно, но, несмотря на все случившееся, он чувствует себя если не бодрее, то уж точно спокойнее. Все вокруг такие серьезные, так поджимают губы, что он упрямо хочет им доказать, что они неправы, что все не так уж серьезно, как они ему твердят.

Он и не помнит уже, когда именно они с Виллемом стали называть больницу отелем "Контрактор" в честь Энди — кажется, будто они всегда только так и говорили.

"Ты поосторожнее, — предупреждал его Виллем, когда они еще жили на Лиспенард-стрит и он, например, рубил на стейки кусок мяса, который очарованный Виллемом су-шеф украдкой сунул ему в конце смены, — тесак очень острый, отрубишь себе палец — придется ехать в отель "Контрактор".

Или вот однажды, когда он лежал в больнице с кожной инфекцией, он послал Виллему (который уехал на какие-то очередные съемки) сообщение: "В отеле "Контрактор", ничего серьезного, но не хочу, чтобы ты узнал от М или ДБ". Но теперь, когда он хочет пошутить что-нибудь насчет отеля "Контрактор" — например, пожаловаться, что в отеле все хуже и хуже с доставкой еды и напитков в номер или что качество простыней оставляет желать лучшего, — Виллем не реагирует.

— Не смешно, Джуд, — срывается он в пятницу вечером, пока они ждут Гарольда с Джулией, которые везут им обед. — Блядь, будь ты уже посерьезнее.

Тогда он умолкает, они глядят друг на друга.

— Я так испугался, — тихо говорит Виллем. — Тебе было так плохо, я не знал, что будет, я так испугался.

— Виллем, — ласково говорит он. — Я знаю. Я так тебе благодарен. — И поспешно продолжает, пока Виллем не успел сказать, что не нужна ему благодарность, ему нужно, чтобы он серьезно относился к происходящему: — Я буду слушаться Энди, честно. Честное слово, я очень серьезно ко всему отношусь. И, честное слово, у меня ничего не болит. Я хорошо себя чувствую. И все будет хорошо.

Через десять дней Энди наконец объявляет, что лихорадку они победили, его выписывают, но еще два дня он должен лежать дома. В пятницу он возвращается в офис. От водителей он всегда отказывался — он любил водить сам, любил независимость и уединение, но теперь помощник Виллема нанял ему водителя, маленького серьезного мужчину по имени мистер Ахмед, и теперь по дороге на работу и с работы он спит. Мистер Ахмед также возит Патрицию, его медсестру, необщительную, но очень добрую женщину, которая каждый день ровно в час приезжает к нему в "Розен Притчард". У него стеклянный офис, который выходит в коридор, поэтому он опускает жалюзи, снимает пиджак, галстук и рубашку, ложится в майке на диван и накрывается пледом, а Патриция прочищает катетер, осматривает кожу вокруг, чтобы проверить, нет ли заражения — не опухла ли кожа, не покраснела ли, — затем вставляет капельницу и ждет, пока лекарство капает в катетер и проскальзывает в его вену. Он работает, она читает медицинский журнал или вяжет. Вскоре он привыкает и к этому; по пятницам он приезжает к Энди, который прочищает его раны, а потом осматривает его и отсылает в больницу на рентген — нужно следить, чтобы инфекция не распространялась.

Из-за его лечения они не могут никуда уехать на выходные, но в начале октября, после месяца на антибиотиках, Энди сообщает ему, что они с Виллемом поговорили, и, если он не против, они с Джейн приедут к ним на выходные в Гаррисон, и он сам поставит ему капельницу.

Выбраться из города, снова оказаться в своем доме — такая редкость, до того замечательно, и они с удовольствием проводят время вчетвером. У него даже хватает сил на небольшую экскурсию для Энди — он был здесь только весной и летом, но осенью дом и места вокруг становились совсем другими — нагими, печальными, прекрасными, вся крыша пристройки была облеплена желтыми листьями гинкго, и казалось, будто она покрыта листовым золотом.

В субботу вечером за ужином Энди его спрашивает:
— Ты понимаешь вообще, что мы с тобой уже тридцать лет знакомы?
— Понимаю, — улыбается он.

Он даже купил Энди подарок на годовщину — сафари для него и всей его семьи, с открытой датой, но пока о подарке ему не сказал.
— Тридцать лет непослушания, — стонет Энди, а все остальные смеются, — тридцать лет я раздаю бесценные медицинские советы, полученные за годы работы и обучения в лучших заведениях, только ради того, чтобы от них отмахивался корпоративный юрист, который решил, что лучше моего знает биологию человека.

Когда смех стихает, Джейн говорит:
— Но, знаешь, Энди, если бы не Джуд, я бы за тебя не вышла. — А ему она говорит: — Когда мы с Энди учились, Джуд, я всегда считала, что он самовлюбленный мудак, до того высокомерно он себя вел, почти как подросток…
— Чего-чего? — кричит Энди, притворяясь оскорбленным.

— ...что я думала, из него получится типичный такой хирург, ну, знаешь, который "не обязательно прав, но обязательно во всем уверен". Но однажды я услышала, как он говорит о тебе, как сильно он тебя любит и уважает, и подумала, а может, что-то в нем и есть. И оказалась права.

— Права, — говорит он ей, когда они все снова перестают смеяться, — ты была права.

И все они смотрят на Энди, а тот, смутившись, наливает себе еще вина.

Через неделю Виллем начинает готовиться к новым съемкам. Месяц назад, когда он заболел, Виллем от этого проекта отказался, но проект придержали ради него, и теперь, когда все вроде бы наладилось, он снова к нему вернулся. Он не понимает, зачем Виллем вообще тогда отказался — фильм-то был ремейком "Отчаянных героев", почти все съемки будут проходить в Бруклинских высотах, всего-то через реку, — но он рад, что Виллем снова занят делом и не вертится вокруг него с озабоченным лицом, не спрашивает, точно ли у него хватит сил, если он решает сделать что-то совсем уж простое (сходить за продуктами, приготовить еду, задержаться на работе).

В начале ноября он снова попадает в больницу с высокой температурой, но в этот раз всего на два дня. Каждую неделю Патриция берет у него кровь для анализа, но Энди говорит, что нужно набраться терпения: костная инфекция быстро не проходит, и он, скорее всего, только по истечении трехмесячного цикла сможет понять, удалось ее вылечить полностью или нет. Но в остальном все тянется своим чередом. Он ходит на работу. На процедуры в компрессионной камере. На вакуумную чистку ран. На перевязки. Побочный эффект от антибиотиков — диарея, еще один — тошнота. Он терял вес так быстро, что и сам уже считал это проблемой, пришлось ушить восемь рубашек и два костюма. Энди прописал ему высококалорийные коктейли, которыми обычно кормят голодающих детей, и он глотает их по пять раз на дню, а потом запивает водой известковый, липнущий к языку вкус. Он впервые так послушно соблюдает все предписания Энди — ну разве что на работе по-прежнему засиживается допоздна, но в остальном делает все, что тот ему говорит. Он гонит от себя мысли о том, чем закончится этот его приступ болезни, гонит от себя тревогу, но в темные минуты затишья прокручивает в голове вердикт Энди после недавнего осмотра: "Сердце — идеальное. Легкие — идеальные. Зрение, слух, холестерин, простата, сахар в крови, давление, липиды, почки, печень, щитовидная железа — все в идеальном состоянии. Джуд, твое тело может работать на всю катушку, ты уж ему, пожалуйста, не мешай". Он знает, впрочем, что характеристика это неполная: кровообращение, например, у него не идеальное, рефлексы не идеальные, все, что ниже мошонки, — никуда не годится, но он старательно утешает себя этими словами Энди, твердит себе, что все могло быть и хуже, что в целом он вполне здоровый и вполне везучий человек.

Конец ноября. Виллем заканчивает сниматься в "Отчаянных героях". Они празднуют День благодарения с Гарольдом и Джулией в их нью-йоркской квартире; несмотря на то что они каждые выходные приезжают в город проведать его, он видит, как они изо всех сил сдерживаются, чтобы промолчать о том, как он выглядит, как мало он ест за ужином. Неделя после Дня благодарения становится и последней неделей антибиотиков, и после очередного раунда анализов и рентгенов Энди сообщает ему, что с антибиотиками покончено. Он прощается с Патрицией, надеясь, что теперь уже навсегда, в знак благодарности за заботу дарит ей подарок.

Раны его, конечно, поуменьшились, но не сильно, не так, как хотелось бы Энди, и по его совету на Рождество они остаются в Гаррисоне. Они дают Энди слово, что каникулы будут тихими, все равно из Нью-Йорка все поразъехались, так что дома будут только они и Гарольд с Джулией.

— У тебя две задачи: есть и спать, — говорит Энди, уезжающий на каникулы в Сан-Франциско, навестить Беккета. — К первой пятнице января ты должен набрать пять фунтов.

— Пять фунтов — это много, — отвечает он.

— Пять, — повторяет Энди, — и в идеале еще пятнадцать потом.

На Рождество, ровно через год после того, как они с Виллемом гуляли по приземистым, холмистым склонам гор в Пунакхе и забрели за охотничью сторожку короля, незатейливую деревянную постройку, куда, казалось, могут набиться какие-нибудь чосеровские паломники, а не члены королевской семьи, он говорит Гарольду, что хочет пройтись. Джулия с Виллемом уехали к знакомым на соседнюю ферму — кататься на лошадях, а он давно не чувствовал себя так хорошо.

— Джуд, я даже не знаю, — настороженно говорит Гарольд.

— Да брось, Гарольд, — говорит он. — Давай, только до первой скамейки.

Малкольм прорубил тропу сквозь начинающийся сразу за домом лесок и вдоль тропы, которая огибала озеро, поставил через равные промежутки три скамейки.

— Мы пойдем медленно, я возьму трость. — Он уже много лет не ходил с тростью, с тех самых пор, как был еще подростком, но теперь, если он хочет одолеть хотя бы больше пятидесяти ярдов, ему без нее не обойтись.

Наконец Гарольд соглашается, и он быстро хватает шарф и пальто, пока тот не успел передумать.

Стоит им выйти за дверь, как его эйфория усиливается. Он любит этот дом, любит сам его вид, любит его тишину, но больше всего он любит в нем то, что это их с Виллемом дом: ничего более отличного от Лиспенард-стрит и вообразить нельзя, но, как и та квартира, это их дом, место, которое они вместе обустроили и обжили. Дом — набор стеклянных кубов — глядит еще на один лес, из которого к дому выходит подъездная дорожка, такая извилистая, что видны только ее участки, а иногда она и вовсе пропадает из виду. По вечерам, когда в доме зажигают свет, он весь сияет, будто фонарь, поэтому-то Малкольм в своей монографии так его и назвал: Фонарный дом. За домом широкая лужайка, а за ней озеро. В конце лужайки — бассейн, устланный сланцевыми плитами, так что вода в нем даже в самую жару остается прохладной и чистой, а в пристройке крытый бассейн и гостиная; все стены пристройки поднимаются, чтобы из дома были видны древовидные пионы и кусты сирени, которые зацветают в начале весны, чтобы видны были соцветия глициний, которые в начале лета льются с крыши. Справа от дома поле, которое в июле краснеет маками, слева — тоже поле, где они с Виллемом разбросали тысячи семян луговых цветов: космеи, маргариток, наперстянок и дикой моркови. Как-то раз, почти сразу после переезда, они все выходные потратили на то, чтобы обойти лес — и тот, что за домом, и тот, что перед ним — и посадить ландыши в мшистых кочках под дубами и вязами, разбросать везде семена мяты. Они знали, что Малкольм не одобрял их потуги в ландшафтном дизайне — ему это все казалось сентиментальной банальщиной, — и знали, что Малкольм, наверное, даже прав, но их это не слишком заботило. Весной и летом воздух делался таким душистым, что они часто вспоминали напористую уродливость Лиспенард-стрит, и как тогда у них даже воображения не хватало, чтоб представить такое вот место — настолько безыскусно, настолько неоспоримо прекрасное, что иногда им казалось, будто это все иллюзия.

Они с Гарольдом идут в сторону леса, где теперь есть тропинка и ходить гораздо легче, чем когда здесь все только строилось. Но даже теперь ему нужно очень внимательно глядеть под ноги, потому что тропинку чистят раз в сезон, а все остальное время она зарастает сучьями, корой, молодой порослью и папоротником.

Они еще не прошли и полпути до первой скамейки, а он уже понимает, что совершил ошибку. Ноги у него заныли, едва он пересек лужайку, а теперь ноют еще и ступни, каждый шаг дается с трудом. Но он ничего не говорит и только крепче сжимает трость, стараясь перераспределить свою боль, и идет вперед, скрипя зубами и стискивая челюсти. Когда они доходят до скамейки — которая и не скамейка вовсе, а просто глыба темно-серого известняка, — у него уже все плывет перед глазами, и они долго сидят, разговаривают и глядят на озеро, которое в холодном воздухе кажется серебристым.

— Зябко уже, — наконец говорит Гарольд, и это правда, он через штаны чувствует, до чего камень холодный, — нам с тобой уже домой надо.

— Хорошо, — сглатывает он, встает и хватает ртом воздух, потому что боль раскаленным колом вонзается ему в ноги, но Гарольд ничего не замечает.

Они делают по лесу каких-нибудь тридцать шагов, и тут он останавливает Гарольда.

— Гарольд, — говорит он, — мне нужно… мне нужно…

Но договорить у него не получается.

— Джуд, — говорит Гарольд, и он видит, как тот встревожен.

Он перекидывает его левую руку через шею, берет его за руку.

— Навались на меня всем телом, — говорит Гарольд, другой рукой обхватывая его за пояс, и он кивает. — Готов?

Он кивает снова.

Им удается сделать еще двадцать шагов — очень медленных шагов, ногами он загребает лесную грязь, — но потом двигаться он больше просто не может.

— Не могу, Гарольд, — говорит он, еле ворочая языком, до того боль острая, такой боли он не испытывал уже очень давно. Так сильно у него болели ноги, ступни и спина, когда он лежал в филадельфийской больнице, и он отпускает Гарольда и падает на землю.

— Господи, Джуд. — Гарольд склоняется над ним, помогает ему сесть, прислониться к дереву, а он думает, до чего же он тупой, до чего себялюбивый. Гарольду семьдесят два. Нельзя просить семидесятидвухлетнего мужчину, даже если этот мужчина в превосходной форме, о помощи, которая требует физических усилий. Он не может открыть глаза, потому что мир описывает вокруг него круги, но слышит, как Гарольд вытаскивает телефон, как пытается дозвониться Виллему, но лес густой, связь плохая, и Гарольд чертыхается.

— Джуд, — слышит он голос Гарольда, только голос этот очень слабый. — Мне придется сбегать домой за креслом. Прости. Я скоро вернусь.

Он еле заметно кивает и чувствует, как Гарольд застегивает на нем пальто на все пуговицы, засовывает его руки в карманы, обертывает чем-то его ноги, — он понимает, что Гарольд снял с себя пальто.

— Я скоро, — повторяет Гарольд. — Я скоро.

Он слышит, как Гарольд убегает, как хрустят и шуршат у него под ногами ветки и листья.

Он поворачивает голову набок, земля под ним опасно накреняется, и он выблевывает, выкашливает все, что сегодня съел, чувствуя, как все это ползет у него по губам, свисает со щеки. Тут ему становится немного полегче, и он снова приваливается к дереву. Он вспоминает тот лес, через который убегал из приюта, вспоминает, как надеялся, что деревья его защитят, и теперь он снова на это надеется. Он вытаскивает руку из кармана, нашаривает трость и сжимает ее что есть сил. Под закрытыми веками яркие стеклярусные капли света разлетаются как конфетти, растекаются масляными разводами. Он сосредотачивается на звуках дыхания, затем — на ногах, представляя их огромными, суковатыми дубинами, куда вкручены десятки длинных металлических болтов, каждый в большой палец толщиной. Он представляет, как выкручивает эти болты, как каждый медленно вывинчивается из него и с оглушительным звоном падает на цементный пол. Его снова рвет. Он очень замерз. Он чувствует спазмы дрожи.

И тут он слышит, что кто-то бежит к нему, и по запаху — по любимому сандаловому запаху — понимает, что это Виллем, еще даже до того, как слышит его голос. Виллем хватает его, поднимает, и все вокруг снова кренится, и он боится, что его снова вырвет, но этого не происходит, и он обхватывает Виллема за шею правой рукой, утыкается перемазанным в рвоте лицом ему в плечо и позволяет Виллему себя нести. Он слышит, как Виллем пыхтит — он, конечно, весит меньше Виллема, но они одного роста, и он понимает, до чего неудобно, наверное, его тащить, вместе с этой его клюкой — он так и сжимает в ее руке, она задевает бедро Виллема, его ноги, болтаясь, бьет Виллема по ребрам, — и поэтому он рад, когда чувствует, как его сажают в кресло, когда слышит над головой голоса Виллема и Гарольда.

Он наклоняется, утыкается лбом в колени, коляску выталкивают из леса, вкатывают по холму в дом, а дома его перекладывают на кровать. Кто-то снимает с него ботинки, и он кричит, и перед ним извиняются, кто-то вытирает ему лицо, кто-то сует ему в руки грелку, кто-то укутывает ноги одеялами. Он слышит сердитый голос Виллема:

— Какого хера ты согласился? Знал ведь, что у него сил на это нет ни хера!

И жалкий, виноватый голос Гарольда:

— Знаю, Виллем. Я так об этом жалею. Это идиотизм. Но ему так хотелось пойти.

Он пытается что-то сказать в защиту Гарольда, сказать Виллему, что это он во всем виноват, что это он заставил Гарольда с ним пойти, но у него не получается.

— Открой рот, — говорит Виллем, и он чувствует на языке горький металлический вкус таблетки.

Чувствует, как к губам прижимают стакан воды.

— Глотай, — говорит Виллем, и вскоре после этого мир перестает существовать.

Когда он приходит в себя, то видит Виллема, который сидит на кровати и глядит на него.

— Прости, пожалуйста, — шепчет он, но Виллем молчит.

Он протягивает руку, касается волос Виллема.

— Виллем, — говорит он, — Гарольд ни в чем не виноват. Я вынудил его пойти.

Виллем фыркает.

— Ну это ясно, — отвечает он, — но все равно ему не стоило соглашаться.

Они долго молчат, и он думает о том, что нужно сказать, о чем он думает всегда, но так пока и не облек в слова.

— Я знаю, тебе это покажется нелогичным, — говорит он Виллему, который взглядывает на него, — но даже по прошествии стольких лет у меня все равно не получается считать себя инвалидом. Ну то есть… я знаю, что я инвалид. Я знаю. Я был инвалидом в два раза дольше, чем им не был. Ты знал меня только таким, только человеком, который… который не может без посторонней помощи. Но я-то помню, как мог пойти куда захочу, помню, как мог бегать. Наверное, каждый человек, становясь инвалидом, думает, что его как будто обокрали. Но мне, наверное, всегда казалось, что… что если я объявлю себя инвалидом, значит, доктор Трейлор победил, значит, я позволил ему распорядиться моей жизнью. Поэтому я и притворяюсь, что я не инвалид, притворяюсь тем, кем был до встречи с ним. Я понимаю, что это нелогично, что это непрактично. Но, главное, мне очень стыдно, потому что… потому что я знаю, какой это эгоизм. Знаю, что это мое притворство сказывается на тебе. И я… больше не буду.

Он глубоко вздыхает, закрывает и открывает глаза.

— Я инвалид, — говорит он. — Я калека.

Глупость, конечно — ведь ему уже сорок семь, у него ушло тридцать два года на то, чтобы самому себе в этом признаться, — но он чувствует, что вот-вот расплачется.

— Ох, Джуд, — произносит Виллем и прижимает его к себе, — я знаю, что тебе стыдно. Знаю, как это все тяжело. Я понимаю, почему ты никогда не хотел этого признавать. Я просто волнуюсь за тебя, мне иногда кажется, будто я больше твоего хочу, чтобы ты жил.

Он ежится, услышав это.

— Нет, Виллем, — говорит он. — Ну то есть… может, когда-то так оно и было. Но не теперь.

— Так докажи мне это, — помолчав, говорит Виллем.

— Докажу, — говорит он.

Январь, февраль. Дел невпроворот, давно такого не было. Виллем репетирует пьесу. Март: открываются две новых раны, обе на правой ноге. Боль теперь лютая, теперь с кресла он встает, только чтобы принять душ, сходить в туалет, одеться или раздеться. Боль в ногах не отпускает его уже больше года. Но все равно каждое утро он, просыпаясь, спускает ноги на пол, и, пусть на секунду, но его охватывает надежда. Быть может, сегодня ему станет получше. Может, сегодня боль отступит. Не становится, не отступает. Но он все равно надеется. Апрель: у него день рождения. Премьера пьесы. Май: снова испарина по ночам, снова лихорадка, дрожь, озноб, горячка. Он снова возвращается в отель "Контрактор". Возвращается и катетер, на этот раз его ставят с левой стороны груди. Впрочем, есть и что-то новое, новая на этот раз инфекция, и теперь капельница с антибиотиками нужна ему каждые восемь часов, а не каждые двадцать четыре. Возвращается Патриция, теперь по два раза на дню: в шесть утра на Грин-стрит, в два часа дня — в "Розен Притчард", в десять вечера на Грин-стрит приходит уже ночная сестра, Ясмин. Впервые за все время их дружбы он всего один раз выбирается в театр на пьесу, где играет Виллем, его день разрезан на части, строго подчинен лечению, и пойти во второй раз он уже просто не может. Впервые с тех самых пор, как больше года назад началось это лечение, он чувствует, как скатывается в отчаяние, чувствует, что сдается. Приходится напоминать себе, что ему нужно доказать Виллему, что он хочет жить, когда на самом-то деле ему больше всего хочется, чтобы это все прекратилось. И дело не в депрессии, дело в усталости. Однажды после осмотра Энди как-то странно на него глядит и спрашивает, понимает ли он, что уже месяц себя не резал, и он задумывается. Энди прав. Он слишком устал, слишком много всего навалилось, чтоб еще и об этом думать.

— Что ж, — говорит Энди, — я рад. Но мне жаль, что только это тебя и остановило, Джуд.

— Мне тоже, — отвечает он.

Они оба молчат, и, похоже, оба с ностальгией думают о том времени, когда порезы были самой серьезной его проблемой.

Наступает июнь, наступает июль. Раны на ногах — и старые, которые у него уже больше года, и свежие, которые открылись в марте, — так и не зажили. Почти даже не уменьшились. Тогда-то, сразу после Дня независимости, сразу после того, как Виллем отыграл пьесу, Энди спрашивает, можно ли к ним зайти, поговорить. Он знает, что Энди собирается сказать, и врет, что Виллем занят, что у Виллема нет времени, как будто, если отложить этот разговор, ему и будущее удастся отложить, но как-то раз ранним субботним вечером он возвращается с работы, а они — дома, ждут его.

Все так, как он и думал. Энди рекомендует — настоятельно рекомендует — ампутацию. Говорит он мягко, очень мягко, но так заученно и формально, что он понимает, как Энди нервничает.

— Мы всегда знали, что этот день когда-нибудь наступит, — начинает Энди, — но легче от этого не становится. Джуд, ты один знаешь, сколько еще боли и неудобств ты можешь вытерпеть. Это уж не мне знать. Но я знаю, что ты вынес куда больше, чем большинство людей вынесло бы на твоем месте. Я знаю, какая невероятная это смелость — смелость-смелость, не делай такое лицо, — и я даже представить не могу, через что тебе пришлось пройти. Но давай на минутку забудем об этом — даже если тебе кажется, что у тебя хватит ресурсов продолжать и дальше в таком же духе, — потому что нам нужно взглянуть на факты. Лечение не действует. Раны не заживают. Меня сильно тревожит, что и года не прошло, а костная инфекция у тебя была уже дважды. Я боюсь, что у тебя может развиться аллергия на какой-нибудь антибиотик, и тогда мы реально, реально в жопе. Но даже если аллергия и не разовьется, ты переносишь лечение куда хуже, чем я думал, — ты очень быстро теряешь вес, пугающе быстро, и всякий раз, когда я тебя вижу, ты становишься все слабее и слабее. Ткани в верхней части ног кажутся вполне здоровыми, я почти уверен, что нам удастся сохранить оба колена. И, Джуд, честное слово, после ампутации жить тебе сразу станет значительно лучше. Исчезнет боль в ногах. На бедрах раны у тебя никогда не открывались, так что, думаю, это нам не страшно. Сейчас делают такие протезы, в разы лучше того, что было даже десять лет назад, поэтому, честно, скорее всего, на протезах ты и двигаться будешь лучше, более естественно, чем на ногах. Операция довольно простая — часа четыре всего, — и я ее сам проведу. Послеоперационный период тоже недолгий: в больнице пролежишь меньше недели, а мы тебе сразу подберем временные протезы.

Энди умолкает, кладет руки на колени, начинает их разглядывать. Они долго молчат, а затем Виллем начинает задавать вопросы, умные вопросы, задавать которые должен он. Сколько времени нужно на послеоперационное восстановление? Какую физическую терапию ему назначат? Есть ли у операции какие-то риски? Ответы он слушает вполуха, потому что уже более-менее все и сам знает, ведь эти самые вопросы, весь этот сценарий он тщательно прорабатывал каждый год с тех пор, когда Энди об этом заговорил впервые, семнадцать лет назад.

Наконец он вмешивается в их разговор:

— А если я не соглашусь? — спрашивает он и видит, какие огорченные делаются у них лица.

— Если не согласишься, мы будем делать все то же, что и делали, и надеяться, что это когда-нибудь да сработает, — отвечает Энди. — Но, Джуд, лучше самому решиться на ампутацию, чем делать ее экстренно. — Он делает паузу. — Если инфекция попадет в кровь, если разовьется сепсис, тогда нам просто придется ампутировать тебе ноги, и не будет уже никаких гарантий, что ты сохранишь колени. Я даже не смогу тебе пообещать, что мы ампутируем только нижние конечности — не вместе с пальцем, например, или с рукой, — что инфекция не перекинется с нижней части ног на другие конечности.

— Но ты даже сейчас не можешь мне гарантировать, что я сохраню колени, — капризно говорит он. — И что в будущем сепсис не разовьется.

— Не могу, — признает Энди. — Но, как я сказал, шансы на то, чтоб сохранить колени, у тебя хорошие. И, думаю, если мы удалим самые пораженные части тела, то предотвратим и распространение болезни.

Они снова молчат.

— Выбор, похоже, такой, что выбора нет, — бормочет он.

Энди вздыхает:

— Как я уже сказал, Джуд, выбор есть. И он за тобой. Не нужно ничего решать прямо завтра или даже на этой неделе. Но я хочу, чтобы ты об этом как следует подумал.

Он уходит, они с Виллемом остаются одни.

— Нам очень нужно сейчас это обсуждать? — спрашивает он, когда наконец может взглянуть на Виллема, и Виллем качает головой.

За окнами розовеет небо, закат будет долгим и красивым. Но красота ему не нужна. Внезапно ему хочется плавать, он не плавал с тех самых пор, когда подхватил первую костную инфекцию. Он ничего с тех пор не делал. Он никуда не ездил. Лондонских клиентов пришлось передать коллеге, потому что теперь он был капельницей привязан к Нью-Йорку. Мускулы исчезли, на костях теперь рыхлая плоть, и двигается он как старик.

— Я пойду спать, — говорит он Виллему, а когда Виллем тихонько отвечает: "Ясмин придет через пару часов", — ему хочется плакать.

— Да, точно, — сообщает он полу. — Ладно. Тогда просто вздремну. Проснусь, когда Ясмин придет.

Ночью, после ухода Ясмин, он впервые за долгое время себя режет, он смотрит, как струйки крови тянутся по мрамору, стекают в слив. Он знает, до чего оно иррациональное, это его желание сохранить ноги, ноги, которые принесли ему столько бед, ноги, на которые он истратил столько времени, столько денег, столько боли. И все равно — они ведь его. Это ведь его ноги. Они — это он. Как можно добровольно отрезать часть себя? Он знает, что за все эти годы он уже много чего от себя отрезал — столько плоти, столько кожи, столько шрамов. Но это почему-то совсем не то. Если он пожертвует ногами, то признается доктору Трейлору, что тот выиграл, капитулирует перед ним, перед той ночью в поле с машиной.

Это совсем не то еще и потому, что он знает: едва он останется без ног, как больше не сможет притворяться. Не сможет притворяться, что когда-нибудь снова будет ходить, что когда-нибудь выздоровеет. Не сможет притворяться, что он не калека. Взлетят его ставки в цирке уродов. Он станет человеком, которого всегда, в первую очередь, встречают по тому, чего у него нет.

И еще он устал. Он не хочет снова учиться ходить. Не хочет снова набирать вес, который все равно потеряет, вдобавок к тому весу, который пытался набрать еще со времен первой инфекции, вес, который он заново потерял вместе со второй. Ему не хочется снова лежать в больнице, не хочется просыпаться в смятении и замешательстве, не хочется снова переживать все ночные кошмары, не хочется объяснять коллегам, что он снова болен, не хочется долгих месяцев слабости и борьбы за равновесие. Ему не хочется, чтобы Виллем видел его безногим, не хочется снова проверять его на прочность, не хочется, чтоб он привыкал к очередному уродству. Он хочет быть нормальным, он и хотел всегда только одного — быть нормальным, а вместо этого с каждым годом он от нормальности удаляется все дальше и дальше. Он знает, что неправильно думать, будто тело и разум — это две отдельные, спорящие меж собой сущности, но ничего не может поделать. Ему не хочется, чтобы тело выиграло еще одну битву, чтобы оно еще раз все за него решило, чтобы показало ему, насколько он беспомощен. Ему не хочется зависеть от Виллема, просить, чтобы тот укладывал его в кровать и вынимал из нее, потому что руки у него станут бесполезными, жидкими, просить, чтоб тот помог ему сходить в туалет, чтоб видел его обрубки-культи. Он всегда полагал, что сначала получит что-то вроде предупреждения, что тело как-то просигналит о том, что ему стало хуже. Он знает, да, знает, что прошедшие полтора года и были этим сигналом — долгим, протяжным, неумолчным, неотвязным сигналом, — но из-за собственного высокомерия, из-за глупой надежды он его не распознал. Вместо этого он верил, что раз уж он всегда выздоравливал, то и теперь снова выздоровеет, еще раз. Он самонадеянно полагал, будто у него неограниченное количество попыток.

На третью ночь он снова просыпается с температурой, снова попадает в больницу, его снова выписывают. Температура поднялась из-за катетерной инфекции, и катетер удалили. Новый вставили во внутреннюю яремную вену, и теперь он торчит так, что его даже воротником особо не прикроешь.

Первая ночь дома, его мотает сквозь сны, как вдруг он открывает глаза и понимает, что Виллем не лежит с ним рядом, и тогда он перелезает в кресло и выкатывается из комнаты.

Он видит Виллема, а Виллем не видит его, он сидит за обеденным столом, спиной к книжным полкам, над ним горит лампа, а сам он уставился в пространство. На столе перед ним стакан воды, он подпер рукой подбородок, поставил локоть на стол. Он смотрит на Виллема и видит, как он устал, как постарел, как побелели его яркие волосы. Он так давно знает Виллема, так много раз видел его лицо, что никогда не мог взглянуть на него новыми глазами — его лицо он знает лучше своего. Он знает каждое его выражение. Он знает, что значит каждая улыбка Виллема: когда он смотрит его интервью по телевизору, он всегда видит, когда Виллем улыбается, потому что ему и впрямь смешно, а когда — из вежливости. Он знает, на каких зубах у него коронки и какие зубы Кит ему велел выпрямить, когда уже было ясно, что он станет звездой, когда было ясно, что он не будет только играть в театре и сниматься в инди-фильмах, что его ждет другая карьера, другая жизнь. Но сейчас он глядит на Виллема, на его лицо — по-прежнему красивое, но такое усталое, он-то думал, что такую усталость только он чувствует, но теперь понимает, что и Виллем устал не меньше, что жизнь Виллема — его жизнь с ним — превратилась в какую-то каторгу, в вереницу болезней и больниц, и он знает, что сделает, что должен сделать.

— Виллем, — говорит он, и Виллем вздрагивает, очнувшись от транса, глядит на него.

— Джуд, — говорит Виллем, — что стряслось? Тебе плохо? Ты почему не в постели?

— Я сделаю операцию, — говорит он и думает, что они как два актера на сцене, переговариваются на огромном расстоянии, поэтому подъезжает к нему поближе. — Я сделаю операцию, — повторяет он, Виллем кивает, и они прижимаются друг к другу лбами, и оба плачут.

— Прости меня, — говорит он Виллему, но Виллем мотает головой, задевает лбом о его лоб.

— Прости меня, — отвечает ему Виллем. — Джуд, мне так жаль. Мне так жаль.

— Знаю, — отвечает он, потому что он знает.

На следующий день он звонит Энди, новость тот встречает с облегчением, но сдержанно, словно бы из уважения к нему. После этого события развиваются быстро. Они выбирают день: сначала Энди предлагает дату, совпадающую с днем рождения Виллема, и, хоть они и договорились, что отпразднуют пятидесятилетие Виллема, когда ему станет получше, он все равно не хочет оперироваться именно в этот день. Поэтому операцию назначают на конец августа, за неделю до Дня труда, за неделю до того, когда они обычно уезжали в Труро. На следующем собрании правления он коротко объявляет об операции, подчеркивая, что она плановая, что в офисе его не будет всего неделю, максимум — десять дней, что страшного тут ничего нет и с ним все будет нормально. Затем он сообщает своему отделу, вообще-то он не собирался этого делать, говорит он им, но не хочет, чтобы клиенты волновались, не хочет, чтобы они думали, будто все куда серьезнее, чем есть на самом деле, не хочет превращаться в тему для сплетен и пересудов (хоть и знает, что этого не избежать). Он так мало рассказывает о себе коллегам, что всякий раз, когда он хоть что-то им говорит, он замечает, как люди чуть ли не привстают со стульев, тянутся вперед, как они буквально навостряют уши. Он знаком со всеми их мужьями и женами, со всеми их партнерами и партнершами, но они Виллема не видели ни разу. Он ни разу не брал его с собой ни на выездные семинары, ни на корпоративные праздники, ни на ежегодные летние пикники.

— Тебе будет скучно, — говорит он Виллему, хоть и знает, что это неправда, Виллем везде сумеет себя развлечь, — уж поверь мне.

В ответ Виллем всегда пожимал плечами:

— А я бы с удовольствием сходил, — всегда говорил он, но он никогда его с собой не брал.

Себе он всегда внушал, что просто-напросто хочет уберечь Виллема от скучных мероприятий, но ему ни разу не пришло в голову, что он может его обидеть этими отказами, что Виллем, может быть, хочет разделить с ним и ту его жизнь, которая выходит за пределы Грин-стрит и их дружеского круга.

— Вопросы есть? — спрашивает он, хоть и не ждет их, и видит, что один из младших партнеров, Гейб Фрестон, человек совершенно бесчувственный, но страшно толковый, поднимает руку. — Фрестон?

— Я просто хочу сказать, Джуд, что я очень, очень сожалею, — говорит Фрестон, и все вполголоса ему поддакивают.

Он хочет отделаться шуткой, сказать: "Я такие искренние слова от тебя, Фрестон, слышал только в прошлом году, когда объявил сумму твоего годового бонуса", — потому что это правда, — но ничего такого не говорит, только делает глубокий вдох.

— Спасибо, Гейб, — говорит он. — Спасибо вам всем. Так, а теперь возвращайтесь к работе.

И они все расходятся.

Операция назначена на понедельник, в пятницу он засиживается на работе допоздна, но в субботу в офис не едет. Днем он собирает сумку в больницу, вечером они с Виллемом ужинают в том самом крохотном суши-ресторанчике, где у них была первая Тайная вечеря. В четверг к нему в последний раз приходят Патриция и Ясмин, рано утром в субботу звонит Энди, говорит, что пришли рентгены — заражение никуда не делось, но хотя бы не распространяется дальше.

— Ну, после понедельника с этим-то проблем уже не будет, — говорит Энди, и он судорожно сглатывает, как несколькими днями раньше, когда Энди ему сказал: "На следующей неделе ноги у тебя болеть уже не будут".

Он вспоминает, что избавляются они не от проблемы, а от ее источника. Одно другому не равно, но, наверное, нужно быть благодарным за само избавление, в какой бы там форме оно ни наступило.

В семь часов вечера в воскресенье он съедает свой последний ужин, операция назначена на восемь утра, поэтому всю оставшуюся ночь ему больше нельзя ничего есть, ничего пить, нельзя принимать никаких лекарств.

Через час они с Виллемом спускаются вниз на лифте, он отправляется на последнюю прогулку на собственных ногах. Он вынудил Виллема пообещать ему эту прогулку, но они еще никуда не идут — а должны пройти на юг по Грин, затем квартал до Гранд, затем вверх по Вустер, до Вест-Хьюстон, а потом повернуть обратно к Грин-стрит и дойти до их квартиры, — а он уже сомневается, что ему это под силу. Небо над ними цвета кровоподтека, и он вдруг вспоминает, как Калеб его, голого, выталкивал на улицу.

Он поднимает левую ногу и делает шаг. Они идут по тихой улочке, и когда выходят на Гранд, он берет Виллема за руку, чего на людях никогда не делает, но теперь держится за нее крепко-крепко, и они снова поворачивают направо и идут вверх по Вустер.

Ему так хотелось сделать полный круг, но, странным образом, именно его неспособность сделать это (на Спринг-стрит, в двух кварталах от Вест-Хьюстон, Виллем взглядывает на него и без разговоров ведет назад, на Грин-стрит) и убеждает его в том, что он принял правильное решение. Он уперся в неизбежность и сделал единственно возможный выбор, и сделал его не только ради Виллема, но и ради себя. Прогулка оказалась почти невыносимой, и когда они возвращаются в квартиру, он с удивлением понимает, что лицо у него залито слезами.

На следующее утро в больницу приходят Гарольд с Джулией — с серыми, перепуганными лицами. Он видит, что ради него они стараются держаться, он обнимает и целует их обоих, заверяет их, что с ним все будет нормально, что волноваться тут нечего. Его увозят и начинают готовить к операции. После травмы волосы у него на ногах растут пучками — вокруг и между шрамов, но теперь ноги у него чисто выбриты — до самых коленей. Входит Энди, сжимает его лицо меж ладоней, целует в лоб. Он ничего не говорит, просто вынимает маркер и рисует у него на ногах перевернутые арки пунктиров, будто азбуку Морзе, не доходя пары дюймов до колен, потом говорит, что скоро вернется, а пока позовет Виллема.

Приходит Виллем, усаживается на краешек кровати, и они молча держатся за руки. Он хочет сказать что-то, как-нибудь глупо пошутить, но тут Виллем начинает плакать, да не просто плакать, а судорожно рыдать, скрючившись, всхлипывая, рыдать так, как при нем ни разу никто не рыдал.

— Виллем, — с отчаянием говорит он, — Виллем, не плачь, со мной все будет хорошо. Правда. Не плачь. Виллем, не плачь.

Он садится в кровати, обнимает Виллема.

— Ох, Виллем, — вздыхает он, сам чуть не плача. — Виллем, все будет нормально. Честное слово.

Но он никак не может его утешить, и Виллем плачет, плачет.

Он чувствует, что Виллем пытается что-то сказать, и поглаживает его по спине, просит повторить еще раз.

— Не уходи, — слышит он, — не бросай меня.

— Обещаю, не брошу, — говорит он. — Обещаю. Виллем, это простая операция. Ты же понимаешь, я должен ее пережить, иначе кого Энди будет отчитывать?

И тут входит Энди.

— Готовы, парни? — спрашивает он, но тут замечает — и слышит — Виллема.

— Господи. — Он подходит, приваливается к ним. — Виллем, — говорит он, — обещаю тебе, я буду с ним обращаться так бережно, будто ребенка режу, веришь? Ты же знаешь, я ни за что не позволю, чтобы с ним что-нибудь случилось.

— Знаю, — слышат они наконец всхлипывание Виллема. — Знаю. Знаю.

Наконец им удается успокоить Виллема, он извиняется, вытирает глаза.

— Извините, — говорит Виллем, но он качает головой, дергает его за руку и, когда Виллем к нему наклоняется, целует его на прощание.

— Не извиняйся, — говорит он ему.

Возле операционной Энди снова к нему наклоняется, снова целует — на этот раз в щеку.

— А то потом уже не смогу тебя потрогать, — говорит он. — Меня стерилизуют.

Вдруг оба они прыскают со смеху, и Энди трясет головой:

— Ты не староват уже для таких детских шуток?

— А ты? — спрашивает он в ответ. — Тебе уж под шестьдесят.

— Не-а.

Они в операционной, он глядит на яркий белый диск света над головой.

— Привет, Джуд, — слышит он над собой чей-то голос и видит анестезиолога, его зовут Игнатий Мба, он друг Энди, они с ним виделись на каком-то ужине у Энди и Джейн.

— Привет, Игнатий, — говорит он.

— Ну-ка, посчитай от десяти в обратном порядке, — говорит Игнатий, и он начинает считать, но после семи считать уже не может, последнее, что он чувствует, — покалывание в пальцах правой ноги.

Три месяца спустя. Очередной День благодарения, празднуют они на Грин-стрит. Пока он спал, Виллем и Ричард все приготовили, все организовали. Послеоперационный период был куда дольше, куда тяжелее, чем он ожидал, и два раза он подхватывал инфекцию. На какое-то время ему даже пришлось поставить зонд для кормления. Но Энди был прав: колени он сохранил. В больнице он то и дело просыпался, говорил Гарольду и Джулии, говорил Виллему, что ему кажется, будто у него на ногах сидит слон, он раскачивается взад-вперед, перетирает задом его кости в сухое крошево, мельче пепла. Они никогда не отвечали, что ему это, мол, просто кажется, говорили только, что медсестра как раз именно из-за этого и подбавила ему в капельницу обезболивающего и совсем скоро ему станет получше. Теперь эти фантомные боли случались у него все реже и реже, но до конца пока так и не исчезли. Слабость и усталость тоже пока никуда не делись, поэтому Ричард поставил во главе стола лиловое бархатное кресло на колесиках и с подголовником — Индия иногда сажала в него моделей, — чтобы ему было куда откинуть голову, когда совсем выдохнется.

За ужином собираются Ричард и Индия, Гарольд и Джулия, Малкольм и Софи, Джей-Би с матерью и Энди с Джейн, которые отправили детей погостить к брату Энди в Сан-Франциско. Он начинает говорить тост, благодарит всех за все, что они для него сделали, за все, что они ему дали, но едва он доходит в своей речи до человека, которого ему больше всех хочется поблагодарить — сидящего справа от него Виллема, — как понимает, что не может вымолвить ни слова, поднимает взгляд от листочка с речью, видит, что у всех слезы на глазах, и умолкает.

Он прекрасно проводит время, хотя его, конечно, веселит, что гости все подкладывают и подкладывают ему еды в тарелку, хотя он и первую-то порцию не доел, и еще так спать хочется, что в конце концов он, угнездившись в кресле, закрывает глаза и улыбается, слушая, как воздух вокруг полнится знакомыми разговорами, знакомыми голосами.

Наконец Виллем замечает, что он клюет носом, и он слышит, как тот встает.

— Так, — говорит он, — пора звезде покинуть сцену. — Он разворачивает кресло, катит его в сторону спальни, и он из последних сил высовывается из-за спинки кресла, чтобы ответить на их смех, на хор их прощаний, чтобы улыбнуться и вскинуть руку — вяло, театрально пошевелить пальцами.

— Не расходитесь! — восклицает он, уезжая от них. — Пожалуйста, не расходитесь. Пожалуйста, останьтесь, не лишайте Виллема полноценной беседы. — И они говорят, что останутся, ведь еще даже семи нет, у них еще много, много времени.

— Я люблю вас! — кричит он им, и они кричат ему то же самое в ответ, все разом, хотя даже в этом хоре голосов он может различить голос каждого.

В спальне Виллем подхватывает его на руки — он так исхудал и без протезов не такой длиннющий, как журавль, теперь его может поднять даже Джулия, — и укладывает на кровать, помогает ему раздеться, помогает снять временные протезы, накрывает одеялом. Он наливает ему стакан воды, протягивает таблетки: антибиотик, горсть витаминов. Виллем смотрит, как он их запивает, а потом присаживается на кровать — не дотрагиваясь до него, просто сидит.

— Обещай, что засидишься до ночи, — говорит он Виллему, и Виллем пожимает плечами.

— Может, я просто с тобой посижу, — говорит он. — Им, похоже, и без меня неплохо.

И точно, из столовой доносится взрыв хохота, они переглядываются, улыбаются.

— Нет, — говорит он, — обещай.

И в конце концов Виллем дает ему обещание.

— Спасибо, Виллем, — невпопад говорит он, закрывая глаза. — Хороший был день.

— Хороший, правда? — слышит он голос Виллема, который потом говорит что-то еще, но он не слышит, потому что уже спит.

Ночью его будят сны. Эти сны — один из побочных эффектов вот этого антибиотика, который он сейчас принимает, и на сей раз они даже хуже прежнего. Каждую, каждую ночь он видит сны. Ему снится, что он в мотелях, снится, что он в доме доктора Трейлора. Ему снится, что ему пятнадцать, что следующих тридцати трех лет как не было. Ему снятся какие-то клиенты и какие-то случаи, он и не думал, что все это помнит. Ему снится, будто он стал братом Лукой. Ему снится, снова и снова, что Гарольд — это доктор Трейлор, и когда он просыпается, ему делается стыдно от того, что он — пусть даже и бессознательно — приписывает такое поведение Гарольду, и все равно он боится, что сон может все-таки оказаться явью, и тогда он твердит себе то, что ему пообещал Виллем: *никогда, Джуд. Никогда, ни за что Гарольд с тобой ничего такого не сделает.*

Иногда сны такие яркие, такие реальные, что у него уходят минуты, а то и целые часы на то, чтобы прийти в себя, убедиться, что вот эта сознательная жизнь — и есть жизнь реальная, его реальная жизнь. Иногда во сне он так удаляется от себя, что, проснувшись, не может вспомнить, кто он такой.

— Где я? — отчаянно спрашивает он, а потом: — Кто я? Кто я?

И тогда он слышит, практически у себя в ухе, как будто голос звучит у него в голове, мантру, которую ему нашептывает Виллем:

— Ты Джуд Сент-Фрэнсис. Ты мой самый давний, самый дорогой друг. Ты сын Гарольда Стайна и Джулии Альтман. Ты друг Малкольма Ирвина, Жан-Батиста Мариона, Ричарда Голдфарба, Энди Контрактора, Люсьена Войта, Ситизена Ван Страатена, Родса Эрроусмита, Илайджи Козма, Федры де лос Сантос и обоих Генри Янгов.

Ты живешь в Нью-Йорке. Ты живешь в Сохо. Ты волонтер в арт-фонде, ты волонтер на передвижной кухне.

Ты пловец. Ты кондитер. Ты повар. Ты читатель. У тебя прекрасный голос, хоть ты и не поешь больше. Ты превосходный пианист. Ты коллекционируешь картины и скульптуры. Ты пишешь мне замечательные письма, когда я уезжаю. Ты терпеливый. Ты щедрый. Я не знаю никого, кто умел бы слушать лучше тебя. Я не знаю никого умнее тебя — во всех отношениях. Я не знаю никого храбрее тебя — во всех отношениях.

Ты юрист. Ты глава судебного отдела в "Розен, Притчард и Кляйн". Ты любишь свою работу, ты много трудишься.

Ты математик. Ты логик. Ты много, много раз пытался меня этому научить. С тобой жестоко обошлись. Ты все вынес. Ты остался собой.

Снова и снова Виллем вышептывает его обратно к себе, а потом днем — иногда несколько дней спустя — он обрывками вспоминает, что Виллем ему говорил, и крепко держится за эти его слова, не столько из-за того, что он сказал, сколько из-за того, чего не сказал, из-за того, кем он его не назвал.

Но ночью ему слишком страшно, он слишком растерян, чтобы это понимать. Слишком огромна, слишком реальна его паника.

— А ты кто? — спрашивает он, глядя на мужчину, который его обнимает, который описывает какого-то совсем незнакомого человека, которому, похоже, многое дано, человека, которого любят, которому можно только позавидовать. — Кто ты?

И на этот вопрос мужчина знает ответ.

— Я Виллем Рагнарссон, — говорит он. — И я никогда тебя не оставлю.

— Я ушел, — говорит он Джуду, но с места так и не двигается.

Над ними жужжит стрекоза, блестящая, как скарабей.

— Я ушел, — повторяет он, но все равно не двигается, его разморило от жаркого воздуха, и, только сказав это в третий раз, он наконец встает и сует ноги в лоуферы.

— Лаймы, — говорит Джуд, взглядывая на него и прикрывая глаза рукой от солнца.

— Угу, — говорит он, наклоняется, снимает с Джуда темные очки, целует его в веки и снова надевает на него очки.

Джей-Би всегда говорил, что Джуд — летний: кожа у него становится золотистой, волосы выгорают так, что делаются одного оттенка с кожей, и глаза из-за этого кажутся неправдоподобно зелеными — Виллем то и дело себя одергивает, чтобы не давать волю рукам.

— Скоро вернусь.

Зевая, он плетется к дому — ставит в раковину стакан чая с подтаявшим льдом, под хруст гравия идет к машине. Сегодня один из тех летних дней, когда солнце до того белое, а воздух так сух, так тих и горяч, что все вокруг не столько видишь, сколько чувствуешь, слышишь, обоняешь: электрическое гудение пчел и кузнечиков, тонкий перечный аромат подсолнечников — от жары на языке остается странный минеральный привкус, будто он катает во рту камешек. Жара томит, но, впрочем, не давит, они лишь размякают и впадают в спячку, не просто смиряются, а даже отдаются этой летаргии. В такую жару они оба часами лежат у бассейна, ничего не едят, только пьют — завтракают кувшинами чая со льдом и мятой, обедают литрами лимонада, ужинают бутылками алиготе — и оставляют настежь все окна и все двери, включают на весь день потолочные вентиляторы, чтобы ночью запереть в доме аромат лугов и деревьев.

Сегодня суббота, завтра — День труда, обычно они в это время всегда ездили в Труро, но в этом году на все лето сняли для Гарольда и Джулии дом возле Экс-ан-Прованса и поэтому на праздничные выходные уехали вдвоем в Гаррисон. Завтра приедут Гарольд с Джулией, Лоренс и Джиллиан, может, приедут с ними, а может, и нет, а сегодня Виллем должен встретить на станции Малкольма с Софи и Джей-Би с его полупостоянным бойфрендом Фредриком. Они с друзьями теперь так редко видятся — Джей-Би получил грант и полгода провел в Италии, Малкольм и Софи проектировали новый музей керамики в Шанхае, — что в последний раз они встречались все вместе в апреле, в Париже: он там был на съемках, Джей-Би прилетел из Рима, Джуд — из Лондона, где в то время работал, а Малкольм и Софи завернули к ним на пару деньков по пути в Нью-Йорк.

Почти каждое лето он думает: это лето — лучшее. Но теперь он по-настоящему знает, это — лучшее лето. И не только лето — и весна, и зима, и осень. Чем старше он становится, тем чаще думает о том, что его жизнь — это череда ретроспектив, и каждый уходящий период он оценивает будто винтаж вина, делит прожитые годы на исторические эпохи. Честолюбивые Годы. Годы Сомнений. Годы Славы. Годы Заблуждений. Годы Надежды.

Когда он рассказал об этом Джуду, тот улыбнулся.

— И в какую же эру мы нынче живем? — спросил он, и Виллем улыбнулся ему в ответ.

— Не знаю, — ответил он, — я пока не определился с названием.

Но они оба сходятся в том, что Ужасные Годы для них, по крайней мере, закончились. Ровно два года назад — в эти же праздничные выходные — он сидел в больнице в Верхнем Ист-Сайде, уставившись в окно, и его буквально тошнило от густой ненависти к санитарам, медсестрам, врачам в этих их зеленых пижамах, которые толклись под окнами, ели, курили, болтали по телефонам — как ни в чем не бывало, как будто и не было над ними никаких людей в разных стадиях умирания, среди которых был и его человек — человек, который лежал сейчас в медикаментозной коме с колючей от лихорадки кожей, который в последний раз глаза открывал четыре дня тому назад, когда очнулся после операции.

— С ним все будет хорошо, Виллем, — все лепетал Гарольд, который всегда по натуре был еще тот паникер, хуже Виллема. — С ним все будет хорошо. Энди так сказал.

Гарольд твердил это снова и снова, как попугай повторяя все, что Виллем и так уже слышал от Энди, и в конце концов Виллем сорвался:

— Господи, Гарольд, да уймись ты. Ты, блядь, всему веришь, что говорит Энди? Ты на него посмотри — ему что, лучше? Что, заметно, как он на поправку идет?

Но тут он увидел лицо Гарольда — лицо бодрящегося старика, на котором проступила горячечная, безнадежная мольба, и, резко устыдившись своих слов, обнял его.

— Извини, — сказал он Гарольду, который, потеряв одного сына, теперь убеждал себя, что не потеряет второго. — Извини, Гарольд. Извини. Прости меня. Веду себя как мудак.

— Ты не мудак, Виллем, — сказал Гарольд. — Но не смей мне говорить, что он не поправится. Не нужно мне этого говорить.

— Знаю, — сказал он. — Конечно же он поправится. — Он говорил точь-в-точь как Гарольд, эхо Гарольда, которое вторит Гарольду. — Конечно поправится.

Но внутри у него жучком копошился страх: нет тут, конечно, никакого "конечно". И не было никогда. Всяким "конечно" настал конец полтора года назад. Нет у них никакого "конечно" и больше не будет.

Он всегда был оптимистом, но за эти месяцы от его оптимизма ничего не осталось. Он отменил все съемки до конца года, но осень тянулась так медленно, что он жалел об этом, жалел, что ему нечем себя занять. В конце сентября Джуда выписали из больницы, но он был таким худым, таким хрупким, что Виллему страшно было до него дотронуться, страшно было даже на него глядеть, страшно было видеть, как от заострившихся скул у рта залегли тени, как во впадинке у горла бьется пульс, будто что-то живое пытается выбраться из его тела наружу. Он видел, что Джуд старается его успокоить, старается шутить, и от этого ему становилось еще страшнее. Когда он — редко, но все-таки — выходил из квартиры ("Иначе нельзя, Виллем, — сухо сказал ему Ричард, — не то ты с ума сойдешь"), его так и подмывало выключить телефон, потому что после каждого "дзынь!" от Ричарда (или Малкольма, или Гарольда, или Джулии, или Джей-Би, или Энди, или Генри

Янгов, или Родса, или Илайджи, или Индии, или Софи, или Люсьена, или от того, кто там сидел с Джудом, пока он рассеянно бродил по улицам, или занимался внизу в спортзале, или пару раз пытался, не дергаясь, вылежать сеанс массажа или высидеть обед в ресторане с Романом или Мигелем) он думал: "Все. Он умирает. Он умер", и выжидал миг, еще миг перед тем, как снять трубку и услышать, что это просто очередной отчет о состоянии Джуда. Что Джуд поел. Что не стал есть. Что он спит. Что его подташнивает. В конце концов пришлось всем сказать, чтоб звонили ему, только если случилось что-то серьезное. Не важно, если у вас есть вопросы и позвонить быстрее всего: пишите сообщения. Когда ему звонят, он воображает самое худшее. Впервые в жизни он на собственной шкуре испытал, каково это, когда люди говорят, будто у них чуть сердце из груди не выпрыгнуло — да и не только сердце, ему казалось, будто все его внутренности взмывают вверх и, в панике сжимаясь в клубок, пытаются выскочить изо рта.

О процессе выздоровления люди всегда говорят как о чем-то неуклонном и предсказуемом, как о диагонали, которая стремится из нижнего левого угла графика в верхний правый. Но когда Хемминг выздоравливал — когда он так и не выздоровел, — все было совсем не так, и теперь все совсем не так было с Джудом: их график напоминал зубчатые горы с впадинами и вершинами, и в середине октября, когда Джуд вышел на работу (по-прежнему ужасно худой и слабый), ночью он проснулся от такой высокой температуры, что у него начались судороги, и Виллем был уверен — вот оно, вот теперь уж точно конец. Он понял, что, несмотря на весь свой страх, так и не сумел к этому подготовиться, что так ни разу и не задумался, а что тогда будет, не в его характере было торговаться, но теперь он именно это и делал — торговался с кем-то или с чем-то, во что, как теперь оказалось, верил. Он обещал быть терпеливее и благодарнее, обещал меньше чертыхаться и быть менее тщеславным, обещал меньше заниматься сексом, меньше себя баловать, меньше ныть и меньше на себе зацикливаться, быть не таким трусом и не таким эгоистом. Джуд выжил, и на Виллема обрушилось настолько всеобъемлющее и безжалостное облегчение, что он упал в обморок, Энди выписал ему таблетки, снижающие тревожность, и сослал на выходные в Гаррисон в компании Джей-Би, а Джуда они с Ричардом взяли на себя. Ему всегда казалось, что уж он-то, в отличие от Джуда, умеет принимать чужую помощь, но, как выяснилось, в самые трудные минуты он напрочь забывал об этом своем умении и был рад, когда друзья ему о нем напоминали, и признателен им за это.

Ко Дню благодарения все не то чтобы улучшилось, но хотя бы и не ухудшалось больше, и они сошлись на том, что это одно и то же. Гораздо, гораздо позже они поняли, что то была точка бифуркации, за которой последовали сначала дни, потом недели, а потом целый месяц, когда не ухудшалось ничего, когда они снова вспомнили, что можно просыпаться утром не с ужасом, а с надеждой, когда они наконец смогли, хоть и с оглядкой, говорить о будущем, думать о том, как они проживут не только этот день, но еще много дней, которых пока не могли даже вообразить. И только тогда они стали заговаривать о том, что еще нужно сделать, только тогда Энди начал составлять для них серьезные графики — графики на месяц, на два месяца, на полгода, — в которых было прописано, сколько фунтов Джуду нужно набрать, когда ему изготовят постоянные протезы, когда он должен сделать на них первые шаги и когда Энди должен увидеть, как он снова ходит. Они снова окунулись в воздушный поток жизни, снова научились жить по календарю. В феврале Виллем снова читал сценарии. В апреле, к своему сорок девятому дню рождения, Джуд снова ходил — медленно, неуклюже, но ходил — и снова стал похож на нормального человека. В августе, ко дню рождения Виллема, почти через год после операции, он, как и предсказывал Энди, стал ходить гораздо лучше — плавно и с большей уверенностью, чем ходил на своих ногах, и не просто стал похож на нормального человека — он стал похож на себя.

— Мы так ничего и не устроили на твое пятидесятилетие, — напомнил ему Джуд за праздничным ужином, когда ему исполнился пятьдесят один, — за ужином, который Джуд приготовил сам, простояв несколько часов у плиты и не выказав заметных признаков усталости, — но Виллем улыбнулся.

— Мне больше ничего и не нужно, — ответил он совершенно искренне.

Глупо, конечно, было сравнивать два его собственных жестоких, изматывающих года с тем, что пришлось пережить Джуду, однако ему казалось, будто за эти два года он переродился. Казалось, будто его отчаяние сменилось чувством полной неуязвимости, казалось, будто все, что в нем было мягкого и наносного, отгорело, остался один обнаженный стальной каркас, несокрушимый, но гибкий, который сможет все вынести.

Его день рождения они праздновали в Гаррисоне, вдвоем, и вечером после ужина пошли к озеру, где он разделся и спрыгнул с мостков в воду, которая и на вид, и на запах была похожа на огромный бассейн с чаем.

— Иди сюда, — сказал он Джуду, но тот не решался, и тогда он добавил: — Как именинник я настаиваю.

Тогда Джуд медленно разделся, отстегнул протезы и все-таки спрыгнул с мостков, оттолкнувшись от них руками, и Виллем его поймал. Когда Джуд окреп, он начал стесняться своего тела, и, видя, каким замкнутым он иногда делался, как старательно он от него прятался, когда ему нужно было надеть или отстегнуть протезы, Виллем понимал, как трудно ему принять себя нынешнего. Когда он был послабее, он разрешал Виллему себя раздевать, но теперь Виллем видел его без одежды лишь урывками, только случайно. Но он решил считать эту его стеснительность признаком выздоровления — по крайней мере, это доказывало, что к нему вернулись силы, что он может сам залезть в душ и из него вылезти, сам лечь в кровать и сам с нее встать, что он заново обучился всему, на что раньше у него просто не хватало сил.

И вот теперь они оба качались на воде — то плавали, то молча прижимались друг к другу, и когда Виллем вылез, Джуд, уперши сь в мостки руками, вылез вслед за ним в мягкий летний воздух, и какое-то время они так и сидели: оба голые, оба — глядя на скругленные концы Джудовых ног. Он впервые за долгое время видел Джуда голым и не знал, что сказать, так что в конце концов просто обнял его и прижал к себе, и оказалось (как он думал), что сказать нужно было именно это.

Страх, правда, до конца не исчез. В сентябре, за пару недель до того, как ему нужно было уезжать на первые за год с лишним съемки, Джуд снова проснулся с температурой, и в этот раз он уже не просил Виллема не звонить Энди, а Виллем даже его разрешения не спрашивал. Они сразу поехали к Энди, и Энди тотчас же отправил их на рентген, на анализ крови, на все, что только можно, и они так и ждали там, лежа на кроватях в разных смотровых комнатах, пока не позвонил рентгенолог — сказать, что признаков костной инфекции не обнаружено, — а из лаборатории не сообщили, что с анализами все в порядке.

— Ринофарингит, — с улыбкой сказал им Энди. — Обычная простуда.

Он погладил Джуда по голове, и видно было, что он тоже вздохнул с облегчением. Как же быстро, как пугающе быстро в них снова пробудилась способность бояться; сам этот страх оказался затаившимся вирусом, который они так и не смогут вылечить. Радость, легкость — им снова придется нарабатывать эти навыки, снова придется их зарабатывать. Но им никогда не придется заново нарабатывать чувство страха, страх будет жить в них троих, общей болезнью, поблескивающей прядью, которая вплелась в их ДНК.

И тогда он уехал на съемки — в Испанию, в Галисию. Джуд, сколько он его помнил, все хотел когда-нибудь пройти по Камино-де-Сантьяго, старинной дорогой пилигримов, которая оканчивалась в Галисии.

— Пойдем от Пиренеев, от перевала Аспе, — говорил Джуд (они тогда еще даже во Франции не были), — и двинемся на запад. На дорогу уйдут недели! А ночевать мы будем в специальных хостелах для пилигримов, я о них читал, а питаться — одним черным хлебом с тмином, огурцами и йогуртом.

— Ну не знаю, — ответил он, хотя тогда он почти и не думал о том, что Джуду это может быть не по силам, — тогда он был еще слишком молод, оба они были слишком молоды, чтобы искренне верить, будто Джуду может что-то оказаться не по силам, — тогда он больше думал о себе. — По-моему, Джуди, это очень утомительно.

— Тогда я тебя понесу, — тотчас же отозвался Джуд, и Виллем улыбнулся. — Или наймем ослика, и он тебя повезет. Но, Виллем, правда, этот путь нужно пройти, а не проехать, в этом весь смысл.

Чем старше они становились, тем было яснее, что эта мечта Джуда так и останется просто мечтой, и потому их фантазии о Пути святого Иакова обрастали все более изощренными подробностями.

— Или вот такой сюжет, — говорил Джуд. — Четверо странников — даосская монахиня из Китая, которая пытается свыкнуться со своей сексуальной ориентацией, британский поэт, которого недавно выпустили из тюрьмы, бывший торговец оружием из Казахстана, который оплакивает умершую жену, и чувствительный, но неуравновешенный студент, который бросил учебу (это будешь ты, Виллем), — встречаются на Пути святого Иакова и становятся друзьями на всю жизнь. Съемки будут проходить в режиме реального времени, поэтому они займут ровно столько же, сколько и сам путь. И вам все время придется идти.

К этому времени он уже покатывался со смеху.

— И чем все закончится? — спрашивал он.

— Даосская монахиня влюбится в израильтянку, бывшего армейского офицера, которую встретит по дороге, они вдвоем вернутся в Тель-Авив и откроют там лесбийский бар под названием "У Рэдклифф". Бывший заключенный сойдется с торговцем оружием. А твой персонаж встретит невинную, но в душе шлюховатую девчонку из Швеции, и они вместе откроют модный бед-энд-брекфаст в Пиренеях, и каждый год все они будут там встречаться.

— И как будет называться фильм? — хохоча, спросил он.

Джуд задумался.

— "Сантьяго-блюз", — ответил он, и Виллем снова расхохотался.

С тех пор они то и дело вспоминали "Сантьяго-блюз", персонажи которого менялись и взрослели вместе с ними, но и сюжет, и место съемки оставались неизменными.

— Как сценарий? — спрашивал Джуд, когда ему предлагали что-то новое, и он вздыхал.

— Сойдет, — отвечал он. — Не "Сантьяго-блюз", конечно, но сойдет.

Но однажды, вскоре после того решающего Дня благодарения, Кит, которому Виллем как-то рассказал об их с Джудом интересе к Пути святого Иакова, прислал ему сценарий с лаконичной припиской: "Сантьяго-блюз!" Ну, конечно, это не был совсем уж "Сантьяго-блюз" — слава богу, решили они с Джудом, этот фильм был гораздо лучше, — но его действие тоже происходило на Пути святого Иакова, и съемки тут тоже велись частично в реальном времени, и начинался фильм тоже в Пиренеях, в Сен-Жан-Пье-де-Пор, а заканчивался в Сантьяго-де-Компостела. Героями "Звезд над Сантьяго" были двое мужчин, оба — по имени Павел, и обоих должен был играть один и тот же актер: первый Павел жил в шестнадцатом веке, накануне Реформации, и шел в Сантьяго из Виттенберга, второй — современный пастор из маленького американского городка, усомнившийся в своей вере. За исключением нескольких второстепенных персонажей, которые будут мелькать в жизни обоих Павлов, его роль будет единственной ролью в фильме.

Он дал Джуду почитать сценарий, и Джуд, прочитав, вздохнул.

— Гениально, — с грустью сказал он. — Как бы мне хотелось поехать туда с тобой, Виллем.

— И мне, — тихо сказал он.

Как бы ему хотелось, чтобы у Джуда нашлась мечта попроще, мечта, которая могла бы исполниться, мечта, которую он помог бы ему исполнить. Но Джуд всегда мечтал только о движении: ему все хотелось или осилить невозможное расстояние, или освоить какую-нибудь гористую местность. Конечно, теперь он мог ходить и боль мучала его куда меньше — а такого Виллем уже давно не помнил, — но они оба знали, что жизни без боли у него никогда не будет. Невозможное останется невозможным.

Он поужинал с Эмануэлем, молодым испанским режиссером, который, несмотря на свой возраст, уже успел прославиться и, хоть и собирался снимать сложный и меланхоличный фильм, сам оказался человеком бодрым и веселым — он все изумленно восклицал, что и не думал, что Виллем будет у него сниматься, ведь он давно мечтал с ним поработать. Он, в свою очередь, рассказал Эмануэлю о "Сантьяго-блюз" (Эмануэль расхохотался, когда Виллем пересказал ему сюжет.

— Неплохо! — сказал он, и Виллем тоже рассмеялся.

— Ну нет, мы специально придумывали плохой фильм, — поправил он).

Он рассказал ему о том, как Джуд всегда хотел пройти этой дорогой и какой для него почет — пройти этот путь за Джуда.

— Ага, — озорно сказал Эмануэль, — это тот самый человек, ради которого вы загубили карьеру? Я прав?

Он улыбнулся в ответ.

— Да, — сказал он. — Тот самый.

Дни на съемках "Звезд над Сантьяго" тянулись медленно, как Джуд и предрекал, им пришлось много ходить (вместо осликов за ними медленно полз караван трейлеров). Сеть часто пропадала, поэтому Джуду он не звонил, а писал сообщения, казалось, что так даже лучше, так больше подобает пилигриму, а по утрам слал ему фотографии своего завтрака (черный хлеб с тмином, огурцы и йогурт) и отрезка дороги, который ему сегодня предстоит пройти. Большая часть пути пролегала сквозь шумные города, поэтому иногда им приходилось искать обходные дороги. Каждый день он подбирал с обочины пару белых камешков и складывал их в банку, чтобы отвезти домой, а по ночам сидел в гостиничных номерах, обернув ноги нагретыми полотенцами.

Съемки закончились за две недели до Рождества, и он вылетел в Лондон, где у него было назначено несколько встреч, а оттуда — в Мадрид, где они с Джудом встретились, арендовали машину и поехали через Андалусию на юг. Они заехали в городок на высоком утесе, чтобы встретиться с Желтым Генри Янгом, и смотрели, как он карабкается в гору, — когда он их увидел, то замахал обеими руками и последние сто ярдов одолел в спринтерском забеге.

— Слава богу, вы дали мне повод выбраться из этого дурдома, — сказал он.

Генри уже месяц жил в резиденции для художников у подножья холма, в долине, среди апельсиновых деревьев, но, что для него было совсем нехарактерно, на дух не переносил всех шестерых жителей коммуны. Они ели апельсиновые кругляши, посыпанные корицей, толченой гвоздикой и миндалем, которые плавали в ликере, сделанном из апельсинового же сока, и хохотали над рассказами Генри Янга о его коллегах-художниках. Попрощавшись с Генри и пообещав увидеться с ним в Нью-Йорке через месяц, они неторопливо обошли средневековый городок, где каждый дом был сверкающим соляным кубом и где, помахивая хвостами, на улицах лежали полосатые кошки, а мимо них шли люди, неспешно толкая тележки.

На следующий вечер, когда они подъезжали к Гранаде, Джуд сказал, что приготовил для него сюрприз, и они сели в машину, которая ждала их возле ресторана, а в руках у Джуда был коричневый конверт, с которым он весь ужин не расставался.

— Куда мы едем? — спросил он. — Что в конверте?

— Увидишь, — ответил Джуд.

Они проехали по холмистой дороге и остановились перед аркой, ведущей в Альгамбру, где Джуд вручил охраннику письмо — тот внимательно изучил его и кивнул, машина проскользнула внутрь, остановилась, они вылезли и очутились в тихом внутреннем дворике.

— Это все твое, — застенчиво сказал Джуд, кивнув в сторону зданий и садов. — Ну, на три часа точно. — И затем, поскольку Виллем потерял дар речи, тихонько добавил: — Помнишь?

Он еле заметно кивнул.

— Конечно, — так же тихо ответил он.

Именно так и должен был закончиться их путь до Сантьяго: они садятся на поезд и едут на юг, в Альгамбру. Столько лет прошло, но он, зная, что им не суждено пройти этот путь, так ни разу и не был в Альгамбре, не выкроил денек от каких-нибудь съемок, чтобы туда съездить, потому что ждал того дня, когда Джуд сможет поехать вместе с ним.

— Один клиент, — сказал Джуд, он и вопрос задать не успел. — Вот так защищаешь кого-нибудь, а потом оказывается, что его крестный — министр культуры Испании, который в обмен на твое щедрое пожертвование на ремонт и благоустройство Альгамбры разрешает тебе посетить ее в одиночестве. — Он улыбнулся Виллему. — Говорил я тебе, что на твой день рождения мы что-нибудь грандиозное устроим — правда, полтора года спустя. — Он положил руку Виллему на плечо. — Виллем, не плачь.

— Я и не собирался, — ответил он, — я вообще много чего умею, не только плакать. — Хотя сам он в этом больше не был уверен.

Он открыл конверт, который ему протянул Джуд, — внутри оказался сверток, он развязал ленточку, сорвал обертку и раскрыл книгу ручной работы, разделенную на главы — “Алькасаба”, “Дворец львов”, “Сады”, “Хенералифе”, а в каждой главе — заметки Малькольма, написанные от руки, потому что Малькольм писал по Альгамбре диссертацию и с девятилетнего возраста приезжал сюда каждый год. Между главами были рисунки отдельных частей ансамбля — цветущий жасминовый куст в мелких белых цветочках, каменный фасад, разграфленный кобальтовой плиткой, — все они были вклеены в книгу, все посвящены ему и подписаны знакомыми именами: Ричард, Джей-Би, Индия, Желтый Генри Янг, Али. Вот теперь он и вправду расплакался, улыбаясь сквозь слезы, и Джуду пришлось сказать, что им бы пора и двигаться, не могут же они все время, рыдая, простоять в воротах, и тогда он схватил его в охапку и поцеловал, не обращая никакого внимания на молчаливых охранников в черном у него за спиной.

— Спасибо, — сказал он. — Спасибо, спасибо, спасибо!

И они пошли внутрь, сквозь тихую ночь, и перед ними бежала полоска света от фонарика Джуда. Они заходили во дворцы, где мрамор был таким старым, что все здание казалось высеченным из нежнейшего белого масла, в залы со сводчатыми потолками — такими высокими, что под ними беззвучно реяли птицы, и с такими симметрично и идеально прорубленными окнами, что в комнате было светло от лунного света. Они шли, то и дело останавливаясь, чтобы свериться с записками Малькольма, чтобы разглядеть детали, которые иначе они непременно бы упустили, чтобы понять, что стоят в комнате, где тысячу лет назад, а то и больше, султан диктовал письма. Они изучали иллюстрации, сличали рисунки с тем, что видели собственными глазами. Каждый рисунок их друзей предваряла записка, в которой они рассказывали, когда впервые увидели Альгамбру и почему решили нарисовать именно это. Их охватило то же чувство, которое часто охватывало их в молодости, — что все их знакомые уже повидали мир, а они еще нет, теперь это, конечно, было далеко не так, но они все равно с таким же благоговением взирали на жизни друзей, на то, сколько они всего сделали и пережили, на то, как прекрасно они умели это ценить, как талантливо умели запечатлеть. В садах Хенералифе они забрели в просвет, прорезанный в лабиринте кипарисовой живой изгороди, и там он начал целовать Джуда — настойчиво, чего он себе уже давно не позволял, хотя они и слышали вдалеке шаги охранника, который прохаживался по каменной дорожке.

Вернувшись в отель, они продолжили целоваться, и он подумал, что если бы это был фильм, то сейчас они бы занялись сексом, и он едва, едва не сказал это вслух, но потом опомнился, остановился, отодвинулся от Джуда. Но все равно казалось, будто он сказал это вслух, потому что сначала они просто молчали, глядя друг на друга, а потом Джуд тихонько произнес:

— Виллем, можно, если хочешь.

— А ты хочешь? — наконец спросил он.

— Конечно, — сказал Джуд, но Виллем видел, как он отвел взгляд, слышал, как он слегка осекся, и понял, что он лжет.

Буквально на секунду он решил, что притворится, что позволит себе поверить, будто Джуд говорит правду. Но не смог. И сказал:

— Нет, — откатываясь от него. — Хватит нам впечатлений на один вечер.

Он услышал, как Джуд выдохнул, а засыпая, услышал его шепот: "Прости, Виллем", — и хотел было сказать Джуду, что все понимает, но к тому времени он уже почти спал и не смог ничего выговорить.

Но то было единственным огорчением за всю поездку, да и причина этого огорчения была совсем в другом: он знал, что Джуд огорчается, потому что чувствует, что его подвел, потому что он уверен — и в этом Виллем никак не мог его разубедить, — что не выполняет свой долг. Огорчался он из-за самого Джуда. Иногда Виллем задумывался о том, какая у Джуда была бы жизнь, если бы ему самому пришлось открывать для себя секс, а не узнавать, что это такое, насильно — но об этом думать было бесполезно, он сразу расстраивался. И старался вовсе об этом не думать. Но мысль эта никуда не исчезала, она пересекала всю их дружбу, их жизни, будто бирюзовая развилистая жилка — камень.

Зато у них была нормальность, повседневность — это было куда лучше секса и возбуждения. Они поняли, что в тот вечер Джуд ходил — медленно, но не спотыкаясь — целых три часа. В Нью-Йорке их ждала жизнь, привычные дела, которые снова шли своим чередом, потому что у Джуда теперь были на них силы, потому что теперь он мог высидеть пьесу, ужин или оперу и не уснуть, потому что теперь он мог подняться по лестнице ко входной двери дома Малкольма на Коббл-Хилл, мог дойти по брусчатому тротуару до здания на Винегар-Хилл, где жил Джей-Би. Можно было с облегчением слышать, как у Джуда в пять тридцать утра звонит будильник, как он поднимается и идет плавать, можно было с облегчением заглянуть в коробку на кухонной стойке и увидеть, что она набита медикаментами, которые Джуд вернет Энди, а тот — передаст в больницу: запасными трубками для катетера, бинтами, остатками высококалорийных белковых смесей, прием которых Энди только недавно отменил. В эти минуты он вспоминал, как ровно два года назад возвращался из театра и глядел на спящего Джуда, до того хрупкого, что казалось, будто катетер у него под рубашкой — на самом деле артерия, что он будет неизменно и неуклонно усыхать, пока от него не останутся одни нервы, сосуды и кости. Иногда он вспоминал то время и слегка терялся: это что же, вот эти люди — это и вправду были они? Куда же они тогда подевались? Не объявятся ли снова? Или теперь они все-таки стали совсем другими людьми? И тогда он воображал, что те люди не столько исчезли, сколько затаились у них внутри, в ожидании того момента, когда можно будет выскочить, потребовать назад свои тела — у этих личностей наступила ремиссия, но они навсегда останутся с ними.

Еще недавно болезнь была таким частым их гостем, что они до сих пор с благодарностью проживали каждый ничем не примечательный день, даже если со временем они к таким дням и привыкли. Когда впервые за много месяцев Виллем увидел Джуда в инвалидном кресле, увидел, как он встает с дивана, не досмотрев фильм, потому что у него начинается приступ и он не хочет, чтобы Виллем его видел, ему стало не по себе, пришлось напомнить себе, что это тоже часть Джуда, что тело Джуда не всякий день верно ему служит и так будет всегда. Операция ведь ничего этого не изменила, изменила она только отношение к этому Виллема. А потом, когда он понял, что Джуд снова себя режет, не часто, но регулярно, ему опять пришлось себе напомнить, что и это — тоже часть Джуда и что операция не изменила и этого. Все равно:

— Быть может, нам стоит назвать эту эру Счастливыми Годами, — как-то утром сказал он Джуду.

На дворе был февраль, шел снег, они лежали в кровати — теперь по воскресеньям они залеживались допоздна.

— Не знаю, — сказал Джуд, Виллем видел только краешек его лица, но знал, что тот улыбается. — Мы вроде как судьбу искушаем, нет? Назовем их так, и у меня обе руки отвалятся. И вообще, это название уже занято.

И вправду — так назывался следующий фильм Виллема, на съемки которого он вообще-то уезжал уже через неделю: полтора месяца репетиций, а затем еще почти три месяца съемок. Название было не первым. Сначала фильм назывался "Танцовщик и сцена", но Кит только что ему сообщил, что продюсеры изменили название на "Счастливые годы".

Новое название ему не нравилось.

— Оно такое циничное, — сказал он Джуду, после того как пожаловался Киту и режиссеру. — Какое-то оно ироничное, дурно пахнущее.

Это было пару дней назад, они лежали на диване после того, как он весь день выкладывался на занятиях балетом, и Джуд массировал ему ноги. Он сыграет Рудольфа Нуреева, последние годы его жизни — начиная с 1983-го, когда его назначили директором балетной труппы парижской Гранд-Опера, и до того, как у него обнаружат ВИЧ, когда он заметит первые признаки болезни, за год до смерти.

— Я понимаю, о чем ты, — сказал Джуд, когда он закончил возмущаться, — но, может, для него эти годы и вправду были счастливыми. Он был свободен, у него была любимая работа, он учил молодых танцовщиков, он всю труппу полностью изменил. Он поставил несколько величайших своих танцев. Он и этот датский танцовщик…

— Эрик Брун.

— Точно. Они с Бруном тогда еще были вместе, по крайней мере еще какое-то время. Он пережил все, о чем, наверное, в молодости не мог даже мечтать, и был еще вполне молод, чтобы всем этим наслаждаться — и деньгами, и славой, и свободой творчества. Любовью. Дружбой. — Он промял Виллему пятку костяшками, и Виллем поморщился. — Как по мне, это счастливая жизнь.

Они немного помолчали.

— Но он же был болен, — наконец сказал Виллем.

— Тогда еще нет, — напомнил ему Джуд. — По крайней мере, болезнь еще не дала о себе знать.

— Ну да, наверное, — ответил он. — Но он ведь умирал.

Джуд улыбнулся.

— Ну и что, что умирал, — небрежно сказал он. — Мы все умираем. Просто он знал, что для него смерть наступит быстрее, чем он рассчитывал. Но это не значит, что те годы не были счастливыми, что его жизнь не была счастливой.

Тогда он взглянул на Джуда, и его охватило то чувство, которое он иногда испытывал, когда думал, по-настоящему думал о Джуде, о том, какая у него была жизнь: можно было назвать это чувство печалью, но то была печаль без жалости, печаль куда огромнее жалости, которая, казалось, вмещала в себя всех несчастных, надрывающихся людей, все незнакомые ему миллиарды, проживающие свои жизни, печаль, которая смешивалась с удивлением и благоговением перед тем, как люди повсюду изо всех сил стремились жить, даже когда им приходилось очень трудно, даже в самых ужасных обстоятельствах. Жизнь так печальна, но мы все ее живем. Мы все за нее цепляемся, все ищем в ней какого-то утешения.

Но ничего этого он, конечно, не сказал, просто сел, обхватил Джуда за голову, поцеловал его и снова откинулся на подушки.

— И почему это ты такой умный? — спросил он Джуда, и Джуд улыбнулся ему в ответ.

— Не слишком сильно? — спросил он вместо ответа, по-прежнему проминая ногу Виллема.

— Недостаточно сильно.

Теперь он, лежа в кровати, повернулся к Джуду, чтобы видеть его лицо.

— Ничего не поделаешь, это будут Счастливые Годы, — сказал он ему. — Придется нам рискнуть твоими руками.

И Джуд рассмеялся.

На следующей неделе он улетел в Париж. Съемки были чуть ли не самыми трудными в его жизни, для самых сложных па у него был дублер, настоящий танцовщик балета, но что-то он танцевал и сам, и иногда выдавались такие дни, дни, когда он поднимал в воздух настоящих балерин, восхищаясь их плотными, веревистыми мускулами, — дни, которые так его выматывали, что вечером сил у него хватало только на то, чтобы плюхнуться в ванну, а потом оттуда выползти. Он понял, что в последние несколько лет его бессознательно тянет к ролям, требующим большой физической отдачи, и его всегда изумляло и радовало то, как героически его тело справлялось с каждой новой задачей. Он словно заново познавал свое тело, и теперь, вытягивая руки во время прыжка, он чувствовал, как в нем оживал каждый мускул, как тело позволяло ему делать все что угодно, он чувствовал, что в нем ничего не сломается, что тело выполнит любую его прихоть. Он знал, что не одинок, не одинок в этой благодарности телу: когда они приезжали в Кеймбридж, они с Гарольдом каждый день играли в теннис, и он без лишних слов понимал, что они оба благодарны своим телам, понимал, как много для них значит сама возможность прыгать за мячом, бездумно, с оттяжкой по нему шлепать.

В конце апреля Джуд прилетел к нему в Париж, и хотя Виллем и обещал, что не будет устраивать ничего особенного на его пятидесятилетие, он все равно сделал ему сюрприз — и на праздничный ужин слетелись не только Джей-Би и Малькольм с Софи, но и Ричард, Илайджа, Родс, Энди, и Черный Генри Янг, и Гарольд с Джулией, и Федра, и Ситизен, который и помог ему все организовать. На следующий день Джуд приехал к нему на съемки, что случалось очень редко. В то утро они снимали сцену, в которой Нуреев пытается поставить молодому танцовщику кабриоль, объясняет ему снова и снова и наконец сам показывает, как его нужно правильно делать, но этой сцене предшествовала другая — они ее еще не сняли, но в ней Нуреев узнает, что у него ВИЧ, и вот он прыгает, разводит ноги в стороны и падает — и вся студия затихает. Последний кадр сцены — его лицо, и за этот миг он должен был передать, как Нуреев сначала резко понимает, что умрет, а затем, секундой спустя, решает начисто об этом забыть.

Они снова и снова снимали эту сцену, и после каждого дубля Виллему нужно было отойти, отдышаться, к нему снова и снова подбегали гримеры, промакивали пот с лица и шеи, затем он снова возвращался на место. Когда режиссер наконец остался доволен, он уже тяжело дышал, но остался доволен тоже.

— Прости, — извинился он, наконец подходя к Джуду. — Съемки — это скучно.

— Нет, Виллем, — сказал Джуд. — Это невероятно. Какой ты был красивый! — На миг он задумался. — Мне даже казалось иногда, будто это и не ты вовсе.

Он сжал руку Джуда — никаких других проявлений нежности на публике Джуд не терпел. Но он так и не понимал, что именно Джуд чувствует, когда видит такие физические проявления чувств. Прошлой весной, когда Джей-Би в очередной раз расстался с Фредриком, он стал встречаться со звездой очень известной труппы современного танца, и они все ходили смотреть на его выступление. Когда Джозайя танцевал сольный номер, Виллем взглянул на Джуда и увидел, что тот слегка подался вперед, подпер подбородок рукой и так внимательно глядел на сцену, что вздрогнул, когда Виллем положил руку ему на спину. "Прости", — прошептал Виллем. Потом, когда они уже лежали в кровати, Джуд был очень тихим, и Виллем все гадал, о чем же он думает. Расстроился ли он? Жалеет ли о чем? Грустит? Но ему казалось, что не очень хорошо просить Джуда облечь в слова то, что он и для себя самого вряд ли может сформулировать, и поэтому спрашивать не стал.

В Нью-Йорк он вернулся в середине июня, они как-то лежали с Джудом в кровати, и тот принялся его разглядывать.

— У тебя теперь тело танцовщика, — сказал он, и на следующий день он оглядел себя в зеркале и понял, что Джуд прав. В конце недели они ужинали на крыше, где Индия с Ричардом наконец-то закончили делать ремонт, застелили ее травой и уставили фруктовыми деревьями, и он показал им, чему научился, чувствуя, как его неловкость перерастает в головокружительный восторг, когда он делал жете на площадке и друзья ему аплодировали, а над головами у них вечер кровоточил закатом.

— Еще один скрытый талант, — сказал потом Ричард и улыбнулся.

— Знаю, — сказал Джуд, тоже ему улыбаясь. — Виллем полон неожиданностей, даже столько лет спустя.

Но со временем он узнал, что все они полны неожиданностей. В молодости они не могли друг другу ничего дать, кроме секретов: признания ходили вместо валюты, откровения были чем-то вроде интимной близости. Если ты скрывал от друзей какие-то подробности своей жизни, их это поначалу озадачивало, а затем и обижало, и они давали тебе понять, что обида эта помешает настоящей дружбе.

— Что-то ты недоговариваешь, Виллем, — то и дело упрекал его Джей-Би. — У тебя что, от меня секреты? Ты что, мне не доверяешь? Я думал, мы с тобой близкие люди.

— Близкие, близкие, Джей-Би, — отвечал он. — Я ничего от тебя не скрываю.

И он не скрывал, потому что скрывать было нечего. У одного Джуда были тайны, настоящие тайны, и хоть Виллем раньше и злился на то, что Джуд, похоже, не желает этими тайнами с ним делиться, он никогда не чувствовал, что они мешают их близости, они никогда не мешали ему его любить. Ему трудно дался этот урок — понимание того, что Джуд никогда не будет принадлежать ему целиком, что он любит человека, который в основе своей так и останется для него непознанным, недостижимым.

И все-таки он по-прежнему открывал для себя Джуда, даже теперь, через тридцать четыре года после их знакомства, и все, что он узнавал, его поражало. В июле Джуд впервые пригласил его на ежегодное барбекю в "Розен Притчард".

— Приходить совершенно не обязательно, — добавил Джуд сразу же после приглашения. — Там будет очень, очень скучно.

— Сомневаюсь, — сказал он. — Я пойду.

Пикник проходил в парке возле огромного старого особняка на берегу Гудзона, чуть более лощеного родственника того дома, где снимали "Дядю Ваню", и на него пригласили всю фирму — всех партнеров, всех младших партнеров, всех сотрудников с семьями. Когда они шли по заросшей клевером лужайке за домом в сторону пикника и толпы, он вдруг резко и внезапно смутился, остро почувствовал, что ему тут не место, и когда через каких-нибудь пару минут глава фирмы утащил Джуда, сказав, что им нужно быстренько обсудить одно срочное дело, он с трудом удержался, чтобы не вцепиться в Джуда, который, уходя, с извиняющейся улыбкой обернулся к нему и вскинул руку — пять минут!

Поэтому он обрадовался, когда к нему вдруг подошел Санджай, один из немногих коллег Джуда, которых он знал, — в прошлом году Санджай стал руководить отделом вместе с Джудом, чтобы Джуд мог сосредоточиться на новых делах, пока Санджай занимается управленческой и административной работой. Они с Санджаем стояли на вершине горки, Санджай показывал ему разных адвокатов и молодых партнеров, которых они с Джудом терпеть не могли. (Некоторые злосчастные юристы оборачивались, видели, что Санджай на них смотрит, и тогда Санджай весело махал им рукой, бормоча сквозь зубы, до чего они некомпетентные и беспомощные.) Он стал замечать, как люди поглядывают на него и сразу же отводят глаза, а одна женщина, которая поднималась на горку, вдруг довольно невежливо свернула в другую сторону, когда заметила, что он там стоит.

— Вижу, я тут пользуюсь популярностью, — пошутил он, и Санджай улыбнулся.

— Они боятся не тебя, Виллем, — сказал он. — Они боятся Джуда. — Он рассмеялся. — Ну ладно, и тебя тоже.

Наконец Джуд вернулся, они поболтали с главой фирмы ("Я ваш большой поклонник") и Санджаем, после чего спустились вниз, где Джуд представил его людям, о которых он много лет только слышал. Какой-то ассистент попросил разрешения с ним сфотографироваться, а потом и другие на это отважились, потом их с Джудом снова растащили в стороны, и ему пришлось выслушивать, как один из партнеров-налоговиков описывает ему его же трюки из второго фильма шпионской трилогии. В какой-то момент он повернул голову и поймал взгляд Джуда, который стоял на другом краю лужайки, и тот беззвучно, одними губами прошептал извинения, он помотал головой, улыбнулся, но с силой подергал себя за левое ухо — их старинный сигнал; он и не ожидал, что сработает, но вскоре, обернувшись, увидел Джуда, шагавшего к нему.

— Извини, Айзек, — твердо сказал он. — Я отниму у тебя Виллема на десять минут. — И утащил его за собой. — Правда, Виллем, прости, — шептал он, уводя его, — наша социальная неуклюжесть сегодня особенно очевидна; ну что, чувствуешь себя пандой в зоопарке? С другой стороны, я тебя предупреждал, что будет ужас. Обещаю, еще десять минут, и можем идти.

— Да все в порядке, — сказал он, — мне весело!

Он всегда узнавал много нового, когда видел Джуда в другой его жизни, с людьми, которые за день проводили с ним больше времени, чем сам Виллем. Чуть раньше он заметил, как Джуд подошел к группе молодых юристов, которые громко ржали, разглядывая что-то в телефоне. Но, едва заметив, что к ним идет Джуд, они стали пихать друг дружку локтями, умолкли, сделались очень вежливыми, когда он к ним подошел, поприветствовали его так живо и с такой наигранной радостью, что Виллема передернуло, а когда прошел мимо, снова сгрудились вокруг телефона, но на этот раз уже вели себя потише.

Когда Джуда кто-то утащил в третий раз, он уже порядочно освоился и стал сам заговаривать с людьми, которые толклись вокруг него и улыбались, глядя в его сторону. Он познакомился с высокой азиаткой по имени Кларисса и вспомнил, что Джуд о ней одобрительно отзывался.

— Я слышал о вас много хорошего, — сказал он, и Кларисса с явным облегчением расплылась в сияющей улыбке.

— Джуд обо мне говорил? — переспросила она.

Он познакомился с младшим партнером, чьего имени не запомнил, — тот рассказал ему, что "Черная ртуть 3081" была первым фильмом "16+", который он посмотрел, и Виллем почувствовал себя невероятно старым. Он встретил другого партнера из отдела Джуда, который сказал, что Гарольд вел у него два семинара, и интересовался, каков Гарольд на самом деле. Он познакомился с детьми секретарей Джуда, с сыном Санджая, с десятками других людей — чьи-то имена он знал, но о большинстве никогда в жизни не слышал.

День был жаркий, ясный, безветренный, он пил без остановки — лимонад, воду, просекко, чай со льдом, — но на пикнике собралось столько народу, что, когда они ушли через два часа, выяснилось, что поесть им так и не удалось, и они притормозили у фермерского киоска, чтобы купить кукурузы и потом поджарить ее на гриле вместе с цуккини и помидорами из их огорода.

— Сегодня я многое о тебе узнал, — сообщил он Джуду, когда они ужинали под темно-синим небом. — Узнал, что почти все в фирме тебя до смерти боятся и думают, что, если сумеют ко мне подлизаться, я замолвлю за них словечко. Узнал, что я гораздо старше, чем мне казалось. Узнал, что ты прав — ты действительно работаешь с ботаниками.

Джуд улыбался, но тут расхохотался.

— Видишь? — сказал он. — А я тебя предупреждал, Виллем.

— Но я отлично провел время, — сказал он. — Правда! Я хочу снова пойти. Но в следующий раз надо захватить с собой Джей-Би, тогда мы всему "Розен Притчарду" порвем шаблон.

И Джуд снова расхохотался.

Это было почти два месяца назад, с тех пор он почти все время жил в Фонарном доме. Он заранее выпросил себе подарок на пятьдесят второй день рождения — чтобы Джуд все лето не работал по субботам, и Джуд не работает: приезжает по пятницам, уезжает обратно в город в понедельник. В будни машина у Джуда, поэтому он арендовал для себя автомобиль —

отчасти в шутку, хотя втайне ему нравилось на нем разъезжать, — вызывающего цвета кабриолет, который Джуд называл "шлюховато-красным". В будни он читает, плавает, готовит и спит: осень будет загруженной, но он знает, что со всем справится, потому что уже чувствует себя спокойным и отдохнувшим.

В магазине он набирает в один бумажный пакет лаймов, в другой — лимонов, покупает еще минералки и едет на станцию, ждет, откинувшись на сиденье и закрыв глаза, и приподнимается, услышав голос Малкольма.

— Джей-Би не приехал, — раздраженно говорит Малкольм, когда Виллем целует их с Софи. — Они с Фредриком сегодня утром расстались — ну вроде как. А может, и не расстались, потому что он сказал, что завтра приедет. В общем, я не понял, что у них там случилось.

Он стонет.

— Позвоню ему из дома, — говорит он. — Привет, Соф. Ребята, вы обедали? А то мы сразу начнем готовить, как приедем.

Они не обедали, поэтому он звонит Джуду и говорит, чтоб ставил воду для пасты, но Джуд, оказывается, уже и сам начал готовить.

— Лаймы я купил, — говорит он ему. — А Джей-Би приедет только завтра, у них там что-то с Фредриком, Мэл и сам толком не понял. Позвонишь ему, узнаешь, что случилось?

Он ставит сумки друзей на заднее сиденье, Малкольм взглядывает на багажник, садится в машину.

— Интересный цвет, — говорит он.

— Спасибо, — отвечает он. — Он называется "шлюховато-красный".

— Правда?

Неизбывная доверчивость Малкольма вызывает у него улыбку.

— Да, — говорит он. — Ну что, едем?

Они едут и болтают о том, как давно не виделись, как рады Софи и Малкольм возвращению домой, о том, что Малкольму позорно не даются уроки вождения, о том, какая замечательная стоит погода, о том, как сладко воздух пахнет сеном. Это лучшее лето, снова думает он.

От станции до дома — полчаса на машине, чуть побыстрее, если он поторопится, но он никуда не торопится, потому что так здорово просто ехать. Поэтому, когда они проезжают последний большой перекресток, он даже не видит, как на него летит грузовик, пропахав все движение, проехав на красный, и когда он наконец его чувствует — мощнейший удар, который сминает автомобиль с пассажирской стороны, там, где возле него сидит Софи, — он уже в воздухе, уже летит.

— Нет! — кричит он или думает, что кричит, и тут — мгновенной вспышкой — перед ним возникает лицо Джуда, одно его лицо — неясное выражение, оторванное от тела, заслонившее темное небо. Уши, вся голова наполняются скрежетом мнущегося металла, разлетающегося стекла, его собственным бессильным воем.

Но последние его мысли — не о Джуде, а о Хемминге. Он видит дом, где жил в детстве, а посреди лужайки, как раз возле съезда к конюшням, в инвалидном кресле сидит Хемминг и спокойно, внимательно глядит на него, так, как никогда не мог взглянуть при жизни.

А он стоит в самом конце подъездной дорожки, там, где кончается асфальт и начинается грязь, и при виде Хемминга его захлестывает тоска по брату. — Хемминг! — кричит он, затем кричит снова, глупо: — Подожди меня!

И он срывается с места и бежит к брату, так быстро, что вскоре не чувствует под собой ног.

———————

VI

ДОРОГОЙ ТОВАРИЩ

1

———

О дин из первых фильмов, где снимался Виллем, назывался "Жизнь после смерти". Он был основан на легенде об Орфее и Эвридике, рассказан с двух точек зрения и снят двумя разными очень известными режиссерами. Виллем играл О., молодого музыканта из Стокгольма, чья девушка только что умерла и ему стало казаться, что при исполнении определенных мелодий она снова появляется рядом с ним. Итальянская актриса по имени Фауста играла Э., усопшую подругу О.

Неожиданный поворот сюжета заключался в том, что, пока О. вперял глаза в пространство, рыдал и скорбел о своей любви на земле, Э. по полной отрывалась в аду, где она наконец-то могла вздохнуть свободно: не опекать вздорную мать и забитого отца; не слушать нытье клиентов, с которыми ей приходилось работать в качестве адвоката для малообеспеченных без всякой надежды на благодарность; не вникать в бесконечную самовлюбленную болтовню подруг; не пытаться взбодрить славного, но безнадежно депрессивного бойфренда. Нет, теперь она была в преисподней, где не прекращались пиры и деревья гнулись под тяжестью плодов, где можно было язвить и сплетничать, не опасаясь последствий, где она даже привлекла благосклонное внимание самого Аида, которого играл высокий, мускулистый итальянский актер по имени Рафаэль.

"Жизнь после смерти" разделила критиков на два лагеря. Некоторым фильм понравился: им понравилось, что он так много говорит о фундаментальной разнице двух культур в подходе к жизни (линия О. была снята знаменитым шведским режиссером в приглушенных серо-голубых тонах; линия Э. — режиссером-итальянцем, чей взгляд на мир отличался бурным жизнелюбием) и в то же время не чужд проблесков легкой самоиронии; им понравились прихотливые сдвиги настроения; им понравилось, какой бережный и оригинальный подход был выбран, чтобы утешить тех, кто остался в живых.

———

Но у фильма были и ненавистники. Палитра и интонации показались им фальшивыми; их возмутил тон двусмысленной сатиры; они пришли в ярость от музыкального номера, который Э. исполняет в аду, в то время как ее несчастный О. в надземном мире параллельно пиликает свои безрадостные минималистические композиции.

Несмотря на бурные споры о картине (в Штатах ее практически никто не видел, но у всех было твердое мнение), критики сходились в одном: ведущие актеры Виллем Рагнарссон и Фауста Сан-Филиппо сыграли превосходно, их ожидает блестящая карьера.

С течением лет "Жизнь после смерти" продолжали пересматривать, переосмысливать и переоценивать, и когда Виллему было уже хорошо за сорок, фильм стал общепризнанным шедевром, любимым произведением у поклонников творчества обоих режиссеров, символом того командного, дерзкого, бесстрашного и в то же время увлекательного кинематографа, у которого теперь осталось так мало приверженцев. Он всегда спрашивал у людей, какая роль Виллема их любимая, ведь тот играл в удивительно разнообразных фильмах и пьесах, и потом пересказывал Виллему их ответы. Например, молодые мужчины из числа партнеров и сотрудников "Розен Притчард" любили шпионские фильмы. Женщинам нравились "Дуэты". Интерны — среди которых было много актеров — любили "Отравленное яблоко". Джей-Би любил "Непобежденного". Ричард любил "Звезды над Сантьяго". Гарольд и Джулия любили "Преступления памяти" и "Дядю Ваню". А студенты-кинематографисты — которые меньше всего стеснялись подойти к Виллему в ресторане или на улице — неизменно любили "Жизнь после смерти". "Это одна из лучших работ Доницетти", — уверенно говорили они, или: "Как, наверное, здорово было сниматься у Бергессона".

Виллем всегда вел себя вежливо.

— Согласен, — говорил он обрадованным студентам, — конечно. Было очень здорово.

В этом году исполняется двадцать лет с момента выхода "Жизни после смерти", и как-то раз февральским днем он выходит на улицу и видит, что лицо тридцатитрехлетнего Виллема украшает фасады зданий, автобусные остановки и, размноженное в духе Уорхола, прикрывает широкие пространства строительных лесов. Сегодня суббота, и он собирался пройтись, но вместо этого он разворачивается и поднимается наверх, опять ложится в постель, закрывает глаза и снова засыпает. В понедельник он сидит на заднем сиденье автомобиля, и мистер Ахмед везет его по Шестой авеню, и, увидев первый плакат, наклеенный на окно пустого магазина, он закрывает глаза и не открывает их, пока автомобиль не останавливается и мистер Ахмед не сообщает, что они подъехали к офису.

Через несколько дней он получает приглашение от Музея современного искусства — судя по всему, "Жизнь после смерти" будет открывать ретроспективу Симона Бергессона в июне, после сеанса организуют круглый стол с участием обоих режиссеров и Фаусты, и они надеются, что он тоже сможет прийти, и — да, они помнят, что уже обращались с этим предложением, но все же — будут очень рады, если он согласится принять участие в дискуссии и рассказать о том, как Виллем снимался в фильме. Он задумывается: они *уже* его приглашали? Должно быть. Но он не может вспомнить. Из того, что было в последние полгода, он помнит очень немногое. Он смотрит на даты ретроспективы: с третьего по одиннадцатое июня. Он спланирует все, чтобы уехать в эти дни из города, иначе никак. Виллем снимался еще в двух короткометражках у Бергессона, они относились друг к другу с симпатией. Он не хочет видеть новые плакаты с лицом Виллема, снова натыкаться на его имя в газете. Он хочет избежать встречи с Бергессоном.

Ближе к ночи, перед тем как лечь в кровать, он подходит к той стороне шкафа, где до сих пор висит одежда Виллема. Вот рубашки Виллема на вешалках, вот его свитеры на полках, вот его выставленные в ряд ботинки. Он берет нужную рубашку — клетчатую, темно-красную с желтыми полосками, которую Виллем носил дома в весенние дни, и продевает в нее голову. Но вместо того чтобы просунуть руки в рукава, он завязывает их спереди, как будто это смирительная рубашка, для того чтобы вообразить — с усилием, — будто руки Виллема его обнимают. Он залезает в постель. Это ритуальное объятие кажется ему нелепым и стыдным, но он прибегает к такому способу, только когда чувствует в нем острую необходимость, а сегодня он ее чувствует.

Он не засыпает. Время от времени он дотрагивается носом до воротника, чтобы попытаться почувствовать запах Виллема на рубашке, но с каждым разом это все труднее. Он использовал уже три рубашки Виллема, это четвертая, и он тщательно следит за тем, чтобы сберечь ее запах. Первые три рубашки он надевал почти каждую ночь на протяжении нескольких месяцев, и они больше не пахнут Виллемом, они пахнут им. Иногда он пытается утешить себя тем, что его собственный запах подарен ему Виллемом, но этого утешения никогда не хватает надолго.

Даже до того, как они стали парой, Виллем всегда привозил ему что-нибудь оттуда, где работал, и, вернувшись со съемок "Одиссеи", он предъявил две склянки духов, которые заказал в ателье знаменитого флорентийского парфюмера.

— Я понимаю, что это диковатая идея, — сказал он тогда. — Но один человек, — он тогда улыбнулся про себя, понимая, что это значит "одна девушка", — мне про это рассказал, и я решил, что идея занятная.

Виллем объяснил, что пришлось описать его парфюмеру — какие цвета ему нравятся, какая еда, какие страны — и тогда парфюмер создал этот аромат лично для него.

Он понюхал: пахло зеленью с примесью перца, с сырой, резкой завершающей нотой.

— Ветивер, — сказал Виллем. — Попробуй.

И он попробовал, брызнув на ладонь, потому что тогда еще не показывал Виллему свои запястья.

Виллем принюхался.

— Мне нравится, — сказал он. — Он хорошо пахнет именно на тебе.

И они оба вдруг страшно смутились.

— Спасибо, Виллем, — сказал он. — Мне очень нравится.

Виллем заказал аромат и для себя тоже. Базовой нотой в его духах был сандал, и он скоро приучился ассоциировать сандал с Виллемом. Где бы ему ни приходилось почувствовать этот запах, особенно вдали от дома — в деловой поездке по Индии, в Японии, в Таиланде, — он всегда вспоминал Виллема, и ему становилось менее одиноко. Они оба так и продолжали заказывать эти духи у флорентийского парфюмера, и два месяца назад, как только присутствие духа позволило ему делать хоть что-то, он первым делом заказал оптовую поставку личных духов Виллема. Он испытал такое облегчение, такое возбуждение, когда посылка наконец доехала, что у него тряслись руки, пока он разматывал пленку и разрезал ящик. Он уже чувствовал, что Виллем от него ускользает; уже понимал, что должен прилагать усилия, чтобы его удержать. Хотя он побрызгал духами — осторожно, стараясь не увлекаться — рубашку Виллема, все-таки это было не то. Не только духи придавали одежде Виллема его запах — это был он сам, самое его существо. В ту ночь он лежал в постели в рубашке, источавшей сладкий аромат сандала, такой сильный, что он заглушал все остальные запахи, полностью уничтожал все, что оставалось от самого Виллема. В ту ночь он плакал, впервые за долгое время, а на следующий день уволил ту рубашку — сложил и запаковал в ящик в углу шкафа, чтобы она не повлияла на остальные вещи Виллема.

Духи, ритуал с рубашкой — это два элемента подмостков, шатких и хрупких, которые он научился воздвигать, чтобы как-то трепыхаться, продолжать жить свою жизнь. Хотя он часто чувствует, что не столько живет, сколько существует, что это дни проходят мимо, а не он осмысленно проживает каждый день. Но он себя за это не слишком корит: просто существовать — уже тяжелый труд.

Прошли месяцы, прежде чем он разобрался, что ему помогает. Одно время он каждый вечер не отрывался от фильмов с участием Виллема, смотрел их, пока не засыпал на диване, прокручивал до сцен с репликами Виллема. Но кинореплики, актерская игра Виллема отдаляли его, а не приближали, и в конце концов он осознал, что лучше было просто остановиться на каком-то кадре, чтобы лицо Виллема застыло, уставившись на него, а он бы впивался в него взглядом, смотрел и смотрел до рези в глазах. Проведя так месяц, он понял, что нужно бережнее обращаться с запасом фильмов, чтобы они не утратили силу. Тогда он начал по порядку, с самого первого фильма Виллема "Девушка с серебряными руками", который он жадно смотрел каждую ночь, останавливая и снова запуская, то и дело вглядываясь в очередной стоп-кадр. По выходным он смотрел его часами: начинал, когда небо только меняло цвет с ночного на утренний, а заканчивал, когда оно уже давно снова почернело. А потом он понял, что смотреть эти фильмы в хронологическом порядке опасно, потому что это значило, что с каждым днем он подбирается все ближе к гибели Виллема. Тогда он стал выбирать фильм месяца в случайном порядке, и оказалось, что так безопаснее.

Но главная, самая успокаивающая фантазия, которую он себе сочинил, заключалась в том, что Виллем просто уехал на съемки. Это очень долгий и очень сложный проект, но когда-нибудь он закончится и Виллем вернется. То была хрупкая иллюзия — ведь не бывало таких съемок, на протяжении которых они с Виллемом не разговаривали по телефону, не обменивались письмами или записками (часто и то, и другое, и третье) каждый день. Он радовался, что сохранил столько электронных писем Виллема, и некоторое время мог читать эти старые письма по ночам и делать вид, будто только что получил их; даже когда хотелось читать все запоем, он удерживался и позволял себе не больше одного письма за раз. Но он понимал, что вечно этим сыт не будешь — он должен быть строже к себе в деле выдачи писем. Теперь он читает по одному письму в неделю, не больше. Он может перечитывать то, что уже прочел в предыдущие недели, но не может прикасаться к тем, которые еще не прочел. Это еще одно правило.

Но это не решало проблему с молчанием Виллема: какие обстоятельства, думал он, пока плавал по утрам, пока стоял и смотрел невидящим взглядом на плиту, ожидая, когда засвистит чайник, могут помешать Виллему связаться с ним во время съемок? В конце концов он смог придумать сценарий. Виллем снимается в картине об экипаже советских космонавтов времен "холодной войны", и съемки этого воображаемого фильма по-настоящему проходят в космосе, потому что его финансирует русский промышленник-миллиардер, вероятно, сумасшедший. Так что Виллем далеко, облетает землю над его головой каждый день и каждую ночь, хочет домой, но не может с ним связаться. Запредельная невозможность этого воображаемого фильма его смущала, как и запредельность собственного отчаяния, но все-таки проект казался достаточно вероятным, чтобы усилием воли поверить в его реальность, иногда надолго, аж на несколько дней. (В тот момент он испытывал чувство благодарности за то, что в логистику и вообще в реальность работы Виллема так часто невозможно было поверить; а теперь, когда ему это было так нужно, верить в невозможное помогала сама неправдоподобность киноиндустрии.)

Он представлял себе, как Виллем спрашивает: *а как называется картина?* — представлял, как он улыбается.

"Дорогой товарищ", отвечал он Виллему — так они иногда писали друг другу: *дорогой товарищ; дорогой Джуд Гарольдович; дорогой Виллем Рагнарович*, — это началось, когда Виллем снимался в первом фильме своей шпионской трилогии, действие которой разворачивалось в Москве 1960-х. В его воображении съемки "Дорогого товарища" должны были продлиться год, хотя он понимал, что их придется корректировать: уже наступил март, в этой его фантазии Виллем возвращался домой в ноябре, но он знал, что к ноябрю еще не сможет отказаться от игры. Он понимал, что придется придумывать пересъемки, задержки. Он понимал, что придется изобрести сиквел, какую-то причину, которая продолжит удерживать Виллема вдали от него.

Чтобы фантазия была еще правдоподобнее, он каждый вечер садился за компьютер и писал Виллему письмо с рассказом о событиях дня, точно так же, как он делал бы, будь Виллем жив. Каждое сообщение всегда заканчивалось одинаково: "Надеюсь, что съемки продвигаются успешно. Я очень по тебе скучаю. Джуд".

В январе прошлого года, когда он наконец вышел из ступора, окончательность отсутствия Виллема по-настоящему его догнала. Тогда-то он и понял, что его дела плохи. Он очень смутно помнит все предыдущие месяцы; очень смутно помнит тот самый день. Он помнит, что сделал салат с пастой, порвал листья базилика над миской, взглянул на часы и подумал, куда это они запропастились. Но не обеспокоился: Виллем любил возвращаться по проселочным дорогам, Малкольм любил фотографировать, так что они могли где-то остановиться, могли не отследить время.

Он позвонил Джей-Би, выслушал его жалобы на Фредрика, нарезал дыню на десерт. К этому времени они уже серьезно задерживались, и он позвонил Виллему, но в трубке были только гудки. Да куда ж они делись, раздраженно подумал он.

А потом прошло еще время. Он шагал туда-сюда по кухне. Он позвонил Малкольму, Софи — нет ответа. Он снова позвонил Виллему. Он позвонил Джей-Би: они ему не звонили? Он ничего не слыхал? Джей-Би не слыхал.

— Да не парься, Джуди, — сказал он. — Наверняка за мороженым заехали или что-нибудь такое. Или решили сбежать.

— Ха, — сказал он, уже понимая, что что-то не так. — Ладно. Позвоню тебе попозже, Джей-Би.

И как только он положил телефон, зазвенел дверной звонок, и он в ужасе замер, потому что никто еще ни разу не звонил им в дверь. Дом было трудно найти, его нужно было искать, а от главной дороги приходилось идти вверх — и это был долгий путь, — если никто не открывал подъездные ворота, а он не слышал, чтобы у ворот кто-нибудь звонил. О господи, подумал он. О нет. Нет. Но звонок раздался снова, и он обнаружил, что идет к двери, и, открывая ее, отметил не столько выражение лиц полицейских, сколько то, что они снимали фуражки, и тут он все понял.

После этого он потерял счет дням. Он приходил в себя проблесками и видел те же лица — Гарольда, Джей-Би, Ричарда, Энди, Джулии, — что и после попытки самоубийства: те же люди, те же слезы. Они плакали тогда и плакали сейчас, и время от времени он запутывался, думал, что минувшее десятилетие — годы жизни с Виллемом, ампутация — могло быть все-таки сном, что он до сих пор в психиатрическом отделении. Он помнит, что в эти дни он постепенно узнавал разные подробности, но не помнит, как он их узнавал, потому что не помнит ни одного разговора. Но, наверное, разговоры были. Он узнал, что это он опознавал тело Виллема, но ему не позволили увидеть лицо — Виллема выбросило из машины, и он врезался головой в вяз, который рос в тридцати футах от дороги, на другой ее стороне; этот удар уничтожил его лицо, переломал все лицевые кости. Поэтому он опознавал его по родимому пятну на левой икре, по родинке на правом плече. Он узнал, что тело Софи было раздроблено — он помнил, как кто-то сказал "стерто в порошок" — и что у Малкольма была диагностирована смерть мозга и он четыре дня прожил на искусственной вентиляции легких, а потом его родители запустили процедуру донорства органов. Он узнал, что все они были пристегнуты; что у прокатного автомобиля — этого дурацкого, *блядского* прокатного автомобиля — были неисправны подушки безопасности; что водитель грузовика, принадлежавшего пивоваренной компании, был смертельно пьян и проехал на красный свет.

Он почти все время был накачан лекарствами. Так было, когда он ходил на поминальную службу по Софи, которую он не помнил вообще, ни одной детали; так было, когда он ходил на службу по Малкольму. Там он запомнил, что мистер Ирвин схватил его, потряс за плечи, а потом прижал так крепко, что чуть не задушил, и так рыдал, уткнувшись в него, пока кто-то — должно быть, Гарольд — не сказал что-то, и его отпустили.

Он знал, что была какая-то служба и по Виллему, очень скромная; он знал, что Виллема кремировали. Но он не помнит о ней ничего. Он не знает, кто ее организовал. Он даже не уверен, что был на ней, а спрашивать боится.

Он помнит, что в какой-то момент Гарольд сказал ему — ничего страшного, если он не будет произносить надгробную речь, что он может устроить что-то в память о Виллеме позже, когда будет к этому готов. Он помнит, что кивнул, помнит, что подумал: но я же никогда не буду готов.

В какой-то момент он вернулся на работу; наверное, в конце сентября. К этому моменту он знал, что произошло. Правда знал. Но еще пытался не знать, и тогда это еще давалось сравнительно легко. Он не читал газет, не смотрел новостей. Через две недели после гибели Виллема они с Гарольдом шли по улице, и по пути им попался газетный киоск, и вот перед ним возник журнал с лицом Виллема и двумя датами, и он понял, что первая дата — это год рождения Виллема, а вторая — год его смерти. Он стоял, уставившись на журнал, и Гарольд потянул его за рукав.

— Пойдем, Джуд, — сказал он ласково, — не смотри. Пойдем со мной.

И он послушался.

Перед тем как вернуться в офис, он проинструктировал Санджая:

— Я не хочу никаких соболезнований. Не хочу никаких намеков на то, что случилось. Я хочу, чтобы никто никогда не упоминал его имени.

— Хорошо, Джуд, — тихо сказал Санджай, и вид у него был испуганный. — Я понял.

И они подчинились. Никто не соболезновал. Никто не произносил имени Виллема. А теперь ему хочется, чтобы имя произнесли. Он сам на это не способен. Но ему хотелось бы, чтобы кто-то смог. Иногда на улице он слышит что-то похожее на его имя: "Уильям!" — мать зовет сына, — и он жадно оборачивается на ее голос.

В первые месяцы у него были дела, которые не давали ему простаивать, наполняли дни гневом, а гнев, в свою очередь, поддерживал костяк этих дней. Он судился с производителем автомобиля, с производителем ремней безопасности, с производителем предохранительных подушек, с компанией по аренде автомобилей. Он судился с водителем грузовика, с компанией, на которую тот работал. У водителя, сообщил ему адвокат ответчика, больной ребенок; иск погубит их семью. Но ему было наплевать. Когда-то он задумался бы, но не теперь. Он был зол и безжалостен. Пусть он будет уничтожен, думал он. Пусть разорится. Пусть почувствует то, что чувствую я. Пусть потеряет все, то единственное, что важно. Он хотел выжать их всех, все компании, всех работников этих компаний, до последнего доллара. Он хотел, чтобы у них не осталось надежды. Он хотел, чтобы они были опустошены. Он хотел, чтобы они жили в мерзости запустения. Он хотел, чтобы они потерялись в собственной жизни.

Иск к ним, к каждому из них, был подан на сумму, которую Виллем заработал бы, проживи он нормальную человеческую жизнь, и это была абсурдная цифра, невероятная цифра, и, видя ее, он каждый раз приходил в отчаяние — не из-за самой цифры, а из-за тех лет, которые за ней стояли.

Они готовы заключить соглашение и выплатить убытки, сообщил его адвокат, эксперт по деликтному праву по имени Тодд, известный своей агрессивностью и беспринципностью, с которым он был знаком по редакции юридического журнала; выплаты будут щедрые.

Щедрые, не щедрые — это его не интересовало. Его интересовали только страдания, которые эти выплаты им принесут.

— Сотри их в порошок, — велел он Тодду хриплым от ненависти голосом, и Тодд вздрогнул.

— Хорошо, Джуд, — сказал он. — Не беспокойся.

Деньги ему, конечно, не были нужны. Ему хватало своих. За исключением денежных выплат помощнику и крестнику и пожертвований разным благотворительным организациям — тем же, которым Виллем помогал каждый год, плюс еще одной, фонду, заботившемуся о детях — жертвах насилия, — Виллем оставил ему все свое состояние; это было зеркальное отражение его собственного завещания. В том году они с Виллемом учредили две стипендии в своей *alma mater* в честь семидесятипятилетия Гарольда и Джулии: одну в юридической школе, названную в честь Гарольда, другую в медицинской, названную в честь Джулии. Они финансировали их вместе, и Виллем оставил достаточно средств в доверительном управлении, чтобы так оставалось впредь. Он распределил остальные средства согласно завещанию Виллема: подписал чеки благотворительным организациям, фондам, музеям, которые Виллем указал в качестве бенефициаров. Он раздал друзьям Виллема — Гарольду и Джулии, Ричарду, Джей-Би, Роману, Кресси, Сусанне, Мигелю, Киту, Эмилю, Энди, — но не Малкольму, Малкольму уже ничего нельзя было отдать, — те вещи (книги, картины, сувениры, связанные с фильмами и пьесами, произведения искусства), которые Виллем им оставил. В завещании Виллема не было сюрпризов, хотя иногда он хотел, чтобы они там были: как благодарен он был бы за тайного ребенка, с которым он мог бы встретиться, увидеть на его лице улыбку Виллема; как испугало и одновременно взбудоражило бы его тайное письмо с давно откладываемой исповедью. Как благодарен он был бы за предлог, который позволил бы ему ненавидеть Виллема, злиться на него, за тайну, которую нужно было бы разгадать и потратить на это долгие годы. Но ничего такого не было. Жизнь Виллема закончилась. В смерти он был так же чист, как и в жизни.

Он думал, что справляется неплохо, по крайней мере сносно. Как-то раз Гарольд позвонил и спросил, что он собирается делать на День благодарения, и на мгновение он растерялся, не понимая, о чем тот говорит, что вообще значит само это слово — "благодарение".

— Не знаю, — ответил он.

— Это на следующей неделе, — сказал Гарольд тем новым тихим голосом, которым теперь все к нему обращались. — Ты можешь приехать к нам, или мы к тебе, или поедем куда-нибудь все вместе?

— Не могу, наверное, Гарольд, — сказал он. — У меня очень много работы. Но Гарольд настаивал.

— Где угодно, Джуд, — сказал он. — С кем хочешь. Или ни с кем. Но нам нужно тебя повидать.

— Вам не удастся хорошо провести время со мной, — сказал он наконец.

— Нам не удастся хорошо провести время без тебя, — сказал Гарольд. — Точнее, вообще никак не удастся. Прошу тебя, Джуд. Куда угодно.

Так что они поехали в Лондон. Остановились в их с Виллемом квартире. Он был рад уехать из страны, где по телевизору показывают семейные сцены, а коллеги радостно сплетничают про своих детей, жен, мужей и прочих родственников. В Лондоне это был просто обычный день. Они гуляли втроем. Гарольд готовил сложные блюда с катастрофическим результатом, а он их ел. Он все время спал. Потом они вернулись домой.

А потом, однажды в воскресенье, в декабре, он проснулся и понял: Виллема больше нет. Он ушел от него навсегда. Он больше не вернется. Он больше никогда его не увидит. Он больше никогда не услышит голос Виллема, не вдохнет его запах, не почувствует, как руки Виллема его обнимают. Он больше никогда, всхлипывая от стыда, не сбросит груз очередного воспоминания, больше никогда, ослепленный ужасом, не вырвется с содроганием из очередного сна и не почувствует, что Виллем гладит его по лицу, не услышит, как сверху доносится его голос: "Все хорошо, Джуди, все хорошо. Все позади, все позади, все позади". И тогда он заплакал, заплакал по-настоящему, заплакал впервые после аварии. Он плакал о Виллеме, о том, как он, должно быть, испугался, как он страдал, плакал о его несчастной короткой жизни. Но главным образом он плакал о себе. Как ему теперь жить дальше без Виллема? В его жизни — жизни после брата Луки, жизни после доктора Трейлора, жизни после монастыря, после номеров в мотелях, после приюта, после дальнобойщиков, в той единственной части его жизни, о которой имело смысл говорить, — всегда был Виллем. Не было дня, с тех пор как он, шестнадцатилетний, познакомился с Виллемом в общежитской комнате Худ-Холла, когда бы они не общались так или иначе.

— Джуд, — сказал Гарольд, — станет легче. Клянусь тебе. Клянусь. Сейчас кажется, что это невозможно, но станет.

Они все так говорили — и Ричард, и Джей-Би, и Энди; те, кто писал ему открытки. Кит. Эмиль. Только это они и говорили: станет легче. Но хотя он понимал, что никогда не скажет это вслух, про себя он думал: не станет. Джейкоб был у Гарольда пять лет. Виллем был у него тридцать четыре года. Никакого сравнения. Виллем был первым, кто его полюбил, первым, кто увидел в нем не объект эксплуатации или жалости, а что-то иное — друга; он был вторым, кто всегда, неизменно был к нему добр. Если бы у него не было Виллема, у него не было бы никого из них — он никогда не смог бы довериться Гарольду, если бы прежде не доверился Виллему. Он не мог представить себе жизнь без Виллема, до такой степени Виллем определял для него, что есть жизнь и чем она может быть.

На следующий день он сделал то, чего не делал никогда: позвонил Санджаю и сказал, что не выйдет на работу в ближайшие два дня. А потом лежал в кровати и плакал, кричал в подушки, пока полностью не потерял голос.

Но за эти два дня он выработал новый подход. Теперь он остается на работе допоздна, так долго, что нередко видит восход солнца в офисном окне. Он делает это каждый рабочий день, и по субботам тоже. Но по воскресеньям он спит до упора, а проснувшись, принимает таблетку, которая не просто снова его усыпляет, но полностью вырубает любые проблески бодрствования. Он спит, пока действие таблетки не проходит, потом идет в душ, снова забирается в постель и принимает другой препарат, от которого сон становится неглубоким и хрупким, и спит до утра понедельника. Он просыпается в понедельник после двадцатичетырехчасового, если не более продолжительного, голодания, руки дрожат, в голове пусто. Он идет плавать, он отправляется на работу. Если ему повезло, он провел воскресенье в снах о Виллеме, пусть и коротких. Он купил длинную, толстую подушку в человеческий рост, предназначенную для беременных или для людей с больной спиной; он одевает ее в одну из рубашек Виллема и обнимает во сне, хотя при жизни это Виллем его обнимал. Он ненавидит себя за это, но прекратить не может.

Он смутно осознает, что друзья наблюдают за ним, что они обеспокоены. В какой-то момент выяснилось, что он так мало помнит о днях после аварии в том числе и потому, что был в больнице, под надзором на случай попытки самоубийства. Теперь он ковыляет из одного дня в следующий, раздумывая, почему он, собственно, не кончает с собой. Ведь именно сейчас так уместно это сделать. Никто его не осудит. Но все-таки он этого не делает.

По крайней мере, никто не говорит ему, что надо жить дальше. Он не хочет жить дальше, не хочет двигаться ни в каком другом направлении: он хочет остаться ровно в этом состоянии, навсегда. По крайней мере, никто не говорит ему, что он отрицает реальность. Отрицание — единственное, что его поддерживает, и он с ужасом ждет дня, когда созданные им иллюзии утратят силу убеждения. Впервые за несколько десятилетий он вообще не режет себя. Если он не прикасается к лезвию, он остается в отупении, а ему нужно оставаться в отупении; ему нужно, чтобы мир не подходил слишком близко. Он наконец смог добиться того, на что всегда так надеялся Виллем; оказалось, для этого просто нужно отнять у него Виллема.

В январе ему приснилось, что они с Виллемом готовят ужин и болтают в Фонарном доме — что они делали сотни раз. Только во сне он слышал собственный голос, но не слышал Виллема — видел, что его губы шевелятся, но не слышал ни слова. Проснувшись, он бросился в свою коляску и поспешил в кабинет, где стал рыться в старых электронных письмах, пока не нашел несколько голосовых сообщений от Виллема, которые когда-то забыл стереть. Сообщения были короткие и непримечательные, но он проигрывал их снова и снова, рыдая, скрючившись от горя, и сама банальность этих сообщений: "Джуди, привет. Я пошел на фермерский рынок, куплю тебе дикого лука. Может, еще что-то нужно? Свистни", — была драгоценна, потому что служила доказательством их совместной жизни.

— Виллем, — сказал он вслух в глубину квартиры, потому что иногда, когда становилось совсем плохо, он с ним разговаривал. — Вернись ко мне. Вернись.

Он не чувствует того, что называется виной выжившего, — скорее, чувствует непонимание выжившего: он всегда, всегда знал, что умрет раньше Виллема. Все это знали. Виллем, Энди, Гарольд, Джей-Би, Малкольм, Джулия, Ричард: он умрет раньше их всех. Вопрос был только в том, что его убьет — он сам или все-таки инфекция. Но уж чего никто из них никогда не предполагал — это что Виллем умрет раньше него. На такой случай не было никаких планов, никаких экстренных мер. Если бы он знал, что такой шанс есть, если бы сама идея не была столь абсурдна, он бы сделал запасы. Он бы записывал, как Виллем ему что-то рассказывает, он бы все сохранял. Он бы чаще его фотографировал. Он бы постарался выделить химический состав тела Виллема. Он бы отвел его, только что проснувшегося, к флорентийскому парфюмеру и сказал бы: "Вот. Вот это. Этот запах. Выделите и закупорьте". Джейн однажды рассказала ему, что в детстве пришла в ужас при мысли о том, что ее отец когда-то умрет, тайно записала, как он диктует (он тоже был врач), и сохранила на флэшках. А когда ее отец и вправду умер четыре года назад, она откопала их и сидела, слушая, как отец диктует указания своим спокойным, терпеливым голосом. Как он завидовал Джейн; как жалел, что не сделал того же.

Но, по крайней мере, у него были фильмы Виллема и его письма, и все это он сберег. По крайней мере, у него были вещи Виллема и статьи про Виллема, которые он тоже сохранил. По крайней мере, у него были картины Джей-Би, изображающие Виллема; по крайней мере, у него были фотографии Виллема — их были сотни, но тут он тоже себя ограничивал. Он решил, что позволит себе рассматривать по десять фотографий в неделю, и потом смотрел на них часами. Он сам решал, будет ли рассматривать одну фотографию в день или все десять за один раз. Он приходил в ужас от мысли, что с компьютером что-то случится и он потеряет эти файлы; он скопировал их на разные носители и спрятал диски в разных местах — в сейфе на Грин-стрит, в сейфе в Фонарном доме, в ящике рабочего стола в "Розен Притчард", в своей банковской ячейке.

Ему никогда не приходило в голову, что Виллем ведет тщательный учет своей жизни — он сам тоже этого не делал, — но как-то раз в начале марта, в воскресенье, он не погружается в медикаментозный сон, а едет вместо этого в Гаррисон. С того сентябрьского дня он появлялся в доме всего дважды, но садовники исправно приходят, и вдоль подъездной дорожки уже набухают бутоны, а когда он заходит в дом, на кухонном столе стоит ваза со срезанными ветвями сливы, и он замирает, глядя на них: он что, послал смотрительнице записку, чтобы предупредить о своем приезде? Должно быть. Но на мгновение он представляет, что в начале каждой недели кто-то приходит и украшает стол новой цветочной композицией, а в конце недели, очередной недели, в течение которой никто так и не приехал посмотреть на цветы, их выбрасывают.

Он идет в свой кабинет, куда они поставили дополнительную мебель, чтобы бумагам и прочим вещам Виллема тоже хватило места. Он садится на пол, стряхивает пальто, потом делает вдох и открывает первый ящик. Там папки, на каждой название пьесы или фильма, а внутри каждой папки — съемочная версия сценария с пометками Виллема. Иногда там попадаются вызывные листы на те дни, когда актер, которым Виллем особенно восхищался, собирался сниматься вместе с ним: он помнит, как Виллема распирало от радости во время съемок "Платановой аллеи", как он послал ему фото вызывного листа на тот день, где его имя было напечатано ровно под именем Кларка Баттерфилда. "Представляешь?!" — написал Виллем.

"Легко", — ответил он.

Он пролистывает содержимое папок, вытаскивая их в случайном порядке и тщательно изучая содержимое. В следующих трех ящиках все то же самое: фильмы, пьесы, другие проекты.

В пятом ящике лежит папка с надписью "Вайоминг", в ней в основном фотографии, и почти все он видел раньше: фотографии Хемминга; фотографии Виллема с Хеммингом; фотографии их родителей; фотографии сестры и брата, которых Виллем не застал, Бритте и Акселя. Там же — отдельный конверт с дюжиной снимков одного Виллема, только Виллема: школьные фотографии, Виллем в бойскаутской форме, Виллем в футбольном снаряжении. Он смотрит на эти снимки, сжав руки в кулаки, а потом кладет их обратно в конверт.

В папке с надписью "Вайоминг" есть еще кое-какие бумаги: изложение по "Волшебнику страны Оз", которое Виллем написал своим аккуратным почерком в третьем классе, — оно вызывает у него улыбку; собственноручно нарисованная открытка ко дню рождения Хемминга — она вызывает у него слезы. Свидетельство о смерти матери; отца. Экземпляр их завещания. Несколько писем — от него к родителям, от родителей к нему, все по-шведски; их он откладывает, чтобы потом отдать на перевод.

Он знает, что Виллем никогда не вел дневник, и все же, когда он просматривает папку с пометкой "Бостон", его не оставляет ощущение, что там что-то окажется. Но там ничего нет, лишь еще стопка фотографий, которые он все уже видел: на них Виллем, лучезарно красивый; Малькольм, с подозрительным и слегка диковатым видом, с растрепанным, неудачным афро на голове — такую прическу он пытался холить в студенческие годы; Джей-Би, который выглядит, в общем, так же, как сейчас, — веселый и толстощекий; он сам, напуганный, подавленный, очень тощий, в жуткой одежде на несколько размеров больше нужного, с жуткими слишком длинными волосами, с ортопедическими скобами, которые держат его ноги в черных пластиковых кандалах. Он замирает, глядя на фотографию, где они вдвоем сидят на диване в общежитии, Виллем привалился к нему, смотрит на него с улыбкой и явно что-то рассказывает, а он смеется, прикрыв рот рукой, он приучил себя к этому, когда воспитатели в приюте сказали, что у него уродливая улыбка. Они выглядят не то что как два разных человека — как существа разной породы, и он вынужден быстро засунуть снимок обратно, чтобы не порвать его немедленно.

Стало трудно дышать, но он продолжает. В папке "Бостон", в папке "Нью-Хейвен" лежат рецензии университетских газет на пьесы, в которых Виллем играл; есть там заметка о перформансе Джей-Би по мотивам Ли Лозано. Есть там и трогательно сохраненная ведомость по матанализу, когда Виллем — единственный раз — получил B, после того как он его несколько месяцев натаскивал.

А потом он снова запускает руку в ящик, который почти целиком занят не тонкими папками, а большой папкой-гармошкой, какими они пользуются у себя в фирме. Он вытаскивает папку, видит, что на ней написано только одно слово — его имя, — и медленно открывает ее.

Внутри нее — все: все письма, которые он написал Виллему, распечатки всех сколько-нибудь существенных текстов из электронной почты. Поздравительные открытки. Его фотографии, некоторые из которых он видит впервые. Номер "Артфорума", на обложке которого "Джуд с сигаретой". Открытка от Гарольда, написанная вскоре после усыновления, где он благодарит Виллема за то, что тот приехал, и за подарок. Статья о том, как он получил премию во время учебы в юридической школе, которую он точно не посылал Виллему — но кто-то, стало быть, послал. Значит, ему и не нужно было вести учет своей жизни — Виллем всю дорогу делал это за него.

Но почему для Виллема это так много значило? Почему он хотел проводить рядом с ним столько времени? Он никогда не мог этого понять и теперь уже никогда не поймет.

Мне иногда кажется, будто я больше твоего хочу, чтобы ты жил, — он вспоминает эти слова Виллема и втягивает воздух с долгим содроганием.

Эта роспись его жизни продолжается, и в шестом ящике он обнаруживает еще одну папку-гармошку, такую же, как первая, с пометкой "Джуд II", а за ней — "Джуд III" и "Джуд IV". К этому моменту он уже не в силах смотреть. Он аккуратно кладет папки на место, задвигает ящики, запирает их. Он складывает письма Виллема и его родителей в конверт, а конверт — в другой конверт, для верности. Он убирает сливовые ветви, заматывает их срез пластиковым пакетом, выливает воду из вазы в раковину, запирает дом и едет обратно, с ветками на пассажирском сиденье. Прежде чем подняться к себе в квартиру, он заходит в мастерскую Ричарда, наливает воду в пустую банку из-под кофе, ставит в нее ветви и оставляет банку на рабочем столе Ричарда, чтобы утром он ее обнаружил.

Потом март подходит к концу; он сидит у себя в конторе. Вечер пятницы или, вернее сказать, утро субботы. Он отворачивается от монитора и смотрит в окно. Видимость отличная до самого Гудзона, и он видит, что над рекой небо постепенно белеет. Он встает и долго смотрит на грязную серую реку, на стаи птиц. Он возвращается к работе. Он чувствует, что за эти последние месяцы он изменился, что люди его пугаются. Он никогда не слыл на работе весельчаком, но теперь он понимает, что стал безрадостным. Он чувствует, что стал безжалостнее. Он чувствует, что стал холоднее. Они с Санджаем раньше часто вместе обедали и оба жаловались каждый на своих сотрудников, но теперь он ни с кем не может говорить. Он обеспечивает приток дел. Он делает свою работу, он делает больше, чем необходимо, — но чувствует, что никому не в радость находиться с ним рядом. Ему нужна "Розен Притчард", без своей работы он не знает, что с собой делать. Но никакого удовольствия она ему больше не доставляет. Ничего, пытается он успокоить себя. Работа — она вообще не для удовольствия, во всяком случае у большинства людей. Но у него это когда-то было иначе, а теперь все изменилось.

Два года назад он восстанавливался после ампутации и все время так уставал, что Виллему приходилось укладывать его в кровать и вынимать из кровати на руках, и вот как-то утром они с Виллемом разговаривали — должно быть, на улице было холодно, потому что он помнит ощущение уютного тепла и безопасности, — и он произнес:

— Хотел бы я вот так лежать всегда.

— Так лежи, — сказал Виллем. (Этот обмен репликами повторялся постоянно: звонил будильник, он вставал. "Не ходи, — каждый раз говорил Виллем. — Зачем тебе вставать? Куда ты все время мчишься?")

— Не могу, — сказал он с улыбкой.

— Слушай, — сказал Виллем, — а почему бы тебе не взять и не уволиться?

Он засмеялся:

— Я не могу уволиться.

— Но почему? — спросил Виллем. — Если не считать полного отсутствия интеллектуальных стимулов и перспективы проводить все время исключительно в моем обществе — назови мне хоть одну причину.

Он снова улыбнулся.

— В таком случае нет никакой причины, — сказал он. — Я, честно говоря, совсем не против проводить время исключительно в твоем обществе. Но что я буду делать целыми днями в качестве твоего нахлебника?

— Готовить, — сказал Виллем. — Читать. Играть на рояле. Заниматься благотворительной работой. Путешествовать со мной. Слушать, как я жалуюсь на всяких мерзких актеров. Ходить на массаж лица. Петь для меня. Восхвалять меня при каждом удобном случае.

Он засмеялся, и Виллем засмеялся вместе с ним. Но теперь он думает: почему же я не уволился? Почему я позволил Виллему столько месяцев и лет быть вдали от меня, когда мы могли бы с ним путешествовать? Почему я провел больше времени в "Розен Притчард", чем с Виллемом? Но теперь выбор сделан за него, и, кроме "Розен Притчард", у него ничего нет.

Потом он думает: почему я никогда не давал Виллему того, что следовало дать? Почему я заставлял его искать секса на стороне? Почему я не мог быть храбрее? Почему я не мог справиться со своими обязанностями? Почему он вообще оставался со мной?

Он возвращается на Грин-стрит, чтобы принять душ и поспать несколько часов; во второй половине дня он вернется на работу. По дороге домой, опустив глаза, чтобы не видеть рекламы "Жизни после смерти", он просматривает сообщения: Энди, Ричард, Гарольд, Черный Генри Янг.

Последнее сообщение — от Джей-Би; Джей-Би звонит или пишет как минимум дважды в неделю. Он не знает почему, но он не может видеть Джей-Би. Более того, он его ненавидит, и эта ненависть прямолинейнее любой другой за долгое время. Он прекрасно сознает, насколько это иррациональное чувство. Он прекрасно сознает, что Джей-Би нисколько ни в чем не виноват. Ненависть бессмысленна. Джей-Би в тот день даже не садился в автомобиль; ни в какой логике, даже самой извращенной, он не несет никакой ответственности. И все же, когда он впервые увидел Джей-Би, выйдя из мутного забытья, он услышал, как голос в его голове говорит ясно и спокойно: *это должен был быть ты, Джей-Би*. Он этого не сказал, но, видимо, на лице что-то отразилось, потому что Джей-Би приближался, чтобы обнять его, но вдруг остановился. С тех пор он видел Джей-Би всего дважды, оба раза в обществе Ричарда, и оба раза ему приходилось удерживаться, чтобы не сказать что-то злобное, что-то непростительное. И все равно Джей-Би звонит и всегда оставляет сообщения, и они всегда одинаковы: "Эй, Джуди, это я. Просто узнать, как ты. Я много о тебе думал. Надо бы повидаться. Вот. Обнимаю. Пока". И он, как всегда, ответит Джей-Би стандартно: "Привет, Джей-Би, спасибо, что позвонил. Прости, что мы так редко видимся, я очень замотался на работе. Скоро свяжемся. Обнимаю, Дж.". Но, несмотря на сообщение, он не намеревается разговаривать с Джей-Би — возможно, больше никогда. Что-то очень сильно не в порядке с этим миром, думает он, с миром, в котором из них четверых — его, Джей-Би, Виллема и Малькольма — двое лучших, самых добрых, самых внимательных, погибли, а два менее удачных представителя человечества живы. У Джей-Би, по крайней мере, есть талант, пусть живет. Но он не видит никаких причин, почему жить стоило бы ему.

"Больше никого у нас не осталось, Джуд, — сказал ему в какой-то момент Джей-Би, — по крайней мере, мы есть друг у друга", — и в его голове сформировалось одно из тех высказываний, которые мгновенно вырывались на поверхность, но которые он успешно подавлял, не дав им прозвучать: *я бы променял тебя на него*. Он променял бы любого из них на Виллема. Джей-Би — не задумываясь. Ричарда и Энди — бедные Ричард и Энди, они все для него делали! — не задумываясь. Даже Джулию. Гарольда. Он бы отдал любого из них, всех их, вместе взятых, чтобы вернуть Виллема. Он представляет, как Аид, эта гора лоснящихся итальянских мускулов, таскает восторженную Э. по всему подземному царству. *Есть предложение*, говорит он Аиду. *Пять душ за одну. Ты же не откажешься от такого?*

Апрельским воскресеньем он вдруг слышит сквозь сон какие-то громкие и настойчивые удары; он наполовину просыпается, поворачивается набок и накрывает голову подушкой, не открывая глаз, и через некоторое время удары затихают. Так что когда он чувствует чье-то легкое прикосновение к его руке, он с криком вскакивает на кровати и видит, что рядом с ним сидит Ричард.

— Джуд, извини, — говорит Ричард и добавляет: — Ты весь день спал?

Он сглатывает, прислоняется к стене. По воскресеньям все жалюзи у него опущены, все занавески задернуты, так что день трудно отличить от ночи.

— Да, — говорит он. — Я устал.

— Ага, — говорит Ричард после паузы. — Прости, что я так вломился. Но ты не подходил к телефону, а я хотел тебя пригласить ко мне вниз на ужин.

— Ох, Ричард, даже не знаю, — отвечает он, пытаясь придумать отговорку. Ричард говорит правду: он отключает телефон, все телефоны, когда по воскресеньям прячется в свой кокон, чтобы ничто не могло прервать его дрему, его попытки найти Виллема в снах. — Я неважно себя чувствую. Мое общество сейчас вряд ли кого порадует.

— А меня не надо развлекать, Джуд, — говорит Ричард с тенью улыбки на лице. — Пойдем, а? Надо ведь что-то поесть. Никого не будет, кроме нас с тобой; Индия уехала к друзьям за город на выходные.

Они оба долго молчат. Он оглядывает комнату, смятую постель. Спертый воздух пахнет сандаловым деревом и паром из обогревателя.

— Пойдем, Джуд, — тихо говорит Ричард. — Пойдем, поужинаешь со мной.

— Хорошо, — говорит он наконец. — Хорошо.

— Отлично, — говорит Ричард и встает. — Жду тебя внизу через полчаса.

Он принимает душ и действительно спускается — с бутылкой темпранильо, такого, как Ричард любит. В квартире его не пускают на кухню, поэтому он садится за длинный стол в центре комнаты, за которым могут рассесться — и неоднократно рассаживались — двадцать четыре человека, и гладит кота по кличке Мусташ, прыгнувшего ему на колени. Он вспоминает, как увидел эту квартиру впервые, со свисающими люстрами и огромными скульптурами из воска; со временем ее пообжили, но это по-прежнему, несомненно, квартира Ричарда, где все выдержано в тонах слоновой кости и восковой желтизны, хотя теперь на стенах висят картины Индии — яркие, смелые, стилизованные изображения обнаженных женщин, — а полы покрыты коврами. Он не был в этой квартире, куда раньше заходил как минимум раз в неделю, уже несколько месяцев. Конечно, он по-прежнему видится с Ричардом, но только мимоходом; как правило, он старается его избегать, и когда Ричард зовет его на ужин или предлагает зайти, он всегда отвечает, что слишком занят, слишком устал.

— Я не мог вспомнить, как ты относишься к моему знаменитому воку с сейтаном, так что приготовил гребешки. — Ричард ставит перед ним тарелку.

— Я люблю твой знаменитый вок с сейтаном, — говорит он, хотя не может вспомнить, что это за блюдо и нравится ли оно ему. — Спасибо, Ричард.

Ричард разливает вино в бокалы и поднимает свой.

— С днем рождения, Джуд, — торжественно провозглашает он, и он осознает, что Ричард прав: сегодня его день рождения. Гарольд звонил и писал ему всю неделю с нехарактерной даже для него частотой, а он ограничивался односложными ответами и вообще с ним толком не разговаривал. Он понимает, что Гарольд будет волноваться. Энди тоже присылал записку, и некоторые другие люди, и теперь, поняв почему, он начинает плакать: от всеобщей доброты, за которую он не может толком отплатить, от своего одиночества, от доказательства, что жизнь, несмотря на все его усилия, все-таки продолжается. Ему пятьдесят один, и Виллема восемь месяцев как нет.

Ричард ничего не говорит, только присаживается с ним рядом на скамью и обнимает.

— Я знаю, что от этого легче не станет, — наконец говорит он, — но я тоже тебя люблю, Джуд.

Он мотает головой, не в силах ничего сказать. За последние годы его привычки изменились — сначала ему было стыдно, что он вообще плачет, потом он постоянно плакал в одиночестве, потом плакал при Виллеме, а теперь, полностью утрачивая остатки достоинства, плачет при ком угодно, когда угодно, о чем угодно.

Он склоняется к Ричарду на грудь и всхлипывает ему в рубашку. Ричард — еще один из тех людей, чья непоколебимая, неизменная дружба и сочувствие всегда вызывали у него недоумение. Он понимает, что чувства Ричарда к нему отчасти связаны с его чувствами к Виллему, и это он как раз может понять: Ричард дал Виллему обещание и серьезно относится к своим обязательствам. Но есть что-то в устойчивости Ричарда, в его безоговорочной надежности, что — в сочетании с его ростом и статью — наводит его на мысли о каком-то огромном боге деревьев, о дубе, принявшем форму человека, о чем-то прочном, древнем, несокрушимом. Их отношения немногословны, но Ричард стал другом его взрослых лет, стал в некотором смысле не просто другом, но родителем, хотя он старше всего на четыре года. Тогда, стало быть, брат — человек, чья надежность и порядочность незыблемы.

Наконец он находит в себе силы остановиться, извиниться, сходить в ванную, привести себя в порядок, и потом они садятся за ужин, медленно едят, пьют вино, беседуют о работе Ричарда. В конце трапезы Ричард приносит из кухни бугристый тортик, в который он воткнул шесть свечей. "Пять плюс один", — объясняет Ричард. Тогда он заставляет себя улыбнуться, задувает свечи; Ричард кладет ему и себе по куску. Пирог полон инжира и рассыпчат, не торт, а скорее кекс, и каждый ест свой кусок молча.

Он встает, чтобы помочь Ричарду убрать посуду, но когда Ричард велит ему отправляться наверх, он испытывает облегчение, потому что выбился из сил — он столько не общался с Дня благодарения. У дверей Ричард что-то ему вручает, сверток в бурой бумаге, и потом обнимает его.

— Он бы не хотел, чтобы ты был несчастлив, Джуди, — говорит Ричард, и он кивает, уткнувшись Ричарду в щеку. — Ему бы не понравилось, что ты сейчас вот такой.

— Я знаю, — говорит он.

— Сделай мне еще одолжение, — говорит Ричард, не отпуская его. — Позвони Джей-Би, ладно? Я знаю, что тебе это трудно, но… он, знаешь, тоже любил Виллема. Не так, как ты, конечно, но все равно. И Малкольма. Он скучает по нему.

— Я знаю, — повторяет он, и слезы снова подступают к глазам. — Я знаю.

— Приходи опять в следующее воскресенье, — говорит Ричард и целует его. — Или в любой другой день, правда. Я скучаю без тебя.

— Приду, — говорит он. — Ричард, спасибо тебе.

— С днем рождения, Джуд.

Он едет наверх на лифте, вдруг обнаружив, что уже поздно. В квартире он идет в свой кабинет, садится на диван. В кабинете стоит неоткрытый ящик, который Флора прислала ему с курьером несколько недель назад; в нем — то, что оставил ему Малкольм, и то, что он оставил Виллему и что теперь тоже переходит к нему. Смерть Виллема помогла сделать одну-единственную вещь — притупить шок, ужас от смерти Малкольма; и все-таки он не мог открыть этот ящик.

А теперь откроет. Но сначала он разворачивает подарок Ричарда и видит небольшой бюст, вырезанный из дерева и посаженный на тяжелый железный куб; это Виллем, и он ахает, как будто его ударили под дых. Ричард всегда уверял, что не умеет работать в жанре фигуративной скульптуры, но он знает, что это неправда, и этот бюст — подтверждение тому. Он проводит пальцами по невидящим глазам Виллема, по его буйным волосам, а потом подносит пальцы к лицу и вдыхает запах сандалового дерева. Снизу на основании выгравировано: "Дж. на 51 год. С любовью от Р.".

Он снова начинает плакать; перестает. Он ставит бюст на подушку рядом с собой и открывает ящик. Сначала он видит только смятые газеты и аккуратно запускает руки в ящик, пока наконец не натыкается на что-то твердое, и видит, что это квадратный макет Фонарного дома, со стенами из самшита, который когда-то стоял в "Беллкасте" рядом с макетами всех остальных проектов фирмы, воплощенных и только задуманных. Сторона макета примерно два фута, и он ставит его на колени, а потом поднимает, глядит в тонкие плексигласовые окна, приподнимает крышу и пальцами проходит по комнатам.

Он вытирает глаза и снова сует руки в ящик. Теперь он выуживает толстый конверт с фотографиями, на которых они, все четверо или только он с Виллемом — студенческих времен, а потом снятые в Нью-Йорке, в Труро, в Кеймбридже, в Гаррисоне, в Индии, во Франции, в Исландии, в Эфиопии; места, где они жили, путешествия, которые они совершали.

Ящик не такой уж и большой, но он вынимает из него все новые объекты: две элегантные, редкие книги с рисунками японских домов работы французского художника; небольшая абстрактная картина британского художника, которым он всегда восхищался; картина побольше, мужской портрет работы известного американского художника, который всегда нравился Виллему; два самых ранних блокнота Малкольма, где страница за страницей заполнены его воображаемыми сооружениями. И наконец он вынимает из ящика последнюю вещь, завернутую в несколько газет, и медленно ее разворачивает.

В его руках — Лиспенард-стрит: их квартира с причудливыми пропорциями и импровизированной второй спальней, с узкими коридорами и крохотной кухней. Видно, что это раннее произведение Малкольма, потому что окна сделаны из кальки, а не из пергамента и не из плексигласа, а стены — из картона, а не из дерева. В этой квартире Малкольм расставил мебель, вырезанную и сложенную из плотной бумаги: его бугристый двуспальный диван-кровать на шлакобетонном основании, диван со сломанными пружинами, который они подобрали на улице, скрипучее кресло на колесиках, которое им подарили тетушки Джей-Би. Не хватает только бумажного его и бумажного Виллема.

Он ставит Лиспенард-стрит на пол и долго сидит, не шевелясь, с закрытыми глазами, отпустив сознание в свободный полет: тогда все было не так романтично, понимает он сейчас, но в те годы, не зная еще, на что можно надеяться, он не знал, что бывает жизнь лучше, чем на Лиспенард-стрит.

— Что, если бы мы так там и остались? — время от времени спрашивал у него Виллем. — Что, если бы я не стал актером? Что, если бы ты остался работать в офисе федерального прокурора? Что, если бы я до сих пор работал в “Ортолане”? Как бы мы теперь жили?

— До каких глубин ты хочешь дойти, Виллем? — спрашивал он с улыбкой. — Мы были бы вместе?

— Конечно, мы были бы вместе, — отвечал Виллем. — Тут ничего бы не изменилось.

— Ну, — говорил он, — тогда первым делом мы бы снесли ту стену и восстановили гостиную. А потом сразу бы подыскали приличную кровать.

Виллем смеялся:

— И засудили бы арендодателя, чтобы он уже установил там работающий лифт, в конце-то концов.

— Точно, это следующий шаг.

Он сидит, ждет, пока ритм его дыхания вернется в норму. Потом включает телефон, просматривает пропущенные звонки: Энди, Джей-Би, Ричард, Гарольд и Джулия, Черный Генри Янг, Родс, Ситизен, снова Энди, снова Ричард, Люсьен, Желтый Генри Янг, Федра, Илайджа, снова Гарольд, снова Джулия, Гарольд, Ричард, Джей-Би, Джей-Би, Джей-Би.

Он звонит Джей-Би. Уже поздно, но Джей-Би — сова.

— Привет, — говорит он, когда Джей-Би берет трубку, и по его ответу слышит, что тот удивлен. — Это я. Можешь сейчас говорить?

о крайней мере раз в месяц, по субботам, он с утра не идет в офис, а отправляется в Верхний Ист-Сайд. Когда он выходит из дома на Грин-стрит, бутики и магазины по соседству еще не открылись, когда возвращается — уже закрыты. В эти дни он может представить себе Сохо таким, каким он был во времена детства Гарольда: безлюдный район закрытых дверей, безжизненное место.

Его первая остановка — дом на углу Парк-авеню и Семьдесят восьмой улицы; он поднимается на лифте на шестой этаж. Горничная проводит его в квартиру, и он идет за ней следом в кабинет, в просторную и солнечную комнату, где ждет Люсьен — не то чтобы именно его, просто ждет.

Для него всегда накрыт поздний завтрак: иногда это тонкие ломтики копченого лосося и крошечные блинчики из гречневой муки; в другой раз — торт с лимонной глазурью. Он никогда не может себя заставить ничего съесть, но иногда от беспомощности берет кусок торта у горничной и так сидит с тарелкой на коленях до конца визита. Он не ест, но зато пьет чай, чашку за чашкой, — чай всегда заварен по его вкусу. Люсьен тоже ничего не ест — к этому времени он уже накормлен — и ничего не пьет.

Он подходит к Люсьену и берет его за руку.

— Привет, Люсьен, — говорит он.

Он был в Лондоне, когда ему позвонила Мередит, жена Люсьена: в ту неделю в МоМА показывали ретроспективу фильмов Бергессона, и он устроил все так, чтобы уехать из Нью-Йорка по делам. Мередит сказала, что у Люсьена случился обширный инсульт, он выживет, но врачи не знают, насколько велико поражение.

Люсьен провел в больнице две недели, после чего его выписали, но было уже ясно, что поражение велико. И хотя с тех пор прошло пять месяцев, все так и осталось: левая сторона лица как будто оплыла, он не может шевелить левой рукой и левой ногой. Он может говорить, на удивление четко, но память исчезла, последние двадцать лет стерлись начисто. В начале июля он упал, ударился головой и впал в кому; сейчас он не может ходить, и Мередит перевезла его из дома в Коннектикуте в эту квартиру, чтобы быть ближе к больнице и к дочерям.

Кажется, Люсьен не против его визитов и даже радуется им, хотя точно сказать трудно. Люсьен его не узнает. Он просто вдруг появляется в жизни Люсьена, а потом исчезает, и каждый раз ему приходится заново представляться.

— Кто вы? — спрашивает Люсьен.

— Джуд.

— Напомните мне, — говорит Люсьен любезно, словно они встретились на вечеринке за коктейлем, — откуда я вас знаю?

— Вы были моим наставником.

— А, — говорит Люсьен, и воцаряется молчание.

В первые несколько недель он старался заставить Люсьена что-то вспомнить: он говорил о компании "Розен Притчард", об общих знакомых, о судебных делах, которые они вели и о которых спорили. Но потом он понял, что то выражение, которое он со своими идиотскими надеждами принимал за вдумчивость, на самом деле — страх. И теперь он больше не говорит о прошлом, во всяком случае об их общем прошлом. Он дает Люсьену направлять разговор и хотя не понимает его отсылок, улыбается и делает вид, что ему все понятно.

— Кто вы? — спрашивает Люсьен.

— Джуд.

— Скажите, откуда я вас знаю?

— Вы были моим наставником.

— А, в Гротоне!

— Да, — говорит он, пытаясь улыбнуться в ответ. — В Гротоне.

Иногда, впрочем, Люсьен взглядывает на него с недоверием.

— Наставником? — говорит он. — Я слишком молод, чтобы быть чьим-то наставником!

А иногда он ничего не спрашивает, начинает разговор с середины, и приходится ждать, пока наберется достаточно подсказок, какая роль ему досталась — старого поклонника одной из дочерей, однокурсника, приятеля по гольф-клубу, — прежде чем он сможет отвечать впопад.

В эти часы он узнает о прошлой жизни Люсьена гораздо больше, чем тот рассказывал ему прежде. Хотя Люсьен при этом уже не Люсьен, во всяком случае не тот Люсьен, какого он знал. Этот Люсьен туманный, бесформенный, гладкий, лишенный углов, словно яйцо. Даже его чуть надтреснутый голос с протяжными интонациями, голос, который некогда произносил одни афоризмы; даже паузы, которые он привык оставлять для смеха слушателей; даже манера выделять абзацы, начиная и заканчивая каждый как будто шуткой, а на самом деле колкостью, затянутой в шелковый футляр, — все это изменилось. Даже когда они вместе работали, он знал, что офисный Люсьен не то же, что клубный Люсьен, но он никогда не видел другого Люсьена. А теперь видит, теперь это все, что он видит. Этот Люсьен говорит о погоде, о гольфе, о парусном спорте, о налогах, однако налоговое законодательство, о котором он рассуждает, это законодательство двадцатилетней давности. О нем он никогда не спрашивает: кто он, кем работает, почему иногда сидит в инвалидном кресле. Люсьен говорит, и он улыбается, кивает, сжимая в ладонях чашку с остывающим чаем. Когда руки Люсьена дрожат, он берет их в свои, он знает, это помогает — так делал Виллем и дышал с ним вместе, и это всегда его успокаивало. Когда Люсьен пускает слюни, он утирает ему рот кончиком салфетки. В отличие от него Люсьен не стесняется ни дрожащих рук, ни слюней, и он рад, что это так. Ему не стыдно за Люсьена, но стыдно, что он не может сделать для него больше.

“Он радуется тебе, Джуд”, — говорит Мередит, но он не верит ей. Иногда ему кажется, что он приходит скорее ради Мередит, чем ради Люсьена, и он понимает вдруг, что это так и должно быть: приходить не к тому, кто потерян, а к тому, кто ищет потерянного. Люсьен не осознает этого, но он помнит, что и с ним так было, когда он болел, а Виллем о нем заботился, — и в первый раз, и во второй. Как благодарен он был, когда просыпался и находил у своей постели кого-то, кроме Виллема. “С ним Роман”, — говорили Ричард или Малкольм, или: “Они с Джей-Би пошли пообедать”, — и он расслаблялся. В эти недели после ампутации, когда ему хотелось сдаться, мгновения, когда он воображал, что Виллема может кто-то утешить, и были единственными мгновениями счастья. И вот, после того как посидел с Люсьеном, он сидит с Мередит, и они разговаривают, и она не спрашивает о его жизни, и это хорошо. Она одинока; он тоже одинок. У них с Люсьеном две дочери, одна в Нью-Йорке, но она то выходит из реабилитационной клиники, то снова туда попадает; а другая живет в Филадельфии с мужем и тремя детьми, и она тоже юрист, как Люсьен.

Он знаком с обеими дочерьми, они младше его лет на десять, хотя Люсьен ровесник Гарольда. Когда он пришел в больницу к Люсьену, старшая, та, что в Нью-Йорке, взглянула на него с такой ненавистью, что он чуть отступил назад, а потом сказала младшей:

— Смотри-ка, папин любимчик пожаловал. Какой сюрприз.

— Возьми себя в руки, Порция, — прошипела младшая. И добавила, обращаясь к нему: — Джуд, спасибо, что пришел. Очень жаль Виллема, мои соболезнования.

— Спасибо, что пришел, Джуд, — говорит теперь Мередит, целуя его на прощание. — Ты придешь еще?

Она всегда спрашивает его об этом, как будто в один прекрасный день он скажет: “Не приду”.

— Да, — говорит он. — Я напишу.

— Напиши, — говорит она и машет ему вслед, пока он идет по коридору к лифту. Ему всегда кажется, что никто, кроме него, к ним не приходит, хотя как так может быть? Хоть бы это было не так, думает он. У Мередит и Люсьена всегда было много друзей. Они устраивали у себя вечера. Нередко Люсьен уходил из офиса в костюме с черным галстуком и, прощаясь с ним, закатывал глаза: “Благотворительный бал”. “Вечеринка”. “Свадьба”. “Ужин”.

После визитов к Люсьену он всегда чувствует себя выжатым, но, несмотря на это, идет пешком — семь кварталов на юг и полквартала на восток — к Ирвинам. Несколько месяцев он избегал Ирвинов, а потом, в прошлом месяце, на годовщину, они позвали его, Ричарда и Джей-Би к себе на ужин, и он понял, что придется пойти.

Это были следующие выходные после Дня труда. Предыдущий месяц — четыре недели, включая день, когда Виллему бы исполнилось пятьдесят три, включая день его смерти — был одним из худших в его жизни. Он знал, что будет плохо, и строил планы исходя из этого. Фирме нужно было послать кого-то в Пекин, и хотя он знал, что ему надо бы остаться в Нью-Йорке — он работал над делом, которое требовало его присутствия в офисе, и это было важнее Пекина, — но все-таки вызвался поехать и поехал. Сначала он надеялся, что это поможет: обволакивающее онемение джет-лэга иногда казалось неотличимым от ватного онемения тоски, и было еще много всяких физических неудобств — включая жару, тоже обволакивающую и мучительную, — на которые он уповал, которые могли бы отвлечь его. Но потом однажды вечером, ближе к концу срока, он ехал в гостиницу после долгого дня, после бесконечных деловых встреч, и вдруг увидел блестевший над дорогой огромный плакат с лицом Виллема. Это была реклама пива, для которой Виллем снимался два года назад, — для распространения только в Восточной Азии. С верхушки плаката свисали люди в строительных люльках, и он понял, что они закрашивают рекламу, стирают лицо Виллема. Внезапно он перестал дышать, потом попросил водителя остановиться, но тот не смог, они выехали на эстакаду, где не было аварийных полос, так что ему просто пришлось сидеть неподвижно, пока сердце взрывалось внутри, считать удары пульса до самой гостиницы, поблагодарить водителя, выйти, пройти через вестибюль, подняться в лифте, пройти по коридору, войти в комнату, где он, не думая, швырнул себя о холодную мраморную стену душевой, закрыв глаза и открыв рот, и бился о стену до тех пор, пока каждый позвонок, казалось, не вышел из своей ячейки.

В ту ночь он резал себя безудержно, бесконтрольно, а когда его трясло уже так, что он не мог продолжать, он переждал, вымыл пол, выпил сока, чтобы набраться сил, и начал снова. После трех заходов он залез в угол душевой и рыдал, закрыв голову руками, пачкая волосы кровью, и так и уснул в ту ночь, накрывшись полотенцем вместо одеяла. Он делал так иногда, когда был ребенком и чувствовал, что вот-вот взорвется, отделится от самого себя, словно угасающая звезда, и тогда у него возникало желание забиться в крохотную нору, чтобы все кости оказались как будто в горсти. Тогда он осторожно вылезал из-под брата Луки и скорчивался под кроватью, на грязном ковролине, колючем от зацепок и закатившихся туда канцелярских кнопок, склизком от использованных презервативов и каких-то еще мокрых пятен, или же забивался ванну или в шкаф, стараясь съежиться, насколько это возможно. "Бедный мой жучок, — говорил брат Лука, когда находил его. — Почему ты это делаешь, Джуд?" Брат Лука был ласков, обеспокоен, но он никогда не мог ему объяснить.

Как-то он пережил эту поездку; как-то пережил год. В день смерти Виллема ему снилось, как взрываются стеклянные вазы, как летит по воздуху тело Виллема и лицо его врезается в дерево. Он проснулся с такой тоской по Виллему, что ему показалось, будто он слепнет. В тот день он вернулся домой и увидел одну из афиш фильма "Счастливые годы", которому вернули теперь первоначальное название "Танцовщик и сцена". На некоторых афишах был Виллем: волосы длинные, как у Нуреева, глубокий вырез на груди, длинная, сильная шея. А на некоторых красовалось лишь монументальное изображение ноги — ноги Виллема, он знал это — в балетной туфле, снятой так близко, что видны были вены и волоски, и тонкие напряженные мускулы, и сухожилия. "Премьера в День благодарения", говорилось в афише. О боже, думал он, возвращаясь в дом, о боже. Он хотел, чтобы ему перестали напоминать; он страшился дня, когда перестанут. В последние недели ему казалось, что Виллем ускользает от него, хотя тоска отказывалась ослабевать.

На следующей неделе они пошли к Ирвинам. По молчаливому уговору они решили идти все вместе и встретились в квартире Ричарда; он дал Ричарду ключи от машины, чтобы тот их отвез. Все молчали, даже Джей-Би, сам он страшно нервничал. Ему казалось, что Ирвины сердятся на него и что он это заслужил.

Ужин состоял из любимых блюд Малкольма, и пока они ели, он чувствовал, что мистер Ирвин не сводит с него глаз, и спрашивал себя, думает ли мистер Ирвин о том же, о чем и он сам: почему Малкольм? Почему не он?

Миссис Ирвин предложила, чтобы все по кругу поделились какими-то воспоминаниями о Малкольме, и он сидел и слушал: миссис Ирвин рассказала историю о том, как они осматривали Пантеон, когда Малкольму было шесть, и через пять минут после того, как они ушли, вдруг оказалось, что Малкольм пропал; они кинулись обратно и нашли его на полу — он все во все глаза таращился на отверстие в куполе. Флора рассказала, как Малкольм-второклассник забрал с чердака ее кукольный дом, вынул оттуда всех кукол и обставил его крошечными столами, стульями, диванами и какими-то еще неизвестными ей предметами мебели, сделанными из пластилина; Джей-Би рассказал, как они все вернулись в колледж на день раньше после Дня благодарения, прорвались в общежитие, где были совершенно одни, и как Малкольм развел огонь в камине в гостиной, чтобы пожарить на ужин колбаски; а когда наступила его очередь, он рассказал историю о том, как Малкольм мастерил им стеллаж на Лиспенард-стрит: было ясно, что стеллаж с трудом помещается — нельзя будет вытянуть ноги на диване, иначе упрешься в книжные полки, но он очень хотел стеллаж, и Виллем согласился. И вот Малкольм принес самое дешевое дерево — остатки со склада пиломатериалов, — и они с Виллемом пошли на крышу собирать стеллаж, чтобы соседи не жаловались на шум, а потом принесли стеллаж в квартиру и установили его.

Но тут оказалось, что Малкольм ошибся в измерениях, и стеллаж на три дюйма шире, чем нужно, и поэтому край выступает в коридор. Они с Виллемом сказали, что это ерунда, но Малколм хотел все переделать. "Не надо, Мэл, — говорили они, — все отлично, все хорошо". — "Нет, — отвечал Малкольм скорбно, — не хорошо и не отлично". Наконец они убедили его, и он ушел. Они с Виллемом выкрасили стеллаж яркой киноварью и поставили на него свои книги. А в следующее воскресенье ранним утром появился Малкольм, и вид у него был весьма решительный. "Я все время об этом думаю", — сказал он. А потом поставил на пол свою сумку, достал из нее ножовку и принялся пилить, а они вдвоем орали на него, пока не сообразили, что он все равно переделает стеллаж, с их помощью или без нее. Поэтому стеллаж снова отправился на крышу, а потом обратно, и на этот раз он встал безукоризненно.

— Я всегда вспоминаю этот случай, — сказал он, — потому что это история о том, как серьезно Малкольм относился к своей работе, как всегда стремился в ней к совершенству, как он уважал материал, будь то мрамор или фанера. И о том, как он уважал пространство, любое пространство, даже ужасную, безнадежную, убогую квартирку в Чайнатауне: даже она заслуживает уважения. И еще это история о том, как он уважал своих друзей, как хотел, чтобы все мы жили в домах, которые он для нас придумал: прекрасных и необычных, как его воображаемые дома.

Он остановился. Он еще хотел сказать и не сказал — почувствовал, что не может, — как он подслушал диалог Малкольма и Виллема: он вышел, чтобы достать из-под ванны краску и кисточки, Виллем пожаловался, что придется опять таскать стеллаж, а Малкольм прошептал: "Если б я его так и оставил, он мог бы об него споткнуться и упасть, Виллем. Ты этого хочешь?" — "Нет, — сказал Виллем после паузы, явно пристыженный. — Конечно же нет, ты прав, Мэл". Малкольм, как он потом понял, первым из трех его друзей осознал, что имеет дело с инвалидом; Малкольм понял это раньше, чем он сам. Малкольм всегда об этом думал, хотя и старался не говорить об этом прямо. Малкольм только и хотел, что облегчить ему жизнь, и когда-то его это раздражало.

В тот вечер, когда они уходили, мистер Ирвин положил руку ему на плечо:
— Джуд, можешь немного задержаться? — спросил он. — Монро отвезет тебя.

Пришлось согласиться — он сказал Ричарду, чтобы тот взял машину и ехал на Грин-стрит. Некоторое время они сидели в гостиной, только он и мистер Ирвин — мать Малкольма оставалась в столовой с Флорой, ее мужем и детьми, — и говорили о его здоровье, о здоровье мистера Ирвина, о Гарольде, о его работе, и вдруг мистер Ирвин расплакался. Тогда он встал, сел рядом с мистером Ирвином, неуверенно положил руку ему на спину, стесняясь и робея, чувствуя, как с плеч сваливаются десятилетия.

Мистер Ирвин всегда казался им невероятно внушительным. Высокий рост, крупные черты лица, сдержанные манеры — он как будто сошел с фотографии работы Эдварда Кертиса, и они так и называли его: Вождь. "А что на это скажет Вождь, а, Мэл?" — спросил Джей-Би, когда Малкольм объявил им, что уходит из "Ратстара", и они все пытались его вразумить. Или (снова Джей-Би): "Мэл, спроси у Вождя, можно мне остановиться в их квартире в следующем месяце, когда я проездом буду в Париже?"

Но мистер Ирвин больше не был Вождем, он сохранил прямую осанку и безупречную логику, но ему исполнилось уже восемьдесят девять лет, и его некогда темные глаза обрели тот невнятный серый цвет, какой бывает только у стариков и младенцев, цвет моря, из которого все приходят, цвет моря, в которое все возвращаются.
— Я любил его, — сказал мистер Ирвин. — Ты это знаешь, правда? Ты знаешь, что я его любил.
— Да, — сказал он.
Он всегда говорил Малкольму: "Конечно же твой отец любит тебя, Мэл. Конечно любит. Родители любят своих детей". И однажды, когда Малкольм был очень расстроен (уже трудно вспомнить, из-за чего), он огрызнулся: "Тебе-то откуда знать, Джуд", — после чего воцарилось молчание, а потом

Малкольм в ужасе стал просить прощения. "Прости, Джуд, — говорил он. — Прости". А ему нечего было ответить, ведь Малкольм был прав, ему неоткуда было об этом знать. Все, что он знал, он знал из книг, а книги лгут, они все приукрашивают. Это было худшее, что он слышал от Малкольма, и хотя он больше никогда об этом не упоминал, Малкольм однажды напомнил ему об этом эпизоде, вскоре после усыновления.

— Я никогда не забуду, что сказал тебе тогда.

— Мэл, забудь об этом, — сказал он, сразу поняв, о чем тот говорит. — Ты был расстроен. Это было сто лет назад.

— Но это было неправильно, — сказал Малкольм, — я был не прав. Во всем.

И, сидя теперь рядом с мистером Ирвином, он думал: как жаль, что Малкольм этого не слышит. Это должен был быть его разговор с отцом.

И вот теперь он навещает Ирвинов после Люсьена, и эти визиты чем-то похожи. Оба старика уплывают в прошлое, они оба погружаются в воспоминания, которые он не может с ними разделить, в мир, которого он не знает. И хотя эти визиты вгоняют его в тоску, он чувствует, что должен ходить: они оба уделяли ему время и разговаривали с ним тогда, когда ему это было очень нужно, но он не знал, как об этом попросить. Когда ему было двадцать пять, когда он только приехал в Нью-Йорк и жил у Ирвинов, мистер Ирвин говорил с ним о рынке, о юриспруденции, он давал ему советы: не о том, как жить вообще, а как жить, будучи диковинным чужаком в мире, который не слишком-то терпит чужаков. "Люди будут думать о тебе иначе из-за того, как ты ходишь, — сказал ему однажды мистер Ирвин, и он опустил глаза. — Нет, ты не смотри в пол, Джуд. Тебе нечего стыдиться. Ты уже сейчас яркая личность, и будешь яркой личностью, и будешь за это вознагражден. Но если ты станешь вести себя так, будто сам не знаешь, как тут оказался, будто извиняешься за сам факт своего существования, то и другие будут обращаться с тобой соответственно. — Мистер Ирвин глубоко вздохнул. — Поверь мне". *Будь надменным, не старайся никому угодить*, говорил мистер Ирвин. *Не пытайся быть мягче, не пытайся облегчить жизнь коллегам.* Гарольд научил его думать так, как думает юрист, мистер Ирвин научил его держаться так, как держатся юристы. А Люсьен увидел в нем оба эти умения и сумел их оценить.

Нынешним вечером он недолго пробыл у Ирвинов, потому что мистер Ирвин устал, а выходя, встретил Флору — Фантастическую Флору, которой Малкольм так гордился и так завидовал, — и они поговорили несколько минут в дверях. Уже начало октября, но все еще тепло, утра кажутся летними, а вечера темные и ветреные, и когда он идет по Парк-авеню к машине, он вспоминает, как приходил сюда по субботам двадцать лет назад, да нет, больше. Тогда по дороге домой он заходил иногда в модную дорогую булочную на Мэдисон-авеню, которая ему страшно нравилась, и покупал там буханку хлеба с грецкими орехами — одна буханка стоила столько, сколько он тогда тратил на ужин, — и они с Виллемом съедали ее с маслом и с солью. Булочная все там же, и он идет к западу от Парк-авеню, чтобы купить точно такую же буханку, цена которой, кажется, осталась неизменной, во всяком случае, так ему помнится, хотя все остальное с тех пор очень подорожало. До того как начал совершать утренние визиты к Люсьену и к Ирвинам, он очень редко бывал в этом районе в дневное время — Энди принимал его по вечерам, — и теперь он медлит, смотрит на очаровательных детей, бегающих по широким чистым дорожкам, на их очаровательных матерей, идущих следом, на липы, листья которых неохотно обретают бледно-желтый цвет. Он проходит Семьдесят пятую улицу, где когда-то давал уроки Феликсу, а Феликсу, подумать только, теперь тридцать три, и он уже не поет в панковской группе, а, что еще более странно, управляет хедж-фондом, как когда-то его отец.

Дома он режет хлеб и сыр, приносит тарелку к столу и смотрит на нее. Он очень старается по-настоящему поесть, возобновить житейские привычки и действия. Но есть ему трудно. Аппетит исчез, на вкус все кажется картонным, как пюре, разведенное из порошка, которое им давали в приюте. Однако он пытается. Немного лучше выходит, когда надо работать на публику, поэтому каждую пятницу он ужинает с Энди, а каждую субботу с Джей-Би. А вечером в воскресенье он теперь приходит к Ричарду, и они вместе готовят какую-нибудь вегетарианскую еду из какой-нибудь капусты, а потом к столу выходит Индия.

Еще он снова стал читать газеты и сейчас отодвигает в сторону хлеб и сыр и осторожно открывает раздел культуры, как будто газета может его укусить. В позапрошлое воскресенье он открыл газету без всякой осторожности, и тут же в глаза ему бросилась статья о фильме, в котором Виллем должен был начать сниматься в прошлом сентябре. В статье рассказывалось, как пришлось проводить новый кастинг, как фильм сразу же получил поддержку критиков, а главного героя переименовали в честь Виллема, и он закрыл газету, лег в кровать, положил подушку на голову и лежал так, пока не пришел в себя. Он знает, что еще года два он все время будет натыкаться на статьи, постеры, рекламные ролики, афиши, так или иначе связанные с фильмами, в которых Виллем снимался в свой последний год. Но сегодня в газете нет ничего, кроме рекламы "Танцовщика и сцены" во всю страницу, и он долго-долго всматривается в лицо Виллема, изображенное почти в натуральную величину, прикрыв ему глаза рукой, а потом убрав руку. Если бы это происходило в кино, думает он, Виллем бы заговорил с ним. В кино он бы поднял голову, и Виллем стоял бы здесь, рядом.

Иногда он думает: мне становится лучше. Иногда он просыпается полный сил и энергии. Сегодня, думает он. Сегодня будет первый день, когда станет легче. Сегодня я буду меньше скучать по Виллему. А потом что-то случается, что-то простое, например, он входит в гардеробную и видит томящиеся в ожидании одинокие вешалки с рубашками Виллема, которые больше никто не будет носить, и вся его решимость, все его надежды исчезают, и он снова погружается в отчаяние. Иногда он думает: я смогу. Но все чаще и чаще теперь понимает: нет, не смогу. Он пообещал себе каждый день находить причину для жизни. Иногда это мелкие причины: еда, которая ему нравится, симфонии, которые ему нравятся, картины, которые ему нравятся, здания, которые ему нравятся, оперы и книги, места, которые он хочет увидеть, в первый раз или еще раз. Еще есть причины-обязательства: потому что так надо. Потому что он может. Потому что Виллем бы этого хотел. И есть серьезные причины: ради Ричарда. Ради Джей-Би. Ради Джулии. И особенно ради Гарольда.

Меньше чем через год после того, как он пытался покончить с собой, они с Гарольдом пошли на прогулку. Это было в Труро, на День труда. Он помнит, что в тот день ему было трудно идти; помнит, как осторожно ступал по песку в дюнах, помнит, как Гарольд старался не прикасаться к нему, не помогать.

Наконец они сели отдохнуть; они смотрели на океан и разговаривали: о деле, которое он вел в тот момент, о Лоренсе, который вот-вот должен был выйти на пенсию, о новой книге Гарольда. И вдруг Гарольд сказал:

— Джуд, обещай мне, что ты больше не будешь. — И суровость, прозвучавшая в его голосе, — Гарольд редко был суров — заставила его поднять глаза.

— Гарольд… — начал он.

— Я стараюсь ни о чем тебя не просить, — сказал Гарольд, — я не хочу, чтобы ты думал, будто что-то мне должен, это не так. — Гарольд повернулся к нему, и выражение его лица тоже было суровым. — Но об этом я прошу тебя. Ты должен мне обещать.

Он колебался.

— Обещаю, — сказал он наконец, и Гарольд кивнул.

— Спасибо, — сказал он.

Они больше это не обсуждали, и хотя он знал, что в этом мало логики, но ему не хотелось нарушать обещание, данное Гарольду. Иногда ему казалось, что это обещание — этот договор в устной форме — только и отделяло его от новой попытки, хотя в то же время он знал, что теперь это была бы уже не попытка: на сей раз он бы все довел до конца. Он знал, как это сделать, знал, что все получится. Со дня смерти Виллема он думал об этом почти ежедневно. Он знал, как рассчитать время, как его должны найти. Два месяца назад, в очень плохую неделю, он переписал свое завещание, так что теперь оно звучит как последняя воля человека, которому есть за что просить прощения, как будто своими распоряжениями он старался загладить вину. И хотя он не собирается приводить это завещание в действие — как он себе напоминает, — он его и не меняет.

Он надеется на инфекцию, на что-то быстрое и смертоносное, на что-то, что убьет его и при этом оставит невиновным. Но инфекции нет. После ампутации раны больше не открывались. Боли не прошли, но не стали сильнее, даже наоборот. Он излечен — настолько, насколько это возможно.

В сущности, ему незачем раз в неделю ходить к Энди, но он все равно ходит, потому что Энди беспокоится о нем, боится, что он покончит с собой. И вот каждую пятницу он отправляется в Ист-Сайд. Почти всегда они просто встречаются, чтобы поужинать вместе, кроме второй пятницы месяца, когда перед ужином он приходит на прием. Тут тоже все по-прежнему, единственное свидетельство перемен — его отсутствующие ступни и лодыжки. Во всем остальном он вернулся к тому состоянию, в котором пребывал десятилетия назад. Он снова стесняется. Боится прикосновений. За три года до смерти Виллема он наконец смог попросить его, чтобы тот втирал ему крем в шрамы на спине, и Виллем втирал, и некоторое время он чувствовал себя иначе, как змея, отрастившая новую шкуру. Но теперь, конечно, никто не может ему помочь, и шрамы снова натянутые и бугристые, словно спина его оплетена эластичными бинтами.

Теперь он знает: люди не меняются. Он не может измениться. Виллем считал, что его очень изменил тот период жизни, когда он помогал ему выздороветь; его удивило, какие ресурсы он обнаружил в себе, какое терпение. Но он — как и все остальные — всегда знал, что у Виллема есть эти качества. Те месяцы помогли Виллему узнать себя, но то, что он обнаружил, не стало сюрпризом ни для кого, кроме самого Виллема. И точно так же потеря Виллема помогла ему узнать себя. За годы, что они провели вместе, он смог убедить себя, что он кто-то другой: счастливее, свободнее, смелее. Но теперь, когда Виллема нет, он тот же человек, каким был двадцать, тридцать, сорок лет назад.

И вот снова пятница. Он идет к Энди. Взвешивание: Энди вздыхает. Ответы на вопросы: серия кратких "да" и "нет". Да, чувствует себя нормально. Нет, болит не больше обычного. Нет, ран нет. Да, приступ раз в десять дней или в две недели. Да, спит. Да, видится с людьми. Да, ест. Да, три раза в день. Да, каждый день. Нет, он не знает, почему продолжает терять в весе. Нет, не хочет подумать о том, чтобы снова ходить к доктору Ломану. Осмотр рук: Энди поворачивает их так и эдак, ищет порезы, порезов нет. После того как он вернулся из Пекина, из той поездки, где полностью потерял контроль, Энди взглянул на его руки и ахнул, а он смотрел в пол и вспоминал, как плохо бывало ему порой, каким безумным он становился. Но Энди ничего не сказал, только прочистил раны, а когда закончил, взял обе его руки в свои.

— Год, — сказал Энди.

— Год, — эхом отозвался он. И оба они замолчали.

После осмотра они идут в итальянский ресторанчик за углом, который нравится им обоим. Энди всегда наблюдает за ним во время этих ужинов, и если ему кажется, что он заказал недостаточно еды, то заказывает ему что-нибудь еще и не отстает, пока он все не съест. Но в этот раз он видит, что Энди нервничает: пока они ждут еды, он быстро выпивает бокал вина, говорит с ним о футболе, хотя он знает, что Энди не увлекается футболом и обычно не обсуждает с ним спорт. Иногда Энди говорил о спорте с Виллемом, и он наблюдал, как они спорят о той или иной команде, сидя за обеденным столом и поедая фисташки, пока он готовит десерт.

— Прости, — говорит наконец Энди. — Я разболтался.

Им приносят закуски, и они молча едят, а потом Энди делает глубокий вдох.

— Джуд, — говорит он. — Я планирую оставить практику.

Он как раз резал баклажан, но теперь останавливается, опускает вилку.

— Не прямо сейчас, — торопливо добавляет Энди, — года через три, не раньше. Но я в этом году беру партнера, чтобы переход получился как можно более плавным — для сотрудников и особенно для пациентов. Он с каждым годом будет брать на себя все больше моей нагрузки. — Он переводит дух. — Думаю, он тебе понравится. Даже уверен. Я буду твоим врачом до последнего дня работы, и ты будешь знать заранее о моих планах. Но я хочу, чтобы ты с ним познакомился, хочу убедиться, что вы друг другу подходите, — Энди слегка улыбается, но он не может заставить себя улыбнуться в ответ, — и если вдруг нет, мало ли что, у нас будет масса времени, чтобы найти тебе кого-то другого. У меня есть на примете пара докторов, которые смогут обеспечить тебе полноценное лечение. И я не уйду, пока мы с этим не разберемся.

Он не может ответить, не может даже поднять голову и взглянуть на Энди. Он слышит, как тот говорит тихо, умоляюще:

— Джуд, я бы хотел остаться навсегда, ради тебя. Ты единственный, ради кого я хотел бы остаться. Но я устал. Мне почти шестьдесят два, а я всегда обещал себе, что уйду на покой к шестидесяти пяти. Я…

Он останавливает его.

— Энди, — говорит он, — конечно, ты выйдешь на пенсию когда считаешь нужным. Ты не должен мне ничего объяснять. Я рад за тебя. Правда. Я просто… Я просто буду скучать, вот и все. Ты был так добр ко мне. — Он замолкает. — Я так завишу от тебя, — признается он наконец.

— Джуд… — начинает Энди и тоже замолкает. — Джуд, я всегда буду твоим другом. Я всегда буду рядом, чтобы помочь тебе как врач или как угодно. Но тебе нужен кто-то, кто состарится вместе с тобой. Моему будущему партнеру сорок шесть, он сможет лечить тебя до конца жизни, если ты захочешь.

— Если я умру в ближайшие девятнадцать лет, — слышит он свой голос. Снова наступает молчание. — Прости, Энди, — говорит он, в ужасе от того, каким несчастным себя чувствует, как недостойно ведет себя. А ведь он всегда знал, что в один прекрасный день Энди оставит практику. Но теперь понимает: он никогда не думал, что будет еще жив в это время. — Прости, — повторяет он. — Не слушай меня.

— Джуд, — негромко говорит Энди, — я всегда буду рядом, так или иначе. Я обещал тебе это когда-то и сейчас повторяю.

После паузы он продолжает:

— Послушай, Джуд, я знаю, что это нелегко. Я знаю, что никто другой не сможет воссоздать наши отношения. Это не самонадеянность: просто едва ли кто-то другой сможет все понять до конца. Но мы постараемся найти что-то настолько близкое, насколько возможно. И разве можно тебя не полюбить? — Энди снова улыбается, он снова не может улыбнуться в ответ. — В любом случае я хочу, чтобы ты познакомился с моим новым партнером, его зовут Лайнус. Он хороший врач и, что не менее важно, хороший человек. Я не буду рассказывать ему никакие подробности, просто хочу, чтобы вы познакомились.

И вот в следующую пятницу он приходит снова, и в кабинете Энди сидит другой человек, невысокий, красивый, с улыбкой, которая напоминает ему Виллема. Энди знакомит их, они пожимают друг другу руки.

— Я так много слышал о вас, Джуд, — говорит Лайнус. — Счастлив наконец познакомиться лично.

— И я, — говорит он. — Поздравляю.

Энди оставляет их поговорить, и они говорят, немного неловко шутят, что их встреча похожа на свидание вслепую. Лайнус знает только о его ампутации, они кратко обсуждают операцию и остеомиелит, который ей предшествовал.

— Лечение бывает страшно тяжелым, — говорит Лайнус, но не выражает ему сочувствия по поводу отрезанных ног, за что он благодарен. Прежде у Лайнуса была практика, общая с несколькими врачами, которую Энди упоминал в разговорах; Лайнус явно восхищается Энди и счастлив с ним работать.

Лайнус всем хорош. По вопросам, которые он задает, и по уважительному тону он чувствует, что это действительно хороший врач и, видимо, хороший человек. Но в то же время он знает, что никогда не сможет раздеться перед Лайнусом. Он не представляет, чтобы он смог обсуждать с кем-то то, что обсуждает с Энди. Никому он не сможет так открыть свое тело, свои страхи. Когда он думает, что кто-то увидит его тело впервые, он содрогается: после ампутации он сам видел его всего однажды. Он вглядывается в лицо Лайнуса, в его неожиданно виллемовскую улыбку, и хотя он старше Лайнуса всего на пять лет, ему кажется, что он старше его на века, он чувствует себя сломанной, рассохшейся рухлядью; посмотрев на него, каждый захочет поскорее накинуть на него брезент, с глаз долой: "Уберите этот мусор".

Он думает обо всех темах, которые им придется обсудить, обо всех объяснениях, которые придется дать: о спине, руках, ногах, болезнях. Его тошнит от собственных страхов и опасений, но, как бы его ни тошнило, продолжает им предаваться. Он представляет, как Лайнус медленно листает его карту, как читает заметки Энди за все годы, за десятилетия: перечень его порезов, ран, лекарств, которые он принимал, вспышек его инфекций. Записи о попытке самоубийства, о попытках отправить его к доктору Ломану. Он знает, что у Энди все записано, он знает его методичность.

"Тебе придется кому-то рассказать", — говорила ему Ана, и когда он стал старше, то решил интерпретировать это "кому-то" в единственном числе: кому-то одному. Однажды, думал он, я смогу рассказать кому-то, какому-то одному человеку. И потом он рассказал, рассказал человеку, которому доверял больше всех, а этот человек умер, и у него нет сил рассказывать свою историю еще раз. Но с другой стороны: ведь все рассказывают свою жизнь — по-настоящему рассказывают свою жизнь — только одному человеку? Как часто, по их мнению, должен он повторять все это, каждый раз сдирая одежду с кожи и плоть с костей, пока не станет жалкой розовой мышью? И он понимает, что у него не будет другого врача. Он будет ходить к Энди, пока сможет, пока Энди будет его принимать. А потом — потом он не знает, потом он что-нибудь придумает. А пока что его тайны и его жизнь принадлежат только ему. Пока никому больше не надо ничего знать. Его мысли настолько заняты Виллемом — попытками воссоздать его, удержать в голове его голос, его лицо, продлить его присутствие, — что прошлое отошло в сторону: он посреди озера, старается удержаться на плаву; он не может думать о том, чтобы вернуться на сушу и снова жить среди своих воспоминаний.

В этот вечер он не хочет ужинать с Энди, но все равно идет, и, выходя, они прощаются с Лайнусом. Они в молчании заходят в японский ресторан, в молчании садятся, потом заказывают еду и снова молчат.

— Ну что? — наконец спрашивает Энди.

— Он немного похож на Виллема, — говорит он.

— Да?

Он пожимает плечами:

— Немного. Улыбка.

— А, — говорит Энди, — да, может быть. Пожалуй. — Они снова молчат. — Но что ты думаешь? Я понимаю, трудно сказать так сразу, но как ты считаешь, ты мог бы с ним поладить?

— Не думаю, Энди, — говорит он наконец и чувствует, что Энди разочарован.

— Правда, Джуд? Что тебе в нем не понравилось?

Но он не отвечает, и Энди наконец говорит со вздохом:

— Прости. Я думал, ты будешь себя чувствовать с ним достаточно свободно, чтоб хотя бы подумать. Но, может, все-таки подумаешь? Дашь ему второй шанс? А пока есть еще один доктор, Стивен Ву, с которым тебе стоит встретиться, он не ортопед, но это, может, только к лучшему, это точно лучший терапевт, с которым я работал. И еще есть один, его зовут…

— Энди, замолчи, — говорит он и слышит в своем голосе злость, злость, о которой и сам не подозревал. — Замолчи. — Он поднимает глаза и видит потрясенное лицо Энди. — Ты так мечтаешь от меня избавиться? Ты не можешь оставить меня в покое, хоть на время? Ты понимаешь, как мне это тяжело?

Он знает, что ведет себя неразумно, эгоистично, и чувствует себя несчастным, но остановиться не может. Он встает, ударившись об стол.

— Оставь меня в покое, — говорит он Энди. — Если не можешь остаться со мной, оставь меня в покое.

— Джуд, — говорит Энди, но он уже выбирается из-за стола, и в этот момент подходит официантка с едой, он слышит, как Энди чертыхается, видит, как он тянется за кошельком, но сам он, спотыкаясь, выходит из ресторана. Мистер Ахмед не работает по пятницам, поскольку он сам садится за руль, когда едет к Энди, но сейчас, вместо того чтобы возвращаться к машине, припаркованной возле приемной Энди, он ловит такси, быстро забирается в него и уезжает, прежде чем Энди успевает его догнать.

В ту ночь он выключает телефон, пьет снотворное, залезает в кровать. Наутро просыпается, пишет сообщения Джей-Би и Ричарду, что неважно себя чувствует, отменяет ужины с ними, снова пьет снотворное и просыпается в понедельник. Понедельник, вторник, среда, четверг. Он не отвечает на звонки, сообщения и электронные письма Энди, он уже не сердится, но теперь ему стыдно, он не может больше извиняться, не может вынести собственной жалкости, мелкости. Ему хочется сказать: "Энди, мне страшно. Что я буду без тебя делать?"

Энди любит сладости, и в четверг вечером он велит одной из своих секретарей заказать огромное, абсурдное количество шоколадных конфет в любимой кондитерской Энди. "Вложить записку?" — спрашивает она.

Он качает головой: "Нет, только мое имя". Она кивает и уже собирается уходить, но он зовет ее обратно, хватает со стола лист бумаги, царапает на нем: "Энди, мне так стыдно. Пожалуйста, прости меня. Джуд", — и протягивает ей.

Но на следующий вечер он не идет на прием к Энди, он идет домой готовить ужин Гарольду, который приехал в Нью-Йорк с внезапным визитом. Прошлой весной у Гарольда был последний семестр, а он так и не осознал этого, пока не настал сентябрь. Они с Виллемом всегда говорили, что надо будет устроить Гарольду праздник, когда он наконец уйдет на пенсию, такой же, как они устроили Джулии. Но он забыл и ничего не сделал. А потом вспомнил и все равно ничего не сделал.

Он устал. Ему не хочется видеть Гарольда. Но он все равно готовит ужин, к которому не притронется, он подает еду Гарольду, а сам сидит рядом.

— А ты разве не голоден? — спрашивает Гарольд, и он мотает головой.

— Я сегодня обедал в пять, — говорит он, хотя это неправда. — Поем позже.

Он наблюдает, как Гарольд ест, и видит, что тот постарел, кожа у него на руках стала мягкой, блестящей, как у младенца. Он всегда остро ощущает, что вот он уже на год старше, на два года старше, а теперь на шесть лет старше, чем был Гарольд, когда они познакомились. И все-таки все эти годы Гарольд в его восприятии упрямо остается сорокапятилетним; правда, сорок пять лет теперь для него совсем не то, что раньше. Неловко признаваться в этом даже себе, но он лишь недавно стал думать, что существует вероятность, и даже высокая, что он переживет Гарольда. Он уже прожил гораздо дольше, чем мог себе представить, значит, может прожить и еще дольше?

Он помнил их разговор, когда ему исполнилось тридцать пять.

— Я теперь человек среднего возраста, — сказал он, а Гарольд рассмеялся.

— Ты молод, — сказал он. — Ты так молод, Джуд! Это можно считать средним возрастом, только если ты планируешь помереть в семьдесят. И я тебе не советую. Охота была тащиться на твои похороны.

— Тебе будет девяносто пять. Думаешь, ты будешь еще жив?

— Жив, резв, окружен стайкой полногрудых медсестер и совершенно не в настроении переться на нудную панихиду.

Он наконец улыбнулся:

— А кто будет оплачивать стайку полногрудых медсестер?

— Ты, конечно, — ответил Гарольд. — На сверхдоходы от твоих фармацевтических клиентов.

Но теперь он боится, что так все-таки не выйдет. Не покидай меня, Гарольд, думает он, но думает вяло, механически, не ожидая ответа, скорее по привычке, чем с настоящей надеждой. Не покидай меня.

— Ты не отвечаешь, — говорит Гарольд, и он возвращает себя к реальности.

— Прости, Гарольд, я немного отвлекся.

— Вижу. Я говорю: мы с Джулией собираемся проводить здесь больше времени, жить в нью-йоркской квартире.

Он моргает.

— Вы хотите совсем сюда перебраться?

— Ну, мы оставим квартиру в Кеймбридже, — говорит Гарольд, — но, в общем, да. Я подумываю вести семинар в Колумбийском университете следующей осенью, и вообще мы любим здесь бывать. — Гарольд смотрит на него. — И конечно, нам хотелось бы быть поближе к тебе.

Он не знает, как относиться к этой новости.

— Но как же вся ваша жизнь там? — спрашивает он. Ему не по себе: Гарольд и Джулия обожают Кеймбридж, он никогда не думал, что они решат переехать. — А как же Лоренс и Джиллиан?

— Лоренс и Джиллиан часто бывают в Нью-Йорке, как и все остальные.

Гарольд снова внимательно его изучает.

— Ты, кажется, не очень рад, Джуд.

— Прости, — говорит он, опуская глаза, — но я только надеюсь, что вы переезжаете не из-за… не из-за меня.

Наступает молчание.

— Я не хочу показаться самонадеянным, — говорит он наконец, — но если это из-за меня, то не надо, Гарольд. У меня все хорошо. Все хорошо.

— В самом деле, Джуд? — очень спокойно переспрашивает Гарольд, и он вдруг порывисто встает и идет в туалет возле кухни, а там садится на крышку унитаза и закрывает лицо руками. Он слышит, как Гарольд ждет его с другой стороны двери, но ничего не говорит, и Гарольд тоже. Наконец через несколько минут, взяв себя в руки, он открывает дверь, и они смотрят друг на друга.

— Мне пятьдесят один год, — говорит он Гарольду.

— И что?

— А то, что я могу сам о себе позаботиться, — говорит он. — Мне не нужна помощь.

Гарольд вздыхает.

— Джуд, у нужды в людях и в помощи нет срока годности. Нет такого возраста, когда это кончается.

Они снова молчат.

— Ты такой худой, — говорит Гарольд и, не дождавшись ответа, добавляет: — Что говорит Энди?

— Я больше не могу вести этот разговор, — говорит он наконец скрипучим, охрипшим голосом. — Не могу, Гарольд. И ты тоже не можешь. Кажется, я только и делаю, что разочаровываю тебя, и мне очень жаль, правда, очень жаль. Но я стараюсь. Делаю все, что могу. Прости, если этого недостаточно.

Гарольд пытается что-то сказать, но он не дает ему:

— Я такой как есть. Вот и все, Гарольд. Прости, что я стал для тебя обузой. Прости, что я порчу тебе выход на пенсию. Прости, что я не могу быть счастливым. Прости, что я не могу забыть Виллема. Прости, что я делаю работу, которую ты не можешь уважать. Прости, что я такое ничтожество.

Он уже сам не знает, что говорит; сам не знает, что чувствует; ему хочется резать себя, хочется исчезнуть, лечь и никогда больше не встать, раствориться в пространстве. Он ненавидит себя, он жалеет себя, он ненавидит себя за жалость к себе.

— Уходи, пожалуйста, — говорит он Гарольду. — Пожалуйста, уйди.

— Джуд…

— Пожалуйста, иди. Я устал. Мне нужно побыть одному. Пожалуйста, оставь меня одного.

И он отворачивается от Гарольда и стоит так, ждет, пока тот уходит.

После ухода Гарольда он поднимается на лифте на крышу. Крыша по всему периметру здания окружена каменной стеной, доходящей ему до груди, и он облокачивается на нее, глотает холодный воздух, кладет ладони на стену, пытаясь унять дрожь. Он думает о Виллеме, как они с Виллемом стояли на этой крыше ночами и молчали, заглядывая в окна чужих квартир. С южного края крыши они почти могли увидеть крышу своего старого дома на Лиспенард-стрит и иногда притворялись, что видят не только здание, но и себя прежних внутри, фигурки в повседневном театре жизни.

"Образовалась складка в пространственно-временном континууме, — говорил Виллем голосом героя фантастического фильма. — Ты здесь, рядом со мной, и в то же время… *я вижу, как ты ходишь по этой жалкой дыре. О боже, Сент-Фрэнсис, ты понимаешь, что происходит?*" Тогда он смеялся, но сейчас, вспоминая это, не может улыбнуться. Теперь единственная его радость — мысли о Виллеме, и эти же мысли приносят ему глубочайшее горе. Он хотел бы забыть совсем все, как Люсьен: забыть о самом существовании Виллема, об их совместной жизни.

Стоя на крыше, он думает, что он наделал: он вел себя нерационально. Он в очередной раз рассердился на человека, который предложил ему помощь, которому он благодарен, на того, перед кем он в долгу, кого он любит. Зачем я это делаю, думает он. И не находит ответа.

Пусть мне станет лучше, просит он. *Пусть мне станет лучше или пусть все это кончится.* Он как будто заперт в холодной бетонной комнате, из которой есть несколько выходов, но он захлопывает дверь за дверью, запирает себя, лишает себя возможности выйти. Зачем он делает это? Зачем запираться в страшном и ненавистном месте, когда есть другие места, где он мог бы оказаться? Это, думает он, наказание за то, что он так зависим от других: они все покинут его один за другим, и он снова останется в одиночестве, только на этот раз будет еще хуже, потому что он помнит, как хорошо было раньше. У него снова возникает чувство, что жизнь движется задом наперед, становится все меньше и меньше, цементная комната сжимается вокруг него до таких размеров, что можно только съежиться на полу, потому что если лечь, то потолок опустится и раздавит его.

Прежде чем лечь, он пишет записку Гарольду, в которой извиняется за свое поведение. Он работает всю субботу и спит все воскресенье. Начинается новая неделя. Во вторник он получает сообщение от Тодда. По первому из судебных исков удалось прийти к соглашению, за огромную компенсацию, но даже у Тодда хватает ума не предлагать ему это отпраздновать. Его сообщения по телефону и электронной почте звучат по-деловому кратко: название компании, готовой на соглашение, цифры, короткое "мои поздравления".

В среду он собирается зайти в арт-фонд, где до сих пор работает иногда *pro bono*, но вместо этого встречается в Уитни с Джей-Би: там сейчас развешивают ретроспективу его работ. Эта выставка — еще один привет из призрачного прошлого, ее планировали почти два года. Когда Джей-Би рассказал им об этой идее, они втроем устроили небольшой кутеж на Грин-стрит в его честь.

— Ну, Джей-Би, ты понимаешь, что это значит? — спросил Виллем, указывая на две картины с его первой выставки, висящие бок о бок на стене гостиной, — "Виллем с девушкой" и "Виллем и Джуд, Лиспенард-стрит II". — Как только выставка закроется, все это отправится прямиком на "Кристи".

И все рассмеялись, Джей-Би громче всех, и в его смехе была гордость, и радость, и облегчение.

Эти работы тоже будут на выставке в Уитни, и еще купленный им портрет "Виллем, Лондон, 8 октября, 9 часов, 8 минут" из серии "Секунды, минуты, часы, дни", и купленный Виллемом "Джуд, Нью-Йорк, 14 октября, 7 часов 02 минуты", и еще принадлежащие им картины из серий "Все, кого я знал", и "Пособие по самобичеванию для нарцисса", и "Квак и Жаб", и все рисунки, картинки, зарисовки, которые Джей-Би дарил им, некоторые еще во времена колледжа, — все это будет выставлено в Уитни вместе с другими ранее не выставлявшимися работами.

Одновременно откроется выставка новых полотен Джей-Би в его галерее, и три недели назад он пошел к нему в студию, чтобы на них посмотреть. Серия называется "Золотая свадьба". И это хроника совместной жизни родителей Джей-Би, и до его рождения, и в воображаемом будущем, где они живут долго и счастливо до глубокой старости. В реальности мать Джей-Би еще жива, как и его тетки, но на этих картинах жив и отец Джей-Би, который на самом деле умер в возрасте тридцати шести лет. Серия состоит из шестнадцати работ, многие из них по размеру меньше обычных полотен Джей-Би, и, рассматривая в студии эти фантазии о домашней жизни — шестидесятилетний отец чистит яблоко, пока мать делает бутерброд; семидесятилетний отец сидит на диване с газетой, а на заднем плане видны ноги матери, которая поднимается по лестнице, — он невольно видит, какой была его жизнь, какой она могла бы быть. Именно о таких сценах домашней жизни с Виллемом он скучал больше всего, о незначительных, непамятных моментах, в которые, казалось бы, ничего не происходит, но отсутствие которых невозможно заполнить.

Помимо портретов в серии встречались натюрморты, и предметы на них тоже символизировали совместную жизнь родителей Джей-Би: две подушки на кровати, обе с вмятинами, словно кто-то провел ложкой по горке сливок; две кофейных чашки, край одной чуть тронут розовой помадой; в одну из рам заключена как бы фотография подростка Джей-Би с отцом, единственное изображение самого Джей-Би на этих картинах. И, глядя на эти работы, он в очередной раз поразился, как глубоко Джей-Би понимает жизнь вдвоем, его жизнь, и то, как теперь в его квартире все вещи — спортивные штаны Виллема, до сих пор висящие на сушилке, зубная щетка Виллема, до сих пор стоящая в стаканчике в ванной, часы Виллема, треснувшие во время аварии, до сих пор лежащие на прикроватной тумбочке — стали тотемными знаками, рунами, которые может прочесть только он. Столик, стоящий у кровати с той стороны, где спал Виллем, в Фонарном доме, стал для него чем-то вроде стихийного мемориала: там стоит кружка, из которой он пил, очки в черной оправе, которые он стал носить совсем недавно, книга, которую он читал, все еще раскрытая, лежащая страницами вниз — так, как он ее оставил.

— Ох, Джей-Би, — вздохнул он и хотел сказать что-то еще, но не смог. Но Джей-Би все равно поблагодарил его. Они теперь стали осторожнее в общении друг с другом, и он не знал, то ли Джей-Би стал другим, то ли он такой только при нем.

Теперь он стучит в музейную дверь, и его встречает один из студийных помощников Джей-Би, который уже ждет его и говорит, что Джей-Би руководит подготовкой к выставке на самом верху, а ему предлагает начать с шестого этажа и продвигаться вверх, пока они не встретятся. Так он и делает.

Галереи на этом этаже посвящены ранним работам Джей-Би, включая ювенилию; целая стена обрамленных детских рисунков, в том числе листок с контрольной по математике, на котором Джей-Би нарисовал прелестные карандашные портреты — по всей видимости, одноклассников, школьников лет восьми-девяти: кто-то склонился над партой, кто-то сосет леденец, кто-то кормит птиц. При этом он не решил ни одного примера, и на верху страницы красуется жирная красная F вместе с записью: "Уважаемая миссис Марион, сами видите, какие у нас трудности. Пожалуйста, зайдите ко мне. Искренне Ваш, Джейми Гринберг. P. S. У Вашего сына большой талант". Он улыбается, глядя на этот листок, улыбается по-настоящему впервые за долгое время. В прозрачном кубе посреди зала выставлено несколько объектов из "Насущного", включая щетку для волос, покрытую волосами, которую Джей-Би так ему и не вернул, и он снова улыбается, вспоминая, как они ходили за обрезками волос по выходным.

Остальной этаж отведен серии "Мальчики", и он медленно идет по залам, разглядывая изображения Малкольма, себя самого, Виллема. Вот они вдвоем в спальне на Лиспенард-стрит, сидят каждый на своей кровати, смотрят прямо в камеру, Виллем чуть улыбается; а вот опять они за раскладным столиком, он пишет резюме по очередному делу, Виллем читает книгу. А вот они на вечеринке. А вот на другой вечеринке. Вот он с Федрой, вот Виллем с Ричардом. Вот Малкольм с сестрой, Малкольм с родителями. Вот "Джуд с сигаретой", "Джуд после болезни". Вот стена с набросками тушью и карандашом, здесь тоже они, их изображения. Вот фотографии, по которым были сделаны картины. Вот фотография, с которой написан "Джуд с сигаретой": это выражение на лице юноши, эти сутулые плечи — он как будто глядит на незнакомца и в то же время немедленно узнает себя.

Стены над лестницами густо увешаны внесерийными работами, рисунками, картинками, этюдами и экспериментами, которые Джей-Би рисовал в промежутках между сериями. Он видит собственный портрет, который Джей-Би нарисовал для Гарольда и Джулии в честь усыновления; видит себя в Труро, себя в Кеймбридже, Гарольда и Джулию. Вот вся их четверка, вот тетки Джей-Би, его мать и бабушка, вот Вождь и миссис Ирвин, Флора, Ричард, и Али, и Генри Янги, и Федра.

Следующий этаж: "Все, кого я знал, все, кого я любил, все, кого я ненавидел, все, кого я ебал"; "Секунды, минуты, часы, дни". Позади и вокруг него суетятся сотрудники, монтирующие выставку, что-то поправляют руками в белых перчатках, отходят и смотрят на стены. Он снова выходит на лестницу. Он смотрит наверх и снова и снова видит свои изображения: лицо крупным планом, он стоит, он сидит в инвалидном кресле, он с Виллемом, он один. Все эти портреты Джей-Би рисовал, когда они не разговаривали, когда он покинул Джей-Би. Здесь изображения других людей, но его больше всего, его и Джексона. Снова и снова они чередуются, он и Джексон, целая шахматная доска из их портретов. Его портреты нервные, тонкие, карандаш, карандаш с тушью, акварель. Портреты Джексона более размашистые, сердитые: толстые линии, акриловые краски. На одном портрете он сам — портрет совсем маленький, размером с открытку, и когда он рассматривает его внимательно, то видит, что на нем что-то было написано, а потом стерто. Он разбирает слова "Дорогой Джуд", "пожалуйста" — но дальше ничего нет. У него перехватывает дыхание, он отворачивается и видит акварель с кустом камелии, которую Джей-Би прислал ему, когда он лежал в больнице после попытки самоубийства.

Следующий этаж: "Пособие по самобичеванию для нарцисса". Это была наименее коммерчески успешная выставка Джей-Би, и он понимает почему — эти работы с их неукротимой злостью и ненавистью к себе вызывали одновременно восторг и крайнюю неловкость. "Клоун" называлась одна картина; "Шут", "Лежебока", "Лицедей". На каждой из них был изображен Джей-Би: черная лоснящаяся кожа, выпученные пожелтевшие глаза; он танцует, кривляется, скалится, десны, розовые как сырая рыба, ужасны и огромны, а на заднем плане из коричневатых и сероватых тонов, как на полотнах Гойи, выступают расплывчатые фигуры Джексона и его приятелей, они дразнят его, хлопают в ладоши, показывают на него пальцами, насмехаются над ним. Последняя картина в этой серии называется "И у макак бывают черные дни": на ней Джей-Би в лихой красной феске и кургузой курточке с эполетами, без штанов, прыгает на одной ноге в пустом амбаре. Он задерживается на этом этаже, не может оторваться от этих картин, он сморгивает, в горле стоит ком, и потом он медленно поднимается по последней лестнице.

И вот он уже на самом верху, здесь больше народу, и какое-то время он стоит у стены и наблюдает, как Джей-Би разговаривает с кураторами, со своим галеристом, смеясь и жестикулируя. Здесь главным образом висят картины из серии "Квак и Жаб", и он переходит от одной к другой, не столько видя их, сколько вспоминая, как увидел впервые, в студии Джей-Би, когда их новые отношения с Виллемом только начинались и ему казалось, будто он отращивает новые части тела — второе сердце, второй мозг, — чтобы вместить избыток чувств, изумление перед своей жизнью.

Он рассматривает одну из картин, когда Джей-Би наконец замечает его и подходит, и он крепко обнимает Джей-Би, поздравляет его.

— Джей-Би, я так горжусь тобой.

— Спасибо, Джуди, — говорит Джей-Би. — Я сам собой горжусь, черт побери. — И добавляет уже без улыбки: — Хотел бы я, чтоб они были здесь.

Он качает головой.

— Я тоже, — говорит он с трудом.

Некоторое время они молчат. Потом Джей-Би говорит: "Иди сюда", — и тянет его в дальний угол зала; они проходят мимо галериста, который машет Джей-Би, мимо последней партии коробок с картинами, которые как раз сейчас распаковывают, к стене, где с картин бережно снимают шкуру из пузырчатой пленки. Джей-Би останавливается, и когда картина освобождается от упаковки, он видит, что это портрет Виллема.

Портрет небольшой — четыре на три фута, горизонтально ориентированный. Это, может быть, самый фотографически точный портрет за многие годы: богатые, плотные цвета, тонкие мазки, которые делают волосы Виллема легкими, словно перышки. Виллем здесь такой, каким был незадолго до смерти: наверное, сразу до или после съемок фильма "Танцовщик и сцена", для которого он отрастил волосы длиннее обычного и покрасил их в более темный цвет. После, решает он, потому что на Виллеме свитер темно-зеленого цвета, как листья магнолии, — он купил ему этот свитер в Париже, когда приезжал его навестить.

Он отступает на шаг, не отводя глаз. На картине Виллем сидит прямо, но голова его повернута направо, так что лицо видно почти в профиль, он смотрит на кого-то или на что-то и улыбается. Он хорошо знает улыбки Виллема и потому понимает, что в этот момент Виллем смотрит на что-то с любовью, что он счастлив. Почти все полотно занимают лицо и шея Виллема, но, хотя фон лишь слегка обозначен, он знает, что Виллем сидит за их столом, это видно по тому, как Джей-Би расположил пятна света и тени на лице Виллема. Ему кажется, что, если позвать Виллема, тот повернет голову и ответит, ему кажется, что, если протянуть руку и погладить полотно, он почувствует под пальцами волосы Виллема, острия его ресниц.

Он, конечно, не делает ничего подобного, только смотрит на Джей-Би и встречает его грустную улыбку.

— Они уже повесили табличку с названием, — говорит Джей-Би, и он медленно подходит к стене за картиной, и видит название — "Виллем слушает, как Джуд рассказывает историю, Грин-стрит", — и чувствует, что не может больше дышать, что его сердце превращается во что-то холодное, перемолотое, как фарш, и сейчас первые куски упадут вниз, шлепнутся на пол у его ног.

У него кружится голова.

— Мне надо сесть, — говорит он, и Джей-Би заводит его за угол, на другую сторону стены с портретом Виллема, в небольшой тупик. Он присаживается на сложенные там ящики и опускает голову на руки, кладет руки на колени.

— Прости, — говорит он с трудом. — Прости, Джей-Би.

— Это тебе, — негромко отвечает Джей-Би. — Когда выставка закроется, Джуд, ты его заберешь.

— Спасибо, Джей-Би, — говорит он.

Он заставляет себя встать, чувствуя, как внутри все сдвигается. Надо поесть, думает он. Когда он последний раз ел? Кажется, завтракал, но не сегодня, а вчера. Он хватается за ящик, чтобы сохранить равновесие, чтобы остановить качку, которую ощущает головой и спиной; это ощущение приходит к нему все чаще, как будто он уплывает, состояние, близкое к блаженству. *Забери меня куда-нибудь*, слышит он голос внутри себя, но он не знает, к кому обращается, куда хочет попасть. *Забери меня, забери меня.* Он думает это, обхватив себя руками, и тут вдруг Джей-Би хватает его за плечи и целует в губы.

Он уворачивается.

— Ты что, охренел?!

Он отшатывается, утирает губы тыльной стороной ладони.

— Джуд, прости, я не хотел, — говорит Джей-Би. — Ты просто выглядел таким несчастным.

— И ты решил меня утешить? — шипит он.

Джей-Би делает шаг вперед.

— Не смей ко мне прикасаться, Джей-Би.

На заднем плане он слышит болтовню установщиков, голоса галериста и кураторов. Он делает еще шаг, теперь к краю стены. Сейчас упаду в обморок, думает он, но не падает.

— Джуд, — говорит Джей-Би, лицо его меняется. — Джуд?

Но он отходит прочь.

— Уйди от меня, — говорит он, — не трогай меня. Отстань.

— Джуд, — говорит Джей-Би тихо, идя за ним, — ты плохо выглядишь. Дай я тебе помогу.

Но он продолжает идти, стараясь оторваться от Джей-Би.

— Прости, Джуд, прости.

Он видит, как группа людей, держась вместе, движется к другому концу зала; эти люди не замечают ни его, ни Джей-Би, как будто они не существуют.

Еще двадцать ступенек до лифтов, прикидывает он, еще восемнадцать, шестнадцать, пятнадцать, четырнадцать. Пол под ним вертится, словно юла, шатаясь вокруг оси. Десять, девять, восемь.

— Джуд! — Джей-Би не замолкает ни на минуту. — Дай я тебе помогу, почему ты со мной не разговариваешь?

Он у лифта, бьет по кнопке ладонью, прислоняется к стене, молится о том, чтобы удержаться на ногах.

— Уйди, — шипит он на Джей-Би, — оставь меня в покое.

Приходит лифт, раскрываются двери. Он шагает вперед. Его походка изменилась: левая нога по-прежнему ведущая, и он по-прежнему поднимает ее слишком высоко — это осталось как раньше, так получается из-за травмы. Но он больше не подволакивает правую ногу, потому что его протезы хорошо подогнаны — гораздо лучше, чем были его настоящие ноги, — он чувствует, как ноги отрываются от пола, чувствует сложный, прекрасный хлопок, сначала одна часть, потом другая.

Но когда он устает, когда он расстроен, он возвращается к старой хромой походке, когда каждая нога опускается на землю плоско, неловко и правая тянется по полу. Шагая в лифт, он забывает, что его ноги из стали и стеклопластика рассчитаны на более тонкие нюансы, чем этот плоский шаг, и спотыкается и падает. Он слышит крик Джей-Би: "Джуд!", — но он так слаб, что на мгновение видит лишь темноту и пустоту, а когда зрение возвращается к нему, обнаруживает, что люди услышали крик Джей-Би и стайкой спешат к лифту. Он видит над собой лицо Джей-Би, но он слишком устал, чтобы прочитать его выражение. *Виллем слушает, как Джуд рассказывает историю*, думает он, и перед его глазами появляется картина, лицо Виллема, улыбка Виллема, но Виллем смотрит не на него, а куда-то в сторону. Приходит мысль: а что, если Виллем на картине *высматривает* его? Ему хочется встать справа от полотна, сесть в кресло, которое стоит в поле зрения Виллема, навсегда остаться на картине. Виллем теперь вечный пленник этой односторонней беседы, и он тоже пленник, пленник жизни. Он представляет, как Виллем остается один на этой картине ночь за ночью в пустом музее и все ждет и ждет, когда же он расскажет ему историю.

Прости меня, Виллем, говорит он про себя. *Прости, что оставляю тебя здесь. Мне надо идти.*

— Джуд, — говорит Джей-Би. Двери лифта открываются, Джей-Би протягивает к нему руку.

Но он не обращает внимания на руку, поднимается на ноги, забивается в угол кабины, облокачивается о стену. Люди уже совсем близко. Все так быстро двигаются, настолько быстрее его.

— Не трогай меня, — говорит он Джей-Би, уже спокойно. — Оставь меня, пожалуйста, оставь меня в покое.

— Джуд, — снова говорит Джей-Би. — Прости меня.

Он говорит что-то еще, но двери лифта закрываются, и он наконец остается один.

3

————

Это началось бессознательно, правда, бессознательно, но, поняв, что происходит, он продолжает в том же духе. Сейчас середина ноября, он выбирается из бассейна после утреннего заплыва, и когда он подтягивается на металлических поручнях, которые Ричард установил вокруг бассейна, чтобы ему было легче управляться с инвалидным креслом, мир исчезает.

Когда он просыпается, прошло всего десять минут. Только что было шесть сорок пять утра и он подтягивался на поручнях; потом раз — и шесть пятьдесят пять, и он лежит навзничь, протягивая руки в сторону кресла, на черном резиновом полу, на влажной кляксе, растекшейся вокруг его туловища. Он со стоном садится и ждет, пока комната снова выровняется, прежде чем снова — на этот раз успешно — попытаться сесть в кресло.

Второй раз это случается через несколько дней. Он только что пришел домой с работы, время позднее. Ему все чаще кажется, что "Розен Притчард" снабжает его энергией, и стоит ему уйти из офиса, как уходят и силы: как только мистер Ахмед захлопывает заднюю дверь машины, он засыпает и не просыпается, пока его не довезут до Грин-стрит. Но в тот вечер, войдя в темную, тихую квартиру, он совершенно теряется, до такой степени, что некоторое время стоит, непонимающе мигая, а потом подходит к дивану в гостиной и ложится на него. Он хочет просто отдохнуть несколько минут, набраться сил и снова встать, но когда он открывает глаза, уже день, и гостиная залита серым светом.

Третий раз это случается вечером в понедельник. Он просыпается до звонка будильника и даже лежа чувствует, как все вокруг и внутри него вздымается, словно он бутылка, плывущая по воздушному океану. В прошедшие недели он обходился без всяких медикаментов по воскресеньям: в субботу он возвращается домой после ужина с Джей-Би, залезает в постель и просыпается, только когда наутро Ричард приходит его проведать. Когда Ричард не приходит — в это воскресенье не пришел, они с Индией в гостях у ее родителей в Нью-Мексико, — он спит весь день, всю ночь. Он ничего не видит во сне и никогда не просыпается.

Конечно, он понимает, в чем дело: он мало ест, и уже не первый месяц. Бывают дни, когда он ест очень мало — кусочек яблока, ломтик хлеба, — а бывают дни, когда не ест совсем ничего. Не то чтобы он решил прекратить есть — просто он больше не хочет, больше не может. Он не голоден, вот и не ест.

Впрочем, в этот понедельник дела обстоят иначе. Он встает, бредет вниз. Он плавает — плохо, медленно. Потом возвращается наверх и готовит завтрак. Он сидит и ест, глядя вглубь квартиры; газеты сложены рядом на столе. Он открывает рот, вилкой кладет туда еду, жует, глотает. Он делает все это машинально, но вдруг осознает, какой это смехотворный процесс — класть что-то в собственный рот, передвигать туда-сюда языком, проглатывать смоченный слюной сгусток, — и прекращает. Он обещает себе: я буду есть, даже нехотя, потому что я жив и так надо. Но он забывает, все время забывает.

А потом, спустя два дня, кое-что случается. Он только что вернулся домой, такой вымотанный, что, кажется, вот-вот растворится, испарится в воздухе, такой бестелесный, будто сделан не из плоти и крови, а из пара и тумана, и тут он видит, что перед ним стоит Виллем. Он открывает рот, чтобы к нему обратиться, но моргает, и Виллем исчезает, а он стоит, шатаясь, с простертыми вперед руками.

— Виллем, — говорит он вслух в пустоту квартиры. — Виллем.

Он закрывает глаза, словно пытаясь его вызвать таким способом, но Виллем не появляется.

Однако Виллем появляется на следующий день. Он опять дома. Опять ночь. Он опять ничего не ел. Он лежит в кровати, смотрит в темноту. И внезапно появляется Виллем, сверкающий, как голограмма, окруженный размытым светом, и хотя Виллем не смотрит на него — смотрит в другую сторону, в сторону дверного проема, смотрит так напряженно, что он хочет проследить его взгляд, увидеть то, что видит Виллем, но понимает, что моргать нельзя, отворачиваться нельзя, иначе Виллем его покинет, — хватает и того, что можно на него смотреть, знать, что в каком-то смысле он все еще существует, что его исчезновение, возможно, не окончательно. Но в конце концов моргнуть все-таки приходится, и Виллем снова исчезает.

Однако он не слишком расстраивается, потому что теперь знает: если не есть, если продержаться почти до обморока, начнутся галлюцинации, и в его галлюцинациях может появиться Виллем. Этой ночью он засыпает умиротворенный, впервые почти за пятнадцать месяцев, потому что теперь он знает, как вызвать Виллема; теперь он знает, что Виллема можно вызывать силой воли.

Он отменяет визит к Энди, чтобы поэкспериментировать дома. Это уже третья пятница подряд, что он не ходит к Энди. С того вечера в ресторане они были друг с другом вежливы, и Энди больше не упоминал Лайнуса или еще какого-нибудь врача, хотя пообещал, что вернется к разговору через полгода.

— Дело же не в том, что я хочу от тебя избавиться, Джуд, — сказал он. — И я прошу прощения, правда, если это так прозвучало. Просто я беспокоюсь. Я хочу убедиться, что мы найдем кого-то, кто тебе понравится, с кем тебе будет комфортно.

— Я понимаю, Энди, — сказал он. — Я очень тебе признателен, честное слово. Я вел себя недостойно и сорвал свой гнев на тебе.

Но он знает, что надо проявить осторожность: он почувствовал вкус гнева, он понимает, что гнев надо контролировать. Он чувствует его во рту, чувствует, как гнев готов прорваться роем черных жалящих мух. Где прятался этот гнев? — думает он. Как от него избавиться? В последнее время его сновидения полны насилия, всяких ужасов, которые происходят с людьми, которых он ненавидит, которых он любит: он видит, как брата Луку запихивают в мешок с попискивающими голодными крысами; он видит, как голова Джей-Би разбивается о стену и серая кашица мозгов разлетается вокруг. Он сам всегда присутствует в этих снах, он стоит и бесстрастно наблюдает, а потом, когда все кончено, поворачивается и уходит прочь. Он просыпается с носовым кровотечением — так бывало, когда в детстве он сдерживал истерику; руки дрожат, лицо искажено злобной гримасой.

В ту пятницу Виллем так к нему и не приходит. Но на следующий вечер, когда он едет с работы на ужин с Джей-Би, он поворачивает голову вправо и видит, что рядом с ним на сиденье машины сидит Виллем. Ему кажется, что на этот раз Виллем немного более отчетливый, более плотный, и он смотрит и смотрит, а потом моргает, и Виллем снова исчезает.

Эти эпизоды его выматывают, мир вокруг тускнеет, словно вся энергия, все электричество было пущено на воссоздание Виллема. Он просит мистера Ахмеда отвезти его домой вместо ресторана и, продвигаясь на юг, пишет Джей-Би сообщение — нездоров, не выберусь. Такое происходит все чаще и чаще: он отменяет планы и встречи, неловко и, как правило, непростительно поздно — за час до ужина в модном ресторане, за несколько минут до назначенной встречи в галерее, за несколько секунд до того, как поднимется занавес. Ричард, Джей-Би, Энди, Гарольд и Джулия: вот последние люди, кто упорно, неделя за неделей все еще пытаются до него достучаться. Он не помнит, когда ему в последний раз звонили Ситизен или Родс, или Генри Янги, или Илайджа, или Федра — во всяком случае, много недель назад. И хотя он понимает, что надо бы обеспокоиться, он не в силах. Его надежда, его энергия перестали быть возобновляемыми источниками; его ресурсы ограничены, и он намерен потратить их на поиски Виллема, даже если охота иллюзорна, даже если шансы на удачу минимальны.

Так что он отправляется домой и ждет, ждет явления Виллема. Но Виллем ему не является, и в конце концов он засыпает.

На следующий день он ждет в постели, стараясь удержать себя между бодрствованием и беспамятством, потому что именно в этом состоянии (думает он) вероятность вызвать Виллема особенно высока.

В понедельник он просыпается с мыслью, что он дурак. *Так продолжаться не может*, говорит он себе. *Ты должен вернуться к живым. Ты ведешь себя как безумец. Видения, говоришь? Ты вообще себя слышишь?*

Он вспоминает монастырь, где брат Павел часто рассказывал ему историю про одну монахиню одиннадцатого века по имени Хильдегарда. У Хильдегарды были видения: стоило ей закрыть глаза, как перед ней появлялись светящиеся объекты; ее дни были наполнены светом. Но брата Павла интересовала не столько Хильдегарда, сколько Ютта, наставница Хильдегарды, которая отреклась от материального мира, чтобы жить аскетической жизнью в крошечной келье, умереть для забот живых, чтобы оставаться живой только номинально. "Вот что случится с тобой, если не будешь слушаться", — говорил Павел, приводя его в ужас. На территории монастыря был небольшой сарай, темный, холодный, забитый страшными железяками, и каждая щетинилась пикой, копьем, серпом, и когда брат рассказывал ему про Ютту, он представлял, что его затолкают в сарай, будут давать ровно столько еды, чтобы он не умер, и так он и будет жить, долго-долго, почти забытый, но не совсем, почти мертвый, но не совсем. Но даже у Ютты была Хильдегарда. У него не будет никого. Как же он этого боялся, как уверен был, что рано или поздно такое случится.

Теперь, в постели, он слышит обращенный к нему шепот малеровской песни. "Я отошел от этого мира, — тихо поет он, — в котором впустую потратил время".

Как это ни глупо, он по-прежнему не может заставить себя есть. Само действие стало ему отвратительно. Он хотел бы ничего не желать, ни в чем не нуждаться. Его жизнь представляется ему обмылком, замусоленным, источившимся в тонкое, тупое лезвие, от которого с каждым днем остается все меньше.

Есть вещи, в которых он не хочет признаваться себе, но и не думать о них не получается. Он не может нарушить обещание, данное Гарольду, и не нарушит. Но если он перестанет есть, перестанет прилагать усилия, итог будет такой же.

Обычно он понимает, какая это все мелодрама, какой нарциссизм, как он оторвался от реальности, и ругает себя — не реже чем раз в день. К сожалению, ему все труднее вызывать в памяти мелочи, связанные с Виллемом, не прибегая к реквизиту. Он не помнит звук голоса Виллема, пока не проиграет одно из сохраненных сообщений на автоответчике. Он не помнит больше запах Виллема, пока не понюхает одну из его рубашек. Поэтому он боится, что и скорбь его — не по Виллему, а по собственной жизни: ее незначительности, ее бесполезности.

Он никогда не беспокоился о том, какое наследие оставит, — по крайней мере, так ему казалось. И хорошо, что не беспокоился, ведь он не оставит ничего — ни зданий, ни картин, ни фильмов, ни скульптур. Ни книг. Ни статей. Ни людей — ни жены или мужа, ни детей, ни, возможно, даже родителей и, если он продолжит себя вести в том же духе, ни друзей. Ни даже новых законов. Он не сотворил ничего. Он не создал ничего, ничего, кроме денег — заработанных денег, денег, полученных в компенсацию за утрату Виллема. Его квартира вернется в собственность Ричарда. Остальная собственность будет распродана или роздана, выручка пойдет в пользу благотворительных организаций. Его картины переедут в музеи, книги в библиотеки, мебель — к любому, кто захочет. Как будто его никогда и не было. Он лелеет чувство, хотя это несчастливое чувство, что важнее всего он был в тех мотельных номерах, где был, по крайней мере, уникален, важен для кого-то, хотя то, что он предлагал, он не отдавал добровольно, это у него отнимали силой. Но там он, по крайней мере, был настоящим для какого-то другого человека; то, что они в нем видели, и был он. Там ему меньше всего приходилось притворяться.

Он никогда не мог искренне поверить в ту версию себя, которую выстраивал Виллем, — в смелого, изобретательного, интересного человека. Виллем говорил такое, и ему становилось стыдно, словно он нарочно его обдурил: да кто этот человек, которого описывает Виллем? Даже его признание не изменило представлений Виллема о нем — казалось, Виллем стал его только больше (а не меньше) уважать; он этого никогда не мог понять, но позволял себе искать в этом утешение. Даже не веря, он находил опору в том, что кто-то считал его достойным человеком, что кому-то его жизнь казалась осмысленной.

В последнюю весну они позвали друзей на ужин — они вчетвером, Ричард и Желтый Генри Янг; тогда Малькольм, который в очередной раз жалел, что они с Софи решили не заводить детей — хотя, как все ему напоминали, они никогда этого не хотели, — задался вопросом:

— Без них я спрашиваю себя: а зачем это все? Вы что, никогда об этом не беспокоитесь? Как нам знать, имеет ли наша жизнь смысл?

— Прости, Мэл, — сказал Ричард, доливая ему остатки вина из бутылки, пока Виллем открывал следующую, — но, по-моему, это оскорбительно. Ты хочешь сказать, что наша жизнь менее осмысленна из-за того, что у нас нет детей?

— Нет, — сказал Малкольм и задумался. — Ну не знаю, может быть.

— Я знаю, что моя жизнь осмысленна, — сказал вдруг Виллем, и Ричард ему улыбнулся.

— Да твоя-то, конечно, осмысленна, — сказал Джей-Би. — Ты делаешь что-то, что люди реально *хотят* видеть, не то что я, и Малкольм, и Ричард, и Генри.

— Люди хотят видеть то, что мы делаем, — обиженно сказал Желтый Генри Янг.

— Я имел в виду людей за пределами Нью-Йорка, Лондона, Токио и Берлина.

— А, вот каких людей. Да кому ж они сдались.

— Нет, — сказал Виллем, когда смех затих. — Я знаю, что моя жизнь осмысленна, потому что… — и тут он осекся, смутился, и продолжил не сразу, — потому что я хороший друг. Я люблю моих друзей, и забочусь о них, и думаю, что приношу им счастье.

Наступила тишина, и они с Виллемом несколько секунд смотрели друг на друга через стол, и вся квартира, все остальные как будто растворились — остались два человека, каждый на своем стуле, и вокруг них пустота.

— За Виллема! — сказал он наконец и поднял свой бокал, а вслед за ним — все остальные.

— За Виллема! — повторили они, и Виллем улыбнулся ему.

В этот же вечер, когда все ушли, а они лежали в постели, он сказал Виллему: ты прав.

— Я рад, что ты понимаешь, как осмысленна твоя жизнь, — сказал он. — Я рад, что мне не надо тебя в этом убеждать. Я рад, что ты понимаешь, какой ты прекрасный.

— Но твоя жизнь точно такая же осмысленная, как моя, — сказал Виллем. — Ты тоже прекрасный. Ты разве этого не знаешь, Джуд?

Тогда он пробормотал что-то неопределенное, что Виллем мог по идее воспринять как согласие, но Виллем уснул, а он лежал с открытыми глазами. Ему всегда казалось, что размышлять об осмысленности собственной жизни значит беситься с жиру, что это скорее привилегия. Он не считал свою жизнь осмысленной, но его это не очень беспокоило.

И хотя он не растравлял себя мыслями об осмысленности своей жизни, он всегда недоумевал, почему он — и многие другие — вообще живут на свете;

иногда убедить себя в необходимости этого было так непросто, и все же столько народу, столько миллионов, миллиардов человек живут в нищете, какой он не может себе даже представить, страдая от лишений и болезней, оскорбительных в своей чудовищности. Но живут, и живут, и живут себе. Может быть, человек продолжает жить не в силу сознательного выбора, а просто потому, что так решила эволюция? Есть ли что-то в самом сознании, в созвездии нейронов, плотных и мозолистых, как сухожилие, что не дает людям пойти на тот шаг, который так часто диктует логика? И все же этот инстинкт преодолим; он сам однажды его победил. Но что с ним случилось потом? Ослаб он или укрепился? Может ли он до сих пор выбирать, что ему делать со своей жизнью?

После больницы он знал, что нельзя убедить человека, чтобы тот продолжал жить ради себя самого. Но он часто думал, что более эффективным терапевтическим приемом было бы настойчиво напоминать людям о необходимости жить ради других; для него это всегда был самый убедительный аргумент. И в самом деле — у него были обязательства перед Гарольдом. И перед Виллемом. И если они хотят, чтобы он жил, он будет жить. Тогда, с трудом переваливаясь из одного дня в следующий, он не осознавал своей мотивации, но теперь понимал, что сделал это для них и этим своим редким бескорыстием для разнообразия может гордиться. Он не понимал, почему они хотят, чтобы он жил дальше, но понимал, что хотят, и он так и сделал. В конце концов он научился снова получать от жизни удовлетворение, даже радость. Но начиналось это по-другому.

А теперь жизнь снова кажется ему все более трудной, каждый день — невыносимее предыдущего. В центре каждого его дня стоит дерево, черное, умирающее, с единственной торчащей справа веткой, как одинокий протез пугала, и вот на этой ветке он и висит. Над ним всегда собирается дождь, поэтому ветка вечно мокрая. Но он держится за нее, хотя и очень устал, потому что под ним — дыра в земле, такая глубокая, что дна ее не видно. Ему очень страшно отпустить ветку, потому что он провалится в эту дыру, но он знает, что рано или поздно сделать это придется, он должен будет это сделать: он очень устал. Его хватка слабеет понемногу, по чуть-чуть, с каждой неделей.

Поэтому с чувством сожаления и вины, но и с чувством неизбежности он нарушает данное Гарольду обещание. Он нарушает его, когда говорит Гарольду, что его по делам посылают в Джакарту, так что он пропустит День благодарения. Он нарушает его, когда начинает отращивать бороду в надежде скрыть свой изможденный вид. Он нарушает его, когда говорит Санджаю, что все в порядке, просто желудочный грипп. Он нарушает его, говоря секретарше, что обед приносить не нужно, он купил еды по дороге на работу. Он нарушает его, когда целый месяц отменяет все встречи с Ричардом, Джей-Би и Энди, ссылаясь на гору работы. Он нарушает его каждый раз, когда позволяет непрошеному голосу прошептать ему в ухо: *уже недолго осталось, уже недолго.* Ему хватает здравого смысла понять, что он не сможет буквально заморить себя голодом, но тем не менее он рассчитывает, что придет день — никогда он не был так близок, — когда силы покинут его настолько, что он оступится, упадет и разобьет голову о бетонный пол в подъезде на Грин-стрит, когда он подцепит вирус и у него не хватит ресурсов с ним бороться.

Одна из его выдумок — правда: работы у него действительно слишком много. Через месяц апелляционные прения, и он рад, что может проводить так много времени в "Розен Притчард", где с ним никогда не случалось ничего плохого, где даже Виллем не рискует встревожить его своим непредсказуемым появлением. Однажды ночью он слышит, как Санджай идет мимо его кабинета и бормочет себе под нос: "Черт, она меня убьет"; он поднимает глаза и видит, что уже не ночь, а день и Гудзон окрашивается в мутно-оранжевый цвет. Он это замечает, но ничего не чувствует. Здесь его жизнь приостанавливается; здесь он может быть кем угодно, где угодно. Он может оставаться до любого позднего часа. Никто его не ждет, никто не расстроится, если он не позвонит, никто не разозлится, если он не придет домой.

В пятницу, незадолго до процесса, он работает допоздна, и одна из секретарш заглядывает и говорит, что к нему пришел посетитель, некий доктор Контрактор, пропустить его наверх? Он замирает, не зная, что делать; Энди ему звонил, а он не перезванивал, и он понимает, что Энди так просто не уйдет.

— Да, — говорит он ей. — Пусть идет в юго-восточную переговорную.

Он ждет в этой переговорной — самой укромной, без окон, и когда Энди входит, он видит, что его губы напрягаются, но они пожимают друг другу руки, как незнакомцы, и только когда секретарша уходит, Энди встает и подходит к нему.

— Ну-ка встань, — приказывает Энди.

— Не могу, — отвечает он.

— Почему?

— Ноги болят. — Но это неправда. Он не может встать, потому что его протезы больше не держатся. "Что хорошо в этих протезах — так это что они очень чувствительные и легкие, — сказал ему протезист во время примерки. — Что плохо — допуск у этих лунок крошечный. Потеряете или наберете больше десяти процентов веса — в вашем случае, значит, четырнадцать — пятнадцать фунтов, — и придется либо регулировать вес, либо делать новую пару. Так что очень важно поддерживать стабильный вес". Последние три недели он не вылезает из инвалидного кресла, и хотя продолжает надевать свои ноги, они служат только для виду, для заполнения штанин; они перестали подходить, использовать их нельзя, а он слишком устал, чтобы идти к протезисту, слишком устал, чтобы вести с ним неизбежный разговор, слишком устал, чтобы придумывать объяснения.

— Сдается мне, что ты врешь, — говорит Энди. — Сдается мне, ты так похудел, что с тебя протезы сваливаются, да? — Но он не отвечает. — Ты насколько похудел, Джуд? Когда мы в последний раз виделись, ты уже сбросил двенадцать фунтов. А теперь сколько? Двадцать? Больше? — Снова пауза. — Что ты такое творишь? Что ты с собой делаешь, Джуд? Ты выглядишь чудовищно, — продолжает Энди. — Ужасно. Ты выглядишь больным. — Он умолкает. — Ну скажи уже что-нибудь. Скажи что-нибудь, черт тебя дери, Джуд.

Он знает, как должна развиваться эта сцена: Энди орет на него, он орет в ответ. Заключается перемирие, которое в конечном счете ничего не меняет; он согласится на какое-то бессмысленное половинчатое решение, от которого Энди будет легче. А потом случится что-нибудь похуже, и станет ясно, что вся эта пантомима — не более чем пантомима, и ему навяжут терапию, которой он не хочет. Вмешается Гарольд. Ему прочитают кучу нотаций, а он будет продолжать лгать, и лгать, и лгать. Один и тот же цикл, один и тот же круг, снова и снова, предсказуемый, как мужчины, которые входят в комнату мотеля, пристраивают свою простыню на кровати, занимаются с ним сексом и уходят. А потом следующий и следующий. А на следующий день — то же самое. Его жизнь — это череда жутких алгоритмов: секс, порезы, то, се. Пойти к Энди, лечь в больницу. На этот раз нет, думает он. На этот раз он сделает что-то иное; на этот раз он ускользнет.

— Ты прав, Энди, — говорит он голосом настолько спокойным и бесстрастным, насколько может, голосом, которым он пользуется в зале суда. — Я похудел. Прости, что не пришел раньше. Я знал, что ты будешь ругаться. У меня был очень неприятный желудочный грипп, из которого я просто не мог выкарабкаться. Но все прошло. Я ем, честное слово. Я знаю, что выгляжу ужасно. Но, честное слово, я над этим работаю. — Как ни смешно, он действительно ест больше в последние две недели; ему нужно выдержать процесс. Он не хочет упасть в обморок прямо в зале суда.

И что после такого может сказать Энди? Его подозрения не рассеялись, но сделать он ничего не может.

— Если ты не придешь ко мне на следующей неделе, я вернусь, — говорит ему Энди, прежде чем проследовать к выходу за секретаршей.

— Отлично, — все так же любезно говорит он. — Через вторник. Когда процесс уже закончится.

После ухода Энди он испытывает кратковременный триумф, как будто он — сказочный герой, только что победивший опасного врага. Но, конечно, Энди ему не враг, он ведет себя смехотворно, и за победным чувством следует отчаяние. Он чувствует, как это все чаще бывает, что жизнь с ним просто случилась, а он не играл в этом никакой роли. Он никогда не мог представить, какой будет его жизнь; даже ребенком, даже мечтая о других местах и других жизнях, он не мог увидеть мысленным взором, что это будут за места и жизни; он верил всему, чему его учили про него и про его будущее. Но его друзья — Ана, Люсьен, Гарольд и Джулия — они воображали его жизнь за него. Они видели его не так, как он всегда видел себя; они позволили ему поверить в возможности, о которых он даже не мечтал. Он видел в своей жизни аксиому равенства, а они видели в ней очередную загадку, загадку без имени — *Джуд = x* — и подставляли вместо икса такие величины, каких никогда не подставляли — и его не поощряли подставлять — ни брат Лука, ни воспитатели из приюта, ни доктор Трейлор. Он хотел бы верить в их доказательства так, как верят они сами; он хотел бы увидеть, как они пришли к таким решениям. Если бы он знал, как они построили доказательство, думает он, то понял бы, зачем жить. Все, что ему нужно, — это один ответ. Все, что ему нужно, — это чтобы его один-единственный раз убедили. Не нужно, чтобы доказательство было элегантным; достаточно, если оно будет убедительным.

На слушаниях все складывается в его пользу. Вернувшись домой в пятницу, он на кресле въезжает в спальню, забирается в кровать. Он проводит весь уикенд в непонятном, странном сне, даже не во сне, а в скольжении, невесомо передвигаясь между памятью и фантазией, забытьем и бодрствованием, тревогами и надеждами. Это не мир снов, думает он, это что-то другое, и хотя в минуты пробуждения он все осознает — видит люстру над головой, белье, на котором лежит, видит у стены диван, обитый тканью с папоротниковым узором, — но не может отличить то, что случилось в видениях, от того, что случилось на самом деле. Он видит, что подносит лезвие к руке, делает глубокий надрез по живой плоти, но из раны начинают лезть металлические пружины, набивка, конский волос, и он понимает, что он мутировал, он больше уже даже не человек, и испытывает облегчение: не придется нарушать данного Гарольду обещания; его заколдовали; его виновность обнулилась вместе с его человеческой природой.

Это правда? — с надеждой спрашивает его едва слышный голос. Мы теперь неодушевленные?

Но он не может себе ответить.

Снова и снова он видит брата Луку, доктора Трейлора. Слабея, уплывая от себя самого, он видит их все чаще, и хотя Виллем и Малкольм затуманились, с братом Лукой и доктором Трейлором этого не случилось. Он воспринимает свое прошлое как раковую опухоль, с которой надо было разобраться давным-давно, а он ее не замечал. А теперь брат Лука и доктор Трейлор пустили метастазы, теперь они слишком велики, слишком могучи, чтобы от них избавиться. Теперь они появляются молча: они стоят перед ним, сидят бок о бок на диване в спальне, смотрят на него, и лучше бы они разговаривали, потому что он знает — они пытаются решить, что с ним делать, и он понимает, что любое их решение будет хуже его самых мрачных фантазий, хуже всего, что было раньше. В какой-то момент он видит, что они шепчутся, и знает, что они говорят о нем. *"Прекратите!* — кричит он им. — Прекратите, прекратите!" — но они не обращают внимания, и когда он пытается встать и выгнать их, оказывается, что у него нет сил. Он слышит собственный голос: "Виллем, — умоляет он, — защити меня, помоги мне; прогони их, пусть они уйдут". Но Виллем не появляется, и он понимает, что он один. Ему становится страшно, он прячется под одеялом и лежит тихо-тихо, уверенный, что время повернуло вспять и ему предстоит прожить всю свою жизнь заново в том же порядке. *Будет легче*, обещает он себе. *Вспомни, за плохими годами следовали хорошие.* Но он не может повторить это, не может снова прожить те пятнадцать лет, чей период полураспада оказался таким длинным, таким неотменимым, те пятнадцать лет, которые определили все, чем он стал и что сделал.

Когда утром в понедельник он окончательно, полностью просыпается, он понимает, что переступил какую-то черту. Он знает, что подошел вплотную к какому-то порогу, что движется от одного мира к другому. С ним дважды случаются затмения только за то время, что он пытается залезть в свое кресло. Он падает в обморок по пути в ванную. Но почему-то остается невредим; почему-то он все еще жив. Он одевается в рубашку и костюм, перешитые месяц назад и уже слишком свободные, вставляет свои культи в протезы и отправляется вниз, где ждет мистер Ахмед.

На работе ничего нового. Новый год, все возвращаются из отпусков. На заседании правления он впивается ногтями в бедро, чтобы оставаться в форме. Он чувствует, что пальцы, обхватившие ветку, слабеют.

Санджай в этот вечер уходит рано, и он тоже. Сегодня приезжают Гарольд и Джулия, и он пообещал, что придет их навестить. Он не видел их больше месяца, и хотя он уже не может толком оценить собственный внешний вид, одевается он с особой тщательностью, многослойно: футболка, рубашка, свитер, жилет, пиджак, пальто, — чтобы казаться чуть объемнее. У Гарольда портье пропускает его в подъезд, и он поднимается, стараясь не моргать, потому что от моргания сильнее тошнит. У их двери он останавливается, обхватывает голову руками, пока не чувствует в себе достаточно сил, а потом поворачивает ручку, въезжает внутрь и не верит своим глазам.

Здесь все: разумеется, Гарольд и Джулия, но и Энди, и Джей-Би, и Ричард с Индией, и оба Генри Янга, и Родс, и Илайджа, и Санджай, и Ирвины тоже, все расселись на разных стульях и креслах, как будто для фотосессии, и на мгновение он боится, что сейчас засмеется. А потом думает: может, мне это снится? Не сплю ли я? Он вспоминает, как в своем видении превратился в старый матрас, и думает: я все еще настоящий? Я все еще в сознании?

— Господи, — говорит он, когда наконец обретает силы. — Это что еще такое?

— Ты все правильно понял, — слышит он голос Энди.

"Не надо мне такого", — пытается он сказать, но не может. Он не может двигаться. Он не может взглянуть ни на одного из них и вместо этого смотрит на свои руки — на левую, со шрамом, на правую, нормальную, — а сверху продолжает звучать голос Энди. Они следят за ним уже несколько недель — Санджай отмечал дни, когда видел, как он что-то ест на работе, Ричард заходил в квартиру и инспектировал холодильник.

— Мы измеряем потерю веса в степенях, — доносится до него голос Энди. — Потеря веса от одного до десяти процентов общей массы тела — это первая степень. От одиннадцати до двадцати — вторая. Вторая степень — это уже повод ставить зонд энтерального питания. Ты это знаешь, Джуд, потому что с тобой такое не впервые. А я по тебе вижу, что это вторая степень — как минимум.

Энди все говорит и говорит, и он почти начинает плакать, но слезы не капают. Все так неправильно, думает он; почему все пошло так неправильно? Почему ему удалось так прочно забыть, кто он такой, когда он был с Виллемом? Как будто тот человек погиб вместе с Виллемом, а что осталось — это остов, тот, кто ему никогда не нравился, тот, кто совершенно не способен жить ту жизнь, которую он кое-как себе все-таки выстроил вопреки всему.

Наконец он поднимает голову и видит, что Гарольд смотрит на него, видит, что Гарольд беззвучно плачет и смотрит, смотрит на него.

— Гарольд, — говорит он, хотя Энди все еще не замолк, — освободи меня. Освободи меня от данного тебе обещания. Не заставляй меня мучиться дальше. Не заставляй.

Но никто его не освобождает — ни Гарольд, ни кто-то еще. Вместо этого его хватают и везут в больницу, и там, в больнице, он начинает сражаться. Это моя последняя драка, думает он, и сражается яростнее, чем когда бы то ни было, воет и плюет в лицо Гарольду и Энди, вырывает катетер из вены, бьется в своей койке, пытается расцарапать Ричарду руку, пока наконец медсестра, чертыхаясь, не вкалывает ему седативное средство.

Он просыпается с запястьями, зафиксированными на кровати, без своих протезов, без одежды, с комком ваты на ключице, под которым, понимает он, вставлен катетер. Опять все то же самое, думает он, то же самое, то же самое, то же самое.

Но это не то же самое. На этот раз ему не предоставляют выбора. На этот раз ему вводят зонд, который через брюшину проникает прямо в желудок. На этот раз его заставляют вернуться к доктору Ломану. На этот раз за ним будут следить во время каждого приема пищи: Ричард проследит, как он завтракает, Санджай — как он обедает (и ужинает, если он допоздна засиживается на работе). Гарольд будет следить за ним по выходным. Ходить в туалет ему разрешают не раньше чем через час после еды. Он должен видеться с Энди каждую пятницу. Он должен видеться с Джей-Би каждую субботу. Он должен видеться с Ричардом каждое воскресенье. Он должен видеться с Гарольдом по первому приказанию Гарольда. Если он пропустит прием пищи или встречу или как-то еще избавится от еды, его положат в больницу, и неделями он уже не отделается, счет пойдет на месяцы. Он должен набрать как минимум тридцать фунтов, и требования будут ослаблены, только когда этот вес продержится полгода.

Так начинается его новая жизнь, жизнь за пределом унижения, скорби, надежды. В этой жизни его друзья с усталыми лицами наблюдают, как он ест омлеты, сэндвичи, салаты. Они сидят напротив него и смотрят, как он наматывает пасту на вилку, как водит ложкой по тарелке с полентой, как срезает мясо с костей. Они смотрят на его тарелку, в его миску и либо кивают — да, можешь идти, — либо мотают головой: нет, Джуд, надо съесть побольше. На работе он принимает решения, которым все следуют, но потом в час дня в его кабинет приносят обед, и на протяжении следующего получаса — хотя больше никто в фирме об этом не знает — его решения не значат ничего, потому что у Санджая абсолютная власть и он должен подчиняться каждому его слову. Одним сообщением, посланным Энди, Санджай может отправить его в больницу, где его снова свяжут, снова будут насильственно кормить. Все они могут это сделать. Никому, как видно, нет дела, что не этого он хочет.

Вы все забыли, что ли? — порывается он спросить. *Вы забыли его? Вы забыли, как он мне нужен? Вы забыли, что я не умею быть живым без него? Кто меня обучит? Кто скажет, что мне теперь делать?*

В первый раз его послали к доктору Ломану ультимативно, и возвращается он тоже под действием ультиматума. Он всегда вел себя приветливо во время сеансов у Ломана, приветливо и отстраненно, но теперь он резок и враждебен.

— Я не хочу здесь находиться, — говорит он, когда доктор приветствует его словами "рад вас снова видеть" и спрашивает, что бы он хотел обсудить. —

И не лгите мне: вы не рады меня видеть, и я не рад здесь быть. Это пустая трата времени, вашего и моего. Я здесь по принуждению.

— Мы можем не обсуждать причины вашего визита, если вы этого не хотите, Джуд, — говорит доктор Ломан. — О чем бы вы хотели поговорить?

— Ни о чем, — огрызается он, и повисает тишина.

— Расскажите мне о Гарольде, — предлагает доктор Ломан, и он раздраженно вздыхает.

— Не о чем рассказывать.

Он приходит к доктору Ломану по понедельникам и четвергам, каждую неделю. В понедельник вечером после сеанса он возвращается на работу. Но по четвергам его заставляют видеться с Гарольдом и Джулией, и с ними он тоже чудовищно груб; не просто даже груб, а злобен, недоброжелателен. Его поведение изумляет его самого — никогда в жизни он не осмеливался так себя вести, даже в детстве, и кто угодно за такое его бы избил. Но Гарольд и Джулия никогда не упрекают его, никогда не наказывают.

— Это отвратительно, — говорит он в тот вечер, отталкивая тарелку с тушеной курицей, которую приготовил Гарольд. — Я это есть не буду.

— Я дам тебе что-нибудь другое, — торопливо говорит Джулия, вставая. — Что ты хочешь, Джуд? Сэндвич? Яйца?

— Что угодно, — отвечает он. — Это какая-то собачья еда.

Но обращается он к Гарольду, глядя прямо на него, в расчете, что тот не выдержит, сорвется. От ожидания пульс бьется у него в горле: он уже видит, как Гарольд вскакивает со стула и бьет его по лицу. Он видит, как Гарольд начинает рыдать. Он видит, как Гарольд выгоняет его из дому.

— Убирайся отсюда на хрен, Джуд, — скажет Гарольд. — Убирайся из нашей жизни и не приходи больше никогда.

— Отлично, — скажет он. — Отлично, отлично. Ты мне все равно не нужен, Гарольд. Вы все мне не нужны.

Какое это будет облегчение — узнать, что Гарольд никогда его и не хотел, что усыновление было капризом, глупостью, все удовольствие от которой давно померкло.

— Джуд, — говорит он наконец, очень тихо.

— Джуд, Джуд, — передразнивает он, выкрикивая собственное имя как сойка. — Джуд, Джуд.

Он зол, он в ярости: нет такого слова, которое описало бы, что он такое. Ненависть бурлит в его жилах. Гарольд хочет, чтобы он жил, так вот же, получи, Гарольд. Посмотри, каков я на самом деле.

Понимаешь ли ты, как больно я могу тебе сделать? — вот что он хочет спросить у Гарольда. *Понимаешь ли ты, что я могу сказать слова, которые ты никогда не забудешь и за которые никогда меня не простишь? Понимаешь ли ты, что я наделен такой властью? Понимаешь ли ты, что каждый день, что я знаю тебя, я тебе врал? Знаешь ли ты, кто я на самом деле? Знаешь ли ты, со сколькими мужчинами я спал, что я им позволял с собой делать, какие предметы в меня засовывали, какие звуки я издавал?* Его жизнь, единственное, что ему принадлежит, находится во власти других людей: Гарольда, который хочет, чтобы он жил, демонов, которые скребутся в его теле, свисают с ребер, протыкают легкие когтями. Брата Луки, доктора Трейлора. *Для чего нужна жизнь?* — спрашивает он сам себя. *Для чего нужна моя жизнь?*

Так что же, думает он, я никогда не забуду? Это и есть я, несмотря на все прошедшие годы?

Он чувствует, что у него начинает идти кровь носом, и отодвигается от стола.

— Я ухожу, — говорит он, когда Джулия входит в комнату с сэндвичем. Он видит, что она обрезала корки и нарезала сэндвич треугольниками, как ребенку, и на секунду он колеблется, готовый зареветь, но одергивает себя и опять переводит злобный взгляд на Гарольда.

— Никуда ты не уходишь, — говорит Гарольд, не сердито, но решительно. Он встает со своего стула, показывает на него пальцем. — Ты останешься и все доешь.

— И не подумаю, — объявляет он. — Звони Энди, мне все равно. Я покончу с собой, Гарольд, я покончу с собой, что бы ты ни делал, и ты не сможешь меня остановить.

Он слышит, как Джулия шепчет:

— Джуд… Джуд, милый.

Гарольд подходит к нему, по пути забрав тарелку из рук Джулии, и он думает: вот оно. Он задирает подбородок, ждет, что Гарольд ударит его тарелкой по лицу, но Гарольд его не бьет, а только ставит тарелку на стол перед ним.

— Ешь, — говорит Гарольд сдавленным голосом. — Съешь это немедленно.

Он неожиданно вспоминает тот день, когда в доме Гарольда и Джулии с ним впервые случился приступ. Джулия пошла в магазин, а Гарольд наверху распечатывал не предвещавший добра рецепт сложного суфле, которое, по его словам, собирался готовить. А он лежал в кладовке, изо всех сил сдерживаясь, чтобы не засучить ногами от боли, и слышал, как Гарольд спускается по скрипучим ступеням и входит на кухню. “Джуд?” — позвал Гарольд, не обнаружив его, и он, как ни старался молчать, какой-то звук все-таки издал, и Гарольд открыл дверь и нашел его. К этому моменту они с Гарольдом были знакомы шесть лет, но он всегда осторожничал, с ужасом ожидая неизбежного дня, когда предстанет перед Гарольдом в своем истинном обличье. “Прости”, — попытался он сказать Гарольду, но выходил только хрип.

"Джуд, — сказал испуганный Гарольд, — ты меня слышишь?" — и он кивнул, и Гарольд вошел в кладовку, пробираясь между пачками кухонных полотенец и контейнеров со средством для мытья посуды, опустился на пол и бережно положил его голову себе на колени, и на секунду ему подумалось, что пришел момент, которого он всегда отчасти ждал, и Гарольд сейчас расстегнет штаны и ему придется делать то, что он делал всегда. Но Гарольд этого не сделал, только погладил его по голове, и через некоторое время, извиваясь и мыча, напрягаясь от боли, переполнявшей суставы жаром, он осознал, что Гарольд ему поет. Песню эту он никогда раньше не слышал, но инстинктивно понял, что это детская песенка, колыбельная, и пока он трясся и дергался и шипел сквозь зубы, сжимал и разжимал левую руку, вцепившись в горлышко ближайшей бутылки оливкового масла правой, Гарольд все пел и пел. И лежа там, бесконечно униженный, он понимал, что после этого случая Гарольд либо начнет отстраняться от него, либо, наоборот, приблизится еще сильнее. И поскольку он не знал, как именно случится, он понял, что надеется — как не надеялся никогда ни до ни после, — что этот приступ никогда не пройдет, что песенка Гарольда никогда не кончится, что ему никогда не придется узнать, что за ней последует.

А теперь он намного старше, Гарольд намного старше, Джулия намного старше, три старика, и ему дают детский сэндвич и команду "Ешь!", тоже предназначенную для ребенка. Мы такие старые, что снова стали детьми, думает он, берет тарелку и швыряет ее в дальнюю стену, и тарелка, ударившись о стену, картинно разбивается. Он видит, что сэндвич был с поджаренным сыром, видит, что один из треугольных кусочков прилепился к стене и медленно с нее стекает, оставляя клейкие сырные следы на пути.

Вот оно, думает он, почти с восторгом, когда Гарольд снова приближается, вот оно, вот оно, вот оно. И Гарольд поднимает руку, и он ждет, что сейчас его ударят так сильно, что этот вечер наконец закончится, он проснется в собственной постели и на время сможет забыть это мгновение, сможет забыть, что он сделал.

Но вместо этого Гарольд обхватывает его, и он пытается его оттолкнуть, но Джулия тоже его обнимает, склоняясь над остовом его кресла, и он оказывается зажат между ними.

— Оставьте меня! — рычит он на них, но его энергия рассеивается, он слаб и голоден. — Оставьте меня! — Но его слова бесформенны и бесполезны, как и руки и ноги, и вскоре он прекращает попытки.

— Джуд, — тихо говорит ему Гарольд. — Бедный мой Джуд. Бедный мой любимый мальчик. — И вот тут-то он начинает плакать, потому что никто никогда не называл его любимым после брата Луки. Виллем иногда пытался — любимый, говорил он, солнышко, — и он его обрывал: нежные слова были испачканы грязью, это были слова унижения и разврата. — Любимый мой, — снова говорит Гарольд, и он хочет, чтобы тот замолчал; он хочет, чтобы тот никогда не замолкал. — Детка.

И он плачет и плачет, плачет обо всем, чем он был, обо всем, чем мог быть, о каждой старой ране, о каждом старом счастье, плачет от стыда и радости, потому что наконец-то он стал ребенком, со всеми капризами, потребностями и страхами ребенка, плачет о роскоши дурно вести себя и быть прощенным, о нежности, о привязанности, о том, что ему дают еду и заставляют ее съесть, о возможности наконец-то, наконец-то поверить уверениям родителей, поверить, что для кого-то он особенный, несмотря на все свои ошибки и гадости, именно из-за всех своих ошибок и гадостей.

В итоге Джулия опять отправляется на кухню и готовит ему еще один сэндвич; в итоге он его съедает, с аппетитом, которого не знал уже несколько месяцев; в итоге он остается ночевать в гостевой спальне, а Гарольд и Джулия целуют его на ночь; в итоге он думает, что, может быть, время все-таки закольцевалось, только в этой версии Джулия и Гарольд сразу будут его родителями, и кто знает, что из него получится, но он будет лучше, здоровее, добрее, ему не придется с такой силой сражаться против собственной жизни. Он видит себя, пятнадцатилетнего, он вбегает в кембриджский дом, выкрикивая "Мама! Папа!" — слова, которых никогда не произносил, и хотя он понятия не имеет, что так возбудило его воображаемого двойника (как он ни изучал нормальных детей, их интересы и поведение, детали от него ускользали), он знает, что счастлив. Может быть, на нем футбольная форма, руки и ноги голые. Может быть, с ним друг, подружка. Вероятно, он никогда еще не занимался сексом; вероятно, он пытается сделать это при каждой возможности. Он иногда думает, кем станет, когда вырастет, но ему никогда не пришло бы в голову, что в его жизни не будет любви, секса, бега по траве, мягкой как ковер. Все часы, все те часы, которые он себя резал, и скрывал последствия, и утрамбовывал свои воспоминания, — что он будет делать в освободившееся время вместо этого? Этот человек будет лучше, он уверен. В нем будет больше любви.

Но может быть, думает он, может быть, еще не поздно. Может быть, он сможет притвориться еще раз и это последнее притворство все изменит, превратит его в человека, которым он мог бы стать. Ему пятьдесят один; он стар. Но может быть, время еще есть. Может быть, его еще можно починить.

Он продолжает так думать в понедельник, когда идет к доктору Ломану и просит у него прощения за свое ужасное поведение на прошлой неделе и все недели до того.

И на этот раз, впервые, он действительно пытается поговорить с доктором Ломаном. Он пытается отвечать на его вопросы, и отвечать честно. Он пытается подступиться к истории, которую до этого рассказывал всего один раз в жизни. Но это очень сложно, не только потому, что он практически не может об этом говорить, но и потому, что, рассказывая эту историю, он неизбежно думает о Виллеме, о том, что, когда он в последний раз это рассказывал, он был с человеком, который видел его таким, каким не видел никто со времен Аны, с человеком, который сумел не обращать внимания на то, кто он такой, и одновременно ни на что не закрывать глаза. Он расстраивается, задыхается, резко разворачивается в своем кресле — ему не хватает еще пяти-шести фунтов, чтобы ходить на протезах — и, извинившись, выезжает из кабинета доктора Ломана, несется по коридору в туалет и там запирается, медленно дыша и проводя ладонью по груди, как будто успокаивает разбушевавшееся сердце. И здесь, в туалете, где прохладно и тихо, он затевает старую игру в "если": если бы я не пошел за братом Лукой. Если бы меня не схватил доктор Трейлор. Если бы я не впустил Калеба. Если бы я больше слушал Ану.

Он играет, и обвинения отбивают ритм в голове. Но потом он думает вот что: если бы я никогда не встретил Виллема. Если бы я никогда не встретил Гарольда. Если бы я никогда не встретил Джулию, или Энди, или Малькольма, или Джей-Би, или Ричарда, или Люсьена и многих других людей — Родса, и Ситизена, и Федру, и Илайджу. Генри Янгов. Санджая. Все самые страшные "если" — про людей. Все самые прекрасные — тоже.

Наконец он успокаивается и выезжает из туалета. Он понимает, что может уйти. Вот лифт; за курткой можно послать мистера Ахмеда.

Но он не уходит. Он поворачивает обратно и возвращается в кабинет, где доктор Ломан так и сидит в кресле, ждет его.

— Джуд, — говорит доктор Ломан. — Вы вернулись.

— Да, — говорит он на вдохе. — Я решил остаться.

———————————

VII

———

ЛИСПЕНАРД-СТРИТ

Вторую годовщину твоей смерти мы встретили в Риме. Это было отчасти совпадение, но не совсем: он знал, и мы знали, что ему нужно уехать из города, из штата Нью-Йорк. И возможно, Ирвинам тоже так казалось, потому что они выбрали такую дату для церемонии — самый конец августа, когда вся Европа куда-то разлетается, а мы вот летели туда, на континент, с которого исчезли все говорливые стайки, вся местная фауна.

Дело было в Американской академии, куда в свое время приезжали по стипендии и Софи, и Малкольм; теперь Ирвины учредили там стипендию для молодых архитекторов. Они сами помогли выбрать первого стипендиата — очень высокую, трогательно волнующуюся молодую женщину из Лондона (она в основном строила временные сооружения, здания сложного вида из земли, дерна и бумаги, которые должны были постепенно разрушаться с течением времени); было объявлено учреждение стипендии, с прилагающейся к ней дополнительной денежной премией, состоялся прием, и Флора выступила с речью. Кроме нас и партнеров Софи и Малкольма по "Беллкасту", там были Ричард и Джей-Би — оба тоже когда-то жили стипендиатами в Риме, — и после церемонии мы пошли в ресторанчик неподалеку, который они облюбовали, живя в академии, и там Ричард показывал нам, какие куски стен этрусские, а какие древнеримские. Это был приятный вечер в уютной и дружеской атмосфере, но при этом он получился тихим, и я помню, что в какой-то момент я поднял глаза и понял, что никто из нас не ест, все на что-то смотрят — на потолок, на свои тарелки, друг на друга — и каждый думает о чем-то своем и все же — я в этом уверен — о чем-то одном и том же.

На следующий день Джулия прилегла поспать, а мы с ним пошли пройтись. Наша гостиница стояла на южной стороне реки, возле Испанской лестницы, но мы взяли машину и доехали по мосту до Трастевере, где бродили по таким узким и темным улицам, что они казались коридорами, пока наконец не вышли на площадь, маленькую и аккуратную, не украшенную ничем, кроме солнечного света, и там сели на каменную скамью. На другой конец скамьи присел пожилой человек с белой бородой, в льняном костюме; он нам кивнул, и мы кивнули ему в ответ.

Мы с ним вдвоем долго сидели и вместе молчали на жаре, а потом он вдруг сказал, что вспомнил эту площадь, что он здесь когда-то был с тобой и что буквально в паре улиц отсюда есть знаменитое кафе-мороженое.

— Сходить? — спросил он с улыбкой.

— Я подозреваю, что ты знаешь ответ, — сказал я, и он встал.

— Сейчас вернусь, — сказал он.

— Страчателла, — сказал я ему, и он кивнул.

— Знаю, — сказал он.

Мы со стариком смотрели ему вслед, и потом старик мне улыбнулся, а я улыбнулся в ответ. Я разглядел, что он не такой уж древний — возможно, всего на несколько лет старше меня. И все же я никогда не мог (и до сих пор не могу) думать о себе как о старом человеке. Порой я притворялся, будто знаю, что стар; я плакался о своих преклонных годах. Но все это было или в шутку, или чтобы другие почувствовали себя молодыми.

— *Lui è tuo figlio?* — спросил этот человек, и я кивнул. Меня всегда радостно удивляло, если кто-нибудь опознавал, кто мы друг другу, потому что мы с ним совершенно не были похожи; и все же я думал — надеялся, — что в том, как мы себя вели в обществе друг друга, было какое-то более убедительное свидетельство нашего родства, чем простое физическое сходство.

— А, — сказал мой собеседник, снова поглядев на него, прежде чем он свернул за угол и пропал из виду. — *Molto bello.*

— *Sì*, — ответил я, и мне вдруг стало грустно.

Он хитро посмотрел на меня и спросил — точнее, сделал вывод:

— *Tua moglie deve essere molto bella, no?* — И потом хихикнул, показывая, что пошутил, но и сделал мне комплимент, потому что, если я и нехорош собой, я при этом удачлив, раз у меня такая красивая жена, которая подарила мне такого красивого сына, так что обижаться мне не на что.

— Это правда, — сказал я, и он понимающе улыбнулся.

Старик в льняном костюме уже ушел — кивнув мне на прощание, опираясь на трость, — когда он вернулся с вафельным рожком для меня и большим стаканом лимонной граниты для Джулии. Я надеялся, что он себе тоже что-нибудь купит, но он не купил.

— Надо идти, — сказал он, и мы пошли, и в тот вечер рано легли, а на следующий день — день твоей смерти — мы его не видели совсем: он оставил записку у портье, сообщив, что пойдет гулять, что увидится с нами завтра, что просит прощения, и мы тоже гуляли весь день напролет, и хотя я думал, что мы можем на него наткнуться — Рим-то не такой уж и большой, — мы не пересеклись, и в ту ночь, раздеваясь перед сном, я понимал, что искал его на каждой улице, в каждой толпе.

На следующее утро мы как ни в чем не бывало обнаружили его за завтраком; он читал газету и был бледен, но улыбнулся нам, и мы не стали спрашивать, что он делал накануне, а он не стал рассказывать. В тот день мы просто бродили по городу нескладной стайкой из трех человек — идти в ряд по узким тротуарам было невозможно, и мы выстраивались в шеренгу, поочередно занимая место во главе, — но бродили только по знакомым местам, обжитым местам, по тем местам, где нельзя было натолкнуться на тайное воспоминание, на что-нибудь очень личное. Возле виа Кондотти Джулия заглянула в крошечное окошко крошечной ювелирной лавки, и мы в нее зашли, втроем заполнив все помещение, и по очереди разглядывали серьги, которые ей так понравились на витрине. Серьги были изысканные — золотые, плотные и тяжелые, в виде птиц с маленькими круглыми рубинами глаз и крошечными золотыми ветвями в клювах, и он их ей купил, а она была смущена и обрадована — Джулия очень редко носит украшения, — но он, кажется, радовался, что может это сделать, и я радовался его радости, и ее радости тоже. Вечером мы встретились с Джей-Би и Ричардом за прощальным ужином, а на следующее утро мы уехали на север, во Флоренцию, а он — домой.

— Увидимся через пять дней, — сказал я ему, и он кивнул.

— Хорошей вам поездки, — сказал он. — Прекрасной поездки. Скоро увидимся.

Он махал нам рукой, и мы повернулись на сиденьях увозившей нас машины и махали ему в ответ. Я помню, что надеялся этим жестом передать ему то, что не мог сказать: *даже думать не смей*. Накануне вечером, пока он и Джулия беседовали с Джей-Би, я спросил Ричарда, сможет ли он сообщать мне, как дела, пока нас не будет, и Ричард пообещал, что так и поступит. Он набрал вес почти до отметки, которую установил Энди, но было два срыва — один в мае, другой в июле, — так что мы все по-прежнему за ним следили.

Иногда казалось, что наши отношения развиваются в обратной последовательности, и вместо того чтобы меньше волноваться о нем, я волновался все больше; с каждым годом я все яснее осознавал, какой он хрупкий, все меньше верил в собственные родительские способности. Когда Джейкоб был младенцем, я с каждым месяцем его жизни становился уверенне, как будто чем дольше он оставался в этом мире, тем теснее оказывался с ним связан, как будто жить означало заявлять свои права на самое жизнь.

Это, конечно, была довольно дикая идея, вскоре опровергнутая самым чудовищным образом. Но я не мог отказаться от этой мысли — что жизнь привязывает к жизни. И все-таки на каком-то этапе его жизни — после Калеба, если бы меня попросили назвать конкретный момент — у меня возникло ощущение, что он находится в корзине воздушного шара, привязанной к земле длинным канатом, но с каждым годом шар все сильнее рвется с привязи, поднимается, пытается уплыть в небеса. А внизу — мы, несколько человек, тянем канат, пытаемся опустить шар на землю, обезопасить. Так что я всегда боялся за него, а кроме того, всегда боялся его.

Могут ли у человека быть настоящие отношения с кем-то, кого он боится? Конечно. Но он все равно пугал меня, потому что был в позиции силы, а я нет: если бы он покончил с собой, если бы он отнял себя у меня, я понимал, что выживу, но понимал и то, что выживание превратится в тяжелый труд; я знал, что потом вечно буду искать объяснений, рыться в прошлом, разыскивая там собственные ошибки. И конечно, я понимал, как жутко буду по нему скучать, потому что, несмотря на все предыдущие попытки ухода, я так и не научился их легче переносить, так к ним и не привык.

Но вот мы вернулись домой, и все было по-прежнему: мистер Ахмед встретил нас в аэропорту и отвез в квартиру, а у консьержа нас ожидали сумки, полные продуктов, чтобы нам не пришлось тащиться в магазин. На следующий день, в четверг, он пришел, и мы ужинали, и он спрашивал, что мы видели, что делали, а мы рассказывали. Потом мы мыли посуду, и когда он протягивал мне миску, чтобы я поставил ее в посудомоечную машину, она выскользнула у него из пальцев, упала на пол и разбилась.

— О черт! — воскликнул он. — Прости, прости, Гарольд. Какой я идиот, какой неуклюжий идиот. — И хотя мы повторяли ему, что это не беда, что все хорошо, он расстраивался все сильнее, так сильно, что у него затряслись руки, что из носа потекла кровь.

— Джуд, — сказал я ему, — ничего страшного, бывает.

Но он помотал головой.

— Нет, — сказал он, — дело во мне. Я все порчу. Все, к чему я прикасаюсь, гибнет.

Мы с Джулией посмотрели друг на друга поверх его головы, пока он подбирал осколки, не зная, что сказать и что сделать, настолько несоразмерна поводу была его реакция. Но в предшествующие месяцы было несколько инцидентов, начиная с той тарелки, которую он швырнул через всю комнату, которые дали мне понять — впервые за всю мою жизнь с ним, — сколько в нем было гнева и сколько усилий ему приходилось прикладывать каждый день, чтобы его контролировать.

После того первого случая с тарелкой был еще один, несколько недель спустя. Это было в Фонарном доме, куда он приехал впервые за много месяцев. Было утро, мы только что позавтракали, мы с Джулией собирались в магазин, и я пошел спросить, не нужно ли ему чего. Он был у себя в спальне, дверь была приоткрыта, и когда я увидел, что он делает, я почему-то не окликнул его, не ушел, а застыл у порога и молча смотрел. Он уже надел один протез и надевал второй — я никогда его не видел без протезов, — и я наблюдал, как он вставляет левую ногу в углубление, поднимает эластичный рукав так, что он накрывает ему колено и бедро, а потом опускает поверх него штанину. Как тебе известно, у этих протезов ступни сделаны так, чтобы напоминать переднюю часть с пальцами и пятку, и я смотрел, как он натягивает носки, потом обувается. А потом он вздохнул и встал, и я видел, как он делает шаг, потом другой. Но даже мне было видно, что что-то не так — они все еще были ему велики, он недостаточно поправился, — и раньше чем я успел его окликнуть, он потерял равновесие и рухнул ничком на кровать, где некоторое время лежал неподвижно.

А потом он дотянулся до них руками и отбросил обе ноги, сначала одну, потом другую, и на секунду — они так и были в носках и ботинках — показалось, что это его настоящие ноги и он только что оторвал от себя кусок, и я почти удивился, не увидев фонтана крови. Но вместо этого он подобрал один из протезов и стал колотить им по кровати, снова и снова, тяжело дыша от напряжения, а потом бросил его на пол и замер, закрыв лицо руками, опершись локтями о бедра, и безмолвно раскачивался. "Пожалуйста, — услышал я, — пожалуйста". Но больше он ничего не сказал, и я, к стыду своему, потихоньку отполз и пошел в нашу спальню, где сел в такой же позе и тоже стал ждать неизвестно чего.

В те месяцы я часто думал о том, что делаю, о том, как трудно удержать кого-то, кто не хочет жить. Сначала используешь логику (*так много есть того, ради чего стоит жить*), потом чувство вины (*ты не можешь так со мной поступить*), потом гнев, угрозы, мольбы (*я стар; не добивай старика*). Но потом, когда они соглашаются, ты, уговариватель, непременно поддаешься самообману, потому что ведь видно, как им это тяжело, видно, как им не хочется здесь оставаться, видно, что само существование их изнуряет, и тогда ты вынужден каждый день говорить себе: я все делаю правильно. Говорить человеку, что он хочет делать, — это преступление против законов природы, против законов любви. Ты хватаешься за счастливые мгновения, демонстрируешь их в качестве доказательства: *видишь? Вот почему стоит жить. Вот почему я его принуждаю к этим попыткам*, — хотя это жалкое мгновение не может компенсировать все остальные, каких большинство. Ты думаешь — как я думал во времена Джейкоба: для чего существует ребенок?

Чтобы он был мне утешением? Чтобы мне было кому служить утешением? А если ребенка больше нельзя утешить, должен ли я позволить ему уйти? А потом говоришь себе: нет, это же невыносимо, я так не могу.

Так что я пытался, конечно. Все время пытался. Но с каждым месяцем я чувствовал, что его все меньше. Дело было не в физическом исчезновении: к ноябрю он набрал свой вес — по крайней мере, дошел до нижней границы приемлемого — и выглядел, пожалуй, лучше, чем когда бы то ни было. Но он был тих, гораздо тише обычного, а ведь он и так всегда был тихий. Но теперь он очень мало говорил, и когда мы встречались, я иногда видел, что он смотрит на что-то невидимое для меня, и потом он чуть-чуть наклонял голову, как лошадь, когда прядает ушами, и возвращался в себя.

Однажды, во время нашего традиционного ужина по четвергам, я увидел синяки на его лице и шее, только с одной стороны, как будто он ранним солнечным вечером стоял у стены дома и на него упала тень. Синяки были ржавого темно-коричневого цвета, как запекшаяся кровь, и я ахнул.

— Что случилось? — спросил я.

— Упал, — сказал он. — Не волнуйся.

Но я, конечно, волновался. А когда я в следующий раз увидел его с синяками, я попытался взять его за плечи и потребовал:

— Расскажи мне, что происходит.

Но он вывернулся из моих рук и ответил:

— Нечего рассказывать.

Я так и не знаю, что случилось. Он что-то с собой делал? Позволил кому-то еще что-то с ним делать? Я не знал, что хуже. Я не знал, что делать.

Он скучал по тебе. Я тоже по тебе скучал. Да и все мы. Я думаю, ты должен понимать, что я скучал по тебе не просто потому, что с тобой ему было легче: я скучал по тебе, именно по тебе. Я скучал по тому, с каким удовольствием ты делал то, что тебе нравилось: ел, бежал за теннисным мячом, прыгал в бассейн. Я скучал по разговорам с тобой, по тому, как ты ходишь по комнате, скучал по тому, как ты падал на лужайку, облепленный ватагой Лоренсовых внуков, и делал вид, что под их весом не можешь подняться с земли. (В тот же день младшая внучка Лоренса, которая была от тебя без ума, сплела тебе браслет из одуванчиков, а ты поблагодарил ее и носил его весь день, и каждый раз, видя его на твоем запястье, она убегала и утыкалась лицом в спину своего отца; по этому я тоже скучал.) Но больше всего я скучал по вам вдвоем; скучал по тому, как ты приглядывал за ним, а он за тобой; скучал по тому, как бережно вы обходились друг с другом, по тому, как искренне и без усилия ты был с ним нежен; скучал по тому, как вы слушаете друг друга, оба с таким неотступным вниманием. Та вот картина, которую Джей-Би нарисовал — "Виллем слушает, как Джуд рассказывает историю", — она такая настоящая, выражение схвачено так верно: я знал, что на ней происходит, еще до того, как прочел название.

И я не хочу, чтобы ты думал, что после твоего ухода не было и счастливых мгновений, счастливых дней. Их, конечно, стало меньше. Их было труднее отыскать, труднее устроить. Но они существовали. Вернувшись из Италии, я начал вести семинар в Колумбийском университете, куда могли ходить как студенты-юристы, так и аспиранты других факультетов. Курс назывался "Философия закона, законы философии", я вел его вместе с одним старым приятелем, и на этом семинаре мы обсуждали справедливость закона, нравственные основания юридической системы и то, как они иногда вступают в противоречие с характерным для нашей нации представлением о морали, — все-таки спустя столько лет мы дошли до "Дреймэн 241"! По вечерам я виделся с друзьями. Джулия ходила на курсы рисования с натуры. Мы работали волонтерами в некоммерческой организации, которая помогала специалистам (врачам, юристам, учителям) из других стран (Судана, Афганистана, Непала) найти новую работу в своей области, даже если эта работа только отдаленно напоминала их прежние занятия: медсестры становились санитарками; судьи становились референтами. Кое-кому из них я помог подать документы в юридическую школу, и когда я с ними сталкивался, мы беседовали о том, что они изучают и чем отличается наше право от права, с которым они раньше имели дело.

— Я думаю, нам надо придумать совместный проект, — сказал я ему той осенью (он все еще работал бесплатно в арт-фонде, который в реальности оказался трогательнее, чем я представлял, когда я сам пошел туда волонтером: я думал, что обнаружу там просто толпу бездарей, пытающихся чего-то добиться в искусстве и смежных областях, притом что никаких шансов на успех у них нет, и хотя все именно так и оказалось, я обнаружил, что восхищаюсь ими, как и он, — их настойчивостью, их туповатой, непоколебимой верой. Это были люди, которых никто и ничто не могло отговорить от выбранной ими жизни, от уверенности в своем выборе).

— Например? — спросил он.

— Ты можешь научить меня готовить, — сказал я, и он посмотрел на меня этим своим взглядом, почти улыбаясь, но не совсем, словно был позабавлен, но не готов в этом признаться. — Я серьезно. Прямо по-настоящему готовить. Шесть-семь блюд, которые у меня были бы в репертуаре.

И он взялся за это. По вечерам в субботу, после всех дел или визита к Люсьену и Ирвинам, мы ехали в Гаррисон, и иногда нас сопровождали Ричард и Индия, или Джей-Би, или один из Генри Янгов с женой, а по воскресеньям мы что-нибудь готовили. Оказалось, что моя основная проблема — это недостаток терпения, неготовность смириться со скукой. Я отходил от плиты в поисках чего бы почитать и забывал, что оставляю ризотто, которое превращается в клейкую кашицу, или забывал, что надо перевернуть ломтики моркови в лужице оливкового масла, и, вернувшись, обнаруживал, что они пригорели к дну сковородки. (Готовка в какой-то неимоверной степени состоит, как оказалось, из поглаживания, обмывания, слежения, переворачивания, полоскания, смягчения — требований, которые я привык связывать с уходом за младенцем.) Другая моя проблема, сообщили мне, заключалась в стремлении к новизне, а это, судя по всему, гарантировало полный провал любого пекарского начинания.

— Это химия, Гарольд, а не философия, — повторял он все с той же полуулыбкой. — Ты не можешь нарушить заданные пропорции и надеяться, что все получится как положено.

— Ну а вдруг получится лучше, — сказал я, главным образом чтобы его повеселить — мне никогда не было трудно разыграть дурачка, если это могло доставить ему удовольствие, — и тут он улыбнулся, улыбнулся по-настоящему.

— Не получится, — сказал он.

В общем, в конце концов я таки научился кое-что готовить: курицу на гриле, яйцо-пашот, жареного палтуса. Я научился печь морковный пирог и хлеб с разными орешками, какой часто покупал в той кеймбриджской кондитерской, где он когда-то работал: по его рецепту получалось нечто невероятное, и я несколько недель пек буханку за буханкой.

— Отлично, Гарольд, — сказал он как-то раз, попробовав ломтик. — Видишь, теперь ты сможешь готовить себе еду, когда тебе будет сто лет.

— Это что еще значит — готовить себе еду? — спросил я его. — Тебе придется меня кормить. — И он улыбнулся мне печальной, странной улыбкой и ничего не сказал, а я поскорее сменил тему, чтобы он не успел ответить, а мне не пришлось притворяться, будто я не услышал. Я всегда старался сослаться на будущее, строить планы на годы вперед, чтобы он согласился на них, а я бы получил право требовать исполнения обещаний. Но он был осторожен и никогда ничего не обещал.

— Нам надо вместе пойти позаниматься музыкой, — сказал я ему, смутно представляя, что имею в виду.

Он чуть-чуть улыбнулся.

— Наверное, — сказал он. — Конечно. Обсудим. — Но ничего более решительного не говорил.

После уроков кулинарии мы шли гулять. Если мы были в загородном доме, то шли по тропинке, которую проложил Малкольм: мимо того места в лесу, где мне когда-то пришлось оставить его под деревом в судорогах боли, мимо первой скамьи, мимо второй и третьей. У второй скамьи мы всегда останавливались, садились и отдыхали. Ему не нужен был привал, не так, как это бывало раньше, и шли мы так медленно, что я тоже мог обойтись без отдыха. Но мы всегда церемониально задерживались на этом месте, потому что именно отсюда дом был лучше всего виден, помнишь? Малкольм там срубил несколько деревьев, так что, когда сидишь на скамье, открывается отличный вид на дом, а если выйти на заднее крыльцо дома — сразу видишь скамью. "Какой красивый дом", — говорил я всегда и всегда надеялся, что он понимает, что именно я в это вкладываю: что я горжусь им, горжусь домом, который он построил, и жизнью, которую он построил в этом доме.

Однажды, примерно через месяц после того, как мы все вернулись из Италии, мы сидели на той скамье, и он сказал:

— Как ты думаешь, он был со мной счастлив?

Сказал так тихо, что я думал, мне показалось, но потом он на меня взглянул, и я понял, что нет, не показалось.

— Конечно, — сказал я ему. — Я знаю, что он был счастлив.

Он помотал головой.

— Я столького не делал, — сказал он наконец.

Не знаю, что он имел в виду, но на мое мнение это не повлияло.

— Что бы это ни было, не важно, — сказал я, — я знаю, что он был счастлив с тобой. Он мне говорил. — Тут он посмотрел на меня. — Я знаю, — повторил я. — Я знаю.

(Ты никогда мне этого не говорил, во всяком случае напрямую, но я уверен, что ты меня простишь; уверен, что простишь. Я уверен, что ты бы ждал от меня именно таких слов.)

В другой раз он сказал:

— Доктор Ломан считает, что мне надо тебе всякое рассказывать.

— Что рассказывать? — спросил я, не глядя ему в глаза.

— О том, что я такое, — сказал он, помолчал и поправил себя: — Кто я такой.

— Ну, — сказал я наконец, — я был бы очень рад. Я бы хотел больше знать про тебя.

На это он улыбнулся:

— Это странно звучит, нет? "Больше знать про тебя". Мы с тобой так долго уже друг друга знаем.

Во время таких диалогов мне всегда казалось, что, даже если тут не может быть какой-то одной конкретной верной реплики, неверная реплика все же существует и после нее он больше никогда ничего не скажет, так что я постоянно пытался вычислить, что это за реплика, чтобы ее избежать.

— Это правда, — сказал я. — Но про тебя мне всегда хотелось знать больше.

Он быстро взглянул на меня и снова перевел взгляд на дом.

— Хорошо, — сказал он, — я, может быть, попробую. Может быть, что-нибудь напишу.

— Спасибо, — сказал я. — Когда почувствуешь, что готов.

— Это дело небыстрое, — сказал он.

— Ничего, — сказал я. — Я буду ждать сколько захочешь.

Небыстрое дело — это хорошо, подумал я: это значит, что на протяжении скольких-то лет он будет пытаться понять, что он хочет сказать, и хотя это будут тяжелые, мучительные годы, по крайней мере он будет жить. Вот что я подумал: что я предпочел бы, чтобы он страдал и жил, чем чтобы умер.

Но в результате ему не понадобилось так уж много времени. Дело было в феврале, примерно через год после того, как мы на него насели. Речь шла о том, что, если до мая включительно его вес будет в норме, мы перестанем за ним пристально следить и он сможет не ходить больше к доктору Ломану, если захочет, хотя мы с Энди оба считали, что надо продолжать. Но мы больше не сможем навязывать ему это решение. В то воскресенье мы остались в городе и после урока кулинарии на Грин-стрит (террин из спаржи и артишоков) пошли на нашу традиционную прогулку.

День был студеный, но безветренный, и мы шагали на юг по Грин-стрит, пока она не перешла в Черч-стрит, а потом все дальше и дальше, через Трайбеку, по Уолл-стрит и почти до самой оконечности острова, где мы постояли, глядя на плеск серых речных волн. А потом мы повернули и пошли на север той же дорогой: Тринити-стрит, Черч, Грин. Он был тих весь день, задумчив и молчалив, а я болтал: рассказывал ему про одного мужчину средних лет, с которым познакомился в центре занятости, беженца из Тибета, который был на пару лет старше его; он был врач и рассылал документы, чтобы поступить в какую-нибудь из американских медицинских школ.

— Это вызывает восхищение, — сказал он. — Трудно все начать сначала.

— Трудно, — согласился я. — Но ты тоже начал все сначала, Джуд. Ты тоже вызываешь восхищение. — Он бросил на меня взгляд, потом посмотрел в сторону. — Серьезно, — сказал я. Я вспомнил одну прогулку — это было примерно через год после того, как его выписали из больницы, где он лежал после попытки самоубийства, он был у нас в Труро.

— Я хочу, чтобы ты назвал мне три вещи, в которых, по твоему мнению, тебе нет равных, — сказал я ему, когда мы уселись на песок, и он устало фыркнул, надув щеки.

— Не надо сейчас, Гарольд, — сказал он.

— Пожалуйста, — сказал я. — Три вещи. Три вещи, которые ты делаешь лучше всех, и я от тебя отстану. — Но он думал, думал и так ничего и не мог придумать, и на фоне его молчания я что-то запаниковал.

— Ну три вещи, которые ты делаешь хорошо, — уточнил я. — Три вещи, которые тебе нравятся в себе. — Тут я уже практически умолял его. — Что угодно, — сказал я ему, — что угодно.

— Я высокий, — сказал он наконец. — Ну, так, выше среднего.

— Высокий — это хорошо, — сказал я, хотя и надеялся на что-то другое, что-то более определяющее. Но я приму этот ответ, решил я: и на него-то у него ушло слишком много времени.

— Еще две.

Но он не мог больше ничего придумать. Я видел, что он мучается и краснеет, и в конце концов заговорил о чем-то другом.

А теперь, пока мы шагали через Трайбеку, он походя упомянул, что ему предложили возглавить фирму.

— Господи, — сказал я, — это же потрясающе, Джуд. Господи. Поздравляю.

Он коротко кивнул.

— Но я откажусь, — сказал он, и я застыл, как громом пораженный. После всего, что он отдал чертову "Розен Притчарду", после всех этих часов, всех этих лет — он откажется?

Он посмотрел на меня.

— Я думал, ты обрадуешься, — сказал он, и я помотал головой.

— Нет, — сказал я ему. — Я знаю, какое… какое удовлетворение тебе приносит эта работа. Я не хочу, чтобы ты думал, что я не одобряю того, что ты делаешь, что я не горжусь тобой. — Он ничего не сказал. — Почему ты собираешься отказаться? — спросил я его. — Из тебя получится отличный директор. Ты рожден для этого.

Тут его передернуло — не знаю почему, — и он отвернулся.

— Нет, — сказал он. — Не думаю, что буду хорошим директором. Насколько я понимаю, это и так была спорная идея. А потом… — Он начал и замолчал. Почему-то идти мы тоже перестали, как будто разговор и движение были несовместимы, и так некоторое время простояли на ветру. — А потом, — сказал он, — я решил, что через год-другой уйду из фирмы. — Он взглянул на меня, словно проверял, как я отреагирую, а потом посмотрел наверх, в небо. — Я думал, может, поеду путешествовать, — сказал он, но голос его был сух и безрадостен, как будто его насильно выталкивали в далекую и нежеланную ссылку. — Я бы мог уехать, — сказал он почти про себя. — Есть места, где мне нужно побывать.

Я не знал, что сказать, и продолжал буравить его взглядом.

— Я мог бы поехать с тобой, — прошептал я, и он пришел в себя и посмотрел на меня.

— Да! — сказал он, и это прозвучало так уверенно, что мне стало легче. — Да, ты мог бы поехать со мной. Или вы с Джулией могли бы приезжать и где-то ко мне присоединяться.

Мы двинулись дальше.

— Я вовсе не хочу, чтобы ты без веских причин откладывал свою вторую карьеру, карьеру путешественника, — сказал я, — но мне кажется, тебе стоит как следует подумать о предложении "Розен Притчард". Может быть, возглавишь фирму на несколько лет, а потом валяй на Балеарские острова, или в Мозамбик, или куда ты там хочешь отправиться. — Я знал, что если он примет предложение, то не покончит с собой; чувство ответственности не позволит ему оставить дела незавершенными. — Хорошо? — сказал я ему.

Тогда он улыбнулся своей прежней, яркой, красивой улыбкой.

— Хорошо, Гарольд, — сказал он. — Я обещаю еще подумать.

Мы уже были всего в нескольких кварталах от дома, и я понял, что мы вступаем на Лиспенард-стрит.

— О господи, — сказал я, стараясь использовать по максимуму его хорошее настроение, поддержать нас обоих на плаву. — Вот она, колыбель моих кошмаров: Худшая в Мире Квартира.

И он засмеялся, и мы свернули направо с Черч-стрит и прошли полквартала вниз по Лиспенард, пока не оказались перед вашим старым домом. Я еще сколько-то поворчал про квартиру, про то, какая она была ужасная, преувеличивая и приукрашивая для пущего эффекта, чтобы он посмеялся и поспорил.

— Я всегда боялся, что ее охватит огонь и вы оба погибнете, — сказал я. — Мне снилось, что мне звонят техники аварийных служб и сообщают, что вас до смерти загрызли полчища крыс.

— Да не все было уж так ужасно, Гарольд, — сказал он с улыбкой. — Я вообще с большой нежностью вспоминаю эту квартиру. — И тут настроение опять сменилось: мы оба стояли, смотрели на дом и думали о тебе, о нем, обо всех годах, протекших до этого мгновения от того дня, когда я впервые увидел его, такого молодого, ужасно молодого, и тогда это был просто еще один студент, невероятно умный и интеллектуально развитый, но не более того, не тот человек, которым он потом стал для меня, — об этом я и помыслить не мог.

А потом он сказал — он тоже старался, чтобы мне стало легче, мы оба исполняли такую пьесу друг для друга:

— А я тебе когда-нибудь рассказывал, как мы спрыгнули с крыши к пожарному выходу возле нашей спальни?

— Что? — спросил я, охваченный неподдельным ужасом. — Нет, никогда не рассказывал. Такое я бы запомнил.

Но хотя я никогда не мог представить, кем он для меня станет, я знал, как он меня покинет; несмотря на все мои надежды, мольбы, намеки, угрозы, заклинания — я знал. И пять месяцев спустя — двенадцатого июня, в день, с которым не было связано никаких годовщин, пустой, проходной день — он это сделал. Зазвонил телефон, и хотя дело было не посреди ночи и никаких предзнаменований вроде бы не было, я все понял, я сразу все понял.

Это был Джей-Би, и он странно дышал — быстро, прерывисто, и еще до того, как он сказал хоть слово, я все понял. Ему было пятьдесят три — двух месяцев не прошло с его дня рождения. Он закачал себе в артерию воздух и спровоцировал инсульт, и хотя Энди сказал мне, что такая смерть наступает быстро и безболезненно, я потом почитал про это в сети и обнаружил, что Энди мне солгал: судя по всему, ему пришлось колоть себя как минимум дважды, иглой с диаметром как клюв колибри; судя по всему, это было мучительно.

Когда я наконец оказался в его квартире, там все было очень аккуратно, вещи в кабинете упакованы в ящики, холодильник абсолютно пуст, и все — завещание, письма — аккуратно разложено рядами на обеденном столе, как карточки с именами на свадьбе. Ричард, Джей-Би, Энди, все твои и его старинные друзья были тут постоянно, бродили, сталкивались, в ужасе, но без изумления, удивляясь только нашему собственному удивлению, опустошенные, подавленные и главное — беспомощные. Упустили ли мы что-нибудь? Могли ли что-то сделать иначе? После мемориальной службы, где были толпы народу: его друзья, твои друзья, их родители и прочие родственники, его однокашники по юридической школе, его клиенты, сотрудники и клиенты арт-фонда, руководство передвижной кухни, множество работников "Розен Притчард", бывших и нынешних, в том числе и Мередит, которая пришла с почти совершенно дезориентированным Люсьеном (он, как это ни жестоко, жив до сих пор, хотя и обретается теперь в доме инвалидов в Коннектикуте), наши друзья и те, кого я не ожидал увидеть, Кит и Эмиль, и Филиппа, и Робин, — Энди подошел ко мне в слезах и признался, что, по его мнению, все пошло наперекосяк с тех пор, как он сказал ему, что уходит на пенсию, и что это он во всем виноват. Я даже и не знал, что Энди собирается на пенсию — мне он ни разу об этом не говорил, — но я постарался утешить его и сказал, что он не виноват, нисколько не виноват, что он всегда его поддерживал, что я всегда ему доверял.

— По крайней мере, Виллема с нами нет, — сказали мы друг другу. — По крайней мере, Виллем этого не увидел.

Хотя, конечно, если бы ты был тут, разве он не остался бы тоже?

Пусть я и не могу сказать, что не знал, как он умрет, могу тем не менее сказать, что я очень многого не знал, совсем не знал, до конца не знал. Я не знал, что Энди умрет три года спустя от инфаркта, а Ричард — еще через два года, от рака мозга. Вы все умерли такими молодыми: ты, Малкольм, он. Илайджа, от инсульта, в шестьдесят; Ситизен, тоже в шестьдесят, от пневмонии. В конце концов остался — и остается — только Джей-Би, которому он завещал дом в Гаррисоне и которого мы часто видим — там, или в городе, или в Кеймбридже. У Джей-Би теперь постоянный партнер, очень положительный человек по имени Томаш, эксперт по средневековому японскому искусству, работает в "Сотби", он нам очень нравится; я знаю, что и тебе, и ему он бы тоже понравился. И хотя мне жалко себя и всех нас (а как иначе), мне часто больше всего жалко Джей-Би, лишенного вас всех, брошенного в ранние годы своей старости на произвол судьбы — конечно, с новыми друзьями, но без большинства друзей, знавших его с детства. По крайней мере, я знаю его с двадцати двух лет; не все эти годы мы общались, но кто считает.

Теперь Джей-Би шестьдесят один, а мне восемьдесят четыре; его нет шесть лет, а тебя — девять. Последняя выставка Джей-Би называлась "Джуд, соло" и состояла из пятнадцати картин, изображавших только его, изображавших вымышленные мгновения тех нескольких лет после твоей смерти, тех почти трех лет, когда он как-то удерживался на плаву без тебя. Я пытался, но так и не смог себя заставить на них взглянуть; пытаюсь, пытаюсь, не могу.

Были и другие вещи, которых я не знал. Он был прав: мы переехали в Нью-Йорк только ради него, и, разобравшись с его наследством — душеприказчиком выступал Ричард, но я ему помогал, — мы вернулись домой в Кеймбридж, чтобы быть поближе к людям, которые давным-давно знают *нас*. Я был по горло сыт уборкой и разборкой — вместе с Ричардом, Джей-Би и Энди мы перерыли все его личные бумаги (их было немного), одежду (от одного этого разрывалось сердце: его пиджаки становились все уже и уже) и твою одежду, да еще разобрали твои бумаги в Фонарном доме, и на это ушло много дней, потому что мы все время прерывались и плакали, или неразборчиво восклицали, или передавали друг другу фотографию, которую раньше не видели, — но когда мы вернулись домой, домой в Кеймбридж, стремление к упорядочиванию уже вошло в привычку, и как-то в субботу я принялся чистить от пыли и грязи книжные шкафы, но потерял интерес к этому масштабному проекту, как только нашел между двумя плотно прижатыми друг к другу книгами два конверта с нашими именами на них, написанными его почерком. Я открыл свой конверт, сердце колотилось как бешеное, и увидел свое имя — *Дорогой Гарольд*, — и прочитал записку, написанную несколько десятилетий назад, в день его усыновления, и заплакал, зарыдал, честно говоря, а потом вставил диск в компьютер и услышал его голос, и хотя я расплакался бы в любом случае от красоты этого голоса, я плакал еще горше от того, что это его голос. А потом Джулия пришла домой, увидела меня, прочла свою записку, и мы плакали снова.

И только через несколько недель после этого я набрался сил и открыл письмо, которое он оставил нам на обеденном столе. Я не мог к нему подступиться раньше; я не был уверен, что смогу теперь. Но пришлось. Письмо было на восьми машинописных страницах, и это была исповедь — про брата Луку, про доктора Трейлора и про то, что с ним произошло. Мы потратили несколько дней на то, чтобы его прочитать, — оно было короткое, но при этом бесконечное, и нам приходилось все время откладывать эти страницы, отстраняться от них, а потом подбадривать друг друга — ну что, давай? — садиться и еще немного читать.

“Прости, — писал он. — Пожалуйста, прости меня. Я никогда не хотел вводить тебя в заблуждение”.

Я так и не знаю, что сказать об этом письме, я по-прежнему не могу о нем думать. Я так хотел получить ответы на свои вопросы — кто он такой, почему он такой, — а теперь эти ответы только мучают меня. Он умер таким одиноким — и об этом я почти не могу думать; он умер в уверенности, что обязан извиниться перед нами, — это еще хуже; он умер, упорно веря всему, что ему вбили в голову, — после тебя, после меня, после всех нас, всех, кто так его любил, — и тут уже я начинаю думать, что жизнь моя оказалась напрасна, что я провалил единственное, что в ней было по-настоящему важного. В такие минуты я чаще всего обращаюсь к тебе; посреди ночи я спускаюсь на первый этаж и стою перед полотном “Виллем слушает, как Джуд рассказывает историю”, которое теперь висит над нашим обеденным столом. “Виллем, — говорю я тебе, — ты понимаешь, что я чувствую? Как ты думаешь, он был со мной счастлив?” Потому что он заслуживал счастья. Нам никто этого не гарантирует, никому — но он его заслуживал. Но ты только улыбаешься, и не мне, а мимо меня, и никогда не даешь ответа. И тогда мне хочется поверить в какую-то жизнь после жизни, в то, что в другой вселенной, на какой-нибудь маленькой красной планете, где у нас хвосты вместо ног, где мы плаваем в атмосфере как тюлени, где сам воздух дает пропитание, потому что состоит из триллионов молекул белка и сахара и достаточно открыть рот и вдохнуть, чтобы жить и не болеть, может быть, там вы вместе и плывете по волнам местного климата. Или, может быть, он еще ближе: может быть, он — тот серый кот, который повадился сидеть перед соседским домом и мурлыкать, когда я протягиваю к нему руку; может быть, он — маленький щенок, которого другой мой сосед ведет на поводке; может быть, он — ребенок, которого несколько месяцев назад я видел на городской площади, он бежал, вопя от радости, и родители, отдуваясь, едва поспевали за ним; может быть, он — цветок, что внезапно расцвел на кусте рододендрона, который я давно уж считал захиревшим; может быть, он — вон то облако, та волна, тот дождь, тот туман. Дело же не только в том, что он умер или как он умер; дело еще в том, во что он верил, умирая. Поэтому я стараюсь любить все, что вижу, и во всем, что вижу, я вижу его.

Но тогда, стоя на Лиспенард-стрит, я многого не знал. Тогда мы просто стояли и смотрели на здание из красного кирпича, и я делал вид, что мне никогда не приходилось за него бояться, а он позволял мне притворяться: будто все опасные действия, все способы разбить мое сердце остались в прошлом, превратились в материал для веселых историй, будто время за нашими плечами было пугающим, а оставшееся нам время — нет.

— Ты спрыгнул с крыши? — повторил я за ним. — Господи, зачем же ты это сделал?

— Это хорошая история, — сказал он и даже широко улыбнулся. — Я расскажу.

— Расскажи, — попросил я.

И он рассказал.

Благодарности

Моя огромная благодарность Мэтью Байотто, Джанет Нежад Бэнд, Стиву Блатцу, Карен Синорре, Майклу Гуэну, Питеру Костанту, Сэму Леви, Дермоту Линчу и Барри Таху за то, что они делились со мной знаниями и опытом в архитектуре, юриспруденции, медицине и кинематографии. Особая благодарность — Дагласу Икли за его эрудицию и терпение и Присцилле Икли, Дрю Ли, Аймиру Линчу, Сету Мнукину, Расселу Перро, Уитни Робинсону, Мэрисью Руччи, Рональду и Сьюзен Янагихаре за безоговорочную поддержку.

Моя глубочайшая благодарность блестящему Майклу "Биттер" Дайксу, Кейт Максвелл и Кайе Перине за радость, которую они привносят в мою жизнь, и Керри Лауэрману за уют. Я давно считала Йосси Мило, Эвана Смоука, Стивена Моррисона и Криса Аптона образцами поведения во всем, что касается любви; есть много причин, по которым я их уважаю и люблю.

Я благодарна верному и преданному Джерри Говарду и невероятному Рави Мирчандани, которые вложили столько щедрости и усилий в жизнь этой книги, Эндрю Кидду за его веру, Энне Стейн О'Салливан за ее терпение, равновесие и постоянство. Спасибо всем, кто помог этой книге появиться на свет, особенно Лекси Блум, Алексу Хойту, Джереми Медине, Биллу Томасу и наследникам Питера Худжара.

Завершить мне хотелось бы самым важным: я не только не смогла бы, но никогда не решилась бы написать эту книгу, если бы не Джаред Холт, мой первый и любимый читатель, тайный хранитель и Звезда Севера — если бы не наши беседы, не его доброта, благородство, приятие, снисходительность и мудрость. Его драгоценная дружба — главный дар моей взрослой жизни.

Послесловие переводчиков

——

Роман Ханьи Янагихары "Маленькая жизнь" не отпускает ни когда ты прочитал все эти 700 страниц, ни даже когда ты их перевел. Хочется больше узнать об авторе, о чем-то доспросить, понять, как строилось это сложное здание. У переводчиков была счастливая возможность задавать вопросы Ханье Янагихаре и настоятельная необходимость разбираться в структуре романа, читать интервью и рецензии, прослеживать путь героев по карте Нью-Йорка, искать в сети упоминаемые картины и фотографии; и мы хотели бы поделиться с читателями тем, что узнали и поняли.

Это послесловие должно также хотя бы отчасти компенсировать отсутствие сносок и комментариев в тексте. Это было сознательное решение — автор то и дело смешивает реальное и вымышленное, настоящее и будущее, вступая с читателем в сложную игру, которая не терпит вмешательства и подсказок.

Но теперь, когда книга прочитана, мы можем о ней поговорить.

Об авторе

Ханья Янагихара родилась в Лос-Анджелесе в 1974 году. Ее отец, родом с Гавайских островов — врач (гематолог-онколог), мать родилась в Южной Корее. Отцу не сиделось на месте, и семья переезжала за ним вслед из города в город — с Гавайских островов в Нью-Йорк, из Нью-Йорка в Балтимор, из Балтимора в Мэриленд, из Мэриленда в Калифорнию, из Калифорнии в Техас. Дочь врача, Ханья Янагихара всегда интересовалась человеческим телом и болезнью, ее клинически-отстраненное отношение к страшному, по всей видимости, сформировалось под влиянием отца (например, когда дочь захотела научиться рисовать, он попросил приятельницу-патологоанатома разрешить девочке зарисовывать трупы в морге).

Ханья Янагихара окончила Смит-колледж, частный независимый университет свободных искусств для женщин, расположенный в Массачусетсе, и переехала в Нью-Йорк, где сначала работала агентом по связям с общественностью, а затем перешла в журнал *Conde Nast Traveler*. Она много писала о гостиницах и путешествовала по всему миру, хотя по ее рассказам понятно, что это не такая завидная доля, как может показаться: журнал выделял деньги на номера в пятизвездочных отелях, но больше не давал практически никаких суточных, поэтому роскошную жизнь получалось вести только впроголодь. Через некоторое время Янагихара стала редактором, в 2015 году перешла на работу в журнал *T: The New York Times Style Magazine*, а позже, после успеха "Маленькой жизни", оставила и эту должность.

О книгах

Ханья Янагихара написала две книги.

В 2013 году вышел ее дебютный роман. Он назывался "Люди на деревьях" (хотя точно перевести заглавие *The People in the Trees* еще сложнее, чем *A Little Life*) и был отчасти основан на жизни и карьере вирусолога Дэниела К. Гайдушека, лауреата Нобелевской премии по физиологии и медицине 1976 года, с которым ее отец был знаком. Гайдушек открыл возбудителя неизлечимой неврологической болезни куру и показал, что это инфекционное заболевание; кроме того, за время своей работы он привез с тихоокеанских островов 56 детей, в основном мальчиков, и помог им получить среднее и высшее образование. Один из этих мальчиков впоследствии обвинил Гайдушека в развратных действиях, и, заключив со следствием сделку о признании вины, Гайдушек провел год в тюрьме, после чего уехал в Европу, где и жил до смерти в 2008 году. Герой романа Янагихары Нортон Перина открывает тайну долголетия тихоокеанского племени у'иву. Перина, как и Гайдушек, усыновляет множество детей племени, один из которых, Виктор, впоследствии обвиняет его в сексуальных домогательствах. Этой темой первый роман связан со вторым, хотя две книги настолько разные, насколько только можно себе представить.

Роман был встречен с восторгом; *New York Times* написала, что Янагихарой следует восхищаться, британская *Guardian* назвала книгу "впечатляющим дебютом". Тем не менее в тот момент она не стала бестселлером и настоящей славы писательнице не принесла. На это понадобилось еще некоторое время.

Если первую книгу Янагихара писала двенадцать лет, то вторая заняла у нее чуть больше восемнадцати месяцев, но это было время лихорадочной, интенсивной работы. Она писала "Маленькую жизнь" без отрыва от основной редакторской деятельности, по вечерам и выходным, испытывая такое же погружение в процесс, как ее герой Джей-Би: "Когда он работал над картиной, ему казалось, будто он взмывает вверх, будто мир с галереями, вечеринками, другими художниками и их амбициями сужается под ним до крохотной точки, делается таким маленьким, что можно отбросить его, будто футбольный мяч, одним ударом ноги и глядеть, как он, вертясь, улетает на какую-то дальнюю орбиту, до которой ему нет никакого дела".

Роман вышел в марте 2015 года и — неожиданно для издательства *Doubleday* и для автора — оказался бестселлером. Рецензии, которые на этот раз были опубликованы буквально во всех литературных изданиях, тоже в основном высоко оценивали книгу — хотя в этом хоре несколько голосов высказали противоположные мнения. В частности, Дэниел Мендельсон, критик *New York Review of Books,* жестко осудил техническое построение романа, сцены насилия, которые он счел избыточными, и вообще изображение гомосексуальных отношений (предположительно) негомосексуальным автором. Но подобные нападки потонули в хоре похвал. "Маленькая жизнь" вошла в короткие списки нескольких престижных премий и получила одну из них *(Kirkus Prize in Fiction).*

"Маленькая жизнь"

Среди разноречивых откликов на "Маленькую жизнь" есть такие, которые вызывают недоумение. Пересказы сюжета в рецензиях сбивают с толку, хочется сказать рецензенту: роман совсем не об этом. Но дело, конечно, в том, что, как всякая большая хорошая книга, "Маленькая жизнь" рассказывает каждому о своем.

Одни критики увидели в ней великий гей-роман и оттого удивляются, что в книге не затронута тема СПИДа. Другие, социально ориентированные критики упрекают автора, что речь идет исключительно о привилегированных жителях Нью-Йорка (хотя из четырех главных героев в эту категорию попадает разве что Малкольм, да и то не без оговорок). Третьи пытаются читать "Маленькую жизнь" как реалистическое произведение и оттого возмущаются бурным карьерным ростом всех четверых героев (так не бывает!) и тем, что в романе вообще не упоминаются значимые политические события (незначительные, впрочем, тоже). Трудно даже представить себе, какой поднялся бы шум, если бы Ханья Янагихара выполнила свое изначальное намерение и написала роман, в котором вообще нет женщин.

Это намерение автора связано с тем, что для самой Ханьи Янагихары жанр романа хотя бы отчасти определяется как волшебная сказка. "В сказках всегда нет матерей", — говорит она. Может быть, именно поэтому наиболее значительный женский персонаж — Ана — почти сразу же умирает. Мир мужчин интересен автору прежде всего тем, что у них нет языка для описания эмоций, в особенности эмоций, связанных со страхом, стыдом, горем, пережитым насилием. Янагихара говорит, что женщины гораздо больше мужчин подготовлены к сексуальному принуждению того или иного рода, они умеют говорить о пережитом, умеют анализировать чувства; мужчины же беспомощны в своей немоте.

Другая "сказочная" черта романа — его герметичность. В нем не найдешь упоминаний о президентских выборах, о терактах и войнах. Мы видим лишь те вещественные черты окружающего мира, которые имеют непосредственное отношение к героям: улицы, по которым они ходят (география Нью-Йорка описана с большой точностью), еду, которую они едят (о еде автор пишет много и подробно, неискушенному читателю будут незнакомы некоторые названия блюд), дизайн их квартир, подробности ремесла. На персонажей как будто направлен луч прожектора, все остальное остается в темноте. Янагихара неоднократно упоминает эту свою стратегию — заставить читателя полностью погрузиться в мир героев, увязнуть в нем, словно в зыбучем песке.

В романе вообще нет ничего случайного. При всей своей эмоциональной силе он просчитан с математической точностью, продуман холодной и ясной головой, в нем нет упущений — только намерения. Например, время. Когда происходит действие? Прямых указаний на это нет, но отдельные детали позволяют заключить, что детство героев приходится на первое десятилетие XXI века (когда брат Лука забирает Джуда из монастыря, у него уже есть с собой переносной компьютер с возможностью подключения к интернету), а это значит, что их взрослая жизнь происходит в будущем. При этом мы не видим никаких новых технических достижений, жизнь в 2030, 2040 году никак не отличается от нашей сегодняшней жизни.

Особым образом описывается мир искусства: американская художественная сцена начала XXI века показана довольно подробно и реалистично, а музыкальная описана кратко, скорее пародийно и без упоминаний реальных коллективов или музыкантов. (Это, конечно, не относится к классической музыке, которой занимается Джуд.) Так же обстоит дело с кинематографом: фильмов, особенно в связи с профессией Виллема, упоминается много, некоторые довольно подробно описаны, но все они сняты в неопределенном будущем и поэтому придуманы автором. С литературой стратегия еще более сложная: написанные до сих пор произведения упоминаются с именем автора, а те, которые не написаны для нас, но существуют в мире героев (типа биографии Розалинд Франклин) упомянуты абстрактно, без подробностей.

Особенно важны для книги визуальные искусства. Как утверждает автор, роман начался для нее с коллекции изображений, которую она собирала годами. В этой коллекции — фотоколлажи Райана Макгинли, где обнаженные молодые люди чувствуют себя свободно, в ладу со своими телами (и это самоощущение Виллема и Джей-Би); странные существа Джоффри Чедси, олицетворяющие для Янагихары саму суть мужского начала; неуютные страшноватые номера мотелей на фотографиях Тодда Хидо (это опыт Джуда, и он отчасти связан с детскими воспоминаниями автора: Янагихара тоже провела значительную часть детства в пути, в мотелях). Почти все упоминаемые художники и произведения, за исключением произведений героев, существуют на самом деле, и когда Джей-Би сравнивает Виллема и Джуда с героями картины Джона Каррена ("Домашняя паста"), это далеко не случайное сравнение. Мы можем себе довольно точно представить внешность отца Малкольма, поскольку "он как будто сошел с одной из фотографий Эдварда Кертиса, и они так и называли его: Вождь".

Почти все эти фотографии, коллажи и картины можно найти в интернете; кроме того, Янагихара ведет аккаунт в Инстаграме (но не пользуется другими социальными сетями, а также не читает рецензий на свои произведения).

Реальное и воображаемое смешивается порой в одном абзаце. Например, родители Малкольма хвастаются перед друзьями достижениями детей: дочь работает в престижном издательстве "Фаррар, Страус и Жиру" (реально существующем), сын — в крупной архитектурной фирме "Ратстар" (выдуманной).

С точки зрения языка и синтаксиса роман тоже достаточно сложно сконструирован. Порой прямо на середине беседы героев вдруг начинается флэшбэк, и мы надолго погружаемся в прошлое, чтобы потом снова вынырнуть в настоящем времени, посреди все того же прерванного разговора. Каждая часть романа написана с точки зрения кого-то из героев, хотя прямая речь от первого лица достается только Гарольду. В остальном тексте мы узнаем, из чьей внутренней перспективы ведется рассказ, по тому, что главный персонаж отрывка называется "он", а не по имени. В случае с Джудом этот принцип выдерживается без исключений (в его отрывках по имени Джуда могут называть только другие персонажи). Для англоязычной литературы такой прием не нов — его употребляет одна из любимых писательниц Янагихары, Хилари Мантел. Порой этот прием затемняет смысл — не всегда понятно, какой именно "он" имеется в виду; на русском языке ситуация становится еще сложнее. Тем не менее мы приняли решение не упрощать оригинал и следовать той структуре, которую задает автор.

Новые мушкетеры

Но чему же все-таки служат эти сложные построения, весь этот тщательно обустроенный мир? Для Янагихары это во многом книга о дружбе. Она говорит, что книга написана для двух людей: для нее самой и ее лучшего друга (которому и посвящена).

И в самом деле, может быть, со времен "Трех мушкетеров" не было романа, где любовь так бесцеремонно оттеснялась бы на задний план, где бы не было ничего важнее товарищества четырех очень разных мужчин, их неколебимой преданности друг другу — Атос, Портос, Арамис, Д'Артаньян. Виллем, Джей-Би, Малкольм, Джуд.

Попытки прочитать роман как любовную историю Виллема и Джуда терпят неудачу. Собственно, и сами герои пытаются прочитать ее так, пока не обнаруживают, что пришли к новой форме отношений, развивающей тему дружбы, а не тему любви. "Но теперь они придумывают свой собственный тип отношений, который официально не признан историей, о котором не сложили стихов и песен, но который не стреноживает их, позволяет быть честными".

Эта тема созвучна жизни автора и ее друзей, нью-йоркских интеллектуалов, которые открывают для себя новые формы взрослой жизни, часто не включающие в себя семью и детей. "Я всегда жила одна, — говорит Янагихара, — я никогда не хотела семьи".

Но дружба в "Маленькой жизни", хоть и становится ядром существования всех героев (в том числе и тех, кто живет вполне традиционной семейной жизнью), все же не всесильна; книга рассказывает нам не только о силе дружбы, но и о ее слабости, недостаточности, хрупкости. Есть травмы, которые нельзя преодолеть, говорит автор, есть то, что нельзя исправить.

В "Маленькой жизни" все кажется преувеличенным — невероятные страдания Джуда, страшные сцены насилия (Янагихара боролась с издателем за то, чтобы ничего не смягчать, ни от чего не избавлять читателя), великая и всепоглощающая дружба, беспросветная мерзость мотелей, нездешняя роскошь всех этих огромных квартир, ванн из кипариса и полов из серебристого мрамора. И эта избыточность тоже рассчитана, задумана с самого начала — из преувеличенных страданий и радостей, которые бьют через край, внезапно возникает удивительно правдивая картина маленькой, единственной человеческой жизни, одновременно прекрасной и безнадежной.

■

Лишив читателя примечаний, мы не упомянули переводчиков ряда цитат, что уж совсем невозможно в русской традиции. Переводы из "Одиссеи" Гомера даны в версии В. А. Жуковского. Герои Арнольда Лобела Квак и Жаб называются так в переводе Евгении Канищевой.

Разносторонние интересы автора заставили нас искать помощи специалистов в самых разных областях. Мы хотели бы поблагодарить галериста Лизу Савину, гастрономического критика Анну Кукулину, гастрономического журналиста Марианну Орлинкову, журналиста и гастронома Сергея Пархоменко, юриста Дмитрия Шабельникова, музыкантов Екатерину Поспелову, Юлиану Шеину, Викторию Добровинскую, математика Олега Попова и физика Евгения Гельфера, биологов Якова Журинского и Леонида Неймарка, врачей Владимира Капустина и Дмитрия Родионова, киноведа Виктора Зацепина и многих других за помощь в переводе терминов и понятий.

Особую благодарность мы хотим принести Ханье Янагихаре за быстрые, полные и в высшей степени полезные ответы на все переводческие вопросы, которых, конечно, в ходе длительной коллективной работы накопилось немало.

Все возможные ошибки и неточности остаются на нашей совести.

Виктор Сонькин, Александра Борисенко, Анастасия Завозова

corpus 406
литературно-художественное издание

Ханья Янагихара
МАЛЕНЬКАЯ ЖИЗНЬ

Главный редактор Варвара Горностаева
Художник Андрей Бондаренко
Редактор Екатерина Владимирская
Ответственный за выпуск Зульфия Гридина
Технический редактор Наталья Герасимова
Корректор Лилия Цинман
Верстка Марат Зинуллин

Общероссийский классификатор продукции
ОК-034-2014 (КПЕС 2008);
58.11.1 — книги, брошюры печатные

Подписано в печать 07.04.2023. Формат 70×100 1/16
Бумага офсетная. Гарнитура *Swift C*
Печать офсетная. Усл. печ. л. 55,74
Доп. тираж 7000 экз. Заказ № 3244

Отпечатано в соответствии с предоставленными материалами
в АО "Первая Образцовая типография",
Филиал "УЛЬЯНОВСКИЙ ДОМ ПЕЧАТИ"
432980, г. Ульяновск, ул. Гончарова, 14

Произведено в Российской Федерации в 2023 г.
Изготовитель — ООО "Издательство АСТ"

ООО "Издательство АСТ"
129085, г. Москва, Звёздный бульвар, дом 21, строение 1, комната 705, пом. 1, 7 этаж
Контактный адрес электронной почты: ask@ast.ru

"Баспа Аста" деген ООО
129085, Мәскеу қ., Звёздный бульвары, 21-үй, 1-құрылыс, 705-бөлме, I жай, 7-қабат
Біздің электрондық мекенжайымыз: ask@ast.ru

Интернет-магазин: www.book24.kz
Импортер в Республику Казахстан ТОО "РДЦ-Алматы"
Дистрибьютор и представитель по приему претензий на продукцию
в Республике Казахстан: ТОО "РДЦ-Алматы"

Интернет-дүкен: www.book24.kz
Қазақстан Республикасындағы импорттаушы "РДЦ-Алматы" ЖШС
Қазақстан Республикасында дистрибьютор және өнім бойынша арыз-талаптарды
қабылдаушының өкілі "РДЦ-Алматы" ЖШС
050039 Алматы қ., Домбровский көш., 3 "а", литер Б, офис 1
Тел.: +7 (727) 251-59-89, 90, 91, 92, факс: +7 (727) 251-58-12, доб. 107
E-mail: RDC-Almaty@eksmo.kz
Өнімнің жарамдылық мерзімі шектелмеген

По вопросам оптовой покупки книг обращаться по адресу:
123317 г. Москва, Пресненская наб., д. 6, строение 2, БЦ "Империя", а/я №5
Тел.: +7 (499) 951-60-00, доб. 574
E-mail: opt@ast.ru

18+

СОДЕРЖИТ НЕЦЕНЗУРНУЮ БРАНЬ